Natur och Kulturs HANDlexikon

Svensk ■ Engelskt

Svensk ■ Engelskt

O. R. Reuter

Printed in Sweden
AB Kopia, Stockholm 1973

ISBN 91-27-71286-9

ANVISNINGAR

Av utrymmesskäl ha mera tillfälliga, men dock vanliga sammansättningar, som kunna bildas enligt angivna mönster, utelämnats, t. ex. **autografsamlare** autograph collector, **bajonettexercis** bayonet drill, **krigsriskförsäkring** war risk insurance, **smörexport** butter export.

Likaså ha ofta vissa ordtyper utelämnats, vilkas bildning inte stöter på några svårigheter, t. ex. verbalsubstantiv på -ande, -ende, -ing, när de regelbundet motsvaras av engelska bildningar på *-ing,* vidare en del subst. på -are, adj. på -lös och adverb, då de bildas med tillägg av eng. *-ly.*

Sammansatta verb av typen **avstiga, nedbrinna, kvarstanna** sökas under de enkla verben eller under partiklarna **av, ned, kvar.**

Betydelsenyanserna hos avledda ord anges inte alltid, utan de få sökas under grundorden, t. ex. **stelhet** under **stel.**

Prepositionsuttryck sökas dels under respektive prepositioner, dels under de substantiv, adjektiv och verb med vilka de förbindas.

När ett *äv.* utsättes framför ett engelskt ord eller uttryck betyder detta dels, att en direkt översättning även kunde användas, dels, att ordet eller uttrycket är ovanligare eller friare översatt än förut angivna alternativ.

Bindestreck i sammansatta engelska ord har i allmänhet utsatts enligt *Concise Oxford Dictionary,* men någon konsekvens har lika litet uppnåtts som i engelska ordböcker, vare sig de författats av engelsmän eller amerikanare. Sammansatta perfekt particip av typen *torn out* skrivas i regel utan bindestreck som predikatsfyllnad, med bindestreck som attribut. Vanligen har endast det ena fallet medtagits.

TECKENFÖRKLARING

~ ersätter hela föregående uppslagsord tryckt med feststil, t. ex. **sak,** *~en är den, att (= saken är den, att).*

\- ersätter den del av uppslagsordet, som står till vänster, resp. till höger om tecknet || eller |, t. ex. **dubb|el,** *-la,* eller hela huvuduppslagsordet i sammansättningar.

|| avskiljer den del av huvuduppslagsordet, som är gemensam för alla uppslagsord uppförda i samma stycke.

| skiljer ett sammansatt ords två leder, t. ex. **mils|lång,** eller avskiljer den del av ett ord, till vilken böjnings- eller avledningsleder tillfogas, t. ex. **sag|d,** *som -t var.*

[ ] omsluter ord eller delar av ord som kunna uteslutas, t. ex. **sodavatten** soda [water], vilket betyder, att ordet kan heta ‘soda’ eller ‘soda water’; **attraktion [skraft** power of] attraction betyder, att **attraktion** heter ‘attraction’, **attraktionskraft** ‘power of attraction’.

( ) omsluter liktydiga eller alternativa ord, t. ex. *mol allena (ensam)* entirely (all) alone; *mol allena* eller *mol ensam* heter således ‘entirely alone’ eller ‘all alone’; **träd||stam (-stubbe)** tree-trunk (-stump) betyder att **trädstam** heter ‘tree-trunk’ och **trädstubbe** ‘tree-stump’.

⁅ ⁆ sättes omkring en upplysning, en konstruktion eller ett exempel, även kring den del av ett exempel som inte översatts.

.. i slutet av eller inuti en fras anger, att frasen avbrutits eller att en satsdel (vanligen objektet) är underförstådd, t. ex. **förtiga** keep .. secret. Vid verb sammansatta med betonade partiklar har detta inte alltid angivits.

.. efter ett engelskt adjektiv eller adjektiviskt uttryck anger, att detta endast användes attributivt, t. ex. .. *av ek* oak ..; detta betyder, att ‘oak’ härvid endast står attributivt, t. ex. ‘oak table’.

&c vid sammansättningar och avledningar hänvisar till vid grundordet eller tidigare sammansättning givna varianter.

F = vardagsspråk.
S = slang.
⊕ = teknisk (mekanisk) term.

FÖRKORTNINGAR

a adjektiv
absol. absolut
abstr abstrakt
adj. adjektiv(isk)
adv adverb
allm. i allmän betydelse
Am. i Amerika
anat. anatomi
a p. a person, någon
ark. arkitektur
arkeol. arkeologi
art. artikel
astron. astronomi
a th. a thing, något
attr. attribut(ivt)
bank. bankterm
best bestämd
bet. betydelse
beton. betonad
bibl. biblisk, i bibeln
bildl. bildlig(t)
biol. biologi
bokbind bokbinderiterm
bokf. bokföringsterm
boktr. boktryckarkonst
bot. botanik
brandv. brandväsen
brygg. bryggeriterm
byggn. byggnadskonst
börs. börsterm
demonstr. demonstrativ
dep deponens
determ. determinativ
dipl. diplomati
d. o. detta ord
dyl. dylik(t)
eg. (i) egentlig (bemärkelse)
ekon. ekonomi
el. eller
elektr. elektrisk term
eng. engelska
Engl. i England
ex. exempel
film. filmterm
filos. filosofi
fisk. fiskeriterm
flyg. flygterm
fotb. fotboll
foto. fototerm
fr. franska
fysiol. fysiologi
fäktn. fäktning
följ. följande
föreg. föregående
fören. förenad
förk. förkortat
försäkr. försäkringsväsen
gen. genitiv
geol. geologi
geom. geometri
gjut. gjuteriterm
gm genom
gram. grammatik
gruv. gruvterm
gymn. gymnastik
hand. handel(sterm)
hattmak. hattmakeri
her. heraldik
hist. historia, historiskt
hjälpv. hjälpverb
ibl. ibland
imperf. imperfekt
indef. indefinit
inf. infinitiv
interr. interrogativ
iron. ironiskt
is. i synnerhet
it. italienska
itj interjektion
itr intransitivt verb
jakt. jaktterm
jfr jämför
jordbr. jordbruk
jur. juridik
järnv. järnvägsterm
kem. kemi
kir. kirurgi
kok. kokkonst
koll kollektiv(t)
komp. komparativ
konj konjunktion
konkr konkret
konst. konstterm
kortsp. kortspel
kyrkl. kyrklig term
lantbr. lantbruk
lantm. lantmäteri
lat. latin
likn. liknande
litt. litterär stil
log. logik
läk. läkarterm
m. med
mat. matematik
mek. mekanik
met. metallurgi
meteor. meteorologi
mil. militärterm
min. mineralogi
mod. modern
mots. motsats
motsv. motsvarande
mus. musik
mytol. mytologi
mål. målarkonst
naturv. naturvetenskap
neds. nedsättande
nek. nekande

ngn	någon
ngt	något
npr	egennamn
o.	och
obest.	obestämd
obet.	obetonad
obj.	objekt
oböjl.	oböjlig
o. d.	och dylikt
opers	opersonlig(t)
opt.	optik
ordspr.	ordspråk
o. s	oneself
o.'s	one's
p	particip
parl.	parlamentarisk term
part.	partikel
pass.	passiv form
pers.	person
pl	pluralis
poet.	poetisk(t)
polis.	polisterm
polit.	politik
poss.	possessiv
post.	postväsen
pp.	perfekt particip
predik.	predikativ(t)
prep	preposition
pres.	presens
pron	pronomen
psyk.	psykologi
radio.	radioterm
recipr.	reciprok
reg.	regelbunden
rel(at).	relativ
relig.	religion
resp.	respektive
ret.	retoriskt
rfl	reflexivt verb
ridk.	ridkonst
räkn.	räkneord
s	substantiv
sg	singularis
självst.	självständig(t)
sjö.	sjöterm
skeppsb.	skeppsbyggnadsterm
skog.	skogsvård
skol.	skolterm
skom.	skomakarterm
skämts.	skämtsam(t)
sms	sammansättning(ar)
snick.	snickeriterm
spel.	spelterm
sport.	sportterm
språkv.	språkvetenskap
subj.	subjekt
subst.	substantiv
superl.	superlativ
sv.	svenska
särsk.	särskilt
sömn.	sömnad
tandl.	tandläkarterm
teat.	teater
tel.	telefon
telegr.	telegraf
telev.	television
tr	transitivt verb
trädg.	trädgårdskonst
ty.	tyska
typ.	typografisk term
ung.	ungefär
univ.	universitetsterm
uttr.	uttryck
vanl.	vanligen
vb	verb
vetensk.	vetenskaplig term
veter.	veterinärterm
väv.	vävterm
zool.	zoologi
åld.	ålderdomligt
äv.	även

A

a a; [. . *s*] ~ *och o* [the] alpha and omega [of . .]; *har man sagt a får man också säga b* in for a penny, in for a pound; *~-ljud* a-sound
à *prep* **1** at; *aktier ~ fem pund stycket* shares at five pounds apiece **2** to *tre ~ fyra gånger* three to four times; *15 ~ 20 droppar* from 15 to 20 drops
abbedissa abbess
abborr‖e perch **-nate** pondweed
abbot abbot **-s|döme -stift** abbacy
abc ABC **-bok** ABC-book, spelling-book
abdiker‖a *itr* abdicate **-ing** abdication
aber but; *ett ~* a drawback, **F** a snag
Abessin‖ien Abyssinia **a-ier a-sk** *a* Abyssinian
abiturient matric[ulation] candidate **-klass** matric class
abnorm *a* abnormal **-itet** abnormality, abnormity **-skola** school for defectives **-t** *adv* abnormally
abonn‖emang subscription [*på* to] **-emangs|-avgift** subscription fee **-emangs|biljett** season ticket **-emangs|föreställning** season-ticket performance **-emangs|villkor** terms of subscription **-ent** subscriber; *äv. teat. o. d.* [season] ticket-holder **-era** *itr* subscribe [*på* to]; *~d* [vagn] reserved
abort abortion **-iv|medel** abortifacient
abrupt *a* abrupt
absid *byggn.* apse; *astron.* apsis
absol‖ut **I** *a* absolute; [*en*] *~ majoritet* an absolute majority; *en ~ omöjlighet* an utter impossibility **II** *adv* absolutely, utterly; *~ inte* not on any account; *den ~ bästa* absolutely the best; *säga ~ nej till . .* refuse . . point blank; *~ vilja göra . .* insist on doing . ., mean to do . . at all costs (hazards); *jag har ~ inte råd till det* I absolutely can't afford it **-ution** absolution **-utism** **1** absolutism **2** [helnykterhet] teetotalism, total abstinence **-utist** **1** absolutist **2** teetotaller, total abstainer **-vera** *tr* absolve [*från* from]; pass [an examination]
absor‖bera *tr* absorb **-ption[s|förmåga** power of] absorption
abstr‖ahera *tr* o. *itr* abstract; *~ från* disregard **-ahering** *s* abstraction; disregarding **-akt** **I** *a* abstract **II** *adv* abstractly, in the abstract **-aktion** abstraction
absurd *a* absurd, preposterous **-itet** absurdity
acceler‖ation acceleration **-ationsförmåga** acceleration ability **-era** *tr* o. *itr* accelerate
accent accent; [tonvikt] stress; *musikalisk ~* intonation **-tecken** accent, stress-mark **-uera** *tr* accentuate, stress **-uering** accentuation, stress
accept acceptance; *konkr äv.* accepted bill [of exchange]; *vägra ~* refuse acceptance, dishonour a bill (cheque) by non-acceptance **-abel** *a* acceptable; [nöjaktig] passable **-ant** acceptor **-era** *tr* accept, agree to; *~s* [på växel] accepted **-ering** acceptance **-vägran** refusal to accept, non-acceptance
accessionskatalog accessions catalogue, cumulative book-list
accis excise [duty]
acetyl‖en[gas] acetylene [gas] **-salicylsyra** acetylsalicylic acid
ack *itj* oh [dear]! [högre stil] alas! *~ om jag vore* would that I were
ackja Laplander's sledge
acklamation, *med ~* by acclamation
acklimatiser‖a **I** *tr* acclimatize **II** *rfl* become acclimatized; [friare] begin to feel at home **-ing** acclimat[izat]ion
ackommod‖ation[s|förmåga power of] accommodation **-ations|växel** accommodation bill **-era** *tr* [*rfl*] accommodate [o. s.] [*efter* to]
ackompanj‖atris -atör accompan[y]ist **-emang** accompaniment; *under ~ av* to the accompaniment of **-era** *tr* accompany
ackord **1** *mus.* chord **2** [överenskommelse] agreement (contract) [*på* for]; *arbeta på ~* work by contract; *träffa ~* make an agreement, come to an arrangement; *åtaga sig . på ~* undertake . . on a contract **3** *hand.* [med kreditorer] composition; *erbjuda 50 %* *~* offer a composition of 10 shillings in the pound; *göra ~* make (come to) a composition **-era** *itr* **1** negotiate [*om* about], bargain [*om* for] **2** *hand.* compound (arrange) [*med* with] **-s|arbete** contract work, piece-work; *ett ~* (*äv.*) a contract job **-s|avtal** *hand.* [med kreditorer] deed of arrangement **-s|lön** piece wages (rates) *pl* **-s|uppgörelse** piece contract
ackreditera *tr* **1** *dipl.* accredit [*hos, vid* to] **2** *hand.* open a credit for . . [*hos en bank* at a bank] **3** [friare] *vara väl ~d hos ngn* be in a person's good books
ackumul‖ator accumulator, storage battery **-era** *tr* o. *itr* accumulate
ackusativ[objekt] accusative [object]
ackuschörska accoucheuse *fr.*, midwife
ackvisition acquisition **-s|chef** *försäkr.* insurance superintendent
adams‖dräkt, *i ~* in the garb of nature **-äpple** Adam's apple
add‖end addendum **-era** *tr* add [up]; *absol. äv.* do sums **-ition** addition **-itions|maskin** adding machine **-itions|tecken** plus sign
adekvat *a* adequate, equivalent
adel [börd] noble, of noble birth; [ädelhet] nobility; [klass] *~n* the Nobility, the nobles; the Aristocracy; *Engl. äv.* the peerage; *vara av gammal ~* belong to the old nobility **-s|brev** charter of nobility **-s|dam** noblewoman, titled lady **-s|kalender** peerage [book] **-skap** nobility **-s|man** noble[man], titled gentleman **-s|privilegier** privileges of the nobility **-s|välde** aristocracy
adept adept; [nybörjare] tyro, novice
aderton eighteen **-de** eighteenth, 18th **-[de]del** eighteenth part **-hundra** eighteen hundred; *~åttio* eighteen [hundred and] eighty; *på ~åttiotalet* in the eighties [of [the] last century] **-hundratalet,** *på ~* in the nineteenth century **-årig** *a* eighteen-year old; [t. ex. vänskap] of eighteen years' standing; *en ~ flicka* a girl of eighteen **-åring** jfr *fem-*
adhesion adhesion
adjektiv‖[attribut] adjective [attribute] **-isk** *a* adjectival, adjective
adjun‖gera *tr* call . . in; *~d ledamot* additional member **-kt** *skol. ung.* secondary school teacher; [pastors-] *Engl.* curate
adjutant aide[-de-camp], ADC [*pl* aides-de-camp] [*hos* to]
adjö **I** *itj* good-bye; [högre stil] farewell, adieu; *äv.* good day (morning o. s. v.); *~ med dig* bye-bye; *~ så länge* so long **II** *s* farewell, adieu; *säga ~ åt ngn* (*äv.*) bid a p. good-bye, take leave of a p.
adl‖a *tr* ennoble *äv. bildl.*; *Engl.* raise to the peerage, [lågadel] make . . a baronet (knight) **-ig** *a* noble, aristocratic; *äv.* titled;

~ *krona* (~*t vapen*) nobleman's coronet (coat of arms); *det ~a ståndet* the Nobility
administr||ation administration; *polit. äv.* executive [government]; *under ~* (*hand.*) in the hands of a receiver **-ations|kostnader** general (office) expenses **-ativ** *a* administrative, executive; *på ~ väg* (*Engl.*) by [an] order of Council **-ator** administrator **-era** *tr* administrate, manage
admonition admonition, caution
ad notam *lat., taga* . . ~ take . . to heart
adopt||era *tr* adopt **-ering** adoption **-iv|barn** adopted child **-iv|föräldrar** adoptive parents **-iv|land** country of one's adoption
adrenalin *läk.* adrenaline; *Am.* suprarenine
adress address; *äv.* direction; *nå sin ~* reach its destination; *ändrad ~* change of address; *adr. Hr X* c/o (care of) Mr. X; *under Eder värda ~* (*hand.*) c/o your goodselves; *har oriktig ~* (*bildl.*) is aimed at the wrong person; [*uttalande*] *med direkt ~ till oss* . . obviously aimed at us; [*anmärkningar*] *med tydlig ~* . . with obvious implication **-at** addressee **-byrå** inquiry office **-era** *tr* address (direct) [*till* to] **-erings|maskin** addressograph **-förändring** change of address **-kalender** directory **-lapp** [address (luggage)] label; [address] tag
Adriatiska havet the Adriatic [Sea]
A-dur A major
advent Advent **-ist** Adventist
adverb adverb; *modalt ~* adverb of manner **-ial** adverbial [phrase] **-iell** *a* adverbial
advocera *itr* **1** plead [*för* for; *emot* against] **2** quibble [*bort* away]
advokat lawyer; [skotsk] advocate; *Am. äv.* attorney; *Engl.* [juridiskt ombud] solicitor; [sakförare vid domstol] barrister, counsel **-byrå** lawyer's office **-firma** firm of solicitors **-knep** legal quibble **-stånd** legal profession **-yr** quibbling, casuistry **-yrke** profession of a lawyer; *slå sig på ~t* go in for the law
aero||dynamik aerodynamics *sg* **-dynamisk** *a* aerodynamic **-gram** aerogram **-naut** aeronaut **-nautisk** *a* aeronautic[al] **-plan** aeroplane, airplane, aircraft
affekt [state of] emotion **-era** *tr* affect; *~d* affected **-fri** *a* unaffected **-ion** affection **-ions|värde** sentimental value
affisch bill; [större] poster, placard; [mindre] handbill; *teat.* playbill **-era** *tr* placard, advertise **-ering** bill-posting (-sticking); *~ förbjuden!* stick no bills!
affrikata *språkv.* affricate, affricative consonant
affär 1 *hand.* business (*äv.* ~*er*); [transaktion] [business] transaction, stroke of business, deal; [lokal] shop; *Am.* store; *en ~ på* . . a transaction running to . .; *det är ingen ~* there's no money in it, it's no (not a) business proposition; *det blev ingen ~ av* we (&c) did not come to terms; *~erna ligga nere* business (trade) is dull (slack); *hur går det med ~erna?* how is business? *göra en god* (*dålig*) *~* do a good (bad) stroke of business, strike a good (bad) bargain; *ha dåliga ~er* be in financial difficulties; *ha goda ~er* be prospering, be well off; *göra ~er* transact (do) business; *göra ~er i* . . do business in . .; be in the . . trade; *ha ~er med* do business (have dealings) with; *sköta en ~ a*) [rörelse] manage a business; *b*) [transaktion] attend to a matter [of business]; *sätta upp en ~* start (establish) a business; *göra upp ~en a*) settle the transaction, strike a bargain; *b*) *bildl.* settle accounts; *opålitlig i ~er* unreliable in business matters; *tala om ~er* talk [about] business, **F** talk shop **2** [angelägenhet] concern, affair; *sköt du dina ~er* mind your own business; *blanda sig i andras ~er* meddle with other people's affairs, interfere **3** [sak] business, affair; *en obehaglig ~* an unpleasant affair **4** [väsen] fuss, ado; *göra stor ~ av ngt* (*ngn*) make a great fuss about something (of a p.)
affärs||angelägenheter business matters **-anställd** *s* shop assistant **-bank** commercial bank **-blick** [an] eye for business **-brev** business letter **-förbindelse** business connection (*pl äv.* relations) **-företag** business [enterprise], concern **-gata** shopping street **-hemlighet** trade secret **-hus** firm **-idkare** tradesman, [kvinnl.] tradeswoman **-innehavare** proprietor, shopkeeper **-intresse** business interest **-korrespondens** commercial (business) correspondence **-kännedom** knowledge of business **-lokal** business premises *pl*, shop **-läge 1** [lokalitet] business site **2** [konjunktur] condition of the market **-man** business man; *bli ~* go into business **-moral** commercial morality **-mässig** *a* businesslike **-resa** business trip **-rörelse** business **-sinne** business instinct[s *pl*] **-ställning** business (financial) standing **-vana** business experience (routine) **-verksamhet** business activity; *driva ~* carry on [some] business **-växel** commercial draft, trade bill **-överlåtelse** transfer of a (the) business
aforism aphorism
Afrika Africa **a~nare a~nsk** *a* African
afton evening [*vanl. äv.* i *sms*]; *poet.* even; [helgdags-] eve; *i ~* this evening, to-night; *i går ~* yesterday evening, last night; *härom ~en* the other evening; *mot ~en* towards evening; *på ~en* in the evening; *från morgon till ~* (*äv.*) from dawn to dusk; *det lider mot ~en* the day is drawing to a close **-bön** evening prayers *pl* **-klänning** evening dress **-måltid** evening meal, supper **-rodnad** sunset glow **-skola** night-school **-stämning** evening effect **-sång** evensong, evening service **-underhållning** evening entertainment (program[me])
aga I *s* flogging, caning **II** *tr* flog, cane; *den Herren älskar den ~r han* the Lord loveth whom he chasteneth
agat[sten] agate [stone]
agave agave, American aloe
ag||ent agent **-entur** agency **-entur|affär** [general] agency, commission business **-era** *itr* o. *tr* act; *~ sjuk* act the invalid; *~ herre* play the gentleman; *de ~nde* the performers
agg grudge, rancour; *hysa ~ mot ngn* bear a p. a grudge; have a grudge against a p.
agglomerat agglomerate
aggregat aggregate; *elektr.* set **-ions|tillstånd** state of aggregation
aggressiv *a* aggressive **-itet** aggressiveness
agio *hand.* agio **-tage** agiotage
agit||ation agitation **-ations|möte** propaganda meeting **-ations|resa** campaign; *företa en ~* campaign the country **-ator** agitator, propagandist; [val-] stump orator **-atorisk** *a* agitatorial **-era** *itr* agitate [*för* for]; [vid val] [do] canvass[ing]; *~ upp* stir up, incite
1 agn [säd] husk; *~ar* (*äv.*) chaff *sg*; *som ~ar för vinden* as chaff before the wind; *skilja ~arna från vetet* sift the wheat from the chaff
2 agn [fiske] bait, gudgeon **-a** *tr* bait
agnost||iker -isk *a* agnostic
agraff agraffe, clasp

agrar -isk *a* agrarian **-parti** Agrarian (Farmers') Party
agremanger *pl* [behag] amenities; [bekvämligheter] material comforts; [prydnader] ornaments
agr||ikultur agriculture **-onom** agronomist, agricultural expert
ah *itj* oh! **-a** *itj* aha! oho!
aiss A sharp
aj *itj* ah! ~~! oh dear, oh dear!
ajourner||a *tr* o. *rfl* adjourn **-ing** adjournment
akacia acacia, *Am.* locust-tree
akademi academy; university **-ker** academician; university don **-sk** *a* academic[al]; university [*grad* degree]; ~ *medborgare* member of the university; *~t läsår* academic year **-skt** *adv* academically; ~ *bildad* (*äv.*) with a university education (college training) **-staten** the university teaching staff
akantus acanthus
akilles||häl (-sena) Achilles['] heel (tendon)
akleja columbine
akrobat acrobat **-flygning** freak flying, aerobatics *pl* **-ik** acrobatism **-isk** *a* acrobatic **-stycke (-trupp)** acrobatic feat (troupe)
akro||matisk *a* achromatic **-stikon** acrostic
akt 1 [handling] act; [förrättning] ceremony **2** *teat.* o. *bildl.* act **3** *konst.* [art] nude **4** [urkund] document **5** *förklara i* ~ proscribe, outlaw **6** [uppmärksamhet] attention; *giv ~!* attention! *stå i giv* ~ stand at attention; *ge noga ~ på* pay careful attention to, mind; *gav du ~ på?* did you notice (see)? *ta tiden i* ~ make use of one's time; *ta tillfället i* ~ seize (avail o. s. of) the opportunity; *ta sig i* ~ be on one's guard [*för* against], take care [*för att vara* not to be] **7** *i ~ och mening att* for the purpose of (with a view to) [..ing]
akt||a I *tr* **1** [ta vård om] take care of; [skydda] guard (protect) [*för* from]; [vara aktsam med] be careful with; ~ *huvudet* mind (*Am.* watch) your head; *~s för stötar!* [to be handled] with care! *~s för väta!* to be kept dry! **2** [värdera] esteem, respect **II** *itr.* ~ *på* have (pay) regard to, heed [*varningar* warnings] **III** *rfl* take care (be careful) [*för att göra* not to do]; be on one's guard [*för* against], be on the lookout [*för* for]; *~ er!* take care! look out! *~ er för* [*hunden, tåget*] look out for .., beware of ..; *jag ~r mig nog* I'll take good care of myself **-ad** *a* respected, esteemed
akter I *adv, ~ifrån* from the stern; *~om* astern of, abaft; *~ut* astern, aft; *~över* astern **II** *s* stern; *från fören till ~n* from stem to stern **-däck** after-deck; [halvdäck] quarter-deck **-kajuta** after-cabin **-lanterna** stern (*flyg.* tail) light **-lig** *a, ~ vind* leading (stern) wind **-lucka** after hatchway **-sta** *a* the sternmost (aftermost) **-stag** afterpart **-spegel** stern **-st** *adv* furthest astern **-sta** *a* the sternmost (aftermost) **-stag** afterstay **-städerska** saloon stewardess **-stäv** stern[-post]
aktie share, *koll* stock; *en ~ på 10 pund* a ten pound share; *ha ~r i* hold shares in; ~ *ställd på innehavaren* bearer share; ~ *ställd på viss person* registered share; *emittera ~r* issue shares; *teckna ~r* subscribe for shares; *höja sina ~r hos ..* (*bildl.*) improve one's standing with ..; *hans ~r stå ganska högt* he stands well (his stock is high) [*hos* with] **-bank** joint-stock bank **-bolag** joint-stock [*med begränsad ansvarighet* limited liability] company; *Am. äv.* corporation; *~et* (*AB*) *S. & Co.* S. & Co., Limited (Ltd.) **-brev** share [certificate] **-emission** issue of shares **-kapital** share capital **-kupong** dividend warrant (coupon) **-köp** purchase of shares, stock investment **-majoritet** majority of the shares **-teckning** subscription for shares **-ägare** shareholder, stockholder
aktion action **-s|bas** basis of action **-s|radie** radius (range) of action; *flyg.* cruising range
aktionär se *aktieägare*
aktiv *a* active **-a** *s pl hand.* assets **-ism** activism **-ist** activist **-itet** activity
aktning respect, [allmän] esteem; [hänsyn] regard [*för* for], deference [*för* to]; *förvärva sig* ~ make o.s. respected; *hysa ~ för* feel respect for; *åtnjuta allmän* ~ enjoy public esteem; *av ~ för* out of consideration for, in deference to; *med all ~ för* [*Mr. Jones*] with all deference to .. **-s|bjudande** *a* commanding respect, imposing; [ansenlig] considerable **-s|full** *a* respectful **-s|värd** *a* entitled to (worthy of) respect; creditable [*försök* attempt]
akt||or *jur.* the Counsel for the prosecution **-ris** actress
aktsam *a* careful [*med, om* of] **-het** care[fulness]
aktstycke [official] document
aktuali||sera *tr* realize, actualize, make topical **-tet 1** [verklighet] actuality, reality **2** [intresse just nu] current (immediate, topical) interest, topicality
aktuarie *ung.* recording clerk, registrar[y]; [vid livförs.bol.] actuary
aktuell *a* of current (immediate) interest, topical; *en ~ fråga* (*äv.*) a burning issue, an urgent question (problem); *bli (göra) ~* come (bring) to the fore
aktör actor
akust||ik acoustics *pl*; *god* ~ good acoustics (acoustic properties) *pl* **-isk** *a* acoustic
akut I *a* acute **II** *s* acute [accent]
akvarell water-colour [drawing (painting)]; *i* ~ in water-colours **-färg** water-colour **-målare** water-colour painter
akva||rium aquarium **-vit** aqua vitae
akvedukt aqueduct
al alder
alabaster alabaster
aladåb aspic (galantine) [*på* of]
alarm alarm; [uppståndelse] hubbub; *slå* ~ sound (beat) the alarm **-anläggning** alarm system **-beredskap** state of alarm (alert) **-era** *tr* alarm, sound (give) the alarm; [uppskrämma] *äv.* frighten **-klocka** alar[u]m bell **-signal** alarm signal, *äv.* note of alarm; *flyg.* alert, air-raid warning **-trumma** alarm drum
alban||es -esisk *a* Albanian **A-ien** Albania
albatross albatross
alb||inism albinism **-ino** albino
Albion Albion; *det trolösa* ~ perfidious Albion
album album, scrap-book
aldrig *adv* **1** never; ~ *i livet* never in [all] my life; ~ *mera* never again, nevermore; ~ *någonsin* never once; *nästan* ~ hardly (scarcely) ever; *ännu* ~ never yet; *bättre sent än* ~ better late than never; *det här går ~ an* this will never do; ~ *en enda* not a single; *det kommer ~ i fråga* I won't hear of it (.. of such a thing); *det är väl ~ möjligt!* well, I never! **2** [koncessivt] *inte om du gav mig ~ det* not if you gave me ever so much; *som ~ det* like anything; ~ *så litet* the least little bit; *de må vara ~ så vänliga* however kind they are
alexandrin alexandrine
alf elf

alfabet alphabet **-isk** *a* alphabetical [*följd* order]
alfresko alfresco
alfågel long-tailed duck
alg alga [*pl* algae]
algebra algebra **-isk** *a* algebraic[al]
Alger Algiers **-iet** Algeria
alias alias
alibi [*bevisa sitt* prove (set up) an] alibi
alkali alkali **-salt** alkaline salt **-sk** *a* alkaline
alkem||i alchemy **-ist** alchemist
alkohol alcohol **-bolag,** *statens* ~ the State Alcohol Monopoly **-fri** *a* non-alcoholic **-förgiftad** *a* alcoholized, a victim of (se följ.) **-förgiftning** alcohol[ic] poisoning **-halt** alcoholic content (strength) **-haltig** *a* containing alcohol; *~a drycker* alcoholic beverages, *Am.* hard liquor **-ism** alcoholism **-ist** habitual drunkard, alcoholic **-ist|hem** inebriates' home, home for alcoholics **-missbruk** abuse of alcohol **-påverkad** *a* under the influence of drink
alkov alcove, recess **-säng** alcove bed
all I *pron* **1** *fören. a)* all; *av ~t hjärta* with all one's heart; *~a slags böcker* all kinds of books; *med ~ aktning* with [all] due respect; *en gång för ~a* once [and] for all; *hur i ~ världen ..?* how in [all] the world ..? however ..? *~t folket* the whole nation; *i ~a fall* at all events; anyhow; *b)* every; *~a dagar* every day; *på ~t sätt* in every way; *ha ~ anledning att (till)* have every reason to (for); *~a människor* everybody; *c)* [efter "utan, utom"] without any, beyond all; *utan ~ fråga* without any (beyond all) question; *utom ~t tvivel* without any (beyond all) doubt; *d) i ~ tysthet* in strict secrecy; *till ~ lycka* as luck would have it; *kors i ~a mina dagar!* my goodness! goodness gracious [me]! **2** *självst.* se *alla, allom, allt* **II** *predik. a* [slut] over, at an end, done; *min dag är ~* my day is past **III** *all-* [prefix före nationalitetsadj.] Pan-[American o. s. v.]
all||a *pron* **1** *fören.* se *all 1* **2** *självst. a)* all; *~ äro överens om* all are agreed; *~s krig mot ~* a war of all against all; *~s vår vän S.* S., the friend of all; **F** dear old S.; *b)* everybody; *~ tycka om honom* everybody likes him; *så säga ~* that's what everybody says; *c) en för ~ och ~ för en* jointly and severally **-a|redan** *adv* already **-bekant** *a* well-known **-daglig** *a* everyday; [friare] commonplace [*tankar* ideas] **-deles** *adv* **1** *allm.* entirely, quite; *äv.* altogether; *det glömde han ~* he quite (completely) forgot it; *det är att gå ~ för långt* that's going quite (altogether) too far **2** [starkare] absolutely [*omöjlig* impossible; *säker* certain], perfectly [*förtjusande* delightful; *rätt* right], completely [*häpen* taken aback] **3** all; *det är ~ slut* it is all done (over); *~ för tidigt* all too soon **4** [precis] exactly **5** *det gör ~ detsamma* it makes no difference whatever; *~ nyss* just now, not a moment ago; *ngt ~ särskilt* something very special **-denstund** *konj* inasmuch as
allé avenue, walk
allegor||i allegory **-isk** *a* allegorical
alle||handa I *a* .. of all sorts (kinds), all sorts of .., miscellaneous **II** *s* sundries *pl* **-na** *a* o. *adv* alone; *en olycka kommer sällan ~* misfortune rarely comes single **-na|rådande** *a* in sole control; [friare] universally prevailing; *vara ~* reign supreme **-nast** *adv* only
allerg||i allergy **-isk** *a* allergic
alle||r|nådigst *a* Most Gracious **-samman[s]** *pron* all of them (o. s. v.) **-städes** *adv* everywhere **-städes|närvarande** *a* omnipresent
all||farväg highroad; *på sidan om ~en* off the beaten track **-helgonadag** All Saints' Day **-härskare** absolute ruler
alli||ans alliance **-ans|fri** *a* uncommitted, non-alliance [policy] **-ans|politik** policy of alliances **-era** *rfl* ally o. s. [*med* to] **-erad I** *a* allied [*med* to]; [friare] connected [*med* with] **II** *s* ally; *de ~e* the Allies
alligator alligator
allihop *pron* all [of us (o. s. v.)], one and all
allitter||ation alliteration **-era** *itr* o. *tr* alliterate
allmakt omnipotence
allmoge country people (folk) *pl;* [i *sms vanl.*] peasant [*-dräkt* costume; *-konst* art] **-mål** dialect, rustic idiom **-stil** rustic (country) style **-stånd** peasantry
allmos|a alms; *~or* alms, charity *sg*
allmän *a* **1** [vanlig] common **2** [gemensam för största delen] general [*belåtenhet* satisfaction]; *~ idrott* [general] athletics *pl; som ~ regel* as a general rule; *i ~na ordalag* in general terms **3** [gällande för alla] universal [*bifall* approval; *rösträtt* suffrage] **4** [tillhörande det ~na, ~heten] public [*landsväg* highway; *kungörelse* notice; *åklagare* prosecutor]; *~na meningen* public opinion; *~na säkerheten* public safety; *det ~na bästa* the public weal (good); *av ~na medel* out of public funds; *på ~ bekostnad* at [the] public expense; *~na val* a general election **5** [gängse] current [*rykte* rumour], prevalent [*bruk* custom] **-anda** public spirit **-befinnande** general condition **-bildad** *a* well informed, widely read **-bildande** *a* educative, broadening to the mind **-bildning** [a] good all-round education **-fattlig** *a* intelligible to all **-giltig** *a* of universal application (validity) **-giltighet** universal applicability **-het 1** *i ~* in general, generally, as a rule **2** *~en* the public; *den bildade ~en* the educated classes *pl; den stora ~en* the general public, the public at large; *från ~en* [tidningsrubrik] Letters to the Editor **-mänsklig** *a* broadly humane **-nelig** *a* catholic, universal **-ning** common **-nyttig** *a* of public utility **-t** *adv* commonly, generally, universally; *en ~ känd sak* a matter of common knowledge; *~ omtyckt* popular with all; *~ utbredd* wide-spread
all||o -om, *i -o* in all respects; *hans allt i -om* his factotum (all in all); *det är inte -om givet* it is not given to everybody **-ra** *adv* **1** [partitivt] of all; *den ~ bästa* the best of all; *~ mest (minst)* most (least) of all; *~ helst* above all, rather, best of all; *det ~ heligaste* the Holy of Holies **2** [allm. förstärkn.] very; *av ~ största vikt* of the very greatest importance; *ej det ~ ringaste* not in the very least; *de ~ flesta* [..] the great majority [of ..]; *~ högst 20* 20 at the very most; *i ~ högsta grad* in (to) the highest possible degree; *med ~ största nöje* with the greatest possible pleasure; *med det ~ första* at the earliest possible opportunity; *enligt ~ sista modet* according to the latest fashion; *~ helst som* especially as **-ra|käresta** best beloved **-rådande** *a* omnipotent **-s** *adv, inte ~* not at all, **F** not a bit; *ingenting ~* nothing whatever; *inget besvär ~* no trouble whatever; *han är ~ inte dum* he is by no means a fool **-sidig** *a* all-round, comprehensive; *ägna en fråga ~ behandling* consider a question from every point of view **-sköns** *a, i ~ bekvämlighet* entirely at one's ease; *i ~ ro* in peace and quiet **-s|mäktig** *a* almighty,

omnipotent; *Gud* ~ God Almighty **-sång** community singing
allt I *pron* **1** *fören.* se *all 1* **2** *självst. a)* all; ~ *väl* all well; ~ *vad jag har* all [that] I have; ~ *som* ~ all told, all in all; *mitt* ~ *på jorden* all the world to me; *när* ~ *kommer omkring* after all; *efter* ~ *att döma* to all appearances, so far as can be judged; *framför* ~ above all; *b)* everything; ~ *annat* everything else; ~ *annat än* anything but; ~ *möjligt* everything conceivable; *i* ~ in every respect **II** *adv* **1** [förstärkande] ~ *bättre och bättre* better and better; *i* ~ *större utsträckning* to an ever increasing extent; ~ *efter* according to; ~ *eftersom* as; ~ *emellanåt* from time to time, every now and then; ~ *framgent* from this time on, henceforth; ~ *hitintills* up to now; ~ *igenom* all [the way] through, thoroughly; ~ *sedan dess* ever since then; ~ *som oftast* pretty (fairly) often; ~ *ännu* still **2** [nog] *det vore* ~ *bra* it would certainly be a splendid thing; *det där är* ~ *gott och väl* that's all very well, it's true; *du har* ~ *orätt* you are wrong, I'm sure **-betvingande** *a* all-conquering **-för** *adv* too, quite (altogether, far, much) too; *äv.* over- [he is over-ambitious]; *jag känner honom* ~ *väl* I know him all too well; *det gör jag blott* ~ *gärna* I shall be only too glad to do it
all||tid *adv* always, ever; *för* ~ for ever (good) **-ting** *pron* everything **-t|jämt** *adv* still, all the while; [ideligen] continually, constantly **-t|mer** *adv* more and more **-t|nog** *adv* in short, anyhow **-t|omfattande** *a* all-embracing **-t|sammans** *pron* all [of it (them)]; the whole lot [of it o. s. v.]; *jag är trött på* ~ I am fed up with the whole thing **-t|så** *adv* so; [följaktligen] accordingly, consequently **-t|uppoffrande** *a* self-sacrificing
allu||dera *itr* allude [*på* to] **-sion** allusion
allvar earnest, seriousness; [starkare] gravity; *på* [*fullt*] ~ in [real] earnest; *på fullaste* ~ in all seriousness; *det är mitt fulla* ~ it is my serious intention; *är det ert* ~? are you serious? *göra* ~ *av . .* set about . . in earnest; *mena* ~ have serious intentions, mean something seriously; *livets* ~ the seriousness of life; *situationens* ~ the gravity of the situation **-lig** *a* serious; grave [*kris* crisis]; ~ *strävan* earnest endeavour; ~*a föreställningar* earnest remonstrances; *se* ~ *ut* look grave, seem serious **-ligt** *adv* seriuosly; *äv.* [*ta ngt* take a thing] in earnest; ~ *sinnad* serious-minded; ~ *talat* joking apart **-sam** *a* serious; grave [*följder* consequences] **-s|mättad** *a* fraught with gravity **-s|ord** serious word
all||vetande *a* all-knowing, omniscient **-vetare** know-all **-ätare** omnivore
alm elm; *av* ~ (*äv.*) elmwood . .
almanacka almanac[k], calendar
aln ell **-s|bred** *a* ell-wide **-vis** *adv* by the ell
alp alp; *A*~*erna* the Alps **-bestigare** alpine climber **-flora** alpine flora **-inist** alpinist **-jägare** *mil.* Alpine rifleman **-ros** rhododendron **-sol** [*artificiell* artificial] mountain sun; sunlamp **-stav** alpenstock **-viol** sowbread
alruna mandrake
alst||er *konkr* product; [friare] production; *koll* produce **-ra** *tr* produce, bring forth, generate; engender [*hat* hatred]
alstring generation, production **-s|drift** generative instinct **-s|förmåga -s|kraft** generative (productive) power; productivity
alt *mus.* contralto
altan roof balcony; leads *pl*
altar||bord communion table **-e** altar **-kärl** *pl* sacred vessels **-rund** altar rails *pl*, chancel **-skåp** triptych, reredos **-tavla** altarpiece **-tjänst** altar service, liturgy
altern||ativ *s* o. *a* alternative **-era** *itr* alternate
alt||fiol viola **-flöjt** bass flute **-horn** tenor horn
altru||ism altruism **-ist** altruist **-istisk** *a* altruistic
aluminium alumin[i]um **-kastrull** aluminium saucepan
alun [potash] alum **-haltig** *a* aluminous
alv *lantbr.* subsoil
amalgam amalgam **-era** *tr* amalgamate
amanuens amanuensis; [i verk] principal clerk; [i bibliotek] assistant librarian
amazon Amazon **A~floden** the Amazon [River]
amatör amateur [*på* of, in] **-mässig** amateurish **-skap** amateurship **-spelare** *sport.* gentleman player, amateur **-teater** amateur theatricals *pl*
ambassad embassy **-ör** ambassador
ambiti||on ambition **-ons|sak,** *en* ~ *för honom* a thing he has set his ambition on, an ambition of his **-ös** *a* ambitious
ambul||ans ambulance **-ans|plan** ambulance plane **-ans|vagn** ambulance car **-erande** *a* ambulatory
amen *itj* o. *s* amen; *så säkert som* ~ *i kyrkan* as sure as doomsday
Amerik||a America; ~*s Förenta Stater* the United States of America **a-an[are] a-ansk** *a* American **a-anska 1** [språk] American English **2** American woman (lady) **a-aresa** journey (trip) to America
ametist amethyst
amfib||ie amphibian **-ie|[flyg]plan** amphibian [plane] **-isk** *a* amphibious
amfiteater amphitheatre
amiral admiral **-itet 1** body of admirals **2** ~*et* (*Engl.*) the Admiralty **-s|flagg** admiral's flag **-s|skepp** the admiral's ship
amma I *s* wet-nurse **II** *tr* nurse, suckle, feed
ammoniak ammoniac
ammunition ammunition **-s|brist** lack of ammunition **-s|fabrik (-s|förråd)** [am]munition works (stores, supply) **-s|vagn** ammunition truck
amnesti amnesty; *få* ~ obtain [an] amnesty; *ge* ~ *åt (äv.)* amnesty
amning nursing, suckling
a-moll A minor
amorin cupid
amorter||a *tr* amortize; ~ *ett lån* pay off a loan **-bar** *a* amortizable **-ing** amortizing: ~*ar* part payments **-ings|lån** amortization loan **-ings|villkor** amortization terms
1 amp|el *a*, *-la lovord* unstinted praise *sg* (encomiums), unqualified commendation *sg*
2 ampel hanging flower-basket (night-lamp)
amper *a* pungent, sharp, stinging
ampere ampère **-mätare** ammeter **-tal** amperage **-timme** ampère hour
ampull phial, ampoule
amputer||a *tr* amputate **-ing** amputation
amsaga nursery (old wives') tale, cock-and-bull story
amulett amulet, mascot, talisman
an I *prep* [på räkning] to **II** *adv*, *av och* ~ to and fro, up and down
ana *tr* have a presentiment (premonition, foreboding) [*en olycka* of a disaster]; forebode [*ont* evil]; divine [*ngns tankar* a p.'s thoughts]; suspect [*oråd* mischief]; *jag* ~*de det* I suspected as much; *som lät en* ~ (*äv.*) that hinted at; *intet ont* ~*nde* unsuspecting
anakronism anachronism
analfabet illiterate **-ism** illiteracy

analog *a* analogous [*med* to] **-i** analogy; *i ~ med* on the analogy of **-i|bildning** analogical formation **-isk** *a* analogical **-i|slut** analogism

ana||lys analysis [*pl* analyses] **-lysera** *tr* analyse **-lytiker** analyser **-lytisk** *a* analytic[al]

anamma *tr* **1** receive, accept; [nattvarden] partake of **2** *fan ~!* [to] hell with it! damn it! **3** [tillägna sig] appropriate, seize, **F** bag

ananas pine-apple **-skiva** slice of pine-apple

anapest anapæst

anark||i anarchy **-ist** anarchist **-istisk** *a* anarchical, anarchist

anatom anatomist **-i** anatomy **-i|sal** dissecting-room **-isk** *a* anatomical

an||befalla *tr* **1** [ålägga] enjoin [*ngn tystnad* silence upon a p.]; charge [*ngn att* a p. to] **2** [förorda] recommend **3** [anförtro] commend **-belanga** *tr, vad mig ~r* as far as I am concerned **-blick** sight; [festlig] appearance, aspect; *vid första ~en* at first sight **-bringa** *tr* fix; put up; [utrusta] fit; apply [*kraft* power]; [placera] place **-bringning[s-metod** method of] application **-bud** offer; *hand. äv.* tender; *få ~ på* [att sälja] have an offer for; [att köpa] have an offer of

anciennitet [*efter* by] seniority

and wild duck

anda = *ande 1, 2, 5*

andakt devotion; *med ~* in a devotional spirit **-s|bok** devotional manual **-s|full** *a* devotional; devout **-s|stund** devotional hour **-s|övningar** devotions

andas *dep tr* o. *itr* breathe, respire; *~ in* (*äv.*) inhale; *~ ut* exhale, *bildl.* breathe freely; *jag ~ lättare* it is a weight off my mind

and|e 1 *-a* [andedräkt, luft] breath; *med -an i halsen* out of breath; *draga (hålla, hämta, mista) -an* draw (hold, get, lose) one's breath; *allt som liv och -a har* everything that moves and breathes; *springa -an ur sig* run oneself out of breath; *ge upp -an* expire **2** [själ] spirit; [intelligens] mind, intellect; *~ns värld* the spiritual (intellectual) world; *de i ~n fattiga* the poor in spirit; *i -anom* in the spirit, in one's mind's eye **3** [väsen] spirit, ghost; *den Helige Ande* the Holy Ghost (Spirit); *en ond ~* an evil spirit; *ngns onda ~* a p.'s evil genius; *de avlidnas -ar* the spirits of the dead **4** [personlighet] spirit, mind; *stora -ar* master spirits (minds); *besläktad ~* kindred spirit **5** *-a* [stämning] spirit; tone, atmosphere; *tidens -a* the spirit of the age (times); *när -an faller på* when the spirit moves him (o. s. v.); *en god -a råder a)* a good tone (atmosphere) prevails; *b)* [bland trupperna] the troops are in excellent spirits, the morale among the troops is excellent **-besvärjare** raiser of spirits; exorcist **-besvärjelse** raising of spirits; exorcism **-drag** breath, respiration; *till sista ~et* to one's last breath **-dräkt** breath **-fattig** *a* [pers.] dull-brained, inane, fatuous; [sak] uninspired, jejune **-forskare** spiritual investigator

andel share **-s|bevis** share certificate **-s|handel (-s|mejeri)** cooperative store (dairy)

ande|mening spirit, inward sense

Anderna the Andes

Anders Andrew, *förk.* Andy

ande||skådare seer of visions, visionary **-skådning** visionary faculty, *äv.* second sight **-svag** *a* imbecile, feeble-minded **-tag** breath **-vetenskap** spiritual science **-värld** spirit[ual] world **-väsen** spirit[ual] being

and||fådd *a* breathless, out of breath; **F** winded, puffed **-fåddhet** breathlessness, shortness of breath **-hämtning** breathing, respiration

andjakt duck shooting

andlig *a* **1** [okroppslig] *a)* [själs-] spiritual [*liv* life, *värden* values]; *b)* [förstånds-] intellectual [*förmögenheter* powers]; mental [*arbete* work] **2** [ej världslig] spiritual [*ledare* leader]; *~a sånger (äv.)* spirituals; [kyrklig] ecclesiastical [*domstol* court]; [ej profan] sacred [*musik* music]; religious [*talare* speaker]; [prästerlig] clerical [*stånd* order]; *en ~* an ecclesiastic; *inträda i det ~a ståndet* take holy orders **-en** *adv* mentally, spiritually, intellectually **-het** spirituality, religiousness

and||lös *a* breathless **-ning** breathing, [*konstgjord* artificial] respiration **-nings|apparat** breathing apparatus; respirator **-nings|organ** respiratory organ **-nöd** difficulty in breathing

andra se *andre* o. *annan*

andrag||a *tr* advance, set forth; state [*sina skäl* one's reasons]; *~ till sitt försvar* plead in one's defence **-ande** advancing &c; statement

andra||grads- 1 *sms* of the second degree **-hands-** second-hand **-kammar-** of the Second Chamber **-klass-** second-class; [sekunda] second-rate **-klassist** second-form boy (girl) **-rangs-** second-rate

andr|e *-a* **I** *pron* = *annan* **II** *räkn.* second; *~ bibliotekarie* assistant librarian; *~ styrman* second mate; *för det -a* secondly, in the second place; *den -a juni* the second of June, [i brev] June 2nd, 2nd June; [*köpa ngt*] *i -a hand* .. second hand; *den (det) -a från slutet* the last but one; *ett -a hem* a second home; *i -a våningen* on the first floor **-pilot** copilot, second pilot

andrum breathing-room; *bildl.* breathing-space

an|dryg *a* pedigree-proud

and||truten = *andfådd* **-täppa** shortness of breath **-täppt** *a* short of breath; **F** short-winded

andäktig *a* devout, pious; [friare] attentive **-het** devoutness, piety, attentiveness **-t** *adv* devoutly &c; *höra ~ på vad ngn säger* hang upon a p.'s words (lips)

anekdot anecdote

anem||i an[a]emia **-isk** *a* an[a]emic

anemon anemone

aneroidbarometer aneroid barometer

anfall attack; assault, charge; *bildl.* [sjukdoms-] *äv.* fit; *ett ~ av sinnesförvirring (vredesmod)* a fit of mental aberration (anger); *övergå till ~* take up the offensive **-a** *tr* attack, assail; assault **-s|krig** aggressive war **-s|plan** plan of attack **-s|signal** signal for [the] attack **-s|vapen** offensive weapon **-s|vinkel** *flyg.* angle of incidence (attack) **-s|vis** *adv* aggressively; *gå ~ till väga* act on the aggressive **-s|våg** wave of attack

an||flygning approach **-fordran** demand; *att betalas vid ~* payable on demand **-frätning** erosion, corrosion **-frätt** *a* eaten into, corroded; [tand] decayed **-fäkta** *tr* harass, haunt, obsess; [tvivel] assail; *~s av* .. be a prey to .. **-fäktelse** tribulation [of spirit]; obsession

anför||a *tr* **1** [leda] lead, command; [orkester] conduct **2** [säga] state, say; allege [*som ursäkt* as an excuse]; *~ som skäl* give as a reason; *~ bevis för* adduce proofs of; *~ besvär* [present a] petition; *~ till sitt försvar* plead in one's defence **3** [citera] quote, cite **-ande** *s* **1** *mil.* o. *polit.* command[ing], leadership; *mus.* conductorship

2 [yttrande] statement; speech, address **-are** commander, leader; *mus.* conductor **-ing,** *direkt* (*indirekt*) ~ direct (indirect, reported) speech **-ings|tecken** *pl* quotation marks, inverted commas **-ings|verb** leading (main) verb
anför||tro I *tr* entrust; commit [*i ngns vård* to a p.'s charge]; [en hemlighet] confide **II** *rfl,* ~ *sig åt* entrust o.s. to; [meddela sig med] confide in **-vant** relation, relative
angelägen *a* [sak] urgent, pressing, important; [pers.] anxious [*om* for], desirous [*om att göra* of doing, to do]; *visa sig mycket* ~ *att* show great anxiety to **-het** [egenskap] urgency; [ärende] affair, concern; [sak] matter; *sköta sina egna* ~*er* mind one's own business
angenäm *a* pleasant, agreeable; *föga* ~*t* not very pleasant; *det var mycket* ~*t att* I am (o. s. v.) very pleased to **-t** *adv* agreeably
angiv||a *tr* **1** [ge uppgift om] state; [utvisa] indicate; [till förtullning] declare; *närmare -et* more precisely; *till viss -en dag* by a stated day; *de å räkningen -na priserna* the prices noted (quoted) in the bill; *det -na skälet* the alleged reason **2** [anmäla] report; inform against **3** ~ *takten* mark time; ~ *tonen* give (set) the tone (fashion) **-are** informer **-else** information, denunciation, accusation
angl||icism Anglicism **-ikansk** *a* Anglican **-ist** student of English philology **-o|normand[isk** *a*] Anglo-Norman **-o|saxare -o|saxisk** *a* Anglo-Saxon
angora||garn rabbit wool **-get** Angora goat **-katt** Angora cat **-ull** mohair
angrepp attack [*mot, på* on]; *gå till* ~ (*äv.*) take the offensive **-s|punkt** *mil.* point of attack; poin of application
angrip||a *tr* attack, assault, assail; [problem] tackle; [inverka skadligt på] affect; [skada] injure **-are** aggressor, assailant **-en** *a,* ~ *av sjukdom* seized with an (by) illness; [*metallen*] *är* ~ *av rost*.. has gone rusty (become corroded); ~ *av mjöldagg* mildewed **-lig** *a* assailable; [lätt-] vulnerable
an||gränsande *a* adjacent, adjoining **-gå** *tr* concern; [avse] have reference to; *vad mig* ~*r* as far as I am concerned; *det* ~*r mig inte* it is no concern of mine **-gående** *prep* concerning, regarding, as to **-göra** *tr* [hamn] touch (call) at; [land] make land; [båt] fasten, moor **-görings|hamn** port of call **-görings|plats** lay-by **-hang** following; **F** crew, gang **-hopa I** *tr* heap (pile) up, amass **II** *rfl* accumulate **-hopning** piling up; accumulation; [av trupper] massing
an||håll|a I *tr polis.* apprehend, arrest, take.. into custody **II** *itr* ask [*om* for]; request [*om svar* an answer]; apply [*om ett stipendium* for a scholarship]; *om svar -es (o. s. a.)* an answer will oblige, R. S. V. P. *fr.*; ~ *hos styrelsen om* apply to the Board for; *-es att* the public are requested [not] to **-hållan** request (application) [*om* for]: *enträgen* ~ entreaty **-hållande** *s* apprehending &c; arrest **-hängare** follower, adherent; [av idé] supporter, advocate **-hörig** relative; *mina* ~*a* my family
anilin aniline
animalisk *a* animal
animera *tr* animate; *en* ~*d stämning rådde* high spirits prevailed
animositet animosity
aning 1 [förkänsla] presentiment (idea, feeling [*om* of]; *ond* ~ misgiving, foreboding **2** [föreställning] notion, idea, feeling; *en* ~ *bättre* a shade (thought) better
anis anise; [krydda] aniseed

anka [tame] duck; [tidnings-] canard
ankar||e 1 [kärl] anker, firkin **2** *sjö* o. *bildl.* anchor; *kasta (lätta) ankar* cast (weigh) anchor; *ligga för ankar* ride at anchor **3** *elektr.* armature **-grund** anchorage-ground **-klys** hawser pipe **-kätting** anchor chain (cable) **-plats** anchorage **-spel** windlass, capstan **-tross** cable **-ur** lever watch
ank||bonde drake **-damm** duck-pond
ankel ankle[-bone] **-led** ankle-joint
anklag||a *tr,* ~ *ngn för* accuse a p. of, charge a p. with; *den* ~*de* the accused; *sitta på de* ~*des bänk* stand in the [prisoners'] dock, *bildl.* be the butt of the fault-finders **-are** accuser **-else** accusation, charge [*för* of]; *rikta en* ~ *mot ngn* make an accusation against a p. **-else|skrift** written indictment
anklang, *vinna* ~ win (meet with) approval
anknyt||a I *tr* attach (unite) [*till* to]; connect (join, link up) [*till* with] **II** *itr,* ~ *till* link in (up) with **III** *rfl, legenden -er sig till* the legend is allied to **-ning** attachment, connection; *konkr* connecting-link; *tel.* extension **-nings|punkt** point of connection
ankom||ma *itr* **1** arrive [*till* at (in)]; be due; *-mande post* (*trafik*) incoming mails *pl* (traffic); *-mande resgods* inward goods **2** [bero] depend [*på* on]; *det -mer på honom* it is his business; *jag ska göra allt vad på mig -mer* I'll do everything in my power **-men** *a* **1** arrived **2** [kött] tainted; [fisk, frukt] not fresh; **F** [drucken] merry, high **-st** arrival **-st|dag (-st|tid)** [*beräknad* estimated] day (time) of arrival
ank||ra *itr* anchor **-ring** anchoring **-rings|-mast** *flyg.* mooring mast **-ings|plats** anchorage
ankunge duckling
an||lag *vetensk.* rudiment, embryo; [medfött] turn (aptitude, bent, gift, talent) [*för* for]; *läk.* tendency [*för* to], disposition (*för* towards]; *ha goda* ~ have good mental powers **-lag|d** *a, vara svårmodigt* ~ be of a melancholy disposition; *vara musikaliskt* ~ have musicals gifts; *-t på förtjänst* planned with a view to profit **-ledning** [orsak] cause (occasion) [*till* for, of]; [skäl] reason [*till* for, of]; *av denna* ~ for this reason; *ge* ~ *till* give occasion to; *i* ~ *av* on account of, in view of; *i* ~ *därav* (*äv.*) as a consequence of that; *i* ~ *av ert brev* with reference to your letter; *på förekommen* ~ for a definite reason; *utan ringaste* ~ without any grounds (provocation); *vid minsta* ~ on the slightest provocation
anlet||e visage, countenance, face; *i sitt* ~*s svett* in the sweat of one's brow **-s|drag** *pl* features, lineaments
an||lita *tr* **1** [vända sig till] apply to [*ngn för att* a p. for]; ~ *advokat* engage a lawyer; ~ *läkare* call in a doctor; *mycket* ~*d* (*äv.*) successful, popular **2** [tillgripa] have recourse to [*kredit* credit], resort to [*vapenmakt* arms] **-lopp 1** [sats] run [up] **2** [rusning] rush **3** [anfall] assault, attack, onslaught **-lupen** *a* tarnished (discoloured) [*av* with] **-lägga** *tr* **1** [bygga] build, erect, construct; [grunda] found, set up **2** [planera] plan, design; lay out [*en park* a park]; ~ *mordbrand* commit arson **3** [dräkt o. s. v.] begin to wear; put on [*sorg* mourning]; ~ *en kritisk synpunkt* adopt a critical attitude [*på* towards]; ~ *en annan måttstock* use another scale (a different yardstick) **-läggning 1** erection, construction; foundation **2** *konkr* establishment; [byggnad] structure; [fabrik] works *sg* o. *pl* **-läggnings|kostnad** initial cost, establishment charge **-lända** *itr* arrive [*till* at (in)];

~ *till* (*äv.*) reach **-löpa I** *tr sjö.* call (put in) at [*en hamn* a port] **II** *itr* [om metall] oxidize; tarnish **-mana** *tr* request [*ngn att* a p. to] **-maning** request **-moda** *tr* request, call upon; [enträget] urge; [beordra] instruct **-modan** request; *på ~ av* at the request of

anmäl‖a I *tr* **1** announce **2** [hos myndighet] report **3** [en bok] review; *vem får jag ~?* what name, please? *var god och anmäl mig hos* kindly give my name (please announce me) to; *~ förfall* send an excuse for non-attendance; *~ ett patent* apply for a patent; *~ varor* [i tullen] declare goods **II** rfl report o.s. [*för* to]; *~ sig som sökande till* apply (send in one's name as a candidate) for; *~ sig till examen* enter one's name for an examination ; *~ sig som medlem* apply for membership **-an 1** announcement; notification **2** report; *göra ~ om saken* report the matter; *göra ~ mot* lodge a complaint against **3** [bok-] review **-ning,** *~ar till* applications (entries) for **-nings|-avgift** application (registration, entry) fee **-nings|tid,** *~en utgår . .* the last day for application is . .

anmärk‖a *tr* o. *itr* **1** [påpeka, yttra] remark, observe **2** [klandra] find fault [*mot, på* with]; *~* [*på*] criticize; *ingenting att ~ på* nothing to object to **-ning 1** remark, observation, comment **2** [i bok] note **3** [klander] criticism **4** *skol.* bad-conduct mark; warning, censure **-nings|bok** conduct-book **-nings|värd** *a* notable, noteworthy; [märklig] remarkable

Anna Anne, Annie, Anna, Ann

annaler annals

annalkande I *s* approach[ing]; *vara i ~* be approaching **II** *a* approaching; *en ~ storm* (*äv.*) a gathering storm

ann‖an *-at, andre;* jfr d. o. *pron* **1** other; *en ~* another; *självst. äv.* somebody else; *en och (eller) ~ sida* a page or two; *en och (eller) ~ (självst.)* somebody or other; *gång efter ~* time after time; *tid efter ~* from time to time; *ingen ~ . . än* (*fören.*) no other .. but (than); *självst.* no one but; *i -at fall = annars; på ett eller -at sätt* somehow or other; *alla de andra* all the others, all the rest of them; *från det ena till det andra* from one thing to another; *med andra ord* in other words; *komma på andra tankar* change one's mind; *å andra sidan* on the other hand **2** [efter självst. pron] else; *ngn (ingen, vilken) ~* some(any)body (nobody, who) else; *ngt (intet, allt, vad) -at* some(any)-thing (nothing, everything, what) else; *alla andra människor* everybody else; *allt -at än* anything but **3** [ej lik] different; *det är en ~ historia* that's a different story **-an|dag,** *~ jul* Boxing Day; *~ påsk (pingst)* Easter (Whit-)Monday **-ars** *adv* otherwise; [efter imper. och uttr. för tvång] or [else]; [is. efter frågeord] else; *tröttare än ~* more tired than usual **-at I** *pron* **1** *fören.* se *-an* **2** *självst.* some(any)thing else; *bland ~* among other things; *ett och ~* a few things (points); *han gör inte ~ än grälar* he does nothing but scold; *det är inte ~ än rätt åt honom* it is only his due; *jag kan inte ~ än* I cannot but **II** *adv, ~ än* except, save

ann‖ektera *tr* annex **-ektering** annexion **-ex** annex[e]; [till byggnad] *äv.* wing

anno *lat.* in [the year]

annons advertisement [*efter* for; *om* about]; [döds- o. d.] announcement [*om* of] **-byrå** advertising agency (office) **-era** *tr* advertise [*efter* for; *om ngt* a thing] **-kampanj (-kostnad)** advertising campaign (expense) **-svar** reply to one's advertisement **-ör** advertiser

annor‖ledes -lunda *adv* otherwise, differently; *~ beskaffad* different; *om inte ~ bestämmes* unless orders to the contrary are issued **-städes** *adv* elsewhere, somewhere else

annotera *tr* note (take) down

annuitet yearly instalment, annuity

annuller‖a *tr* annul, cancel **-ing** annulment, cancelling

anod[batteri] anode [battery]

anonym *a* anonymous **-itet** anonymity

anor ancestry *sg,* ancestors; lineage *sg; ha gamla ~* be of ancient lineage, come of ancient stock; *bildl.* be a time-honoured tradition

anorak anorak

anordn‖a *tr* arrange, put . . in order; [ombestyra] arrange [for], organize; *~ lekar* get up games **-ing** arrangement; contrivance, device, gear

anpart share, portion

anpass‖a I *tr* adapt [*efter* to] **II** *rfl* adapt (adjust) o.s. **-ning** adaptation, adjustment **-nings|förmåga** adaptability **-nings|svårighet** adjustment difficulty

anrik‖a *tr gruv.* concentrate **-ning** enrichment

anrop call; *mil.* challenge; *sjö.* hail **-a** *tr* call [out to]; challenge; hail [(*äv.*) *en bil* a taxi]; [bönfalla] implore; call upon [*ngn om* a p. for], invoke [*Guds hjälp* the help of God] **-s|signal** call signal

an‖rycka *itr* **-ryckning** advance **-rätta** *tr* prepare, cook, dress **-rättning 1** preparation &c **2** [rätt] dish; [mål] meal **3** [påhitt] concoction

ans care, tending **-a** *tr* tend, see to

an‖sats start; *sport.* run; [påstöt] impulse; [försök] attempt [*till* at]; *~ till förbättring* sign of improvement **-satt** *a* afflicted [*av* with]; *hårt ~* hard pressed; in a tight corner

an‖se *tr* **1** [mena] think, consider; *vad ~r du om saken?* what do you think about it? what is your opinion? what view do you take of the matter? *man ~r allmänt* it is generally believed **2** [betrakta] consider, regard, look upon; *~ ngn som sin vän* consider a p. (regard, look upon a p. as) one's friend; *~ . . för en given sak* take . . for granted; *~ förlorat* give up as lost; *~ det som sin plikt att* consider it one's duty to **-sedd** *a* respected, distinguished, esteemed; *väl (illa) ~* of good (bad) repute; *en ~ firma* a respectable (reputable) firm, a firm of high standing **-seende 1** [rykte] reputation; standing; [t. ex. landets] prestige **2** [aktning] esteem **3** *i ~ till* considering; *utan ~ till* without respect of **-senlig** *a* considerable; *äv.* goodsized, large

ansikt‖e face, countenance; *bli lång i ~t* pull a long face; *han blev lång i ~t* his face fell; *skratta ngn mitt i ~t* laugh in a p.'s face; *säga ngn . . mitt i ~t* tell a p. . . straight to his face; *tvätta sig i ~t* wash one's face; *~ mot ~ med* face to face with **-s|behandling** face massage **-s|drag** features **-s|färg** complexion **-s|kräm (-s|lyftning -s|mask -s|puder)** face cream (lift[ing], mask, powder) **-s|skråma (-s|sår)** facial bruise (cut) **-s|uttryck** expression of the face

ansjovis anchovy **-burk** tin of anchovies

anskaff‖a *tr* acquire, procure, obtain; provide (supply) [a p. with] **-bar** *a* procurable, obtainable **-ning** procuring &c; acquisition; provision; *dyr i ~* expensive in first cost

an‖skri outcry; scream **-skriven** *a, väl (illa) ~ hos* in (out of) favour with **-skrämlig** *a* ugly, hideous
anslag 1 [kungörelse] notice, bill, placard **2** [stämpling] design, plot **3** [penning-] grant [of money]; [stats-] *äv.* subvention, subsidy; *bevilja ett ~* make a grant **4** *mus.* touch **-s|bevillning** granting of money; voting of supplies **-s|tavla** notice board
anslut‖a I *itr* o. *tr* [stå (sätta) i förbindelse] connect [*till* with] **II** *rfl, ~ sig till* [personer] join [a party, a club, the Army]; [åsikt] adopt; [uttalande] agree with, concur in; *hans tal anslöt sig till* .. he took .. as the starting point of his speech **-en** *a* connected [*till* with] **-ning** [förbindelse] connection [*till* with]; [understöd] adhesion (adherence) [*till* to]; [uppmuntran] support (patronage) [*till* of]; *röna ~* meet with support, be supported; *i ~ till detta* in this connection; *äv.* with reference to this, referring to this
an‖slå *tr* **1** [anvisa] assign, set .. aside (apart), appropriate [*till* for]; [medel, is. om riksdagen] *äv.* vote, grant; [till särskilt ändamål] earmark [*till* for]; [uppskatta] estimate (rate, value) [*till* at]; *~ för högt, lågt* overrate, underrate **2** *mus.* strike; *~ grundtonen* give the keynote **3** [kungöra] *~ en tjänst ledig* advertise a post as vacant; *äv.* invite applications for a post; *~ en kungörelse* put up a notice **-slående** *a* pleasing, attractive; [predikan o. d.] impressive **-spela** *itr* allude [*på* to], hint [*på* at] **-spelning** allusion
anspråk claim [on a person, to an inheritance]; [fordran] demand; [förväntningar] expectations; *göra ~ på ngt* lay claim to a thing; *göra ~ på skadeersättning* claim damages; *ta i ~* requisition; [begagna] make use of; [ngns tid] make demands on, take up; *utan ~ på fullständighet* with no pretensions to completeness; *motsvara ngns ~* live up to a p.'s expectations **-s|full** *a* pretentious, assuming; [fordrande] exacting **-s|fullhet** pretentiousness **-s|lös** *a* unpretentious; [pers.] *äv.* unassuming, modest; [i sin klädsel] quiet; [i fordringar o. d.] moderate **-s|löshet** unpretentiousness &c; *i all ~* in all simplicity, without any pretensions
an‖spänna *tr* strain [*alla krafter* every nerve] **-stalt 1** [inrättning] institution, establishment; [för sinnessjuka] asylum, mental home (hospital) **2** [anordning] arrangement, preparation; *träffa ~er för* make arrangements for
anstift‖a *tr* cause, provoke; [tillskynda] instigate; lay [*en sammansvärjning* a plot]; *äv.* sow [*oenighet* dissension]; *~ mordbrand* commit arson **-an,** *på ~ av* .. at the instigation of .. **-are** instigator (originator) [*av* of]
anstorm‖a *tr* **-ning** assault
anstrykning [färgnyans] shade, tinge; *bildl. äv.* touch, trace, suggestion
ansträng‖a I *tr* strain; [vara påkostande för] try; [betunga] tax; *~ alla sina krafter* exert all one's strength **II** *rfl* exert o.s., endeavour; *~ sig till det yttersta* do one's very utmost, make every [possible] effort **-ande** *a* trying, taxing, toilsome, hard; *mycket ~ (predik.) äv.* a great strain **-d** *a* strained; laboured [*stil* style], forced [*sätt* manner]; *se ~ ut* look strained (tired) **-ning** exertion; [påfrestning] strain; [strävan] effort; *med gemensamma ~ar* by united efforts; *inte spara några ~ar* spare no efforts
an‖stucken *a* infected [*av* with] **-stå** *itr* **1** [uppskjutas] wait, be deferred; *låta ~ med* .. let .. stand over **2** [passa] be becoming (proper, befitting) for; *det ~r dig inte att* .. it does not become you to .. **-stånd** respite, grace
anställ‖a *tr* **1** [företa] make [*försök* experiments]; hold [*förhör, undersökning*] an examination, an inquiry]; *~ omröstning* take a vote (division); *~ betraktelser över* contemplate (meditate) upon; *~ blodbad på* .. massacre .. wholesale **2** [åstadkomma] bring about; cause [*skada* damage]; *~ förödelse* play havoc [*på* (*bland*) with (among)] **3** [i tjänst] appoint, engage; *vara -d* be employed [*hos ngn* by a person; *vid* at, in] **-ning** appointment; [innehavd anställning] employment; [befattning] *äv.* post, position, situation; [tillfällig] engagement
anständig *a* respectable; [hygglig] decent; [passande] proper **-het** respectability; decency; propriety **-hets|känsla** sense of propriety **-t|vis** *adv* in common decency
anstöt offence; *taga ~ av* take offence at, be offended at; *väcka ~* [*hos*] give offence [to] **-lig** *a* offensive [*för* to]; objectionable **-lig|het** offensiveness
ansvar responsibility; [-ighet] liability; *bära ~et för* .. be responsible for ..; *frånsäga sig ~et* decline responsibility; *lägga ~et på* .. throw the responsibility on ..; *ta ~et på sig* assume all responsibility, take full responsibility; *ställa .. till ~* hold .. responsible, call .. to account; *stå till ~* be held responsible; *på eget ~* on one's own responsibility; at one's own peril (risk); *vid laga ~* under penalty **-a** *itr* be responsible (answerable), answer [*för* for]; *för varans äkthet ~s* the genuineness of the goods is guaranteed (warranted); *för ytterplagg ~s icke* no responsibility for coats **-ig** *a* responsible; [för skuld o. d.] liable **-ighet** responsibility &c; *aktiebolag med begränsad ~* limited liability company **-ighets|försäkring** liability insurance; third party [indemnity] insurance **-s|fri** *a* free from responsibility **-s|frihet,** *bevilja* (*vägra*) *~* adopt (reject) the report; grant (refuse) release of responsibility **-s|full** *a* responsible **-s|förbindelser** *hand.* contingent liabilities **-s|känsla** sense of responsibility **-s|lös** *a* irresponsible **-s|löshet** irresponsibility **-s|medveten** *a* conscious of one's responsibility **-s|yrkande,** *~ mot ngn* demand for a person's conviction
ansväll‖a *itr* swell [up]; enlarge **-ning** swelling; enlargement
an‖sätta *tr* beset, attack; [plåga] harass, worry **-söka** *tr* o. *itr, ~ om* apply for **-sökan** application [*om* for]; *min ~ har blivit avslagen* my application (request) has been refused **-söknings|blankett** application form **-söknings|tid,** *~en utgår den 15 dennes* applications must be sent in before the 15th instant
antabus[|behandling] antabuse [treatment]
antag‖a *tr* **1** [ta emot] take [*plats* a post]; [erbjudande, inbjudan o. s. v.] accept; [elev] admit **2** [godkänna] accept, agree to, approve; [en lag] pass; [göra till sin] adopt; [en lära] *äv.* embrace **3** [ta på sig] take (put) on, assume [*en min* an air]; *~ oroväckande proportioner* develop alarming proportions **4** [anställa] engage, appoint **5** [förmoda] assume, suppose; *antag att* (*äv.*) supposing **-ande 1** taking; acceptance; admission; adoption; assumption; engagement **2** [förmodan] assumption, supposition **-lig** *a* [godkännbar] acceptable; admissible; eligible; [rimlig] reasonable, plausible; [trolig] probable, likely **-ligen** *adv* probably,

presumably, very likely; *han kommer* ~ he will probably (is very likely to) come **-lighet** acceptability &c; reasonableness; probability **-ning** admission
antagon‖ism antagonism **-ist** antagonist, adversary **-istisk** *a* antagonistic
antal number, quantity; [*tio*] *till ~et* [ten] in number; *till ett ~ av* to the number of
Antarkt‖is the Antarctic **a-isk** *a* Antarctic
antast‖a *tr* [ngn på gatan] accost; [ofreda] molest; [ansätta] beset **-ande** accosting; molestation **-lig** *a* assailable
antecedentia antecedents
antecipera *tr* anticipate, forestall
anteck‖na I *tr* note, make a note of; write (put) down; [uppteckna] record; ~ .. *i protokollet* record .. in the minutes **II** *rfl* put one's name down **-ning** note, memorandum **-nings|bok** notebook **-nings|lista** list [for signatures]; subscription list
antedatera *tr* antedate
antenn antenna [*pl* antennae]; *zool. äv.* feeler; *radio.* [*fast* fixed; *häng-* trailing] aerial; *äv.* antenna [*pl* -s; is. *Am.*] **-mast** radio mast
anti- anti- [British &c.] **-biotik|um** [*pl* -a] antibiotic **-inflationistisk** *a* anti-inflationary
antik I *a* antique, old[-fashioned]; ancient **II** *s, ~en* classical antiquity, the classical period
Antikrist Antichrist
antikva *boktr.* Roman type (letters *pl*)
antikv‖ariat second-hand ([finare] antiquarian) bookshop **-arie -arisk** *a* antiquarian **-ariskt** *adv, köpa* .. ~ buy .. second-hand **-erad** *a* antiquated, outmoded **-iteter** antiquities **-itets|handel** old curiosity shop, antique (curio) shop **-itets|handlare** antique dealer **-itets|samlare** curio collector **-itets|samling** curio collection
antilop antelope
antimakass[ar] antimacassar
antimilitar‖ism antimilitarism **-ist** antimilitarist
antimon antimony
antingen *konj* **1** either; ~ *du eller jag* either you or I **2** [inled. bisats] whether; ~ *du vill eller inte* whether you like it or not
anti‖pati antipathy **-patisk** *a* antipathetic **-poder** antipodes **-pyrin** *läk.* antipyrine **-semit** anti-Semite **-semitisk** *a* anti-Semitic **-semitism** anti-Semitism **-septisk** *a* antiseptic **-tes** antithesis
antologi anthology
Anton Ant[h]ony, Tony
antracit anthracite
antropolog anthropologist **-i** anthropology **-isk** *a* anthropological
an‖träda *tr* set out (start off, embark) upon; begin **-träffa** *tr* find, meet with **-träffbar** *a* available, free to see a p.
antvard‖a *tr* deliver .. up [*åt* to]; entrust **-ande** delivery
Antwerpen Antwerp
antyd‖a *tr* intimate [*för* to], give [a p.] to understand; [ge en vink] hint [to a p.], give [a p.] a hint; [föra tanken till] suggest, hint at; [utvisa] indicate; *av -d art* of the kind indicated; [låta förstå] imply; *som namnet -er* as the name implies **-an -ning** intimation; hint; [förtäckt] insinuation; suggestion; indication; *svaga -ar till* faint indications of; [spår] trace **-nings|vis** *adv* in rough outlines, roughly
antågande I *a* approaching, advancing **II** *s* approach, advance; *vara i* ~ be approaching (on the march, coming on)
antänd‖a *tr* set fire to, set .. on fire, ignite; [upptända] light **-bar** *a* inflammable **-ning** ignition; lighting
anvis‖a *tr* **1** [utpeka] show, indicate, point out; direct .. to; *en plats ~des honom* he was shown to a seat **2** [tilldela] allot, assign; ~ *ngn arbete* find a p. work **3** [utanordna] allot, assign; *parl.* vote, appropriate **-ning 1** [föreskrift, upplysning] direction, instruction; intimation; *få ~ på* be directed to; *ge ngn ~ på ngt* direct (refer) a p. to a th. **2** [utanordning] assignment
använd *a* used &c; jfr *-a; väl* (*illa*) ~ well-(ill-)spent; *illa ~ möda* wasted labour; *illa ~ sparsamhet* misapplied economy **-a** *tr* **1** use (employ) [*till* for]; make use of (*äv.* : ~ *sig av*); [tid, pengar] spend [*på* in, on] **2** [ägna] devote [*till* [*att*] to [-ing]] **3** [tillämpa] apply; [metod] adopt **4** [anlita] employ, go to; ~ *glasögon* wear spectacles; ~ *käpp* use (carry) a stick; ~ *socker* take sugar; ~ *orätt* misapply; ~ *väl (illa)* make good (bad) use of; ..*har börjat ~s* ..has come into use; *praktisk att* ~ practical in use **-bar** *a* fit for use; [nyttig] useful [*till* for], serviceable; [tillämplig] applicable [*för* to); *föga* ~ of little use **-barhet** fitness for use, serviceableness, applicability **-ning** use, employment; application; *jag har ingen ~ för det* I can find no use for it; *bringa till* ~ put to use; *komma till* ~ find employment; be used **-nings|sätt** way of employment, method of application
apa I *s* monkey; [svanslös] ape **II** *itr,* ~ *efter* ape, mimic
apanage appanage; *Engl. äv.* civil list
apat‖i apathy **-isk** *a* apathetic
apel apple-tree **-kastad** *a* dapple-grey
apelsin orange **-gul** *a* orange [yellow] **-klyfta** orange-pig (-quarter) **-kärna** orange-pip **-marmelad** [orange] marmalade **-saft** orange-juice **-skal** orange-peel **-träd** orange-tree
Apenninerna the Apennines
aperitif aperitif, appetizer
ap‖hane (-hona) male, he- (female, she-) monkey **-lik** *a* ape-(monkey-)like, monkeyish **-människa** ape-man
apo‖kalyps apocalypse **-kalyptisk** *a* apocalyptic **-kope** *språkv,* apocope **-kryfisk** *a* apocryphal; *de ~a böckerna* the Apocrypha
apost‖el apostle **-la|gärningarna** the Acts [of the Apostles] **-la|hästarna,** *färdas med* ~ ride shanks's pony, travel on foot **-olisk** *a* apostolic[al]
apostrof apostrophe **-era** *tr* apostrophize
apotek chemist's [shop], *Am.* drug-store **-are** chemist and druggist, dispensing chemist **-ar|examen** pharmaceutical examination **-s|biträde** chemist's assistant **-s|innehavare** licensed chemist and druggist **-s|vara** chemist's licensed article, drug
apoteos apotheosis
apparat apparatus; [anordning] contrivance, gear **-ur** equipment, device; set of apparatus
apparition [yttre] appearance
appell call; *mil.* roll-call, muster; *jur.* appeal **-ations|domstol** court of appeal **-era** *itr* appeal
appendix appendix [*pl* appendices]
applicera *tr* apply
applåd applause [utan *pl*]; *en* ~ a cheer; *knipa sig en* ~ play down to one's audience **-era** *tr* o. *itr* applaud; [med rop] cheer; [med handklappning] clap **-salva (-åska)** round (thunders *pl*) of applause
ap‖portera *tr* fetch; *jakt.* retrieve **-position** apposition **-probatur** *univ.* passed; *få* ~ get a pass **-probera** *tr* approve, [let..] pass **-propriera** *tr* appropriate **-proximativ** *a* approximate

aprikos apricot
april April; *narra ngn* ~ make an April fool of a p.; *första* ~ *(äv.)* April Fool's Day **-narri** April Fool's joke **-regn** April shower[s]
apropå I *adv* bye the bye (way); *helt* ~ incidentally, casually **II** *prep* apropos [of], talking of **III** *s* timely reminder
apsis apse
apter||a *tr* adapt; [anpassa] adjust; ~ *till* convert into **-ing** adaptation; adjustment
aptit appetite [*på* for]; *god* (*klen*) ~ a healthy, hearty (poor) appetite; *med god* ~ with a relish **-lig** *a* appetizing; [lockande] inviting, enticing; [läcker] tasty; [för ögat] dainty **-lighet** appetizingness &c **-lös** *a* without an appetite; *han är ofta* ~ he often has no appetite **-löshet** loss of appetite **-retande I** *a* stimulative to the appetite; ~ *medel* appetizer **II** *adv, verka* ~ excite (tickle) the appetite
ar [ytmått] a hundred square metres
arab Arab, Arabian **-esk** arabesque **-förbundet** the Arab League **A~ien** Arabia **-isk** *a* Arabian, Arab[ic] **-iska 1** [språk] Arabic **2** Arab[ian] woman
arbet||a I *itr* o. *tr* work; do work; [vara sysselsatt] be at work [*med* on]; [tungt] labour; [slita] toil; [bearbeta] work [up]; ~ *strängt* work hard, do hard work; *det* ~*s för att* forces are at work to; *tiden* ~*r för oss* time is on our side; ~ *i händerna på*.. play into the hands of..; ~ *bra* do good work; ~ *bort* strive (manage) to eliminate; ~ *fort* (*långsamt*) be a quick (slow) worker; ~ [göra affärer] *i* deal in; ~ *ihjäl sig* work oneself to death; ~ *in* [handelsvara] make (create) a market for; ~ *på ngt* work at a th.; ~ *på att* strive to; ~ *upp sig* improve [in one's work]; ~ *ut sig* wear oneself out **II** *rfl*, ~ *sig trött* make o.s. tired; ~ *sig fram* work (make) one's way [in the world], work one's way up; ~ *sig in i*..work (get) up..**-ad** *a* manufactured; [metall] wrought **-ande** *a* working &c; active
arbetar||- working-man's; workmen's; Labour **-befolkning** working-class population **-bostäder** workmen's dwellings **-demonstration** Labour demonstration
arbetar||e *allm.* worker; [kropps-] workman, working-man; *lantbr.* labourer; [fabriks-] hand; [verkstads-] mechanic; [mots. till arbetsgivare] employee **-fientlig** *a* hostile to Labour **-frågan** the Labour question **-förening** workmen's association, Union **-försäkring** workmen's compensation **-hustru** working-man's wife **-institut** workers' institute **-klassen** the working classes *pl* **-lagstiftning** labour legislation **-ledare** Labour leader **-partiet** the Labour Party **-rörelsen** the Labour Movement **-skydd** labour protection **-strejk** workmen's strike **-tåg** workman's train **-vänlig** *a* with Labour sympathies
arbet||e work; *abstr äv.* labour; [möda] toil; [sysselsättning] employment; [plats] job; [ålagt värv] task; *ett ansträngande* ~ hard work; *fint* ~ [utförande] fine workmanship; *skriftliga* ~*n* written work *sg*, writings; *ett svenskt* ~ a Swedish product, Swedish made; *ett utmärkt* ~ an excellent piece of work; *använda mycket* ~ *på* bestow much labour on; *förlora sitt* ~ lose one's job; *ha* ~ *hos* be employed by; *nedlägga* ~*t* down tools, go on strike; *vara i* ~ be at work; *ta itu med* ~*t* set about the job; *med sina händers* ~ by the labour of one's hands; *huset är under* ~ the house is under construction, work on the house is proceeding (in hand); *utan* ~ out of work **-erska** workwoman, working woman **-sam** *a* industrious, hardworking, painstaking; [mödosam] laborious **-samhet** industriousness, industry
arbets||avtal labour agreement (contract) **-besparande** *a* labour-saving **-betyg** reference, character **-bi** worker bee **-blus** overall **-bord** work-table, desk **-brist** scarcity of labour (work) **-börda** burden of work; [gm undervisning] teaching load **-chef** [i fabrik] works manager **-dag** workday, working-day; *en kortare* ~ *(äv.)* shorter hours *pl* **-dräkt** works-suit; *i* ~ in working-attire **-duglig** *a* fit, capable of [doing] work **-effektivitet** labour efficiency **-folk** working people **-form** form of work **-fred** industrial peace **-fri** *a*, ~ *eftermiddag* holiday afternoon **-fält** field of labour, sphere of activity **-för** *a* fit for work **-fördelning,** ~*en* the distribution of [the] work; *ekon.* the division of labour **-förhållanden** working conditions **-förmedling[sbyrå]** labour exchange **-förmåga** working capacity **-förtjänst** earnings *pl* **-givare** employer, master **-givarförbund** employers' federation **-glädje** joy (delight) in one's work, zest **-grupp** [working] team **-hypotes** working theory (hypothesis) **-häst** draught-(cart-) horse **-inställelse** stoppage of work, strike **-intensitet** rate of working **-kamrat** fellow worker **-kapacitet** working capacity **-karl** workingman, workman **-kläder** working-clothes **-konflikt** labour controversy (dispute) **-korg** work-basket **-kostnad** labour cost **-kraft** manpower; *brist på* ~ scarcity of labour, labour shortage **-lag** gang [of workmen], shift **-ledare** organizer [of the work]; [fabrik] foreman **-lust** love of work **-läger** labour camp **-lön** wages *pl* (*äv.:* ~*er*) **-lös** *a* out of work, unemployed; *en* ~ a man out of work; *de* ~*a* the unemployed; *göra* ~ throw out of work, render unemployed **-löshet** unemployment **-löshets|försäkring** labour (unemployment) insurance **-löshets|kassa** unemployment fund **-löshets|-understöd** unemployment relief, [*åtnjuta* be on the] dole **-marknad** labour market **-metod** method of work **-myra** working-ant; *bildl.* busy bee **-mängd** amount of work, work done **-människa** hard worker, toiler **-nedläggelse** strike **-oduglig** *a* unable to work, incapacitated [for work] **-plan** working plan **-personal** staff of workmen (employees) **-plats** place of work (employment) **-plikt** obligation to work; [under krigstid] labour conscription **-politik** labour policy **-prestation** output of work **-ritning** workshop drawing **-ro** quiet (peace of mind) essential for work **-rum** workroom; study **-råd** labour (works) council **-skicklighet** skill at one's work **-skift** shift **-skydd** industrial safety **-skygg** *a* work-shy **-styrka** staff of workmen, number of hands; [landets] manpower **-sätt** way of work[ing] **-sökande** a seeking work; *en* ~ an applicant for work **-tag,** *vara i* ~*en* be hard at work **-tagare** employee, worker **-takt** working pace; [motor] power stroke **-terapi** occupational therapy **-tid** time for work; working-hours *pl; efter* ~*ens slut* after hours **-tidslag** Working Hours Act **-tillfälle** chance of work **-tillstånd** labour permit **-träl** toiler, drudger **-tvång** forced (compulsory) labour **-uppgift** task; [is. *Am.*] assignment **-utskott** working (executive) committee **-van** *a* accustomed (used) to work **-villig** *a* willing to work **-vägran**

refusal to work **-väska** work-bag **-år** working-year
arbitrage *hand.* arbitrage
Ardenner‖na the Ardennes **a-ras** Ardennes breed
areal area; [jordlägenhets] acreage
arena arena; *bildl.* scene of action
arg *a* [vred] angry [*på ngn* with a p.; *på ngt* at a th.]; [illvillig] malicious, ill-natured; [ilsken] savage; [inbiten] rank, arrant [*kättare* heretic], out-and-out; ~ *fiende* bitter enemy; *bli* ~ get angry; *ana ~an list* suspect some deep-laid plot; *med ~an list* with malicious cunning **-bigga** shrew, vixen
Argentin‖a the Argentine [Republic], Argentina **a-are a-sk** *a* Argentine
arg‖listig *a* artful, wily **-listighet** artfulness &c **-sint** *a* ill-tempered, irascible **-sinthet** ill temper, irascibility
argument argument **-era** *itr* argue **-ering** arguing; argumentation
argusögon, *med* ~ argus-eyed
aria, aria, air
ar‖ier -isk *a* Aryan
aristokrat aristocrat **-i** aristocracy **-isk** *a* aristocratic
aritmet‖ik arithmetic **-iker** arithmetician **-isk** *a* arithmetical **-ik|lektion** lesson in arithmetic
1 ark ark; *förbundets* ~ the Ark of the Covenant; *Noaks* ~ Noah's ark
2 ark sheet [of paper]
arkad arcade
arka‖ism archaism **-istisk** *a* archaistic, archaic
Arkangelsk Archangel
arkebuser‖a *tr* shoot **-ing** execution
arkeolog arch[a]eologist **-i** arch[a]eology **-isk** *a* arch[a]eological
arkipelag archipelago
arkitekt architect **-byrå** architect's office **-onisk** *a* architectonic, architectural **-ur** architecture
arkiv archives *pl;* [dokumentsamling] *äv.* records (rolls) *pl;* [ämbetsverk] record office **-arie** archivist, keeper of public records **-forskare** records researcher **-forskning** archival research work **-studier** archival research *sg* **-tjänsteman** archives official
arktisk *a* Arctic; *de ~a länderna* the Arctic
arla *a* o. *adv* early
1 arm *a* [stackars, fattig] poor [*på* in]; [utblottad] destitute; [usel] wretched, miserable
2 arm arm; [av flod etc.] branch; *med ~arna i kors* with folded arms; *på rak* ~ at arm's length; *bildl.* offhand, straight off; *taga ngn under ~en* take a p.'s arm; *hålla ngn under ~arna* (*bildl.*) back up, support a p.
armada armada
armatur armature; [tillbehör] mountings (fittings) *pl*
arm‖band bracelet **-bands|ur** wrist watch **-bindel** sleeve badge; *läk.* sling, arm-bandage **-borst** crossbow **-brott** arm fracture **-båga** *rfl,* ~ *sig fram* elbow o.s. along **-båge** elbow **-bågs|rum** elbow room
armé army **-chef** Army Chief **-fördelning** *Engl.* army command **-kår** army corps
Armen‖ien Armenia **a-ier a-isk** *a* Armenian
armer‖a *tr* arm; armour; *~d betong* reinforced concrete **-ing** armouring; armament
arm‖håla armpit, axilla **-lik** *a naturv.* brachial **-linning** wristband **-muskel** muscle of the arm
armod poverty, destitution
arm‖pipa arm-bone **-pulsåder** brachial artery **-ring** armlet **-s|lång** *a* as long as one's arm **-s|längd,** *på* ~ at arm's length **-stark** *a* strong in the arms, brawny-armed **-s|tjock** *a* as thick as one's arm **-styrka** strength of [one's] arm **-stöd** elbow-rest; arm [of a chair]
arom flavour, aroma **-atisk** *a* aromatic
arrak arrack
arrang‖emang arrangement **-era** *tr* arrange; [iscensätta] stage **-ör** arranger, organizer
arrend‖ator lessee; leaseholder, tenant [farmer] **-e** [förhållande] tenancy; [kontrakt] lease; [avgift] rent; *betala .. i* ~ pay a rent of . . **-e|hemman** tenant holding, leasehold **-e|jord** leasehold land **-era** *tr* lease, rent; ~ *bort (ut)* lease, let **-e|tid** lease
arrest custody, confinement; *mil.* arrest; [lokal] prison, *mil.* guard-room; *mörk* ~ confinement in a dark cell; *sträng* ~ close arrest; *skärpt* ~ aggravated arrest; *hålla i* ~ (*äv.*) detain; *sitta i* ~ be kept in custody; *sätta i* ~ place under arrest **-ant** person in custody, prisoner **-era** *tr* arrest, take .. into custody **-ering** arrest[ing] **-erings|order** warrant [of arrest]
arriärgarde rear-guard **-s|strid** rear-guard (delaying) action
arrogan‖s arrogance, haughtiness **-t** *a* arrogant, haughty
arsenal arsenal, armoury
arsenik arsenic **-fri** *a* non-arsenical **-förening** compound of arsenic **-förgiftad** *a, vara* ~ [pers.] have arsenical poisoning; [mat] be poisoned with arsenic **-förgiftning** arsenic[al] poisoning **-halt** percentage of arsenic **-haltig** *a* arsenical, arsenious
art [slag] kind, sort; *vetensk.* species; [skick] manner, way; [väsen] nature, character **-a** *rfl* shape; *han ~r sig bra* he is shaping well; *det ~r sig med vädret* the weather is looking up; ~ *sig till* [*att bli*] [lova] promise [to be]; [hota] threaten [to be]; look like [*regn* rain]
artesisk *a* artesian [*brunn* well]
artificiell *a* artificial; sham
artig *a* polite, courteous [*mot* to]; [uppmärksam] attentive [*mot* to]; [väluppfostrad] well-behaved **-het** politeness, courtesy; attention; *~er* compliments **-hets|betygelse** civility **-hets|visit** courtesy call
artikel article
artikul‖ation[s|bas basis of] articulation **-era** *tr* o. *itr* articulate **-ering** articulation
artilleri artillery, ordnance **-duell (-eld)** artillery duel (fire) **-fartyg** gun-ship **-officer** artillery officer **-pjäs** piece of ordnance, gun **-regemente** artillery regiment **-st** artillery man, gunner **-stab** ordnance staff **-strid** artillery battle
artist artist; [skicklig yrkesutövare el. konstnär] artiste **-begåvning** artistic talent **-eri** artistry **-isk** *a* artistic
art‖namn specific name **-rik** *a* rich in species
Artur Arthur **-sagorna** the Arthurian romances
artär artery
arv inheritance; [is. andligt] heritage; [testamenterad egendom] legacy; *det är ett ~ i släkten* it runs in the family; *få i* ~ inherit; *få ett litet (stort)* ~ come into a little money (a fortune); *gå i* ~ descend; *tillfalla ngn genom* ~ come to a p. [by inheritance] **-e|del** share of an (the) inheritance &c **-fiende (-fiendskap)** hereditary foe (enmity) **-följd** succession **-gods** hereditary (family) estate; patrimony **-ing|e** heir; *fem.* heiress;

utan -ar heirless, without issue **-lös** *a* disinherited; *göra* ~ disinherit
arvode remuneration; [provision] commission; [läkares &c] fee
arv||prins (-rike) hereditary prince (kingdom) **-s|anlag** *biol.* gene; [friare] hereditary disposition **-s|anspråk** claim to an inheritance (the succession) **-s|berättigad** *a* entitled to an inheritance **-skatt** death duty **-skifte** partition of an inheritance; distribution of an (the) estate **-s|lott** [part (share) of an (the)] inheritance, heritage **-s|rätt** *jur.* inheritance law; [ngns ~] right to inherit **-s|tvist** dispute (lawsuit) about an inheritance **-synd** original sin **-tagare** heir **-tagerska** heiress
1 as carcass, carrion
2 as *mytol.* As [*pl* Æsir] **-a|läran** the Æsir cult; Norse mythology
asbest asbestos **-artad** *a* asbestic **-papp** asbestos paper
asch *itj* ugh! **F** golly!
aseptisk *a* aseptic
asfalt asphalt[um], bitumen **-belagd** *a* asphalted **-beläggning** asphalting, asphalt paving **-era** *tr* asphalt **-filt** asphalt felt **-tjära** mineral tar
as||fluga carrion-fly **-gam** Egyptian vulture
asiat -isk *a* Asiatic
Asien Asia; *Mindre* ~ Asia Minor
1 ask *bot.* [common] ash; *av* ~ (*äv.*) ash[en] . .
2 ask box; case; ~ *cigarretter* packet of cigarettes; [bleck-] *äv.* tin
ask||a ashes *pl;* [cigarr-] [cigar-]ash; *lägga . . i* ~ reduce . . to ashes; *kläda sig i säck och* ~ repent in sackcloth and ashes; *ur ~n i elden* out of the frying pan into the fire **-artad** *a* ash-like **-blek** *a* ashen, pale as ashes, ashy pale **-blond** *a* cendré, ash-blond
ask||es asceticism **-et -etisk** *a* ascetic
ask||färgad *a* ash-coloured, ashy, ash-grey **-grå** *a* ashen, ash-grey **-hög** ash-heap **-kopp** ash-tray **-lut** lye **-onsdag** Ash Wednesday **-regn** shower of ashes **A-ungen** Cinderella **-urna** cinerary (funeral) urn
Asovska sjön the Sea of Azof
asp aspen, trembling poplar; *av* ~ (*äv.*) asp[en] . .
aspekt aspect, viewpoint
aspir||ant aspirant [*på* to]; [sökande] applicant [*till* for]; candidate **-ata** *språkv.* aspirate **-era I** *tr språkv.* aspirate **II** *itr*, ~ *på* aspire to, aim at
aspirin aspirin
asp||löv aspen leaf **-virke** aspwood
ass *mus.* A flat
assessor assessor
assiett [tallrik] small plate; [mat] hors-d'œuvre dish
assimil||ation assimilation **-era** *tr* assimilate
assist||ans assistance **-ent** assistant **-era I** *itr* assist; act as assistant **II** *tr* render help to, succour **-ering** assisting &c, assistance
associ||ation association **-era** *tr* o. *rfl* associate
assonans assonance
assuradör underwriter, assurer, insurer
assurans insurance; *sjö.* underwriting **-belopp** insured value **-bolag (-brev -premie)** insurance company (policy, premium) **-spruta** safety fire-extinguisher
assurera *tr* insure; *sjö.* underwrite
Assyr||ien Assyria **a-ier a-isk** *a* Assyrian
aster [China] aster
asterisk asterisk
astigmat||isk *a* astigmatic[al] **-ism** astigmatism
astm||a asthma **-atisk** *a* asthmatic[al]
astrakan[äpple] astrakhan [apple]
astralkropp astral body
astro||fysik astrophysics *sg* **-log** astrologer **-logi** astrology **-logisk** *a* astrological **-nom** astronomer **-nomi** astronomy **-nomisk** *a* astronomical
asyl asylum; [fristad] sanctuary **-rätt** right of asylum
asymmetrisk *a* asymmetrical
atav||ism atavism **-istisk** *a* atavistic
ate||ism atheism **-ist** atheist **-istisk** *a* atheistic[al]
ateljé studio; [sy- o. d.] work-rooms *pl*
Aten Athens **a~are a~sk** *a* Athenian
Atlant||en the Atlantic [Ocean] **a-flyg (a-flygning)** Transatlantic plane (flight) **a-isk** *a* Atlantic **-pakten** the Atlantic Pact; North Atlantic Treaty Organization = NATO **a-ångare** Atlantic liner
1 atlas [tyg] satin
2 atlas [bok] atlas [*över* of] **A~bergen** the Atlas Mountains
atlet [professional] athlete; [stark karl] weight-lifter, Samson, Goliath **-isk** *a* athletic
atmosfär atmosphere **-isk** *a* atmospheric[al]; *~a störningar* atmospherics **-tryck** atmospheric pressure
atom atom **-angrepp** atomic aggression **-anläggning** atomic (nuclear) installation **-beväpnad** *a* armed with atomic (nuclear) weapons **-bomb** atom[ic] bomb **-bränsle** atomic (nuclear) fuel **-driven** *a* nuclear-propelled (-powered) **-energi** atomic (nuclear) energy **-explosion** atomic explosion (blast) **-forskare** atomic scientist **-forskning** atomic research **-fysik** atomic (nuclear) physics **-industri** atomic[s] industry **-kontroll** atomic control[s *pl*] **-kraft** atomic (nuclear) power **-kraftverk** atomic (nuclear) power plant **-krig[föring]** atomic (nuclear) war[fare] **-kärna** nucleus of an atom **-reaktor** atomic (nuclear) reactor **-rustning** atomic armament **-spjälkning -sprängning** atomic (nuclear) fission **-stapel** atomic (nuclear, uranium) pile **-teori** atomic theory **-ubåt** nuclear-powered submarine **-vapen** atomic (nuclear) weapon **-vikt** atomic weight **-åldern** the Atomic Age
atonal *a* atonal
att I *infinitivmärke* to; ~ *hjälpa andra är* ~ *hjälpa sig själv* to help others is to help oneself; *det finns ingenting* ~ *göra* there is nothing to be done; *vara i stånd* ~ be able to, be in a position to; *för* ~ [in order] to, with a view to; *han lämnade England för* ~ *aldrig återvända* he left England never to return; *de lärde sig* ~ *bygga goda vägar* they learnt how to build good roads; *han förstår* ~ *smickra folk* he knows how to flatter people; ~ *se är* ~ *tro* seeing is believing, to see is to believe; ~ *döma efter utseendet* judging (to judge) by appearances; *jag kunde inte låta bli* ~ *skratta* I couldn't help laughing; *han hindrade mig* ~ *resa* he prevented me [from] going; *jag var rädd* ~ *störa honom* I was afraid of disturbing him; *genom* ~ *arbeta* by working; *vara skicklig i* ~ *sy* be clever at sewing; *ingen anledning* ~ *klaga* no cause for complaint; *utan* ~ *säga någonting* without saying anything; *vanan* ~ *röka* the habit of smoking **II** *konj* that; *jag tror* ~ *han kommer* I think [that] he will come; ~ *detta skulle hända mig!* that such a thing should happen to me! *ack* ~ *jag vore* Oh, (would) that I were; *jag vill inte* ~ *det skall göras* I don't want it to be done; *det är för svårt för* ~ *han skulle förstå det* it is too difficult for him to under-

stand it; *det är brukligt ~ man gör så* it is customary for people to do so; *han väntade* [*på*] *~ jag skulle komma* he was waiting for me to come; *~ jag inte tänkte på det!* why didn't I think of that! *så dumt ~ jag inte kom ihåg det!* how stupid of me not to remember it! *~ du inte skäms!* you ought to be ashamed of yourself! *jag skall laga ~ han får veta det* I'll see to it that he is informed of it; *~ jag inte sände det berodde på* my not sending it was due to; *ursäkta ~ jag stör er* excuse my disturbing you; *jag litar på ~ du kommer* I rely on your coming; *därför ~* because, on account of; *genom ~ han for bort a*) by going away [he . .]; *b*) owing to his going away [I . .]; *i det ~ han vände sig till mig* turning to me [, he . .]; *på det ~, så ~* [in order] that, so that; *under det ~* while, whereas; *utan ~ ngn visste av det* without anyone knowing about it

attaché attaché

attack attack [*mot, på* on]; [av sjukdom] *äv.* fit **-era** *tr* attack

attentat attempt on a p.'s life, attempted assassination; [friare] outrage [*mot* on] **-or -s|man** perpetrator of an (the) outrage, assassin

attest attestation [*på* to]; certificate **-era** *tr* attest, certify

attiralj apparatus, paraphernalia *pl*

attisk *a* Attic [*salt* salt]

attityd posture; attitude, pose

attr||ahera *tr* attract; *verka ~nde* be attractive **-aktion**[**skraft** power of] attraction

attrapp dummy

attribut attribute **-iv** *a* attributive

att-sats that clause

audiens audience; *ha ~ hos* have an audience with; *söka ~ hos* seek an audience of; *han mottogs i ~ av konungen* (*äv.*) he was admitted to the King's presence

audit||iv *a* auditory **-orium** [sal] auditorium, lecture hall; [åhörare] audience

auditör *Engl.* judge-advocate

augiasstall Augean stable

augur augur, soothsayer

august||i August **-inmunk** Augustine friar **A-inus** St. Augustine

auktion [sale by] auction, [public] sale [*på, å* of]; *köpa (sälja) på ~* buy at an (sell by) auction; *hålla ~ på* . . put . . up for auction **-era** *tr*, *~ bort* dispose of (sell) . . by auction **-s|bridge** auction bridge **-s|förrättare** auctioneer **-s|gods** goods *pl* [to be] sold by auction **-s|kammare** auction-rooms *pl* **-s|katalog** auction (sale) catalogue **-s|klubba** [auctioneer's] hammer **-s|lokal** sale room

auktor||isera *tr* authorize; *~d revisor* chartered accountant **-itativ** *a* authoritative **-itet** authority **-itets|tro** belief in authority

aula hall, lecture theatre; *skol.* speech-room, *äv.* chapel

aureomycin aureomycin

aurikel *bot.* auricula

auskult||ant auditor; *läk.* auscultator; *skol.* teacher in training **-era** *tr läk.* auscultate; *~ hos ngn* attend a p.'s classes

auspicier, *lyckliga ~* favourable auspices; *under ngns ~* under a p.'s auspices

Austral||asien Australasia **-ien** Australia **a-ier a-isk** *a* Australian

autarki autarchy

autentisk *a* authentic

auto||didakt autodidact, self-taught man **-giro** autogiro; gyroplane **-graf** autograph **-krat** autocrat **-krati** autocracy **-kratisk** *a* autocratic **-mat** automaton; [penny-in-the-]slot machine; [restaurang] automatic restaurant, cafeteria **-mat|gevär** automatic rifle **-mation -matisering** automation **-matisk** *a* automatic, self-acting **-mat|skåp** [penny-in-the-]slot machine **-mat|vapen** automatic weapon

automobil [motor-]car, motor; *Am.* automobile; jfr *bil* **-fabrik** motor-car (&c) factory **-industri** motor[-car] (&c) industry **-klubb** automobile club **-sport** motoring **-verkstad** motor-car (&c) works *sg* o. *pl* (repair shop) **-väg** motor road

auto||nom *a* autonomous **-nomi** autonomy **-pilot** automatic pilot **-strada** autostrada; motor highway **-styrning** *flyg.* automatic control

av I *prep* **1** *vanl.* of; *~ god familj* of good family; *född ~ fattiga föräldrar* born of poor parents; *hertigen ~ Windsor* the Duke of Windsor; *en del ~ tiden* part of the time; *ingen ~ oss* none of us; *lösningen ~ problemet* the solution of the problem; *ett avstånd ~ tre mil* a distance of three miles; *till ett pris ~ tio pund* at a (the) price of ten pounds; *vara ~ samma åsikt* be of the same opinion; *vara ~ samma ålder* be [of] the same age; *byggd ~ trä* built of wood; *~ stor vikt* of great importance; *dö ~ feber* die of fever; *han gjorde det ~ sig själv* he did it of himself (of his own accord); *det var snällt ~ dig* it was kind of you; *lat ~ sig* lazy [by nature]; *bryta benet ~ sig* break one's leg; *med iakttagande ~* observing **2** [agenten, medlet] by; *älskad ~ alla* loved by all; *en dikt ~ Keats* a poem by Keats; *leva ~ sin penna* live by one's pen; *~ misstag (naturen, en slump)* by mistake (nature, chance); *att döma ~* judging by (from) **3** [ursprunget, grunden] from; *en gåva ~ min bror* a present from my brother; *jag ser ~ ditt brev* I see from your letter; *höra det ~* hear it from; *erhålla (köpa, låna, få veta) ~* obtain (buy, borrow, learn) from; *det kommer sig ~ att man är* it comes from [one's] being; *~ hans utseende märkte jag* I saw from his looks; *utmattad ~* fainting (exhausted) from; *lida ~* suffer from; *~ gammal vana* from force of habit; *~ gammalt* from of old **4** [medverkande orsak, ss. tillstånd, sinnesstämning] with; *våt ~ tårar* wet with tears; *vimlande ~ folk* swarming with people; *översållad ~* dotted over with; *utsliten ~ arbete* worn out with work; *huttra ~ köld* shiver with cold; *skaka ~ rädsla* tremble with fear; *halvdöd ~ utmattning* half dead with fatigue; *skratta ~ förtjusning* laugh with delight; *~ allt mitt hjärta* with all my heart **5** [förklaringsgrund] for; *gråta (ropa) ~ glädje* weep (shout) for joy; *~ brist på* . . for lack (want) of . .; *~ fruktan att* for fear of [. . ing]; *~ denna orsak* for this reason; *~ olika skäl* for (from) various reasons **6** [bevekelsegrund, ämne] out of; *~ nyfikenhet (nödvändighet, ren okunnighet)* out of curiosity (necessity, sheer ignorance); *göra ost ~ mjölk* make cheese out of milk; *i nio fall ~ tio* in nine cases out of ten; *inte en ~ hundra* not one in a hundred **7** [bort från] off; *stiga (hoppa) ~ hästen (cykeln)* get (jump) off one's horse (bicycle); *såga en gren ~ ett träd* saw a branch off a tree; *dra ~ (sig) handskarna* pull off one's gloves, take one's gloves off **8** on; *~ princip* on principle; *leva ~ bröd* live on bread; *~ denna anledning* on that account **II** *adv* **1** [i väg, ned, bort] off; *äv.* out; *brinna ~* go off; *falla ~* fall off; *ge sig ~* be off; *runda ~* round off; *stiga ~* get off (out); *ta ~ till höger* turn off to the right; *~ med hatten!* off with your hat[s]! hats off! *slå ~ .. på priset* take .. off the price **2** [befrielse från ngt] up, un-; *borsta ~* .. brush up .., give .. a brush; *lasta ~* unload; *kläda ~* undress **3** [våldsam tudelning] in two; *såga ~ stocken* saw the log in two; *repet gick ~* the rope broke in two; *skära halsen ~ sig* cut one's throat; *benet är ~* the leg is broken **4** [småningom skeende] *domna ~* go off [to sleep]; *tyna ~* pine away; *tystna ~* die down **5** *~ och an* to and fro, up and down

avanc||emang promotion **-era** *itr* advance; be promoted, rise

avans profit

avant||garde van[guard] **-scen** front (down) stage

av||art variety **-balka** *tr* partition off **-balkning** partitioning off; *konkr* partition **-barka** *tr* bark, strip **-basa** *tr* drub, dust down, trash **-basning** drubbing &c **-beställa** *tr* cancel, countermand **-beställning** cancellation, countermand **-beta** *tr* graze; crop

avbetal||a *tr* pay off; pay [for a th.] by instalments **-ning** paying off; [belopp] instalment; part payment [*på* of]; *köpa (sälja) på ~* buy (sell) .. on the hire-purchase (instalment) system **-nings|kontrakt** hire-purchase agreement **-nings|lån** loan redeemable by instalments

avbid||a *tr* wait and see [*vad som händer* what happens]; wait for [*den tiden då* the time when]; await [*händelserna* events] **-an,** *i ~ på* .. while awaiting .., pending the arrival of ..

avbild representation; [*en trogen* a true] copy; *sin fars ~* the very image of his (o. s. v.) father **-a** *tr* reproduce; *äv.* draw, paint **-ning** reproduction

av||blåsa *tr* bring .. to an end; [strid] call off **-blända** *tr* shade; *foto.* stop down, diaphragm **-bländnings|ljus** dimmer **-brott 1** [uppehåll] interruption, break; pause; [upphörande] cessation, stoppage, intermission; *ett ~ i fientligheterna* a cessation of hostilities; *ett ~ i trafiken* a stoppage in the traffic; *ett angenämt ~* a pleasant break; *utan ~* without a break; continuously **2** [motsats] contrast, change; *ett ~ i enformigheten* a change in the monotony **-brut|en** *a* broken; *vårt samtal blev -et* our conversation was interrupted; *tel.* we were disconnected **-bryta I** *tr* break [off]; [göra avbrott i] break off, interrupt; cut off [*elektriska strömmen* the electric current; *telegrafförbindelsen* the telegraphic communication]; sever [*de diplomatiska förbindelserna* [the] diplomatic relations]; discontinue [*en affärsförbindelse* a business connection]; leave off [*sitt arbete* working]; suspend [*fientligheterna* hostilities] **II** *rfl* check o.s., break off, stop speaking **-brytare** *elektr.* contact breaker, switch **-bräck** [skada] damage, detriment; [men] disadvantage; *lida ~* suffer a set-back, receive a check **-bränd** *a* fire-ravaged [*områden* areas]; *en ~ tändsticka* a used match **-bränna** *tr* burn [down]; *~ ett fyrverkeri* let off some fireworks **-bränning** *hand.* deduction [from profits]; *~ar (äv.)* incidental expenses; *förorsaka betydande ~ar (äv.)* reduce the profits considerably **-brösta** *tr mil.* unlimber **-bärarlist** *sjö.* timber fender **-böja** *tr* [avvärja] avert; divert [*ett anfall* an attack]; [anbud] decline **-böjande** *a, ~ svar* refusal, negative answer; *sända ett ~ svar (äv.)* send an answer to decline **-bön** apology; *göra ~* apologize

-börda I *tr* unburden **II** *rfl* free o.s. of; [skuld] discharge **-dankad** *a* discarded, discharged **-dela** *tr* divide [up] [*i* into]; divide off, partition [*ett rum* a room]; *mil.* detail, tell off

avdelning [avsnitt] section; [av domstol, skola] division; [i ämbetsverk o. d.] department; [av skåp, järnvägsvagn] compartment; [på sjukhus] ward; *mil.* detachment, [mindre] platoon, squad; [av flotta, flyg] division, squadron **-s|chef** [ämbetsman] head of a (the) department; [i affär] [department] manager **-s|kontor** branch [office] **-s|läkare** *ung.* deputy superintendent **-s|sköterska** ward sister **-s|vis** *adv* by sections &c

av||dika *tr* drain [*en äng* a meadow]; drain off [the water] **-domna** *itr* se *domna [av]*; *~d fot* numbed foot **-drag 1** deduction; [beviljat] allowance; [rabatt] *äv.* reduction; [på skatt] abatement; *göra ~* make a deduction [off the price]; *efter ~ av omkostnaderna* after a deduction of expenses; *med 5 procents ~* with (subject to) a five percent reduction **2** *boktr.* impression, proof **-draga** *tr* **1** [dra ifrån] deduct, take off **2** *boktr.* pull (strike) off [a proof-sheet] **-drift** drift, leeway; [projektils] deviation, deflection **-drifts|mätare (-drifts|vinkel)** drift indicator (angle) **-dunsta I** *itr* evaporate; **F** abscond **II** *tr* evaporate; vaporize **-dunstning** evaporation, vaporization **-dånad** *a, ligga ~* lie in a swoon **-döma** *tr* decide, pass [final] judg[e]ment in [*ett mål* a case]

avel [uppfödande] breeding, rearing; [ras] stock, breed; [avföda] progeny **-s|djur** *koll* breeding-stock **-s|gård** stockfarm **-s|hingst** stud-horse, stallion **-s|sto** brood-mare

avenbok hornbeam, yoke-elm

aveny avenue

aversion aversion [*mot* to]

avfall 1 [avlopp] fall **2** [avskräde] refuse, rubbish, waste [products *pl*]; *radioaktivt ~* radioactive fall[-]out; [köks-] garbage, offal; *Am. äv.* trash **3** *bildl.* falling away, backsliding; [från parti] defection, desertion; [från religion] apostasy **-a** *itr* fall away; desert [*från* from], turn deserter (renegade, apostate) **-en** *a* **1** fallen [*frukt* fruit] **2** [utmärglad] thin, worn; pinched (hollow) [*kinder* cheeks] **-s|papper** waste-paper **-s|produkt** waste (*kem.* residual) product

av||fatta *tr* indite, word; [avtal] draw up; [lagförslag] draft; *~d i försiktiga ordalag* couched in cautious terms; *kort ~d* briefly worded **-fattning** wording; version **-flytta** *itr* move away; *~ från hemmet* leave one's home **-flyttning** removal; *han är uppsagd till ~* he has been given notice to quit **-flöde** outflow, effluent **-folka** *tr* depopulate **-folkning** depopulation **-fordra** *tr, ~ ngn ngt* demand (require) a th. from a p., call upon a p. for a th.; *~ ngn räkenskap* call a p. to account [*över* for] **-fyra** *tr* discharge, fire [off], let off **-fyrning** firing &c; discharge **-fällig** *a* apostate [*från* from]; recreant [*från* to] **-fällighet** apostasy, recreancy **-fälling** apostate, renegade, backslider **-färd** departure, going away, start **-färda** *tr* [skicka] dispatch, send off; [ärende] finish, get out of hand; [person] dismiss, turn off, cut short; *jag låter inte ~ mig* I am not going to be put off **-färgning** bleaching, discoloration **-föda** offspring, progeny, brood; *I huggormars ~ (bibl.)* ye generation of vipers

avför||a *tr* **1** [bortföra] remove, carry off

2 [utstryka] cancel, cross out; ~ *från dagordningen* remove from the agenda; ~ *från rullorna* strike off the rolls **-ande I** *a läk.* (*äv.*: ~ *medel*) laxative, aperient, purgative **II** *s* removing &c **-ing 1** removal, cancelling **2** *läk.* evacuation [of the bowels], motion; [exkrementer] motions, faeces **-ingsmedel** laxative, purgative

avgas exhaust [gas] **-rör -ventil** exhaust manifold (pipe)

avgift charge; [skol-, medlems-] [school, membership] fee; [hamnavgifter] [harbour] dues; [tull-] [customs] duties *pl;* [för färd] fare **-s|fri** *a* free [of charge], duty free; *inträdet ~tt* admission free **-s|frihet** exemption from fees **-s|fritt** *adv* = *-s|fri*

av||giva *tr* **1** [ge ifrån sig] emit, give off; yield **2** [avlåta] give; ~ *redogörelse för* render an account of, submit a report on; pronounce [*ett utlåtande över* an opinion on]; make [*en bekännelse, ett löfte* a confession, a vow]; lodge [*protest hos* a protest with]; [komma in med] bring in, hand in; ~ *vittnesmål* give evidence, testify; ~ *sin röst* vote **-gjord** *a* decided; [tydligt märkbar] *äv.* distinct; *en ~ sak* a settled thing; *en på förhand ~ sak* a foregone conclusion; *därmed var saken ~* that settled the matter; *ta ngt för avgjort* take a th. (it) for granted; *avgjort!* done! that's a bargain! **-gjort** *adv* decidedly, definitely **-gjuta** *tr* take a cast of **-gjutning** cast **-glans** reflection **-gnaga** *tr* gnaw off; [ben] pick **-grena** *rfl* branch off

avgrund abyss, precipice; [klyfta] chasm; [svalg] gulf; *bildl.* pit; [helvete] hell **-s|ande** infernal spirit, fiend **-s|djup I** *a* abysmal, unfathomable **II** *s* [abysmal] depths *pl,* abyss, abysm **-s|furste** prince of darkness **-s|kval** pains of hell **-s|lik** *a* abysmal, hellish

avgränsa *tr* demarcate, delimit, circumscribe; *skarpt ~d* clearly defined

avgud idol; god; *bildl.* figure of adoration; *göra ngn till sin ~* make an idol of a p., put a p. on a pedestal **-a** *tr* idolize, idolatrize; *bildl. äv.* adore **-a-** i *sms* idol **-a|beläte -a|bild** idol; image of a god **-a|dyrkan** idolworship **-a|dyrkare** idol-worshipper, idolater **-a|tempel** temple of an idol **-eri** idolatry

avgå *itr* **1** leave, start, depart; [fartyg] sail [*till* for] **2** [bli avsänd] be dispatched (sent off) **3** [från befattning] retire, resign **4** [vid räkning] be deducted **5** ~ *från skolan* leave [the] school; ~ *med döden* be removed by death, depart from this life; ~ *med seger* come off (emerge) victorious **-ende** *a* leaving &c; retiring; ~ *brev* (*trafik*) outgoing letters (traffic); ~ *gods* outward goods *pl;* ~ *fartyg* (*tåg*) [på tidtabell o. d.] departures [of steamers (trains)]

avgång 1 departure, sailing **2** retirement, resignation; removal **-en** *a* .. that has left; retired; removed **-s|betyg** leaving (final) certificate **-s|dag** day of departure **-s|examen** final (school-leaving) examination **-s|signal** starting-signal **-s|station** departure station **-s|tid** time (hour) of departure

avgäld rent [in kind]

avgör||a *tr* decide; settle [*en tvist* a dispute]; [bedöma] determine **-ande I** *a* decisive [*steg, seger* step, victory]; conclusive [*skäl* argument]; determining [factor]; finishing [*stöt* stroke]; critical [*ögonblick* moment]; crucial [*betydelse, prov* importance, test]; *den ~ rösten* the casting vote **II** *s* deciding &c; decision; settlement; *föra .. till ett ~* bring .. to a conclusion (an issue); *träffa ett ~* make a decision

av||handla *tr* discuss, go into, deal with, treat [of]; negotiate [*affärer med* business with] **-handling** [skrift] treatise; [akademisk] dissertation, thesis; [friare] essay, paper [*över* on] **-hjälpa** *tr* remedy; rectify, put right [*ett fel* an error (a defect)]; repair [*en skada* an injury]; redress [*en oförrätt* a wrong]; relieve [*nöd* distress]; supply, fill [*ett behov* a want (need)] **-hjälpande** *s* remedying &c; redress; relief **-hoppare** [person som söker politisk asyl] escapee; *Am.* getaway **-hoppning** jump[ing] [off] **-hugg|a** *tr* hew (lop) off; chop off; sever (cut) [*den gordiska knuten* the Gordian knot]; *-en stil* abrupt style **-hysa** *tr* evict **-hysning** eviction **-hyvla** *tr* plane .. smooth

avhåll||a I *tr* **1** [hindra] keep, restrain, deter, prevent **2** [möte o. d.] hold **II** *rfl,* ~ *sig från* keep away from; abstain from [*nöjen* pleasures; *att röka* smoking]; refrain from [*att uttala sin mening* expressing an opinion]; [sällskap med] shun, avoid **-en** *a* beloved, dear[ly loved]; [allm. omtyckt] popular; *göra sig ~ av* endear o.s. to **-sam** *a* abstemious, temperate **-samhet** abstemiousness, temperance; [*hel* total] abstinence

av||hämta *tr* fetch, call for; collect; *låta ~* send for; *att ~s* to be called for **-hämtning** fetching **-hända I** *tr* deprive .. of **II** *rfl* part with, dispose of; ~ *sig livet* take one's life, do away with o.s. **-hängig** *a* dependent [*av* on] **-hängighet** dependence **-hör|a** *tr* listen to; [obemärkt] overhear; *intet -es från* [there is] no news to hand from

avi advice[-form], notice

aviat||ik aviation **-iker** aviator

avig *a* **1** wrong [*sida* side]; inside out **2** [tafatt] awkward **-a** *s* **-sid|a** wrong side; *det har sina -or* there are some drawbacks **-t** *adv* **1** wrong side up; *sticka ~ och rätt* knit purl and plain **2** [bakvänt] awkwardly **-vänd** *a* turned inside (wrong side) out

avis = *avi* **-a** news-sheet **-era** *tr* advise, notify

avisare *flyg.* de-icer

avista *adv hand.* at sight, on demand; ~ *tillgodohavanden* call money **-växel** sight (demand) draft

av||kall, *ge ~ på* renounce, resign, waive **-kasta** *tr* **1** throw off; shake off [*oket* the yoke] **2** *ekon.* yield, bring in; [om jord] *äv.* produce, bear **-kastning** yield, proceeds *pl;* [*årlig* annual] return[s *pl*]; [behållning] *äv.* takings *pl;* [vinst] profit; [jordens] *äv.* produce; *ge god* (*dålig*) ~ yield well (badly) **-klippa** *tr* cut off; cut .. in two, sever *äv. bildl.;* [samtal o. d.] cut .. short **-klubba** *tr, saken ~des hastigt* the matter was quickly settled

avkläd||a *tr* undress; divest (strip) of [*kläder, värdighet* garments, dignity]; expose **-ning** undressing &c **-nings|rum** dressing-room

av||knappa *tr* o. *itr* (*äv.*: ~ *på*) reduce, curtail **-knappning** reduction, curtailment **-kok** decoction [*på* of] **-koka** *tr* decoct **-komling** descendant; child **-komma** offspring, progeny; is. *jur.* issue; *få ~* have issue **-koppla I** *tr* uncouple; ⊕ *äv.* disconnect, switch off **II** *itr* [få avspänning från] se *koppla* [*av*] **-koppling** uncoupling; disconnection; [avspänning] unwinding, relaxation **-korta** *tr* shorten, curtail; [ngt skrivet] abridge, abbreviate; [minska] diminish, reduce; ~ *sitt liv* put an end to one's life **-kortning** shortening; abbreviation; reduction, diminution **-kristna** *tr* dechristianize **-kristning** dechristianization

av||krok out-of-the-way (remote) spot (corner) **-kräva** *tr,* ~ *ngn betalning, en förklaring* demand payment, an explanation from a p. **-kunna** *tr* pronounce, deliver [*dom* judgement], pass [*dom* sentence]; record [*ett utslag* a verdict]; [lysning] publish **-kunnande** *s* pronouncing &c; delivery; publication **-kyla** *tr* cool; *bildl. äv.* damp; ⊕ refrigerate **-kylning** cooling; refrigeration

avla *tr* [om man] beget; [om kvinna] conceive; [om djur] breed, engender, generate

av||lagd *a,* ~*a kläder* discarded (cast-off) clothes (clothing); [handelsvara] old (second-hand) clothes **-lagra** *rfl* **-lagras** *dep* stratify, be deposited in layers **-lagring** stratification; *konkr* stratum [*pl* strata], layer **-lassa** *tr* unload; [friare] disburden; ~ *.. på andra* shift .. on to other people's shoulders **-lasta** *tr* **1** [befria från last] unload **2** [varor] discharge; unship **3** [lätta] relieve [*ett tryck* a pressure] **-lastning** unloading; discharge; relief **-lastnings|bevis** bill of lading, B/L **-lastnings|manöver** diversion [manœuvre] **-lastnings|ort** place of discharge

avlat indulgence **-s|brev** letter of indulgence **-s|handel** sale of indulgences **-s|krämare** pardoner

avled||a *tr* carry off, draw off [water]; [friare] divert [*en flod* the course of a river; *misstankar* suspicion; *ngns uppmärksamhet* a p.'s attention]; deflect [*ngns tankar* a p.'s thoughts]; [åskan] conduct; *gram.* derive **-are** carrier off &c; *bildl.* diversion **-ning 1** [utan pl] carrying off &c; diversion; *gram.* derivation **2** [med *pl*] *gram.* derivative **-nings|manöver** *mil.* diversion **-nings|ändelse** suffix

avlelse conception; *den obefläckade* ~*n* the Immaculate Conception

avleverera *tr* deliver [up], hand over

avlid||a *itr* die, pass away **-en** *a* dead; deceased; *den -ne* the dead man &c; the deceased; *-ne* .. the late ..

av||liva *tr* put .. to death; *bildl.* overthrow [*en teori* a theory] **-ljud** ablaut *ty.*, vowel gradation **-locka** *tr* draw [*en bekännelse* a confession] from; elicit [*upplysningar* information] from; extract [*ett löfte* a promise] from; worm [*en hemlighet* a secret] out of; ~ *ngn ett skratt* make a p. laugh; ~ *ngn pengar* wheedle money out of a p.

avlopp off-flow, outflow; sewer; [t. ex. i badkar] plug-hole, drain; *bildl.* outlet, vent **-s|brunn** sink [hole], cesspool **-s|dike** drainage ditch **s|kanal** exhaust-passage, outlet **-s|ränna** gutter **-s|rör** discharge-(waste-)pipe, drain[-pipe]; [för ånga] exhaust pipe **-s|system** sewerage **-s|trumma** sewer, drain **-s|vatten** waste water **-s|ventil** exhaust valve

av||lossa *tr* **1** loosen, detach **2** [avskjuta] fire [off], discharge **-lossning** loosening &c **-lura** *tr,* ~ *ngn ngt* [gm övertalning] coax (wheedle) a th. out of a p.; [gm bedrägeri] cheat (trick) a p. out of a th. **-lusa** *tr* delouse **-lusning[sanstalt]** delousing [establishment] **-lyfta** *tr* lift off; remove; relieve [*tryck* pressure] **-lyftning** lifting off; removal; relief **-lysa** *tr* declare .. [to be] at an end; cancel, call off, suspend **-lyssna** *tr* listen to; [ofrivilligt] overhear; *radio.* monitor **-lyssnings|anordning** *tel.* monitoring device **-lyssnings|system** eaves-dropping system **-lång** *a* oblong; oval, elliptical **-låta** *tr* [avsända] dispatch, send off; [utfärda] issue **-lägga** *tr* **1** [kläder] leave off [wearing]; lay aside, put by *äv. bildl.* **2** make [*en bekännelse* a confession], render [*räkenskap för* an account of]; ~ *besök hos* pay a [formal] visit to, call upon; ~ *en ed* take one's oath; ~ *examen* pass an examination ~ *rapport om* [give a] report on **-läggare** *trädg.* layer; *bildl.* offshoot

avlägs||en *a* distant [*äv.* om släkting]; remote; *inte den -naste aning om* not the remotest (faintest) idea about **-enhet** distance, remoteness **-et** *adv* remotely, distantly; ~ *liggande* (*äv.*) remote, out-of-the-way, far-off **-na I** *tr* remove; [avfärda, avskeda] dismiss; [avvärja] avert; [utesluta] banish [*varje misstanke* every suspicion]; ~ *rost* derust **II** *rfl* go away; leave (*äv.*: ~ *sig från*); retire, withdraw; [för ögat] recede **-nande** *s* removal; dismissal; averting; banishment

av||lämna *tr* [varor] deliver; [till förvaring] leave; [inlämna] hand in; [resande] drop, set down **-lämnande** *s* delivering &c; delivery **-läsa** *tr* read [off]; ~ *ngt i ngns ansikte* read a th. in a p.'s face **-läsare** meter-checker **-läsning** reading

avlön||a *tr* pay, remunerate **-ad** *a* salaried; *en väl* ~ *syssla* a well remunerated (paid) post **-ing** pay, remuneration; [ämbetsmans] salary; [prästs] stipend; [tjänstefolks, arbetares] wages *pl* **-ings|dag** pay-day **-ings|förmåner** emoluments **-ings|lista** wages (pay) sheet; *Am.* pay-roll

av||löpa *itr* [försiggå] pass off; [sluta] end; [utfalla] turn out; ~ *lyckligt* turn out successful, succeed; end happily **-lösa** *tr* [vakt, arbete] relieve, take over duty from; [följa på] succeed; [ersätta] displace, replace; [uttränga] supersede **-lösare** reliever, successor **-lösning** relieving &c; *mil.* relief **-lösnings|manskap** relief-gang, relay **-löva** *tr* strip [a tree] of [its] leaves, defoliate; ~*d* leafless; ~*s* (*äv.*) shed its leaves **-magnetisera** *tr* demagnetize, degauss **-magra** *itr* grow thin; lose flesh (in weight); ~*d* thinned down, emaciated **-magring** growing thin; loss of flesh **-magrings|kur** slimming [treatment (diet)] **-magrings|medel** slimming material; method of slimming **-marsch** march off, departure **-marschera** *itr* march off, depart **-masta** *tr* dismast **-matta** *tr* weaken, enfeeble; [utmatta] exhaust **-mattas** *dep* grow weak, languish, flag, lose strength **-mattning** flagging, languor, relaxed vigour, exhaustion **-meja** *tr* cut; [gräs] mow; [säd] reap **-mobilisera** *tr* demobilize **-mobilisering** demobilization **-montera** *tr* dismantle **-måla I** *tr* paint; portray; [beskriva] depict **II** *rfl, fruktan* ~*de sig i hans ansikte* fear was depicted (to be read) in (on) his face

av||mäta *tr* measure; *lantm.* trace out, measure up; [straff] mete out **-mätning** measuring; measurement **-mätnings|instrument** measuring-instrument **-mätt** *a* measured; deliberate [*steg* step]; [sätt] guarded, reserved **-mätthet** deliberation, reserve **-mönstra I** *tr mil.* muster out, discharge; *sjö.* pay off (up) **II** *itr sjö.* [om manskap] sign off; [om fartyg] be laid up **-mönstring[sdag]** paying-off &c [day] **-narra** *tr,* ~ *ngn ngt* cajole (coax, wheedle) a th. out of a p. **-njuta** *tr* enjoy **-nysta** *tr* unwind, unreel **-nämare** buyer, purchaser, consumer **-nöta** *tr* wear off

avog *a* unkindly disposed, unfavourably inclined [*mot* towards]; averse [*mot* to]; *bära* ~ *sköld mot* turn traitor to; *lyckan var honom* ~ fortune frowned upon him **-het** averseness, aversion [*mot* to]

av||passa˙*tr* fit (match) .. [*efter* to]; *bildl. äv.* adjust, adapt [*efter* to]; [avmäta] proportion [the length to the height]; ~ *utgifter efter inkomster* suit one's expenditure to one's income; cut one's coat according to one's cloth; ~ *tiden för besöket väl* time one's visit well **-passning** fitting &c; adjustment, adaptation **-patrullera** *tr* patrol **-planka** *tr* board (partition) off **-plankning** boarding off &c; *konkr* partition; [kring bygge] hoarding, sheeting **-plocka** *tr* [frukt] pick, gather; *bli ~d sina lånta fjädrar* be stripped of one's borrowed plumes **-pollettera** *tr* discharge **-porträttera** *tr* portray **-pressa** *tr*, ~ *ngn ngt* extort (wring) a th. from a p. **-prova** *tr* test, try, give a trial; [smaka] taste, sample **-provning** testing &c **-pruta** *tr* [om köparen] beat down; [om säljaren] knock off; ~ *på fordringarna* reduce (come down a little in) one's demands **-prägla** *rfl* impress (stamp) o.s. [*i, på* on] **-reagera** *tr* o. *rfl psyk.* abreact; [friare] work off [one's annoyance]; **F** blow off steam **-reda** *tr kok.* thicken **-resa I** *itr* depart (start, leave, set off) [*till* for] **II** *s* departure, leaving, going away **-rigga** *tr* unrig, untackle **-riggning** unrigging &c **-ringning** ringing off **-rinna** *itr* flow (drain) away (off); *låta* ~ drain **-rita** *tr* draw [a picture of]; depict **-riva** *tr* tear off **-rivning 1** tearing off **2** *kall* ~ a cold rub-down **-runda** *tr* round [off]; *~d* rounded-off; *~de tal* round numbers (figures) **-rusta I** *tr mil.* demobilize, put on a peace footing; *sjö.* lay up **II** *itr* disarm; *mil.* demobilize, reduce one's armaments; *sjö.* lay up **-rustning** disarmament; laying up **-råda** *tr*, ~ *ngn från* [*att*] advise (warn) a p. against [(not to ..)], dissuade a p. from [..ing] **-rådan** dissuasion; discouragement

av||räkna *tr* deduct; allow for; *detta ~t* making allowance for that **-räkning** deduction; *hand.* [avslutande] settlement [of accounts]; *genom ömsesidig* ~ by counter-account; *i ~ på herrarna S.* to Messrs. S.'s account; *betala i* ~ pay on account **-rätta** *tr* execute; put to death [*genom* by]; ~ *genom elektricitet* electrocute; ~ *med gas* gas [to death]; *~s genom hängning* be hanged **-rättning** execution, putting to death; electrocution **-röja** *tr* clear [a table]; clear away **-sadla** *tr* unsaddle **-saknad** want; *vara i ~ av* lack **-sats** [på klippa o. d.] ledge, shelf; [i trappa] landing

av||se *tr* **1** [ha avseende på] bear upon, concern; have reference to, refer to **2** [ha i sikte] have .. in view; aim at, be directed towards **3** [vara avsedd] be intended, be designed **4** [ha för avsikt] mean, intend **-sedd** *a* intended, designed **-seende I** *a* referring (relating) to, bearing upon, concerning **II** *s* respect, regard; [beaktande] consideration; [syftning] reference; *fästa ~ vid* take notice of, pay heed (attention, regard) to; *ha ~ på* have reference to, refer to; *i detta* (*varje, intet*) ~ in this (every, no) respect; *i alla ~n* in all respects, in every way; *i politiskt* ~ politically, from a political aspect (point of view); *i* (*med*) *~ på* in respect (regard) to; with reference to; as regards, regarding; *utan ~ på* without reference to; *utan ~ på person* without respect of persons; *utan ~ på personlig fördel* without regard to personal advantage; *lämna .. utan* ~ leave .. out of consideration (account)

av||segla *itr* [set] sail [*till* for]; put to sea **-segling** setting sail, departure **-sevärd** *a* considerable; substantial [*rabatt* discount]; decided [*förbättring* improvement] **-side** *adv* aside; *ligga* ~ lie apart; ~ *belägen* remote, out-of-the-way **-sides|replik** aside **-sig|kommen** *a* broken down; *se ~ ut* look shabby (seedy)

avsikt intention; purpose; [uppsåt] design [motiv] motive; [syfte] object, end; *ha för ~ att* have the intention to, intend to; *ha goda ~er med ngn* have good intentions *~er mot ngn* have evil designs on a p. towards (mean well by) a p.; *hysa onda* *i ~ att* .. for the purpose of .. -ing, in order to; *med* ~ on purpose, intentionally *med ~ att* .. with the intention of (a view to .. -ing; *utan* ~ unintentionally **-lig** *a* intentional; [överlagd] deliberate

av||sjunga *tr* sing **-skaffa** *tr* abolish, do away with, get rid of; put an end to; [upphäva] repeal **-skaffande** *s* abolishing &c; abolition; repeal; *anhängare av slaveriets* (*dödsstraffets*) ~ abolitionist

avsked 1 [ur tjänst] *a*) [entledigande] dismissal, discharge; *b*) [tillbakaträdande] resignation, retirement; *begära* ~ hand in (tender) one's resignation; give in one's notice; *få* ~ be dismissed; *få ~ med pension* retire on a pension; *få ~ på grått papper* be turned off, **F** be sacked; *ta* ~ retire; *ta ~ från* resign, leave **2** [farväl] parting, leave-taking, leave; *ta ~ av* say farewell (goodbye) to, take leave of; *i ~ets stund* at the moment of parting **-a** *tr* dismiss, discharge; **F** sack; [göra sig kvitt] get rid of **-s|ansökan** resignation **-s|audiens** farewell audience **-s|besök** farewell call, leave-taking visit **-s|betyg** character **-s|fest** farewell party **-s|föreställning** farewell performance **-s|hälsning (-s|kyss)** parting greeting (kiss) **-s|konsert (-s|middag)** farewell concert (dinner) **-s|ord** parting word **-s|stund** hour (moment) of parting

av||skeppa *tr* ship [.. off] **-skeppning** shipping [off]; [*klar till* ready for] shipment **-skeppnings|hamn** port of shipment **-skicka** *tr* send [off], dispatch **-skild** *a* retired, secluded; isolated; *leva ~ från* live apart from **-skildhet** retirement, seclusion; isolation **-skilja I** *tr* separate, detach; [avhugga] sever; [avdela] partition off **II** *rfl* separate (detach) o.s. **-skiljbar** *a* separable, detachable **-skjut|a** *tr* fire (shoot) [off]; [raket] äv. launch; *en -en patron* a spent cartridge; *som -en ur en kanon* like a shot [from a gun] **-skjutning** firing &c **-skjutnings|ramp (-skjutnings|vinkel)** [för raketer] launching pad (angle) **-skranka** *tr* partition off **-skrankning** partition; [rum] *äv.* compartment; [för den anklagade] dock **-skrap** scrapings *pl;* refuse **-skrapa** *tr* scrape [off] **-skrift** [*bevittnad* attested; *trogen* true] copy; *~ens riktighet bestyrkes* I (we) hereby certify that this is a true copy **-skriva** *tr* **1** [renskriva] rewrite, [make a fair] copy **2** [fordringar o. d.] write off; cancel; cut [*osäkra fordringar* bad debts] **3** [ett mål] remove .. from the cause-list **-skrivning** copying; writing off &c; removal; jfr *-skriva; konkr* sum written off **-skruva** *tr* unscrew, screw .. off **-skräcka** *tr* frighten; [förhindra] deter; [svagare] discourage; *han låter inte ~ sig* he is not to be intimidated; *utan att låta ~ sig* undeterred **-skräckande I** *a* [verkan] deterrent; [straff] exemplary; [exempel] warning **II** *adv*, ~ *ful* repellent, forbidding; *verka* ~ act as a deterrent

avskräde refuse; offal; [friare] rubbish **-s|hög** refuse-(rubbish-)heap; *äv.* dump

av||skudda *tr* o. *rfl* shake (throw) off **-skugga** *rfl* be silhouetted **-skum** scum; *koll* skimmings *pl; bildl. äv.* refuse, dregs *pl;* [skurk] scoundrel **-skumma** *tr* skim [off] **-skuren** *a* cut [off], severed; isolated **-sky I** *tr* detest, abhor, loathe **II** *s* disgust [*för, över* at]; loathing [*för* for]; abhorrence [*för* of]; aversion [*för* to] **-sky|värd** *a* abominable, detestable, disgusting; [brott] heinous **-skära** *tr* cut off, cut .. in two, sever; *mil.* intercept [*reträtt* retreat] **-skärma** *tr* screen [off]; *radio.* shield **-skölja** *tr* rinse [out]; wash off **-sköljning** rinsing &c; rinse

avslag [*bestämt* flat] refusal; [på förslag] rejection; *få ~ på..* meet with a refusal of..; have .. rejected; *yrka ~* move the rejection of the proposal **-s|yrkande** motion for the rejection [of the proposal]

av||slappas *dep* slacken, abate, relax **-slappning** slackening &c **-slipa** *tr* grind [off]; polish *äv. bildl.;* [om vattnet] wear; [juveler] cut **-slipning** grinding &c; *en sista ~* a finishing touch, a final polish

avslut *hand.* contract, bargain; [bokslut] balancing [of one's books] **-a** *tr* **1** [göra färdig] finish [off], complete; [ge en -ning] conclude, bring to a close (conclusion); [göra slut på] end, close; *~s* be finished off; come to an end, terminate **2** [göra upp] conclude [*ett köp* a bargain; *ett fördrag* a treaty]; enter into [*ett avtal* a contract]; *~ sina räkenskaper* balance one's books **-ad** *a* finished &c; done, over **-ning 1** [-ande] finishing off, completion; concluding, conclusion **2** [-ande del] conclusion, finish; [slut] end, termination; [-ningsakt] *skol.* breaking-up [ceremony], speech-day; *Am.* commencement **-nings|tal** concluding speech; *skol.* end-of-term (commencement) speech

av||slå *tr* **1** [slå av] knock (strike) off **2** [tillbakaslå] repulse **3** [vägra] refuse, decline; reject [*ett anbud* an offer] **-slående** *s* knocking off &c; repulse; refusal, rejection **-slöja I** *tr* unveil, unmask; [friare] expose, show .. up; [yppa] disclose, reveal; [humbug] **F** debunk **II** *rfl, ~ sig som* reveal o.s. as **-slöjande** *s* **1** unveiling &c; exposure; disclosure **2** *~n* disclosures, revelations **-slöjning** se föreg.

avsmak dislike, distaste; [starkare] aversion [*för* to], disgust [*för* with]; *få ~ för* take a dislike to; *känna ~* feel disgusted **-a** *tr* taste **-ning** tasting

av||smalna *itr* narrow [off]; [småningom] taper **-smalnande** *a* o. *s* narrowing &c **-snedda** *tr* incline, slope **-snitt** sector; [av bok] section; [tids-] period **-snoppa** *tr* **1** = *snoppa* [*av*] **2** [person] **F** take .. down a peg or two; *känna sig ~d* **F** feel sat upon (crushed) **-snäsa** *tr, ~ ngn* snub (rebuff) a p., snap a p. up **-snäsning** snubbing, rebuff **-snöra** *tr* cut off **-somna** *itr* fall asleep; [dö] *äv.* pass away; *de* [*saligen*] *~de* the [dear] departed **-spark** *fotb.* kick off **-sparka** *tr* kick off; *få benet ~t* get one's leg broken by a kick **-spegla I** *tr* reflect, mirror **II** *rfl* be reflected &c **-spegling** reflection **-spisa** *tr* put .. off, **F** fob .. off **-spänning** *bildl.* relief, relaxation [of tension]

avspärr||a *tr* block; shut (cut) off [*från* from]; *mil.* blockade; [avstänga] close [*för* for]; [med staket, rep o. d.] rail (fence, rope) off **-ning** blocking &c; [område] roped off area, enclosure

av||stanna *itr* stop, cease, come to a standstill; die down **-stava** *tr* divide [.. into syllables] **-stavning** division of words **-steg** departure, deviation; [moral.] lapse **-stickare** [utflykt] detour; [från ämnet] digression **-stigning** alighting

avstjälp||a *tr* tip, dump **-ning** tipping &c **-nings|plats** dumping-ground

av||styra *tr* avert, ward off **-styrka** *tr* discountenance, oppose; recommend the rejection of **-styrkan**, *på din ~* on the strength of your dissuasion **-styrkande I** *a* recommending [the] rejection [of] **II** *s* disapproval; rejection **-stå I** *tr* give up, relinquish, cede **II** *itr, ~ från* give up [*tanken på* the idea of; *att bli ..* being]; relinquish, surrender, desist from; [avsäga sig] renounce; [låta bli att] refrain from; [undvara] dispense with, do without **-stående** *s* giving up &c; relinquishment [*från* of]

avstånd distance; *på ~* at a distance, [i fjärran] in the distance; *på fem mils ~* at five miles' distance; *hålla sig på ~* keep aloof; *taga ~ från* dissociate o.s. from, repudiate, disclaim; [ogilla] take exception to, deprecate **-s|bedömning** determination of distance[s] **-s|mätare** *mil.* o. *foto.* rangefinder; telemeter **-s|tagande** *s* repudiation; deprecation; disclaimer [*från* of]

avstäm||ma *tr radio.* tune **-ning** *radio.* tuning, syntonization **-nings|ratt** *radio.* tuning knob (control)

avstämpl||a *tr* stamp; [biljett] punch **-ings|-dag** day of issue

avstäng||a *tr* shut off *äv. bildl.;* [inhägna] fence off (in), enclose; close [*en hamn* a harbour]; [avspärra] bar, block; [gas o. d.] turn off; *bildl. äv.* exclude; *~ ngn från* debar a p. from **-d** *a* shut off &c; *gatan ~!* no thoroughfare! **-d|het** isolation, seclusion **-ning** shutting off &c; [inhägnande] enclosure

avsutten *a* dismounted

av||svalka *tr* cool [down] **-svalna** *itr* cool [down], grow cool; *bildl.* abate **-svalnande** *a* o. *s* **-svalning** cooling

avsvim||ma *itr* faint [away], swoon; *~d* in a faint (swoon) **-ning** fainting &c; [en ~] faint, swoon

av||svärja *tr* o. *rfl* abjure, renounce; forswear **-svärjelse** abjuration, renunciation; forswearing **-syna** *tr* inspect and certify [as properly equipped] **-syning** official inspection **-synings|instrument** certificate of inspection

avsäg||a *rfl* resign, give up [*sin befattning* one's appointment; *ett uppdrag* a task]; [avböja] decline; [frisäga sig från] disclaim; renounce; *~ sig tronen* abdicate **-else** resignation; renunciation; abdication

avsänd||a *tr* send [off], dispatch **-are** sender; [av postanv.] remitter; *telegr.* [apparat] transmitter **-ning** sending [off], dispatch

avsätt||a I *tr* **1** [ämbetsman] dismiss, remove; [regent] depose **2** [varor] sell, dispose of, find a market for; *är lätt* (*svår*) *att ~* (*äv.*) sells well (badly) **3** [bottensats] deposit **4** *~ märken* (*spår*) leave marks (traces) **II** *rfl* be deposited, settle **-ande** *s* dismissing &c **-lig** *a* dismissable, removable; [varor] marketable **-ning 1** [ämbetsmans] dismissal, removal [from office]; [regents] deposition **2** [varors] sale, market; *ha god ~* sell well **-nings|möjlighet** sales (selling) prospects *pl* **-nings|område** market

avsöndr||a I *tr* separate [off], sever, detach; *fysiol.* secrete **II** *rfl* o. **-as** *dep* separate off; be secreted **-ing** separation, severance; secretion **-ings|organ** secretory organ

av||tacka *tr* dismiss (take leave of) .. with due acknowledgement **-tackning** dismissal, leavetaking [ceremony] **-tackla** *tr* unrig, dismantle **-tacklad** *a, se ~ ut* look a wreck

avtag||a I *tr* take off, remove **II** *itr* decrease, grow less, diminish; [om månen] wane; [om storm] *äv.* abate, subside; [om hälsa, anseende] decline, fail, fall off **-ande I** *s* taking off &c; decrease, diminution; waning, abatement; decline; *vara i ~* be on the decrease (decline); [månen] wane **II** *a* decreasing, waning; [temperatur] falling **-bar** *a* removable, detachable **-s|väg** turn[ing]

avtal agreement, contract; *träffa ~* draw up (come to, make) an agreement; *emot ~* contrary to (in breach of) contract; *enligt ~* according to agreement, as agreed [upon] **-a I** *itr* agree [*med* with; *om* about, as to] **II** *tr* agree upon, settle, stipulate; *vid ~t tecken* at a preconcerted sign; *vid den ~de tiden* at the time appointed; *som ~t* [*var*] as arranged **-s|brott** breach of the (an, one's) agreement **-s|lön** contract wages *pl* **-s|stridig** *a* contrary to contract **-s|tid** term of the (an) agreement

av||tappa *tr* [vätska] drain, tap; [fat] draw **-tappning** draining &c **-teckna** *tr* draw, sketch [*efter naturen* from nature]; *~ sig* stand out, be outlined **-tjäna** *tr* work off; *~ sitt straff* serve (do) one's time **-tona** *tr mål.* shade off, soften **-toning** shading off; [nyans] gradation **-torka** *tr* wipe [off (down)]; [tårar] dry **-troppa** *itr* troop off, decamp **-trubba** *tr* dull, blunt; ⊕ bevel [down] **-trubbning** blunting

avtryck 1 impression; [finger-, kopia] print; [avgjutning] cast **2** [omtryck] reprint **3** *typ.* page proof **-a** *tr* impress, imprint; *boktr.* print [off]; [omtrycka] reprint **-are** [på gevär, *foto.*] trigger **-ning** impressing &c

avträd||a I *tr* give up; [landområde] cede **II** *itr* retire, withdraw **-ande** *s* **1** giving up &c; cession **2** [tillbakaträdande] retirement, withdrawal **-e 1** se *-ande 2* **2** [klosett] privy, lavatory; *Am.* rest room

av||tvagning washing [away] *äv. bildl.* **-tvinga** *tr, ~ ngn ngt* extort a th. from a p., wring a th. out of (from) a p.; *~ ngn aktning (äv.)* compel a p.'s respect **-två** *tr* wash [off]; *bildl.* wash away; [beskyllning] clear o.s. of **-tyna** *itr* languish; [om pers.] *äv.* pine away **-tynande I** *s* [gradual] decline **II** *a* languishing **-tåg** departure, marching off; *fritt ~* liberty to march off **-tåga** *itr* march off, decamp **-täcka** *tr* uncover; [staty] unveil **-täckning** uncovering &c **-täcknings|högtidlighet** unveiling ceremony **-tärd** *a* worn, emaciated, haggard, gaunt **-tärdhet** emaciation; haggardness

avund envy; *blek av ~* pale with envy; *hysa ~ mot* feel envious of **-as** *dep* envy **-sam** *a* envious **-samhet** enviousness **-sjuk** *a* envious, jealous [*på, över* of] **-sjuka** enviousness, envy **-s|värd** *a* enviable; *föga ~* unenviable, not very enviable

avvakt||a *tr* [ankomst, svar] await; [händelsernas gång] wait and see; [passa på] wait (watch) for; *~ tiden* bide one's time **-an,** *i ~ på* while waiting for; pending; *i ~ på benäget svar* awaiting the favour of an answer **-ande I** *s* awaiting &c **II** *a* expectant [*hållning* attitude]; *förhålla sig ~* play a waiting game; *äv.* mark time

av||vand *a* weaned; *bli ~ från att . .* get out of the habit of . . -ing **-vara** *tr* spare **-veckla** *tr* [affär] wind up; [friare] liquidate, settle **-veckling** winding up, liquidation; settlement **-verka** *tr* [skog] cut, lumber; [slutföra] finish, complete **-verkning** cutting &c; felling **-verknings|resultat** cut

avvik||a *itr* **1** diverge; [från ämne] digress; [från kursen, sanningen] deviate; *sjö. äv.* fall off **2** [rymma] abscond, run away **3** [skilja sig] differ **-ande I** *a* divergent; differing; deviating; [åsikt] dissentient **II** *s* **1** divergence; digression; deviation, departure **2** [flykt] flight, absconding **-else 1** = *-ande II 1* **2** [kompassens] aberration, variation

av||vinna *tr, ~ jorden sin bärgning* extract one's subsistence from the soil; *~ läsarens intresse* gain the reader's interest; *~ ämnet nya synpunkter* evolve new aspects of the subject **-visa** *tr* turn (send) away; [krav o. d.] dismiss; [förslag, anbud] decline, reject; [beskyllning] repudiate; [invändning] overrule; [angrepp] repel, repulse; *~ tanken på* wave aside the idea that; *han lät sig inte ~* he was not to be rebuffed (put off) **-visande I** *a* repudiating; deprecatory; *ställa sig ~ till* take up a deprecatory (negative) attitude towards, decline; *inta en ~ hållning till ngn* give a p. the cold shoulder **II** *s* turning away &c; dismissal; rejection; repudiation; repulse **-visarlist** timber fender **-vita** *a* [förvänd] preposterous, absurd **-vittring** *geol.* erosion **-väg,** *föra (komma) på ~ar* lead (go) astray; *han har råkat på ~ar* he is on the wrong road (has taken a wrong turning)

avväg||a *tr* [skäl o. d.] weigh [in one's mind]; balance [against each other]; *lantm.* [take the] level [of]; *väl -d* well poised (balanced) **-ning** weighing &c **-nings|instrument** levelling instrument

av||vända *tr* turn aside, ward off; [misstanke] divert; [fara] avert **-vänja** *tr* [is. dibarn] wean; jfr *vänja* [*av*] **-vänjning** weaning **-väpna** *tr* disarm **-väpnande** *a* disarming **-väpning** disarmament **-värja** *tr* ward (fend) off; [fara] avert; parry [*ett hugg* a blow] **-värjning** warding off &c **-ytterlig** *a* saleable, disposeable **-yttra** *tr* dispose of, sell **-yttring** disposal, sale **-äta** *tr* eat; *middagen avåts* dinner was eaten (partaken of)

ax 1 *bot.* spike; [sädes-] ear; *gå i (skjuta) ~* ear, form ears **2** [nyckel-] bit, web

ax|el 1 *geom.* [*äv.* jordens o. *polit.*] axis [*pl* axes]; [hjul-] axle; [maskin-] shaft, spindle **2** [skuldra] shoulder; *rycka på -larna* shrug one's shoulders; *se ngn över ~n* look down upon a p. **-bred** *a* broad-shouldered **-bredd** width across the shoulders **-brott** breakage of the shaft **-gehäng** shoulder-belt, sash **-klaff** shoulder-strap **-koppling** ⊕ shaft-coupling **-lager** ⊕ axle-(shaft-)bearing **-led** shoulder-joint **-ledning** ⊕ shafting **-makterna** the Axis Powers **-rem** shoulder-strap **-ryckning** shrug [of the shoulders] **-tapp** ⊕ axle spindle (journal), shaft pivot **-väska** satchel

axformig *a* spiciform, spiked

axiom axiom **-atisk** *a* axiomatic

axla *tr* put on, shoulder; *bildl.* take up

axplock[ning] gleaning

Azorerna the Azores

aztek -isk *a* Aztec

azur azure **-blå** *a* **-blått** *s* azure-blue

B

b b; *mus.* [ton] B flat; [tecken] flat sign; *~-ljud* b-sound
babb||el babble **-la** *itr* o. *tr* babble
babelstorn tower of Babel
babian baboon
babord *sjö.* port, larboard; *~ med rodret!* port the helm! *på ~s bog* on the port bow **-s|lanterna (-s|sida)** port light (side)
Babylon||ien Babylonia **b-ier b-isk** *a* Babylonian; *b-isk förbistring* babel of noises
bacill germ; bacillus [*pl* bacilli] **-bärande** *a* germ-carrying **-bärare** germ-carrier **-fri** *a* germ-free **-skräck,** *ha ~* be afraid of infection
back I *s* **1** *sport.* back **2** *sjö.* forecastle **3** [kärl] bowl, [mess-]kid **II** *adv* back; *brassa ~* brace aback; heave to; *sakta ~!* easy astern! *gå (slå) ~* back, reverse, go astern; *slå ~ i maskin* reverse [the engine] **-a** *tr* o. *itr* back, reverse
backan||al bachanal **-t -tinna** bachante
back|e [sluttning] hill; slope, hillside; [uppförs-] uphill, rise; [nedförs-] downhill, descent; *~ upp och ~ ned* up hill and down dale; *många -ar (äv.)* many ups and downs; *sakta i -arna!* steady does it! slow and sure wins the race; *över berg och -ar* across country, over hill and dale; *uppför (nedför) ~n* up (down) the hill **2** [mark] ground; *jag kan slå mig i ~n på att han gör det* he'll do it I'll be bound; *regnet står som spön i ~n* it is raining cats and dogs; *stå på bar ~* be left penniless
backfisch girl in her 'teens, teen-age girl, teen-ager
back||gång reverse motion **-växel** reverse gear
back||hoppare ski-jumper **-hoppning** ski-jumping **-ig** *a* hilly, undulating **-krön** brow [of the (a) hill]
backning backing, reversing **-s|lykta** reversing light
back||sippa *bot.* pasque-flower **-sluttning** slope [of the (a) hill], hillside **-stugusittare** crofter
bad bath; [ute] bathe; *ta sig ett ~* have a bath (bathe) **-a** *tr* o. *itr* bathe, have a bathe ([i badkar] bath); [ett barn] bath; *~nde i svett* dripping with (bathed in) perspiration **-anstalt** bathing-establishment **-balja** bath-tub **-bassäng** swimming-bath (-pool) **-betjäning** bath attendants *pl* **-borste** bath-brush
badd||a I *tr* bathe; [svullnad] sponge, dab **II** *rfl, ~ sig i solen* bask in the sun, sunbathe **-are** bouncer; *vara en ~ i* be a swell at
bad||dräkt bathing (swim[ming]) suit (costume) **-erska** bathing-woman **-gäst** [vid -ort] visitor; [i -inrättning] bather **-handduk** bath[ing]-towel; [vid strand] beach towel **-hus** [public] baths *pl;* bath-house **-hytt** bathing-hut **-kamin** bath oven **-kappa** bath-gown **-kar** bath[-tub] **-lakan** bath[ing]-towel **-läkare** spa physician **-mössa** bathing-cap **-ning** bathing **-ort** watering-place; [kurort] health-resort, spa; [kust-] seaside resort (place) **-orts|liv** seaside life **-rock** bath-gown **-rum** bathroom **-salt** bath salts **-strand** [bathing] beach **-ställe** bathing-place **-svamp** bath-sponge **-säsong** bathing season **-tvål** bath soap **-vatt|en** bath-water; *kasta ut barnet med -net* let the baby out with the bath-water
bagage luggage; *mil.* o. *Am.* baggage **-hylla** rack **-hållare** luggage carrier **-inlämning** cloak-room **-kvitto** cloak-room ticket; luggage receipt; *Am.* check **-rum** [i flygplan] luggage compartment **-vagn** luggage van
bagar||bod baker's [shop] **-bröd** baker's bread **-e** baker **-mästare** master baker **-stuga** bake-house, bakery
bagatell trifle; *en ren ~* a mere trifle **-artad** *a* petty, trifling **-isera** *tr* make light of, belittle; [överskyla] extenuate
bager||i bakery; [bod] baker's [shop] **-i|rörelse** bakery business **-ska** baker[ess]
bagge ram
bah *itj* bah! pshaw! pooh!
baisse fall of price; slump; *spekulera i ~* sell for the fall **-spekulant** bear, short-seller
Bajer||n Bavaria **b-sk** *a* Bavarian
bajonett bayonet **-anfall** bayonet charge
bajrare Bavarian
1 bak baking; [bröd] batch
2 bak [rygg] back
3 bak I *adv* behind, at the back; *~ och fram* the wrong way round; back to front; *~ i boken* at the end of the book **II** *prep* behind
baka *tr* bake; *~ bröd (äv.)* make bread
bak||axel ⊕ back (rear) axle **-ben** hind leg; *resa sig på ~en* rear **-binda** *tr* pinion
bak||bord pastry-board **-bräde** bread-board
bak||danta = *-tala* **-del** back [part], hinder part; [människas] backside; buttocks *pl;* [kreaturs] hind quarter[s *pl*] **-dörr** back ([bil] rear) door **-efter** *adv* o. *prep* behind
bakelit bakelite
bakelse tart, pastry, cake
bakerst I *a* hindmost **II** *adv* farthest back
bak||ficka hip-pocket; *ha ngt i ~n* have a th. up one's sleeve **-fot** hind foot; *få ngt om ~en* get hold of the wrong end of the stick **-fram** *adv* back to front, [the] wrong way round **-gata** back street **-grund** background, setting; distance **-gård** back yard **-hal** *a* tending to slide backwards, slippery **-hjul** back (rear) wheel **-huvud** back of the (one's) head **-håll** ambush; *lägga sig (ligga) i ~ för* lay an (lie in) ambush for, waylay **-i I** *prep* behind in, in the back of **II** *adv* at the back, behind **-ifrån** *adv* o. *prep* from behind **-kropp** abdomen **-laddare** breech-loader **-lykta** [på bil] rear (tail) light **-lås,** *dörren har gått i ~* the lock of the door has caught; *hela saken har gått i ~* the whole affair is at a deadlock **-länges** *adv* backwards; *åka ~* sit with one's back to the engine (driver, horses) **-läxa** returned [home] work; *få ~* have one's [home] work returned; *ge ngn ~* return a p.'s [home-] work
bakning baking
bakom *prep* o. *adv* behind; *~ knuten* round the corner; *han står ~ det* he is at the bottom of it; *klia sig ~ örat* scratch one's head; *känna sig ~* **F** feel off colour; *vara ~* [*flötet*] **F** be stupid (ignorant)
bakplåt oven shelf; baking-plate
bakport back gate
bakpulver baking-powder

bak‖på I *adv* behind, at (on) the back **II** *prep* at (on) the back of **-re** *a* backhind[er] **-rus,** *gå i* ~ have a hang-over, **F** feel like the morning after (the night before) **-sida** back; [på mynt] reverse **-sits** back seat **-slag** rebound, rebuff; *äv.* recoil, back stroke; *bildl.* reverse, reaction; *råka ut för ett* ~ meet with a rebuff; ~*et kommer en gång* the reaction is certain to come **-slug** *a* insidious; crafty, sly **-slughet** insidiousness, guile **-stag** *flyg.* back stay **-strävare** reactionary **-ström** back[ward] current **-stycke** back[-piece] **-säte** back (rear) seat **-tala** *tr* slander, backbite, calumniate **-talare** slanderer; backbiter, **-tank|e** secret thought; ulterior motive; *utan -ar (äv.)* unreservedly, straightforwardly **-tass** hind paw

bakterie bacterium [*pl* bacteria]; microbe germ **-dödande** *a* bactericidal, germ-destroying **-fri** *a* non-bacteric **-härd** colony of bacteria **-krig** bacteriological warfare **-kultur** bacterial culture

bakteriolog bacteriologist **-isk** *a* bacteriological

bak‖till *adv* behind, at the back **-trappa** back stairs *pl*

bakträg kneading-trough

bak‖tung *a* heavy in (at) the back; [flygplan] tail heavy **-tå** hind toe

bakugn [baker's] oven

bakut *adv* backwards; behind; *slå (sparka)* ~ kick [up]

bakverk [piece of] pastry

bak‖vinge rear wing **-väg** back way; ~*en* (*äv.*) by the back entrance; *gå* ~*ar* adopt backstairs methods **-vänd** *a* the wrong way round; reversed; [förvrängd] perverted; [tafatt] awkward; [befängd] preposterous, absurd **-vänt** *adv* reversedly &c; *bära sig* ~ *åt* act clumsily; [med ngt] make a hash [of a th.] **-åt** *adv* backward[s]; [tillbaka] back **-åt|böjd** *a* bent back **-åt|lutad** *a* leaning back **-åt|lutande** *a* sloping backward[s]

1 bal ball; *gå (vara) på* ~ go to (be at) a ball

2 bal [packe] bale; package **-a** *tr* bale

balalajka balalaika

balans balance; [kassabrist] deficit **-era** *tr* o. *itr* balance, poise **-erings|konst** *bildl.* tightrope walking, balancing act **-gång** balance-step **-hjul** balance wheel **-konto** balance account **-våg** lever balance

baldakin canopy

bal‖drottning queen of the (a) ball **-dräkt** ball dress **-ett** ballet **-ett|dansös** ballet dancer **-hjälte** ballroom habitué

1 balja [kärl] tub

2 balj‖a [fodral] sheath, scabbard; *bot.* pod **-växt** podded (leguminous) plant

balk 1 *byggn.* beam; [av järn] girder **2** *jur.* section, code

Balkan‖halvön the Balkan Peninsula **-staterna** the Balkan States, the Balkans

bal‖klädd *a* dressed for the ball (dance) **-klänning** ball (dance) dress

balkong balcony **-räck[e]** balcony parapet

ballad ballad; lay **-stil** ballad style

ballast = *barlast*

ballejon lion of the ball

ballistik ballistics *sg*

ballong balloon; *sjö.* balloon jib **-färd** balloon trip **-hölje** envelope **-prick** spherical buoy **-spärr** balloon barrage

balloter‖a *itr* [vote by] ballot **-ing** balloting

balsal ballroom

balsam balsam; is. *bildl.* balm **-doft** balmy fragrance **-era** *tr* embalm **-ering** embalming **-isk** *a* balsamic **-poppel** balsam poplar

balsaträ balsa wood

balsko dancing shoe

Baltikum the Baltic States (the Balkans) *pl*

balustrad balustrade, parapet

bambu bamboo **-rör** bamboo[-cane]

ban|a I *s* path; *sport.* track, ground; [lopp] course; *järnv.* line; [planets] orbit; [projektils] trajectory; [levnads-] career; [lärt yrke] profession; *leda ngn på rätt* ~ put a p. on the right track; *bryta sin egen* ~ strike out a path (make a career) for o.s.; *slå sig på den akademiska* ~*n* go in for a university career; *i långa -or* quantities (lots, no end) of **II** *tr* make (clear) [*en väg genom* a path through]; *bildl.* pave [the way for]; ~ *sig väg* make one's way; ~*d väg* beaten track

banal *a* banal, commonplace, trite **-isera** *tr* reduce .. to the commonplace **-itet** banality

banan banana **-skal (-träd)** banana-skin (-tree)

banbryt‖ande *a* pioneering; *ett* ~ *arbete* a work that opens up (breaks) new ground; pioneer work; *av* ~ *betydelse* of epoch-making importance **-are** pioneer [*för* of]

band 1 *konkr* band; [prydnads-] ribbon; [hår-] ribbon, Alice band; [grekisk stil] fillet; [linne-, bomulls-, *äv. radio.*] tape; [som hopsnör] tie, string[s *pl*], lace; [bindel] sling; [bok-] binding, cover; [volym] volume; [boja] bond; [för hund] leash, lead; *gå med armen i* ~ have one's arm in a sling; *en roman i tre* ~ a three-volume novel; *hunden går i* ~ the dog is on the lead **2** *abstr* tie, bond; [tvång] restraint; *vänskapens* ~ the ties of friendship; *ett enande* ~ a unifying bond; *lossa tungans* ~ set people's tongues wagging; *lägga* ~ *på ngn* check (lay restraint upon) a p.; *lägga* ~ *på sig* restrain (control) o.s.; *lägga* ~ *på sin tunga* keep one's tongue in check **3** [följe] band, gang **4** ⊕ belt; *löpande* ~ assembly line **-a** *tr radio.* record [on tape] **-age** bandage **-hund** watch-dog

bandit bandit, brigand **-hövding** brigand chief

band‖järn band-(hoop-)iron **-prydd** *a* beribboned **-stump** piece of ribbon **-upptagning** *radio.* tape-(wire-)recording **-upptagnings|-apparat** tape recorder

bandy [game of] bandy **-klubba** bandy **-spelare** bandy player

1 bane, *bringa .. å* ~ set .. on foot; *ngt är å* ~ there is something brewing

2 bane, *få sin* ~ meet one's death **-man** slayer, assassin

baner banner, standard

banesår mortal wound

ban‖gård [railway (*Am.* railroad)] station **-hall** station hall **-inspektör** overseer [of the line]

1 bank [vall] embankment; [grund] [sand-] bank, reef; [moln] cloud-bank

2 bank [penning-] bank; *insätta på* ~*en* deposit at the bank; *taga ut på* ~*en* withdraw from the bank

banka = *bulta*

bank‖affär 1 bank **2** banking transaction **-aktie** bank share; ~*r (äv.)* bank stock *sg* **-aktiebolag** joint stock bank **-bok** pass-book **-direktör** bank director (manager) **-diskonto** bank-rate

bankett banquet

bank‖fack safe-deposit box **-filial** bank branch **-inspektion** inspection of banks **-ir** [private] banker **-ir|firma** banking-house **-kamrerare** bank accountant; [filialförest.] bank manager **-kassör** bank cashier, teller

-**konto** bank account -**kontor** bank -**krasch** (-**kredit**) bank crash (credit) -**lån,** *ta upp ett* ~ obtain a loan from a bank -**man** banker
ban|korsning railway (*Am.* railroad) crossing
bank||revision auditing of the (a) bank's accounts -**revisor** auditor to a bank -**rutt I** *s* bankruptcy, failure; *göra* ~ become (**F** go) bankrupt **II** *a* bankrupt; ruined; *förklara ngn* ~ declare a p. bankrupt -**rutt|förklaring** declaration of bankruptcy -**ruttör** bankrupt -**rån** bank robbery -**ränta** bank interest -**rörelse** banking [business] -**sedel** bank note -**tjänsteman** bank clerk -**valv** strong-room, vault -**värld** banking world -**väsen** banking
bann ban; se *äv.* -*lysning,* -*lysa* -**a** *tr* scold -**bulla** bull of excommunication -**lysa** *tr* place .. under a ban, excommunicate; [friare] banish -**lysning** excommunication; banishment, ostracism -**lyst** *a* excommunicated; *en* ~ an outlaw -**or** [a] scolding *sg; ge ngn* ~ scold a p. -**stråle** anathema; fulmination
bansträcka section of the (a) line
bant||a *itr* slim -**ning[skur** course of] slimming
ban||vakt lineman -**vall** formation level, *Am.* roadbed -**övergång** railway crossing
bapt||ism Baptist faith -**ist** -**istisk** *a* Baptist
1 bar *a* bare; [kropp, svärd] naked; [blottad] exposed; *i* ~*a skjortan (strumporna)* in one's shirt (socks); *inpå* ~*a kroppen* to the skin; *under* ~ *himmel* under the open sky; *bli gripen på* ~ *gärning* be caught in the [very] act
2 bar [utskänkningsställe] bar
bara I *adv* only; merely; *klädd* ~ *i svart* dressed all in black; ~ *på skämt* just for fun; *att* ~ *tänka på det* the mere thought of it; *kom* ~ come along; *vänta* ~*!* just you wait! *ser man* ~ *på!* just look! well I never! *det fattas* ~ *det!* that would be the last straw! ~ *barnet* a mere child **II** *konj* if .. only, provided
barack barracks *pl;* [skjul] shed; [bostads-] tenement-house
bar||armad *a* bare-armed -**backa** *a* o. *adv* bare-back
barbar barbarian -**i** barbarism -**isk** *a* barbaric, barbarous -**iskhet** barbarity, barbarousness
barbent bare-legged
barberare barber, hair-dresser; [lokal] *Am.* barbershop
1 bard [på val] whalebone
2 bard [skald] bard, minstrel
bardun *sjö.* backstay
barett biretta
bar||fota *a* o. *adv* bare-foot -**frusen** *a* hard-frozen -**halsad** *a* bare-necked -**huvad** *a* bare-headed
bariton baritone
1 bark [på träd] bark
2 bark [fartyg] barque, bark
1 barka *itr,* ~ *i väg* fly off; *det* ~*de ikull med honom* he was knocked over
2 barka *tr* [träd] bark; [hudar] tan; ~*de händer* hardened (horny) hands
barkaroll *mus.* barcarole
barkass long-boat, launch
bark||bit piece of bark -**bröd** (-**båt**) bark bread (boat) -**ig** *a* barky -**kniv** bark cutter
barlast ballast; *bildl.* deadweight -**a** *tr* ballast
barm bosom, breast; *nära en orm vid sin* ~ nourish a viper in one's bosom
barmhärtig *a* merciful [*mot* to]; [välgörande] charitable [*mot* to] -**het** mercy [*med* up]on]; charity -**hets|anstalt** charitable institution -**hets|verk** act of mercy (charity)
barn child [*pl* children]; [spätt] baby, infant; *han är bara* ~*et* he is a mere child; *bli* ~ *på nytt* be in one's second childhood; *ett* ~ *av sin tid* a child of his age; *ett stundens* ~ a creature of impulse; *som* ~ *i huset* like one of the family; *alla* ~ *i början* everyone is green to start with; *kärt* ~ *har många namn* a pet child has many names; *bränt* ~ *skyr elden* a burnt child dreads the fire -**a|dödlighet** infantile mortality -**a|from** *a* of childlike piety -**a|föderska** lying-in woman -**a|glädje** childish joy (glee) -**a|mord** infanticide -**ansikte** child's face [*pl* children's faces] -**antal** number of children -**a|oskuld** childlike innocence -**a|rov** kidnapping -**a|sinne** child's mind; *det rätta* ~*t* (*relig.*) true childlike piety -**a|tro** childlike faith -**a|vård** child welfare, care of children -**a|vårdsnämnd** child welfare committee -**a|vän** friend of little children -**a|år** years of childhood -**bal** children's ball -**barn** grandchild; ~*s barn* great grandchild -**begränsning** birth control; family planning -**berättelse** child's (children's) story, story for children -**bespisning** meals for [poor] children -**bidrag** family allowance -**biljett** child's ticket -**bjudning** children's party -**bok** child's book [*pl äv.* books for children] -**börds|hus** maternity hospital -**dom** childhood; [späd] infancy *äv. bildl.* -**doms|hem** (-**doms|minne** -**doms|tid**) home of (memory from, days of) one's childhood -**domstol** juvenile court -**doms|vän** friend of one's childhood -**dop** christening -**dödlighet** infantile mortality -**fattig** *a,* ~ *familj* small family -**flicka** nurse[maid] -**fröken** [is. yngre] nurse[maid]; [is. äldre] nanny; [guvernant] governess -**född** *a* [bred and] born; ~ [*stockholmare*] a native of [Stockholm] -**förbjuden** *a* for adults only -**föreställning** children's performance -**förlamning** polio, infantile paralysis -**hem** children's home -**hus** orphan asylum -**jungfru** nursery maid -**kammare** nursery -**koloni** [children's] holiday camp -**krubba** crèche *fr.* -**kär** *a* fond of children -**lek** children's game; *en* ~ (*bildl.*) child's play -**läkare** children's doctor, child specialist -**lös** *a* childless; without a family; *dö* ~ (*äv.*) die without issue -**löshet** childlessness -**morska** midwife -**program** children's program[me] -**psykologi** child psychology -**rik** *a,* ~ *familj* large family -**s|börd** childbirth -**sjukdom** infant malady -**sjukhus** children's hospital -**skara** family of children -**skor,** *trampa ut* ~*na* outgrow one's swaddling-clothes, be out of the cradle -**skyddsarbete** child welfare work -**sköterska** children's (child) nurse -**slig** *a* childlike; [tadlande] childish -**slighet** childishness -**språk** children's language -**säng 1** child's bed, cot **2** *läk.* childbed, confinement; *ligga i* ~ be lying in; *dö i* ~ die in childbirth -**sängs|feber** childbed fever -**tillåten** *a* for children also -**trädgård** kindergarten *ty.*, nursery school -**unge** brat, kid -**uppfostran** education of children -**vagn** perambulator, pram -**vakt** baby-sitter -**våg** infant scales
barock I *a* **1** [konst] baroque **2** [befängd] odd, absurd **II** *s* baroque
barometer barometer -**stånd** barometric pressure
baron baron -**essa** baroness -**titel** title of baron
1 barr *gymn.* parallel bars *pl*
2 barr [pine(fir)-]needle -**doft** scent of pine-trees

barrikad o. **-era** *tr* barricade
barriär barrier
barr‖skog pine-forest **-träd** pine-tree, coniferous tree **-ved** pinewood
barsk *a* blustering, harsh, gruff **-het** blusteringness &c
bar‖skrapad *a* **F** cleaned out [of tin]; *inte så ~* not so badly off **-t** *adv, blott och ~* only, merely
1 bas *ark. kem. mat. mil.* base; [grund] basis; *på ~en av detta fördrag* on the strength of this treaty
2 bas *mus.* bass[o]; bass voice
3 bas [förman] foreman, **F** boss
basa *tr* whip, thrash
basalt *min.* basalt
basar bazaar
Basedowska sjukan Graves' disease
basera *tr* base; *~ sig på* be based upon
basfiol bass viol
basilika basilica
bas‖is basis; jfr *1 bas* **-isk** *a kem.* basic
bask Basque **-er** beret **-isk** *a* Basque
baslinje base line
bas‖relief *konst.* bas-relief **-röst** bass voice
bassäng basin; [bad-] bath; swimming-pool
bast bast; [-fiber] *äv.* bass
basta *adv, och därmed ~!* and there's an end of it!
bastant *a* substantial, solid; [tjock] stout
bastard bastard; *naturv.* hybrid, cross-breed
Bastiljen *hist.* the Bastille
bastion bastion
bast‖matta bass-(bast-)mat **-rep** bast rope
bastrumma bass drum
bastu steam bath; Finnish bath; 'sauna'
basun trombone, [friare] trumpet; *stöta i ~[en] för ngn* blow a p.'s trumpet **-a** *itr, ~ ut* trumpet forth **-stöt** trumpet blast
batalj battle **-on 1** *mil.* battalion **2** [kägelspel] *slå ~* score a double **-ons|läkare** *ung.* army surgeon **-ons|stab** battalion staff
batat sweet potato
batist batiste, cambric
batong baton, truncheon
batteri battery
bautasten monumental stone; *ung.* menhir
baxna *itr* **F** be astounded; *det är så att man kan ~* it is enough to strike one dumb with amazement
B-dur B-flat major
be = *bedja*
beakt‖a *tr* pay attention to; observe, notice; [fästa avseende vid] pay regard to, heed; [ta i beräkning] take into consideration; *att ~* to be noted **-ande** *s* consideration **-ansvärd** *a* worth (worthy of) attention (notice, consideration), noteworthy; [avsevärd] considerable
bearbet‖a tr [gruva o. d.] work; *kem. äv.* treat; [jorden] cultivate, till; work up [*ull till tyg* wool into cloth; *vetenskapligt material* scientific material]; [bulta på] pound; *mus.* arrange; [bok] revise, adapt; *bildl.* try to influence **-ning** working &c; arrangement; revision, adaptation; *en sista ~* a finishing touch
be‖bo *tr* inhabit; [hus] occupy, live in **-boelig** *a* [in]habitable **-bygg|a** *tr* [tomt] build on, develop; [kolonisera] colonize, settle [down] in; *en tätt -d stadsdel* a densely (thickly) populated quarter; *glest -da områden* thinly populated areas **-byggare** colonist, settler **-byggelse** building up, building over [of new land]; development, colonization, settlement **-båda** *tr* [tillkännage] announce; proclaim; [ställa i utsikt] foreshadow; [förebåda] herald, betoken **-bådelse** announcement; *bibl.* Annunciation

beck o. **-a** *tr* pitch
beckasin snipe
beck‖byxa [sjöman] Jack Tar **-ig** *a* pitchy **-mörk** *a* pitch-dark **-olja** tar oil **-svart** *a* pitch-black **-söm** cobbling with pitched thread **-söms|sko** coarsely made shoe, brogue **-tråd** pitch[ed] (tarred) thread
be‖dagad *a* passé[e] *fr.;* past one's prime **-darra** *itr* calm down, lull, abate
bedj‖a *tr* **1** ask [a p. for a th.]; [hövligt] request; [enträget] beg [*ngn om förlåtelse* a p.'s pardon], beseech, implore; *jag ber om min hälsning till* my kind regards to, please remember me to; *jag ber att få* I beg to; *får jag be om saltet?* may I trouble you for the salt, please? *om jag får be* please; *åh, jag ber!* don't mention it! **2** [bön] pray **3** [bjuda] ask, invite; *~ ngn vara välkommen* bid a p. welcome **-ande I** *a* imploring, entreating **II** *s* **1** imploring **2** praying
be‖drag|a I *tr* deceive, dupe; defraud [*ngn på* a p. of]; cheat, swindle [*ngn på* a p. out of]; [vara otrogen mot] betray; [sin hustru] deceive, be unfaithful to; *skenet -er* appearances are deceptive; *snålheten -er visheten* meanness never gets one anywhere; penny wise pound fool **II** *rfl* be mistaken; *~ sig i sina förväntningar* be disappointed in one's expectations **-dragare -dragerska** deceiver; impostor, swindler; cheat, fraud **-drift** exploit, feat; achievement **-driva** *tr* carry on; pursue [*studier* studies]; *~ hotellrörelse* run a hotel; *~ ofog* do mischief **-drägeri** deceit, cheating; [brott] deception, fraud, imposture; [bländverk] illusion **-dräglig** *a* [pers.] deceitful, false; [sak] deceptive, illusory; [affär] fraudulent; [sjukdom, *äv.* friare] insidious **-dräglighet** deceit[fulness], falseness &c
bedröv‖a *tr* distress, grieve; *det ~r mig att höra att* I am very grieved to hear that; *det ~r mig djupt* it cuts me to the heart **-ad** *a* distressed (grieved) [*över* at, about]; sad, sorry **-as** *dep* distress o.s. (grieve) [*över* about] **-else** distress, sorrow, grief; *efter sju sorger och åtta ~r* after countless troubles and tribulations **-lig** *a* sorrowful, deplorable; distressing [*tider* times]; sad [*~t men sant* sad but true]; [usel] miserable **-lighet** deplorableness &c
beduin bedouin
be‖dyra *tr* protest [*inför* to; *vid* on (by)], asseverate; *edligen ~* swear **-dyrande** *s* protesting &c; protestation [*om* of] **-dåra** *tr* infatuate, fascinate; enchant **-dårande** *a* infatuating &c; charming **-döma** *tr* judge [of]; [uppskatta] estimate; [en bok] criticize; [betygsätta] mark; *~ orätt* misjudge **-dömare** judge **-dömning** judging, judgement; estimate; criticism; mark-setting **-dömnings|grund** basis for (method of) estimation &c **-döva** *tr* render unconscious, stun, stupefy; [göra döv] deafen; *läk.* an[a]esthetize, give gas to **-dövande** *a* stunning, stupefying; *läk.* narcotic; [öron-] deafening **-dövning** unconsciousness, stupefaction; *läk.* an[a]esthesia **-dövnings|medel** an[a]esthetic **-ediga** *tr* confirm by oath, swear to; *~d* sworn; *~d förklaring* affidavit
befall‖a I *tr* order; [högtidligare] command; [tillsäga] tell; [föreskriva] direct, prescribe; *jag låter inte ~ mig* I am not going to be ordered about; *vad -s?* I beg your pardon? eh? *som ni -er* as you choose (please); *~ fram* call for [a pen and ink]; order [one's horse] **II** *itr* [have] command; *ni har blott att ~* you have only to say the

word **-ande I** *a* commanding; imperious **II** *adv* imperatively **-ning** order, command; *få ~ att* receive orders to; *ge ~ om* issue orders for; *på ~ av* by the orders of
1 befara *tr* [frukta] fear, dread
2 befar‖a *tr* [beresa] travel through, traverse; [begagna] use, frequent; [med fartyg] navigate **-en** *a* **1** [väg] frequented **2** [pers.] travelled
befatt‖a *rfl, ~ sig med* concern o.s. (have to do) with; **F** go in for, look into **-ning 1** [beröring] connection, dealing; *jag vill inte ha ngn ~ med* I do not want to have anything to do with; *ta ~ med* take notice of **2** [syssla] post, appointment, situation, place, position **-nings|havare** holder of a position, officer
befinn‖a *rfl* [vara] be; [upptäcka sig vara] find o.s.; [känna sig] feel; *hur -er ni er?* how are you? **-ande** [state of] health, condition **-as** *dep* prove (turn out) [to be]
befintlig *a* existing; [tillgänglig] available **-het** existence, presence
be‖flita *rfl, ~ sig om* exert o.s. to maintain [*freden* peace]; strive (do one's best) to attain **-fläcka** *tr* stain **-fläckelse** pollution **-fogad** *a* [pers.] authorized, entitled; [sak] justifiable, legitimate; well-grounded **-fogenhet** authority, right, powers *pl*
befolk‖a *tr* populate, people; *~d trakt* inhabited region **-ning** population **-nings|-grupp** group of the population **-nings|lager** stratum [*pl* strata] of the population **-nings|politik** measures *pl* for regulating growth of population **-nings|struktur** structure of the population **-nings|täthet** population density **-nings|överskott** surplus population
befordr‖a *tr* **1** [skicka] forward, send; [påskynda] expedite; *~ ngn till straff* bring a p. to punishment **2** [främja] promote, further **3** *~ ngn till kapten* promote a p. captain **-an 1** forwarding &c; *för vidare ~* to be forwarded **2** promotion, furtherance **3** *mil.* promotion, advancement **-ande** *a* promotive [*för* of] **-ings|avgift** postage, carriage **-ings|princip** principle of promotion
befrakt‖a *tr* freight; charter **-are** freighter; charterer **-ning** freighting; chartering
befri‖a I *tr* **1** [set . .] free, liberate; [från löfte o. d.] release; [frälsa] deliver (rescue) [*ur* out of]; rid [*från* of]; [från börda] relieve; [från ansvar] exonerate; *~ från rost* clean of rust, derust **2** [frikalla] exempt; *~d från (äv.)* free (exempt) from **II** *rfl* free (liberate &c) o. s. [*från* from]; [från ngt obehagligt] shake . . off **-ande I** *a* liberating &c; *en ~ suck* a sigh of relief **II** *adv, verka ~* come as a relief **-are** liberator; deliverer; rescuer **-else 1** freeing &c; liberation, release; relief; *~ns timme* the hour of deliverance; *en känsla av ~* a sense of relief **2** exemption **-else|krig** war of independence (liberation)
befrukt‖a *tr* fertilize, fecundate; *bildl.* inspire, stimulate **-ning** fertilization, fecundation **-nings|organ** organ of fecundation
befryndad *a* related [*med* to]
befrämj‖a *tr* further, promote; encourage **-ande I** *s* furthering; furtherance, promotion; encouragement **II** *a* furthering &c **-are** promoter, supporter
befullmäktig‖a *tr* authorize, empower; *jur.* give . . a power of attorney; *en ~d* a deputy (proxy) **-ande** *s* authorization
befunnen *a* found; *vara ~ för lätt* be found wanting; *~ lämplig* well tried, successful in practice

befäl command; *inneha högsta ~et* be highest in command **2** [-spersoner] officers **-havande** *a, den ~ officern* the officer in command **-havare** commander [*över* of]; *sjö.* master **-s|kurs** officers' training-course **-s|person** officer **-s|post** command
befängd *a* absurd, preposterous; ridiculous **-het** absurdity
befäst *a* fortified; *bildl.* fixed **-a** *tr* fortify; *bildl.* strengthen, confirm, consolidate **-ning[s|konst]** fortification **-nings|linje** line of fortification **-nings|verk** fortification, fort
begabba *tr* scoff [at]
begagn‖a I *tr* use, employ; take [*socker* sugar]; wear [*glasögon* spectacles] **II** *rfl, ~ sig av* make use of, employ; [dra fördel av] profit by, avail o.s. of; *~ sig av tillfället* seize the opportunity **-ad** *a* used; [mots. till "ny"] second-hand **-ande** *s* use, employment
be‖gapa *tr* gape at **-ge (-giva)** *rfl* **1** go, proceed; *~ sig av* depart [*till* to, for], set out (start) [*till* for]; *~ sig på resa* set out on a journey; *~ sig på flykten* take to flight; *~ sig till sjöss* put out to sea **2** *det -gav sig inte bättre än att han* as ill-luck would have it he **-given** *a* given [*på* to]; fond [*på* of]; keen [*på* on] **-grav|a** *tr* bury; *här ligger en hund -en* I smell a rat; *död och -en* dead and buried
begravning burial; [sorgehögtid] funeral **-s|akt** funeral ceremony **-s|byrå** [firm of] undertaker[s]; *Am. äv.* mortician **-s|hjälp** contribution towards funeral expenses; *Engl.* death grant **-s|kassa** burial fund **-s|krans** funeral wreath **-s|plats** [äldre] burial ground; [modern] cemetery **-s|tåg** funeral procession
be‖grepp conception, idea, notion; *filos.* concept; *göra sig ett ~ om* form an idea of; *vara (stå) i ~ att* be on the point of, be about to **-grepps|förvirring** confusion of ideas **-gripa** *tr* (*äv.: ~ sig på*) understand; comprehend, grasp **-griplig** *a* intelligible [*för* to]; comprehensible; *av lätt ~a skäl* for obvious reasons **-griplighet** intelligibility **-grunda** *tr* ponder [upon], think over **-grundan** meditation, reflection **-gråta** *tr* mourn; deplore, lament; [högljutt] bewail **-gränsa I** *tr* bound; *bildl.* [avgränsa] define; [inskränka] limit, restrict **II** *rfl* limit (confine, restrict) o.s. **-gränsad** *a* limited, restricted; *ett aktiebolag med ~ ansvarighet* a limited liability company; *mina ~e tillgångar (äv.)* my straitened means **-gränsning** boundary; *bildl.* limitation, restriction
begynn‖a *tr* begin **-are** beginner **-else** beginning, outset **-else|bokstav** initial; *stor ~* capital **-else|hastighet** initial velocity **-else|lön** commencing salary, starting pay **-else|ord** initial word **-else|stadium** initial phase
be‖gå *tr* **1** commit [*ett brott* a crime; *självmord* suicide; *mened* perjury]; make [*ett fel* a mistake]; *~ en orättvisa mot* do an injustice to **2** [fira] celebrate **-gående** *s* committing &c; celebration **-gåva** *tr* endow **-gåvad** *a* gifted, talented, clever; *vara språkligt ~* have a talent for languages **-gåvning 1** talent[s *pl*], gift[s *pl*] **2** [pers.] gifted (talented) man (woman)
begär desire; [starkare] craving (longing) [*efter* for]; [åtrå] lust, appetite [*efter* for]; *hysa ~ efter (till)* feel a desire for, covet **-|a** *tr* ask [for]; [hövligt] request; [ansöka om] apply for; [fordra] require; [vänta sig] expect; [trakta efter] covet; *~ prospekt* send for a prospectus; *det är bra mycket -t*

it is rather a steep price; it's rather a lot to ask **-an** request [*om* for]; [fordran] demand; *på ~* by request; *skickas på ~* will be sent on request (application) **-else** desire **-lig** *a* [efterfrågad] sought after, in demand; [tilltalande] attractive **-lighet,** *en varas ~* the demand for a commodity

behag 1 [väl-, lust] pleasure, delight; *finna ~ i* take pleasure in; *vara ngn till ~* please a p.; *efter ~* at pleasure, at your (o. s. v.) discretion **2** [tycke] fancy; *fatta ~ till* take a fancy to **3** [angenämt drag] charm; grace **4** [yttre företräden] charms (allurements) *pl; nyhetens ~* the charm of novelty; *kvinnliga ~* feminine graces; *~ens gudinnor* the Graces **-a** *tr* **1** [tilltala] please, appeal to; [verka tilldragande] attract **2** [önska] like, choose; *som ni ~r* as you please; *om det så ~r er* if it suits you; *~r ni inte stiga in?* won't you come in? *~r ni en kopp te?* would you like [to have] a cup of tea? *vad ~s?* what would you like? what can I do for you? **3** *ni ~de* [*svara*] be kind enough to . .; *hugade spekulanter ~de vända sig till* prospective buyers are requested to apply to **-full** *a* graceful, charming **-fullhet** gracefulness **-lig** *a* pleasant; pleasing, attractive; [starkare] delightful; *~t sätt* engaging manners *pl; i ~ tid* at the right moment **-lighet** pleasantness &c **-sjuk** *a* coquettish **-sjuka** coquettishness

behandl||a *tr* treat; [handskas med, avhandla, handla om] deal with; [dryfta] discuss; [hantera] handle, use; [om ansökn. o. d.] consider **-ing** treatment; discussion; handling, usage; *parl.* reading; *upptas till ~* come up for discussion **-ings|metod (-ings|sätt)** method (way) of treatment

be||handskad *a* gloved **-hjälplig** *a, vara ngn ~* help a p. [*med att skriva* in writing] **-hjärta** *tr* **1** [ömma för] sympathize with **2** [lägga på hjärtat] take . . to heart, bear . . in mind **-hjärtad** *a* brave, plucky **-hjärtans|värd** *a* worth[y of] earnest consideration **-hornad** *a* horned

behov [brist, känsla av ~] want; need; [nödvändighet] necessity; [förråd] requirements *pl; vårt ~ av kol* our supply of coal; *livets ~* the necessaries of life; *av ~et påkallad* necessary, essential; *för eget ~* for one's own use; *alltefter ~* when required; *vara i starkt ~ av* badly need; *vid förefallande ~* when necessary; *fylla ett trängande ~* supply a pressing want **-s|artikel** *ekon.* necessary **-s|prövning** means test

behåll, *i ~* left; intact; *i gott ~* safe and sound **-a** *tr* keep, retain; [hålla orubbad] preserve; *låta ngn ~* leave a p. in possession of; *~ för sig själv* keep to o.s.; *om jag får ~ livet* if my life is spared **-are** container, receptacle; [större] reservoir; [vatten-] tank, cistern **-en** *a* [vinst] clear, net **-ning** [återstod] remainder, surplus; [saldo] balance; [vinst] profit, proceeds *pl*

be||häftad *a, ~ med* afflicted (encumbered) with, [fel] impaired by; *~ med brister* defective **-händig** *a* [fyndig] clever [*knep* trick]; [flink] deft, dexterous, adroit; [bekväm] handy **-händighet** cleverness, dexterity **-hängd** *a, ~ med* hung [all over] with

behärsk||a I *tr* [regera] rule over; [ha makt över] control; [vara herre över] be master of [the situation]; [dominera] command; *slottet ~r staden* the castle dominates the town; *helt ~ Medelhavet* have complete command of the Mediterranean; *~ engelska fullständigt* have a complete mastery of English **II** *rfl* control o.s. **-ad** *a* [self-]controlled, restrained **-ning[s|förmåga** power of] control ([self-]restraint)

behörig *a* **1** [vederbörlig] proper, due [form; order] **2** [kompetent] competent; *på ~t avstånd* at a safe distance **-en** *adv* properly, duly **-het** authority, competence

behöv||a *tr* **1** need (want) [*högeligen* badly]; require; *det -er repareras* it needs repairing; *det -er knappast sägas* it need hardly be said; *jag -er det inte längre* I have no more use for it; *jag har aldrig -t ångra det* I have never had occasion to repent it **2** [vara tvungen] need, have [got] to; *du -er inte göra det* you needn't do it; *det hade inte -t göras* it need not have been done **-ande** *a* needy **-|as** *dep opers* be needed (necessary); *när (om) så -s* when (if) necessary; *mera än som -s* enough and to spare; *det -s två för att bära den* it takes two to carry it **-lig** *a* necessary **-lighet** necessity

beivra *tr* denounce; *lagligen ~* judicially proceed against

bejak||a *tr* [fråga] answer . . in the affirmative; [anhållan] assent to **-ande I** *s* affirmative answer; assent [*av* to] **II** *a* affirmative; assenting

bekajad *a, ~ med* infected with, afflicted with

bekant I *a* **1** [känd] known; [väl-] well-known; [allmänt ~] notorious; *såvitt jag har mig ~* as far as I know; *~ för* famous for; *det är allmänt ~* it is a matter of general (it is common) knowledge **2** [personligen ~] acquainted; *nära ~* intimate **3** [förtrogen] familiar **II** *s* acquaintance, friend **-a** *rfl* make acquaintance, get to know **-göra** *tr* make . . known, proclaim, publish **-skap** acquaintance; [kännedom] knowledge; *göra ~ med* become (get) acquainted with; *säga upp ~en med* cease to be friends with **-skaps|krets** [circle of] acquaintance[s]

bekika *tr* stare (gaze) at

beklag||a I *tr* [tycka synd om] be sorry for; [ha medlidande med] pity; [vara ledsen över] regret; [känna ledsnad över] deplore; [taga avstånd från] deprecate [*ngns handling* a p.'s action]; *det är att ~* it is much to be regretted; *~ sorgen* express sympathy; *jag ber att få ~ sorgen* I am very grieved to hear of your bereavement **II** *rfl* complain [*över* of; *för, hos* to] **-ande I** *s* [expression of] sorrow (regret); *det är med ~ jag måste meddela* I regret to inform you **II** *a* complaining; regretful **-ansvärd** *a* [sak] regrettable, deplorable; [pers.] *attr.* poor, wretched; *han är mycket ~* he is much to be pitied **-lig** *a* regrettable, unfortunate **-ligtvis** *adv* unfortunately; to my (&c) regret (disappointment)

bekläd||a *tr* **1** clothe, line; *bildl.* invest **2** [tjänst] fill, hold **3** [täcka] coat, cover; [möbler] upholster; *byggn.* case, face **-nad** clothing, covering; attire; ⊕ case, casing **-nads|affär** clothier's shop **-nads|industri** clothing industry

beklämd *a* oppressed; uneasy **-mande** *a* disheartening, depressing; *en ~ brist på* a serious lack of **-ning** oppression, uneasiness

be||komm|a I *tr* receive; *valuta -en* value received **II** *itr* **1** *~ ngn väl (illa)* [om mat] agree (disagree) with a p.; *väl -e!* you're welcome [to it]! *iron.* serve[s] you right! **2** [röra] *det -er mig ingenting* it has no effect upon me; *utan att låta sig ~* without taking any notice **-kosta** *tr* pay for, defray [the expenses of] **-kostnad,** *på* *egen* (*allmän*) ~ at one's own (the public) expense; *på* ~ *av* at the sacrifice of **-kransa** *tr* wreathe; [friare] festoon **-kriga** *tr* make war upon, fight against

bekräft||a I *tr* confirm; [bestyrka] bear out, corroborate; [erkänna] acknowledge [*mottagandet av* the receipt of]; *undantag som* ~*r regeln* exception that proves the rule **II** *rfl* be confirmed, prove true **-ande** *a* confirmatory; affirmative **-else** confirmation, corroboration; acknowledgement

bekväm *a* **1** [sak] comfortable; [läglig] convenient, handy; *gör det* ~*t åt dig* make yourself comfortable **2** [maklig] (*äv.*: ~ *av sig*) easy-going, indolent **-a** *rfl*, ~ *sig till* bring o.s. to, be induced to **-het 1** comfortableness; conveniency **2** indolence **-lig** = *bekväm* **-lighet 1** convenience; *efter eder* ~ at your own convenience; [trevnad] comfort **2** [maklighet] love of ease; *alla nutida* ~*er* every modern convenience, all modern conveniences **-lighets|flagg** flag of convenience **-lighets|hänsyn**, *av* ~ from considerations of convenience **-lighets|inrättning** public convenience **-t** *adv* comfortably; conveniently; *ligga* ~ *till* be conveniently situated; *man sitter* ~ *i denna stol* this is a comfortable chair to sit in

bekymmer [omsorg] care; [starkare] trouble; [oro] anxiety, concern; **F** worry; *husliga* (*ekonomiska*) ~ domestic (economic) worries; *det är inte mitt* ~ it is no concern of mine **-sam** *a* full of care, troubled; anxious; distressing **-s|lös** *a* light-hearted; carefree **-s|löshet** light-heartedness, freedom from care &c

bekymr||a I *tr* trouble, worry; *det* ~*r mig föga* that weighs lightly on me; *vad* ~*de det honom?* what did he care? **II** *rfl* trouble (worry) [o.s.] [*över, om* about]; ~ *sig för* be concerned (anxious) about **-ad** *a* distressed (troubled, worried) [*för, över* about]

be||kämpa *tr* fight against, combat; oppose **-kämpande** *a* o. *s* combating **-kämpare** combater &c **-kämpnings|metod** method of combating **-känna I** *tr* confess; [öppet ~] avow, profess; ~ *färg* follow suit; [friare] show one's colours **II** *rfl*, ~ *sig till* profess, [ett parti] profess o.s. an adherent of **-kännare** confessor

bekännelse confession; [av tro o. d.] *äv.* profession **-frihet** religious liberty **-skrift[er]** article[s] of faith **-trogen** *a* orthodox

be||lackare slanderer, backbiter **-lagd** *a*, ~ *tunga* furred tongue; jfr *-lägga* **-lamra** *tr* clog, encumber; block up **-lasta** *tr* **1** load, weight; burden [*sitt minne* one's memory]; encumber **2** *hand.* charge, debit **-lastad** *a* loaded; [med sjukdom] afflicted; *ärftligt* ~ with a hereditary taint **-lastning** load[ing], stress, weight; [*läk.* o. friare] affliction; strain **-lastnings|förmåga** weight-carrying (loading) capacity **-lastnings|prov** load test

beledsag||a *tr* accompany; [följa efter] follow; [uppvakta] attend **-are** companion **-ning** *mus.* accompaniment

belev||ad *a* well-bred, polite, courteous, refined **-enhet** good breeding, courtesy, politeness, refinement, polish

Belg||ien Belgium **b-ier b-isk** *a* Belgian

beljuga *tr* belie

belladonna *bot.* deadly nightshade; *bot.* o. *läk.* belladonna

belopp amount, sum

belys||a *tr* light [up], illuminate; *bildl. äv.* illustrate, throw light on **-ande** a illuminating [example]; illustrative, characteristic **-ning** lighting [equipment]; illumination; [dager] light; *elektrisk* ~ electric light; *i historisk* ~ in the light of history **-nings|anläggning** lighting plant **-nings|armatur** [electric-]light fittings *pl* **-nings|nät** lighting network **-nings|ändamål** [*för* for] lighting purposes *pl*

be||låna *tr* **1** [pantsätta] pledge, pawn; [inteckna] mortgage; [upptaga lån på] raise money (a loan) on **2** [ge lån på] lend money on; ~ *en växel* discount a bill **-lånings|rörelse** loans and advances business **-lånings|värde** pledge value **-låten** *a* contented; satisfied, pleased **-låtenhet** contentment; satisfaction; *utfalla till* ~ turn out satisfactory **-lägen** *a* situated; located [*i källaren* in the basement]; *avsides* ~ secluded; remote; jfr *avlägsen;* ~ *mot norr* facing north **-lägenhet** situation, position; [hus] *äv.* site; *bildl.* situation, state; *svår* ~ plight, predicament **-lägg** [bevis] proof [*för* of]; [citat] quotation; [exempel] instance **-lägga** *tr* **1** [täcka] cover, line; *mål.* o. *läk.* coat **2** ~ *en plats* reserve (secure) a seat **3** [med straff o. d.] impose [a penalty] upon; *vara belagd med böter* be punishable by a fine; ~ *med handbojor* handcuff **4** [med exempel] support .. by examples; *formen är inte belagd före 1400* no instance of the form has been found before 1400 **-läggning** covering &c; layer; coating, lining; [på tungan] fur

belägr||a *tr* besiege **-ing** siege; *upphäva* ~*en* raise the siege **-ings|tillstånd** state of siege; *proklamera* ~ proclaim martial law

be||läsenhet book-learning; wide reading **-läst** *a* well (deeply) read **-läte** image, likeness; [avguda-] idol **-löna** *tr* reward; [vedergälla] recompense; [med pengar] remunerate **-löning** reward; recompense; remuneration; *som* (*till*) ~ as a reward **-löpa** *rfl*, ~ *sig till* amount (come) to **-manna I** *tr* man **II** *rfl* summon up courage; ~ *sig mot* harden o.s. against **-manning** manning; [båts] crew **-mantla** *tr* disguise, cloak, veil **-medlad** *a*, *en* ~ *person* a person of means, a well-to-do (wealthy) person; *vara* ~ be well off; *de mindre* ~*e* people of small means **-myndiga** *tr* authorize, empower **-myndigande** *s* authorization, authority; sanction **-mäktiga** *rfl* take possession of, seize; usurp **-mälde** *a*, ~ *herre* the said gentleman; *ovan* ~ *person* the aforesaid [person] **-mänga** *tr* mix [up], mingle

bemärk||a *tr* note, observe **-else** sense; *i ordets egentligaste* (*fulla*) ~ in the strictest (full) sense of the word **-else|dag** important (red-letter) day **-t** *a* noted, well-known; [framskjuten] prominent; *göra sig* ~ make o. s. conspicuous **-t|het** notability; prominence; conspicuousness

be||mästra *tr* master; overcome **-möda** *rfl* endeavour, strive; *absol.* exert o.s.; ~ *sig om ett gott uppförande* try hard to behave well **-mödande** *s* effort, exertion; endeavour **-möta** *tr* **1** [behandla] treat; [mottaga] receive **2** [besvara] answer; [gendriva] refute **-mötande** *s* **1** treatment **2** reply [*av* to]; refutation [*av* of]

ben 1 [i kroppen] bone **2** [lem] leg; *bryta* ~*et av sig* break one's leg; *hjälpa ngn på* ~*en* help a p. to regain his legs, set a p. on his feet; *hållas på* ~*en* keep one's feet; *komma på* ~*en* gain one's legs; *lägga* ~*en på ryggen* make off, cut and run; *stå på egna* ~ stand on one's own feet, be self-supporting; *ta till* ~*en* take to one's heels; *vara på* ~*en igen* be on one's feet again;

hela staden var på ~en the whole town was afoot
1 bena I *tr* [hår] part **II** *s* parting
2 bena *tr* [fisk] bone
ben||brott fracture **-byggnad** skeleton, frame [-work] **-fett** bone grease **-fri** *a* boned, boneless
Bengal||en Bengal **b-ier** **b-isk** *a* Bengalese; *b-isk eld* Bengal light
ben||hård *a* [as] hard as bone; *bildl.* rigid **-ig** *a* **1** bony; full of bones **2** [kinkig] puzzling **-kläder** trousers, *Am.* pants **-knota** bone **-lindor** puttees **-läder** motoring leggings *pl* **-mjöl** bone meal (manure) **-rangel** skeleton **-röta** *läk.* caries
bensin *kem.* benzine; [motor-] petrol; *Am.* gasoline, gas[olene]; *högvärdig ~* high-grade petrol (gasoline) **-behållare** petrol (&c) tank **-dunk** petrol (&c) can (tin); [flat] jerrycan **-fat** petrol (&c) drum **-filter** fuel filter **-förbrukning** petrol (&c) consumption, fuel consumption **-kanister** [Finland] **-kanna** petrol (&c) can (tin); [flat] jerrycan **-mack** se *-station* **-skatt** petrol (&c) tax **-station** petrol (*Am.* filling, service) station **-tank** petrol (&c) tank
ben||skada injury to the (one's) leg **-skydd** *sport.* leg-guards *pl* **-skärva** bone splinter
bensoe benzoin **-syra** benzoic acid **-träd** benjamin tree
bensol benzol
ben||stomme skeleton **-stump** stump **-vävnad** bone tissue
be||nåda *tr* pardon; [dödsdömd] reprieve **-nådning** pardon; reprieve **-näg|en** *a* **1** [böjd] inclined (disposed) [*att anta* to assume]; *~ för att* given to [*skämta* joking] **2** [välvillig] kind, gentle; *emotseende ert -na svar* awaiting the favour of your reply; *vi närsluta .. för ~ inkassering* we enclose .. for favour of collection; *med -et bistånd av* kindly assisted by; *till -et påseende* on approval **-nägenhet** disposition [*för* towards]; inclination [*för* for, to]; tendency [*för* to]; propensity [*för att ljuga (dryckenskap)* for lying (drink)] **-näget** *adv* kindly **-nämn|a** *tr* call, name, term; *-da tal* denominations **-nämning** name (denomination) [*på* for]; term **-ordra** *tr* order; [tillsäga] *äv.* instruct; [anvisa] direct **-pansra** *tr* armour **-pansring** [armour-]plating, armour **-prisa** *tr* praise, extol **-prövad** *a* sound, [well-]tried; approved [*botemedel* remedy]; staunch [*vän* friend] **-prövande** *s* deliberation **-rama** *tr* plan, arrange
berberis barberry
bered||a I *tr* [förbereda] prepare; [tillverka] make; [skaffa] furnish [*tillfälle* an opportunity]; [förorsaka] cause, give; *~ hudar* curry hides, prepare hides (skins); *~ ngn svårigheter* offer a p. difficulties; *~ rum för* make room for **II** *rfl* prepare [o.s.] [*till, på* for]; furnish (cause, give) o.s.; [skaffa sig] find [*tillträde till* a means of entering]; *~ sig tillfälle till* find an opportunity for (of .. -ing); *~ sig på avslag* be prepared for a refusal **-d** *a* prepared, ready [*på* for]; *hålla sig ~* be ready **-ning** preparation; [tillverkning] making **-nings|-utskott** drafting committee **-skap** [*krigs-* war-]preparedness; *i ..~* ready, prepared; *ha .. i ~ för ngn (äv.)* have .. in store for a p.; *hålla i ~* hold in readiness **-skaps|-tillstånd** state of alert **-skaps|tjänst** emergency [military] service **-villig** *a* ready, prompt, willing **-villighet** readiness &c
beres||a *tr* tour, travel in **-t** *a* travelled

berg mountain; [i namn ofta] mount [Mount Everest]; [mindre] hill; [klippa] rock *äv. geol.; försätta ~* remove mountains **-art** rock **-bana** mountain railway **-bestigare** mountaineer, climber **-bestigning** mountaineering; [med *pl*] [mountain] climb, ascent **-fast** *a* [as] firm (solid) as a rock; [tro] steadfast **-grund** bedrock, rock bottom **-häll** rock-face **-ig** *a* mountainous; hilly; rocky **-knalle** knob of rock **-kristall** [rock] crystal **-land (-landskap)** mountainous country (scenery) **-mästare** mine inspector **- - och dalbana** scenic railway, roller coaster **-olja** rock-oil, naphta **-pass** mountain pass **-ras** mountain fall **-salt** rock salt **-s|artilleri** mountain artillery **-s|bana** alpine railway **-s|bo** highlander **-s|bruk** mining **-s|brytning** quarrying **-s|-bygd** mountain district **-s|hantering[en** the] mining industry **-s|höjd** peak **-s|ingenjör** mining engineer **-s|kam** mountain crest **-s|kedja** mountain chain **-skreva** crevice **-s|lag** mining district **-s|luft** mountain air **-sluttning** mountain slope **-spets** mountain peak **-s|predikan** the Sermon on the Mount **-s|rygg** ridge **-s|topp** mountain peak **-s|trakt** mountainous district **-säker** *a* dead certain **-tagen** *a* spirited away [into the mountain] **-troll** mountain sprite, gnome **-udde** promontory, headland **-uv** eagle owl **-verk** mine **-vägg** rock-face **-ås** mountain ridge
be||riden *a* mounted **-rika** *tr* enrich **-riktiga** *tr* correct, rectify **-riktigande** *s* correction
berlinare inhabitant of Berlin
Bermudasöarna the Bermuda Islands (Bermudas)
Bern[er]alperna the Bernese Alps
bernhardin[er]munk Bernardine monk
Bernkonventionen the Berne Convention
bero *itr* **1**, *~ på* [komma an på] depend on; [vara fråga om] be a question of [*tycke och smak* taste]; [ha sin grund i] be due to; *för så vitt på mig ~r* as far as in me lies; *varpå ~r det, att?* what is the reason why? *det ~r på'* that's all according; that depends **2** [stå i -ende] be dependent [*av* [up]on] **3** *låta saken ~* let the matter rest; *låta det ~ vid* be content with **-ende I** *a* dependent [*av* [up]on]; *~ på* depending on [*omständigheterna* circumstances]; [på grund av] owing to **II** *s* dependence [[up]on]
berså arbour, bower
berus||a I *tr* intoxicate, inebriate **II** *rfl* intoxicate o.s., get drunk [*med* on] **-ad** *a* intoxicated, drunk, **F** tipsy, tight, high **-ning** intoxication, inebriation **-nings|medel** intoxicant
be||ryktad *a* notorious; *illa ~* disreputable **-råd** se [*stå i*] *begrepp* [*att*] **-rått** *a, med ~ mod* deliberately, in cold blood
beräkn||a *tr* calculate, compute; [uppskatta] estimate [*till* at]; [genom -ing fastställa] determine; [ta med i -ingen] take .. into account, allow, consider; *~ fel* miscalculate; *~ alldeles galet* reckon quite wrong; *~ att få fem procent* calculate upon making five percent; *vi ~ er det till* (*hand.*) we charge it [to you] at; *man måste ~ minst två veckor för* you must allow at least two weeks for; *utan att ~ följderna* without considering the consequences **-ad** *a* calculated &c; [avsedd] designed; *~ ankomsttid* estimated time of arrival **-ande** *a* calculating, scheming **-ing** calculation, estimation; *efter låg ~* at a low estimate; *ta med i ~en* include .. in the estimate; [friare] allow

for, take .. into account (consideration), count with **-ings|grund** basis of calculation
berätt||a *tr* tell, relate, narrate; *absol.* tell stories; ~ *skepparhistorier* spin [sailors'] yarns; *det ~s att* it is reported that; ~ *det inte vidare* don't pass it on to anybody else, keep it to yourself **-ande I** *s* telling **II** *a* narrative **-are** story-teller **-ar|förmåga** narrative skill **-ar|konst** narrative art; art of story-telling **-else** tale, short story; narrative; [redogörelse] report, account
berättig||a *tr* entitle, authorize **-ad** *a* entitled, authorized; justified; [rättmätig] just, legitimate; *vara* ~ *(äv.)* have a right to **-ande** *s* authorization; *ha [ett visst]* ~ be [to a certain extent] justified
beröm praise; [heder] credit; *få* ~ be [highly] praised (commended); *över allt* ~ beyond all praise; *med* ~ *godkänd* passed with distinction **-d** *a* famous, well-known **-d|het** celebrity **-lig** *a* laudable; [betyg] excellent **-ma I** *tr* praise, commend **II** *rfl* boast [*av* of] **-melse** renown; credit; *vinna* ~ *(äv.)* gain distinction; *ej lända .. till* ~ reflect no credit on .. **-värd** *a* praiseworthy
berör||a *tr* touch; [samtalsämne] touch upon; [påverka] affect; *ytterligheterna ~ varandra* extremes meet; *angenämt -d* agreeably affected, pleasantly touched; *smärtsamt -d* painfully impressed; *illa -d* unpleasantly affected; [starkare] very much hurt **-ing** contact, touch; [förbindelse] connection; *komma i ~ med* come into contact (get into touch) with **-ings|punkt** point of contact; *bildl.* point (interest) in common **-ings|skyddad** *a elektr.* semi-protected
be||röva *tr,* ~ *ngn ngt* deprive a p. of a th.; ~ *ngn hans existensmöjligheter* take away a p.'s means of subsistence; ~ *ngn fattningen* disconcert a p.; ~ *ngn modet* dishearten a p.; ~ *sig livet* take one's own life **-rövad** *a* deprived of; bereft of **-sanna I** *tr* verify **II** *rfl* be verified (confirmed); [om dröm, spådom] *äv.* come true **-satt** *a,* possessed [*av en ond ande* with a devil]; obsessed [*av en tanke* by an idea]; [befängd] absurd; *som en* ~ like one possessed **-se** *tr* see, look over; ~ *London* see the sights of (do **F**) London **-segla** *tr* [-kräfta] seal [*ngns öde* a p.'s fate]; ratify **-segra** *tr* beat, vanquish, conquer; [fullständigt] defeat; [svårighet] overcome **-segrare** vanquisher, conqueror **-siktiga** *tr* inspect, examine **-siktning** inspection, examination, survey **-siktnings|bevis** certificate of inspection **-siktnings|man** inspector, examiner, surveyor
besinn||a I *tr* consider, bear .. in mind **II** *rfl* consider; stop to think; [ändra mening] change one's mind **-ande** *s* consideration; *vid närmare* ~ on second thoughts **-ing 1** consideration **2** [medvetande] consciousness; *förlora ~en* lose one's head; *komma till* ~ come to one's senses **-ings|full** *a* considerate; [klok] discreet **-ings|lös** *a* rash; [hejdlös] reckless
be||sitta *tr* have, possess, own **-sittning** possession; *i ~ av* possessed of; *ta ngt i* ~ take possession of a th.; [med våld] seize **-sjunga** *tr* sing [of] **-själa** *tr* animate, inspire
besk *a* bitter; pungent [criticism]
beskaff||ad *a* conditioned; constituted; *så* ~ *(äv.)* of such a nature; *annorlunda* ~ different **-enhet** nature, character; [varas] quality
beskatt||a *tr* tax; impose taxes [up]on **-ning** taxing, taxation; [skatt] tax[es *pl*] **-nings|bar** *a* taxable; ratable **-nings|grund** basis of taxation **-nings|lag** taxation bill **-nings|rätt** right to tax **-nings|väg,** *i* ~ by means of taxation
besked 1 answer; [upplysning] information; [bud] message; [order] instructions *pl; jag fick det ~et att (äv.)* I was told that; *ge* ~ send word; *ge klart* ~ speak one's mind plainly; give a piece of one's mind; *veta* ~ know about a th. **2** *det är inte mycket* ~ *med honom* he doesn't know his own mind; *med* ~ properly; in good earnest **-lig** *a* well-behaved; good, kind; *snäll och* ~ good-natured; [klandrande] tame; ~ *krake* milksop **-lighet** kindness; good-nature
beskhet bitterness
be||skickning embassy, legation; mission **-skjuta** *tr* fire at, shell, bombard; [med maskingevär] *äv.* strafe **-skjutning** firing &c; bombardment **-skriva** *tr* describe, depict; *.. låter sig inte ~s ..* is indescribable (not to be described) **-skrivande** *a* descriptive **-skrivning** description (account) [*på* of]; *det övergår all* ~ it beggars description **-skugga** *tr* shade
beskydd protection [*mot* from (against)]; [-arskap] patronage **-a** *tr* protect (guard, shield) [*för, emot* from (against)]; patronize **-ande I** *a* protective; patronizing **II** *s* protection **-are** protector; patron **-ar|min** patronizing air **-ar|skap** protectorate; patronage
be||skylla *tr* accuse [*för* of]; charge [*för* with] **-skyllning** accusation (charge) [*för* of] **-skåda** *tr* look at; [besiktiga] inspect **-skådan** inspection; *utställd till allmän* ~ publicly exhibited **-skäftig** *a* [verksam] busy; [fjäskig] meddlesome, fussy **-skäftighet** activity; meddlesomeness, fussiness **-skänkt** *a* tipsy
1 beskära *tr* [reducera] cut [down]; ⊕ trim; *trädg.* prune [a tree]
2 beskär|a *tr* [förunna] vouchsafe (grant) .. to; *få sin -da del* receive one's due [share]
be||skärm[a] = *beskydd[a]* **-skärma** *rfl,* ~ *sig över* lament over, complain of **-skärning** cutting; trimming; pruning **-slag 1** [till skydd, prydnad] fittings (mountings) *pl;* [på dörr o. d.] iron work; furniture (garniture) *koll;* [för nyckelhål] [e]scutcheon **2** [kvarstad] confiscation; *lägga* ~ *på* requisition, seize, *mil.* commandeer; [ngns tid] engross (trespass) upon; [friare] secure; *ta i* ~ confiscate **-slag|taga** se [*ta i*] *beslag*
beslut decision; [av möte o. d.] resolution; [av myndighet] decree; [domstols-] verdict; *fatta* ~ *a)* come to a decision, make up one's mind; *b)* pass a resolution; *mitt* ~ *är fattat* my mind is made up; *mitt fasta* ~ my firm resolve **-a I** *tr* [bestämma] decide [upon]; [föresätta sig] resolve, determine **II** *rfl* resolve (determine) [*för att* to]; [bestämma sig] make up one's mind; decide [*för* upon] **-ande|rätt** right of decision **-en** *a* resolved, determined **-för** *a, ett ~t antal* a quorum; *vara* ~ form a quorum; *de voro inte ~a* there was not a quorum **-sam** *a* resolute **-samhet** resolution
be||slå *tr* **1** bind, mount; [överdraga] cover, case; [ett segel] furl **2** ~ *ngn med lögn* catch a p. lying **-släktad** *a* related (akin) [*med* to]; cognate [language, word]; kindred [race, spirit] **-slöja** *tr* veil; [friare] obscure **-slöjad** *a* veiled; [blick] dimmed; [röst] husky
besman steelyard
be||smitta *tr* infect; *bildl. äv.* contaminate [*sig* o.s.] **-smittande** *a* infectious, contagious **-smittelse** infection; contamination **-solda**

tr hire **-spara** *tr* [in-] save; [skona] spare **-sparing** saving; *göra ~ar* effect economies **-spetsa** *rfl*, *~ sig på* look forward to, set one's heart on **-spisa** *tr* feed **-spisning** feeding **-spotta** *tr* mock [at], deride, flout **-spruta** *tr* spray **-sprutning** spraying
best beast, brute **-ialisk** *a* brutish, beastly **-ialitet** bestiality
be||stick 1 [rit- o. d.] set of instruments **2** *sjö.* reckoning **-sticka** *tr* bribe; corrupt; **F** grease a p.'s palm **-stickande** *a* seductive, insidious; plausible **-sticklig** *a* corruptible, open to bribes **-sticklighet** corruptibility **-stickning** bribery **-stiga** *tr* [häst] mount; [berg, tron] ascend; [berg, mur] *äv.* climb **-stigning** climbing; ascent **-stjäla** *tr* rob [*ngn på* a p. of] **-storma** *tr bildl.* assail, overwhelm, importune **-straffa** *tr* punish; [med ord] rebuke **-straffning** punishment; [i ord] rebuke; *jur.* penalty
be||strida *tr* **1** [bekämpa] contest; [strida om] dispute; [förneka] deny; [tillbakavisa] challenge, repudiate **2** [kostnad] defray **3** [sköta] fill [*en tjänst* a post]; do [*historieundervisningen* the teaching of history] **-stridande** *s* **1** contesting; denial; repudiation **2** payment; *till ~ av* in defrayment of **3** filling; *tjänstens ~* the discharge of the duties of the post **-stryka** *tr* smear, daub; coat .. with; [beskjuta] cover, sweep **-stråla** *tr* irradiate; *~ .. med .. strålar* expose .. to .. rays **-strålning** radiation; exposure to .. rays **-strö** *tr* bestrew, dot **-stycka** *tr mil.* arm **-styckning** armament **-styr** [uppdrag] task, duty; [skötsel] management; [göromål] work, **F** job **-styra** *tr* [göra] do; [ordna] manage, arrange; *~ om* [sköta] attend to, look after; [laga] see to [*att det blir gjort* its being done] **-styrelse** [managing] committee **-styrk|a** *tr* confirm [*med ed* by oath]; [stödja] bear out; [-visa] prove; *-t avskrift* duly certified copy
bestå I *tr* **1** [genomgå] go through, pass; stand [*provet* the test] **2** [bekosta] pay for; [bjuda på] treat [a p.] to; [förse] provide; *~ kalaset* stand treat; *han ~r sig med ..* he keeps (affords himself) .. **II** *itr* **1** [äga bestånd] exist; [fortfara] persist, endure **2** *~ av* (*i*) consist of (in); be composed of; *vari ~r skillnaden?* what is the difference? *däri ~r just ..* that just constitutes .. **-ende** *a* existing &c; [varaktig] lasting, abiding; *den ~ ordningen* the established order of things **-nd 1** existence; persistence; duration; *äga ~* last **2** [samling] clump (growth) [of trees (plants)]; stock [of animals] **-ndande** *a* lasting **-nds|del** component, constituent; [i mat] ingredient
beställ||a *tr* **1** = *bestyra; hur är det -t?* how do matters stand? *det är illa -t med honom* he is in a bad way; *~ om sitt hus* put one's house in order **2** [tinga] order [*av* off, from]; [konstverk] commission; [biljett, plats, rum] book; *~ rum* (*plats på båt* o. d.) make a reservation is. *Am.*; *~ tid* make an appointment **-d** *a* [shoes] made to order **-ning 1** order; *gjord på ~* made to order **2** [syssla] appointment, profession **-nings|sedel** [i bibliotek] call (requisition) slip **-sam** *a* busy, active; [fjäskig] fussy
bestäm||bar *a* determinable, definable **-d** *a* [tid, ort o. d.] fixed; [avgjord; *språkv.*] definite [*svar* answer; *artikel* article]; [beslutsam] determined, resolute; [avsedd] intended, destined **-d|het** definiteness; resolution, determination; *veta med ~* know for certain **-ma I** *tr* **1** [fastställa] fix, settle, determine; [stadga] decree **2** [avgöra] decide [upon] **3** [definiera] define **4** *gram.* modify **II** *rfl* decide [*för* [up]on]; make up one's mind [*för att* to] **-mande I** *a* determining, determinative; [avgörande] decisive [*för* of] **II** *s* fixing &c; determination; decision; definition **-mande|rätt** right of decision **-melse 1** [öde] destiny; [uppgift] mission **2** [stadga] regulation; [i kontrakt] provision, clause, stipulation **-melse|ort** [place of] destination **-ning 1** determination **2** *gram.* adjunct [*till* of], qualifier; [friare] attribute **-nings|ord** qualifier **-t** *adv* **1** definitely; decidedly; resolutely; [uttryckligen] positively; *veta ~* know for certain **2** *hon är ~ över trettio år* she must be over thirty; *den finns ~ inte där* it can't be there; *han kommer ~ i morgon* he is sure to come tomorrow; *närmare ~* more exactly (precisely)
beständig *a* perpetual, continuous; [stadig] settled, steady; [ståndaktig] constant, steadfast **-het** continuousness; steadiness; constancy; [hos material] durability
be||stänk|a *tr* besprinkle; [med färg, smuts] splash; *-t med blod* bloodstained **-stört** *a* dismayed (perplexed) [*över* at] **-störtning** dismay, consternation, perplexity **-sudla I** *tr* soil, stain, sully **II** *rfl* defile (sully) o.s. **-sutten** *a* propertied, landed
be||svara *tr* **1** answer, reply **2** [vädjan o. d.] respond to **3** [återgälda] return **-svarande** *s* answer (reply) [*av* to] **-svikelse** disappointment [*över* at] **-sviken** *a* disappointed [*på* in, at] **-svikenhet** disappointment
besvär 1 trouble; [omak] *äv.* inconvenience, bother; [möda] [hard] work, pains *pl*; *kärt ~* no trouble at all; *vålla ~* give (cause) trouble; *göra sig ~ att* take the trouble to; *gör dig inget ~* don't bother yourself; *tack för ~et* thanks for all the trouble you have taken; *komma till ~* intrude; *vara till ~* be a trouble [to a p.]; *ingen över 30 år göre sig ~* no one over thirty need apply **2** [klagan] appeal; *anföra ~ hos* appeal to **-a I** *tr* trouble, bother; *förlåt att jag ~r* excuse my troubling you; *han ~s av astma* he suffers from asthma; *röken ~r mig* the smoke annoys me **II** *rfl* **1** trouble (bother) o.s. **2** [klaga] complain [*över* of]; protest [*över* against]; *jur.* lodge a protest (complaint) **-ad** *a* troubled &c [*av* with; *av ngn* by a p.]; *känna sig ~* feel embarrassed **-ande** *a* troublesome, annoying
besvärj||a *tr* **1** [gå ed på] confirm .. by oath **2** [anropa] beseech **3** [fram-] conjure up **-else** conjuration, incantation; [trolldom] sorcery **-else|formel** spell, charm
besvär||lig *a* troublesome; [svår] hard, difficult; [mödosam] laborious; *en ~ väg* a tiresome (an uphill) road *äv. bildl.*; *det är ~t att behöva* it is a nuisance having to **-lighet** troublesomeness, difficulty; *~er* troubles, hardships **-s|mål** appeal case **-s|rätt** right of appeal **-s|skrift** petition for a new trial **-s|tid** period within which protest may be lodged
besynnerlig *a* strange, curious, peculiar, odd; [underlig] queer; *han är lite ~* he is not quite right, he is a little peculiar **-het** strangeness &c; [med *pl*] peculiarity, oddity **-t** *adv*, *~* [*nog*] strangely [enough]
be||så *tr* sow **-sätta** *tr* **1** [förse] set; stud [with nails], trim [with lace] **2** *mil.* occupy **3** [hörsal, tjänst] fill **-sättande** *s* setting &c; *mil.* occupation **-sättning 1** [på kläder] trimming **2** *mil.* garrison; *sjö.* crew; *hela ~en räddad* all hands saved **3** [kreaturs-] stock
besök visit [*hos, i* to]; [vistelse] stay [*hos* with; *vid* at]; [visit] call [*hos* on]; *avlägga*

~ *hos* pay a visit to, call on; *få* ~ have a caller (visitor); *jag hade ett* ~ *av honom* he came to see me; *vänta* ~ expect visitors; *under ett* ~ *hos* while staying with; *tack för* ~*et* thank you for coming to see me (for dropping in (by)) **-a** *tr* [pay a] visit [to]; [hälsa på] go to see, call on; [bevista] attend; [uppsöka] go to find; **-t** *badort* much-frequented health resort **-ande** *s* **-are** visitor [*i, vid* to] **-s|tid** visiting hours *pl*

besörja *tr,* ~ [*om*] attend (see) to [*att ngt blir gjort* a th. being done]; be in (have) charge of

bet 1 [straffinsats vid spel] forfeit; [spelmark] counter **2** *bli* ~ [i spel] have to pay a forfeit; *bildl.* be nonplussed; *det blev (gick) han* ~ *på* that was one too many for him

1 beta *itr* o. *tr* [om boskap] graze; *absol. äv.* browse

2 beta bite, morsel; *efter den* ~*n* after that experience

3 beta ⊕ **I** *tr* steep, soak **II** *s* steep, mordant

4 beta *bot.* beet

be||tacka *rfl,* ~ *sig för* decline; *jag* ~*r mig!* no, thanks! not for me! **-taga** *tr* **1** [beröva] ~ *ngn ngt* deprive (rob) a p. of a th.; ~ *ngn lusten att* make a p. disinclined to; *detta betog honom modet* that took all courage out of him **2** [överväldiga] overwhelm, captivate **-tagande** *a* overwhelming; captivating **-tagen** *a* overcome (taken) [*av* with]; ~ *i* charmed by **-tagenhet** captivation

betal||a I *tr* pay; [varor, arbete] pay for; ~ *kontant* pay cash; *jag skall be att få* ~ will you let me have the bill [please]? [restaur.] bill, please! ~ *gott med ont* return evil for good; ~ *ngn med samma mynt* pay a p. back in his own coin **II** *rfl* [löna sig] pay **-bar** *a* payable **-d** *a* paid; **-t** *svar* answer prepaid; *få* **-t** be paid; *få bra* **-t** get a good price; *det skall du få* **-t** *för!* I'll pay you out for that! **-ning** payment; [lön] pay; [avgift] charge; *i brist på* ~ in default of payment; *anhålla om snar* ~ request an early settlement; *förfalla till* ~ become due; *inställa* ~*arna* suspend payment; *mot* [*kontant*] ~ for [ready] money; *vid kontant* ~ if cash is paid **-nings|anstånd** [authorized] postponement of payment **-nings|ansvarig** *a* liable [for payment] **-nings|balans** balance of payments **-nings|bevis** payment receipt **-nings|dag** pay-day **-nings|frist** respite [for payment] **-nings|förmåga** solvency **-nings|inställelse** suspension of payment[s] **-nings|medel** medium of exchange; means *sg* o. *pl* of payment **-nings|termin** term of payment **-nings|villkor** terms *pl* [of payment] **-nings|överenskommelse** payment[s] agreement

1 bete 1 [boskaps-] pasture; pasturage [*äv.* betande] **2** [fisk-] bait

2 bete [elefant-] tusk

3 bete *rfl* behave; act

be||teckna *tr* [vara sinnebild av] represent; [betyda] denote, signify, stand for; imply; [känneteckna] characterize; [utmärka med tecken] designate; [markera] mark; *detta* ~*r et stort framsteg* this implies (marks) a considerable advance **-tecknande** *a* characteristic [*för* of] **-teckning** designation, term **-teende** behaviour **-teende|psykologi** behaviourism

betes||hage paddock **-mark** pasture

beting, *på* ~ by contract; jfr *ackord* **-a I** *tr* **1** [göra upp om] settle, stipulate **2** [utgöra villkor för] involve, entail, mean; ~*s av* be conditioned by, be dependent (contingent) on **3** [betalas med] command, fetch **II** *rfl* stipulate (bargain) for **-else** stipulation; condition; [om pers.; förutsättning] qualification **-s|arbete** contract job, piece work

betjän||a I *tr* serve; [passa upp] attend [on], [vid bordet] wait on; *därmed är jag föga* **-t** that is of little use to me **II** *rfl,* ~ *sig av* make use of, avail o.s. of **-ing 1** [-ande] service; attendance **2** [tjänare] servants *pl,* staff **-ings|avgift** tip; service **-t** man[-servant], footman; [föraktligt] flunkey

betodl||are beet-grower **-ing** beet-growing

betona *tr fonet.* stress; *bildl.* emphasize [*att* the fact that]

betong [*armerad* reinforced] concrete **-blandare** concrete mixer **-järn** reinforcing iron **-pelare** concrete pillar

betoning stress; accent[uation]; emphasis

betplockare beet-picker

betrakt||a *tr* **1** [iakttaga] regard, look at *äv. bildl.;* watch **2** [begrunda] contemplate, consider **3** [anse] ~ .. *som* regard (look upon) .. as, consider **-ande** *s* contemplation; *i* ~ *av* considering; *ta .. i* ~ take .. into consideration **-are** observer, onlooker **-else** reflection (meditation) [*över* upon]; [bibel-] discourse; *anställa* ~*r över* meditate (reflect) upon; *försjunken i* ~*r* lost in contemplation **-else|sätt** way of looking [at things]; jfr *synpunkt*

be||tro *tr,* ~ *ngn med ngt* entrust a p. with a th. **-trodd** *a* trusted **-tryck** [nöd] distress; [svårigheter] embarrassment **-tryckt** *a* oppressed; dejected; ~*a omständigheter* straitened circumstances **-trycktbet** oppressed condition; dejectedness **-trygga** *tr* secure; safeguard **-tryggad** *a* safe, secure **-tryggande** *a* [tillfredsställande] adequate, satisfactory; [lugnande] reassuring **-träda** *tr* **1** set foot on; *bildl.* tread; *beträd inte gräsmattan!* keep off the grass! **2** ~ *ngn med lögn* catch a p. lying **-träffa** *tr, vad mig* ~*r* as far as I am concerned; *vad det* ~*r* as for that, as far as that is concerned **-träffande** *prep* concerning, regarding **-trängd** *a* distressed, hard pressed

bets o. **-a** *tr* stain

bets||el bit; [remtyg] bridle **-la** *tr* bridle

betsning stain[ing], dyeing

betsocker beet[root]-sugar

bett 1 [betsel] bit **2** [hugg] bite

bettl||a *itr* beg **-are** beggar **-eri** begging

be||tunga *tr* burden [*minnet med* one's memory with]; ~*s av* be oppressed (weighed down) by; ~ *för mycket* overburden, overload **-tungande** *a* burdensome; oppressive **-tvinga I** *tr* subdue; [underkuva] subjugate; [lägga band på] check, repress, control **II** *rfl* check (control) o.s. **-tvivla** *tr* [call .. in] question, doubt

betyd||a *tr* **1** [beteckna] denote, mean, signify; imply; *vad skall detta* ~*?* what is the meaning of this? *det* **-er** *lycka* it is a sign of luck **2** [vara av vikt] be of importance; matter, mean; *det* **-er** *ingenting* that (it) doesn't matter **-ande** *a* important; [ansenlig] considerable; *en* ~ *man* a man of mark (note) **-else 1** signification, meaning; [ords] *äv.* sense; *i överförd* ~ in a transferred sense **2** [vikt] significance, importance; *av föga* ~ of little consequence; *av största* ~ of the utmost importance; essential **-else|full** *a* significant; [viktig] important, momentous **-else|lära** semantics *sg* **-else|lös** *a* meaningless; insignificant; unimportant **-else|löshet** insignificance **-enhet** importance, consequence **-lig** *a* considerable

betyg [examens-] certificate; [sede-, tjänares] character; [termins-] report; [vitsord] mark; *univ.* class; grade; *studera för högre (högsta)* ~ go in for honours; *få bästa* ~ come out top **-a** *tr* **1** [intyga] certify; testify to **2** [bedyra] protest, declare, profess; [uttrycka] express [*ngn sin aktning* one's respect for a person] **-ande** *s* **1** certifying &c **2** protestation; expression **-s|skala** scale of marks (grading) **-sätta** *tr* mark, grade; *bildl.* pass judgment on
betäck||a *tr* cover [*(äv.) ett sto* a mare] **-ning** cover[ing]; *mil. äv.* shelter; [eskort] convoy, escort **-t** *a* covered; ~ *med moln* overcast
betänk||a **I** *tr* consider, bear in mind; *när man -er saken* when you come to think of it **II** *rfl* think it over; [tveka] hesitate **-ande** *s* **1** thought, reflection; [tvekan] hesitation, scruple[s *pl*]; *inte dra i ~ att* have no hesitation in ..-ing; *utan* ~ without any hesitation; unhesitatingly **2** [utlåtande] report, opinion **-e|tid** time for consideration **-lig** *a* [tvivelaktig] doubtful; [farlig] precarious, [starkare] dangerous, hazardous; [allvarlig] serious, grave **-lighet** misgiving, doubt, apprehension, scruple; *hysa starka ~er* entertain grave misgivings &c; *låta ~erna fara* throw one's scruples to the winds **-sam** *a* deliberate; hesitative **-samhet** deliberation; cautiousness **-t** *a*, *vara ~ på att* contemplate (be thinking of) ..-ing
beundr||a *tr* admire **-an** admiration **-ansvärd** *a* admirable; [friare] wonderful **-are** **-arinna** admirer
be||vaka *tr* [vakta] guard; [misstänksamt] watch, spy upon; [tillvaratага] look after; ~ *ett testamente* prove a will **-vakning** custody; guard *äv. konkr; under sträng* ~ in close custody, closely guarded **-vaknings|fartyg** patrol ship **-vaknings|tjänst** guard- (*sjö.* patrol-)duty **-vandrad** *a* acquainted (familiar) [*i* with]; versed (skilled) [*i* in]
be||var|a *tr* **1** [bibehålla] preserve; maintain; [förvara; inte yppa] keep; [hålla fast vid] retain [*sin tro* one's belief; *ngn i tacksamt minne* a p. in grateful memory] **2** [skydda] protect [*från, mot* from (against)]; *Herren välsigne dig och -e dig* God bless thee and keep thee; *Gud -e konungen* God save the King; *-e mig (oss) väl!* for goodness' sake! **-varande** *s* preserving &c; preservation; maintenance; protection **-vars** *itj* good heavens! goodness gracious [me]! *ja, ~!* to be sure! *nej, ~!* goodness, no! **-vattna** *tr* [medelst kanal o. d.] irrigate; [vattna] water **-vattning** irrigation; watering **-vattnings|anläggning** irrigation (sprinkling) plant **-veka** *tr* [röra] move [*till medlidande* to pity]; touch; [förmå] induce; *låta sig ~s* (allow o.s. to] be persuaded **-vekande** *a* touching, persuasive; [starkare] entreating; ~ *skäl* compelling reason **-vekelse|grund** motive, reason, incentive **-vilja** *tr* grant, accord, concede; [medel] appropriate
bevillning revenue duty **-s|fri** *a* free from property and income tax **-s|krona** hundredth part of the assessed income **-s|rätt** tax-levying powers *pl* **-s|taxering** property &c tax assessment **-s|utskott** *Engl.* Committee on Supply
bevinga|d *a* winged; *-t ord (äv.)* household word
bevis proof [*på* of]; [ådagaläggande] demonstration; [skäl] argument; [vittnesmål] evidence; *bindande (slående)* ~ conclusive (striking) proof; *leda i* ~ prove, demonstrate; *vilket härmed till ~ meddelas* which is hereby certified; ~ *på aktning* mark (token) of esteem **-a** **I** *tr* prove, demonstrate; [ådagalägga] show **II** *rfl*, ~ *sig vara* prove o.s. [to be] **-ande** *a* demonstrative **-föring** demonstration; argument[ation] **-kraft** conclusive power; *förlora* ~ lose authority as evidence **-kraftig** *a* conclusive **-lig** *a* provable **-ligen** *adv* demonstrably; as can be proved **-material** evidence **-ning** = *-föring; äv.* evidence
be||vista *tr* attend **-vis|värde** value as evidence **-vittna** *tr* witness; [intyga] *äv.* attest, certify **-vuxen** *a* covered, overgrown **-våg,** *på eget* ~ on one's own responsibility **-vågen** *a*, *vara ngn* ~ be kindly (favourably) disposed towards a p., favour a p. **-vågenhet** favour, good will **-vänt** *a*, *det är inte mycket ~ med det* there's not much in that **-väpna** *tr* [o. *rfl*] arm [o.s.]; *bildl.* fortify [o.s.] **-väpning** arming; [vapen] arms *pl*, armament **-värdiga** *tr*, ~ *ngn med ett svar* condescend to give a p. an answer **-väring** [manskap] conscripts (recruits) *pl;* [-s|man] conscript, recruit **-värings|mönstring** enrolment of conscripts
1 bi *adv* **1** by [the wind]; *ligga (lägga)* ~ lie (lay) to **2** *stå* ~ *(itr)* hold out, stand the test; ɪ· se *~stå*
2 bi *zool.* bee
bi- i *sms* [mots. "huvud-"] subsidiary, subordinate, secondary
bi||avsikt ulterior purpose (motive) **-bana** branch[-line] **-begrepp** secondary notion
bibehåll||a **I** *tr* keep [up]; preserve [*sin hälsa, sitt oberoende* one's health, independence]; [upprätthålla] maintain; [ha i behåll] retain [*ngns vänskap* a p.'s friendship; *sina själsförmögenheter* one's faculties]; *med -en ära* with honour intact (preserved) **II** *rfl* [om kläder] wear [*bra* well]; [om bruk] last **-ande** *s* keeping; preservation; maintenance; retention
bibel bible; *~n* the Holy Bible **-citat** quotation from the Bible **-forskning** Bible study **-förklaring** biblical exposition **-kritik** biblical criticism **-kunskap** scripture knowledge **-språk** passage in the Bible **-sprängd** *a* versed in the Bible **-tolkare** exegete **-tolkning** exegesis **-vers** verse from the Bible **-översättning** Bible translation
bibetydelse subordinate sense
biblio||fil bibliophile **-fil|upplaga** luxury edition **-graf** bibliographer **-grafi** bibliography **-grafisk** *a* bibliographical
bibliotek library **-arie** librarian **-arie|tjänst** librarianship; post as a librarian **-s|amanuens** library assistant **-s|kunskap** librarianship **-s|man** librarian **-s|personal** library staff **-s|tjänsteman** library official **-s|vetenskap** library science
biblisk *a* biblical; ~ *historia* scripture history
bibringa *tr*, ~ *ngn ngt* impart (convey) a th. to a p.; [ingiva] inspire (imbue) a p. with a th.
bida *itr* o. *tr* bide; await, wait for; ~ *sin tid* bide one's time
bidevind *adv* close to the wind; *segla* ~ sail close-hauled
bidrag contribution, share; [i pengar] subscription; [stats-] subsidy **-a** *itr* contribute (*äv.:* ~ *med*); [samverka] combine; ~ *till att skapa* aid (be instrumental) in creating **-ande** *a* contributory **-s|givare** contributor
bidrottning queen bee
bifall [samtycke] assent; [godkännande] sanction; [medhåll] approval; [-s|yttringar] applause; *röna* ~ meet with approval; *väcka stort* ~ call forth great applause

-a *tr* approve [of]; assent to; [godkänna] sanction; ~ *en begäran* grant a request **-s|jubel** tumultuous (roars *pl* of) applause **-s|rop** shout of approval **-s|storm** volley of applause **-s|yrkande** motion in favour [of the proposal] **-s|yttringar** applause (acclamation) *sg*
biff[stek] beefsteak
bi||figur accessary [figure], subordinate character **-flod** tributary **-foga** *tr* attach; [tillägga i slutet] append; [närsluta] enclose; *härmed ~s* enclosed please find; *~d blankett* accompanying form; *med ~nde. av* enclosing **-form** variety **-fråga** subordinate question **-förtjänst** extra profit; *~er* extras
bigami bigamy
bigarrå white-heart cherry
bigata by-street
bigott *a* bigoted **-eri** bigotry
bigård apiary
bi||hang appendage; [i bok] appendix **-hantering** secondary [line of] business **-hustru** concubine **-hänsyn** subsidiary consideration **-inkomst** extra (subsidiary) income
bijouterier jewellery goods
bikaka honeycomb
bikarbonat bicarbonate
bikt confession **-a** *tr* o. *rfl* confess **-barn** confessant **-fader** confessor **-stol** confessional
bikupa beehive
bil [motor-]car, motor; *Am.* auto[mobile]; [hyres-] taxi; [taxi]cab; jfr *automobil[-]*
1 bila *itr* [go] motor[ing]
2 bila *s* broad-axe
bilabial *a* bi-labial
bi||laga appendix, supplement; [närsluten] enclosure **-land** dependency
bilateral *a* bilateral
bild picture; [i bok] *äv.* illustration; [avbildning; *opt.; bildl.*] image; [i spegel] likeness; [på mynt] effigy; *ret.* figure [of speech], metaphor; *tala i ~er* speak figuratively **-a I** *tr* **1** [åstadkomma, grunda, utgöra] form **2** [uppfostra] educate; cultivate **II** *rfl* **1** [uppstå] [be] form[ed] **2** [skaffa sig -ning] educate o.s., improve one's mind **3** ~ *sig ett omdöme* form an opinion [*om* of] **-ad** *a* cultivated, educated, civilized, refined: *bland ~e människor* in polite society; *en ~ uppfostran* a liberal education **-ande** *a* instructive; *de ~ konsterna* the fine arts **-bar** *a* **1** [form-] plastic **2** capable of being educated **-barhet 1** plasticity **2** educability **-dyrkan** image worship **-er|bok** picture-book **-er|galleri** picture-(sculpture-)gallery **-fält** field of vision; *telev.* scanning-field **-huggare** sculptor **-huggar|konst** sculpture **-konst** pictorial art **-lig** *a* figurative **-ning 1** formation; [form] shape, form **2** [*fin* refined] culture; [skol- o. d.] education; [levnadsvett] breeding **-nings|anstalt** educational establishment **-nings|grad** degree of culture **-nings|härd** centre of culture **-nings|törst** thirst for intellectual improvement **-nings|värde** cultural value **-nings|väsen** educational system **-reportage** news pictures *pl* **-rik** *a* figurative; flowery
bil||droska taxi[cab], cab **-drulle F** road-hog
bild||ruta *telev.* viewing screen **-rör** *telev.* picture tube **-skrift** hieroglyphics *pl* **-skärpa** *telev.* definition **-skön** *a* pretty as a picture, strikingly beautiful, of flawless beauty **-språk** imagery, metaphorical language **-stod** statue **-telegrafi** picture transmission **-text** caption **-verk** volume of pictures **-värld** pictorial world

bil||däck tire, tyre **-fabrik** motor-car factory **-färd** [motor] drive **-förare** driver **-garage** [motor] garage **-glasögon** [motor] goggles **-handskar** motoring-gloves **-industri** motor[-car] industry **-ism** motordom **-ist** motorist
biljard billiards *pl* **-bord** billiard-table **-kö** billiard-cue **-spelare** billiard-player
biljett ticket; [brev] note; *lösa ~* buy (book) a ticket [*till* for] **-försäljning** sale of tickets **-kontor** booking-office; *Am.* ticket-office; *teat.* o. *film.* box-office **-kontrollör** ticket collector; [på båt] embarkation officer **-kö** booking-office (&c) queue **-lucka** booking-(ticket-)office [window] **-pris** *teat.* o. d. ticket-price; *järnv.* fare
biljon billion
biljud secondary (*läk.* accessory) sound; extraneous noise; [hjärt-] murmur
bil||kavalkad motorcade **-kollision (-krock)** motor-car crash (smash-up) **-kö** file (string) of cars **-lass** car-(truck-)load
billig *a* **1** cheap; [om pris] *äv.* low, moderate; inexpensive **2** [rimlig] reasonable, fair; *det är inte mer än ~t* it is only fair **-het 1** cheapness **2** justice, fairness; *i ~ens namn* in common fairness **-hets|föreställning** performance at popular prices **-hets|skäl**, *av ~* out of considerations of justice **-hets|upplaga** cheap edition **-t** *adv* cheaply; *köpa (sälja) ~* buy (sell) cheap; *komma undan för ~* escape too easily
of cars **-lass** car-(truck-)load
bil||märke [make of] car **-olycka** motor accident **-rally** motor rally **-ring** motor-car tyre **-sjuk** *a* **(-sjuka)** car-sick (-sickness) **-skatt** duty on motor-cars **-skola** driving school **-sport** motoring **-station** taxi-rank, taxicab stand
biltog *a* outlawed; ~ *man* outlaw
bil||trafik [motor] traffic **-tur** motor trip ([längre] tour), car ride **-tävling** [sports]car race **-underrede** motor-car chassis *sg* o. *pl* **-utställning** motor show **-verkstad** motor-car repair shop **-väg** motor road **-åkning** motoring **-ägare** motor-car owner
bi||lägga *tr* [tvist o. d.] make up, settle, reconcile **-läggande** *s* settlement, adjustment **-namn** by-name
bind||a I *tr* bind; [knyta] tie; [fästa] fasten [*vid* [on] to]; [hålla instängd] confine; [kransar, nät] make; ~ *ngns händer* tie a p.'s hands *äv. bildl.*; ~ *ngn till händer och fötter* bind a p. hand and foot; ~ *fast (om)* tie up; ~ *för ngns ögon* blindfold a p.; ~ *in* [bok] bind, have . . bound; ~ *till* [hårt] tie . . tight; ~ *över* [burk] tie . . down **II** *itr* bind, hold **III** *rfl* bind (pledge) o.s.; tie o.s. down **-ande** *a* binding; [avgörande] conclusive **-el** bandage **-e|medel** binder, adhesive **-e|ord** conjunction **-e|streck** hyphen **-galen** *a* stark mad **-garn** packthread, twine **-ning 1** [boks] binding **2** [skid-] fastening; *språkv.* liaison **-sle** fastening **-sula** insole **-väv** connective tissue
bingbång *itj* ding dong
binge 1 [lår] bin **2** [hop] heap, pile
binjure suprarenal gland
binnikemask tape-worm
binäring subsidiary means *sg* o. *pl* of livelihood
bio = *biograf 2* **-biten** *a* film-crazy; *vara ~ (äv.)* be a movie-fan
bi||odlare bee-keeper **-odling** bee-keeping
biograf 1 [levnadstecknare] biographer **2** cinema, picture-palace; i *sms* jfr *film-; gå (vara) på ~* go to (be at) the cinema (the pictures, *Am.* the movies) **-apparat** cinema projector **-biljett** cinema ticket **-censur**

cinema censorship **-föreställning** cinema (motion picture) performance **-i** biography **-isk** *a* biographical **-lokal** cinema [theatre]
biokemi biochemistry
biolog biologist **-i** biology **-isk** *a* biological
bi||omkostnader incidental expenses **-omständighet** minor incident **-orsak** subsidiary reason **-person** subordinate character **-plan** biplane **-product** by-product
Birma Burma
bi||roll subordinate part **-sak** matter of secondary importance; *huvudsak och ~* essentials and non-essentials *pl*
bisam musquash fur **-oxe** musk-ox **-råtta** musk-rat
bisarr *a* bizarre, odd, fantastic
bi||sats subordinate clause **-sittare** assistant judge
biskop bishop **-inna** bishop's wife **-s|döme** bishopric **-s|mössa** mitre **-s|stift** diocese **-s|säte** [episcopal] see **-s|värdighet** episcopal dignity **-s|ämbete** episcopate
biskvi [bakverk] ratafia
bi|skötsel = *-odling*
bismak [slight] flavour, smack; is. *bildl.* taint; *ha en [konstig] ~* have a funny taste
bison bison **-ko** female bison **-oxe** bison
bispringa *tr* assist; *~ ngn i hans nöd* relieve a p.'s distress, help a p. in the hour of need
bissera *tr* encore
bist|er *a* grim, forbidding, fierce; [sträng] stern; [om väder] severe; *-ra tider* hard times **-het** grimness &c; severity **-t** *adv* grimly &c; bitterly [cold]
bisträck||a *tr, ~ ngn med pengar* advance a p. money **-ning** financial help, pecuniary aid
bistungen *a* stung by a bee
bi||stå *tr* assist, aid, help **-stånd** assistance, aid, help; *med benäget ~ av (äv.)* kindly assisted by **-stånds|pakt** assistance pact
bisvärm bee-swarm, swarm of bees
bi||syssla spare-time (subsidiary) occupation **-sätta** *tr, ~ ngn* deposit a p.'s remains in the mortuary **-sättning** deposition of a p.'s remains &c; jfr *-sätta;* funeral service
bit piece, bit; lump [of sugar]; [brottstycke] fragment; [munsbit] mouthful, morsel; *en liten ~ att gå* a short distance (walk); *inte en ~ mat* not a scrap of food; *inte en ~ bättre* not a whit better; *gå (slå) i ~ar* go (cut) to pieces; *gå i tusen ~ar* be smashed to atoms
bit||a I *tr* bite **II** *itr* bite; [om ankare] hold; [om kniv] cut; [om köld] nip; *~ i gräset (bildl.)* bite (lick) the dust; *~ i det sura äpplet* swallow the bitter pill; *ingenting -er på honom* nothing has any effect on him; *~ av* bite off; *~ ifrån sig* retort, hit back; *~ ihjäl* bite to death; *~ ihop tänderna* clench one's teeth; *~ sönder* bite . . to pieces **III** *rfl, ~ sig i läppen (tungan)* bite one's lips (tongue); *~ sig fast i* cling tight on to **-ande** *a* biting; [vind] *äv.* piercing, nipping; [köld] intense; [svar] cutting; snappish; [anmärkning] caustic, cutting; [smak, kritik] pungent
bitanke underlying thought
bitas *dep* bite
bi||tjänst subsidiary post **-ton** *språkv.* secondary stress **-träda** *tr* **1** [hjälpa] assist; *~ ngn vid rättegång* appear for a p. at a trial **2** [mening] accede to; [förslag] accept **-trädande** *a* assistant **-träde 1** [hjälp] assistance, help **2** [medhjälpare] assistant; hand; *rättsligt ~* legal adviser
bitsk *a* apt to bite; savage
bitsocker lump sugar
bitter *a* bitter; [smak] *äv.* acrid; [svår] acute; severe [*förlust* loss]; sore [*prövning* trial]; *~ nöd* dire (bitter) want (need); *~t öde* harsh (bitter) fate; *det känns ~t att* it feels hard to; *göra ~* embitter **-het** bitterness; [sinnesstämning] bitter feeling, embitterment **-ljuv** *a* bittersweet **-mandel** bitter almond **-vatten** bitter-water
bittida *adv* early; *i morgon ~* [early] tomorrow morning
bitumen bitumen
bitvarg [grumpy] bear
bitvis *adv* bit by bit; piecemeal
bivack bivouac
bi||verkningar secondary effects **-väg** byway, by-path **-ämne** subsidiary subject
bjud||a *tr* o. *itr* **1** [befalla] bid, order; *~ och befalla* order and command **2** [er-, göra anbud] offer; [på auktion] [make a] bid **3** [in-] invite [*ngn på middag* a p. to dinner]; *~ damerna först* serve the ladies first; *~ ngn på vin* treat a p. to wine; *~ ngn farväl* bid (say) farewell (goodbye) to a p.; *~ motstånd* put up (offer) resistance; *~ på överraskningar* afford surprises; *bli -en på en resa* have one's travelling expenses paid; *det -er mig emot* it is repugnant to me; *~ in* ask . . in; *~ omkring* hand round; *~ till* try; *~ under* underbid; *~ upp* ask . . for a dance; *~ ut* offer [*sig* o.s.; *till salu* for sale]; *~ över* outbid **-ande** *a* [tvingande] urgent, imperative **-en** *a* invited **-ning 1** [in-] invitation **2** [gästabud] party **-nings|kort** invitation card
bjäbba *itr* [om hund] yelp, yap; *~ emot* answer back (saucily)
bjäfs finery; trinkets *pl*
bjälk||e beam *äv. bildl.;* balk **-lag** tier of beams; framing of joists
bjäll||erklang jingle of sleigh-bells **-ra** [sleigh-]bell, jingle
bjärt I *a* gaudy, glaring **II** *adv* glaringly; bright [*röd* red]; *avsticka ~ mot* be in glaring contrast to
bjässe smasher; stunner
björk birch; *av ~* birch . .; *flammig ~* plum pattern birch **-dunge** birch grove **-faner** birch plywood **-hage** birch-grown pasture, birch wood **-löv** birch leaf **-möbel** birchwood suite [of furniture] **-ris** birch twigs *pl;* [till aga] birch[rod] **-skog** birch forest **-trast** fieldfare **-ved** birch-wood
björn 1 bear; *Stora (Lilla) ~en* the Great (Little) Bear; *väck inte den ~ som sover* let sleeping dogs lie **2** [fordringsägare] dun **-a** *tr* **F** dun **-bär** blackberry **-hona** she-bear **-ide** bear's den **-jakt** bear-hunt[ing] **-mossa** golden maidenhair **-skinn** bearskin **-skinns|mössa** bearskin cap **-tass** bear's paw **-tjänst,** *göra ngn en ~* do a p. a mistaken kindness (a disservice) **-tråd** patent strong yarn **-unge** bear's cub
1 black fetter, shackle; *ha en ~ om foten* have a clog upon one's heels; *vara en ~ om foten för . .* be a drag on . .
2 black *a* [smutsgul] tawny; [färglös] drab; [grå] dingy; [urblekt] faded; [häst] cream-(dun-)coloured **-na** *itr* fade
blad [löv; i bok] leaf; [blom-] petal; [ark] sheet; [tidning] paper; [kniv-, år- o. d.] blade; *ta ~et från munnen* speak out [one's mind]; *~et har vänt sig* the tables are turned **-a** *itr, ~ i* turn [over] the leaves of **-formig** *a* leaf-shaped **-grönt** *s* leafgreen, chlorophyll **-guld** gold foil (leaf) **-knopp** leafbud **-lus** plantlouse, aphis **-lös** *a* leafless **-rik** *a* leafy **-sallat** cos lettuce **-skaft** leafstalk **-växt** foliate plant

blam||age disgrace **-era I** *tr* bring discredit on **II** *rfl* put one's foot in it; commit o.s.
blancmangé blancmange
bland *prep* among[st]; ~ *andra* among others; ~ *annat* (*bl. a.*) among other things; *vara omtyckt* ~ be a favourite with; *en* ~ *femtio* one in fifty; *några* ~ *mina läsare* some of my readers; *den tappraste* ~ *de tappra* the bravest of the brave **-a I** *tr* mix; [olika sorter] blend; is. *bildl.* mingle; *kem.* compound; [kort] shuffle; ~ *bort* muddle away; ~ *bort ngn* put a p. out; ~ *ihop* mix up; ~ *in ngn i ngt* mix a p. up in a th.; ~ *till* mix **II** *rfl* mix, mingle; ~ *sig i* meddle in, interfere with **-|ad** *a* mixed &c; *~e känslor* mixed feelings; *-at sällskap* mixed company; *~e om varandra* jumbled together **-bar** *a* mixable **-folk** mixed race **-ning** mixture; blend [of tea (tobacco)]; *kem.* alloy, compound; *en skön ~!* a fine conglomeration! **-nings|kärl** mixing vessel **-ras** mixed breed **-skog** mixed forest **-språk** composite (mixed) language **-säd** mixed grain ([växande] crops *pl*)
blank *a* bright, shiny; untarnished [*sköld* shield]; *med ~a vapen* (*bildl.*) honourably; *på ~a förmiddagen* **F** forenoon and all; ~ *som en spegel* smooth as a mirror; *~t avslag* a flat refusal **-a** *tr* polish; [skodon] clean, black **-borste** blacking (polishing) brush
blankett form, blank
blank||läder patent leather **-nött** *a* shiny
blanko, *in* ~ [in] blank **-accept** acceptance in blank **-check** blank cheque **-fullmakt** blank charter **-kredit** blank credit
blank||polera *tr* **-skura** *tr* polish **-slipa** *tr* burnish, polish **-sliten** *a* shiny, glossy **-smörja -svärta** blacking, [boot-]polish **-t** *adv* **1** brightly &c **2** *dra* ~ draw one's sword **3** *neka* ~ flatly deny; *säga* ~ *nej* flatly refuse **4** *rösta* ~ return a blank vote **-vers** blank verse
blaserad *a* blasé *fr.*
blask wash[out] **-a** *rfl* **F** disgrace o.s. **-ig** *a* soppy; [färg o. *bildl.*] washy; *det var ganska ~t* it was rather a disgrace
blast tops *pl;* haulm [of potatoes, peas]
bleck thin sheet-metal; sheet[-iron]; *av* ~ (*äv.*) tin . . **-ask -burk** tin **-instrument** brass instrument **-plåt** sheet-iron; tin [plate]; *en* ~ a sheet-iron plate **-slagare** tinman, tinner **-slageri** tin-shop
blek *a* pale [*av fasa* with terror]; [starkare] pallid; [svag] faint; *bli* ~ turn pale; ~ *som ett lärft* [as] white as a sheet; ~ *om kinden* pale-cheeked; ~ *om nosen* blue in the face; *inte den ~aste aning* not the faintest idea; *den ~a döden* pallid Death **-a** *tr* bleach; [färger] fade **-ansikte** pale-face **-blå** *a* pale blue **-fet** *a* flabby **-het** paleness, pallor **-kindad** *a* palish **-lagd** *a* pale-faced; [sjukligt blek] sallow **-na** *itr* turn pale [*av* with]; [om färger, minnen o. d.] fade **-ning** bleaching **-nos** washed out little thing **-siktig** *a* chlorotic **-sot** chlorosis; green sickness
blemma pimple
bless||era *tr* wound **-yr** wound
bli 1 = *bliva* **2** *låt ~!* don't! shut up! *låt ~ det där!* stop that! *låt ~ att gräla!* stop quarrelling! *jag kan inte låta ~ att skratta* I cannot help laughing
blick 1 look; [stadig] gaze; [flyktig] glance; *kasta en ~ på* look (glance) at **2** [öga] eye; *ha en skarp ~ för* have a keen eye for; *höja ~en* raise one's eyes; *ha rätta ~en för* have the right grasp of; *ha öppen ~ för* be keenly alive to **-a** *itr* look; gaze; glance **-punkt** focus; *bildl.* limelight
blid *a* mild [winter]; soft [voice]; [vänlig] gentle; *två grader blitt* two degrees above zero; *vädret har blivit blitt* a thaw has set in **-het** mildness &c **-ka** *tr* appease, placate **-vinter (-väder)** mild winter (weather)
bliga *tr* gaze (stare) [*på* at]
blind *a* blind [*för* to]; [obetingad] implicit; ~ *på ena ögat* blind of (in) one eye; *den ~e* the blind man (woman); *stirra sig* ~ *på* become infatuated with **-bock** blindman's buff **-flygning** blind flying **-född** *a* born blind **-fönster** blind (mock) window **-gångare** unexploded bomb (shell); **F** dud **-het** blindness **-institut** institute for the blind **-karta** outline map **-lykta** dark lantern **-nässla** dead nettle **-patron** dummy cartridge **-rote** *mil.* blank file **-skola** school for the blind, blind school **-skrift** braille **-skär** sunken rock **-styre** blind buffer **-tarm** appendix **-tarms|inflammation** appendicitis
blink 1 [blänk] twinkling **2** [-ning] wink **3** *i en* ~ in a twinkling; *i ~en* in the twinkling of an eye **-a** *itr* [om ljus] twinkle; [med ögat] blink, wink; *utan att* ~ unflinchingly **-fyr** flashing light, blinker beacon **-ljus** flashlight; [på bil] flasher **-ning** blinking &c; wink **-signal** flash signal
blint *adv* blindly; [obetingat] implicitly; *rusa* ~ *på ngn* rush blindly at a p.
bli||va I [*hjälpv.* vid passiv] be; [vardagl.] get [*avskedad* sacked]; [lång utveckling] become [*försvagad* weakened] **II** *itr* **1** be [*förvånad* astonished]; *det blev en stor uppståndelse* there was a great uproar; [vid förändring] become [poor, king, a hero]; [med adj. pred.fylln.; vardagl.] get [angry, drunk, married]; [långsamt] grow [old, wiser]; ~ *blek* turn pale; ~ *tokig* (*skämd*) go mad (bad); ~ *sjuk* fall ill; ~ *kär* fall in love; ~ *en god lärare* make a good teacher **2** [i futurum] become, *äv.* be; *jag skall* (*ämnar*) ~ *läkare* I intend to be a doctor; *det -r svårt* it will be difficult **3** [för-] remain [*stående* standing]; stay [*hemma* at home]; *han blev kvar* he stayed on; *låt detta ~ oss emellan* let this be between ourselves (remain strictly confidential) **4** *hur mycket -r det?* how much does it come to? how much is it? *det -r snart vår* spring is coming on; *det blev ett allmänt skratt* everybody burst out laughing; *när jag -r stor* when I grow up; ~ *om intet* come to nothing (naught) **5** ~ *av* take place, come off; *vad har det blivit av honom?* what has become of him? *-r det ngt av dina planer?* will your plans come to anything? *det -r intet av dem* they will all come to nothing; ~ *av med* [mista] lose, [bli kvitt] get rid of; ~ *efter* lag behind; ~ *ifrån sig* be beside o.s.; ~ *till* come into existence; ~ *utan (absol.)* get nothing; ~ *utan mat* go without food; ~ *utom sig* be beside o.s. [*av* with]; ~ *över* be over (left) **-vande** *a* future; [tilltänkt] prospective; ~ *mödrar* expectant mothers
blixt lightning; [konstgjord o. *bildl.*] flash; *en* ~ a flash of lightning; *~en slog ned i huset* the house was struck by lightning; *som en ~ från klar himmel* like a bolt from the blue; *som träffad av ~en* thunderstruck; *som en oljad* ~ like a streak of lightning **-angrepp** lightning attack; *flyg.* blitz *ty.* **-belysning,** *som i* ~ as in a flash **-förbannad** *a* **F** damned angry **-krig** blitzkrieg *ty.* **-kär** *a, bli ~ i ngn* fall madly in

love with a p. **-lik** *a* [like] lightning **-ljus** flash-light; *kasta ett ~ över* throw a flood of light upon; profoundly reveal **-lås** zip-(slide-)fastener, zip[per] **-ra** *itr* lighten *(äv. : ~ till);* [friare] flash; sparkle **-rande** *a* flashing [eyes]; sparkling [*kvickhet* wit]; splitting [headache] **-snabb** *a* [as] swift as lightning **-snabbt** *adv* like a flash **-turné** lightning tour **-visit** flying visit

block 1 block; *geol. äv.* boulder; *polit.* coalition **2** [skriv-] pad **3** [hiss-] block, pulley **-ad** blockade **-ad|brytare** blockade-runner **-bildning** coalition **-era** *tr* blockade; [friare] block [the way to]; [telefonledning] busy **-hus** log-house **-skiva** *sjö.* sheave

blod blood; [levrat] gore; *det ligger i ~et* it runs in the blood; *det har gått dem i ~et* it has got into their blood; *~et rusade upp i hans ansikte* the colour rushed into his face; *ha hetsigt ~* be hot-tempered; *väcka ond ~* breed (stir up) bad blood **-a** *tr, få ~d tand* taste blood; *~ ned* stain with blood **-apelsin** blood orange **-bad** massacre; *anställa ~ på..* butcher .. wholesale **-bestänkt** *a* blood-stained **-besudlad** *a* sullied with blood **-bok** *bot.* copper beech **-brist** anæmia **-droppe** drop of blood **-drypande** *a* dripping with blood, gory; blood-curdling [*historia* story] **-fattig** *a* anæmic **-fläck** bloodstain **-full** *a* full-blooded **-förgiftning** bloodpoisoning **-förlust** loss of blood **-givare** blood donor **-givning** blood donation (transfusion) **-grupp** blood group **-hund** bloodhound **-ig** *a* bloody; sanguinary; blood-stained; *bildl.* deadly [*förolämpning* insult]; grievous [*orättvisa* injustice]; *det blir inte så ~t* it won't run to very much **-igel** leech **-korv** black pudding **-kropp** blood-corpuscle **-kärl** blood-vessel **-lös** *a* blood-less **-omlopp** circulation of the blood **-plätt** blood-pancake **-propp** blood-clot, thrombus; [under bildning] thrombosis **-prov** blood-test **-pudding** [Swedish] blood-pudding **-pöl** pool of blood **-renande** *a* blood-purifying **-rik** *a* rich in blood, sanguineous **-röd** *a* blood-red; *bli alldeles ~* turn crimson **-s|band** blood-band; ties *pl* of kinship **-s|drama (-s|dåd)** bloody drama (deed) **-s|frände** kinsman **-s|hämnd** blood-feud, vendetta **-sjukdom** disease of the blood **-skam** incest **-sprängd** *a* blood-shot **-spår** blood-mark **-stillande** *a* (*~ medel*) hæmostatic, styptic **-stråle** jet of blood **-störtning** h[a]emorrhage **-sugare** blood-sucker; extortioner **-s|utgjutelse** bloodshed **-sår** blood-bruise; open wound **-sänka** *läk.* sedimentation [rate] **-tryck** blood-pressure; *för högt ~* hypertension **-törst** bloodthirstiness **-törstig** *a* blood-thirsty **-utgjutning** extravasation; [gm yttre skada] blood-bruise **-åder** vein **-överföring** blood transfusion

blom blossom[s *pl*]; *koll äv.* bloom; *gå i ~* blossom; *stå i ~* be in bloom **-blad** petal **-bord** flower-stand **-bukett** nosegay **-doft** scent of flowers **-frö** flower-seed **-kalk** flower-cup **-klase** cluster of flowers **-knopp** [flower] bud **-krona** corolla **-kruka** flower-pot **-kål[shuvud** head of] cauliflower **-ma I** *s* flower; *i ~n av sin ålder* in one's prime; *med barn och ~* with wife and children **II** *itr* flower, bloom, blossom; *~ ut* shed its blossoms **-mande** *a* flowering, flowery **-mig** *a* flowery **-ning[stid]** flowering[-time] **-skaft** flower-stalk

blomster flower **-affär** florist's [shop] **-fond** flower fund **-förmedling,** *~en* the Fleurop organization **-försäljerska** flower-girl **-handlare** florist **-hyllning** floral tribute **-korg** flower-basket **-krans** wreath of flowers, garland **-kvast** bunch of flowers **-lök** bulb **-odlare** flower-grower **-prakt** floral splendour **-prydd** *a* flower-decked **-rabatt** flower-bed **-språk** flowery language **-uppsats** flower stand **-utställning** flower-show

blom‖stjälk flower-stalk **-stra** *itr* blossom, bloom; *bildl.* flourish, prosper **-strande** *a* flourishing; [hy] fresh, rosy; *vara vid ~ hälsa* be in very good health (in the pink [of health]) **-string** *bildl.* prosperity **-ställning** *bot.* inflorescence **-vas** flower-vase

blond *a* fair, blond[e] **-in** blond[e]

bloss 1 torch, flare **2** [rökares] puff, whiff **-a** *itr* blaze, flare; flush [up] [*av vrede* with anger]; *~ upp* [om kärlek] kindle **-ande I** *a* blazing &c; flushed **II** *adv, ~ röd* burning [*av blygsel* with shame]; *bli ~ röd* flush crimson

blot -a *tr* o. *itr* sacrifice

blott I *a* mere; bare; *vid ~a åsynen* at the mere sight; *~a tanken därpå* the very thought of it; *han kom undan med ~a förskräckelsen* he got off with a fright; *med ~a ögat* with the naked eye **II** *adv* only, merely, but (*äv.: ~ och bart*); *icke ~ .. utan även* not only .. but also; *hon är ~ ett barn* she is a mere child; *det är ett minne ~* it's but (only) a memory **III** *konj* if .. only **-a I** *s* gap; *bildl.* weak spot **II** *tr* **1** lay .. bare; expose; uncover [*huvudet* one's head]; *med ~t svärd* with drawn sword **2** [röja] disclose; expose [*sin okunnighet* one's ignorance] **III** *rfl* uncover; *bildl.* betray o. s. **-ad** *a* destitute (void) [*på* of] **-ställa I** *tr* expose [*för* to] **II** *rfl* expose o.s. [*för* to]

bluff bluff **-a I** *itr* bluff **II** *rfl, ~ sig fram* gain one's point by bluff, bluff one's way [into] **-are** bluffer

blund, *inte få en ~ i ögonen* not get a wink of sleep; *ta sig en ~* take a nap; *Jon B ~* the dustman (sandman) **-a** *itr* shut one's eyes [*för* to] **-er** blunder

blus blouse; *~ och kjol* blouse and skirt

bly lead; *av ~* (*äv.*) lead[en] **-erts 1** [ämne] [black-]lead, graphite **2** *skriva med ~* write in pencil **-erts|penna** pencil **-erts|stift** lead **-erts|teckning** pencil drawing (sketch)

blyg *a* shy [*för* of], bashful **-|as** *dep* be ashamed [*för* of]; blush [*över* at]; *du borde ~* you ought to be ashamed of yourself; *han -des inte att ljuga* he was shameless enough to lie **-d** private parts *pl*

bly‖glas lead glass **-grå** *a* livid

blyg‖het shyness, bashfulness **-sam** *a* modest, unassuming **-samhet** modesty **-sel** shame; *känna ~ över* feel ashamed of

bly‖hagel lead-shot **-infattad** *a, ~e rutor* leaded panes **-kula** lead bullet **-lod** sinker; plumb-bob **-mönja** red lead **-plomb 1** [försegling] lead seal **2** *tandläk.* lead filling **-tung** *a* [as] heavy as lead; leaden **-vatten** lead wash **-vitt** white lead

blå *a* blue; *ett ~tt öga* a black eye; *i det ~* up in the clouds; *både gul och ~* black and blue **-aktig** *a* bluish **-bandist** blue-ribbonist **-blek** *a* livid **-bär** bilberry, whortleberry; *Am.* blueberry **-druvor** purple grapes **-dåre F** madman **-else** blue **-fläckig** *a* blue-spotted **-frusen** *a* blue with cold **-grå** *a* bluish grey **-grön** *a* bluish green, seagreen **-gul** *a* blue and yellow **-hallon** dewberry **-jacka** [flottist] bluejacket **-klint** cornflower **-klocka** harebell **-klädd** *a* .. dressed in blue **-kopia** blue-print **B~ kulla** the Brocken *ty.;* [fest] Witches' Sabbath **-lera** blue clay **-mes** blue titmouse **-måla** *tr* paint blue **-na** *itr* become blue **-nad** bruise **-nande** *a* blue, purple; *i ~ fjärran* in the blue

blån||garn tow yarn **-or** tow (waste) *sg*
blå||papper carbon paper **-penna** blue pencil **-prickig (-randig -rutig)** *a* blue-spotted (-striped, -chequered) **-räv** blue fox **-röd** *a* purple
1 blåsa *anat.* bladder; [hud-; i metall] blister; [i glas, metall o. d.] flaw
2 blås||a *itr* o. *tr* blow; *det -er hårt* the wind blows hard; there is a strong wind; ~ *ostlig vind* the wind is in the east; *nya vindar* ~ there's a new spirit abroad; ~ *nytt liv i* infuse fresh life into; ~ *omkull* blow over; ~ *upp* (*tr*) inflate, blow up [a balloon]; ~ *upp ett gräl* stir up a quarrel; ~ *upp sig* puff o.s. up; ~ *ut* blow off (out) **-bälg** [*en* ~ a pair of] bellows *pl* **-ig** *a* windy, breezy **-instrument** wind instrument
blåsippa common hepatica
blåskatarr bladder catarrh
Blåskägg, *Riddar* ~ Bluebeard
blås||lampa blow-torch; ⊕ blast lamp **-rör** blow-pipe **-t** wind; [stark] gale
blå||strumpa bluestocking **-svart** *a* blue-black
blåsväder windy weather
blå||syra hydrocyanic acid **-tt** *s* blue; *skiftande i* ~ shot with blue **-vit** *a* bluish white **-ögd** *a* blue-eyed
bläck ink; *med* ~ in ink; ~ *och penna* pen and ink **-a** *tr*, ~ *ned sig* ink one's fingers **-fisk** ink-fish, octopus **-flaska** ink-bottle **-fläck** ink-stain **-gummi** ink-eraser **-horn** ink-pot, ink-well **-ig** *a* inky **-penna** pen **-plump** blot [of ink] **-svamp** shaggy-mane mushroom **-svart** *a* inky black **-uttagningsmedel** inkstain remover
bläddra *itr* turn over the leaves [*i en bok* of a book]; ~ *igenom* skim (glance) through
bländ||a *tr* blind, dazzle; *bildl. äv.* fascinate; ~ *av* [billampor] dim the lights; *foto.* screen off, stop down **-ande** *a* blinding; dazzling, brilliant **-are** *foto.* diaphragm, shutter **-verk** delusion, illusion **-vit** *a* dazzlingly white
blänga *itr* glare (stare) [*på* at]
blänk flash **-a** *itr* shine, gleam, glisten, glitter; ~ *till* flash, flare up **-are** [i tidning] feeler **-fyr** flash-light, blinker beacon
bläs blaze
bläster blast, blower **-lampa (-låga)** blast-lamp (-flame)
blöd||a *itr* bleed **-are** *läk.* bleeder **-ar|sjuka** hæmophilia **-ig** *a* soft, timid, faint-hearted **-ning** bleeding; *läk.* hæmorrhage **-sint** *a* = *blödig*
blöja [baby's] napkin, nappy; *Am.* diaper
blöt I *a* wet; [potatis o. d.] watery, soggy **II** *s, ligga i* ~ be (lie) in soak; *lägga i* ~ put .. to soak; *lägga näsan i* ~ poke one's nose into everything **-a I** *s* soak[ing rain]; [väglag] mire, slush **II** *itr* o. *tr* soak; steep, wet; ~ *ned sig* get all wet; ~ *upp* soak (sop) up **-djur** mollusc
b-moll B-flat minor
-bo 1 *sms* inhabitant [of Lund]; *london*~ Londoner
bo I *itr* live; [förnämt] reside; [mest i högre stil] dwell; [vistas tillfälligt] stay [*på hotell* at an hotel]; *du kan få* ~ *hos mig* (*äv.*) I can put you up; ~ *bra* have nice quarters; *man* ~*r bra där* [om hotell] the accommodation is good there; ~ *gratis* (*billigt, dyrt*) pay no (a low, a high) rent; ~ *i* [ett hus] inhabit ..; ~ *kvar* stay on; ~ *inackorderad hos* board and lodge with; ~ *åt gatan* have rooms facing the street **II** *s* **1** [fågel-] nest; [däggdjurs] lair, den **2** [kvarlåtenskap] estate; [bohag] furniture; *ha eget* ~ have a house and home of one's own; *sätta* ~ settle; set up housekeeping; *sitta i orubbat* ~ remain in undisturbed possession
boa boa **-orm** boa constrictor
boaser||a *tr* panel, wainscot **-ing** panelling, wainscoting
bobb bobsleigh
1 bobba bug
2 bobba *tr* [håret] bob
1 bock 1 he-goat, buck; *sätta* ~*en till trädgårdsmästare* put the cat among the pigeons **2** *gymn.* buck, horse **3** [stöd] trestle; *hoppa* ~ play [at] leap-frog
2 bock [fel] grammatical fault (mistake); [grovt fel] howler; [tecknet] cross; *sätta* ~ *för* .. mark .. as wrong
3 bock [bugning] bow **-a I** *tr* ⊕ bend **II** *itr* o. *rfl* bow [*för* to]
bockfot, ~*en sticker fram* ah! the cloven hoof again!
bockning bow
bock||skinn buckskin **-skägg** goat's beard **-språng** caper, gambol
bocköl bock beer
bod 1 [butik] shop; *Am.* store **2** [uthus] shed; [förrådsbod] storehouse **-biträde** shop assistant **-disk** shop-counter
Bodensjön the Lake of Constance
bod||fröken [lady] shop assistant **-knodd F** counter-jumper **-skylt** shop-sign
boende *a* living; resident; *äv.* .. who lives
boer Boer **-kriget** the Boer War
boett watch-case
bofast *a* resident, domiciled
bofink chaffinch
bofällig *a* dilapidated, tottery
bog 1 [på djur] shoulder **2** *sjö.* bow[s *pl*]; *gå över på annan* ~ tack about; *stå in på fel* ~ take a wrong tack *äv. bildl.* **-ankare** bower
boggivagn bogie car
bogser||a *tr* tow, take .. in tow **-båt** tow-boat, tug **-[flyg]plan** towing aircraft, tow-plane **-tross** tow-rope, towing cable; hawser **-ångare** steam tug
bogspröt bowsprit
bohag household goods *pl*; furniture
bohem[liv] Bohemian [life]
1 boj [tyg] baize
2 boj *sjö.* buoy; *förtöja vid* ~ moor
boj|a fetter, shackle; *bildl.* bond; *slå .. i -or* throw .. into irons
bojkott boycott **-a** *tr* boycott **-ning** boycott[ing]
1 bok [träd] beech[tree]; *av* ~ beech[en] ..
2 bok 1 book; *avsluta* (*föra*) *böckerna* balance (keep) the books; *hänga näsan över* ~*en* bury one's nose in one's books; pore over one's books; *föra* ~ *över* keep a record of **2** [24 ark] quire **-a** *tr hand.* book **-anmälan** book review **-auktion** book auction **-band** [book-]binding **-bestånd** book stock (collection); holdings *pl* **-bindare** bookbinder **-binderi** bookbinder's [workshop] **-form**, *i* ~ in book form; as a book **-för|a** *tr* enter .. [in the books]; *det -da värdet* the book value **-förare** bookkeeper **-föring** bookkeeping [*enkel* (*dubbel*) by single (double) entry] **-förlag** publishing firm (house) **-förläggare** publisher **-förråd** stock of books **-handel 1** *abstr* book trade **2** [butik] book-shop, bookseller's [shop]; *utgången ur* ~*n* out of print **-handels|disk (-handels|pris)** bookseller's counter (price) **-handlare** bookseller **-hylla** [en hylla] bookshelf; [möbel] bookcase **-hållare** bookkeeper; *vanl.* clerk **-katalog** book catalogue **-kännare** bibliographer **-köp** book purchase **-lig** *a* literary [*bildning* culture]; bookish **-låda** = *-handel* **-lån** the borrowing of

books; book loan **-lår** book-box **-lärdom** book-learning **-mal** bookworm **-märke** bookmark **-nyheter** forthcoming books; book news

bokollon beechnut; *koll* [beech] mast

bok‖omslag [book] jacket (wrapper) **-pärm** [book] cover **-rygg** back of a (the) book **-samling** collection of books; library

bokskog beech woods *pl*

bok‖skåp bookcase **-slut** *hand.* balancing [of the books]; *göra ~* balance (close) one's books; make up the balance sheet **-stav** letter; *med latinska -stäver* in Latin characters; *stor* (*liten*) *~* capital (small) letter; *efter ~en* to the letter; literally; *tryckta -stäver* printed (block)letters **-stavlig** *a* literal **-stavligen** *adv* literally; [rentav] positively **-stavs|följd** alphabetical order **-stavs|lås** puzzle lock **-stavs|rim** alliteration **-studier** literary study *sg* **-stånd** bookstall **-synt** *a* well-read **-synthet** book knowledge **-titel** book title

boktryck book-printing **-are** printer **-ar|firma** printing house **-ar|konst** art of printing **-eri 1** printing-office **2** = *-arkonst*

bok‖trä beechwood **-träd** beech[-tree]

bok‖verk book **-vett** learning, education **-vurm 1** *abstr* bibliomania **2** [pers.] bookworm, bibliophile

bolag company; *Am. äv.* corporation; *gå i ~ med* enter into partnership with **-s|beskattning** taxation of companies, company taxation **-s|jord** company-owned land **-s|kapital** share capital **-s|man** partner; [aktieägare] shareholder **-s|ordning** articles *pl* of association; company charter **-s|räkning** *mat.* rule of partnership **-s|stämma** meeting of shareholders

boll ball; [slag i tennis] stroke; *kasta ~* play catch; *spela ~* play at ball; *sparka ~* play football; *vacker ~!* [good] shot! well played! **-a 1** *itr* play ball **2** *tr, ~ med begreppen* play fast and loose with fundamentals **-kastning** ball-throwing **-spel** ball game **-trä** bat

bolma *itr* [om sak] belch out smoke; [om pers.] puff; *~ på en cigarr* puff away at a cigar

bolmört henbane

bolsjev‖ik Bolshevik **-ism** Bolshevism **-istisk** *a* Bolshevistic

bolster feather-bed **-var** bedtick

1 bom [stång] bar; [väg-] turnpike; *järnv.* level-crossing gate; *sjö. o. skog.* boom; *inom lås och ~* under bolt and bar (lock and key)

2 bom [felskott] miss; *skjuta ~* miss [the mark]

3 bom *itj* boom!

bomb bomb **-a** *tr* bomb; drop bombs **-anfall** bombing attack **-ardemang** bombardment **-ardera** *tr* bombard; shell, bomb; [friare] pelt

bombast bombast **-isk** *a* bombastic

bomb‖attentat bomb outrage **-explosion** bomb explosion **-flyg** bomber flying service **-fällare** bomb aimer, *Am.* bombardier **-fällning** dropping of bombs **-fällnings|anordning** bomb release gear **-krevad** bomb explosion **-last** bomb load **-mål** bombing target **-nedslag** impact of a (the) bomb **-ning** bombing **-plan** bomber **-räd** bombing raid **-sikte** bomb sight **-skydd** bomb (air raid) shelter **-säker** *a* bombproof

1 bomma *tr, ~ till* (*för, igen*) bar [up]

2 bomma *itr* miss [the mark]; *~ på* .. miss ..

bomsegel *sjö.* boom-sail

bomull cotton; [förbands-] cotton-wool; *av ~* (*äv.*) cotton .. **-s|bal** cotton bale **-s|band** [cotton] tape **-s|blus** cotton blouse **-s|buske** cotton shrub **-s|fabrik** cotton mill **-s|fabrikant** cotton manufacturer **-s|flanell** flannelette **-s|frö** cotton-seed **-s|garn** cotton yarn **-s|klänning** cotton dress **-s|krut** gun-cotton **-s|lakan** cotton sheet **-s|lärft** calico **-s|odlare** (**-s|odling**) cotton farmer (farming) **-s|plantage** cotton plantation **-s|spinnare** cotton-spinner **-s|spinneri** cotton spinning-mill **-s|strumpa** cotton stocking (sock) **-s|trikå** cotton knitted goods *pl* **-s|tråd** cotton [thread] **-s|tyg** cotton cloth (material) **-s|tuss** piece of cotton-wool **-s|vadd** cotton wadding **-s|vävnader** cotton textiles **-s|växt** cotton-plant

bomärke owner's mark

bona *tr* wax, polish; *~ om .. väl* wrap .. well

bonad hanging, [piece of] tapestry

bonborste polishing-brush; [floor-]polisher

bond‖advokat hedge lawyer **-aktig** *a* rustic, boorish **-aktighet** rustic manners *pl* **-bröllop** peasant wedding **-böna** broad bean **-dräng** farm hand, ploughboy **-e 1** peasant; farmer; *bönderna* [samhällsklass] the peasantry *sg* **2** [förklenande] rustic **3** [schack-] pawn **-e|befolkning** (**-e|klass** **-e|kultur**) peasant population (class, culture) **-e|praktikan** *ung.* the Farmer's Calendar **-e|stånd** peasantry **-e|upproret** the Peasants' Revolt **-flicka** peasant girl **-folk** country people **-fångare** confidence man **-fångarknep** confidence trick **-förstånd** common sense **-grann** *a* gaudy, showy **-gubbe** old peasant [man] **-gumma** old peasant woman **-gård** **-hemman** farm **-hustru** farmer's wife **-kvinna** peasant woman **-land,** *på ~et* in the heart of the country **-permission** French leave **-pojke** peasant lad **-sk** *a* peasant-like, boorish **-slug** *a* sly, shrewd **-smör** farm butter **-son** peasant's son **-spelman** village fiddler **-stuga** peasant's cottage **-tur,** *en riktig ~* a real fluke **-tölp** country bumpkin **-vatten** Adam's wine **-ånger F**, *ha ~* have a fit of the blues

1 boning [av *bona*] polishing

2 boning [bostad] dwelling[-place], abode **-s|hus** dwelling-house **-s|rum** living-room

bonjour frock-coat

bonvax floor (polishing) wax, polish paste

bopålar, *slå ned sina ~* settle down

bor boron **-ax** borax, sodium [bi]borate

bord 1 table; [skriv-] desk; *duka ~et* lay the table; *hålla öppet ~* keep open house; *göra rent ~* make a clean sweep; *korten på ~et!* down with your cards! put your cards on the table! *sitta* (*sätta sig*) *till ~s* sit at (sit down to) table; *föra .. till ~et* take .. in to dinner &c **2** *sjö.* board; *om~ på* .. on board ..; *fritt om~* (*hand.*) free on board; *över ~* overboard **-dans** table-turning **-duk[s|klämmare]** table[-]cloth [clamp]

bordell brothel

bord‖lägga *tr* **1** *parl.* lay .. on the table; *Am.* table; [uppskjuta] postpone **2** *sjö.* plank **-läggning 1** laying on the table; postponement **2** *sjö.* planking **-löpare** table-runner **-salt** table salt **-samtal** table-talk **-s|ben** table leg **-s|beställning** table reservation **-s|bön** [*läsa* say] grace **-s|dam** lady partner at table **-servis** table service **-s|granne** neighbour at table; partner **-silver** table silver **-skick** table manners *pl* **-skiva** table-top(-board) **-s|kniv** (**-s|lampa** **-s|låda**) table-knife (-lamp, -drawer) **-s|telefon** desk telephone **-ställ** cruet stand **-s|uppsats** centrepiece, epergne **-s|visa**

drinking song **-s|ända** head (foot) of a (the) table **-tennis** table tennis, ping-pong
Bore Boreas
boren *a* born [*vältalare* orator]
borg castle; stronghold **-a I** *tr* buy (sell) .. on credit **II** *itr* go bail [*för* for]; ~ *för ngt* [garantera] warrant (guarantee) ..
borgar||e citizen; bourgeois *fr.*; commoner; *hist.* burgher, burgess **-klass** bourgeoisie *fr.* **-ståndet** the burgesses *pl*; *Engl.* the Commons *pl*
borgen security; guarantee [*för framgång* of success]; [borgesman] surety; *gå i ~ för* go bail for; [friare] vouch (answer) for; *frigiva .. mot ~* release .. on bail; *ställa ~* furnish security **-s|förbindelse** bail bond **-är** creditor
borger||lig *a* **1** civil [*äktenskap* marriage]; [stads-] civil [*rättigheter* rights] **2** [medelklass-] bourgeois *fr.* is. *polit.*; middle-class; *de ~a* the Bourgeois parties; the Liberals and Conservatives **-lighet** [middle-class] respectability **-skapet** *hist.* the burghers *pl*
borgesman surety, bail[sman]
borg||fred party truce **-gård** castle courtyard **-mästare** burgomaster; *Am. Engl. Irl.* mayor; [i större eng. städer] lord mayor **-mästarinna** burgomaster's wife, [lord] mayoress **-ruin** ruined castle
born||era *itr* effervesce; [om vin] sparkle **-erad** *a* narrow-minded **-yr** head, froth; sparkle
borr borer; [nav-] auger; [drill-] drill; *tandläk.* burr-drill **-a** *tr* o. *itr* bore [*efter* for]; [tunnel] cut; [gruva] sink; ~ *igenom* (*äv.*) perforate; ~ *i sank* scuttle; ~ *ögonen i ngn* bore a p. with one's eye **-hål** borehole **-maskin** drill [press] **-ning** boring, drilling **-skaft** bit-brace
borsalva boric ointment
borst bristle; *försedd med ~* bristled; *resa ~* bristle up **-a** *tr* brush; [skor, tänderna] clean; ~ *av ngn* give a p. a brush **-bindare** brushmaker; *ljuga som en ~* lie like a trooper, tell lies by the dozen; *svära som en ~* swear like a trooper **-binderi** brush-factory **-e** brush **-ig** *a* bristly **-nejlika** sweet william **-ning** brushing; cleaning **-pojke** [på hotell] boots
borsyr||a boracic acid **-e|lösning** boracic lotion
bort *adv* away; *gå ~* [dö] pass [away]; *långt ~* far away; *längst ~* at the far end; ~ *det!* God forbid! ~ *med tassarna!* hands off! **-a** *adv* away; [försvunnen] gone; [ej till finnandes] missing, lost; [ute] out; [frånvarande] absent; *där ~* over there; *bli ~* stay away; ~ *bra, men hemma bäst* East, West, home is best **-ackordera** *tr* board out **-arrenderad** *a* leased out **-bjuden** *a* invited out [*på middag* to dinner] **-blandad** *a* confused; [inte klok] crazy **-blåst** *a*, .. *är som ~* .. has vanished into thin air **-byting** changeling **-bytt** *a*, *få sitt paraply ~* get somebody else's umbrella **-döende** *a* o. *s* dying away **-erst I** *adv* farthest off **II** *a* farthest, farthermost **-falla** *itr* drop (fall) off; [försvinna] disappear; be dispensed with **-flyttning** removal **-fuska** *tr* spoil [utterly] **-färd** departure **-förklara** *tr* explain away **-gift** *a*, *bli ~* be given away in marriage **-glömd** *a* forgotten **-gång** decease; departure [*ur tiden* from this life] **-gång|en** *a* **1** *han är ~* he has gone away (out) **2** [död] deceased; *den så sorgligt -ne* the late lamented **-ifrån I** *prep* from **II** *adv*, *där ~* from over there; *långt ~* from far off **-kalla** *tr* call away **-kastad** *a* thrown away, wasted **-klema** *tr* coddle [and spoil] **-kollrad** *a*, *bli alldeles ~* have one's head quite turned **-kommen** *a* lost; [om pers.] *äv.* absent-minded, confused; *känna sig ~* feel like a fish out of water **-kommenhet** absent-mindedness, confusion **-körd** *a* turned off (away) **-lovad** *a* promised; [tingad] bespoken **-om I** *prep* beyond; ~ *all ära och redlighet* beyond the pale [of civilization] **II** *adv*, *där ~* beyond that **-ovaro** absence **-re** *a* further; *i ~ delen av* at the far end of **-resa** outward journey; departure **-resonera** *tr* argue against, reason away; disprove **-rest** *a* be (have gone) away **-rycka** *tr* pull out; [om döden] snatch away **-röva** *tr* kidnap; [kvinna] abduct **-se** *itr*, ~ *från* leave out of account, ignore; *~tt från* apart from, irrespective of **-skymd** *a* hidden [away] **-skämd** *a* spoilt [*med* by] **-slumpa** *tr* sell off **-sprungen** *a* strayed **-stött** *a* expelled **-tynande** *a* o. *s* languishing **-val** optional exclusion **-väg**, *på ~en* on the way there **-vänd** *a* turned away, averted **-åt I** *adv* **1** *dit ~* somewhere in that direction; *en tid ~* for some little time **2** [närapå] nearly **II** *prep* towards; ~ *vägen* along the road **-över** *prep* away over
borvaselin boracic ointment
bosatt *a* resident; *vara ~ i* reside in
bosch bosh
boskap cattle *pl*; live stock **-s|avel** cattle-(stock-)breeding (-rearing) **-s|djur** cattle **-s|handlare** cattle-dealer **-s|hjord** herd of cattle **-s|ras** cattle breed **-s|skötare** cattle tender **-s|skötsel** stockraising [industry], live stock breeding **-s|uppfödare** cattle-(stock-)farmer(-breeder) **-s|vagn** cattle truck
bo||skifte division of an (the) inheritance **-skillnad** separation of property
Bosn||ien Bosnia **b-ier b-isk** *a* Bosnian
Bosporen the [Straits of] Bosporus
1 boss *polit.* boss, wire-puller
2 boss [halm-] chaff
bostad dwelling; habitation; *jur.* domicile; [privat] residence, house; [våning] flat; *Am* apartment; [hyrda rum] rooms (lodgings) *pl*; *fri ~* house free; *med kost och fri ~* board and residence included **-s|adress** permanent (home) address **-s|arkitektur** domestic architecture **-s|bidrag** accommodation allowance **-s|bolag** housing (residential shareholding) company **-s|brist (-s|fråga)** housing shortage (problem) **-s|förhållanden** housing conditions **-s|hus** dwelling-house **-s|inspektion** sanitary inspection **-s|kvarter** residential quarter **-s|lägenhet** tenement, flat; *Am.* apartment **-s|nöd** housing shortage **-s|sökande** house-hunter; person on the housing waiting-list
bo||ställe [official] residence **-sätta** *rfl* settle [down], establish oneself **-sättning** settling; settlement, establishment **-sättnings|magasin** household store
bot 1 [-emedel] remedy, cure; *skaffa ~ för* find a cure for; *råda ~ för* remedy, set right **2** [ånger] penance; *göra ~ och bättring* do penance; mend one's ways **-a** *tr* **1** [läka] cure [*för* of] **2** [avhjälpa] remedy, set right
botan||ik botany **-iker** botanist **-isera** *itr* botanize **-isk** *a* botanical; ~ *exkursion* botanizing excursion; ~ *trädgård* botanic[al] garden[s *pl*] **-ist** botanist
bot||dag day of penance **-e|medel** remedy, cure **-färdig** *a* penitent **-färdighet** penitence **-görare** penitent **-göring** penance **-lig** *a* curable **-predikan** penitential sermon
botten bottom; [mark] soil; [på tyg, tapet] ground; *känna ~* feel bottom (the ground);

på nedre ~ on the ground floor; *dricka i* ~ drain (quaff off) [one's glass]; *i grund och* ~ at heart; *gå till* ~ (*äv. bildl.*) go to the bottom; [om fartyg] *äv.* sink, founder **-frysa** *itr* freeze solid **-färg** first (bottom) coat; *sjö.* antifouling composition, keel (bottom) paint **B~havet** the Bothnian Sea **-inteckning** first mortgage **-känning** grounding **-lös** *a* bottomless; immeasurable [*elände* misery]; ~*a vägar* roads impassable for mud **-målning** [på fartyg] under water painting **-plugg** drain plug **-pris** rock-bottom price **-reva** *tr sjö.* close-reef; ~*d* close-reeved **-rik** *a* rolling in money **-sats** sediment; [i vin] dregs *pl; kem. bildl.* deposit **-skola** common basic school; primary education **-skrapad** *a* completely exhausted **-ström** bottom current **-trall** *sjö.* boat's grating **-ventil** ⊕ dump valve **-våning** ground floor **-ärlig** *a* downright honest
bottin topboot, snow-boot
bottna *itr* **1** [nå botten] reach the bottom **2** *det* ~*r i* it has its origin in
Bottniska viken the Gulf of Bothnia
botövning discipline, penance
bouppteckning inventory [of a (the) deceased's goods and chattels] **-s|instrument** inventory **-s|man** executor
bourgogne burgundy
boutredning administration [of an (the) estate] **-s|man** administrator; [för dödsbo] executor
bov villain; rascal, rogue **-aktig** *a* villainous; rascally, roguish **-aktighet** villainy; rascality, roguishness
bovete buckwheat
bowlingbana bowling alley
bovstreck [piece of] villainy
1 box box; case; [kol-] bunker
2 box [slag] **F** blow, punch **-are** boxer; pugilist **-as** *dep* box **-handske** boxing-glove
boxkalv box-calf
boxning boxing; pugilism **-s|match** boxing-match **-s|sporten** the art of boxing; the noble art of self-defence
boägg nest-egg
bra I *a* **1** good; excellent; [som det skall vara] all right; *det är* ~ *att vara försiktig* it is a good thing to be cautious; *det är* (*var*) ~! [that's] good! (excellent! splendid!) *blir det* ~ *så?* will that do? *vad ska det vara* ~ *för?* what is the good of that? *ha det* ~ be well off; *se* ~ *ut* be good-looking **2** [frisk] well; *jag är* ~ *igen* I am all right again **3** [rätt] good[ish], long[ish] [*stund* time] **II** *adv* **1** well; [*lukta, smaka* smell, taste] nice; *tack,* ~ very well, thanks; *jag mår inte riktigt* ~ I am not quite the thing, I'm not feeling so well **2** [ganska] very; **F** jolly; *det är* ~ *långt dit* it is a very (jolly) long way there; *jag skulle* ~ *gärna vilja veta* I should very much (**F** jolly well) like to know
brack||a Philistine; cad **-ig** *a* Philistine; caddish
bragd exploit, feat; achievement
bragelöfte vaunting vow, boast
brak crash; [kanon-] boom; [åsk-] peal **-a** *itr* crash, crack; ~ *lös* get going, break out; ~ *ned* come crashing down
brakved *bot.* black alder
bramin Brahmin
bram||rå (-segel -stång) *sjö.* topgallant yard (sail, mast)
brand 1 fire; [stor] conflagration; *med hjärtat i* ~ with heart all aflame; *råka i* ~ catch fire; *sticka* (*stå*) *i* ~ set (be) on fire **2** [sjukdom] gangrene **3** [på säd] blight, rust **4** [eld-] firebrand **-alarm** fire-alarm **-bil** fire-engine **-bomb** incendiary [bomb] **-chef** Chief Officer of a (the) fire-brigade **-fackla** torch, *bildl.* firebrand **-fara** danger of fire **-fri** *a* fire-proof **-försäkra** *tr* insure .. against fire
brandförsäkring fire insurance [*på* for] **-s|bolag (-s|brev -s|premie)** fire insurance company (policy, premium)
brand||gul *a* flame-coloured **-hink** fire-bucket **-härd** seat of fire **-härjad** *a* fire-ravaged **-klocka** fire-alarm bell **-kår** fire-brigade **-kårist** fireman **-lilja** orange-lily **-lukt** smell of fire **-man** fireman **-mur** fire-proof wall **-post** fire-plug **-redskap** *koll* fire-extinguishing equipment **-risk** risk of fire **-rök** smoke from a (the) fire **-signal** fire alarm **-skada** fire-damage **-skadad** *a* fire-damaged **-skatta** *tr* levy contributions on **-skydd** fire protection **-skåp** fire-alarm box **-slang** fire-hose **-soldat** fireman **-spruta** fire-engine **-station** fire-station **-stege** fire-ladder **-stods|bolag** fire insurance company **-säker** *a* fire-proof; [film] non-flam **-tal** inflammatory speech **-vakt** fire sentry **-väsen** fire service **-ämbar** fire bucket
bransch branch; [fack] *äv.* line
brant I *a* steep, precipitous **II** *adv* steeply &c; *stupar* ~ *ner* (*äv.*) goes sheer down **III** *s* precipice; *vid undergångens* ~ on the verge of ruin
brasa [log-]fire; *sitta vid* ~*n* sit at the fire-side; *tända en* ~ make a fire
brasil||ian -iansk *a* Brazilian **B-ien** Brazil
braskande *a* showy, ostentatious; [annons] blazing
brass -a *tr sjö.* brace; ~ *fullt* brace full; *dikt* ~*d* close-hauled
Braunschweig Brunswick
brav||ad bravado **-era** *itr* boast [*med* of], brag [*med* about] **-o** *itj* bravo! well done! **-o|rop** cheer **-ur** [käckhet] bravery; *mus.* bravura **-ur|nummer** star-turn
braxen bream
bred *a* broad, wide; *göra sig* ~ assert oneself; *på* ~ *bas* on a broad scale; *de* ~*a lagren* the large mass of the people **-a** *tr* spread; ~ *på* [smörgås] spread, make; [överdriva] **F** pile it on thick; ~ *ut sig* spread, extend **-axlad** *a* broad-shouldered **-bent** *a* straddle-legged; *stå* ~ stand with one's legs wide apart; straddle **-brättig** *a* wide-brimmed **-bröstad** *a* broad-chested
bredd 1 breadth, width; *största* ~ (*sjö.*) beam, overall width; *i* ~ *med* abreast of; [jämförd med] compared to; *på* ~*en* in breadth **2** *geogr.* latitude **-a** *tr* make .. wider **-grad** [degree of] latitude; *på varmare* ~*er* in warmer skies
bred||flikig *a* broad-lobed **-randig** *a* broad-striped **-sida** broadside **-skyggig** *a* broad-brimmed **-spårig** *a* broad-gauge
bredvid I *prep* beside, at (by) the side of; by; [gränsande till] next to; ~ *varandra* side by side; *prata* ~ *munnen* give the show away **II** *adv* close by; [eg. -liggande] adjacent, adjoining; *där* ~ close to it; *här* ~ close here; *rummet* ~ the next (adjacent, adjoining) room; [*han bor i*] *huset* ~ [he lives] next door; *hälla* ~ miss the cup (glass) **-läsning** home (outside) reading
bretagn||are Breton **B-e** Brittany **-isk** *a* Breton
brett *adv* broadly, widely; *vitt och* ~ far and wide; *tala vitt och* ~ talk at great length
brev letter; [*bibl.* o. friare] epistle; *med tack för nyss mottaget* ~ (*hand.*) acknowledging your favour just to hand **-bärare** postman;

Am. äv. letter carrier **-bäring** delivery of letters **-censur** censoring of letters **-duva** carrier-pigeon **-form,** *i ~* in the form of a letter (letters) **-kort** postcard; *~ med betalt svar* reply postcard **-lucka** [på dörr] [letter] slit (*Am.* drop) **-låda** letter-box; *Engl.* pillar-box; *Am.* mail-box **-papper** writing-paper, note-paper **-porto** postage **-press** letter-weight **-skrivning** letter-writing **-våg** letter-scales *pl* **-växla** *itr* correspond **-växling** correspondence

brick||**a 1** [serverings-] tray **2** [plåt-] plate; [igenkännings-] badge **3** [spel-] piece, man; *en ~ i spelet* a pawn in the game **-duk** tray-cloth

bridge[**parti** game of] bridge

brigad *mil.* brigade **-chef** brigadier-general

brigg brig

brikett briquette

brilj||**ant I** *a* brilliant; first-rate **II** *adv* brilliantly **III** *s* brilliant **-antin** brilliantine **-ant**|**smycke** set of brilliants **-era** *itr* shine, show off; *~ med . .* show off . .

brillor spectacles

1 bringa *s* breast; *kok.* brisket

2 bringa *tr* **1** bring; [föra bort] convey, conduct; *~ hjälp* render assistance; *~ ett offer* make a sacrifice; *~ olycka över* bring down ruin on, bring disaster to; *~ oreda i . .* throw . . into confusion; *~ ordning i . .* put . . in order; *~ saken till tals* bring up (broach) the matter; *~ ngn i svårighet* land a p. in difficulties; *~ ngn till* [*förtvivlan, tiggarstaven*] reduce a p. to [despair, beggary]; *~ ngn ur jämvikten* put a p. off his balance; *~ ur världen* dispose of **2** *~ det därhän att man är . .* come to the point of being . .

brink hill; [älv-] bank

brinn||**a** *itr* burn; be on fire; *det -er i spisen* there is a fire in the kitchen range; *~ av iver* be filled with fervour; *~ av nyfikenhet* be burning with curiosity; *~ av* go off, explode; *~ ned* be burnt down, [om brasa] burn low; *~ upp* be destroyed by fire; *~ ut* burn itself out **-ande** *a* burning; *bildl.* [bön, tro] fervent; [hängivenhet] ardent; [törst] consuming; [huvudvärk] splitting; *med ~ iver* with great fervour; *ett ~ ljus* a lighted candle; *springa för ~ livet* run for dear life; *mitt under ~ krig* while war is raging, at the height of war

brio, *med ~* with zest (ardour)

bris [*lätt* gentle] breeze

brist 1 [saknad] want; [otillräcklig mängd] lack, shortage [*på* of]; [ofullkomlighet] deficiency, shortcoming; [svag punkt] defect, flaw; *lida ~ på* be short (in want) of; *av ~ på* for want of; *i ~ på bättre* in the absence of anything (something) better **2** [i kassan] deficit **-**|**a** *itr* **1** [sprängas] burst; [avbrytas] break, snap; [ge vika] give way (out); [rämna] split; *det varken bär eller -er* the ice holds but won't carry; *det må bära eller ~* sink or swim; *~ i gråt* burst into tears; *~ ut i skratt* burst out laughing; *mitt hjärta är nära att ~* my heart is ready to break; *hans tålamod brast* his patience gave way **2** [visa brist] fall short, be lacking [*i* in] **-ande** *a* [otillräcklig] deficient, inadequate; [bristfällig] defective; *~ betalning* non-payment; *~ förmåga, duglighet, uppmärksamhet* inability, incapacity, inattention; *~ lydnad* disobedience **-fällig** *a* defective, imperfect **-fällighet** defectiveness &c; *~er* deficiencies, shortcomings **-färdig** *a* ready to burst **-ning** bursting; *läk.* rupture **-nings**|**gräns** breaking-point(-limit); *fylld till ~en* filled to the limit of its capacity **-sjukdom** deficiency disease

Britann||**ien** Britain **b-isk** *a* Britannic

brits bunk; *mil.* camp-bed

britt Briton **-isk** *a* British; *B~a öarna* the British Isles

brittsommar Indian summer

bro bridge; *slå en ~ över* (*äv. bildl.*) throw a bridge across **-avgift** bridge-toll **-byggnad** bridge construction

broccoli se *sparriskål*

brock *läk.* rupture, hernia **-band** truss

1 brodd *bot.* germ, sprout; [sädes-] new crop; *kväva . . i ~en* nip . . in the bud

2 brodd [mot halka] spike; [i hästsko] rough **-a** *tr* spike; rough

broder brother; *pl* [i *bibl.* o. *poet.* språk] *ibl.* brethren; *Bröderna Grimm* the Brothers Grimm; *Bröderna S.* [firma] S. Brothers (Bros.)

broder||**a** *tr* embroider **-garn** fancy wool, embroidery wool (yarn) **-i** embroidery

broder||**folk** sister nation **-lig** *a* brotherly, fraternal **-lighet** brotherliness **-ligt** *adv* like brothers (a brother) **-mord -mördare** fratricide **-skap** brotherhood, fraternity **-s**|**kärlek** brotherly love

bro||**fäste** bridge abutment **-huvud** bridgehead

brokad brocade

brokig *a* motley, many-coloured; variegated [*av* with]; [grann] gaudy; *~ karriär* a chequered career; *~ samling* miscellaneous collection **-het** variegation; diversity **-t** *adv* gaudily; *~ klädd* dressed in gay colours

brokista caisson

brom bromine **-kalium** potassium bromide **-natrium** sodium bromide

1 broms *zool.* gadfly

2 broms [på hjul] brake; *bildl.* check **-a** *itr* o. *tr* [apply the] brake

brom||**salt** bromic salt **-silver** silver bromide

broms||**inrättning** brake[-appliance] **-kona** brake cone **-ning** braking **-nings**|**sträcka** braking distance **-pedal** brake [pedal] **-spak** brake [lever]

bronk||**er** bronchi **-it** bronchitis

brons bronze **-aktig** *a* bronze-like **-bild** bronze statue **-era** *tr* bronze **-figur** bronze figure **-färg** bronzing paint **-färgad** *a* bronze-couloured **-medalj (-mynt)** bronze medal (coin) **-smycke** bronze ornament **-ålder** bronze age

bro||**pelare** bridge-pier **-pengar** bridge-toll *sg* **-påle** bridge pile

bror brother; *Bäste ~* (*B. B.*) [i brev] Dear (My dear) [John &c] **-s**|**barn** brother's child **-s**|**dotter** niece **-skål,** *dricka ~* drop formalities of address **-s**|**lott** lion's share **-son** nephew

broräcke bridge parapet

brosch brooch

broschyr pamphlet, booklet

brosk cartilage **-artad** *a* cartilaginous

bro||**slagning** throwing of a bridge, bridge building **-spann** span of a bridge

brott 1 [brytande] breaking, fracture; [på rör] *äv.* burst; [brutet ställe] break[age]; breach; [ben-] fracture **2** [kränkning] breach [*mot neutraliteten, disciplinen* of neutrality, discipline] **3** [förbrytelse] crime; [mindre svårt] offence **-are** wrestler **-ar**|**typ** regular wrestler **-as** *itr dep* wrestle; grapple **-mål** criminal case **-måls**|**domstol** criminal court **-ning** wrestling; [friare] *äv.* struggle **-nings**|**match** wrestling match **-sjö**

breaker **-slig** *a* criminal; [skyldig] guilty **-slighet** criminality; guilt **-sling** criminal; [gärningsman] culprit **-stycke** fragment **-ställe -yta** fracture

bro||vakt bridge-master **-valv** bridge-arch

brud bride; *stå* ~ be married **-färd (-följe)** bridal procession (train) **-gum** bridegroom **-klänning** wedding-dress **-krona** bridal crown **-pall** wedding-stool **-par** bridal couple; *~et* (*äv.*) the bride and bridegroom **-slöja** bridal veil **-sven** page **-tärna** bridesmaid

bruk 1 [användning] use, employment; *för dagligt ~* for everyday use ([om kläder] wear); *för eget ~* for personal use; *för utvärtes ~* for external application; *ha ~ för* find a use for; *långvarigt ~* long usage; *detta ~ av ordet* this usage of the word; *komma i ~* come into use; *taga i ~* begin using; *komma ur ~* fall into disuse **2** [sed] custom, practice; *seder och ~* usages and customs **3** [odling] cultivation **4** [fabrik] mill; works *sg* o. *pl* **5** se *mur~* **-a I** *tr* **1** [begagna] use, employ; make use of; *~ list (våld)* practise cunning (violence) **2** [odla] cultivate; [gård] farm **II** *hjälpv.* **1** [pläga] be in the habit of; [ofta anv. ss. adv] generally, usually; *jag ~r fara dit* I usually (as a rule I) go there; [endast i imperf.] *~de* used to **2** [visa benägenhet] will, would; *han ~r (~de) sitta i timtal* *pl* [for use] **-s|artikel** commodity **-s|för-** hours doing nothing **-as** *itr dep, det ~ inte* it is not the custom (fashion) **-bar** *a* useful; fit for use; *i ~t skick* in serviceable condition; in working order **-barhet** usefulness, fitness for use, serviceableness **-lig** *a* customary, usual **-s|anvisning** directions *pl* [for use] **-s|artikel** commodity **-s|förvaltare** works manager **-s|ägare** foundry proprietor; mill owner

brum||björn *bildl.* growler **-ma** *itr* growl; [om insekt] hum, buzz

brun *a* brown; [läderfärg] tan; *~a bönor* [maträtt] red beans **-aktig** *a* brownish **-barkad** *a* tanned **-bränd** *a* singed; [av solen] bronzed **-ett** brunette **-fläckig** *a* spotted brown **-färgad** *a* brown-coloured, tanned **-gul** *a* brownish yellow **-hyad** *a* brownhued **-hyllt** *a* swarthy, tanned **-kol** lignite

brunn well; [hälso-] spring **-s|borr** auger iron **-s|borrning** drilling of a well **-s|grävning** well-digging **-s|gäst** spa visitor **-s|kur** mineral water cure **-s|läkare** spa physician **-s|ort** health resort, spa **-s|vatten** wellwater **-s|åder** vein of water

brun||prickig (-randig -rutig) *a* brown-spotted (-striped, -chequered) **-skjortor** Brown Shirts **-spräcklig** *a* speckled brown

brunst [honas] heat; [hannes] rut **-ig** *a* in heat; ruttish

brun||strimmig *a* brown-streaked **-te** [häst] dobbin **-ögd** *a* brown-eyed

brus roar[ing]; [vindens] sough[ing]; [vattnets] *äv.* surge; *mus.* peal[ing], swell[ing]; *radio.* fuss **-a** *itr* roar; sough; swell; *~ upp* (*bildl.*) blaze up; *~ ut* **F** let off steam **-hane** ruff; [hona] reeve **-huvud** hothead, hotspur

brust|en *a* broken; shattered [illusions]; *-na ögon* eyes grown dim

brutal *a* brutal **-itet** brutality

brut|en *a* broken; *-et tak* mansard (curb) roof

brutto *adv* o. *s* gross *äv.* i *sms* [*vinst* profit]

bry I *tr* **1,** *~ sitt huvud* (*sin hjärna*) puzzle one's head [*med* over], cudgel (rack) one's brains [*med att* to] **2** *~ ngn för* tease a p. about **II** *rfl, ~ sig om* mind; [tycka om] care [*att* to], [ngn, ngt] be fond of, care for; *vad ~r jag mig om det?* what do I care? *jag ~r mig inte ett dugg om det* I don't care a hang about it; *~ dig inte om det* don't bother about it; *~ er inte om [vad hon säger]* take no notice of.. **-dd** *a* puzzled [*för* about]; confused; abashed

bryd||eri perplexity; embarrassment; *vara i ~* (*äv.*) be puzzled [what to do]; *i ~ för pengar* hard up for money; *försätta ngn i ~* put a p. in a quandary; *råka i ~* get embarrassed **-sam** *a* awkward; embarrassing

brygd *abstr* brewing; *konkr* brewage

1 brygga [bro; kommando-] bridge; [landnings-] landing-stage; [tand-] bridgework

2 brygg||a *tr* brew **-are** brewer **-eri** brewery **-hus** brewing house, wash-house

brylépudding caramel custard

brylling third cousin

bryn edge, verge, fringe

1 bryn|a *tr* [göra brun] brown; *kok.* fry; *-t av solen* tanned

2 bryn||a *tr* [vässa] whet, sharpen **-e** whetter

brynja coat of mail

brynsten whetstone; hone

brysk *a* brusque; curt **-het** brusqueness

Bryssel Brussels **b~kål** Brussels sprouts *pl* **b~matta (b~spetsar)** Brussels carpet (lace *sg*)

bryt||a I *tr* break; [kol, malm] dig, mine; [sten] quarry; [färg, smak] modify, vary; [stråle] refract; [servett] fold; [brev] open; [förlovning] break [off] **II** *itr* [om vågor] break; [begå brott] offend [*mot* against]; *~ med* [person] break with; [vana] give up; *~ mot* infringe (violate) [a law]; *~ på franska* speak with a French accent; *~ fram* break out; *~ in* [om natt] set in; *~ lös* break loose; [oväder] break; *~ samman* break down, collapse; *~ upp* make a move; *mil.* decamp; *~ ut* break out **III** *rfl* break [*genom* through; *in* in; *lös* loose; *ut ur* out of]; [om ljuset] be refracted; [om åsikter] diverge **-ande** *s* breaking &c; breach [of faith] **-as** *dep* break, snap **-bar** *a* breakable **-färg** tint colo[u]r **-ning** breaking &c; [av kol] mining; [ljusets] refraction; [i uttal] accent; [i smak] relish; [kräkning] vomiting; *bildl.* breach; break; [åsikters] divergence **-nings|tid** transition period **-nings|vinkel** [optik] refracting angle

bråck = *brock*

bråd||d *a* **1** hasty, sudden; *få ett -tt slut* come to a sudden end **2** [tid] busy **-djup I** *a* precipitous; [i vattnet] *det är ~t* it gets deep suddenly **II** *s* precipice **-mogen** *a* *bildl.* precocious **-mogenhet** precocity **-rask,** *i ~et* all at once; *inte i ~et* none too quickly **-ska I** *s* hurry; haste; *det är ingen ~* there is no hurry; *i ~n* in the hurry of the moment; *han gör sig ingen ~ med* he is in no hurry about **II** *itr* [om pers.] hurry; [om sak] be urgent; *det ~r inte med det* there is no hurry about it; is not [so] urgent **-skande I** *a* hasty; urgent [*samtal* call] **II** *adv* hastily &c **-störtad** *a* precipitate; headlong [*flykt* flight]

bråk 1 *mat.* fraction **2** [buller] noise; clamour; [gräl] row **3** [besvär] trouble, bother; *ställa till ~* make a great fuss (**F** kick up a row) [*för* about] **-a** *itr* **1** [göra sig besvär] bother **2** [ställa till bråk] make a disturbance, be noisy **3** [krångla] make difficulties **-del** fraction **-ig** *a* noisy; [oregerlig] disorderly; [besvärlig] troublesome; fussy **-makare -stake** noisy fellow, fidget, **F** rowdy **-tal** fraction

brås *dep, ~ på* take after

bråte rubbish, lumber
brått[om] *adv, ha* [*mycket*] ~ be in a [great] hurry; *det är mycket* ~ there is no time to lose; *det är* ~ *med arbetet* the work is urgent
bräck||a I *s* flaw, crack **II** *tr* **1** break, crack **2** [en medtävlare] crush, stump out **3** *kok.* broil, fry **III** *itr, dagen -er* day breaks **-järn** crowbar **-lig** *a* [sak] fragile, brittle; [person] frail **-lighet 1** fragility **2** frailness **-t** *a* **1** [vatten] brackish **2 F** *han blev* ~ he was silenced; that shut him up
bräd||a = *bräde* **-bekläda** *tr* board **-beklädnad** boarding
brädd edge, brim; *stiga över ~arna* [om flod] overflow [its banks]; *på gravens* ~ on the brink of the grave **-a** *tr* broaden **-ad -full** *a* brimming, brimful
bräd||e board; *på ett* ~ in a lump sum; *slå ur ~t* cut out; *spela* ~ play [at] backgammon **-fodra** *tr* wainscot; [weather-] board **-fodring** boarding, wainscoting **-gård** timber-(*Am.* lumber-)yard **-skjul** wooden shed **-spel** backgammon **-stapel** pile of boards **-stump** piece of board **-vägg** boarded partition
bräka *itr* bleat
bräken *bot.* bracken **-växt** fern
bräm border, edge, edging; [på päls] fur-trimming
bränd *a* se *bränna; den ~a jordens taktik* the scorched earth tactics *pl* (policy)
bränn||a I *tr* burn; [utanpå] scorch; [kalk, tegel] calcine; [lergods] bake; [kaffe] roast; [lik] cremate; ~ *vid* burn **II** *itr* burn; [om solen] beat down **III** *rfl* burn (scald) o.s.; ~ *sig på tungan* burn one's tongue **-ande** *a* burning; [hetta, törst] scorching, parching; *bildl.* ardent [longing]; [smärta] acute; [fråga] crucial **-as** *itr dep* burn; *nässlor* ~ nettles sting **-bar** *a* combustible (*äv. : ~t ämne*); *~t ämne* (*bildl.*) topic likely to evoke heated discussion; dangerous topic **-barhet** combustibility **-blåsa** blister **-eri** distillery **-glas** burning-glass **-het** *a* scorching **-ing 1** [av lik] cremation **2** [i sjön] breaker[s *pl*]; *~arna (äv.)* the surf *sg* **-märka** *tr* brand; *bildl. äv.* stigmatize **-märke** brand; *bildl. äv.* stigma **-nässla** stinging nettle **-offer** burnt offering **-olja** combustible (fuel) oil **-punkt** focus; *mat.* o. *bildl.* focal point **-skada -sår** burn **-torv** peat **-ugn** kiln **-ved** fuel-wood **-vidd** focal distance (length) **-vin** corn-brandy, gin **-vins|advokat** pettifogger **-vins|glas** dram-glass, *Am.* shot-glass
bränsle fuel **-besparande** *a* fuel-saving **-brist** fuel shortage **-flödesmätare** fuel flow meter **-förbrukning** fuel consumption **-förråd** fuel supply **-kran** fuel cock **-ledning** fuel pipe **-mängdmätare** fuel quantity gauge **-renare** fuel strainer **-sil** fuel screen **-tank** fuel tank **-tillförsel** [i motor] fuel feed
bräsch breach; *gå (ställa sig) i ~en* throw o.s. into the breach; *skjuta en* ~ batter, breach; *träda i ~en för ngn* defend a p.; come to a p.'s aid
brätte brim
bröd bread; [limpa] loaf; *franskt* ~ white loaf; *rostat* ~ toast; *förtjäna sitt* ~ earn one's living **-bit** piece of bread **-bräde** bread-trencher **-butik** bread-shop **-frukt-[träd]** breadfruit **-kaka** round loaf **-kant** crust of bread **-kavel** bread-roller **-kniv** bread-knife **-korg** bread-basket **-kort** bread-card **-kupong** bread-coupon **-lös** *a, bättre ~ än rådlös* better breadless than headless
brödra||folk sister nations **-krets** band of brothers **-kärlek** brotherly love
brödransonering bread rationing
brödra||par pair of brothers **-tvist** fraternal dispute
bröd||rost toaster **-skiva** slice of bread **-smula** crumb **-stycke** piece of bread; *kampen om ~t* the struggle for existence **-säd** cereals *pl*, is. *Am.* grain
bröllop wedding **-s|dag** wedding-day **-s|fest** wedding [celebration] **-s|gåva (-s|gäst)** wedding-present (-guest) **-s|klädd** *a* dressed for a wedding **-s|natt** wedding-night **-s|resa** wedding-trip **-s|tåg** wedding-procession **-s|vittne** marriage witness
bröst breast; [-korg] chest; [barm] bosom; *ha klent* ~ have a weak chest; *ha ont i ~et* have a pain in one's chest; *kom till mitt* ~ come into my arms **-a** *rfl* cock one's nose; ~ *sig över* glory in **-arvinge** heir [apparent] **-ben** breastbone **-bild** bust; half-length portrait **-böld** mammary tumour, mastitis **-droppar** cough tincture *sg* **-fena** pectoral fin **-ficka** breast-pocket **-gänges** *adv, gå* ~ *till väga* act high-handedly **-håla** cavity of the chest **-hållare** brassière **-höjd** breast-height **-karamell** cough-drop **-katarr** bronchitis **-korg** chest **-kräfta** cancer of the breast **-medicin** pectoral preparation **-sim** breast stroke **-sjuk** *a* consumptive **-sjukdom** chest-disease **-socker** sugar-candy **-ton** chest-note; *tala med* ~ be full-mouthed **-vidd** chest measurement **-vårta** nipple, teat **-värn** parapet, battlement
bubbla I *s* bubble **II** *itr* bubble
buckl||a I *s* **1** [upphöjning] boss, knob; bulge **2** [inbuktning] dent, dint **II** *tr,* ~ *ti'll* dent in **-ig** *a* **1** embossed **2** dented in
buckram art canvas
bud 1 [befallning] command, order; *tio Guds* ~ the ten commandments; *samvetets* ~ the dictates *pl* of conscience; *stå till ~s* be available **2** [an-] offer [*på 10 pund* of 10 pounds]; [auktions-] bid; *kort.* call **3** [-skap] message; *skicka (få)* ~ *att* send (receive) word to say that; *skicka* ~ *efter* send for **4** [-bärare] messenger; *sänt med* ~ sent by hand **-bärare** messenger
budd||ism Buddhism **-ist** Buddhist **-istisk** *a* Buddhist
budget budget **-brist** deficit in the budget **-debatt** debate on the budget **-förslag** budget proposals *pl* **-år** budget (financial) year
budkavle fiery cross **-tävling** *sport.* relay race
budoar boudoir *fr.*
bud||ord commandment **-skap** announcement, message; [nyheter] tidings *pl*
buffel buffalo; *bildl.* boor **-hjord** buffalo herd **-ko** cow buffalo **-läder** buffalo hide **-tjur** bull buffalo
buffert buffer, bumper **-stat** buffer state
bug||a *itr* o. *rfl* bow [*för* to] **-ning** bow
buk belly; [nedsättande] paunch; *anat.* abdomen
Bukarest Bucharest
bukett bouquet, nosegay
buk||fena ventral fin **-gjord** [på sadel] girth **-hinne|inflammation** peritonitis **-håla** abdominal cavity **-ig** *a* bulging **-landning** *flyg.* belly landing **-muskler** abdominal muscles
bukol||iker *s* **-isk** *a* bucolic
bukspottkörtel pancreas
bukt 1 [krökning] bend; curve; turn **2** [havs-] bay, gulf; [liten] cove **3** [slinga] bight, coil **4** *få* ~ *med* manage **-a** *rfl* bend, curve, wind; ~ *sig in* curve in; ~ *sig utåt* bulge
buktalare ventriloquist
bukt||ig *a* bending, curving, winding; curved **-ning** winding, curve, turn

bula bump, bruise
bulevard boulevard *fr.; Engl.* avenue
bulgar Bulgarian **B~ien** Bulgaria **-isk** *a* Bulgarian
buljong bouillon *fr.*, clear soup; [för sjuka] beef-tea **-tärning** bouillon (meat) cube
1 bulla [påve-] bull
2 bulla *tr, ~ upp allt vad huset förmår* make a great spread
bulldogg bulldog
bulle bun, roll
buller noise, din; [stoj] racket; [dovt] rumbling; *med ~ och bång* with a great hullabaloo **-bas** noisy boy (girl) **-sam** *a* noisy; [om pers.] *äv.* rowdy
bulletin bulletin
bullr||a *itr* make a noise; [mullra] rumble; [dåna] roar **-ande** *a* noisy, boisterous
buln||a *itr* gather; fester **-nad** gathering; [böld] boil
bult bolt; [gängad] screw[-bolt] **-a I** *tr* [kött] pound; beat; *~ ngn i ryggen* thump a p. on the back **II** *itr* [knacka] knock [*på* at]; [om puls] throb; *det ~de på dörren* there was a knock at the door **-ande** *a, med ~ hjärta* with a pounding (palpitating) heart
bulvan decoy; *bildl. äv.* dummy
bumerang boomerang
bums *adv* right away, on the spot
bunden *a* bound; *bildl. äv.* tied; [hindrad] fettered; *~ stil* poetry; *~ elektricitet* dissimulated electricity; *~ värme* latent heat; *~ av sin tjänst* confined by one's duties; *~ vid* attached to
bundsförvant ally **-skap** alliance
bunke [av metall] pan; [av trä, lera] bowl; [till tvätt] tub
bunk||er bunker **-erkol** bunker coal[s *pl*] **-ra** *itr* bunker
bunt packet; [hö, garn, papper] bundle; *hela ~en* the whole bunch (batch) **-a** *tr, ~ ihop* make . . up into packets &c **-makare** furrier
bur cage; [för höns] coop
burdus I *a* abrupt; *bildl.* blunt, bluff **II** *adv* abruptly, slapdash
buren *a* borne, carried
burgen *a* well-to-do; *predik.* well-off
Burgund Burgundy
burk pot; [sylt-] jar; [bleck-] tin, *Am.* can; [apoteks-] gallipot **-öppnare** tin (*Am.* can) opener
burlesk *a* burlesque
Burma Burma **b~n b~nsk** *a* Burmese
burr frizz[le] **-a** *tr, ~ upp* ruffle up; *~ upp sig* [om fågel] ruffle itself up **-ig** *a* frizzy
burskap, *vinna ~* gain ground; be adopted [*i* into]
burspråk *byggn.* bay [window]
bus||aktig *a* ruffianlike, rascally **-e 1** [ruskig person] ruffian, rowdy, hoodlum **2** [spöke] bugbear; [barnspr.] bogy-man **-fasoner** rowdy behaviour *sg* **-frö** young ragamuffin
busk||ablyg *a* bashful, timid **-age** copse, shrubbery **-e** bush; [större] shrub **-ig** *a* bushy **-skog** copse, scrub **-skvätta** whinchat **-snår** thicket, brushwood
busliv rowdyism, ruffianism
1 buss [tobaks-] quid
2 buss [karl] hearty; *~ar* [krigsbussar] warriors bold
3 buss [linjebuss] bus
4 buss *itj, ~ på honom!* at him! **-a** *tr, ~ en hund på ngn* sick a dog on a p.
buss||chaufför bus driver **-färd** bus drive **-förbindelse** bus connection **-hållplats** bus stop
bussig *a* capital, splendid, fine; [käck] brave
buss||last busload **-linje** bus service (route)
bus||språk coarse language **-tag** rowdy manners
busstation bus station
butelj -era *tr* bottle **-hals** bottle-neck **-kork** [bottle]cork
butik shop; *Am.* store; *springa i ~er* go shopping; *stänga* [upphöra med] *~en* shut up shop **-s|biträde** shop-assistant **-s|fönster** shop-window **-s|tjuv** shop-lifter **-s|ägare** shopkeeper
butter *a* sullen, morose **-het** sullenness
buxbom box; [trä] boxwood
1 by [vindil] squall, gust
2 by village; [liten] hamlet **-alag** village community
byffé 1 [möbel] sideboard, dresser **2** [servering] refreshment room, buffet
by||folk villagers *pl* **-gata** village street
bygd [nejd] district, countryside; [odlad] settled country; *bryta ~* start cultivation, clear land; *ute i ~erna* out in the country districts **-e|forskare** local antiquarian **-e|forskning** local history study **-e|mål** dialect
bygel bow, clamp, hoop; ⊕ yoke, loop; [beslag] mount; [på hänglås] shackle
bygg||a *tr* o. *itr* build; [anläggning] *äv.* construct; [uppföra] erect; *~ en bro* (*äv.*) throw a bridge; *~ och bo* make one's home, reside; *~ på* [grunda sig på] be based on; *ingenting att ~ på* nothing to be counted on; *~ om* rebuild; *~ på* [*ett hus*] add [a story] to . .; *~ till ett hus* enlarge a house; *~ upp* build up; erect **-ande** *s* building; construction, erection **-e** building **-herre** builder **-klots** brick **-låda** box of bricks **-mästare** building-contractor; *ibl.* master-builder **-nad 1** = *-ande* **2** [hus] building, edifice **3** [-s|sätt] construction; [språks] structure
byggnads||arbetare builder **-s|branschen** the building trade **-entreprenör** building-contractor **-facket** the building trade **-konst** [art of] building; architecture **-kontor** [myndighet] office of works **-lån** building loan (advances *pl*) **-material** building material[s *pl*] **-ordning** building regulations *pl* **-stil** style (type) of architecture (construction) **-ställning** scaffold[ing] **-tillstånd** building permit **-tomt** [building] site **-verk** building, edifice **-verksamhet** building operations *pl*
bygg|ning = *-nad 2*
byig *a* squally, gusty; *flyg.* bumpy
byk wash; *han har en trasa med i den ~en* he has a finger too in that pie **-a** *tr* wash **-balja** wash-tub **-e** rabble, pack **-erska** washerwoman **-kläder** clothes for (in) the wash, laundry **-pinne** clothes-pin (-peg) **-streck** clothes-line
bylt||a *tr, ~ ihop* make . . into a bundle; *~ på ngn* pile clothes on a p. **-e** bundle, pack
byracka mongrel, cur
byrå 1 [möbel] chest of drawers; *Am.* bureau **2** [ämbetsverk, kontor] office **-chef** Head of Department; principal assistant secretary **-krat** bureaucrat **-krati** bureaucracy **-kratisk** *a* bureaucratic **-kratism F** red tape **-låda** drawer
bysamhälle village community
byst bust **-hållare** brassière, **F** bra
byt||a *tr* change; [ut-] exchange; [vid -eshandel] barter, **F** swap; *~ plats* change places; [flytta sig] move; [*~ tjänst*] get a new post; *~ bort* exchange [*mot* for]; *~ bort sitt paraply* take somebody else's umbrella; *~ om* change; *~ ut* exchange [*mot* for] **-e 1** exchange; *förlora på ~t* lose in the exchange **2** [rov] booty, spoil[s *pl*]; [rovdjurs; *äv. bildl.*] prey; [jakt-] game **-es|annons** exchange advertisement **-es|avtal**

bargain -es|handel barter, exchange -es|-vara article of exchange
byting brat, urchin
bytta firkin, vat; [smör-] tub
byväg country lane
byx||ben trouser-leg -ficka trouser-pocket -hållare [för cyklist] bicyclist's (trouser) clips -hängslen braces, *Am.* suspenders -knapp trouser-button -linning trouser[s]-waistband -or [långa] trousers, *Am.* pants; [korta] shorts; [knä] knickerbockers, knickers; [rid-] breeches; [lätta sommar-] slacks, *Engl.* F pants; [dam-] [ladies'] knickers (briefs); [under-] drawers, trunks -ångest, *i ~* in a blue funk
1 båda *tr* [före-] betoken, foreshadow; [ngt ont] portend; *det ~r intet gott* it bodes no good
2 båd||a *pron* [beton.] both (*äv.* : *~ två*); [obeton.] the two; [den ena el. den andra] either [of]; *vi ~* we both (two); both of us, either of us; *på ~ sidorna* on both sides (either side); *~s död* the death of both of them; *~s våra liv* both our lives -a|dera *pron* both -e *konj* both; *~ du och jag* (*äv.*) you as well as I
båg||e 1 [linje] curve; *mat.* arc 2 *mus.* slur 3 *byggn.* arch 4 [skjut-] bow; *ha flera strängar på sin ~* have more than one string to one's bow; *spänna ~en för högt* aim too high 5 [sy-] frame 6 [på glasögon] rim -fil hack saw -formig *a* curved -fönster bow-window -ig *a* curved, arched -lampa arc-lamp -linje curve, curvature -ljus arc-light -na *itr* bend; sag -skjutning archery -skytt archer -sträng bowstring
båk 1 [fyr] lighthouse 2 [sjömärke] beacon
1 bål *anat.* trunk, body
2 bål [skål] bowl
3 bål [eld] [funeral] pyre; *bli bränd på ~* be burnt at the stake
båld *a* doughty, bold
bålgeting hornet
bålverk bulwark; *bildl. äv.* stronghold
bångstyrig *a* refractory, unruly, restive -het refractoriness
bår [hand-] barrow; [sjuk-] stretcher; [lik-] bier
bård border
bår||hus mortuary -täcke [funeral] pall
bås stall, crib; [friare] compartment
båt boat; [rodd-] *äv.* skiff; *ge ngt på ~en* give a th. up as a bad job
båta *itr, det ~r till intet att* it is no use ..ing
båt||besättning [boat's] crew -brygga landing-stage -byggare boat-builder -färd boat[ing]-trip -hus boat-house -lack boat varnish -lagse *-besättning* -last boat-load; boatful -ledes *adv* by boat -längd boat's length -motor marine motor
båtnad advantage; *till ~ för* to the advantage of
båtshake boat-hook
båt||skjul boat shed -skrapa scraper
båtsman boatswain, bosun -s|stol *sjö.* bosun's chair
båtvarv boatbuilder's yard, wharf [*pl* wharfs, wharves]
bä *itj* baa!
bäck brook, rill
bäcken 1 [fat] basin 2 *anat.* pelvis 3 *geogr.* basin
bädd bed -a *tr* o. *itr* make a (the, one's) bed; *som man ~r får man ligga* as you make your bed, so you must lie; *~ in* embed; *~ ned* put .. to bed; *~ upp* make the (one's) bed -ning bed-making
bägare cup, mug; *kyrkl.* chalice
bägge = 2 *båda*
bälg [*en ~* a pair of] bellows *pl*
Bält, *Stora* (*Lilla*) *~* the Great (Little) Belt
bält||e belt; [gördel] girdle, roll-on -ros *läk.* [the] shingles *pl*
bänd||a *tr* prize, pry [*lös* loose; *upp* open] -järn crowbar
bändsel[lina] seizing [line]
bängel rascal; *lång ~* great lout
bänk seat; [is. väggfast o. i parl.] bench; [teat. o. d.] row; [kyrk-] pew; [skol-] form -a *rfl* seat oneself -kamrat deskfellow -rad row
bär berry; [odlade] *äv.* small fruit; *så lika som två ~* as like as two peas
bär||a I *tr* carry; *bildl.* [hysa, uthärda &c] bear; [stötta] support; [kläder o. d.] wear; *~ frukt* (*spår, vapen, vittnesbörd*) bear fruit (traces, arms, testimony); *~ på sig* carry .. about [with] one II *itr* 1 [om is] bear 2 [om väg] lead; *~ på* [sorg o. d.] bear; *han går och bär på ngt* there is something on his mind; *vart bär det av?* where are you going to? *vart bär det hän?* what are things coming to? *det bär emot* it goes against the grain; *det bär uppför* (*utför*) it is uphill (downhill) III *rfl* 1 [vara lönande] pay 2 *det bar sig inte bättre än att jag ..* as ill luck would have it I .. 3 *~ sig åt* behave; *hur bar ni er åt för att få?* how did you manage (contrive) to get? *hur jag än bär mig åt* whatever I do; *nu har du burit dig vackert åt* you have made a nice mess of it -are bearer; [stadsbud] porter; *Am. äv.* redcap -förmåga lifting power; carrying capacity
bärg||a I *tr* 1 [rädda] save; *sjö.* salve, salvage 2 [skörd] harvest, get in 3 [segel] take in II *rfl* [reda sig] get along -ad *a* well-to-do; well-off -ar|lön salvage [money (fee)] -ning 1 *sjö.* salvage 2 [av skörd] harvest 3 [av segel] taking in 4 [utkomst] livelihood -nings|bil crash wag[g]on, break-down lorry -nings|fartyg salvage ship (boat)
bärighet *sjö.* carrying capacity, buoyancy
bärkorg berry-basket, punnet
bär||kraft supporting capacity; *ekon.* financial strength; [arguments] convincing force -kraftig *a* strong; *ekon.* sound -lina carrying rope; [på fallskärm] shroud [line]
bärnsten amber
bärplan *flyg.* airfoil; *sjö.* hydrofoil -s|båt hydrofoil boat
bär||plockare -plockerska bilberry(&c)-picker
bär||raket carrier rocket -rem strap
bärsaft berry juice
bär||sele [på fallskärm] parachute harness -stol palanquin -vidd range; *bildl.* scope
bäst I *a* best; *B~e bror!* [i brev] Dear (My dear) [John &c]; *det ~a* the best thing; *göra sitt ~a* do one's best; *den första ~a* the first comer; *det ~a i det hela* the best part of it; *i ~a fall* at [the] best; *efter ~a förmåga* to the best of one's ability; *i ~a mening* in the best sense; *i sina ~a år* in the prime of life; *hoppas det ~a* hope for the best; *det är ~ att du går nu* you had better go now; *det kan hända den ~e* accidents will occur; *på ~a möjliga sätt* in the best way possible II *adv* best; *jag höll som ~ på med* I was in the thick of III *konj*, *~* [*som*] just as; *~ som han läste* in the middle of his reading; *~ som det var* all at once; *~ de behaga* as much as they like -a *s* good, benefit; welfare; *för det allmänna ~* for the public good (benefit, weal); *få något till ~* have some refreshments; *ta sig väl mycket till ~* take a drop too much

bättr||a I *tr* improve [upon]; ~ *på* touch up **II** *rfl* mend, improve **-e I** *a* better; [kvalitet] superior [*än* to]; *få (ha) det* ~ be better off; *i brist på* ~ failing anything better, for want of something better; *komma på* ~ *tankar* change one's mind [for the better] **II** *adv* better; *han visste inte* ~ he didn't know any better **-ing** improvement; *relig.* repentance; [om hälsa] recovery **-ings|väg**, *vara på* ~*en* be on the road to recovery

bäv||a *itr* tremble; [darra] quiver; [rysa] shudder [*för* at] **-an** dread, fear

bäver -skinn beaver

böckling bloater

bödel executioner, hangman; *bildl.* tormentor **-s|yxa** executioner's axe

Böhmen Bohemia

böj||a I *tr* o. *itr* **1** bend, curve; [huvudet] bow, incline (*äv.:* ~ *på*); [lemmarna] *äv.* flex; ~ *knä inför* bend the knee to; ~ *ihop* bend up; ~ *undan* turn aside; deflect **2** *gram.* inflect **II** *rfl* **1** bend (stoop) down; ~ *sig undan* turn aside **2** [buga sig] bow [down] [*för det oundvikliga* to the inevitable] **3** [ge vika] yield (give in) [*för* to] **-d** *a* **1** bent, stooping; bowed; [krökt] curved; ~ *av ålder* bent with age **2** *gram.* inflected **3** [hågad] inclined **-else** inclination; proneness; bent [*för studier* for study]; [tycke] fancy, liking **-lig** *a* flexible; *bildl.* pliable **-lighet** flexibility; pliability **-ning** bending; [krökning] flexure; *gram.* inflection; flexion **-nings|lära** *gram.* accidence **-nings|mönster** *gram.* paradigm **-nings|ändelse** *gram.* inflection[al ending]

böka *itr* grub, root

böl bellowing **-a** *itr* bellow; [råma] low, moo

böld boil **-pest** bubonic plague

bölj||a I *s* billow, wave **II** *itr* billow; undulate; [om människor] surge **-ande** *a* [hav] rolling, swelling; [säd] billowing; [hår] wavy; [folkhav] surging **-e|gång 1** rough sea **2** *fig.* fluctuation, wavering

böm||are Bohemian **-isk** *a* Bohemian

bön 1 [anhållan] petition (request) [*om* for]; [enträgen] entreaty; *uppfylla ngns* ~ comply with a p.'s request **2** *relig.* prayer; *Herrens* ~ the Lord's Prayer; *läsa sin* ~ say one's prayers

1 böna F [flicka] *ung.* jane

2 bön||a bean **-balja** bean-pod

bön||bok prayer-book; *ta till* ~*en* go down on one's knees **-dag** *ung.* intercession day **-e|hus** chapel **-e|kapell** oratory **-e|möte** prayer-meeting **-e|skrift** petition **-falla** *itr* supplicate [*om* for]; beseech (entreat, implore) [*ngn om ngt* a p. for a thing] **-höra** *tr,* ~ *ngn* hear a p.'s prayer **-hörelse** answer to [o.'s] prayer **-pall** hassock, kneeling-desk **-sal** *skol.* chapel

bön||stängel beanstalk **-stör** bean-pole

bönsöndagen Rogation Sunday

böra ought to, should; *han bör (borde) vara framme nu* he should (ought to) be there by now; *man bör aldrig ge tappt* one ought never to give in; *anmärkas bör, att* it should be mentioned that; *han borde ha lytt* he ought to have obeyed; *det är alldeles som sig bör* it is quite fitting (meet and proper)

börd birth; *till* ~*en* by birth; *av ringa* ~ of lowly birth

börda burden; load; *lägga sten på* ~ increase the burden

1 bördig *a, han är* ~ *från* he is a native of

2 bördig *a* [fruktbar] fertile [*på* in] **-het** fertility

börds||adel (-aristokrati) hereditary nobility (aristocracy) **-rätt** birthright **-stolt** *a* proud of one's birth **-stolthet** pride in one's birth

börja *tr* o. *itr* begin; [högtidligt] commence; [vardagl.] start [*egen affär* a business of one's own]; [ta itu med] set about [*att arbeta* working]; [~ på med] enter upon [*ett nytt företag* a new enterprise]; *det* ~*r bli mörkt* it is getting dark; *till att* ~ *med* to begin (start) with; ~ *om* begin again; ~ *om från början* make a fresh start **-n** beginning; commencement; start; [ursprung] origin; *från (i)* ~ at first; *från första* ~ from the very beginning; at the very outset; *från* ~ *till slut* from beginning to end; *i* ~ *av fyrtiotalet* in the early 'forties; *till en* ~ to begin (start) with

börs 1 purse **2** [fond-] exchange **-affärer** exchange transactions **-jobbare** stock-jobber **-kurs** rate of exchange **-mäklare** stockbroker **-noteringar** exchange notations

böss||a 1 [gevär] [shot]gun, rifle **2** [spar-] box **-kolv** butt-end **-kula** bullet **-pipa** gun-barrel

böt||a *tr* o. *itr* pay a fine; ~ *för* [friare] smart for **-er** fine *sg; döma ngn till 5 punds* ~ fine a p. £ 5 **-es|belopp -es|straff** fine **-fäll|a** *tr* fine; *-d till* fined

C

cancer *läk.* cancer; se *kancer, kräft[a]*

C-dur C major

ceder cedar **-trä** cedarwood

celeb||er *a* distinguished, famous **-rera** *tr* celebrate **-ritet** celebrity

celibat celibacy

cell cell **-bildning** cell-formation **-delning** cell-division **-formig** *a* cellular **-kärna** cell-kernel **-[l]ära** cytologi **-ofan** cellophane **-stoff** cellulose wadding **-uloid** celluloid **-ulosa** cellulose, wood pulp **-ulosa|vadd** cellulose wadding **-vägg** cell-wall **-vävnad** cellular tissue

Celsius, *tio grader* ~ ten degrees centigrade

cement cement **-era** *tr* cement **-fabrik (-golv)** cement works *sg* o. *pl* (floor)

cendré *a* cendré *fr.*, ash-coloured

cens||or censor; *skol.* examining commissioner **-ur** [-erande] censoring; censorship [of the press]; *Öppnat av* ~*en* Opened by Censor **-urera** *tr* censor **-ur|fri** *a* free from censorship

centaur centaur

center centre, *Am.* center **-bords|båt** centre-board boat (vessel) **-parti** Centre Party

centi||gram centigramme **-liter** centilitre **-meter** centimetre

centner hundredweight

central I *a* central; [väsentlig] essential **II** *s* central agency (office); [telefon-] exchange; [-friare] clearing-station **C~afrika (C~amerika)** Central Africa (America) **-figur** central figure **-isera** *tr* centralize **-isering** centralization **-station** central station, [slut-] terminus, terminal **-värme** central heating
centri||fugal[kraft] centrifugal [power] **-petal[kraft]** centripetal [power]
centrum centre
ceremoni ceremony **-el[l]** ceremonial **-mästare** master of ceremonies **-ös** *a* ceremonious
certeparti *hand.* charter-party
certifikat certificate; [flyg-] *äv.* licence
cess C flat
cesur cæsura
champagne champagne **-flaska** bottle of champagne
champinjon [common] mushroom
chans opportunity (chance) [*till* of]; *inte den minsta ~* not an earthly [chance] **-artad** *a* hazardous
charad charade
charkuteri||affär delicatessen shop (*Am.* store) **-varor** cured meats, charcuterie *sg fr.*
charlatan charlatan, quack
charm charm; attractiveness; *det har sin ~* it has a charm of its own **-ant** *a* delightful, charming **-era** *tr* charm **-erad** *a* charmed (taken) [*av* with] **-full** *a* charming **-ör** charmer
chassi chassis *sg* o. *pl,* frame
chaufför chauffeur, driver; [drosk-] taxi-driver **-skola** driving-school
chaussé highroad
chauvin||ism chauvinism, jingoism **-ist** chauvinist, jingoist **-istisk** *a* chauvinistic, jingo
check cheque (*Am.* check) [*på 20 pund* for £ 20]; *utställa en ~* draw a cheque **-bok** cheque-book **-räkning** cheque-account
chef head [*för* of]; principal; manager, director; **F** boss **-konstruktör** chief designer **-redaktör** editor-in-chief **-s|fartyg** flagship **-skap** headship &c
chevaleresk *a* chivalrous
cheviot cheviot; *blå ~* (*äv.*) serge
chic[k] *a* chic *fr.*, stylish
chiff||er cipher; [namn-] monogram **-er|nyckel** cipher-key **-er|skrift** cipher[-writing] **-er|-språk** cipher code **-er|telegram** code telegram **-rera** *tr* cipher
chiffonjé secretaire
chikan insult; [skam] ignominy **-era** *tr* insult; slander; humiliate
Chile Chile **c~salpeter** Chile saltpetre (nitre)
chimär chimera
chock [nerv-] shock; *mil.* [anfall] charge **-behandling** shock treatment **-era** *tr* shock **-erande** *a* shocking
choklad chocolate; [dryck] cocoa **-ask** chocolate box **-glass** chocolate ice **-kaka** chocolate bar (slab) **-knapp** chocolate drop **-praliner** chocolate creams
ciceron cicerone, guide
cider cider
cif c.i.f. (cost, insurance, freight)
cigarr cigar **-affär** cigar-shop; [skylt] tobacconist **-aska** cigar ash **-ett** cigarette **-ett|ask** packet of cigarettes **-ett|fodral** cigarette-case **-ett|munstycke** cigarette-holder **-ettändare** [cigarette] lighter **-etui** **-fodral** cigar-case **-handlare** tobacconist **-illo** cigarillo **-låda** cigar-box **-snoppare** cigar-cutter **-stump** cigar-end
cikoria chicory
cinnober cinnabar; [färg] *äv.* vermilion
cirka *adv* circa, about, roughly; *~ femtio* some fifty
cirk|el circle; [passare] [pair of] compasses *pl; rubba ngns -lar* disturb a p. **-bestick** case of mathematical (drawing) instruments **-båge** arc **-formig** *a* circular **-periferi** circumference [of a (the) circle] **-rund** *a* circular **-såg** circular saw
cirkla *itr* circle **-d** *a* [tillgjord] affected, formal
cirkul||ation circulation **-ations|rubbning** circulatory disturbance **-era** *itr* circulate; *låta ~* circulate, send round **-är[skrivelse]** circular
cirkum||flex circumflex **-polär** *a* circumpolar
cirkus circus **-artist** circus performer **-direktör** circus manager **-föreställning** circus performance
cisel||era *tr* chase **-ör** chaser
ciss C sharp
cistern cistern, tank
citadell citadel
cit||at quotation **-ations|tecken** *pl* quotation marks; inverted commas **-era** *tr* quote, cite
citron lemon **-gul** *a* lemon yellow **-lemonad** lemon squash **-press** lemon squeezer **-saft** lemon juice **-skal** lemon-peel **-skiva** slice of [a] lemon **-soda** lemonade **-syra** citric acid
cittra zither
civil *a* civil[ian]; *i det ~a livet* in civil life; *en ~* a civilian **-befolkning** civil[ian] population **-departement** ministry of the interior **-flyg** civil aviation **-flygare** civil pilot **-försvar** civil defence **-garde** civil guard **-ingenjör** graduate engineer **-isation** civilization **-isera** *tr* civilize **-ist** civilian **-klädd** *a* in mufti (**F** civies); *~ detektiv* a plain-clothes man **-kläder** civilian clothes **-minister** minister of the interior, *Engl.* Home Secretary **-rätt** civil law **-staten** the Civil Service **-stånd** civil status **-äktenskap** civil marriage
clearing clearing **-avtal (-rörelse)** clearing agreement (business)
clown clown **-artad** *a* clownish
c-moll C minor
corps-de-logi manor-house, hall
cortison cortisone
crêpenylon stretch nylon
cyan||kalium potassium cyanide **-väte|syra** hydrocyanic acid
cykel 1 [velociped] bicycle, **F** bike; *åka ~* ride on a bicycle **2** [serie] cycle **-däck** bicycle tyre (tire) **-korg** handlebar basket **-lykta** bicycle lamp **-ring** [bi]cycle tyre (tire) **-sport** bicycling **-stöld** bicycle theft **-tur** cycling trip, bicycle tour **-tävling** bicycle race **-verkstad** bicycle repair shop **-väg** bicycle road **-väska** carrier-bag **-åkare** bicycle rider, [bi]cyclist
cyk||la *itr* [bi]cycle, **F** ride a bike
cyclamen cyclamen
cyklist [bi]cyclist
cyklon cyclone
cyklop Cyclops
cyklotron cyclotron
cylinder cylinder **-diameter** bore **-formig** *a* cylinder-shaped **-hatt** silk hat, top-hat **-ur** cylinder-escapement watch **-volym** cylinder capacity
cylindrisk *a* cylindric[al]
cymbal cymbal
cyn||iker cynic **-isk** *a* cynical; [rå] coarse; [oanständig] indecent **-ism** cynicism; indecency
Cypern Cyprus **c~vin** Cyprus wine
cypress cypress **-lund** cypress grove

D

dabba *rfl* make a blunder
dadda nurs[i]e
dadel[palm] date[-palm]
dag 1 day; *god ~!* good morning (afternoon, evening)! how do you do!; *en ~ [gick han]* one day [he went]; *en ~* [i framtiden] some day; *ge .. en god ~* **F** not care a fig for ..; *kommer ~ kommer råd* to-morrow is another day; *de gjorde sig en glad ~* they made a day of it; *~ ut och ~ in* day in, day out; *ta ~en som den kommer* take each day as it comes; *~en därpå (förut)* the following (preceding) day; *~en efter* [fest] the day after; *~en i ända* all the day long; *endera ~en* one of these days; *de närmaste ~arna* the next few days; *åtta (fjorton) ~ar* a week (fortnight); *göra sig glada ~ar* give o.s. a good time of it; *en som sett bättre ~ar* one who has seen better days, a p. who has come down in the world; *~ens ljus* the light of day; *~ens rätt* to-day's special; *~ens tidning* to-day's paper; *från och med i ~* from this day forth; *från den ena ~en till den andra* [public feeling changed] overnight; *för ~en* for the day; *leva för ~en* live from hand to mouth; *hjälten för ~en* the hero of the day; *för var ~* with every day; *hela ~en* all (the whole) day; *i ~* to-day; *i våra ~ar* in our day, nowadays; [i] *våra ~ars London* [in] present-day London; *i forna ~ar* in days of old (yore); *kors i alla mina dar!* **F** well, I never! *i ~ för ett år sedan* a year ago to-day; *i ~ om ett år* this day next year; *i ~ på morgonen* this morning; *om (på) ~en (~arna)* in the daytime, by day; *en gång om ~en* once a day; *om några ~ar* in a few days ['time]; *härom ~en* the other day; *mitt på ~en* in the middle of the day; *denna tid på ~en* at this time of the day; *senare på ~en* later in the day; *det var långt lidet på ~en* the day was far advanced; *på ~en* [precis] to the day; *på gamla ~ar* in one's old age; *under ~ens lopp* in the course of the day **2** [dagsljus] daylight; *mitt på ljusa ~en* in broad daylight; *klart som ~en* as clear as daylight; *bringa (komma) i ~en* bring (come) to light; *det ligger i öppen ~* it is obvious to everybody; *lägga i ~en* display, show; *fadern upp i ~en* the very image of his father **-a**, *taga .. av ~* put .. to death **-a|karl** day labourer **-as** *itr dep* dawn; *det ~* day is dawning **-bok** [*föra* keep a] diary; *hand.* day-book **-boks|anteckning** entry **-bombplan** day bomber **-bräckning,** *i ~en* at dawn (break of day) **-drivare** idler, loafer **-driveri** loafing **-drömmeri** day-dreaming **-|er** [day]light; [ljusning] ray of light; *framställa i en fördelaktig ~* put .. in a favourable light; *skuggor och -rar* lights and shades
dagerrotyp daguerreotype
dagflygning day flight
1 dagg *sjö.* rope's end
2 dagg dew **-bestänkt** *a* sprinkled with dew **-droppe** dew-drop **-frisk** *a* dew-cold **-ig** *a* dewy **-kåpa** dew-cup **-mask** earthworm
dag||gryning dawn. daybreak; *i ~en* at dawn **-hjälp** daily [woman (help)] **-jämning** equinox **-lig** *a* daily; day-to-day [routine]; *~t tal* colloquial language **-lig|dags** *adv* every day **-ligen** *adv* daily **-linne** chemise, vest **-lön** daily wages *pl* **-ning** dawn **-order** *mil.* order of the day **-ordning,** *stå på (avföra .. från) ~en* be on (remove .. from) the order-paper; *övergå till ~en* pass on to the order of the day **-s** *adv, hur ~?* [at] what time? *så här ~ på året* at this time of the year **-s|aktuell** *a* topical; of topical (current) interest **-s|arbete** [a (the)] day's work **-sens,** *det är ~ sanning* it is gospel truth **-s|gammal** *a* day-old **-s|händelser** current events **-s|inkomst** daily income **-skift** day shift **-skjorta** day-shirt **-s|kurs** current rate **-s|ljus** [*vid* by] daylight **-s|ljuslampa** daylight lamp **-s|lång** *a, en ~ marsch* a day's march **-slända** May fly **-s|marsch** day's march **-s|nyheter** *radio.* [today's] news *sg* **-s|omsättning** day's turnover **-s|penning** day's wages *pl; mil.* daily allowance **-s|politik** current politics *pl* **-s|politisk** *a* .. of current politics **-s|press** daily press **-s|pris,** *till gällande ~er* at the current prices **-s|ranson** daily ration **-s|resa** day's journey [*pl* days' journey] **-s|tidning** daily paper **-s|verkare** day-labourer **-s|verke** day-work; *ett ordentligt ~* a whole day's job **-teckna** *tr* date **-teckning** dating **-tinga** *itr* [underhandla] negotiate [*om* about]; [kompromissa] compromise; [ge sig] surrender **-tingan** negotiation; compromise; surrender **-tjänst** day duty **-traktamente** allowance for expenses; per diem *lat.* **-tåg** day-train
dahlia common dahlia
dakapo *adv* o. *itj* encore
daktyl dactyl
dal valley **-a** *itr* decline, set **D~arna** Dalarna, Dalecarlia **-botten** bottom of the valley **-gång** glen **-karl** Dalecarlian **-kulla** Dalecarlian woman (girl)
dall||ra *itr* [om ljud] vibrate; [skaka] tremble, quiver **-ring** vibration; tremble
dalsänka depression [in the ground]; valley
dalta *itr, ~ med ngn* coddle (spoil) a p.
1 dam 1 lady; [ngns ~ på bal, vid bordet] partner; *stora ~en* quite the grown-up lady; *mina ~er och herrar* ladies and gentlemen; *vill ~en ..?* will you .., Madam? **2** *kort.* queen
2 dam [-spel] draughts *pl*
damasker gaiters; [herr-] spats
damast[duk] damask [cloth]
dam||avdelning ladies' compartment **-besök,** *ha ~* have a lady visitor **-binda** sanitary towel **-bjudning** ladies' party **-cykel** lady's bicycle
damejeanne carboy, demijohn
dam||frisersalong ladies' hairdressing rooms *pl;* [skylt] hairdresser **-hatt** lady's hat **-hytt** ladies' cabin **-konfektion** ladies' garments *pl* **-kupé** ladies' compartment
1 damm 1 [vattensamling] pond **2** [fördämning] dam, dike, weir
2 damm dust **-a I** *tr* dust **II** *itr* **1** [röra upp ~] raise a dust; *det ~r* the dust is rising; *vägen ~r* (*äv.*) the road is dusty **2** *~ av* dust; *~ ned* make dusty
damm||anläggning weir plant, dam **-bassäng** storage basin
damm||borste dustbrush **-fri** *a* free from dust **-handduk** dusting-cloth **-höljd** *a* covered with dust **-ig** *a* dusty **-korn,** grain of dust
dammlucka sluice[-gate], flood-gate

dammoln cloud of dust
damm||sugare vacuum cleaner **-torka** *tr* dust **-trasa** duster
dam||rum ladies' room **-sadel** side-saddle **-salong** ladies' saloon **-single** *sport.* ladies' single **-skräddare** ladies' tailor
damspel [game of] draughts (*Am.* checkers) *pl*
dam||sällskap ladies' company **-toalett** [rum] ladies' cloak-room (*Am.* rest-room) **-väska** handbag, wrist-bag; *Am. äv.* pocket-book
dana *tr* fashion (shape, form) [*till* into]; [karaktär] mould; [utbilda] train; [om skola] educate, turn out
1 dank [talg-] [tallow] candle
2 dank, *slå* ~ idle, loaf about
Danmark Denmark
dans dance; [-konst] dancing; *en ~ på rosor* a bed of roses; *det går som en ~* it goes like one o'clock; *efter supén blev det ~* after supper we (they) had some dancing **-a I** *itr* o. *tr* dance; *~ bra* be a good (capital) dancer; *~ vals* waltz; *~ efter ngns pipa* dance to a p.'s piping; *~ på lina* dance on the tight-rope; *när katten är borta, ~ råttorna på bordet* when the cat's away, the mice will play **II** *rfl, ~ sig trött (varm)* tire o.s. (get heated) with dancing **-ande** *a* dancing; *de ~* the dancers **-ant** *a, hon är inte ~* she is no dancer **-bana** dancing-floor(-pavilion) **-erska** dancer **-etablissemang** public dancing-hall **-föreställning** dancing performance **-golv** dancing floor
dansk I *a* Danish **II** *s* Dane **-a 1** [språk] Danish **2** Danish woman **-född** *a* Danish born **-norsk** *a* Dano-Norwegian
dans||konst [art of] dancing **-kunnig** *a, vara ~* know how to dance **-lek** dance game **-lektion** dancing-lesson **-lokal** dance hall, dancing-rooms *pl* **-lysten** *a* keen on dancing **-lärare -lärarinna** teacher of dancing **-melodi** dance-tune **-musik** dance-music **-orkester** dance-orchestra **-palats** dancing palace **-restaurang** dance restaurant **-sjuka** St. Vitus's dance **-sko** dancing-shoe, pump **-skola** dancing-school **-steg** dance-step **-tillställning** dance **-tur** set **-ör** dancer **-ös** dancer; dancing-girl **-övning** dancing-exercise
Dardanellerna the Dardanelles
darr||a *itr* tremble; [huttra] shiver [*av köld* with cold]; [skälva] quiver; [om röst, ton] quaver, tremble; [skaka] shake; *han ~r på handen* his hand shakes (trembles); *han ~ade på målet* his voice quavered **-ande** *a* trembling, shaky; [röst] *äv.* tremulous **-hänt** *a* shaky in the hands **-hänthet** tremor of the hands **-ig** *a* trembling &c; [pers.] *äv.* doddering **-ning** trembling; tremor; quiver, shiver **-ål** electric eel
dask slap, spanking **-a** *tr* slap, spank (*äv.: ~ till*)
dat||a [årtal] dates *pl;* [fakta] data *pl* **-era I** *tr* date **II** *rfl* date [*från* from, back to] **-ering** dating
dativ dative; *i ~* in the dative **-objekt** indirect object
da||to date; *från dags ~* [dating] from to-day; *till[s] ~* up to the present, to date **-um** date; *poststämpelns ~ (hand.)* date of postmark; *av senare ~* of more recent date **-um|block** block-calendar **-stämpel** date stamp
D-dur D major
de I *best art. pl* the; *~ närvarande* those present; *~ uppträdande* the performers **II** *pron* **1** *pers.* they; *~ själva* they themselves **2** *demonstr. ~ här* these; *~ där* those **3** *determ.* those (the ones) [*som* who, that]; *fören. äv.* the **4** [obestämt: *man*] they; people
debarker||a *itr* disembark **-ing** disembarkation
debatt debate, discussion; *stå under ~* be under discussion; *ställa under ~* bring .. up for discussion **-era** *tr* o. *itr* debate, discuss **-inlägg** contribution to a debate **-ör** debater
debet debit; *uppföra .. på ngns ~* enter .. to a p.'s debit; *~ och kredit* debit and credit; *få ~ och kredit att gå ihop* make both ends meet **-konto** debit account **-sedel** income-tax demand note **-sida** debit side
debiter||a *tr* debit [*ngn för* a p. with]; charge [*för* for]; *~ för mycket* overcharge **-ing** debiting
debut début *fr.* **-ant** débutant, [om kvinna] débutante *fr.* **-bok** first book **-era** *itr* make one's début
december December
decennium decade
decentralis||ation decentralization **-era** *tr* decentralize
decharge, *~ beviljades (vägrades)* the [directors'] report was adopted (rejected); *polit.* [i *Engl.*] *ung.* the vote of censure was defeated (passed)
dechiffrera *tr* decipher; decode
decider||ad *a* pronounced **-at** *adv* decidedly
deci||gram decigramme **-liter** decilitre
decimal decimal **-bråk (-komma -system -tal -våg)** decimal fraction (point, system, number, balance)
deci||mera *tr* decimate; reduce [in number] **-meter** decimetre
dedi||cera *tr* dedicate **-kation** dedication **-kations|exemplar** inscribed copy
dedu||cera *tr* o. *itr* deduce **-ktion** deduction
defekt I *a* defective **II** *s* deficiency
defensiv *a* o. *s* defensive; *hålla sig på ~en* be (act) on the defensive
deficit deficit
defilera *itr mil.* defile; *~ förbi* march past
defin||iera *tr* define **-ierbar** *a* definable **-ition** definition **-itiv** *a* definit[iv]e, final
de||flation deflation **-formera** *tr* deform
deg dough; [smör-] paste **-artad** *a* doughlike
degel crucible
degener||ation degeneration **-era** *itr* degenerate; *~d* degenerate
deg||ig *a* doughy, pasty **-ighet** doughiness **-kavel** pastry-roller **-klimp** pat of dough **-knådningsmaskin** dough-kneader
degrader||a *tr* degrade **-ing** degradation
degtråg dough-trough
deja dairymaid
dejlig *a* bonny; dainty; fair
dekad decade
dekad||ans decadence, decline; jfr *dekis* **-ans|tecken** sign of decadence **-ent** *a* decadent
dekan[us] dean
dekis F, *vara på ~* be down on one's luck; *komma på ~* fall on evil days
deklam||ation recitation **-ations|konst** elocution **-ations|nummer** recitation [item] **-atorisk** *a* declamatory **-atör** reciter **-era** *tr* o. *itr* recite; [orera] declaim
deklar||ation declaration **-ations|blankett** income-tax return form **-era** *tr* declare; [förkunna] proclaim; [inkomst] fill in one's income-tax form
deklin||ation *gram.* declension; *fys.* declination **-ations|ändelse** declensional inflection **-era I** *tr gram.* decline **II** *itr* [avtaga i fägring] go off, deteriorate
dekokt decoction [*på* of]

dekolleterad *a* décolleté[e] *fr.*; [plagg] *äv.* low-necked

dekor||ation decoration; ornament; *~er* (*teat.*) scenery *sg* **-ations|konst** decorative art **-ations|målare** decorative (ornamental) painter; *teat.* scene-painter **-ativ** *a* decorative; ornamental **-atör** decorater **-era** *tr* decorate **-um** decorum; *hålla på ~* stand on propriety

dekret decree, edict **-era** *tr* decree; dictate

del 1 part, portion; [avsnitt] section; [band] volume; *en ~ av skulden* (*varorna*) [obestämd ~] part of the debt (goods); *en ~ av böckerna* some of the books; *större* (*största*) *~en av* . . most of . .; *till en ~* [*av guld*] partly [of gold]; *till stor ~* largely; *till största ~en* mostly **2** [andel] share; [beskärd ~] lot; *få sin beskärda ~* receive one's due [share]; *~ i kök* part use of the kitchen; *ha ~ i* have a share in; *ta ~ i* take part in; *för egen ~* for my own part **3** *en* [*hel*] *~ fel* a [fair] number (quite a lot) of mistakes; *i en ~ fall* in some cases; *en hel ~ besvär* [vid massord] a good deal of trouble; *en hel ~ människor* [med *pl*] a good (great) many (quite a few) people **4** *få ~ av* [meddelande o. d.] be notified of; *ta ~ av* acquaint o.s. with **5** [punkt] point; [avseende] respect; *i den ~en* in that respect; *till alla ~ar* in all respects **6** *för all ~!* [avböjande] don't mention it! *ja, för all ~!* yes, to be sure! *nej, för all ~!* certainly not! *kom för all ~!* come by all means! *gör er för all ~ inte besvär!* don't on any account give yourself any trouble! **-a I** *tr* **1** [i delar] divide [*i lika ~ar* into equal parts] **2** [sinsemellan; -taga i] share [*vinsten* the profits; *ngns sorg* a p.'s grief]; *jag ~r er åsikt* I share your view; *~ rum* share a room; *~ jämnt* share evenly (fairly); divide fair[ly]; *~ med sig* [*åt andra*] share with others **3** *~ ut a)* [befallningar] issue; *b)* [för-] distribute; *c)* [post] deliver; *d)* [nattvarden] administer **II** *rfl* divide [up], split up; [gå isär] part **-ad** *a* divided &c; *~e meningar* divergent opinions; *~ glädje dubbel glädje* a joy shared with others gives double pleasure **-aktig** *a* participant [*av, i* in]; concerned [*av, i* in]; *vara ~ i* (*av*) participate in; [ngt klandervärt] be implicated in **-aktighet** participation; share; [i brott] complicity **-bar** *a* divisible **-barhet** divisibility

deleg||ation delegation **-era** *tr* delegate **-erad** *a* delegated; *en ~* a delegate

delfin dolphin

delgiv||a *tr*, *~ ngn ngt* communicate a th. to a p., inform a p. of a th. **-ande** *s* communication

delikat *a* delicate; [välsmakande] delicious **-ess** delicacy; *~er* (*äv.*) delicatessen *ty.*

delinkvent delinquent, culprit

delirium delirium

del||ning division; sharing **-o**, *råka i ~ med* fall out with **-s** *konj*, *~ . . ~ . .* partly . . partly . .; [å ena sidan . . å den andra] on [the] one hand . . on the other

delta *geogr.* delta

deltag||a *itr* **1** [i handling] take part (participate) [*i* in]; *~ i diskussionen* join in the debate; *~ i betalningen* share in the payment; *~ i lunchen* be present at the luncheon; *~ i en kurs i engelska* attend a course in English; *han deltog i andra världskriget* he saw service in World War II **2** [i känsla] share, participate **-ande I** *a* **1** participant; *de ~* those taking part (&c); [i tävling] *äv.* the competitors **2** [full av medkänsla] sympathetic, sympathizing **II** *adv* sympathetically **III** *s* participation; [närvaro] presence [*i* at]; [bevistande] attendance [*i* at]; [medverkan] co-operation; [medkänsla] sympathy; *ett talrikt ~* [i möte] a good attendance **-are** participator, sharer; [i expedition] member [of an (the) expedition]; [mötes-] attender [*i* of]; *anmäla sig som ~* notify one's intention to take part (&c)

del||tentamen part examination **-tidsarbete** (**-tidstjänst**) part-time work (employment, job) **-vis I** *adv* partially; partly **II** *a* partial **-ägare** part-owner; [i firma] partner; [passiv] sleeping partner

dem *pron* **1** *pers.* them; *~ själva* themselves **2** *demonstr.*, *determ.* those [*som* who, which]

demagog demagogue **-i** demagogy **-isk** *a* demagogic

demarkationslinje line of demarcation

de||maskera *tr* o. *rfl* unmask **-mentera** *tr* deny, contradict **-menti** denial, contradiction

demilitariser||a *tr* demilitarize **-ing** demilitarization

demission resignation **-s|ansökan,** *inlämna sin ~* resign **-era** *itr* resign

demobiliser||a *tr* demobilize **-ing** demobilization

demokrat democrat **-i** democracy **-isera** *tr* democratize **-isering** democratization **-isk** *a* democratic

demolera *tr* demolish

demon demon, fiend **-isk** *a* demoniacal, fiendish

demonstr||ant demonstrator **-ation** demonstration **-ations|tåg** procession [of protest] **-ativ** *a* demonstrative **-era I** *tr* demonstrate **II** *itr* make a demonstration

de||montera *tr mil.* dismount; ⊕ take to pieces **-moralisation** demoralization **-moralisera** *tr* demoralize

den I *best art.* the **II** *pron* **1** *pers.* it; [om djur] *äv.* he, she **2** *demonstr.* that; *~ dåren!* that fool! *~ uslingen!* the wretch! *~ där a) fören.* that; *b) självst.* that fellow (woman), [om sak] that one; *~ här a) fören.* this; *b) självst.* this fellow (woman), [om sak] this one **3** *determ. a) fören.* the; *b) självst.*, *~ som* the man (woman, person &c) who, anyone who, whoever, [om sak] the one that; *~ av silver* the silver one, the one of silver; *~ av er, som* the one (whichever) of you that; *han är inte ~ som klagar* he is not one to complain; *~ som vore rik!* would I were rich! *till ~ det vederbör* to whom it may concern **4** *obest.*, *~ eller ~* this or that person; *på ~ och ~ dagen* on such and such a day; *herr ~ och ~* Mr. So and So

denationalisera *tr* denationalize

denaturera *tr* denature; *~d alkohol* methylated alcohol

denn||e (-a) *pron* **1** *fören.* [nära i tid el. rum] this; [längre bort] that; *-a min åsikt* this view of mine; *-a min anmärkning* [tidigare gjord] that criticism of mine **2** *självst.* [om pers.] he, she; this (that) man (woman, person); [om sak] it; this one; [den senare] the latter **-es** [i datum] instant, *förk.* inst.

densamm||e (-a) *pron* the same; [den] it

dental *a* o. *s* dental

departement department [of State]; *Engl.* board, ministry, office [t. ex. the Board of Trade, the Air Ministry, the War Office] **-s|chef** head of a (the) department; *Engl. ofta* permanent under-secretary

depesch dispatch **-byrå** news-office
deplacement displacement
depolaris||ator depolariser **-era** *tr* depolarise
depon||ens *gram.* deponent **-era** *tr* deposit [*hos ngn* with a p.; *i en bank* at a bank]
deport||ation deportation **-era** *tr* deport
deposition deposit[ion] **-s|räkning** deposit account
de||pression depression; *ekon. äv.* recession, business slump **-pressions|tillstånd** state of depression **-primera** *tr* depress **-putation** deputation **-puterad** *s* deputy
depå depot **-fartyg** store-ship, depot ship
derangera *tr* derange
deras *pron* **1** *pers.* their; *självst.* theirs **2** *determ.*, ~ [*tro*] *som* [the faith] of those who
dervisch dervish
desamma *pron* the same; [de] they
des||armera *tr* disarm **-avuera** *tr* repudiate, disavow **-avuering** repudiation, disavowal
descendenslära theory of heredity
desert||era *itr* desert **-ering** desertion **-ör** deserter
designera *tr* designate; *Am.* slate
des||illusion **-illusionera** *tr* disillusion **-infektera** *tr* disinfect **-infektion** disinfection **-infektionsmedel** disinfectant **-inficera** *tr* disinfect
deskriptiv *a* descriptive
des||organisera *tr* disorganize **-orienterad** *a* disorientated; put out; at a loss; *han är fullkomligt* ~ he has completely lost his bearings
desperat *a* desperate **-ion** desperation
despot despot **-isk** *a* despotic **-ism** despotism
1 dess *mus.* D flat
2 dess **I** *pron* its **II** *adv* **1** *innan* (*sedan, till*) ~ before (since, till) then **2** *till* ~ *att* until (till) **3** *ju förr* ~ *bättre* the sooner the better; ~ *bättre* (*värre*) *sov han* fortunately (unfortunately) he slept
dessa *pron* [de här] these; [de där] those; [de (dem)] they (them)
dessemellan *adv* in between; at intervals
dessert sweet; *Am.* dessert; *vid ~en* at dessert **-sked (-tallrik -vin)** dessert-spoon (-plate, -wine)
dess||förinnan *adv* before then **-förutan** *adv* without it **-likes** *adv* likewise, also **-utom** *adv* besides, .. as well; [ytterligare] moreover
destill||at **-ation** distillation **-era** *tr* distil **-er|apparat** distilling apparatus; [för sprit] still **-ering** distillation
destin||ation[sort] destination **-erad** *a* **1** [pre]destined [*för befattningen* for the post] **2** *sjö.* bound [*till* for]
desto *adv*, ~ *bättre* all (so much) the better; *icke* ~ *mindre* none the less, nevertheless
destruktiv *a* destructive
det **I** *best art.* the **II** *pron* **1** *pers.* *a)* [syft. tillbaka på ngt tidigare nämnt] it [*pl* they], [beton.] that; [syft. tillbaka på person] he, she, they; *var är bordet?* ~ *är i mitt rum* where is the table? it is in my room; *är det där bombplan? nej,* ~ *är jaktplan* are those bombers? no, they are fighters; ~ *vill säga* that is; *är* ~ *så?* is that so? *så är* ~ that's it, that's how it is; ~ *duger* (*inte*) that will (won't) do; *ser du den där flickan* (*de där flickorna*)? ~ *är min dotter* (*mina döttrar*) do you see that girl (those girls)? she is my daughter (they are my daughters); *b)* [syft. framåt på inf. el. hel sats, som är det egentl. subj.] it; ~ *är lätt att säga så* it is easy to say so; ~ *tjänar ingenting till att försöka* it is no use trying; *c)* [syft. framåt på subst. ord, som är det egentl. subj.] there; ~ *var mycket folk där* there were many people there; ~ *är ingenting kvar* there is nothing left; ~ *blir åska* there will be a thunderstorm; ~ *var en gång en kung* once upon a time there was a king; *d)* [emfatisk konstr.] *är* ~ *mig Ni söker?* is it me you want? ~ *är det jag vill veta* that is what I want to know; ~ *är här Ni skall stiga av* this is where you get off; *e)* [opers. uttr.] ~ *regnar* it rains, it is raining; ~ *är tid att äta middag* it is time to have dinner; *så är* ~ that's how it is; ~ *knackar* there is a knock; ~ *är fullsatt i spårvagnen* the tram is full; ~ *är mulet* the sky is overcast; ~ *gör ont i foten* my foot hurts me; ~ *var roligt* (*tråkigt*) *att höra* I am glad (sorry) to hear; *som* ~ *nu ser ut* as matters now stand; *f)* [som pred.-fylln.] so; [*han har alltid varit pålitlig, och jag hoppas*] *han förblir* ~ .. he will remain so; [*hon var trött, och*] ~ *var han också* [subj. beton.] .. so was he; [*han sade att han var trött, och*] ~ *var han också* [pred. beton.] .. so he was; [ibl. oöversatt] [*har du varit där?*] *ja,* ~ *har jag* .. yes, I have; [*är du upptagen?*] *ja,* ~ *är jag* .. yes, I am; *g)* [som obj. vid vissa verb] so; *jag förmodar* (*hoppas, tror*) ~ I suppose (hope, think) so; ~ *tror jag,* ~*!* I should just think so! *var det inte* ~ *jag sa'!* I told you so! [ibl. oöversatt] [*jag skall skriva till dig*] *ja, gör* ~ .. yes, do; [*kan du åka skridskor?*] *nej,* ~ *kan jag inte* .. no, I cannot; *varför frågar du* ~? why do you ask? ~ *vet jag inte* I don't know **2** *demonstr.* (*äv.:* ~ *där*) that; ~ *har jag aldrig hört* I never heard that; *så var det med* ~ so much for that; ~ *har du rätt i* you are right there; ~ *här* this **3** *determ. fören.* the; *självst.* that; the one; ~ *som* that which, what **4** ~ *och* (*eller*) ~ this and (or) that; *på* ~ *och* ~ *sättet* in such and such a way
detach||ement *mil.* detachment **-era** *tr* detach; *mil. äv.* detail
detalj detail; *i* ~ in detail; minutely; *sälja i* ~ sell by retail; *i* ~ *gående* minute; *gå in på ~er* enter into details **-anmärkning** criticism on points of detail **-erad** *a* detailed, circumstantial **-forskning** detail investigation **-fråga**, *en* ~ a question of detail **-granskning** minute investigation **-handel** retail business; [bod] retail shop **-handlare** retailer **-kännedom** knowledge of details **-pris** retail price **-rik** *a* .. full of details; circumstantial **-rikedom** wealth of detail[s] **-ritning** detail drawing
detektiv *s* o. *a* detective; *~a polisen* the Criminal Investigation Department **-roman** detective novel
detonation detonation
detsamma *pron* the same [thing]; [det] it; *det gör mig alldeles* ~ it is all one (the same) to me; *i* ~ at that very moment; *med* ~ at once, right away; [på samma gång] at the same time; *i och med* ~ [*har du*] by that ..
detta *pron* this; jfr *denne;* ~ *är mina bröder* these are my brothers; *livet efter* ~ the life to come; ~ *om* .. so much about ..; ~, *att han* .. *-r* [the fact of] his .. -ing; ~ *är alltså* ~ so much for that; *långt före* ~ long before that (this, now); *före* ~ (*f. d.*) former, late
devalv||era *tr* devalue **-ering** devaluation
devis device; motto
di, *ge* ~ give suck, suckle; *få* ~ be put to the breast **-a** *tr* suck

diabolisk *a* diabolic
diadem diadem
dia||gnos diagnosis [*pl* diagnoses]; *ställa en ~* diagnose **-gnostik** diagnostics *sg* **-gnostiker** diagnostician **-gonal** *a* o. *s* diagonal [*-tyg* cloth] **-gram** diagram, curve, graph **-kon** lay worker, district visitor **-konissa** deaconess, lay worker **-koniss|anstalt** deaconess-house **-kritisk** *a* diacritical **-lekt** dialect **-lektal** *a* dialectal **-lektik** dialectics *sg* **-lektiker** dialectician **-lektisk** *a* dialectic **-lekt|studium** dialect study **-log** dialogue
diamant diamond **-borr** diamond drill **-bröllop** diamond wedding **-hård** *a* adamantine **-ring** diamond ring **-smycke** set of diamonds **-stift** [till skivspelare] diamond stylus
diamet||er [*inre* inside; *yttre* outside] diameter **-ral** *a* diametrical **-ralt** *adv* diametrically [*motsatt* opposite]
diarium *hand.* diary; *Am.* day-book; chronological record
diarré diarrhœa
diatermi diathermy
dibarn suckling, nurseling
didakt||ik didactics *sg* **-isk** *a* didactic
diesel||motor Diesel motor; compression-ignition engine **-olja** Diesel oil
diet diet; *hålla ~* keep a strict diet **-fel** dietary error **-kur** diet cure
differen||s difference **-tial[kalkyl]** differential [calculus] **-tiera** *tr* differentiate
diffus *a* diffuse
diflaska baby's (nursing) bottle
difteri diphtheria **-serum** diphtheritic antitoxin
diftong diphthong **-era** *tr* diphthongize
dig *pron* you; *rfl* yourself; *bibl.* o. *poet.* thee, thyself
diger *a* thick, bulky **-döden** the Black Death
digestion digestion
digitalis **1** *bot.* foxglove **2** *läk.* digitalis
digna *itr, ~* [*ned*] sink down, succumb; collapse; *~ under bördan* droop beneath the burden; *ett ~nde bord* a groaning board; a lavishly provided table
dignit||et *mat.* power **-är** dignitary
dik||a *tr* **-e** ditch, drain **-es|grävare** ditcher **-es|plog** ditching (draining) plough **-es|ren** ditch-bank **-ning** ditching, draining **-nings|-maskin** ditcher, trencher
1 dikt *a* o. *adv sjö.* close
2 dikt **1** poem; *koll* poetry **2** [osanning] fiction, made-up story; *ren ~* pure fiction (invention)
1 dikta *tr sjö.* caulk
2 dikta *tr* o. *itr* **1** [författa] write [poetry] **2** [upp-] invent
dikta||fon dictaphone **-men** [*efter* from] dictation
dikt||an, *~ och traktan* aim and endeavour **-analys** analysis of poetry **-ar|begåvning** poetic[al] talent **-are** poet, writer **-ar|generation** generation of poets **-art** type of composition (poetry)
diktat||or dictator **-orisk** *a* dictatorial **-ur** dictatorship **-ur|stat** totalitarian state
dikt||cykel poetic cycle **-era** *tr* o. *itr* dictate [*för* to] **-ion** diction **-konst** [art of] poetry **-ning** writing; [poesi] poetry; *allm.* fiction; *hans ~* his literary output (production) **-samling** collection of poems (poetry) **-språk** poetic diction **-urval** anthology **-verk** poem; poetical work
dilemma dilemma
dilettant dilettante, amateur **-eri** amateur work **-isk** *a* dilettantish, amateurish **-ism** dilettantism, amateurism
diligens stage-coach
dill dill
dill||a *itr* **F** rave **-e** **1** [delirium] D. T. **2** [mani] craze (fad) [*på* for]
dillkött boiled mutton with dill sauce
dim||artad *a* mist-like **-bank** bank of mist (fog) **-bild** phantom **-bildare** smoke screen apparatus **-blå** *a* misty blue, smoke-blue **-bälte** belt of mist (fog) **-dis** mist
dimension dimension; proportion; [storlek] *äv.* size
dim||figur vague shape **-fri** *a* free of fog (mist) **-grå** *a* misty gray, smoke-grey **-höljd** *a* shrouded in mist (fog)
diminutiv *a* o. *s* diminutive
di||mission graduation; [tillfälle] commencement [day] **-mittera** *tr* graduate; grant degrees
dimm||a mist; [dis] haze; [tjocka] fog **-ig** *a* misty, foggy; [om glasögon] misted over; *bildl.* hazy [ideas]
dimpa *itr* [fall] plump down [*i golvet* on to the floor]; tumble [*i* in, into]
dim||ridå smoke screen **-slöja** veil of mist
din *pron* **1** *fören.* your; *bibl. poet.* thy; *~ dumbom!* you silly [fellow]! idiot! **2** *självst.* yours; *bibl. poet.* thine; *de ~a* your people; *du och de ~a* you and yours
din||é dinner; [bankett] banquet **-era** *itr* dine
dingla *itr* dangle (*äv.: ~ med*); swing [to and fro]
dionysisk *a* Dionysian
diplom diploma **-at** diplomat[ist] **-ati** diplomacy **-atisk** *a* diplomatic; *på ~ väg* through diplomatic channels **-at|pass** diplomatic passport **-ingenjör** *ung.* university-trained civil engineer
direkt **I** *a* direct; [omedelbar] immediate; [rak] straight; *järnv.* through [*vagn* carriage] **II** *adv* [om riktning] direct, straight; [om tid] directly, immediately; [avgjort] distinctly; *inte ~ fattig, men . .* not actually poor, but . .; *svara ~ på en fråga* answer a question straight off; *~ proportionell* directly proportional **-flyg[ning]** non-stop flight **-ion** direction; [styrelse] board [of directors] **-ions|sammanträde** directors' meeting **-iv** direction[s *pl*]; terms *pl* of reference; guiding principle; *ge ngn ~ (äv.)* instruct (brief) a p.; *under hans ~* under his guidance **-ris** manager[ess] **-sändning** *radio.* live broadcast **-tåg** through train **-ör** director; [affärschef] manager; *verkställande ~* managing director
dirig||ent conductor **-era** *tr* direct; *mus.* conduct
dirk *sjö.* topping-lift
dis haze
discipel pupil
disciplin **1** [läroämne] branch of instruction (study) **2** [tukt] discipline; *hålla ~* maintain discipline; keep order **-brott** [act of] insubordination **-era** *tr* discipline **-karl** disciplinarian **-straff** disciplinary punishment
disharmon||i disharmony, discord **-iera** *itr* disharmonize; clash, jar **-isk** *a* disharmonious, discordant
disig *a* hazy **-het** haziness, haze
1 disk [bod-] counter; [krog-] bar
2 disk, *~en* (*konkr*) the dishes; *abstr* the washing-up **-a** *tr* o. *itr* wash up
diskant treble **-klav** treble-clef **-röst** treble voice
disk||apparat washing-up machine **-balja** wash-tub **-bord** sink **-borste** dish-mop, washing-up brush **-bänk** sink **-erska** scullery-maid **-maskin** dish washing machine **-ning** washing-up
diskofil record collector

diskont||affär discounting transaction ([rörelse] business) **-bank** discount bank **-era** *tr* discount **-ering** [rörelse] discounting; [transaktion] discounting of a (the) bill **-o** discount; *höja (sänka) ~t* raise (lower) the rate of discount **-sats** rate of discount **-ör** discount-broker
diskotek record collection (library)
dis||kreditera *tr* bring discredit on; *~nde för* discreditable to **-kret I** *a* discreet; [färg] quiet **II** *adv* discreetly **-kretion** discretion; *~ utlovas* in confidence
diskrimin||era *tr* discriminate **-ering** discrimination
disk||rum scullery **-trasa** dish-cloth
diskus disc[us] **-kast** throw of the discus **-kastare** discus-thrower **-kastning** throwing the discus
diskussion discussion; debate **-s|förening** debating society **-s|inlägg** contribution to a (the) debate **-s|ämne** subject (topic) of (for) discussion
diskut||abel *a* admitting of discussion; debatable **-era** *tr* o. *itr* discuss; debate; argue; *det ska vi inte ~* we won't argue the point; *det tål ~s* it is not a settled thing
diskvalifi||cera *tr* disqualify, rule .. out **-cering** disqualification
diskvatten dish-water
dispaschör average adjuster
dispens exemption [*från* from]; *kyrkl.* dispensation; *få ~* be exempted; [vid platsansökan] have one's disability waived **-ansökan** application for exemption (the waiving of one's disability) **-era** *tr* grant exemption &c **-är** dispensary
dispon||ent manager **-era** *tr* o. *itr* arrange (organize) [*uppsatsen* the essay]; dispose of [*pengar* money]; *~ ngn för* .. render a p. liable (susceptible) to ..; *~ över* [*pengar, tid*] have .. at one's command (disposal) **-erad** *a* disposed, inclined; *utmärkt ~* in splendid form; *ej ~* not in good form, indisposed; *jag känner mig inte ~ att sjunga* I don't feel like singing **-ibel** *a* available; disposable [*kapital* capital] **-ibilitet** availability; *i ~* unattached; on the unattached list
dis||position disposition; *ställa ngt till ngns ~* place a th. at a p.'s disposal; *jag står till er ~* I am at your service; *ställa sin plats till ~* hand in a formal resignation; *träffa sina ~er* make one's dispositions; *vid bästa ~* in excellent form **-positions|rätt** disposal **-positions|övningar** composition exercises **-putation** disputation; *univ.* public discussion of a doctor's thesis **-putera** *itr* dispute, argue; *univ.* publicly defend one's doctor's thesis; *han ~de på* .. his doctor's thesis was about (on) .. **-pyt** dispute, altercation; *råka i ~* get involved in a dispute
diss *mus.* D sharp
dis||sekera *tr* dissect **-sektion** dissection **-senter** dissenter, nonconformist **-similation** dissimilation **-sonans** dissonance
distans distance **-era** *tr* out-distance **-flygning (-löpning)** long-distance flight (run[ning]) **-minut** nautical mile **-mätare** [på åkdon] hodometer, distance gauge; *artill.* o. *lantm.* telemeter; range-finder
dis||tingerad *a* distinguished **-tinkt I** *a* distinct **II** *adv* distinctly **-tinktion** distinction
dis||trahera *tr, ~ ngn* distract a p.'s attention; disturb a p. [at his work]; *~d* distraught; *utan att låta ~ sig* without becoming confused **-traktion** distraction; absent-mindedness
distribu||ent distributor **-era** *tr* distribute; *hand.* sell .. on commission **-tion** distribution; *i ~* [*hos*] (*hand.*) [om bok] published (sold) for the author [by] **-tör** distributor
distrikt district **-s|läkare** district medical officer; *Engl.* medical officer of health **-s|mästare** *sport.* district champion
disträ *a* absent-minded
dit *adv* **1** *demonstr.* there; *~ bort (in, ned, upp, ut)* over (in, down, up, out) there; *hit och ~* to and fro; [högre stil] hither and thither; *~ hör även* .. to that category also belong[s] ..; *~ räknas* .. in that group is (are) to be counted .. **2** *rel.* where; [varthelst] wherever
dit||färd journey there **-hörande** *a* belonging to it; [till saken hörande] relevant; *ej ~* irrelevant **-komst** arrival there
dito I *a* o. *s* ditto, *förk.* do. **II** *adv* likewise
1 ditt *pron = din*
2 ditt, *~ och datt* one thing and another; *prata om ~ och datt* talk about this and that (all sorts of things)
dit||tills *adv* till then **-tills|varande** *a, ~ sysselsättning* employment till then; previous [*liv* life] **-väg** way there
dityramb[isk *a*] dityramb[ic]
ditåt *adv* in that direction (way); *ngt ~* something like that
diva diva
divan couch, divan
diverg||ens divergence, divergency **-era** *itr* diverge; *~nde åsikter* divergent views
diverse I *a* sundry, various; *~ omkostnader* (*äv.*) petty expenses **II** *s* sundries *pl,* odds and ends *pl;* [tidningsrubrik] Miscellaneous; *konto pro ~* sundries account **-arbetare** unskilled worker **-handel** general[-store] shop **-handlare** general[-store] dealer
diversionsmanöver feint, diversion
divi||dend dividend; *den minsta gemensamma ~en* the lowest common denominator **-dend|kupong** dividend warrant **-dera I** *tr* divide [*med* by; *i* into] **II** *itr* [prata] chatter; [fundera] deliberate **-sion** division; *flyg.* squadron **-sions|chef (-sions|stab)** divisional commander (staff) **-sor** divisor
djungel jungle
djup I *a* deep; [högre stil o. *bildl.*] profound [*hemlighet* secret; *sorg* grief]; [fullständig] complete [*okunnighet* ignorance]; [svår] great (intense) [*missräkning* disappointment]; [om skog] thick; *i ~aste fred* at a time of unruffled peace; *i folkets ~a led* among the rank and file; *det ~aste mörker* intense darkness; *i ~a natten* in the depth of night; *i ~aste skogen* in the depths of the forest; *ligga i ~ sömn* be fast asleep (in a deep sleep); *i ~a tankar* deep in thought; *~ tystnad* profound (dead) silence **II** *s* depth; *ret.* depths *pl; bildl. äv.* profundity; *komma för långt ut på ~et* get out of one's depth; *mäta ~et av* (*äv.*) fathom; *på ringa ~* at no great depth; *gå på ~et med ngt* go to the bottom of a th.; *ur ~et av mitt hjärta* from the depths of my heart **-blå** *a* deep blue **-borrning** deep-drilling **-frys|a** *tr* deep-freeze; *-t* [*fisk*] deep frozen .. **-gående** *a* deep[-going(-drawing)]; *bildl.* profound, deep; *sjö.* deep-drawing **-havs|fauna (-havs|fiske -havs|forskning)** deep-sea fauna (fishing, investigation) **-kyld** *a* frozen, deep-freeze **-kylning** deep-freezing **-lek** depth **-liggande** *a* deep-set [*ögon* eyes]; deap-seated [minerals] **-lod** deep-sea lead **-lodning** deep-sounding **-na** *itr* get deeper; deepen **-rotad** *a* deep-rooted **-röd** *a* deep red **-sinnig** *a* deep; profound; [svårfattlig]

abstruse **-sinnighet** depth; profoundness; [med *pl*] profundity **-|t** *adv* deeply; profoundly [*rörd* moved]; [*sjunka (falla, gräva, ligga)* sink (fall, dig, lie)] deep; *skåda ~ in i framtiden* gaze deep into the future; *buga sig ~* bow low; *~ kränkt* deeply hurt, hurt to the quick; *-ast sett* at bottom **-skärpa** *foto.* depth of field **-tryck** photogravure printing **-tänkt** *a* [om pers.] deep-thinking; [om sak] deep-laid

djur animal; [större; *äv.* föraktfullt] beast; [boskaps-] cattle *pl; reta icke ~en* don't tease dumb animals; *de oskäliga ~en* the dumb brutes; *~et inom oss* the beast in us, the animal within us **-art** species of animal **-berättelse** animal story **-gård** [för hjortar] deer park; [friare] preserve **-isk** *a* animal [*drifter* instincts]; [bestialisk] bestial; [sinnlig] carnal; [rå] brutal **-iskhet** bestiality &c **-kretsen** *astron.* the zodiac **-läkare** veterinary [surgeon], **F** vet **-plågare** ill-treater of animals **-plågeri** cruelty to animals **-riket** the animal kingdom **-skyddet** the protection of animals **-skydds|förening** society for the prevention of cruelty to animals **-skötare** *lantbr.* cattleman; [vårdare] keeper **-tämjare** wild-beast tamer, animal trainer **-uppfödare** breeder, stock-raiser **-vän,** *vara stor ~* be very fond of animals **-världen** the animal world

djäkla *a* **F** deuced; *ett ~ oväsen* (*äv.*) a deuce of a row

djärv *a* bold; [dristig] daring; [oförvägen] intrepid; [vågad] venturesome; [oförskämd] insolent; *lyckan står den ~e bi* Fortune favours the brave **-as** *tr dep* dare, venture **-het** boldness; daring; audacity; insolence; *en stor ~* a great piece of audacity

djävul devil; *djävlar* [*anamma*]! devil take it! damn [it]! **-sk** *a* devilish **-skap** devilry **-skhet** devilishness **-s|tro** belief in the devil **-s|tyg** devilry

dobb||el gambling **-la** *itr* gamble

doc||ent *ung.* [university] lecturer; reader; *Am.* instructor **-entur** readership, lectureship &c **-era** *itr* lay down the law; play the schoolmaster

dock *adv* [likväl] yet, still; [emellertid] however; [ändå] for all that

1 docka *sjö.* **I** *s* dock **II** *tr* dock

2 dock||a 1 [leksak] doll; [marionett o. *bildl.*] puppet **2** [tråd-] skein **-aktig** *a* doll-like, puppet-like **-ansikte** doll's face

dock||arbetare docker, longshoreman **-avgift** dockage, dock-dues *pl*

dock||hem doll's house **-huvud** doll's head **-möbel** doll's-house furniture

dockplats dockage, docking facilities *pl*

dock||skåp doll's house **-säng** doll's bed **-teater** puppet-show **-vagn** doll's pram

doft scent, odour, perfume; fragrance *äv. bildl.* **-a** *itr* smell; *det ~r av rosor* there is a scent of roses; *syrenerna ~ ännu* the lilacs are still fragrant **-ande** *a* scented, fragrant [*av* with] **-fylld** *a* scent-laden, odorous

doge doge

dogg [mindre] bulldog; [större] mastiff

dogm dogma **-atik** dogmatics *sg* **-atiker** dogmatician **-atisera** *itr* dogmatize **-atisk** *a* dogmatic **-bunden** *a* fettered in dogmas

dok [slöja] veil; [friare] pall

doktor doctor; *filosofie ~* doctor of philosophy **-era** *itr* take a doctor's degree **-inna,** *~n S.* Mrs. S. **-s|avhandling** doctor's thesis, doctoral dissertation **-s|disputation** public examination of a doctor's thesis **-s|grad** doctor's degree **-s|värdighet** doctorship

doktrin doctrine **-är I** *a* doctrinary **II** *s* doctrinaire

dokument document; *jur. äv.* deed, instrument **-era I** *tr* document, substantiate; [friare] give evidence of **II** *rfl* establish one's identity; *~ sig som* establish o.s. as; come out as **-skrin** deed-box **-är|film** documentary [film]

dold *a* hidden, concealed; *illa ~* ill-concealed

dolk dagger; *sticka ned ngn med ~en* stab a p. **-klinga** dagger-blade **-styng -stöt** dagger-thrust

dollar dollar **-brist** dollar shortage **-grin F** luxury car **-sedel** dollar note (*Am.* bill)

dolsk *a* [förrädisk] treacherous; [bedräglig] deceitful; [illistig] sly, crafty; [bakslug] dastardly

1 dom [kyrka] cathedral

2 dom judg[e]ment; [is. i brottmål] sentence; [jurys utslag] verdict; *eftervärldens ~* the verdict of posterity; *avkunna ~ över* pass sentence upon; *fällande* (*friande*) *~* sentence of guilty (not guilty); *yttersta ~en* the Last Judgment; *sitta till ~s över* sit in judgment upon; *sätta sig till ~s över* set o.s. up as a judge over **-are** judge; [jur. ämbetsman] *Engl. äv.* justice; [friare o. *bildl.*] arbiter; [vid sporttävl.] umpire; *fotb.* referee **D~are|boken** *bibl.* [the Book of] Judges **-ar|ed** judge's oath **-ar|kår** judiciary **-ar|säte** judge's seat **-ar|ämbete** judicial office **-bok** judgment book

domdera *itr* **F** bluster

domedag Judgment Day

domestik domestic [servant] **-rum** servant's (servants') room

domhavande judge

domherre *zool.* bullfinch

dominera *tr* o. *itr* dominate; [tyrannisera] domineer; [vara förhärskande] be predominant, prevail; *en ~nde utsikt över* a commanding view of

domino -bricka domino **-spel** [game of] dominoes *pl*

domkapitel [cathedral] chapter

domkraft ⊕ jack[-screw]

domkyrka cathedral; *Engl. äv.* minster

domna *itr* (*äv.*: *~ av, bort*) go numb; [om värk] abate, subside; *min fot har ~t* my leg has gone to sleep

domprost dean **-inna** dean's wife

dom||saga judicial district **-s|basun** last trump **-slut** judicial decision **-s|rätt** jurisdiction **-stol** court [of justice (law)]; tribunal; *bildl.* bar; *högsta ~en* (*Engl.*) the Supreme Court; *draga saken inför ~* go to law about it, take the matter into court **-stols|förhandlingar** court proceedings **-värjo,** *lyda under ngns ~* fall under a p.'s jurisdiction

domän domain

don gear, tackle; [verktyg] tools *pl; ~ efter person* fine feathers make fine birds

donat||ion donation **-ions|brev** deed of gift **-or** donor

Donau the Danube

donera *tr* give [a donation]; *Am.* donate; *de ~de medlen* the money presented

dop baptism; [barn-, fartygs-] christening; *bära ett barn till ~et* present a baby at the font **-attest** certificate of baptism **-funt** baptismal font **-klänning** christening-robe **-längd** baptismal register **-namn** Christian name

dopp 1 [-ning] dip[ping] **2** *kaffe med ~* coffee and buns **-a I** *tr* o. *itr* dip; [hastigt] plunge; [sänka ned] immerse; [ge ngn en -ning] duck **II** *rfl* have a dip (plunge) **-ing** *zool.* grebe **-ning** dip, plunge; immersion **-sko** ferrule

dop||skål christening-bowl **-vittne** sponsor

dorisk *a* Doric

dos dose; *en dödande* ~ a lethal dose; *en för stor* ~ an overdose

dosa box; [större te-] canister; [mindre] caddy

dosis dose; *en god* ~ a good share (portion)

dossier dossier

dotter daughter **-barn** daughter's child **-bolag** subsidiary (affiliated) company **-dotter** grand-daughter **-företag** affiliated concern **-lig** *a* daughterly **-s|kärlek** daughter's affection **-son** grandson **-språk** daughter language

dov *a* [om ljud] dull, hollow; [om smärta] aching; [halvkvävd] stifled **-het** dullness

dov||hind doe **-hjort** fallow-deer; [hanne] buck

drabant **1** yeoman of the guard **2** *astron.* o. *bildl.* satellite **-stat** satellite state

drabb||a **I** *tr* [träffa] hit, strike; [hända ngn] befall, happen to; [beröra] affect; *~s av en svår förlust* suffer a heavy loss; *~s av en olycka* sustain a misfortune; *~s av otur* meet with bad luck; *förlusten ~r honom tungt* the loss falls heavily upon him **II** *itr,* ~ *ihop* (*samman*) *mil.* meet, have an encounter; [om enskilda] come to blows (loggerheads); [om åsikter] clash, conflict **-ning** battle; action; [is. friare] encounter; *mellan ~arna* [friare] between the bouts

drag **1** [ryck] pull, tug; [med stråke, penna o. d.] stroke; [schack-] move; *i några hastiga* ~ with a few bold strokes; *ett skickligt* ~ a clever move; *i allmänna* ~ in general outline **2** [anlets-, egenhet] feature; [karaktärs-] *äv.* trait; [anstrykning] touch, strain; *ett utmärkande* ~ *för* a characteristic [feature] of **3** [luft-] draught; [bloss] puff, whiff; *i fulla* ~ to the full **4** *dricka .. i ett* ~ drink off .. at one (a) draught, drain .. at (in) one gulp **5** [fiskredskap] trolling-spoon **-a** (**dra**) **I** *tr* **1** draw [*andan* breath; *fullt hus* full houses; *en kork ur en butelj* a cork out of a bottle; *ett kort* a card; *lott* lots; *saften ur* the juice out of; *en slutsats* a conclusion; *ett streck* a line; *uppmärksamheten till* attention to;*en vagn* a carriage; *en växel på ngn* a bill on a p.]; [kraftigare] pull [*ett tungt lass* a heavy load; *ngn i skägget* a p.'s beard]; [släpa] drag **2** [vrida] turn [*ett positiv* a barrel-organ]; [driva] work [a machine] **3** [hämta] derive [*fördel* advantage; *nytta* benefit] **4** [erfordra] take; use up **5** *dra en historia* reel off a story; ~ *stora omkostnader* involve great expenditure; ~ *kvadratroten ur* extract the square root of; ~ *eld på en tändsticka* strike a match; ~ *ngn inför rätta* bring a p. up before a court of law; ~ *en lättnadens suck* breathe a sigh of relief; ~ *nytta av* profit by; ~ *öronen åt sig* take alarm **II** *itr* **1** pull; [släpa] drag; [i schack] move **2** [tåga] march **3** *det drar här* there is a draught here; ~ *sina färde* take one's departure; ~ *efter andan* gasp for breath; ~ *i klocksträngen* (*tömmarna*) pull the bell (the reins); ~ *i fält* take the field; ~ *på munnen* smile; *dra åt skogen!* go to hell! *den spiken drog* that went home **III** [med beton. part.] ~ *av* pull off; [av-] deduct; ~ *av med* carry off; ~ *bort* (*itr*) go away, depart; ~ *efter sig* draw (pull, drag) .. behind one; ~ *benen efter sig* loiter along; ~ *fram* draw up [a chair]; pull out [one's handkerchief]; *bildl.* bring out (up); *itr* march; ~ *för* pull [*gardinen* the curtain]; ~ *förbi* go past; pass by; ~ *ifrån* take away, subtract; [gardin] draw aside; ~ *igen* [dörr o. d.] shut, close; ~ *igenom* march through; [friare] go (run) through; ~ *ihop* [trupper] concentrate, mass; *det drar ihop sig till oväder* a storm is gathering (brewing); ~ *in* draw in, [anslag] withdraw, [tjänst] do away with; ~ *in på* [underhåll o. d.] cut down; ~ *jämnt* pull even; *inte* ~ *jämnt* not pull well together; ~ *med* drag along; *det drar med sig* it involves; ~ *ned* pull down [*rullgardinen* the blind]; ~ *omkring* (*itr*) wander about; ~ *på sig* [stövlar o. d.] pull on; ~ *till* [hårdare] pull .. tighter; ~ *till bromsen* apply the brake; ~ *till med en svordom* blurt out an oath; ~ *till sig* attract; ~ *tillbaka* [trupper] withdraw; ~ *upp* [butelj] uncork, [fjäder, klocka] wind up; ~ *upp .. med roten* pull .. up by the roots; ~ *ut* [tand] extract; *itr* go off; *det drog ut på tiden* a long time elapsed; ~ *vidare* march on; ~ *åstad* go away; ~ *åt* draw .. tight[er]; ~ *över* [om oväder] pass by; ~ *över sig* [olycka] draw .. down upon one **IV** *rfl* **1** [förflytta sig] move, pass; [bege sig] repair **2** [om trä] get warped **3** *ligga och* ~ *sig* be lounging; ~ *sig efter* lag behind, [om klocka] lose; ~ *sig fram* get on (along); ~ *sig för* [ngt] shun; shrink from; hesitate [*att tala* to speak]; ~ *sig före* [om klocka] gain; ~ *sig tillbaka* retire, withdraw; *mil.* retreat; ~ *sig ur spelet* quit the game, back out, give up; **F** chuck it [up] **-ande** *a* o. *s* drawing &c; *å* ~ *kall och ämbetets vägnar* in virtue of office **-are** [djur] draught-animal **-as** *dep, få* ~ *med* [sjukdom] be afflicted with, suffer from; [skulder o. d.] be harassed by; [stå ut med] put up with **-basun** slide trombone **-bro** draw bridge **-djur** = *dragare* **-fjäder** draw spring **-fri** *a* free from draught **-färja** cable-ferry

dragg grapnel **-a** *tr* o. *itr* drag [*efter* for] **-ankare** grappling anchor **-lina** drag line **-ning** dragging

drag||harmonika concertina **-ig** *a* draughty; *det är ~t här* there is a draught here **-kamp** tug-of-war **-kista** chest of drawers **-kraft** tensile force, pulling strain **-kärra** hand-cart **-lucka** [i eldstad] damper **-låda** drawer **-ning** **1** [*äv.* om lotteri o. *bildl.*] draw[ing]; dragging; pull [*i ett rep* at a rope] **2** [-skraft] attraction; [böjelse] tendency (inclination) [*till* for] **3** [skiftning] tinge [*åt blått* of blue] **-nings|kraft** attraction; [himlakropps] gravitational pull **-nings|lista** lottery prize-list

dragon dragoon

drag||oxe draught ox **-plåster** *läk.* cantharidal plaster; *bildl.* attraction; drawing-card **-rem** [maskin-] belt; [vid vagnsfönster] strap **-spel** concertina **-ventil** damper-regulator **-vinda** line winder **-väg** tow-path

drak||e dragon; [pappers-] kite; *släppa upp en* ~ fly a kite **-blod** *bot.* dragon's blood

drakonisk *a* Draconic

drak||skepp Viking ship **-sådd,** *en* ~ a sowing of dragon's teeth

drama drama **-tik** dramatic art **-tiker** dramatist **-tisera** *tr* dramatize **-tisering** dramatization **-tisk** *a* dramatic[al] **-turg** playwright

drank distiller's wash

drapa ode

draper||a *tr* drape, hang **-i** [piece of] drapery **-i|stång** curtain pole

drastisk *a* drastic

drasut tall ungainly fellow
drav draff **-el** drivel
dreg‖el -la *itr* drivel, slobber
drej‖a I *tr* [sno] twist; [svarva] turn **II** *itr sjö.* veer; ~ *bi* heave to **-skiva** ⊕ potter's wheel
dressera *tr* train [*till* for]; [friare] drill; [hund] *äv.* break
dressin trolley; *Am. äv.* hand-car
dress‖yr training; drill **-ör** trainer
drev 1 *jakt.* beat, drive, battue **2** [fyllning] tow, stuffing, oakum **-jakt** battue **-karl** beater
drick‖a I *s* beer **II** *tr* o. *itr* drink; [intaga som måltid] have (take) [*en kopp te* a cup of tea; *kaffe till frukost* coffee for breakfast]; ~ *brunn* take the waters; *slå sig på att* ~ take to drinking; ~ *ngns skål* drink a p.'s health; ~ *ngn till* pledge a p.; ~ *i botten* drain one's glass; ~ *ur* empty [*flaskan* the bottle], finish [*teet* one's tea] **III** *rfl,* ~ *sig otörstig* quench one's thirst; ~ *sig full* get drunk (intoxicated, **F** tight) **-bar** *a* drinkable **-s** tips *pl* **-s|glas** [drinking] glass; tumbler; *ett* ~ . . a glassful of . . **-s|pengar** tips (a tip); service *sg;* [finare] gratuities; *ge* ~ tip; *äro* ~*na inberäknade?* is service (are tips) included? **-s|vatten** drinking-water
drift 1 [drivande] drifting; *vara* (*komma*) *i* ~ be (get) adrift **2** [natur-] instinct, impulse, urge; *av egen* ~ of one's own accord **3** [skötsel] management; [gång] running; *inställa* ~*en* discontinue the running of the mill (works &c) **4** [trafik] traffic **5** [gyckel] joking **-ig** *a* active, energetic, pushing **-ighet** activity, energy, push **-kapital** working (operating) capital **-kostnader** operating costs, running charges **-kucku** laughing-stock **-liv** instinct[-guided] life **-s|inställelse** discontinuance of [the] operation (service)
1 drill -a *itr mus.* trill, quaver; [fåglars] warble; *slå sina* ~*ar* warble
2 drill -a *tr mil.* drill
3 drill -a *tr* ⊕ drill **-borr** spiral drill, wimble
drink drink **-are** [habitual] drunkard, inebriate
drist‖a *rfl,* ~ *sig till att* presume (venture, be bold enough) to **-ig** *a* bold, daring **-ighet** boldness, daring
drittel butter-keg
driv‖a I *s* [snow-]drift **II** *tr* **1** drive *äv. bildl.;* [maskin] operate, work; [fabrik] run; [fartyg] propel **2** [växter] force *äv. bildl.* **3** [täta] caulk **4** [metall] [en]chase **5** [förmå] impel, prompt, urge **6** [bedriva] carry on [*affärer* business; *ett yrke* a trade]; pursue [*en politik* a policy] **7** ~ *på flykten* put . . to flight; ~*s till ytterligheter* be pushed to extremities; ~ *saken för långt* carry things too far; ~ *upp* [affär] work up, [pris] force (run) up **III** *itr* drive; [*sjö.* o. om moln, sand, snö] drift; [få avdrift] *sjö. äv.* make leeway; ~ *för ankaret* drag [the anchor]; *gå och* ~ loaf about, saunter; ~ *med ngn* poke fun at a person; ~ *igenom* force through [*ett lagförslag* a bill]; ~ [*redlöst*] *omkring* be adrift; ~ *på ngn* urge a p. on; ~ *tillbaka* drive . . back, repel **-ande** *a* driving &c; [avförande] purgative; *en* ~ *karl* a pushing man; *den* ~ *kraften* the driving force; *pers. äv.* the prime mover **-ankare** drag anchor **-axel** ⊕ driving-shaft **-bänk** hotbed **-|en** *a* **1** chased; *-et arbete (konkr)* specimen of chased (embossed) work **2** [skicklig] clever, practised **-fjäder** barrel spring, mainspring; *bildl. äv.* incentive, stimulus **-hjul** driving-wheel, driver **-hus** hothouse, greenhouse **-hus|värme** hothouse air **-is** drift-ice **-kraft** motive power; impelling force **-medel** propulsion fuel **-mina** drift-mine **-olja** motor oil **-rem** driving-belt **-sand** drift-sand **-snö** drifting snow **-ved** drift-wood
drog drug **-handel** drug-store **-handlare** druggist
dromedar dromedary
dropp drip **-a I** *itr* drip, fall in drops **II** *tr* distil, drop [*i* into] **-e** drop; [svett-] bead [of perspiration] **-flaska** dropping-bottle **-formig** *a* drop-shaped **-sten** stalactite, stalagmite **-vis** *adv* by drops; drop by drop
drosk‖a cab, four-wheeler **-bil** taxi-cab; taxi, cab **-kusk** cabman; [för -bil] taxi-driver **-station** cabstand, taxi-rank
drossla *itr* ⊕ throttle down
drott king, ruler **-ning** queen; [i bikupa] queen-bee **-ning|gemål** prince consort **-ning|krona** queen's crown **-ning|lik** *a* queenly
drucken *a attr.* drunken; *predik.* drunk; intoxicated, tipsy
drull‖e lubber **-e|försäkring** *ung.* comprehensive insurance **-ig** *a* clumsy
drum‖la *itr, gå och* ~ make a bungle of it; ~ *omkull* go sprawling over **-lig** *a* clumsy, lubberly; [fumlig] bungling **-lighet** clumsiness &c **-mel** churl, lubber
drunk‖na *itr* be (get) drowned; *bildl.* get swamped [*i* by]; *räddad från att* ~ rescued from drowning; *en* ~*nde* a drowning man (&c) **-ning** drowning **-nings|olycka** drowning accident
druv‖a grape **-blå** *a* grape-purple **-hagel** grape-shot **-klase** bunch (cluster) of grapes **-kärna** grape-pip **-press** grape press **-saft** grape-juice **-socker** grape-sugar
dryck drink; beverage; *starka* ~*er* spirits, strong liquor *sg* **-enskap** drunkenness, inebriation; [oåterhållsamhet] intemperance **-es|broder** boon companion **-es|gille** drinking-bout, spree, binge **-es|horn** drinking-horn **-es|kanna** stoop **-es|kärl** drinking-vessel **-es|lag** se *-es|gille* **-es|varor** liquors **-es|visa** drinking-song **-jom 1** drinking, carousing **2** = *-es|varor*
dryfta *tr* discuss, talk over
dryg *a* **1** [högdragen] stuck-up, self-important **2** [mots. odryg] compact; [som förslår] lasting; [drygt mätt] ample, large, liberal; [rågad] heaped **3** [mödosam] hard, heavy **4** ~*a böter* a heavy fine; ~*a utgifter* heavy expenditure; *en* ~ *mil* a full mile, quite a mile; ~*t mått* full measure; ~ *portion* large helping; *en* ~ *timme* a full (good) hour **-a** *tr,* ~ *ut grädde med mjölk* eke out cream with milk **-het** self-importance, overbearingness **-t** *adv,* ~ *hälften* a good half of it (them); *mäta* ~ give full measure
dryp‖a I *tr* drop, pour a few drops of . . [*på* (*i*) on to (into)] **II** *itr* drip [*av svett* with perspiration]; [nedrinna] trickle; [om ljus] gutter **-ande** *a* dropping &c; [ljus] guttering
dråp manslaughter, homicide **-are** homicide **-lig** *a* [präktig] splendid, famous; [komisk] terribly funny; prodigious[ly droll] **-slag** deathblow
drägg dregs *pl*
dräglig *a* tolerable; fairly acceptable **-het** tolerableness
dräkt dress; [kjol o. jacka] suit, costume; [friare] attire, garb

dräktig *a* pregnant **-het 1** pregnancy, gravidity **2** *sjö.* burden, tonnage
dräkt||påse suit (costume) bag **-tyg** suit material
dräll damask, diaper
drälla *tr* spill
dräner||a *tr* drain **-ing** draining **-ings|rör** drain-pipe
dräng farm-hand; [hantlangare] jackal; *sådan herre, sådan* ~ like master like man **-fasoner** stableman's manners **-göra** drudgery **-stuga** farm-hands' quarters *pl*
dränk||a I *tr* drown; [översvämma] flood; ~ *in . . med olja* steep . . in oil, impregnate . . with oil **II** *rfl* drown o.s. **-ning** drowning
dräp||a *tr* slay, kill; [friare] murder **-ande** *a* [bevis] telling; [svar, kritik] crushing
drätsel||kammare borough finance committee **-kamrerare** borough treasurer
dröj||a *itr* **1** [söla] loiter, dawdle **2** [stanna] stop, stay; [~ kvar] linger; *poet.* tarry; *dröj inte länge* [*borta*] don't be long; ~ *kvar till slutet* stay on till the end; ~ *vid* dwell on **3** [låta vänta på sig] be late [*med att komma* in coming]; [vara sen] be long [*med ngt* about a th.; *med att skriva* writing]; *svaret har -t länge* the answer has been a long time in coming; *han -de inte att begagna tillfället* he was quick to seize the opportunity; *dröj inte med att skriva* don't be long before you write **4** [vänta] wait **5** [tveka] hesitate [*med svaret* with one's answer; *med att svara* to answer] **6** (*opers*) *det -er länge, innan . .* it will be a long time before . .; *det -de en evighet, innan . .* it was ages before . .; *det -de inte länge, förrän . .* it was not long before . . **-ande** *a* dawdling [*steg* footsteps]; lingering [*blick* gaze]; hesitating [*svar* answer] **-smål** delay
dröm dream; *bildl. äv.* day-dream, reverie; *försjunken i ~mar* lost in reverie **-aktig** *a* dreamy **-bild** vision **-bok** book of dreams **-lik** *a* dream-like **-liv** dream-life **-lös** *a* dreamless **-ma I** *itr* o. *tr* dream; *bildl. äv.* muse, day-dream **II** *rfl,* ~ *sig tillbaka till* carry o.s. back in imagination to **-mande** *a* dreamy **-mare** dreamer, visionary **-meri** dreaming; *ett* ~ a reverie **-syn** vision **-tydare** interpreter of dreams **-tydning** interpretation of dreams **-värld** dream world
drön||a *itr* drowse **-are 1** [bi] drone [bee] **2** [pers.] sluggard, drone
du *pron* you; *bibl. poet. dial.* thou; ~ *själv* you yourself; *men* ~ *själv då?* how about yourself? *men kära* ~*. .!* but, my dear [fellow (girl &c)] . .! *hör ~, kan du ge mig . .?* I say, can you give me . .? *hör ~, det här går inte för sig!* look here, this won't do! *det ska* ~ *säga!* that's for you to say! ~ *gode Gud!* goodness gracious! *vi äro* ~ *med varandra* we call each other by our Christian names; *bli* ~ *med ngn* drop the formalities of address with a p. **-a** *tr,* ~ *ngn* call a p. by his Christian name
dubb stud, knob; nail
dubba *tr* dub [*ngn till riddare* a p. a knight]
dubb|el *a* double; *-la beloppet* twice the amount; *~t så mycket* twice as much; *-la storleken* double the size; *ett ~t syfte* a twofold aim **-beskattning** double taxation **-biljett** return ticket **-bottnad** *a* [skodon] double-soled; *bildl.* having a double meaning, admitting more than one interpretation **-bredd** double-breadth **-bröllop** double wedding **-cylindrig** *a* twin-cylinder **-dörr** double door **-form** *språkv.* doublet **-fönster** double window **-grepp** *mus.* double-fingering **-gångare** [gestalt] wraith; [persons] double **-gänga** double thread **-haka** double chin **-het** doubleness, double-dealing **-hytt** double cabin **-knäppt** *a* double-breasted **-liv** double existence **-mening** double sense (meaning) **-mord** double murder **-namn** hyphenated (double-barrelled) name **-natur** dual character **-pipig** *a* double-barrelled **-propeller** twin-screw **-radig** *a* double-breasted **-riktad** *a* two-way [traffic] **-sidig** *a* double-sided; ~ *lunginflammation* double pneumonia **-spel** [svek] double-dealing; [i tennis] doubles *pl* **-spår** double line **-spårig** *a* double-track[ed] **-säng** double bed **-t** *adv* doubly; [två gånger] twice [*så* as]; *se* ~ see double; ~ *svårare* twice as hard; ~ *upp* as much again **-viken -vikt** *a* doubled; ~ *krage* turn-down collar; ~ *av skratt* doubled-up with laughter **-örn** double eagle
dubbl||a -era *tr* double **-ett** doublet, duplicate; [tvårumslägenhet] two-roomed flat (*Am.* apartment); bed- and sitting-room
dubi||er, *ha sina* ~ have one's doubts [*om* about] **-ös** *a* dubious
duell duel [*på pistol* with pistols] **-ant** dueller **-era** *itr* [fight a] duel
duett duet
duffel doffel
dug||a *itr* do [*till* for]; be suitable [*till* for]; [vara god nog] be good enough [*åt* for]; *det där -er* [*inte*] that will [never] do; *. . -er till ingenting . .* is no use (good); *inte* ~ *till något* be good for nothing; *visa vad man -er till* show what one is worth; *det heter* ~ *att* it is fine to; *det är en gåva som -er* that is what I call a present **-ande** *a* fit[ted] [*till* for]; [om pers.] able, capable, efficient
dugg 1 [regn] drizzle **2** *inte ett* ~ not a scrap (bit), not the least; *han gör aldrig ett* ~ he never does a thing **-a** *itr* drizzle; *det ~r* there is a drizzle; *det ~de med paket* parcels came by the dozen; *ansökningar ~de tätt* applications came pouring in **-regn** drizzle **-regna** *itr* = *-a*
duglig *a* [om pers.] able; capable [*till* of; *till att . .* of . . -ing]; [skickad] competent (qualified) [*till* for]; [om sak] fit (serviceable) [*till* for] **-het** capability; efficiency; competence; fitness
duk cloth; *mål.* o. *sjö.* canvas; [bord-] tablecloth; [huvud-] head-square, scarf, kerchief; [flagga] flag; *vita ~en* the screen
1 duka *tr* o. *itr,* ~ [*bordet*] lay (set) the table; *ett ~t bord* a table ready spread; *bordet var ~t för 10 personer* the table was (covers were) laid for ten people; ~ *av* clear the table; ~ *fram* put . . on the table; ~ *upp* (*eg.*) = ~ *fram; bildl.* serve up [*en historia* a story]
2 duka *itr,* ~ *under* succumb [*för en sjukdom* to a disease]
dukat ducat
dukning laying [of] the table
duktig *a* **1** [stark] strong, sturdy, robust; [kraftig] powerful, vigorous; [bastant] stout **2** [stor] good-sized [*portion* helping]; large; substantial [*mål mat* meal]; hearty [*aptit* appetite]; [ansenlig] **F** goodly, jolly good **3** [dugande] able (capable, efficient) [*i att* at . . -ing]; [skicklig] clever [*i matematik* at mathematics; *i att* at . . -ing]; [käck] brave **4** *ett ~t kok stryk* a sound thrashing; [*med*] *~a tag* vigorously; *det var ~t!* well done! **-het** sturdiness; ability, efficiency; cleverness **-t** *adv* [kraftigt] powerfully; [ihärdigt] sturdily; [grundligt] soundly, thoroughly; [strängt] hard; [skickligt]

ably, cleverly; *få ~ betalt* be paid handsomely; *det var ~ gjort av honom* it was a fine thing for him to do; *äta ~* eat heartily
duktyg table-linen, napery
dum *a* stupid; [oförståndig] silly, foolish; *han är ingen ~ karl* he is no fool; *så ~ jag var* what a fool I was; [*han är inte*] *så ~ som han ser ut* .. such a fool as he looks; *~t prat!* stuff and nonsense! fiddlesticks! *det vore inte så ~t att* it would not be a bad idea to **-bom** fool, fathead, simpleton; *din ~!* you silly (stupid)! idiot! **-dristig** *a* foolhardy, rash **-dristighet** foolhardiness, rashness **-dryg** *a* vain, cocky, puffed up **-dryghet** cockiness
dumdumkula dum-dum bullet
dum‖het stupidity; folly; silliness, foolishness; *göra en ~* do a foolish thing; commit a blunder; *~er!* rubbish! nonsense! fiddlesticks! *vad är det här för ~er?* what is all this nonsense? *prata ~er* talk nonsense **-huvud** blockhead **-ma** *rfl* make a fool of o.s. **-mer|jöns** fool
dump‖a *tr* dump **-ning** dumping
dumsnut silly idiot
dun down **-bolster** down-bed
dund‖er thunder, rumble; [åsk-, kanon-] *äv.* peal, boom **-er|gud** thunderer **-er|succé** roaring success **-ra** *itr* thunder, boom, rumble; *åskan ~de* there was a clap of thunder
dunge grove; [mindre] clump of trees
dunig *a* downy, fluffy
dunk thud; [bultande] thump **-a I** *itr* thud; [bulta] throb, beat; *~ på piano* thump on the piano **II** *tr*, *~ ngn i ryggen* thump a p. on the back; *~ huvudet mot väggen* bump one's head against the wall
dunkel I *a* **1** dusky, dark; [belysning, uppfattning] dim; [svåruttydd] obscure, abstruse; [mystisk] mysterious **2** [obestämd] vague **II** *s* dusk; gloom; dimness; [*höljd i* wrapped in] obscurity **-het** duskiness &c; obscurity
dunkning throbbing; thump[ing]
dun‖kudde down cushion **-lätt** *a* light as a feather
duns thud, thump, bump **-a** *itr*, *~ ned* come down with a thud
dunst 1 fume, vapour, exhalation; *slå blå ~er i ögonen på ngn* throw dust in a p.'s eyes, mystify a p. **2** [fina hagel] bird-shot **-a** *itr*, *~ av (bort)* evaporate *äv. bildl.*; *det har ~t ut, att* it has transpired that
dun‖täcke eiderdown, down-quilt **-unge** fledg[e]ling
dupera *tr* bluff, dupe; *låta ~ sig* [allow o.s. to] be duped
dup‖lett duplicate **-licera** *tr* duplicate, *Am.* mimeograph **-licerings|maskin** duplicator, mimeograph
dur *mus.* major
durabel *a* durable; [präktig] splendid
durk *sjö.* floor **-a** *itr* bolt **-driven** *a* [slug] cunning, crafty; [van] practised; [fullfjädrad] thorough-paced **-slag** strainer, colander
1 dus [i tärningsspel] deuce
2 dus, *leva i sus och ~* live a wild life (in a world of pleasures)
dusch shower[-bath], douche **-a** *itr* take a shower **-rum** shower-room
dussin dozen, *förk.* doz.; *sex ~ kragar* six dozen collars; *ett halvt ~* half a dozen; *per ~* a dozen **-ansikte** ordinary face **-arbete** [piece of] hack-work **-människa** commonplace person **-roman** pulp novel, penny dreadful **-tals** *adv* dozens of **-vara** cheapline article **-vis** *adv* by the dozen
dust [vapenskifte] passage of arms; *ha en ~ med* have a tussle (bout) with; *utstå mången het ~* go through many tight places, get out of many tight corners (spots)
dusör gratuity, fee
duv‖a pigeon; *bildl.* o. *poet.* dove **-bo** pigeon's (dove's) nest
duven *a* vapid, stale **-het** vapidity, staleness
duv‖hök goshawk **-kutter** cooing of pigeons (doves)
duvna *itr* become vapid, go stale
duvning 1 [tillrättavisning] upbraiding; [prygel] hiding **2** [inpluggande] coaching
duv‖skytte pigeon-shooting **-slag** dove-cote **-unge** young pigeon; *han är ingen ~* he is no chicken
dval‖a [halvslummer] doze; [dödlik sömn] trance, coma; *bild. äv.* torpor, apathy **-lik** *a* trance-like; lethargic
dväljas *dep* sojourn, abide
dvärg dwarf, pygmy; [i berg] gnome **-a|kung** dwarf-king **-artad** *a* dwarf-like, dwarfish **-falk** merlin **-folk** pygmaean people; *~et* the dwarfs (pygmies) *pl* **-pincher** miniature pincher
dy mud; *is. bildl.* mire, slough; *i lastens ~* in a welter of vice **-blöt** = *-våt* **-botten** muddy bottom (soil)
dyft, *inte ett ~* not a jot
dygd virtue; [kyskhet] *äv.* chastity; *~ens väg* the path of virtue; *göra en ~ av nödvändigheten* make a virtue of necessity **-e|mönster** paragon of virtue **-ig** *a* virtuous **-ighet** virtuousness; chastity
dygn day [and night]; *en gång om ~et* once in twenty-four hours; *~et om* throughout the twenty-four hours, [*sova* sleep] twice round the clock **-s|gammal** *a* one-day-old **-s|lång** *a*, *en ~ resa* a twenty-four-hour journey
dy‖ig *a* muddy, miry **-ighet** muddiness &c **-jord** bog-earth
dyk‖a *itr* dive; duck [under the surface]; [om flygplan] *äv.* nose-dive; *~ ned* dive down, plunge [*i* into]; *~ upp* emerge [*ur* out of]; *bildl.* crop up, [om tanke] suggest itself **-and** sea-duck **-ar|dräkt** diving-suit **-are** diver **-ar|hjälm** (**-ar|klocka**) diving-helmet (-bell) **-ning** diving; [*en ~*] dive, plunge; [med flygplan] *äv.* nose-dive, dip
dylik *a* .. of that kind (sort), .. like that; such, similar; *jag har en ~ hemma* I have got another like it at home; *och ~t* and suchlike things; *ngt* (*ingenting*) *~t* something (nothing) of the sort
dymedelst *adv* by that (those) means
dyn dune; *~er* (*äv.*) downs
dyna cushion; [sov-] *äv.* pillow
dynam‖ik dynamics *sg* **-isk** *a* dynamic **-it** dynamite **-itard** dynamiter **-it|attentat** dynamite outrage **-it|kupp** dynamite robbery **-o** dynamo
dynasti dynasty
dyng‖a dung, muck **-grepe** dung-fork **-hög** dung-hill
dyning swell; is. *bildl.* backwash
dynvar [i Finland = *örngott*] pillow-case (-slip)
dypöl mud-puddle
dyr *a* **1** dear; [kostsam] expensive, costly; *det blir honom en ~ historia* he will have to pay for this; *~a tider* hard times; *det är ~a tider att leva i* the cost of living is high these days; *det blir ~t i längden* it comes expensive in the long run; *~a priser* high prices **2** [älskad] dear; [helig] sacred [*plikt* duty]; [högtidlig] solemn [*ed* oath] **3** *här voro goda råd ~a* here was a dilemma **-bar** *a* **1** [kostsam] costly, expensive, dear **2**

[värdefull] valuable; [högt skattad] precious [*minne* memory] **3** *iron.* exquisite, precious **-barhet 1** *abstr* costliness &c **2** *konkr* expensive article; *~er* valuables **-grip** precious treasure **-het** dearness; high price
dyrk pick[lock]
1 dyrka *itr, ~ upp* [lås] pick
2 dyrka *itr, ~ upp* [pris] raise (put up) [the price of]
3 dyrk‖a *tr* [tillbedja] worship; [beundra] adore **-an** worship; adoration **-ans|värd** *a* adorable **-are** worshipper, adorer
dyrkfri *a* burglar-proof; safety [*lås* lock]
dyr‖köpt *a* dearly-bought [*erfarenhet* experience] **-ort** locality with a certain cost-of-living index **-orts|tillägg** local allowance **-t** *adv* **1** [om kostnad] dearly, expensively; [*köpa (sälja)* buy (sell)] dear; *sälja vårt liv ~* sell our lives dearly; *betala ~ (eg.)* pay a heavy (high) price for; *bildl.* pay heavily (dear) for; *bo ~* pay a high rent; *det kom att stå honom ~* it cost him dear **2** [högt] dearly **3** [högtidligt] solemnly **-tid** dearth, period of high prices **-tids|tillägg** cost of living bonus
dysenteri *läk.* dysentery
dyster *a* gloomy, dismal, dreary; [till sinnes] melancholy, sad; glum **-het** gloom[iness]; melancholy [mood]; glumness
dyvåt *a* soaking wet, wet through
då I *adv* **1** *demonstr.* then; (*äv.: ~ för tiden*) at that time, in those days; [senast vid den tiden] by then; [i så fall] then, in that case; *~ och ~* now and then; *det var ~, det* things were different then; [*arbeta inte längre,*] *~ blir du överansträngd* . . or you will get overworked; [*har du läst den här boken?*] *vilken ~?* . . which one? *än sen ~?* what then? **F** so what? *vad nu ~?* what is up now? **2** *rel. a)* [om tid] when; *den tid kommer ~* the time will come when; *nu ~ vi* now that we; *b)* [i vilket fall] in which case **II** *konj* **1** *~* [när] when; [med participialkonstr.] on; *~ han fick se mig, sade han* on seeing me he said; [med samma subj. som huvudsatsen] *äv.* . . -ing; *~ han steg av tåget vrickade han foten* stepping out of the train he sprained his ankle; [just *~*] just as **2** [eftersom] as, since; *~ det nu är vackert väder* . . since the weather is fine now . .; *~ så är förhållandet,* . . that being the case . .; *~ han inte hade pengar, kunde han inte* . . having no money he could not . .
dåd deed, act; [bragd] feat, exploit; *med råd och ~* by word and deed; *bistå med råd och ~* lend advice and assistance **-kraftig** *a* energetic, active **-lust** eagerness to accomplish great deeds **-lysten** *a* eager for exploits **-lös** *a* inactive **-löshet** inactivity
dåförtiden *adv* at that period; in those days
dålig *a* **1** *allm.* bad; [ond] wicked, evil; [usel] base, mean; [om väder] *äv.* foul; [klen, otillräcklig] poor; [sämre] inferior [*kvalitet* quality]; *~ behandling* (*äv.*) ill-treatment; *~ belysning* a poor light; *~ engelska* poor English; *en ~ handling* a base action; *~t hjärta* a weak heart; *på ~t humör* in a bad temper, out of spirits; *vid ~ hälsa* in poor health; *~ hörsel (syn)* bad hearing (sight); *vara vid ~ kassa* be low in funds; *~ luft* bad air; *~a nyheter* bad news *sg; ~t rykte* a bad reputation; *~t samvete* a bad conscience; *~ sikt* poor visibility; *en ~ tanke om* a poor opinion of; *~a tider* bad (hard) times; *en ~ ursäkt* a flimsy excuse; *~a vanor* bad habits; *ta en ~ vändning* take a turn for the worse; *det var inte ~t* that's not [half] bad **2** [sjuk] not quite well, unwell; indisposed, poorly; *känna sig ~* be out of sorts; **F** feel seedy **-het** badness; wickedness; baseness; poorness; inferiority; [till hälsan] poorliness **-t** *adv* badly; poorly; *affärerna gå ~* business is bad (dull); *det gick ~ för honom* [*i latin*] he did badly . .; *det står ~ till med mig* things are in a bad way with me; *ha det ~ ställt* be badly off; *vara ~ utrustad* be ill-equipped [*för* for], [å huvudets vägnar] be poorly endowed; *se ~* have poor sight (weak eyes)
dån noise, roar[ing], boom[ing], thunder[ing]; [mullrande] rumble
1 dåna *itr* roar, boom, thunder; rumble
2 dån‖a *itr* [svimma] faint, swoon **-dimp F**, *få ~en* have a fainting-fit
dår‖a *tr* infatuate, bewitch **-aktig** *a* foolish; [starkare] idiotic; mad [*företag* enterprise] **-aktighet** foolishness; idiocy; *en ~* a [piece of] folly **-e** madman, lunatic; [friare] fool, **F** ass **-hus** lunatic asylum **-hus|hjon** lunatic, bedlamite **-hus|läkare** asylum doctor **-hus|mässig** *a* lunatic, insane **-skap** [piece of] folly; *rena ~en* sheer madness
dås‖a *itr* doze, be drowsy **-ig** *a* drowsy, half asleep **-ighet** drowsiness
då‖tida = *-varande* **-varande** *a, den ~* [*regeringen*] the . . of that time; *~ kapten S.* Captain S., as he was then; *under ~ förhållanden* as things were then; *i sakernas ~ läge* in the then state of affairs
däck 1 [bil-] [outer] tyre (tire) **2** *sjö.* deck; *på ~et* on [the] deck; *alle man på ~!* all hands on deck! *under ~* below deck; in the hold **-ad** *a* decked **-s|befäl** deck officers *pl* **-s|last** deck-cargo **-s|lucka** hatch **-s|passagerare** deck passenger **-s|planka** deck plank **-s|plats** steerage-berth **-s|stol** deck-chair
dägg‖a *tr* suck[le] **-djur** mammal
däld dell, glen
dämma *tr* dam; *~ av (för, till, upp)* dam up
dämp‖a *tr* moderate, [starkare] subdue; [ljud] muffle, hush; [färg] *äv.* tone down; [eld] damp [down]; *bildl. äv.* damp [*ngns iver* a p.'s ardour]; [vrede o. d.] appease, subdue, suppress **-ad** *a* moderated, subdued; *med ~ röst* in a hushed voice **-ning** moderation; muffling &c
däng [a] walloping **-a I** *tr* wallop; smack **II** *itr, ~ i väg* rush off; *~ igen* [*dörren*] bang . . to; *~ till* give . . a rap
där *adv* **1** *demonstr.* there; *vem ~?* who goes there? *~ finns ingenting* there is nothing there; *~ ha vi det!* there we are! *så ~* like that, in that way; *så ~ gick det till* that was how it happened; *~ borta (inne, nere &c)* over (in, down &c) there; *~ hemma* at home; over [*i Sverige* in Sweden]; *~ i trakten* in that neighbourhood **2** *rel.* where; *ett land, ~* . . a country where (in which) . .
där- i *sms* se nedan. [*Anm. 1.* Sms med *där-* bör vid översättningen i regel upplösas i prep.+*det (den, dem)* eller ett subst., som ansluter sig till ett föregående ord i meningen, t. ex. *man höll tal, och -vid* [*betonades*] . . speeches were made, and in them . .; [*han föll och erhöll*] *-vid* . . = *vid fallet* in the fall — *Anm. 2.* Ofta anv. i eng. participialkonstr. som motsvarighet, t. ex. *-igenom* [*fick han* . .] = *genom att göra det* . . by doing so . . — *Anm. 3.* Framför att-sats motsvaras sms med *där-* i regel av prep. + . . -ing, t.ex. *han lyckades endast -igenom, att han fuskade* he only succeeded by cheating; eller också anv. prep. +

the fact that, t. ex. *förklaringen låg -i, att..* the explanation was to be found in the fact that.. — *Anm. 4.* Sms med *där-* ss. rel. adv. övers. med motsv. sms av *var-*]

där||an *adv, vara illa ~* be in a sad plight; *vara nära ~ att* come near ..-ing **-av** *adv* of (by; from; off, out of; with; jfr *av I*) it (that, them); *han dog ~* he died of it; *han plågades ~* he suffered from it; *med anledning ~* on that account; *med anledning ~, att..* (*äv.*) because; *~ följer* [, *att*] hence it follows ..; *~ kommer det sig, att* that's [the reason] why; *~ ser man tydligt att* from this it is evident that; [*tio böcker,*] *~ tre romaner..* three of them novels **-efter** *adv* after (for; about; according to; by &c, jfr *efter I*) that (it, them); [om tid] *äv.* afterwards; [*ett par dagar* a few days] later; [därnäst] then; *han frågar aldrig ~* he never inquires about it (that); *handla ~* act accordingly; *rätta sig ~* conform to it (that); *det blev också ~* the result was as might have been expected **-emellan** *adv* [om tid] in between; [tidtals] at times **-emot** *adv* **1** [emot det] against it; *har ni ngt ~?* have you any objection to that? **2** [å andra sidan] on the other hand; *då ~* whereas, while **-est** *konj* if; *~ icke* unless **-för** **I** *adv* for (to; of; before; on, in &c, jfr *2 för I*) it (that, them); *få betala ~* have to pay for it; *intresserad ~* interested in it; *mottaglig ~* susceptible to it; *till stöd ~* in support of it **II** *konj* therefore; [i satsbörjan] so, hence; [följaktligen] consequently; [av den anledningen] for that reason; [*han var sjuk*] *och ~ kunde jag inte..* and so I could not; *han blev ~ dömd till döden* so he was sentenced to death; *~ att* because; *inte ~ att* [*jag är rädd*] not because (that)..; *~ är hon så blek* that is why she is so pale; *det var ~ som hon blev sjuk* that is why she fell ill; *det var just ~, som* it was just on that account that

där||hän *adv* **1** [så långt] to that point; to such an extent; *~ böra vi sträva* we should aim at that; *det har gått ~, att* it has gone so far that; *glömma sig ända ~, att man..* forget o.s. so far as to.. **2** *lämna saken ~* leave the matter, leave the matter at that **-i** *adv* in that, in it, in the matter (the book &c); [i detta avseende] in that respect; [vari] in which; *det förvånande ~ är..* the surprising thing about it is..; *det är inget förvånande ~* (*~, att han hoppas*) there is nothing remarkable in that (in his hoping); *finna sig ~* (*~, att han är lat*) put up with it (his being lazy); *~ har du rätt* you are right there **-ibland** *adv* among them **-ifrån** *adv* **1** from there (it, the place, that quarter); [*bort, borta*] *~* away, gone; *han fick ingen vinst ~* he had no profit out of it; *han reser ~ i morgon* he will be leaving [there (the place)] tomorrow; *komma ~* get away; *bo inte långt ~* live not far away [from there]; [*inte kunna*] *ta ögonen ~..* take one's eyes off it **2** *avstå ~* give it up; *befria sig ~* get rid of it; *långt ~* far from it *äv. bildl.*; *intet undantag ~* no exception to it **-igenom** *adv* **1** [om rum] through it (them &c); *resa ~* pass through **2** [medelst detta] thereby; by that [means]; by doing so; *han lyckades ~, att han..* he succeeded by ..-ing; *han förlorade sin tjänst ~, att han inte var ..* he lost his job through not being.. **-inifrån** *adv* from within **-innanför** *adv* inside there **-inne** *adv* in there **-intill** *adv* close by it (the place &c); *.. gränsar ~..* is adjacent to it **-jämte** *adv* besides, in addition **-med** *adv* **1** [med detta] by (with) that (it, them, that remark &c); *~ är ingenting vunnet* nothing has been gained thereby; *~ menade han* by that he meant; *~ gick han sin väg* with that he departed; *målet förklarades ~ avslutat* the case was therewith declared closed; *~ är inte sagt, att..* that is not to say that..; *~ var saken avgjord* that settled the matter; *du har intet ~ att skaffa* it is no business of yours; *och ~ punkt* and there is an end to it; *~ äro vi inne på..* that brings us to.. **2** [medelst detta] by that (those) means

där||nere *adv* down there **-näst** *adv* next, in the next place; *den ~ följande* the one immediately following [that] **-om** *adv* **1** *öster* (*höger; på sidan*) *~* to the east (to the right; on one side) of it **2** [angående den saken] about (concerning, as to) that (it, the matter &c); *äv.* on (to; in; of; jfr *om I*) that; *~ äro vi ense* we agree about that; *låt oss inte tala vidare ~* let us drop the subject; *vittna ~* bear witness to that **3** *be honom ~* ask him for it; *tävla ~* compete for it (the prize &c) **-omkring** *adv* **1** [omkring det] round it **2** [runt om i trakten] in the country round, in that neighbourhood **3** [så ungefär] thereabouts **-ovan** *adv* up there; above; [i himlen] on high **-på** *adv* **1** [rum] [up]on (in; to; at; jfr *på I*) it (them &c) **2** [tid] after that; [sedan] *äv.* then; [därnäst] next; *strax ~* immediately afterwards; *dagen ~* the following (next) day; *~ följde..* then there was.. **3** (*bildl.*) *svaret ~* the answer to it; *ett bevis ~* a proof of it; *ta miste ~* mistake it; *jag kan inte svara ~* I cannot reply to that; *tänka ~* think of it; *jag blir inte klok ~* I can make neither head nor tail of it; *du kan lita ~* (*~, att han kommer*) you can rely upon it (upon his coming) **-städes** *adv* there **-till** *adv* **1** to (for; into; of; at; towards; jfr *till I*) it (that, them &c); *bidraga ~* contribute to it; *~ fordras energi* for that energy is required; *med hänsyn ~* (*~, att det är..*) in consideration of that (of its being); *~ höra även.. ..* also belong to that category; *med ~ hörande..* with.. belonging to it; *~ kommer* to that must be added; *~ kommer, att..* add to this that..; *de ~ nödiga pengarna* the money necessary for the purpose; *jag skulle inte råda er ~* I should not advise you to do so; *inte skyldig ~* not guilty of it; *jag hade inte tillfälle ~* I had no opportunity for it **2** [dessutom] besides, in addition

där||under *adv* **1** [rum] under (beneath, below; jfr *2 under I*) it (that &c); *lida ~* suffer from it; *det ligger bestämt ngt ~* there must be something behind [it]; *sätta sitt namn ~* put one's name to it **2** [tid] during the time; meanwhile; while it (&c) lasts (lasted); *~ fick han..* while doing so he received.. **3** *barn på tolv år och ~* children of twelve and under; [*sälja bananer*] *till.. och ~..* at.. and less; *~ kan jag inte sälja varan* I cannot sell the goods at a lower price **-uppe** *adv* up there **-uppifrån** *adv* from up there **-ur** *adv* out of it **-utanför** *adv* outside **-ute** *adv* out there, outside **-uti** **-utinnan** se *-i* **-utöver** *adv* above [that]; [*100 pund*] *och ~..* and upwards; *han är sex fot och ~* he is upwards of six feet **-varande** *a* local; *den ~ kon-*

suln the consul [residing] there **-varo** presence **-vid** *adv* **1** [rum] at (in; on; along; by; near to, close to; beside; of; to; over; jfr *1 vid*) it (that, them &c) **2** [tid] at (during) it (the time &c); on that occasion; in doing so; *ett möte sammankallades och ~ [fattades många viktiga beslut]* a meeting was convened and in the course of the proceedings . .; *~ snavade han och . .* . . in doing so he stumbled and . .; *~ upptäckte man, att . .* on that being done it was discovered that . .; *~ bör man helst . .* in doing so (when that happens) it is best to . . **3** *låt det stanna ~* leave it at that; *inte fästa avseende ~* pay no attention to that; *jag skall inte uppehålla mig längre ~* I will not dwell any further on that **-vidlag** *adv* in that respect; on that point **-åt** *adv* at (to; in; out of; over; jfr *åt I*) it (that &c); *skratta ~* laugh at it; *jag kan ingenting göra ~* I can do nothing in the matter **-över** *adv* over (above; across; of; at; jfr *över I*) it (that, them &c); *~ i Amerika* over there in America; *en förteckning ~* a list of them (&c); *bli förvånad ~* be astonished at it

däst *a* obese; [övermätt] cloyed, glutted **-het** obesity; cloyedness

däv||en *a* damp, moist; [fadd] flat, tasteless; insipid

dävert *sjö.* davit

dö *itr* die; *~ av hunger (köld, ålderdom)* die of hunger (cold, old age); *~ av överansträngning (ett sår)* die of overwork (a wound); *~ av skratt* die with laughter; *~ för egen hand* die by one's own hand; *~ för fosterlandet* die for one's country; *~ i lungsot* die of consumption; *~ bort* die away; *~ ut* die out; [om ätt] *äv.* become extinct; [om ord] *äv.* become obsolete

död I *a* dead; *den ~e (~a)* the dead man (woman &c), the deceased; *uppstiga från de ~a* rise from the dead; *~ sjö* ground swell; *~ säsong* slack season; *en ~ vinkel* a dead (blind) angle; *~ för världen* dead to the world; *födda, gifta och ~a* births, marriages, and deaths; *~a, sårade och saknade* killed, wounded, and missing **II** *s* death; *det betyder en säker ~* it is certain death; *det blev hans ~* it was the death of him; *inte för min ~* not for the life of me; *en strid på liv och ~* a life and death struggle; *den bleka ~en* pale death; *ligga för ~en* be dying; *straffa med ~en* punish capitally; *gå i ~en för . .* die for . .; *gå mot ~en* meet one's death; *in i (intill) ~en* unto death; *ta ~ på* exterminate, kill off; *ta ~en på sig* kill (**F** do for) o.s.; *du är ~ens* [*, om du . .*] you are a dead man . .; *sörja sig till ~s* grieve o.s. to death **-a** *tr* **1** kill; [slå ihjäl] slay **2** [växel o. d.] cancel, annul; [check] *äv.* stop

Döda havet the Dead Sea

död||ande I *a* killing; fatal [*kula* shot] **II** *s* killing &c **III** *adv*, *~ tråkig* deadly dull **-dagar**, *till ~* till death; to one's dying day **-dansare** mope, dullard **-full** *a* dead drunk **-född** *a* stillborn; [friare] abortive [plan] **-födsel** stillbirth, abortive birth **-förklara** *tr* declare . . legally dead **-grävare** gravedigger, sexton **-gång** ⊕ play **-lig** *a* mortal; [-s|bringande] *äv.* deadly [*gift* poison]; fatal [*sjukdom* illness]; [-lik] deathly [*blekhet* pallor]; *en vanlig ~* an ordinary mortal **-lighet** mortality, death rate **-lighets|-procent** death rate, mortality percentage **-lighets|statistik** mortality statistics *pl* **-läge** ⊕ death centre; [friare] dead point, deadlock

döds||aning premonition of death **-annons** death notice **-attest** death-certificate **-blek** *a* deathly pale, livid **-blekhet** deathly pallor **-bo** estate of deceased person **-bricka** *mil.* identity disk; **F** corpse ticket **-bringande** *a* deadly **-bud** news of . . 's death **-bädd** deathbed; *på ~en* on one's deathbed **-dag** death-day **-dans** dance macabre (of death) **-dom** death sentence **-dömd** *a* sentenced to death; *bildl.* doomed; [hopplöst sjuk] given up [by the doctors] **-fall** death; [*säljes*] *på grund av ~ . .* owing to decease of owner **-fara** deadly peril **-fiende** mortal enemy; deadly foe **-fruktan** fear of death **-förakt** defiance of death **-föraktande** *a* death-defying, intrepid **-hot** death threat

död||sjö ground swell **-skalle** skull

döds||kamp death-struggle **-kval** death-pangs *pl* **-körning** fatal drive **-lik** *a* deathlike, deathly **-läger** deathbed **-mask** death-mask **-märkt** *a* death-marked; doomed **-offer** [pers.] victim; *olyckan krävde två ~* the accident claimed two victims **-olycka** fatal accident **-orsak** cause of [a p.'s] death **-riket** the kingdom of death; Hades **-ringning** tolling **-risk** risk of death **-rossling** death-rattle **-runa** obituary notice **-ryckningar** dying convulsions, death-throes *äv. bildl.* **-siffra** death roll **-sjuk** *a* dangerously ill **-skott** fatal shot **-still[a]** *a* deathly still; *sjö.* dead calm **-stillhet** deathlike stillness, dead silence **-straff** penalty of death; capital punishment; *förbjudet vid ~* prohibited on penalty of death **-stråle** death ray **-stund** [one's] dying hour **-stöt** death-blow **-synd** deadly sin **-sår** death-wound **-sätt** manner of [a p.'s] death **-tanke** idea (thought) of death **-trött** *a* dead tired (**F** beat) **-tyst I** *a* silent as the grave **II** *adv* with deathly stillness **-tystnad** deathly (dead) silence **-vånda** death-throes *pl* **-ångest** agony of death; *bildl.* mortal (agony of) fear **-år** death-year; *ngns ~* the year of a p.'s death **-ängel** angel of death

död||säsong idle season **-tid** *sjö.* neap[-tide] **-vatten** dead-water; *komma i ~* come to a deadlock **-vikt** dead-weight

döende *a* o. *s* dying; *en ~* a p. at the point of death

dölja I *tr* conceal [*för* from]; hide [*ansiktet* one's face]; [skyla över] disguise **II** *rfl* conceal (hide) o.s.

döm||a I *tr* **1** [be-] judge [*efter* by]; *~ ngn för strängt* be too severe in one's judgement of a p. **2** [fälla dom över] sentence; condemn; *~ en stad till undergång* doom a city to destruction; *-d att misslyckas* doomed to failure **II** *itr* **1** [fälla omdöme] judge [*om, över* of]; *efter allt att ~* to all appearances; *efter omständigheterna (utseendet) att ~* judging from circumstances (by appearances); *döm om min förvåning* judge of my astonishment **2** [avkunna dom] pronounce sentence ([friare] judgement) [*över* on] **-ande** *a* judicial [*myndighet* authority]; [pers.] sitting in judgement

döp||a *tr* baptize; [barn, fartyg] christen; *han -tes till Karl* he was given the name of Charles **-are** baptizer, baptist; *Johannes D~n* St. John the Baptist **-else[akt]** baptism

dörj *fisk.* whiffing-line **-a** *tr* whiff

dörr door; *inom lyckta ~ar* behind closed doors; *jur.* in camera, *parl.* in a secret session; *den öppna ~ens politik* the open door [policy]; *stå för ~en* (*bildl.*) be imminent (at hand); *köra ngn på ~en* turn

a p. out; show a p. the door; *följa ngn till ~en* see a p. out **-hake** door-hinge **-handtag** door-handle, knob **-karm** door-frame **-klapp** knocker **-klinka** door-latch **-klocka** door-bell **-lås** door-lock **-matta** door-mat **-nyckel** latch-key **-plåt** door-plate **-post** door-post **-spegel** door-panel **-springa** chink in the door **-tröskel** threshold **-vaktare** door-keeper **-vred** door-handle **-öppning** door-way
dös [sten-] cromlech
döv *a* deaf [*för* to; *på ena örat* of one ear] **-a** *tr eg.* deafen; *läk.* chloroform; *bildl.* stun; [be-] silence [*samvetet* one's conscience], still [*hungern* one's hunger], deaden [*smärtan* the pain] **-ande** *a* deafening &c; *läk.* narcotic; *bildl.* stunning **-het** deafness **-stum** *a* deaf and dumb; *en ~* a deaf-mute **-stumhet** deaf-dumbness **-stum|lärare (-stum|skola)** teacher (school) for deaf-mutes (the congenitally deaf) **-öra,** *slå ~t till för . .* turn a deaf ear to . .

E

eau-de-cologne Eau-de-Cologne *fr.*
eau-de-vie brandy
ebb ebb; [*lägsta*] *~* low water (tide); *~ och flod* ebb and flow (flood); *det är ~* it is low tide; *det är ~ i kassan* [my (o. s. v.)] funds are low, I am (o. s. v.) short of money (hard up) **-a** *itr* ebb [*ut* away]
ebenholts ebony; *av ~ (äv.)* ebony . . **-trä (-träd)** ebony-wood (-tree)
ebonit ebonite; *Am.* hard rubber **-platta** ebonite plate
echaufferad *a* hot [and flustered], excited
ecklesiastik‖departement, *~et* the Ministry of Ecclesiastical Affairs and Public Instruction; *Engl. ung.* the Ministry of Education **-minister,** *~n* the Minister of Ecclesiastical Affairs &c; *Engl.* the Minister of Education
ed oath; *avlägga (gå) ~* take the (an) oath [*på* upon]; *äv.* be sworn; *gå ~ på . .* swear to . ., take one's oath upon . .; *gå ~ på att . .* swear that . .; *låta ngn gå ~* take a p.'s oath; *under ~* by (on) oath
edda Edda **-diktning** Eddic poetry
Eden Eden, Paradise
eder *pron* **1** *pers.* you; *rfl* yourself, *pl* yourselves **2** *poss. a) fören.* your; *b) självst.* yours; *E~s Majestät* Your Majesty; *era idioter!* you fools! *E~r förbundne . .* Yours faithfully (truly), . .
edgång taking of an (the) oath; *ådöma ngn ~* put a p. on [his] oath
edikt edict
edition edition
ed‖lig *a* sworn, . . by (on) oath; *~ skriftlig försäkran* affidavit; *under ~ förpliktelse* under (on one's) oath **-s|brott** oath-breaking **-s|brytare** oath-breaker **-s|formulär** form of oath **-s|förbund** confederation **-svuren** *a* sworn
E-dur *mus.* E major
Edvard Edward [*motsv. a* Edwardian]
efemär *a* ephemeral
efes‖er Ephesian **-er|brevet** [the Epistle to the] Ephesians **E-us** Ephesus
effekt **1** [verkan] effect; *göra god (dålig) ~* produce (make) a good (bad) effect; *det kommer att göra ~* it will create a sensation **2** ⊕ efficiency, [effective] power; [maskins] capacity **3** *~er* [saker] goods [and chattels] jfr *res~er; bank.* stocks (shares and bonds) **-full** *a* having a [good] effect, effective **-iv** *a* effective, efficient; [verklig] actual [*ränta* yield; *kraftvolym* volume of charge]; *~ hästkraft* brake horse-power; *~ vara* actual goods *pl* (merchandise on stock); *~a värdet* ⊕ the virtual (real) value **-ivisera** *tr* make [more] effective **-ivitet** efficiency, effectiveness **-sökeri** straining (striving) after effect **-uera** *tr, ~ en order* execute (carry out, effect, fill) an order **-uering** execution, filling
efor ephor **-us** *ung.* diocesan superintendent of schools
efter **I** *adv* **1** [tid] after[wards]; *dagen (året) ~* the day (year) after, next day (year); *min klocka drar sig ~* my watch is losing [time] (is slow) **2** [bakom, kvar] behind; *bli ~* drop (lag) behind; *han är tätt ~* he is close behind (close on my (o. s. v.) heels); *vara ~ med arbetet* be behind with one's work **II** *prep* **1** [befintlighet i rum] *a)* [bakom] behind, after; *gå (rida, åka) ~ ngn* walk (ride) behind a p.; *han kom ~ mig* he came after me; *du måste stänga dörren ~ dig* you must shut the door after (behind) you; *de lämnade inga spår ~ sig* they left no traces (tracks behind them); *stanna ~* stay (remain) behind; *b)* [ordning, rang] after; *den förste ~ kungen* the first after the king; *en löjtnant kommer ~ en kapten* a lieutenant comes (ranks) below a captain; *vem kommer ~ er?* who comes after you?; *c)* [längs] along; *~ kanten* along the edge; *d) näst ~ mig* [*i ålder*] next to me . . **2** *a)* [rörelse el. handling i riktning ~] after; *han sprang (ropade, visslade) ~ tjuven* he ran (shouted, whistled) after the thief; *b)* [för att hämta el. komma i besittning av] for; *skicka (skriva, springa, telefonera) ~ doktorn* send (write, run, telephone) for the doctor; *gräva ~ vatten* dig for water; *leta, söka ~* search (seek) for; *längta (titta) ~* long (look) for; *c)* [för att träffa el. nå, ofta i fientlig avsikt] at; *kasta (sikta, skjuta) ~ ngn* throw (aim, shoot) at a p.; *han grep ~ mitt hår* he caught (seized, grabbed) at my hair **3** [tid] *a) allm.* after; i *sms* after-, post-; *år 500 ~ Kristi födelse* in the year 500 A.D.; *~ solnedgången* after sunset; *~ att ha läst boken* after reading (having read) the book; *ett år ~ affärens upphörande* one year after the closing of the business; *den ene ~ den andre* one after another (the other); *dag ~ dag* day after (by) day; *tal ~ middagen* after-dinner speech; *tid ~ annan* from time to time; *~ döden skedd undersökning* post-mortem examination; *vara ~ sin tid* be behind the times; *~ slutat arbete* when work is over; *~ välförrättat värv* after accomplishing his (o. s. v.)

task successfully [, he (o. s. v.) . .]; *b)* [omedelbart ~ en annan handling] on; ~ *mottagandet härav (av ordern)* on receipt of this (of order); ~ *hemkomsten [märkte han]* . . on his return home . .; *c)* [om] in; *betalbar ~ 3 månader* payable in 3 months; ~ *några dagar* in a few days[' time]; *d)* [över] past; *det är ~ midnatt* it is past midnight; *e)* [alltsedan] since; ~ *den dagen* since that day **4** [till följd av; från] from; *jag känner mig alldeles sjuk ~ resan* I am feeling quite ill from the effects of the journey; *hon var utttröttad ~ promenaden* she was tired out from her walk; *ärva ngt ~ ngn* inherit a th. from a p. **5** [mått, måttstock, norm, regel] by; *äv.* from, at, to; *köpa (sälja) ~ vikt* buy (sell) by weight; *betala (hyra) ~ (per) mil* pay (hire) by the mile; *sätta klockan ~ solen* set one's watch by the sun; *en ledtråd att gå ~* a clue to go by; *bedöma (mäta) ngn ~ hans uppförande* judge (estimate, measure) a p. by his conduct; ~ *utseendet att döma* to judge by (from) appearances; ~ *behag* at pleasure; at your (o. s. v.) discretion; ~ *beställning (mått)* to order (measure); ~ *bästa förmåga* to the best of my (o. s. v.) ability; ~ *minnet* from memory **6** [enligt] according to; ~ *av oss mottagen uppgift* according to statement received by us; ~ *min uppfattning (mitt förmenande)* according to my idea (my thinking); in my opinion; ~ *vad jag hör (ser)* from (according to) what I hear (see); ~ *hans beskrivning* from (according to) his description; ~ *all sannolikhet* in all probability; ~ *riktiga principer* on sound principles; ~ *överenskommelse* by (according to) agreement. Se f. ö. konstruktionerna vid de enskilda orden. **III** *konj* [temporal], ~ *det [att]* after

efter||accept *hand.* acceptance after protest **-anmälning** *sport.* late entry **-apa** *tr* imitate, mimic; [förfalska] counterfeit **-apare** imitator; counterfeiter **-apning** imitation, mimicry *äv. konkr;* [förfalskning] counterfeit **-arbete** complementary work; [förbättring] touching-up, finish **-behandling** after-treatment(-care) **-besiktning** after-inspection **-beskattning** additional taxation **-beställning** additional (repeat) order **-betalning** *hand.* subsequent payment **-bevakning** *hand.* late proof of claim, deferred proof of debt **-bilda** *tr* imitate, copy **-bildning** imitation, copy **-bliven** *a* [föråldrad] out of date, old-fashioned; [outvecklad] backward **-blivenhet** backwardness **-blödning** *läk.* secondary hæmorrhage **-brännare** *mil.* hangfire **-börd** after-birth **-börs** *hand.* after-change hours *pl* **-datera** *tr* postdate **-debitera** *tr* charge . . afterwards **-dyningar** afterroll (backwash) *sg;* [följder] sequel *sg;* consequences; *äv.* echo *sg* [*efter* of] **-fika** *tr* be after, covet **-forska** *tr* investigate, make investigations (inquiries) about . ., inquire into (after) . . **-forskning** inquiry [*efter* about; *i* into]; investigation [*i* into]; *anställa ~ar* institute inquiries **-fråga** *tr* inquire for; *mycket ~d* in great demand **-frågan 1** [efterfrågning] inquiry; *vid närmare ~* on further inquiry **2** [eftersökthet] demand (request, call) [*på* for]; *tillgång och ~* supply and demand; *röna livlig (ringa) ~* be in great (little) demand; ~ *överstiger tillgången* the demand exceeds the supply; *det är ingen ~ på dessa varor* there is no demand for these goods

efterfölj||a *tr* follow; [efterträda] succeed: [efterlikna] imitate **-ande** *a* following, subsequent, succeeding **-ans|värd** *a* [exampel] worthy of imitation **-are 1** [anhängare] adherent, follower **2** [efterträdare] successor **-d** *oböjl. s, förtjäna ~* be worthy of imitation; *lända (tjäna) till ~* serve as an example; *vinna ~* be followed **-else** imitation

efter||gift 1 [medgivande] concession **2** [efterskänkande] remission [*av fordran* of debt] **-gifts|politik** concessionist policy **-given** *a* indulgent (yielding) [*mot* to] **-givenhet** indulgence (compliance) [*mot* towards] **-gjord** *a* imitated; [förfalskad] counterfeit, spurious; imitation [*fabrikat* wares *pl*] **-granskning** re-examination, controlling revision **-hand I** *s* [-'-] *kortsp., sitta i ~* be the last player **II** *adv* [- -'] gradually, little by little; ~ *som* [in proportion] as **-hållen** *a* kept in check **-hängsen** *a* importunate ; ~ *människa* sticker **F -hängsenhet** importunity **-härma** *tr* imitate, mimic **-härmare** imitator **-härmning** imitation; [förlöjligande] parody **-höst** late autumn (*Am.* fall)

efter||kalkyl cost account[ing] **-klang** resonance, reverberation; [osjälvst. efterbildning] reminiscence; re-echo **-klangs|diktare (-klangs|diktning)** reminiscent poet (poetry) **-klassisk** *a* post-classical **-klok** *a, vara ~* be wise after the event **-komma** *tr* comply with, obey **-kommande I** *a* succeeding, following **II** *s pl* [avkomlingar] [one's] descendants **-kontroll** supervisory control **-krav** *hand.* cash (collect) on delivery [*förk.* C.O.D.]; ~ *begäres för 6 shilling* C.O.D 6 s.; *per ~* charges forward; *sända mot ~* send C.O.D. (*Am.* send collect); *uttaga ett belopp genom ~* collect an amount on delivery **-kravs|belopp** C.O.D. value **-kravs|försändelse** C.O.D. parcel (packet, consignment)

efter||krigs- i *sms* post-war [*händelser* events; *litteratur* literature] **-kur** after-cure **-kälke,** *vara (komma) på ~n* be (get) behindhand; [med betalning] be in (get into) arrears **-känning** after-effect; *ha ~ar* suffer from the after-effects [*av* of] **-leva** *tr* [åtlyda] observe, obey **-levande** *a* surviving; *de ~* the survivors **-leverans** supplementary delivery **-levnad** [åtlydnad] observance [*av* of], obedience [*av* to] **-likna** *tr* imitate; [söka tävla med] emulate [*i* in] **-liknelse** imitation; emulation **-lupen** *a* much run after, . . that everybody runs after **-lys|a** *tr* **1** [brottsling, saknad person] notify . . as missing (absconded); send out (circulate, [i radio] broadcast) a p.'s description; post a p. as wanted [by the police]; *vara -t av polisen* be wanted by the police; *-ta arvingar* heirs sought for, missing heirs **2** [sak] advertise . . as missing; [friare] search for **-lysning 1** [av brottsling, saknad person] notification of missing (absconded) person[s]; circulation ([i radio] broadcasting) of a p.'s description &c **2** [av sak] advertisement of the loss of . .; [friare] search for **-låten** *a* lenient (indulgent) [*mot* to (towards)] **-låtenhet** indulgence [*mot* to (towards)] **-lämna** *tr* leave . . [behind]; [testamentera] leave . . by will; *ett ~t arbete* a posthumous work; *hans ~de förmögenhet* the fortune he left; *~de skrifter* literary remains; *N:s ~de maka, Fru N.* Mrs. N., widow of the late Mr. N. **-längtad** *a* eagerly longed for **-man** *hand.* subsequent endorser

eftermiddag afternoon; *i ~* this afternoon; *i går (i morgon) ~* yesterday (to-morrow) afternoon; *kl. 4 på ~en* at 4 o'clock in the afternoon, at 4 p.m.; *på måndag ~* on Monday afternoon; *på ~arna* in the afternoons **~s-** i *sms* afternoon; [omedelbart efter middagen] after-dinner **-s|kaffe** afternoon coffee; [efter middagen] after-dinner coffee

efter||mognad subsequent ripening **-mäle 1** [minne] memory, posthumous reputation; *han har fått ett gott ~* he has been judged favourably **2** [dödsruna] necrologue; obituary [notice] **-namn** surname **-natt** later part of the night **-patrull** rear-guard patrol **-plöjning** after-ploughing **-produkt** after-product **-pröva** *tr* re-examine **-prövning** supplementary examination

efter||reglering supplementary regulation [*av* of] **-revision** second revision **-romantik** Post-Romanticism **-romantisk** *a* Post-Romantic **-räkning 1** [tilläggsräkning] additional bill **2** [obehaglig påföljd] unpleasant consequence, after-clap **-rätt** sweet, *Am.* dessert **-rättelse,** *lända* (*tjäna*) .. *till ~* serve .. as an example; *tjäna ngn till ~* (*äv.*) serve for a p.'s guidance **-sats** *gram.* apodosis **-se** *tr* **1** [undersöka] find out, investigate; [grundligt] overhaul **2** [övervaka] inspect **-seende** *s, vid närmare ~* on a closer inspection (investigation) **-sikt|växel** *bank.* sight bill **-sinna** *tr* o. *itr* meditate [on ..], reflect [up]on, consider **-sinnande I** *a* thoughtful, reflective, contemplative **II** *adv* thoughtfully &c **III** *s* consideration, reflection, meditation; *vid närmare ~* on second thoughts, on reconsidering the matter **-skicka** *tr* send for; *komma som ~d* arrive opportunely; *han kommer som ~d* he is the very man we are looking for **-skott,** *betalas i ~* to be paid subsequently (at the completion of the work) **-skrift 1** [tillägg till vetenskapligt arbete o. d.] appendix, supplement **2** [i brev] postscript **-skriva** *tr hand.* write for **-skänka** *tr* remit [debt, punishment] **-skänkning** remission [*av skuld* of debt] **-skörd** aftercrop **-slåtter** aftermath, aftergrass **-släckning** final extinction [of a fire]; *bildl.* next-day carouse **-släng** relapse [*av* of] **-släntrare** laggard; *mil.* straggler **-släpning** [av arbete] lag **-smak** aftertaste; [skarp] tang

efter||som *konj* **1** [kausal] as, seeing that ..; [~ ju] since **2** [allt-] [according] as **-sommar** late summer; [brittsommar] Indian summer **-spana** *tr* search for; *~d av polisen* wanted by the police [*för* for] **-spaning** search, inquiry; *anställa ~ar efter* .. search for .., make inquiries after (as to) .. **-spel 1** *mus.* postlude **2** [påföljd] sequel; [*rättsligt* legal] consequences *pl;* epilogue **-st** *a* o. *adv* last, hindmost **-sträva** *tr, ~* .. aim at (strive, aspire to attain) ..; *~ att göra* .. aim at doing (strive, aspire to do) ..; *~ ett mål* pursue an object **-strävans|värd** *a* worth striving for, desirable **-styng** backstitch **-syn 1** [tillsyn] superintendence, supervision **2** [föredöme] *vara till ~ för* serve as an example to **3** = *efterseende* **-sådd** second sowing **-säga** *tr* repeat, echo **-sägare** repeater; echo **-sänd|a** *tr* **1** [skicka efter] send for **2** [sända vidare] send on (forward, re-direct) [*brev* letters]; [anvisn. på brev] *-es!* to be forwarded (re-directed)! *-es icke!* to await arrival! **-sändning** forwarding, sending on, re-direction **-sätta** *tr* [försumma] neglect **-sätts|blad** *bokbind.* back fly-leaf **-sökt** *a* [begärlig], *mycket ~* much run after, highly appreciated; [om vara] .. in great demand

efter||taga *tr hand.* pass forward; *eftertag Edra kostnader hos dem* pass your charges to account with them **-tagande,** *med ~ av kostnaderna* all charges forward **-tanke** reflection, consideration; *med ~* with [due] consideration; *utan ~* carelessly, thoughtlessly; *vid närmare ~* on second thoughts *pl; ~ns kranka blekhet* the pale cast of thought **-taxering** additional assessment **-telefonera** *tr* telephone for .., summon .. by telephone **-telegrafera** *tr* telegraph (wire) for .., send for .. by telegram, summon .. by telegraph (wire) **-trakta** = *-sträva; ~d* coveted **-trupp** *mil.* rear[-guard]; *utgöra ~en* bring up the rear **-tryck 1** [kraft, energi] energy, force; *med ~* energetically, with force **2** [stark betoning] stress, emphasis; *med ~* with emphasis; emphatically; *jag vill med ~ betona, att* .. I want to emphasize that .. **3** [tryckalster] reprint; [olovligt] piracy; [brottsligt] counterfeit; *~ förbjudes* all rights reserved **-trycklig** *a* **1** [om handling] energetic, forcible **2** [om yttrande] emphatic; *på det ~aste* most emphatically **-träda** *tr* succeed; [ersätta] replace **-trädare** successor; *P. & Co:s eftertr., N. N.* N. N., Successor[s] [*förk.* Succ.] to P. & Co. **-tänka** = *tänka* [*efter*] **-tänksam** *a* thoughtful; [försiktig] cautious, wary **-tänksamhet** thoughtfulness; [försiktighet] caution, wariness **-verkan -verkning** after-effect **-vinter** end (later part) of the winter **-vård** aftercare **-värkar** *läk.* after-pains **-värld** [*gå till* go down to] posterity **-värme** remaining heat **-åt** *adv* **1** [om tid] afterwards **2** [om ordning] behind, after

egal *a, det är mig ~t* it is all one (all the same) to me

egeisk *a, E~a havet* the Ægean Sea

eg|en *a* **1** [ingen annans] own [efter poss. pron. el. gen.]; *skolans -et bibliotek* the school's own library; *mitt -et hus* my own house; *de ha tre -na barn* they have three children of their own; *börja ~ affär* set up [in business] for o.s.; *hon har intet -et hem* she has no home of her own; *varor av -et fabrikat* goods of one's own make; *av ~ fri vilja* of one's own accord (free will); *efter -et val* at one's option; *för -et bruk* for private ([one's] personal) use; *i ~* [*hög*] *person* in [one's own] person; *tala i ~ sak* plead one's own cause; *med -na ord* in one's own words; *på ~ hand* by oneself; *stå på -na ben* stand on one's own feet; *utan ~ förskyllan* through no fault of one's own **2** [sär-] characteristic (peculiar) [*för* of]; *ett -et sätt att rynka pannan* à characteristic way of knitting one's brows **3** [~domlig] peculiar, strange, odd, queer **-art** individuality, distinctive character **-artad** *a* unique, original; [egendomlig] peculiar, odd

egendom 1 [utan *pl*]; *a*) *allm.* property; *fast ~* landed property, real estate; *lös ~* personal (movable) property; *b*) [ägodel[ar]] possession[s] **2** [med *pl*, jordagods] estate **-lig** *a* **1** [underlig] peculiar, strange, singular, odd, queer **2** [utmärkande] characteristic [*for* of], peculiar [*för* to] **-lighet 1** [underlighet] peculiarity, strangeness, singularity, oddity, queerness **2** [karakteristisk egenskap] peculiarity, characteristic trait, characteristic; *en ~ för* (*hos*) *honom* (*min bror*) a peculiarity (&c) of his (my brother's) **-s|affärer** real-estate business *sg* **-s|agent** [real-]estate agent (broker); [*Am.* auktoriserad] realtor **-s|brott** crime against property **-s|gemenskap** community of property **-s|köp** real-estate purchase **-tvist** property dispute **-s|ägare** estate-owner, landed proprietor **-s|överlåtelse** transfer of property

egen||dämpning ⊕ self-damping **-frekvens** natural frequency **-het** peculiarity; *han har sina ~er* he is an odd fish F **-händig** *a* .. in one's own hand[writing]; autograph [*brev* letter]; *~ underskrift* signature; *~a namnteckningen intygas härmed* authenticity of signature hereby certified; *~ skuldsedel* note of hand **-händigt** *adv*, *~ undertecknad* signed in person, signed with my (o. s. v.) own hand **-kär** *a* conceited; self-complacent **-kärlek** conceit **-mäktig** *a* despotic, arbitrary, dictatorial **-mäktighet** despotism, arbitrariness, dictatorialness **-namn** proper name **-nytta** self-interest, selfishness **-nyttig** *a* self-interested, self-seeking, selfish **-rådig** = *-mäktig* **-rättfärdig** *a* self-righteous **-rättfärdighet** self-righteousness **-sinne** wilfulness, obstinacy **-sinnig** *a* wilful, obstinate, headstrong **-sinnighet** = *-sinne*

egenskap 1 [beskaffenhet i allm.] quality; *god (dålig) ~* good (bad) quality (point) **2** [utmärkande kännetecken] attribute; [kännemärke] characteristic; *yttre ~er* exterior attributes **3** [fysisk egendomlighet hos levande väsen el. ämne] property; *en bekant ~ hos is* a well-known property in ice **4** [nödvändig el. önskvärd ~] qualification; [*för att bli en god officer*] *måste man ha följande ~er* .. you must possess the following qualifications **5** [en persons ställning] capacity, character; *i hans ~ av direktör* in his capacity of manager; *i min ~ av läkare* in my character of doctor

egentlig *a* **1** [i allm., verklig, faktisk] real; *den ~a orsaken till* .. the real cause of ..; *den ~e chefen för* the real head of .. **2** [om betydelse, i mots. till *figurlig*] proper, strict, literal; *i ordets ~a betydelse* in the proper (&c) sense of the word **3** [om länder, städer o. s. v.] proper; *det ~a England* England proper **4** [specifik] ⊕ specific; *~ vikt (värme)* specific weight (heat) **-en** *adv* **1** [rätteligen] by rights [*borde han be om ursäkt* he ought to apologize] **2** [verkligen] really, in fact; *du är ~ mycket lat* you are really (in fact you are) very lazy **3** *~ talat (taget)* properly speaking

egen||ton specific tone **-varm** *a* warm-blooded **-värde** intrinsic value

egg edge **-a** *tr* (*äv.: ~ upp*) egg .. on, incite [*till* to]; [stimulera] stimulate [*till* to] **-ande** *a* inciting &c **-else** incitement, incentive, stimulation **-järn** edge-tool **-vapen** edged weapon **-verktyg** = *-järn*

egid ægis

egnahem private homes **-s|bolag** own-your-own-home company **-s|byggande** private home building **-s|byggare** private home builder **-s|fråga (-s|förening)** own-your-own-home question (association) **-s|jord** land attached to privately-owned homes **s|koloni** colony of private home proprietors; *Engl. ung.* garden suburb **-s|lott** private home building-site **-s|lån** private home building loan **-s|rörelse** own-your-own-home movement

ego *lat.* self **-centrisk** *a* egocentric, self-centred **-ism** ego[t]ism **-ist** ego[t]ist **-istisk** *a* ego[t]istical, selfish

Egypt||en Egypt **e-ier** **e-isk** *a* Egyptian **e-iska 1** [språk] Egyptian **2** [kvinna] Egyptian woman **e-olog** Egyptologist **e-ologi** Egyptology **e-ologisk** *a* Egyptological

ehuru *konj* [al]though

eiss *mus.* E sharp

ej *adv* se *icke* o. *inte*

ejder eider[-duck] **-bo** eider's nest **-dun** eider-down **-duns|kudde** eider-down pillow **-duns|täcke** eider-down [quilt] **-hanne (-hona)** male (female) eider **-släkte**, *~t* the eider-ducks *pl*

ek 1 [träd] oak[-tree] **2** [virke] oak[-wood]; *av ~* oak ..

1 eka *sjö.* punt, skiff

2 ek||a *itr* echo **-ande I** *a* echoing **II** *s* echoing, echo

ekarté *kortsp.* écarté

ek||bark oak-bark **-barkad** *a* oak-tanned **-bets** oak-stain **-bord** oak table

eker spoke

ek||faner oak veneer **-fanerad** *a* .. veneered in oak

ekip||age carriage[-and-pair], turn-out **-era** *tr* equip, fit out **-ering 1** [utrustning] equipment, outfit **2** = *herr~*

ekivok *a* indelicate

ek|kista oak chest

eklat||ant *a* striking [*bevis* proof]; brilliant [*framgång* success] **-era** *tr* announce, make .. public **-ering** announcement [*av förlovning* of an engagement] **-t** *adv* officially [*förlovade* engaged [to be married]]

ekliptika, *~n* the ecliptic

eklog eclogue

ek|lut, *gå igenom ~en* (*bildl.*) go through the mill

eklärer||a *tr* illuminate, light up **-ing** illumination[s *pl*]

ek||löv oak-leaf **-möbel 1** [möblemang] oak suite [of furniture] **2** [enstaka möbel] piece of oak furniture

eko echo; *ge ~* [make an] echo

ek|ollon acorn

eko|lodning echo-sounding

ekolog||i ecology **-isk** *a* ecological

ekonom economist **-i** *allm.* economy; [affärsställning] financial position, finances *pl; han har god (dålig) ~* his financial position is good (bad) **-i|avdelning** economy department **-i|byggnad** office; [på lantgård] annex; farm building **-i|chef** financial manager **-i|förvaltare** steward **-isera** *itr* economize (*äv.: ~ med*) **-isering** economizing, economization **-isk** *a* **1** *allm.* economic [*hjälp* help; *fråga* question] **2** [penning-] financial [*problem* problem; *svårigheter* difficulties; *ställning* position (status)]; *i ~t avseende* economically, financially **3** [sparsam] economical [*med* of (with)]

ekoradio radar

ekorr||bo (-bur) squirrel's nest (cage) **-e** squirrel **-skinn** squirrel-skin **-unge** young squirrel

e. Kr. [*förk.* för *efter Kristus*] A.D.

ek||oxe stag beetle **-panel** oak panel[ling] **-planka** oak plank

eksem eczema **-artad** *a* eczematous

ek||skog (-skåp) oak forest (cupboard) **-stock 1** [stock] oak-log (-block) **2** [båt] punt, skiff; row-boat **-timrad** *a* oak-timbered **-trä** oak[wood] **-träd** oak[-tree]

ekumenisk *a* [o]ecumenical [*möte* council]

ekvation equation **-s|lära** theory of equations **-s|metod** equational method **-s|teori** = *-lära*

ekvator equator; *~n* the Equator (Line) **-ial** *a* equatorial **-s|höjd** the latitude of the Equator **-s|trakterna** the equatorial regions

ekvilibrist equilibrist, rope-dancer **-ik** rope-dancing **-isk** *a* equilibristic

ek|virke oak[-wood]

ekvival||ens equivalence, equivalency **-ent I** *a* o. **II** *s* equivalent **-ent|vikt** *kem.* equivalent [weight]

el- i *sms* se *elektricitets-, elektrisk*
elak *a* **1** [om pers. el. sak; illvillig o. s. v.] *a)* [ond, ondskefull] evil (wicked) [*avsikt* intention; *tanke* thought]; *b)* [ostyrig, stygg] naughty (mischievous) [*barn* child]; *c)* [illasinnad, illvillig] malicious, malevolent, spiteful; [hätsk] malignant; *d)* [frän, skarp] venomous (virulent) [*författare* writer; *tunga* tongue]; *e)* [om karaktär] ill-(evilly-)disposed [*mot* towards]; *f)* [ovänlig] unkind (mean) [*mot* to]; [grym] cruel [*mot* to]; *~t skämt* cruel joke; *~ vändning* [om sjukdom] a turn for the worse **2** [om sak; obehaglig, motbjudande o. s. v.] nasty (bad) [*smak* taste; *lukt* smell]; *~a drömmar* bad dreams **-artad** *a* [om sjukdom o. s. v.] malignant, virulent; [kris o. d.] serious, grave **-het** [jfr *elak*] wickedness &c; malice, malevolence, spitefulness; malignancy; venom, virulence; evil disposition; unkindness; cruelty **-t** *adv* spitefully, unkindly &c; *det var ~ gjort av honom* that was a nasty (spiteful) thing of him to do
elast‖icitet elasticity **-icitets|gräns** elastic limit **-icitets|koefficient** coefficient of elasticity **-isk** *a* elastic; *göra ~* elasticize
eld **1** *äv. mil.* fire; *taga (fatta) ~* take (catch) fire; *göra upp ~* make a fire, light a (the) fire; *~en är lös!* fire, fire! *sätta (tända) ~ på* set fire to, set .. on fire; *ge ~* fire, begin firing; *öppna ~ mot, på..* open fire on..; *vara i ~en, under ~* be under fire; *gå i ~en (mil.)* go under fire; *koka vid sakta (häftig) ~* boil over a slow (quick) fire; *upphöra med ~en* cease firing **2** [vid rökning] [a] light; *vill du låna mig litet ~?* may I trouble you for a light? *slå (stryka, tända) ~ på en tändsticka* strike a match **3** *bildl. a)* [liv o. lust] fire, spirit; *b)* [eldighet, glöd] ardour; *c)* [entusiasm] enthusiasm; *gå i ~en för* fight for [*sina idéer* one's ideas]; *vara ~ och lågor för ..* be all aflame for .. *d) leka med ~en* play with fire; *gjuta olja på ~en* add fuel to the flame **-a** **I** *itr* light a fire (fires); *vi måste ~ här* we must light a fire here; *~ ordentligt* make a good fire; *~ på* keep up a good fire; *~ med kol* burn coal; *vi ~ med ved* we use wood for heating; *kan jag få ~t?* can I have a fire? **II** *tr* heat .., get .. hot [*med* with]; [ångpanna o. s. v.] fire; *pannan ~s med olja* the furnace is fired by oil; *~ upp a)* [uppvärma] heat; [under ångpannor o. s. v.] get up the fire[s *pl*]; *b)* [förbruka] burn up, consume; *c) bildl.* incite, inspire **-ande** **I** *s* lighting **II** *a* exciting, stirring, rousing **-are** stoker, fireman **-begängelse** cremation **-bokstäver** letters of fire (&c) **-brand** firebrand **-dop** baptism of fire; *få sitt ~ (äv.)* be under fire (smell powder) for the first time **-durk** *sjö.* stokehold platform **-effekt** *mil.* fire effect **-fara** risk (danger) of fire, fire-risk; *vid ~* in case of fire **-farlig** *a* inflammable; *~a ämnen* inflammables **-farlighet** inflammability **-fast** *a* fire-proof; *kem.* fixed [*salter* salts]; *~ lera* fire-clay; *~ tegel* fire-brick[s *pl*] **-fasthet** fire-proof quality, refractoriness **-flamma** flame of fire **-fluga** fire beetle, firefly **-fängd** *a* inflammable; *bildl. äv.* fiery **-fängdhet** inflammability *äv. bildl.* **-färg** **1** [brandgul] fiery red **2** [skyddsfärg] fireproof paint **-färgad** *a* flame-coloured **-förberedelse** *mil.* preparatory fire **-gaffel** poker **-galler** fire-guard, grate **-gap** fiery furnace **-givning** firing **-givnings|signal** signal for firing **-gnista** spark [of fire] **-hastighet** rate of fire **-hav** sea (ocean) of fire **-hjul** catherine wheel **-håg** fiery ardour **-härd** seat of the (a) fire **-härdig** *a* fire-resisting **-härjad** *a* fire-ravaged **-ig** *a* fiery [*äv. vin* wine], ardent, passionate **-ighet** fire, ardour, passion **-järn** fire-irons *pl* **-kastare** flame-thrower **-klot** fire-ball **-kol** live coal[s *pl*] **-kraft** firing power **-kvast** puff of fire and smoke **-ledare** *mil.* fire controller **-ledning** *mil.* fire control (direction) **-linje** *mil.* firing-line **-mätare** pyrometer **-ning** lighting of fires (a fire); *~ med ved* wood-firing; [på ångbåt o. s. v.] stoking; *med ~ och städning* fires and attendance included **-nings|apparat** [mechanical) stoker
Eldorado El Dorado
eld‖orm fire-snake **-pelare** pillar of fire **-prov** **1** [undersökning av ämnes äkthet] fire test **2** [gudsdom o. *bildl.*] ordeal by fire **-raka** *sjö.* fire-rake **-redskap** fire-irons *pl* **-rum** [pannrum] *a) sjö.* stokehold, stokehole; [på lok] fire-box; *b)* [i hus] furnace-room **-röd** *a* red as fire, flaming red; [om hår] carroty; *hon blev ~* she blushed crimson **-rör** **1** [i ångpanna] fire-tube **2** *mil.* barrel, tube **-rörs|panna** fire-tube boiler **-signal** signal for firing **-själ** soul of fire **-skada** damage caused by fire **-sken** firelight **-skrift**, *i ~* in letters of fire **-skur** burst of fire **-skyffel** fire-shovel **-skärm** fire-screen **E-s|landet** Tierra del Fuego **-s|ljus** [*vid* by] candlelight (artificial light) **-slukare** fire-eater **-s|låga** fire-flame **-släckare** [apparat] fire extinguisher **-släckning** fire-extinction; *~s-arbetet pågår* the work of extinguishing the fire is still going on **-släcknings|-anordningar** fire-extinction arrangements **-släcknings|apparat** fire extinguisher **-släcknings|manskap** firemen *pl* **-s|ländare** **-s|ländsk** *a* Fuegian **-s|olycka** fire **-sprutande** *a* fire-vomiting; *poet.* fire-breathing; *~ berg* volcano **-stad** *allm.* fire-place; [kamin, kakelugn] stove; [på lok] fire-box; [på ångbåt] furnace; *ett hus med 40 eldstäder* a house containing 40 fireplaces **-stod** *bibl.* pillar of fire **-strid** *mil.* gunfire contest **-strimma** streak of fire **-stråle** jet (spurt, flash) of fire **-stål** fire-steel **-s|våda** fire; [stor] conflagration; *vid ~* in case of fire **-s|vådetillbud** beginning of a fire **-säker** *a* fire-proof **-tång** fire-tongs *pl* **-understöd** *mil.* fire support **-vapen** *mil.* fire-arm **-vatten** fire-water **-verkan** *mil.* fire-effect **-yta** heating-surface
elefant elephant **-bete** elephant's tusk **-förare** elephant driver **-hanne** male (bull) elephant **-hona** female (cow) elephant **-iasis** *läk.* elephantiasis; [*motsv. adj.* elephantiac] **-jakt** elephant-hunting; [enstaka] elephant-hunt **-orden** Order of the Elephant **-snabel** elephant's trunk **-unge** young (calf) elephant
elegan‖s elegance; [smakfullhet] style; [stass] finery; *vilken ~* what style! [prakt] splendour, grandeur; [i uppträdande] refinement, polish; *skönhet och ~* beauty and fashion **-t** *a* **1** [om kläder] stylish, fashionable, smart, tasteful **2** [om uppträdande] refined, distinguished **3** [om stil, språk] elegant
eleg‖i elegy [*över* on] **-isk** *a* elegiac
elektor elector **-s|kollegium** electoral college
elektricitet electricity **-s|arbetare** electric-works operator **-s|förbrukning** consumption of electricity **-s|lära** electricity **-s|maskin** electric machine **-s|mätare** electric meter, electrometer **-s|ransonering** electricity rationing **-s|utveckling** generation of

electricity **-s|verk** power-station, electric works *sg* o. *pl*

elektr||ifiera *tr* electrify **-ifiering** electrifying, electrification **-iker** electrician **-isera** *tr* electrify, electricize **-isk** *a allm.* [drift, energi, järnväg, kokare, lampa, ljus, motor, spänning, ström] electric; [behandling, energi, ingenjör, motstånd] electrical; *~ affär* electric outfitters' (electrician's) [business (shop)]; *~ anläggning* electric plant; *~ belysning* electric lighting; *~ lampa* electric lamp; [själva glödlampan] bulb; *~ ficklampa* torch; *~ ledning* electric wire (lead); *~ montör* electrical fitter; [telefon, telegraf] lineman, wireman; *~ ringklocka* electric bell; *~ spis* electric cooker (stove); *~ stöt* electric shock; *~ tändning* electric ignition; *~ ugn* electric furnace; *~ urladdning* electric discharge; *~t värmeelement* electric heater **-iskt** *adv* electrically [*laddad* charged] **-od** electrode

elektro||dynamik electrodynamics *sg* **-dynamisk** *a* electrodynamic **-for** electrophorus [*pl* -phori] **-ingenjör** electrical engineer **-kardiogram** electrocardiograph **-kemi** electrochemistry **-kemisk** *a* electrochemical **-lys** electrolysis **-lysera** *tr* electrolyze **-lyt** electrolyte **-lytisk** *a* electrolytic **-lytiskt** *adv* electrolytically **-magnet** electromagnet **-magnetisk** *a* electromagnetic **-magnetism** electromagnetism, electromagnetics *pl* **-maskinlära** electrical engineering **-mekanik** electromechanics *pl* **-mekanisk** *a* electromechanical **-metallurgi** electrometallurgy **-meter** electrometer **-motor** electromotor **-motorisk** *a* electromotive [*kraft* force] **-n** electron **-n|hjärna** electronic brain (computor) **-n|rör** electronic valve **-optik** electro-optics *sg* **-optisk** *a* electro-optical **-plätera** *tr* electroplate **-plätering** electroplating **-skop** electroscope **-statik** electrostatics *pl* **-statisk** *a* electrostatical [*tryck* pressure, stress] **-stål** electrosteel, electric steel **-teknik** electrotechnics *pl* **-tekniker** electrician **-teknisk** *a* electrotechnical **-terapi** *läk.* electrotherapy, electropathy **-termisk** *a* electrothermic **-typ** electrotype **-typi** electrotypy

element **1** *allm.* element; *de fyra ~en* the four elements; *i (icke i) sitt rätta ~* in (out of) one's right element; *~erna av nationalekonomi* the elements (rudiments) of political economy **2** [laddflaska o. s. v.] cell; *galvaniskt ~* galvanic cell **3** [värme-] radiator

elementar||analys elementary analysis **-bok** primer (text-book) [*i* of] **-läroverk** secondary school **-undervisning** secondary[-school] education **-teori** *kem.* radical theory

elementär *a* **1** [grundläggande] elementary; *~ undervisning* elementary instruction; *på det ~a stadiet* (*skol.*) in the lower-school forms **2** [grundämnes-] elemental

elev *allm.* pupil; [vid högskola o. kurser] student; [i yrke] learner; [sjuksköterske-] probationer; [bank-, kontors-] junior [clerk]; [lärling] apprentice; *skolans f. d. ~er* the old boys (girls &c) **-antal** number of pupils **-arbete** pupil's production (work); apprentice task

elevat||ion elevation **-ions|vinkel** angle of elevation **-or** elevator; [för tungt gods] hoist

elev||avgifter pupils' fees **-hem** [school] boarding-house **-kurs** **1** [undervisning] qualifying course for entrance [*i postverket* into the postal service] **2** [eleverna] set [of pupils] **-skola** *teat.* [dramatic] training school **-tid** period of training **-uppvisning** performance of pupils **-utbildning** training of pupils

elfenben ivory; *av ~* ivory . . **-s|färg** ivory [colour] **-s|färgad** *a* ivory-coloured **-s|inläggning** ivory inlay **-s|lik[nande]** *a* ivory [-like] **-s|torn** ivory tower

elfte eleventh; *Karl den ~* Charles XI (the Eleventh); *i ~ timmen* at the eleventh hour **-del** eleventh [part]

Elia[s] **1** [profet] Elijah **2** [i N. Test. o. modernt] Elias

elider||a *tr* elide **-ing** elision

elimin||ant *mat.* eliminant **-era** *tr* eliminate **-ering** elimination

Elisabet Elizabeth **e~ansk** *a* Elizabethan [*tidevarv* age]

elision elision

elit élite *fr.*, pick, choice; *en ~ av . .* a picked group of . .; *~en av . .* the [very] pick of . . **-klass** élite class **-kår** corps d'élite *fr.* **-manskap** picked troops *pl* **-regemente** crack regiment **-trupp** picked (crack) troop

elixir elixir

eljes[t] = *annars*

elkokare electric kettle

eller *konj* **1** *allm.* or; *antingen ~* either . . or; *~ också* or [else]; *~ dylikt* or something like that; *om . . ~* whether . . or **2** [efter varken] nor; *varken denna månad ~ nästa* neither this month nor the next

ellip||s **1** *geom.* ellipse **2** *språkv.* ellipsis [*pl* ellipses] **-s|form** elliptic form **-s|formad** **-s|formig** *a* elliptic, oval **-tisk** *a* **1** *geom.* elliptic [projection] **2** *språkv.* elliptical [*uttryck* phrase]

elmotor electric motor

elms|eld St. Elmo's fire, corposant

eloge praise, commendation, eulogy; *ge ngn en varm ~* praise a p. warmly, sing a p.'s praise, eulogize a p.

elransonering electricity rationing

Elsass Alsace **e~are** **e~isk** *a* Alsatian **-Lothringen** Alsace-Lorraine

elva *räkn.* eleven; *sms* jfr *fem-* **-hundratalet** the twelfth century **-tiden,** *vid ~* round about eleven **-tåget** the eleven o'clock train **-årig** *a* eleven-year old **-åring** child of eleven

elys||é Elysium **-eisk** *a* Elysian

elytron *zool.* elytron [*pl* elytra]

eländ||e *allm.* misery; [nöd] distress; [mindre svårt] misfortune, bad luck; [obehag] nuisance; *bringa* (*driva, störta*) *i ~* reduce . . to misery; *vara i största ~* be in the utmost distress **-ig** *a* miserable, wretched

e. m. [förk. av *eftermiddagen*] p. m.

emalj enamel **-arbete** enamelling; [a piece of] enamel-work **-beläggning** enamel coat **-era** *tr* enamel; *~de kärl* enamel-ware *sg*, enamelled vessels **-ering** enamelling **-färg** enamel-paint **-målning** enamel-painting **-varor** enamelled goods **-öga** artificial (glass) eye **-ör** enameller

emanation emanation

emancip||ation emancipation **-era** *tr* emancipate **-ering** = *-ation*

emanera *itr* emanate

emball||age packing, package; *vårt pris innefattar ~* our price includes packing; *inklusive* (*exklusive*) *~* packing included (excluded); *utan ~* package extra; *~t återsändes* empties (crate) returnable **-era** *tr* pack [up], embale **-ering** packing **-erings|kostnad** package cost

embargo embargo; *lägga ~ på . .* lay (place, put) an embargo on . ., embargo . . [*fartyg* vessel]; *upphäva ~* take off (raise, remove) an embargo

embarker‖**a** *itr* embark, go on board **-ing** embarking, embarkation **-ings**|**kort** [för båt o. flyg] boarding pass (card)
emblem emblem
embryo embryo [*pl* embryos] **-cell** embryo cell **-log** embryologist **-logi** embryology **-logisk** *a* embryological **-nal** *a* embryonic **-säck** embryo sack
emedan *konj* [därför att] because; [eftersom] as, since, seeing [that]; [*äv.* particip] ~ *han var sjuk, kunde han inte komma* being ill, he could not come
emellan I *prep* [jfr *mellan*] *a)* [om två] between; ~ *London och Cardiff* between L. and C.; *jag väntar honom* ~ *fyra och fem* I expect him between four and five [o'clock]; *oss* ~ *sagt* between ourselves; *detta stannar oss* ~ this remains strictly between ourselves; *vänner* ~ between friends; *b)* [om flera] among; *de försvunno* ~ *träden* they disappeared among the trees; *förmögenheten delades* ~ *sönerna* his (o. s. v.) fortune was divided among his (o. s. v.) sons; *c)* [i st. f. genitiv] of; *mötet* ~ *de båda presidenterna* the meeting of the two presidents; *förhållandet* ~ *export och import* the proportion of exports to imports **II** *adv* between; [tillsammans med andra uppslagsord, se dessa]; *ge* . . ~ [vid köp] give . . into the bargain **-åt** *adv* occasionally, sometimes, at times; *allt* ~ every now and then
emellertid *adv* o. *konj* however
emend‖**ation** emendation **-ator** emendator, emender **-era** *tr* emend, emendate
emeritus I *s* emeritus [*pl* emeriti] **II** *a, professor* ~ emeritus professor
emfa‖**s** emphasis **-tisk** *a* emphatic
emigr‖**ant** emigrant; [politisk flykting] refugee **-ant**|**agent** emigrant-agent (-touter) **-fartyg** emigrant-ship **-ant**|**lag** Emigration Act **-ant**|**ångare** emigrant-ship **-ation** emigration **-era** *itr* emigrate
emin‖**ens,** *Hans (Ers)* ~ His (Yours) Eminence **-ent** *a* pre-eminent
emir emir
emissarie emissary
emission *hand.* [direkt] issue [*av aktier* of shares]; [indirekt] underwriting **-s**|**bank** (**-s**|**kurs**) bank (rate) of issue
emitt‖**ent** issuer **-era** *tr* issue [*aktier* shares]
emma[**stol**] easy chair
e-moll E minor
emot I *prep* jfr *mot* o. andra uppslagsord, t. ex. *gå, säga, tala; a)* [beröring, stöd; hinder, motstånd, fiendskap; skydd, försvar] against; *han pressade handen* ~ *pannan* he pressed his hand against his forehead; *luta sig* ~ *en vägg* lean against a wall; *alla voro* ~ *honom* everybody was against him; *handla (kämpa, protestera)* ~ . . act (fight, protest) against . .; *försäkra* ~ *olycksfall* insure against accidents; *för och* ~ for and against; *skälen för och* ~ (*äv.*) the pros and cons; *b)* [motsats, ömsesidighet, utväxling] against; *väga en sak* ~ *en annan* weigh one thing against another; *trassera* ~ *faktura* draw against invoice; *c)* [riktning; bort~, åt . . till] towards; *allas ögon voro riktade* ~ *honom* everybody's eyes were directed towards him; *han gick* ~ *stationen* he walked towards the station; *d)* [läge mitt~] opposite [to]; *mitt~ postkontoret* exactly opposite the post-office; *e)* [tid] towards; ~ *kvällen* towards evening; *bort~ klockan sex* towards six [o'clock]; *f)* [tvärt~] contrary to [*mina önskningar* my wishes]; *det bär mig* ~ it goes against the grain; *g)* [i jämförelse med] to; *du är bara ett barn* ~ *honom* you are but a child to him; *det är ingenting* ~ *vad jag har sett* it is nothing to what I have seen **II** *adv* se de enskilda uppslagsorden, t. ex. *köra, stöta* o. s. v.
emot‖**se -stå -taga -tagande -tagare -taglig** se *motse, motstå* &c
empir‖**isk** *a* empiric[al] **-stil** *konst.* Empire style
emser‖**salt (-vatten)** Ems salt (water)
emulsion emulsion **-s**|**artad** *a* emulsive **-s**|**färg** emulsion paint
1 en *a)* [buske] [common] juniper; *b)* [trä] juniper[-wood]
2 en *adv* [ungefär] about, some; *han har varit borta* ~ *fjorton dar* he has been away for about a fortnight; ~ *tjugo minuter* some twenty minutes
3 en [se även *ett*] **I** *räkn.; a) allm.* one; ~ *för alla och alla för* ~ jointly and severally; ~ *gång* once; ~ *och* ~ one by one; ~ *i sänder* one at a time; ~ *och samma* one and the same; *b)* [~ till, ytterligare ~] another; *tag* ~ *kopp te till* take another cup of tea **II** *obest. art; a) allm.* a, an; *b)* [framför vissa subst.] a piece of; ~ *nyhet (upplysning)* a piece of news (information); *c)* [i vissa tidsuttryck] one; ~ *dag (söndag) fick jag ett brev* one day (Sunday) I got a letter **III** *obest. pron; a)* = *man; b)* [kasusform av *man*] one, me, you; *han får* ~ *alltid att skratta* he always makes one (me, you) laugh; *~s egna pengar* one's own money; *c) den ~e* . . *den andre* [the] one . . the other; *den ~a halvan* [the] one half; *min ~a arm* one of my arms; *den ~a efter den andra* one after another; *från det ~a till det andra* from one thing to another
en- i *sms* one-, single-; *vetensk.* mono-, uni-
en‖**a I** *tr* [förena] unite; [göra till enhet] unify; [förlika] conciliate **II** *rfl* = [bli] *enig* o. [*komma*] *överens* **-ahanda I** *a* [lik] identical, same; [enformig] monotonous **II** *s* sameness, monotony **-aktare** one-act play, one-acter **-ande I** *a* [förenande] uniting, unifying; [förlikande] conciliating **II** *s* uniting, unification; [förlikning] conciliation **-armad** *a* one-armed **-as** *dep* agree [*om* on] **-a**|**stående I** *a* unique, exceptional; [friare] matchless, extraordinary **II** *adv* exceptionally, extremely; *hon sjunger* ~ she sings extremely well **-atomig** *a* one-atomed, monatomic **-bar** *a* mere **-bart** *adv* merely; [uteslutande] solely **-bent** *a* one-legged **-bet**[**t**] *adv, köra (åka)* ~ drive one horse **-bets**|**vagn** one-horse carriage **-bladig** *a* **1** *bot.* one-leafed, monophyllous; [blomkrona] monopetalous; [blomfoder] monosepalous **2** [verktyg] one-bladed **-blommig** *a* one-flowered
en‖**buske (-bär)** juniper bush (berry) **-bärs**|**brännvin** gin
encellig unicellular, one-celled
encykl‖**ika** encyclic[al] **-opedi** encyclop[a]edia **-opedisk** *a* encyclop[a]edic
encylindrig *a* single-cylinder [*motor* engine]
end‖**a (-e)** *a* only, sole, single, one; *han är* ~ *barnet* he is an only child; *den* ~ *överlevande* the only (sole) survivor; *det* ~ *vi kunna göra* the only thing we can do; *en* ~ *liten bit* one little bit; *en* ~ *gång* just once; *denna* ~ *vän* this one friend; *inte en* ~ *vän* not a single friend **-ast** *adv* only; ~ *för herrar* for men only
endemi *läk.* endemic disease **-sk** *a* endemic
endera I *pron* one [or the other] of the two; ~ *dagen* some day or other, one of these days **II** *konj* = *antingen*

endivsallad endive
endoss‖at *hand.* endorsee **-ement** *hand.* endorsement; *fullständigt ~* endorsement in full; *~ utan förbindelse* endorsement without recourse; *kvalificerat ~* qualified endorsement; *öppet ~* blank endorsement **-ent** *hand.* endorser **-era** *tr hand.* endorse **-erbar** *a* endorsable **-ering** endorsement
en‖dräkt concord, harmony; unanimity **-dräktig** *a* harmonious, united **-däckare** *sjö., flyg.* single-decked vessel (aeroplane), single-(one-)decker; *flyg. äv.* monoplane
energi energy; se *äv. kraft* **-besparande** *a* energy-saving **-förbrukning (-förlust)** consumption (loss) of energy **-knippe** bundle of energy **-källa** source of energy **-mängd** amount of energy **-omvandling** transformation of energy
energisk *a* [full av energi] energetic [*i* in (at)]; [kraftfull] vigorous [*åtgärd* measure, step]
energi‖utstrålning radiation of energy **-överföring** transmission of energy (power)
enerver‖a *tr* enervate, unnerve **-ande** *a* enervating, trying
enfaceporträtt full-face portrait
enfald simplicity; [dumhet] silliness, foolishness, stupidity **-ig** *a* silly, foolish, stupid
enfamiljs- i *sms* one-family (detached, self-contained) [*hus* house]
enfas- i *sms* one-(single-)phase [*motor* motor; *växelström* alternating current]
en‖formig *a* monotonous, dull **-formighet** monotony, dullness **-fotad** *a* one-footed, uniped **-färgad** *a* one-coloured; [om ljus, målning] monochromatic **-född** *a bibl., hans ~e son* His only begotten Son
engag‖emang **1** *teat.* engagement **2** *hand. a)* [förpliktelser] engagements (liabilities, obligations) *pl; infria (fylla) sina ~* meet one's engagements (liabilities); *stora ~* heavy engagements; *b)* [penningplacering] investment; *stora ~* large investments; *c)* [order om köp el. försäljn.] commitment **-era** **I** *tr* **1** [anställa] engage **2** [förplikta] engage, commit **II** *rfl* commit o.s. [*för en politik* to a policy; *till ett belopp av* for a sum of]; *vara starkt ~d i* be deeply committed (engaged, involved) in
engelsk *a* English; [om hela riket, väldet] British; *E~a kanalen* the [English] Channel; *~a kyrkan* [institution] the Church of England; *~t rött* English red; *~t salt läk.* Epsom salts *pl; ~a sjukan (läk.)* [the] rickets, rachitis; *~a språket* the English language, English **-a** **1** [språk] English; *på ~* in English; *översätta till ~* translate into English **2** [kvinna] Englishwoman, English lady **-fientlig** *a* anti-English, Anglophobe **-fientlighet** Anglophobia **-fransk** *a* Anglo-French **-född** *a* English-born **-svensk** *a* Anglo-Swedish; *~ ordbok* English-Swedish dictionary **-talande** *a* English-speaking **-vänlig** *a* pro-English, Anglophil **-vänlighet** pro-Englishism, Anglophilia
engels‖man Englishman; *-männen a)* [några stycken] the Englishmen; *b)* [nationen] Englishmen, the English
engifte monogamy; *leva i ~* be monogamous
England England; [officiellt] the United Kingdom; [med tanke på helheten ofta] Britain, Great Britain
en gros *adv* [by] wholesale
engros‖affär (-firma) wholesale business (house)
engångskostnad initial outlay; *för en ~ av . .* at an inclusive cost of . .
enhet [-lighet] unity; [en ~, månts-, *mil.*] unit **-lig** *a* [begrepp o. d.] unitary; [likformig] uniform, conformable, homogeneous; [om typ o. d.] standardized **-lighet** unitariness; unity; uniformity, conformity, homogeneity; standardization **-s|front** united front **-s|pris** standard price **-s|skola** unified school system; comprehensive school **-s|tanke** unification idea **-s|verk** work of unification
en‖hjulig *a* one-wheeled **-hällig** *a* unanimous **-hällighet** unanimity **-hörning** unicorn
enig *a* **1** = *enhällig* **2** [enad] united; [ense] of one opinion, agreed; *bli ~[a]* come to an agreement [*om* as to] **-het** unity [*ger styrka* is strength]; unanimity; *äv.* agreement; *i ~ens tecken* in [complete] unanimity
en‖kammarsystem one-chamber system **-kannerligen** *adv* [more] particularly
enkel *a* **1** single [*bredd* breadth; *porto* postage] **2** simple [*medel* means *sg* o. *pl; vanor* habits]; [flärdlös] *äv.* plain; *~ bokföring* single-entry book-keeping; *en ~ gärd av rättvisa* a mere act of justice; *~ kost* simple (plain, frugal) fare; *en vanlig ~ människa* just an ordinary person; *känna sig ganska ~* feel very small **-biljett** single (*Am.* one-way) ticket **-fönster** single window **-gängad** *a* single-thread [*skruv* screw] **-het** jfr *enkel* **1** singleness **2** simplicity **-hytt** single cabin **-knäppt** *a* single-breasted **-pipig** *a* single-barrelled **-riktad** *a* one-way [traffic] **-rum** single room **-spår** *järnv.* single track **-spårig** *a* single-track[ed] **-t** *adv* jfr *enkel* **1** singly **2** simply &c; *helt ~* simply **-vävd** *a* single-weave
enkom *adv* purposely, especially, expressly; *~ för att . .* for the sole purpose of . . -ing
enkrona, *en ~* a one-krona [piece]
enkät [newspaper] enquiry, enquête *fr.*
enkönad *a* unisexual, of like (the same) sex
enlever‖a *tr* run away with **-ing** abduction
enlig‖het, *i ~ med* in accordance (conformity) with **-t** *prep* according to; *äv.* by [*kontrakt* contract]; *hand. äv.* as by [*faktura* invoice]; *~ min uppfattning* in my opinion
enmans‖hytt (-säng) single cabin (bed) **-valkrets** single-member constituency
en‖mastare single-masted vessel **-motorig** *a* single-engined
enorm *a* enormous, immense **-t** *adv* enormously &c
en‖plans|villa *ung.* bungalow **-procentig** *a* one-per-cent . . **-radig** *a* [kavaj] single-breasted
enris juniper twigs *pl*
enroller‖a *tr* enrol, enlist **-ing** enrolment &c
enrum, *i ~* in private; *tala i ~ med . .* have a private interview with . . **-s|lägenhet** one-room flat (*Am.* apartment)
1 ens *a sjö.* in line with each other
2 ens *adv* **1** *med ~* all at once **2** *inte ~* not even; *utan att ~ säga . .* without even saying . .
ensak, *det är min ~* it is my [private] affair (my [own] business, **F** my look-out)
ensam *a* **1** [enda] sole [*innehavare* proprietor] **2** [*vara* be] alone; [*känna sig* feel] lonely; [-stående] solitary; *bli ~* be left alone; *~ i sitt slag* unique of its kind; *en olycka kommer sällan ~* misfortunes seldom come singly; *flyga ~* fly solo; *vara ~ om* [företag] undertake . . alone; [förmån] have . . all to o.s.; *vara ~ sökande* be the only applicant **-cell** solitary cell **-flygning** solo flight **-försäljare** sole agent [*av* for] **-försäljning[srätt]** exclusive [right of] sale **-het** **1** solitariness; jfr *ensam 1* **2** loneliness; *i ~en* in [one's] solitude **-hets|känsla** feeling of loneliness **-jungfru** maid-of-all-work, general [servant] **-rätt** sole right[s *pl*] **-stående** *a* solitary; isolated; [fri-] detached

-t *adv* alone; by itself; ~ *liggande* solitary, isolated
ens‖artad *a* uniform, homogeneous **-e** *a* agreed; jfr *enig 2; bli* ~ *om* agree upon, come to terms (an agreement, an understanding) about; *vara* ~ be agreed [*om* about]; agree [*om att* that]
ensemble ensemble
en‖sidig *a* one-sided *äv. bildl.;* limited in one's interests; [partisk] biassed, prejudiced **-sidighet** one-sidedness &c; prejudice **-siffrig** *a* one-figure **-sitsig** *a* single-seated; single-seater [*äv.:* ~ bil, ~t flygplan] **-skil|d** *a* **1** [privat] private [person, room]; [åsikt] *äv.* personal; *för min* ~*a del* personally; ~ *personer* (*äv.*) individuals; *-t område* private property (grounds *pl*) **2** [enstaka] individual **-skildhet** privacy; ~*er* [detaljer] particulars
ens‖lig *a* solitary, lonely **-lighet** solitariness &c, solitude **-ligt** *adv* solitarily; ~ *belägen* solitary, isolated **-ling** = *enstöring* **-märke** *sjö.* leading mark
en‖spårig *a* single-track; ~ *järnväg* monorail **-spänd** *a* .. with one horse **-spännare** one-horse vehicle &c **-staka** *a* **1** [enskild] separate, detached **2** [sällsynt] exceptional [*fall* instance]; *äv.* isolated [*fall* cases *pl*]; *någon* ~ *gång* once in a while **-stavig** *a* onesyllabled, monosyllabic; ~*t ord* monosyllable **-stämmig** *a* unanimous; *mus.* unisonous **-stämmigt** *adv* unanimously; *mus.* in unison **-ständigt** *adv* importunately, persistently **-störing** recluse, hermit **-takts|motor** one-stroke engine **-tal 1** *mat.* unit **2** *språkv.* [*i* in the] singular
entente entente *fr.; E~n* [1914—18] *äv.* the Allies *pl*
entita marsh-titmouse
entledig‖a *tr* dismiss, discharge **-ande** *s* dismissal, discharge
entomolog entomologist **-i** entomology **-isk** *a* entomological
entonig *a* monotonous **-het** monotony
entré 1 entrance; [intåg] entry; *göra sin* ~ appear on the scene, make an entry **2** = *-avgift; fri* ~ admission free **-avgift** admission-(entrance-)fee **-biljett** ticket of admission
entreprenad contract [by tender]; *utbjuda* .. *på* ~ solicit tenders for ..; *taga* [*bygget*] *på* ~ sign a contract [for the house] **-anbud** tender **-kontrakt** contract-by-tender agreement [*på* for]
entre‖prenör contractor **-sol[våning]** entresol
enträg‖en *a* pressing [*inbjudan* invitation]; urgent [*begäran* request]; earnest [*bön* prayer]; [envis] insistent; [efterhängsen] importunate **-enhet** urgency; earnestness; insistence; importunity **-et** *adv* pressingly &c; ~ *be ngn att* implore (entreat, beseech) a p. to
entusias‖m enthusiasm **-mera** *tr* inspire .. with enthusiasm **-t** enthusiast **-tisk** *a* enthusiastic; *äv.* keen [*för* on]
entydig *a* univocal, unambiguous; unequivocal
envar *pron* everybody
envig duel, single combat
envinga|d, *-t flygplan* monoplane
envis *a* obstinate, stubborn; [pers.] *äv.* headstrong; [ihärdig] dogged; [om sak] *äv.* persistent **-as** *itr dep* be obstinate &c; ~ [*med*] *att* .. persist in .. -ing **-het** obstinacy, stubbornness, persistency
envoyé envoy
envåldshärskare absolute ruler, dictator
envåningshus one-stor[e]y house

enväld‖e absolutism; absolute power; despotism **-ig** *a* absolute; despotic, autocratic
enzym enzyme
enäggstvillingar identical twins
enär *konj* = *eftersom 1*
en‖ögd *a* one-eyed **-ögdhet** blindness of (in) one eye **-örad** *a* one-eared; [kärl] one-handled
eon œon, eon
epidem‖i epidemic **-i|sjukhus** infectious diseases hospital **-isk** *a* epidemic
epi‖gon epigone **-gram** epigram **-grammatisk** *a* epigrammatic
epik epic poetry **-er** epic poet
epikur‖é Epicurean; [goddagspilt] epicure **-eisk** *a* epicurean
epilep‖si epilepsy **-tiker** o. **-tisk** *a* epileptic
epilog epilogue
episk *a* epic
episkopal *a* episcopal
episod episode, incident **-isk** *a* episodic
epistel epistle
epi‖tafium sepulchral tablet **-tet** epithet
epok epoch; *bilda* ~ form an epoch **-görande** *a* epoch-making
epos epos, epic
epålett epaulet
er = *eder*
era *s* era, æra
erbarmlig *a* despicable; [ynklig] pitiable; [eländig] wretched
erbjud‖a I *tr* **1** [med personsubj.] offer [*sina tjänster* one's services; *facila priser* easy prices]; *han har blivit -en att* [*resa*] (*äv.*) he has been invited to [go] **2** [med saksubj.] present [*en vacker utsikt* a fine view]; [giva] afford, *äv.* provide [*ett skydd mot* a shelter from] **II** *rfl* offer; *äv.* volunteer; [tillfälle] offer itself; occur, arise **-an** offer **-ande** *s* offering; [anbud] offer
eremit hermit **-boning** hermitage **-kräfta** hermit crab
erfar‖a *tr* **1** [få veta] learn [*av* from]; *äv.* hear, get to know **2** experience (feel) [*smärta* pain] **-en** *a* experienced, practised; [skicklig] skilled (versed) [*i* in] **-enhet** experience; *av* ~ from [one's own] experience; *brist på* ~ inexperience; *jag gjorde den* ~*en att* my experience was that **-enhets|mässig** *a* acquired by experience
erford‖erlig *a* requisite, necessary **-ra** *tr* require, need, want; *äv.* demand, call for; *om så* ~*s* if required &c, if necessary
erhåll‖a *tr* **1** [få] receive [orders]; [bli beviljad] *äv.* be awarded (granted) **2** [skaffa sig] obtain, get; *äv.* procure; [~ med obj. ofta: ~ *order* = *beordras,* ~ *vård* = *vårdas*]; *jag har -it* [*ert brev*] (*hand.*) I am in receipt of ..; ~ *tillträde till* be admitted to; ~ [*tio poäng*] score ..; [*huset*] *erhöll allvarliga skador* .. was seriously damaged **-ande** *s* **1** receiving, receipt; jfr *mottagande* **2** obtaining; *för* ~ *av vård* to be nursed
erinr‖a I *tr* o. *itr* **1** remind [*ngn om ngt* a p. of a th.]; ~ *om* [likna] resemble **2** [invända] *däremot har jag ingenting att* ~ I have no objection to make to that **II** *rfl* remember, *äv.* recollect, recall; *som man torde* ~ *sig* as will be remembered **-an** reminder [*om* of]; [varning] admonition [*om* as to]; [invändning] objection **-ing 1** = *-an* **2** [hågkomst] recollection, remembrance **-ings|förmåga** power of recollection
erkän‖d *a* acknowledged, accepted, recognized; established [*författare* writer] **-na 1** *tr* acknowledge; [medge] *äv.* own, admit; [godkänna] recognize, accept; *vi* ~ *mottagandet av Eder ärade skrivelse av* ..

(*hand.*) we beg to acknowledge receipt of your favour of .. **II** *rfl* acknowledge o.s. [*besegrad* defeated] **-nande** *s* acknowledgement; admission; recognition **-nans|värd** *a* deserving (worthy) of recognition **-n|sam** *a* appreciative [*för* of]; grateful [*för* for] **-n|samhet** appreciativeness; gratitude **-sla** gratitude [*mot* to]; *kontant* ~ consideration [in cash] **-t** *adv* admittedly [good result]
erlägg||a *tr* pay; ~ *likvid* effect payment, pay **-ande** *s* paying, payment; *mot* ~ *av* on payment of
Ernst Ernest
ernå *tr* attain; jfr *2 nå I*
ero||dera *itr* erode **-sion** erosion
erot||ik erotism **-isk** *a* erotic
ersätt||a *tr* **1**, ~ *ngn för* .. make up to a p. for .., compensate a p. for ..; ~ *förlusten* (*skadan*) make good (up for) the loss (damage) **2** [fylla ngns el. ngts plats] replace, *äv.* take the place of .. **-are** substitute; [efterträdare] successor **-bar -lig** *a* replaceable, dispensable **-ning 1** compensation; [skade-] indemnity, restitution; [betalning] remuneration **2** [surrogat] substitute **-nings|anspråk** claim to compensation (damages) **-nings|delar** ⊕ spare parts **-nings|medel** substitute **-nings|plikt** liability **-nings|skyldig** *a* (**-nings|talan**) liable (plea) for damages
ertappa I *tr* catch [*ngn i färd med att* a p. ..-ing] **II** *rfl* catch o.s. [*med att tänka* thinking]
erupt||ion eruption **-iv** *a* eruptive
erövr||a *tr* conquer; [intaga] capture; win [[*ett*] *pris* a prize] **-are** conqueror **-ar|folk** nation of conquerors
erövring conquest; capture **-s|krig** war of conquest (aggression), aggressive war **-s|lysten** *a* .. eager for conquest, aggressive **-s|lystnad** (**-s|planer**) thirst (schemes) for conquest **-s|politik** policy of conquest (aggression) **-s|tåg** aggressive invasion
Esaias Isaiah; [i Nya Test.] Esaias
eskader squadron; fleet; *flyg.* group, *Am.* wing **-chef** squadron leader; *flyg.* group captain, wing commander **-flygning** formation flying
eskap||ad escapade **-ism** escapism
eskimå Eskimo **-isk** *a* Eskimo
eskort -era *tr* escort, convoy
Esopus Æsop, Aesop
esplanad esplanade
1 espri [kvickhet] esprit *fr.*, wit
2 espri [fjäderspröt] osprey plume
1 ess = *äss*
2 ess *mus.* E flat
esse, *vara i sitt* ~ really enjoy o.s.; feel perfectly happy
essen||s essence **-tiell** *a* essential
essä essay **-ist** essayist **-samling** collection of essays
est Estonian
estet aesthete **-ik** aesthetics *sg* **-iker** aesthetician **-isk** *a* aesthetic **-snobb** aesthetic dandy, dude
Est||land Estonia **e-ländare e-ländsk** *a* Estonian **e-ländska 1** [språk] Estonian **2** [kvinna] Estonian woman **e-nisk**[a] = *-ländsk*[*a*]
estrad platform, dais
e-sträng *mus.* E string
etabl||era 1 *tr* establish **II** *rfl* set up [in business] for o.s. [*som* as a] **-issemang** establishment
etapp *mil.* **1** [plats] halting-place; [friare] stage, lap **2** [förråd] depot **-linje** supply line **-väsen** supply-service system
etcetera *adv* et cetera: *förk.* etc., &c

eter ether **-isk** *a* ethereal **-kropp** ethereal body **-narkos** ether anaesthetic
eternit asbestos cement
eter||rus (-våg) ether intoxication (wave)
etik ethics *sg* **-er** moral philosopher
etikett 1 *konkr* label *äv. bildl.* **2** *abstr* etiquette **-era** *tr* label **-s|brott** breach of etiquette **-s|fråga** question of etiquette
Etiop||ien Ethiopia **e-ier e-isk** *a* Ethiopian
etisk *a* ethical, moral
etno||graf ethnographer **-grafi** ethnography **-grafisk** *a* ethnographical **-log** ethnologist **-logi** ethnology
etrusk||er -isk *a* Etruscan
ets||a I *tr* etch **II** *rfl*, ~ *in sig* (*bildl.*) engrave itself **-are** etcher **-ning** etching **-nål** (**-plåt**) etching-needle (-plate)
ett = *3 en; klockan är* ~ it is one o'clock; *klockan halv* ~ [at] half past twelve; ~ [*är viktigt*] one thing ..; *i* ~ continuously; jfr [*i* ~] *sträck; i* ~ *för allt* all included; *det kommer på* ~ *ut* it is all one **-a** one; *komma in som god* ~ come in an easy first **-dera** = *endera*
etter I *s* poison; venom *äv. bildl.* **II** *adv,* ~ *värre* worse and worse **-myra** red ant
etthundra one (a) hundred
ettiden, *vid* ~ about one o'clock
ettrig *a* poisonous, venomous
ett||struken *a mus.* one-marked **-årig** *a* one year's; [årsgammal] one-year old; [växt] annual **-åring** one-year old child (o. s. v.); [djur] *äv.* yearling **-öring** one-öre piece
etui case; etui *fr.*
etyd *mus.* étude *fr.*, study
etyl[alkohol] ethyl [alcohol]
etymolog etymologist **-i** etymology **-isk** *a* etymological
eufemis||m euphemism **-tisk** *a* euphemistic
eukalyptusolja eucalyptus oil
Euklides Euclid
eunuck eunuch
Europ||a Europe **e-é** o. **e-eisk** *a* European
eutanasi euthanasia
Eva Eva; *bibl.* Eve
evad *pron,* ~ *som* whatsoever
evakuer||a *tr* evacuate; *en* ~*ad person* an evacuee **-ing** evacuation
evalvera *tr* [uppskatta] estimate; [omräkna] convert
evangel||iebok *Engl.* the Book of Common Prayer **-ie|text** gospel text **-isk** *a* evangelical **-isk-lutersk** *a* Evangelical[-Lutheran] **-ist** evangelist **-ium** gospel
evenemang [great] event
eventu||alitet eventuality; *för varje* ~ for every contingency **-ell** *a* possible, prospective; ~*a kostnader* any expenses incurred; [*tacksam för*] ~*a beställningar* (*hand.*) .. any orders that may be given **-ellt** *adv* possibly, perhaps; if desired (necessary, required); *jag kommer* ~ I may come
evertebrat *zool.* invertebrate
evid||ens, *till full* ~ *bevisad* proved to the full **-ent** *a* evident, obvious
evig *a* eternal, everlasting; [oupphörlig] perpetual; *den* ~*e* the Eternal one; *den* ~*a freden* perpetual peace; *det* ~*a livet* eternal (everlasting) life; *en* ~ *lögn* a confounded lie; *var* ~*a dag* every single day; *var* ~*a en* (*äv.*) every mortal one; *på* ~*a minuten* this very minute **-het** eternity; *i* ~ for ever; *aldrig i* ~ never in all my (o.s.v.) life; *vänta i* ~ wait for ages **-hets|längtan** yearning for things eternal **-hets|skruv** ⊕ endless screw **-hets|tro** belief in eternity
evinnerlig *a* eternal &c; jfr *evig*

evolution evolution **-s|teori** theory of evolution
evärd[e]lig *a* eternal; *för ~a tider* for ever (all time)
exakt *a* exact; precise **-het** exactitude; precision
exalt||ation exaltation **-erad** *a* exalted; excited
examen examination, **F** exam; *anmäla sig till ~* enter for an (the) examination [*i* in]; *avlägga ~* pass one's examination; *gå upp i ~* present o.s. (sit) for one's examination **-s|betyg** examination certificate **-s|feber** exam-funk; [suffer from] exam nerves *pl* **-s|fordringar** examination requirements **-s|nämnd** examination board **-s|plugg** cramming for an exam; jfr *plugg* 2 **-s|skrivning 1** *abstr* written examination **2** *konkr* examination paper **-s|tvång** compulsory examination[s *pl*] **-s|uppgift** examination paper **-s|väsen** examination system
examin||and examinee **-ation** examination **-ator** examinator **-era** *tr* examine; [växt] determine
excell||ens excellency; *Ers ~* Your Excellency **-era** *itr* excel [*i* in (at)]
excent||er ⊕ eccentric **-er|skiva** eccentric disc (sheave) **-ricitet** eccentricity **-risk** *a* eccentric
ex||ceptionell *a* exceptional **-cerpera** *tr* excerpt, make excerpts **-cerpt[lapp]** excerpt [slip] **-cess** excess; *~er* (*äv.*) orgies, outrages **-eget** exegete **-egetik** exegetics *sg* **-ekution** execution **-ekutions|betjänt** bailiff **-ekutiv** *a* executive [*kommitté* committee]; [*genom*] *~ auktion* [by] sheriff's sale **-ekutor** executor **-ekvera** *tr* execute
exempel example; [fall] instance; [prov[bit]] specimen; *ett belysande ~* (*äv.*) an illustration; *belysa .. med ~* illustrate .. by examples; *föregå med gott ~* set an (a good) example; *till ~* for instance, *äv.* say; [vid uppräkn.] e.g. (exempli gratia *lat.*) **-lös** *a* unprecedented, unparalleled, unexampled; exceptional **-samling** collection of examples **-vis** = [*till*] *exempel*
exempl||ar copy; *naturv.* o. *museum* specimen; *i två (tre) ~* in duplicate (triplicate) **-arisk** *a* exemplary; *en ~ [ung man]* (*äv.*) a model .. **-ifiera** *tr* exemplify
exerc||era *tr* o. *itr* **1** *~ beväring* do one's military service **2** drill, train **-is** drill **-is|-fält** **-is|plats** drill-ground **-is|reglemente** drill-regulations *pl*, drill-book
exil exile **-regering** exile government
existens 1 existence; being; [utkomst] subsistence, living **2** [person] individual **-berättigande** raison d'être *fr.*, right to exist **-medel (-minimum)** means *sg* o. *pl* (minimum) of subsistence (existence) **-möjlighet** possibility to make a living **-villkor** conditions *pl* of existence
existentialism existentialism
existera *itr* exist; *äv.* subsist, live; *~r fortfarande* is still in existence
exkejsare ex-emperor; [tysk, österrikisk] ex-Kaiser
exklusiv *a* exclusive **-e** *prep* exclusive of, excluding **-itet** exclusiveness
exkommunicera *tr* excommunicate
exkonung ex-king
ex||krement excrement **-kurs** excursus **-kursion** [*göra en* go for an] excursion **-libris** ex-libris, book-plate
exotisk *a* exotic
expans||ion expansion **-ions|kraft** expansive force (power) **-ions|lysten** *a* desirous of expansion **-ions|politik** expansion policy **-iv** *a* expansive
exped||iera *tr* [avsända] send .. off, dispatch; [befordra] forward; [med fartyg] *äv.* ship; [betjäna] attend to [*en kund* a customer]; [uträtta] carry out; [döda] settle; *~ en beställning* carry out (execute) an order, get an order out of hand **-it** shop-assistant, salesman; [kvinnl.] *äv.* saleswoman **-ition 1** [färd] expedition **2** [avsändande] dispatch, sending off; [utförande] execution **3** [betjänande] attendance, serving of customers; *ingen ~!* counter closed! **4** [ämbetsverk] department **5** [lokal] office **-itions|armé** expeditionary army **-itions|-avgift** stamp duty **-itions|göromål** office work **-itions|kår** expeditionary force **-itions|lucka** counter **-itions|ministär** caretaker cabinet **-itions|tid** office hours *pl* **-itris** lady clerk
experiment experiment **-al-** i *sms* experimental [*psykologi* psychology] **-ell** *a* experimental **-era** *itr* experiment [*på* on] **-stadium** experimental stage
ex||pert expert [*på* in]; specialist [*på* on] **-pert|utlåtande** expert opinion **-ploatera** *tr* exploit; [gruva] *äv.* work; [uppfinning] *äv.* develop; [utsuga] make capital out of **-ploatering** exploitation; development **-plodera** *itr* explode; *komma .. att ~* blow up .., explode ..
explos||ion explosion **-ions|artad** *a* explosive **-ions|fara** danger of explosion **-ions|motor** internal combustion engine **-ions|säker** *a* explosion proof **-iv** *a* explosive (*äv.*: *~ vara*); *språkv.* [ex]plosive
expon||ent exponent [*för* of]; *mat. äv.* index **-era I** *tr* **1** exhibit, show **2** [blottställa] expose *äv. foto.* **II** *rfl* expose o.s. [*för* to] **-ering** *foto.* exposure **-erings|mätare** exposure meter **-erings|tid** exposure time
export [-erande] export[ation]; [utfört gods] exports *pl* **-affär**, *~er* export[ing] business *sg* **-artikel** = *-vara* **-era** *tr* export **-firma** export[ing] house; *~n* .. Messrs. .., Exporters **-förbud** export prohibition (ban) [*på* on] **-förening** export association **-hamn** export-trade port **-handel** export trade **-industri (-kvot -licens)** export industry (quota, license) **-premie** export bonus **-reglering** export control **-tull** export duty **-var|a** exported article; article for export; *-or (äv.)* exports **-öl** export beer **-ör** exporter
exposé exposition
express I *adv* express; [*sändes*] *~!* [to be dispatched] by express (*Am.* special delivery)! **II** *s* se *-byrå, -tåg* **-avgift** express fee **-brev** express (*Am.* special-delivery) letter **-bud** express (special) message ([pers.] messenger) **-byrå** parcel-delivery agency; se *äv. stadsbudskontor* **-ionism** expressionism **-ionist** expressionist **-ionistisk** *a* expressionistic **-iv** *a* expressive **-order** rushorder **-tåg** express [train]
expropri||ation expropriation **-era** *tr* expropriate
exta||s ecstasy; rapture; *råka i ~* go into an ecstasy; be transported [*av glädje* with joy] **-tisk** *a* ecstatic, rapturous
ex||temporera *tr* o. *itr* extemporize **-tensiv** *a* extensive **-tenso**, *in ~* in full [length], complete[ly] **-teriör** exterior
extra *a* o. *adv* extra; [ovanlig] extraordinary, special; *~ kontant (hand.)* prompt cash **-blad** special edition **-elev** extra-mural student **-fin** *a* superfine **-förtjänst**, *~er* extras
extrakt extract; *äv.* essence; jfr *kött~* **-ion** extraction

extra||lärare temporary master, supply teacher **-nummer 1** [tidnings] special issue **2** *film., mus.* o. d. extra item **-ordinarie I** *a* temporary-staff [*tjänsteman* official]; pro tem[pore] ..; (*e. o.*) *professor* (*ung.*) associate professor **II** *s* temporary-staff official; *vara* ~ be on the temporary staff **-ordinär** *a* extraordinary **-timme** extra hour (*skol.* lesson) **-tåg** special train **-vagans** extravagance **-vagant** *a* extravagant; [i klädsel] outré *fr.*
extrem *a* extreme **-itet** extremity

F

fabel fable **-aktig** *a* fabulous **-diktare** writer of fables **-diktning** fable writing **-djur** fabled beast
fabla *itr* romance [*om* about]
fabricera *tr* make, manufacture; [framställa] produce; *bildl.* make up
fabrik factory, mill, plant; works *sg* o. *pl* **-at** [vara] manufacture; [is textil-] fabric; [tillverkning] make **-ation** manufacture, make; *bildl.* make-up **-ations|fel** flaw (defect) in manufacture **-ations|hemlighet** maker's secret **-ations|nummer** manufacturing number **-s|aktiebolag** manufacturing company **-s|alster** = *-vara* **-s|anläggning** factory, plant **-s|arbetare** factory worker (hand) **-s|arbeterska** factory woman **-s|distrikt** manufacturing (industrial) district **-s|drift** *a)* the running of a factory; *b)* [*för* for] factory operation **-s|gjord** *a* factory-made **-s|idkare** manufacturer **-s|märke** trade-mark **-s|mässig** *a* factory-scale .. **-s|pris** manufacturer's price **-s|rörelse,** *idka* ~ carry on a manufacturing business **-s|samhälle** industrial community **-s|skorsten** factory chimney **-s|stad** manufacturing town **-s|var|a** factory-made article; *-or* manufactured goods **-s|ägare** factory-owner **-ör** = *-s|idkare* o. *-s|ägare*
fabul||era *itr* se *fabla* **-erings|förmåga** fertility of invention **-ös** *a* fabulous
facil *a* [om pris] moderate, reasonable
facit answer [*till* to]; *bildl.* result; [-bok] key
fack 1 partition, division; *äv.* box, compartment, pigeon-hole **2** *byggn.* bay **3** [verksamhetsgren] department, branch; [yrke] profession; *det hör icke till mitt* ~ it is not in my line; *prata* ~ talk shop **-arbetare** skilled workman **-bildad** *a* professionally trained, skilled **-bildning** professional education (training)
fackel||blomster purple loosestrife **-bärare** torch-bearer **-sken** [*vid* by] torchlight **-tåg** torchlight procession
fackförbund federation of trade unions
fackförening trade (labo[u]r) union **-s|ledare** (**-s|medlem**) trade-union leader (member) **-s|politik** (**-s|rörelse**) trade-union policy (movement)
fack||idiotism over-specialization **-kunnig** *a* skilled **-kunskap[er]** professional knowledge *sg*
fackla torch
fack||lig *a* professional, technical **-litteratur** special (relevant) literature [on the (a) subject] **-lärare** departmental teacher **-man** professional man; expert [*på området* in the matter (field)]; *rådfråga en* ~ seek professional advice **-manna|håll,** *från* ~ from experts **-mässig** *a* professional **-prat** shop-talk **-press** professional (technical) publications *pl* **-skola** professional school **-studier,** *bedriva* ~ *i* .. specialize in .. **-term** technical (professional) term **-tidskrift** professional (technical) journal **-utbildning** professional (technical) training **-uttryck** technical term
fadd *a* flat, stale; *bildl. äv.* vapid, insipid
fadder godfather, godmother; [is. friare] sponsor **-barn** godchild **-gåva,** *i* ~ as a christening present **-ort** *ung.* adoptive town &c
faddhet flatness, insipidity
fader father [*till* of]; [djur] sire; ~ *vår, som är i himmelen* Our Father, which art in Heaven; *Gud F~* God the Father; *i ~s ställe* [ofta] in loco parentis *lat.* **-lig** *a* fatherly, paternal **-lighet** fatherliness **-lös** *a* fatherless **-mord** o. **-mördare** parricide **-s|glädje** paternal (a father's) joy **-s|hus** *relig.* home **-skap** fatherhood; is. *jur.* paternity **-s|kärlek** paternal (a father's) affection (love) **-s|stolthet** paternal (a father's) pride **-vår** [*läsa ett* say] the Lord's Prayer
fager *a* fair; [om ord, löften] fine
faggorna, *ha* [*en sjukdom*] *i* ~ have .. in one's system, be in for ..
fagott bassoon **-ist** bassoonist
fajans *konst.* faience *fr.*; *allm.* glazed pottery-ware
fakir fakir
faksimile [*i* in] facsimile
faktisk *a* actual, real; founded on facts **-t** *adv* actually &c; in fact; simply [*underbar* marvellous]; [bekräftande] honestly
faktor 1 factor **2** *typ.* foreman **-analys** *psyk.* factorial analysis
faktotum factotum
fakt||um fact; ~ *är* .. the fact is .. **-ura** o. **-urera** *tr* invoice
fakult||ativ *a* optional **-et** *univ.* faculty
fal *a* [sak] for sale; [pers.] venal, mercenary
falang [*i* in *a*] phalanx
falhet [persons] venality, mercenariness
falk [jakt-] falcon; *äv.* hawk **-blick** falcon gaze, eye like a hawk **-enerare** falconer **-jakt** [med falk] hawking; [ss. konst] falconry **-unge** redhawk
fall 1 [med anknytning till falla] *allm.* fall; *äv.* descent; [lutning, sluttning] slope; [dräkts] [*vackert* a graceful] hang; *bildl.* [t. ex. kejsardömets] [down]fall; [sammanstörtande] *äv.* collapse; [i priser o. d.] fall, decline; *komma på* ~ come to ruin; *bringa ngn på* ~ (*bildl.*) bring a p. to (cause a p.'s) ruin **2** [utan anknytning till falla] *allm.* case; [exempel] *äv.* instance; *ett svårt* ~ [*att ha att göra med*] a difficult case ..; *om så är ~et* if that is so (the case); *sakerna avgörs från* ~ *till* ~ each case is decided on its merits; *i~* in case; *i* ~ *av* [*hans uteblivande*] in case (in the event) of ..; *i alla* ~ *a*) *eg.* in all cases; *b*) at all events, at any rate, anyhow, anyway; *i annat* ~ otherwise; *i liknande* ~ in similar cases; *i så* ~ in that case; *i varje* ~ in any case; se *äv. i alla* ~; *i vilket* ~ *som helst*

in any case (event); come what may; *i allra värsta* ~ if the worst comes to the worst **3** *sjö.* halyard

fall||a I *itr* **1** fall; *han föll och gjorde sig illa* he had a bad fall; he fell and hurt himself; *låta* .. ~ let .. fall; [släppa] let .. go; [*klänningen*] *-er efter kroppen* .. follows the lines of the figure; [*kjolen*] *-er bra* .. hangs well; *då -er* [*hela planen*] then .. falls through (comes to nothing); *låta* [*en fråga o. d.*] ~ drop ..; *låta* [*planen*] ~ (*äv.*) give up ..; *låta modet* ~ lose courage; *samtalet föll på* .. the conversation turned upon ..; *skulden -er inte på mig* I am not to blame for it; *hur föllo orden?* what were his (o. s. v.) actual words? *det -er av sig självt* it is a matter of course; ~ *för frestelsen* yield to the temptation; ~ *ur minnet* escape one's memory **2** [med beton. part.] ~ *av* fall off; [om frukt o. d.] *äv.* drop off, come down; *bildl.* droop, be in a decline; *fall av! (sjö.)* fall (bear) away! bear up the helm! ~ *bort* drop out [*ur minnet* of one's memory]; ~ *igenom* [i examen] fail, **F** be ploughed; [om lagförslag o. d.] be defeated; [om teaterpjäs] prove a failure; [vid val] be rejected, fail to be returned; ~ *ihop* [om personer] collapse; ~ *in* fall in; *mus.* strike in; ~*ngn in* occur to a. p., enter a p.'s head; *det föll mig in* it (the idea) struck (occurred to) me; *det, ngt sådant kan aldrig* ~ *mig in* I should never dream of such a th. (anything of the kind); ~ *ned* fall down [*död* dead; *på marken* on the ground]; ~ *ned för* [*en trappa*] fall down [a flight of stairs]; ~ *omkull* fall [over]; tumble down; ~ *på* come on; *när lusten -er på* when one is in the mood; ~ *sönder* fall to pieces; *bildl. äv.* break up; ~ *tillbaka* fall (drop, slip) back [*på* on]; [om beskyllning] come home [*på* to]; ~ *undan* fall away, *bildl.* give way (yield) [*för* to] **II** *rfl* chance, happen, fall out; *äv.* be; *det föll sig så, att han* [*var borta*] it so happened that he [was away]; he happened to [be away]; *allteftersom det föll sig* just as the case might be; *när det -er sig lägligt* when (as) occasion arises; *äv.* when convenient [to yourself] **-ande|sjuk** *a* epileptic (*äv.: en* ~) **-ande|sjuka** epilepsy, falling sickness **-|en** *a* **1** fallen *äv. bildl.* [*kvinna* woman]; *en* ~ *storhet* a fallen star; *de -na* the fallen (*äv.* [dödade] slain) **2** *vara* ~ [hågad] (*äv. : känna sig* ~) feel (be) inclined (in the mood) [for it] **-en|het** [i dålig bem.] propensity [*för* for], predisposition [*för* to (towards)]; [i god bem.] aptitude (gift, talent) [*för* for]; *med* ~ *för* [*mekaniken*] [mechanically] inclined **-era** *itr* go wrong, miscarry **-frukt** *koll* fallings *pl*, windfall[s *pl*] **-färdig** *a* tumble-down, ramshackle **-färdighet** tumble-down (&c) condition (state) **-grop** pitfall **-hastighet** falling velocity (*elektr. fys.* acceleration) **-höjd** [height of] fall *äv. fys.* **-issemang** *hand.* failure **-[l]ucka** trap-door **-rep 1** *sjö.* gangway **2** *bildl.*, *vara på* ~*et* be at the end of one's means **-reps|trappa** *sjö.* gangway ladder **-rörelse** falling motion **-skärm** parachute; *äv.* statochute **-skärms|hopp** parachute descent (jump, drop) **-skärms|hoppare** parachutist **-skärms|jägare** paratrooper **-skärms|trupper** paratroops, parachute troops

falna *itr* die; [vissna] fade

fals 1 [kant på plåt] lap; [kring gryta o. d.] rim **2** *snick.* rabbet; [ränna] groove **3** *bokbind.* fold **-a** *tr* **1** lap **2** rabbet **3** fold

falsarium forgery; falsification

falsett [*sjunga i* sing] falsetto; *tala i* ~ talk in a falsetto (in a fluting (thin treble) voice)

falsifikat counterfeit, forgery

falsk *a* false; [oriktig] wrong; [bedräglig] delusive, illusory; [förfalskad] forged [*sedel* note]; ~*a juveler* false (imitation) stones; ~*t mynt* bad money, false coinage; ~*t spel* cheating (swindling) [at cards (o. s. v.)]; *bildl.* foul play; *bära* ~*t vittnesbörd* bear false witness; *under* ~ *flagg* under false colours; *under* ~*t namn* under a false name **-het** falseness; [hos pers.] *äv.* duplicity, deceit; [oäkthet] spuriousness **-myntare** coiner, counterfeiter **-mynteri** counterfeiting **-spelare** swindler [at cards (o. s. v.)], cheat, sharper **-t** *adv* falsely; *sjunga* (*spela*) ~ (*mus.*) sing (play) false (out of tune)

familj family; *vara av god* ~ come of a good family; *bilda* ~ raise a family, marry and have children; ~*en Grey* the Grey family, the Greys *pl* **-e|angelägenheter** family matters (reasons) **-e|band** family ties *pl* **-e|bidrag** family allowance **-e|bolag** family concern (firm) **-e|fader** father of a (the) family; *skämts.* paterfamilias **-e|flicka** girl of good family **-e|företag** family business **-e|förhållanden** family circumstances **-e|försörjare** breadwinner **-e|gods** family estate **-e|grav** family vault (grave) **-e|högtid** (**-e|krets -e|liv**) family celebration (circle, life) **-e|medlem** member of a (the) family **-e|namn** family name **-e|råd** family council **-e|skäl**, *av* ~ for family reasons **-e|ökning** increase in the family **-är** *a* familiar; *äv.* [*alltför* too] free [and easy] [*mot* with]

famla *itr* grope [*efter* for; *i mörkret* about in the dark]

famn 1 [*ngns* a p.'s] arms *pl;* [fång] armful [*hö* of hay]; *ta* .. *i* ~ embrace .. **2** [mått] *a)* [i längd] two yards, six feet; *b)* [i rymd] cord [*ved* of firewood] **-a** *tr* embrace; [omsluta] encompass **-tag** embrace; [häftigt] hug **-ved** split firewood

famös *a* [so] famous; [ogillande] notorious

1 fan web, vane [of a feather]

2 fan F the devil, the deuce; *själva* ~ *är lös!* [there's] the devil to pay! *åh* ~*!* you don't say [that]! *det ger jag* ~*!* I don't care a damn [about that]! *det var* ~*!* I'm blowed! dash it all! *det vete* ~*!* devil [only] knows!

fana [*mil.* o. kår-] banner, standard [båda ofta *bildl.*]; *mil. äv.* colours *pl; bära sin* ~ *högt* (*bildl.*) fly one's colours

fanat||iker fanatic **-isk** *a* fanatic[al] **-ism** fanaticism

fan||borg massed standards *pl* **-bärare** standard-bearer, *mil. äv.* colour-bearer

fanders, *åt* ~ *med* ..! .. be hanged! *dra åt* ~*!* go to the devil!

faned oath [sworn] to (on) the colours

faner plywood, veneer **-fabrik** plywood mill

fanerogam I *s* phanerogam **II** *a* phanerogamous

faner||skiva veneer sheet **-såg** fret-work saw

fanfar [*blåsa en* sound a] fanfare

fan||flykt desertion [from the colours] **-junkare** *mil.* colour-sergeant, sergeant major

fanstyg [a piece of] devilry

fanstång ensign-staff, flag-pole

fantasi 1 [utan *pl*] [*den skapande* the creative] imagination; [lättare] fantasy, fancy; *giva* ~[e]*n fritt lopp* (*spel*) give free scope (full play) to one's imagination **2** [med *pl*, -föreställning] fancy; imagination, fantasy; ~ *och verklighet* dreams and reality; *sitta försjunken i sina* ~*er* be absorbed in reveries (day-dreams); *vilda* ~*er* wild imaginings **3** *mus.* o. d. fantasia **-bild** creation (product) of the imagination **-dräkt** fancy dress **-foster** creation (product) of the imagination **-full** *a* imaginative **-lös** *a* unimaginative **-människa** imaginative person **-pris** fancy price **-rik** *a* highly imaginative **-rikedom** wealth of imagination **-värld** world of the imagination

fantast fantast, dreamer **-eri** visionary delusion **-isk** *a* fantastic; *äv.* fanciful [*huvudbonad* head-dress]

fantisera *itr* indulge in day-dreams, dream; *läk.* rave [*om* about]; jfr *yra II;* [*mus.* o. friare] improvise; ~ *ihop* concoct

fantom phantom

fanvakt colour-guard

far father; [smeks.] dad[dy]; jfr *fader*

1 fara danger; [starkare] peril; [vågspel] hazard; [risk] risk; *utsätta sig för* ~*n att* .. expose o.s. to (run) the risk of ..-ing; *äv.* risk ..-ing; *det är* ~ *för (värt) att* .. there is a danger (risk) that ..; *äv.* it is as likely as not that ..; *det är ingen* ~ *för det!* [there's] no fear [of that]! *med* ~ *för* [*eget liv*] at the risk of ..; *utom all* ~ quite out of (past) danger; *vid* ~ in case of danger

2 far|**a** *itr* **1** *allm.* go; [färdas] travel; [i vagn] drive; [avresa] leave [*till* for]; ~ *sin väg* go away, leave; ~ *till a)* [en ort] go (travel, drive) to ..; *b)* [en pers.] go to see ..; *låta* [*ngt*] ~ *a)* [avstå ifrån] give .. up; *b)* [ej fästa sig vid] dismiss [*sorgen* sorrow] [from one's mind] **2** [med beton. part.] ~ *bort* [åka, köra bort] drive away; [friare] leave [home], go away [from home]; ~ *fram a) eg.* drive up [*till* to]; *b) bildl.* carry (go) on [*som en galning* like a madman]; ~ *hårt, illa fram med* be rough (harsh) in one's treatment of; ~ *förbi* drive (go) past (by), pass; [*jag undrar*] *vad som -it i honom* .. what has taken possession of him (got into him); ~ *ifrån* drive (go) away (depart) from, leave; ~ *in till* [*huvud*]*staden* go (run) up to town; ~ *i väg* go off; ~ *med a)* [*ngn*] go (*ibl.* come) with [a p.]; *b) absol.* go too (with the others); *äv.* join the party; ~ *ned* go down [*från* from; *till* to]; ~ *om* [*ngn*] pass ..; ~ *omkring* travel (drive) about [*i* in]; ~ *på* [*ngn*] fly (rush) at ..; ~ *upp* [i skräck] spring to one's feet; ~ *ut på landet* go [for a trip] into the country; ~ *vidare* [*framåt*] push (go) on [*till* to]; [resa] continue one's journey; ~ *vilse (allm.)* go wrong; *eg.* miss one's way; ~ *över* [*ngt*] *med handen* pass one's hand over (across) .. **3** *bildl.;* ~ *illa (väl)* be badly (well) treated; *bilen far illa av att* .. it is bad for the car to ..; ~ *illa med* .. handle .. roughly; ~ *med osanning* lie; ~ *varligt med* .. treat .. gently

farao Pharaoh

farbar *a* [väg] trafficable; [farvatten] navigable **-het** trafficability &c

farbroder = *farbror* **-lig** *a* avuncular **-lighet** avuncular benevolence

far||**bror** *allm.* uncle; *eg.* paternal uncle, father's brother; [friare] [[kindly] old] gentleman **-far** grandfather, grandpa[pa], granddad; *ibl.* father's father; *min* ~*s far (mor)* my great grandfather (grandmother) [on my father's side] **-föräldrar** grandparents

fargalt boar

farhastighet travelling speed

farhåga apprehension, misgiving, fear

farin|**socker** demerara (brown) sugar

faris||**é** Pharisee **-eisk** *a* Pharisaical **-eism** Phariseeism

far||**kost** boat, craft; *bildl. äv.* bark **-led** fairway, shipping route; [navigable] channel

farlig *a* **1** [huvudbet.] dangerous [*för* for]; [om saker: mycket ~] perilous [*belägenhet* situation; *bragder* deeds]; *äv.* risky; grave [*följder* consequences]; [kritisk] critical; [fruktad] formidable; *en mycket* ~ *karl* [*för fruntimmer*] a regular lady-killer; *det kan inte vara* ~*t att försöka* there can be no harm in trying; *det är* ~*t att göra det (äv.)* it is not safe to do it **2** [ss. förstärkningsord] awful, dreadful **-het** dangerousness &c

farm farm

farma||**ceut** dispensing chemist's assistant **-ceutisk** *a* o. **-cie** *a* pharmaceutical **-kolog** pharmacologist **-kologi** pharmacology **-kopé** pharmacopoeia

farmare farmer

farmor [paternal] grandmother, grandma[ma], **F** [smeks.] granny

faro||**fylld** *a* .. fraught with danger **-zon** danger zone

fars farce **-artad** *a* farcical

farsgubbe F, ~*n* my (o. s. v) [old] dad; the old man, the governor

farsot epidemic; *allm.* pestilence

farstu = *förstuga* **-dörr** the house (front, [till våningen] flat [outer]) door **-kvist** [med tak] porch **-trappa** front-door steps *pl*

fart 1 [hastighet] speed; [rörelse] [head]way; is. *vetensk.* velocity; [takt, tempo] pace; *göra, skjuta* [*god*] ~ (*sjö.*) make headway; [*hon är*] *alltid i* ~*en* .. always on the go; *medan man är i* ~*en* while one is at it; [*inbrottstjuvar*] *i* ~*en!* .. on the rampage (warpath)! *i* (*med*) *full* ~ at full speed; *med rasande* ~ at breakneck speed; *med en* ~ *av* .. at the speed (rate) of ..; *bestämma* ~*en* set the pace; *minska* ~*en* slow down; *öka* ~*en* speed up **2** [ansats] run, start; *taga* ~ take a run, get a start **3** *gå i utrikes* ~ be in the foreign trade; *gå i* ~ *mellan* .. ply [regularly] between .. **4** *bildl.* [liv, raskhet] activity, force, energy; push, **F** go (dash, vim); *sätta* ~ *i* .. put life into ..; *ta* ~ make [good] progress; [*boken är skriven*] *med* [*mycken*] ~ .. with [plenty of] verve; *komma riktigt i* ~*en* get into full swing **-begränsning** speed limit **-dåre** scorcher, speed-merchant **-mätare** speedometer; *flyg.* air speed indicator **-vidunder** speed monster

fartyg vessel, ship; [mindre] craft; *fritt å* ~ (*hand.*) free on board (*förk.* f. o. b.) **-s**|**befäl** ship's officers *pl* **-s**|**befälhavare** commander [of a (the) ship] **-s**|**besättning** ship's crew **-s**|**bygge** ship-building **-s**|**inspektion** ship-surveying **-s**|**inspektör** ship-surveyor **-s**|**läkare** *sjö. mil.* ship's doctor, staff surgeon **-s**|**präst** *sjö. mil.* naval chaplain **-s**|**register** shipping register **-s**|**skrov** hull of a (the) ship

far||**vatten** waters *pl,* sea[s *pl*]; [farled] fairway, shipping route; channel; *i egna* ~ in home waters **-väg** [public] thoroughfare

farväl I *itj* farewell! goodbye! **II** *s* farewell; *bjuda, säga* ~ *åt, taga* ~ *av* bid farewell (say goodbye) to

fas phase

fas|**a I** *s* horror; [rädsla] terror; [bävan] dread; *injaga, väcka* ~ *hos* .. horrify (terrify) ..; *slagen, stel av* ~ horrified, terrified; *krigets -or* the horrors of war **II** *itr* shudder [*för, över* at]; [rygga tillbaka] shrink back [*för* at (from)]

fasad façade *fr.;* face, front; *med* ~*en åt* .. facing (fronting) .. **-belysning** flood-lighting **-klättrare** cat burglar **-tegel** façade brick

fasan *zool.* pheasant **-höna** hen pheasant **-jakt** pheasant-shooting **-kyckling** young pheasant
fasansfull *a* horrible; terrible, awful
fasantupp cock pheasant
fasaväckande *a* horrifying, appalling
fasciner‖a *tr* fascinate **-ande** *a* fascinating
fasci‖sm Fascism **-st -stisk** *a* Fascist
fasett facet **-erad** *a* faceted **-ering** faceting
fashionabel *a* fashionable
faslig *a* dreadful, frightful, terrible; [ryslig] awful; *ha ett ~t besvär* have ever such (have no end of) a bother **-het** dreadfulness &c; *äv.* horror
fason [form] shape, form; [sätt] way; *få, sätta ~ på* .. get .. into proper shape; *vad är det för ~er?* where are your manners? **-era** *tr* shape, figure **-ering** figuring
1 fast *konj* though; jfr *-än*
2 fast *a* **1** *a)* [mots. lös] firm [*grund* foundation]; *b)* [-satt, -gjord] fixed [*bro* bridge; *pump* pump]; *c)* [mots. flyttbar] stationary; *d)* [mots. flytande] solid [*bränsle* fuel; *föda* food]; *e)* [tät] compact, massive, dense **2** [friare, säker] firm [*avsikt* intention; *grepp* hold; *tro* belief; *övertygelse* conviction]; real [*egendom* property]; [fångad] caught; [bestämd] fixed [*bostad* residence; *inkomster* income *sg*] [varaktig] permanent; *äv.* [kund o. d.] regular; *hand.* [marknad] firm; [pris] steady; *med ~ blick* with a steady gaze; [*planen har*] *tagit ~are form* .. assumed [a] more definite shape; *en ~ karaktär* a [man of] consistent character; *känna ~ mark under fötterna* feel solid (firm) ground beneath one's feet; [*köpa, sälja i*] *~ räkning* (*hand.*) *a)* [mots. i öppen räkning] .. outright; *b)* [mots. i kommission] .. for own account; *allt ~ och löst* [*i huset*] all the fixtures *pl* and movables *pl* ..; *en ~ utgångspunkt* a solid basis to start from **3** [i förbindelse med verb, jfr *äv.* under dessa] *bli ~* be (get) caught, be seized; *frysa ~* freeze [in]; *göra ~* make .. fast, fasten; *hålla* [..] *~* keep [fast (firm)] hold of ..; *hålla ~ vid* maintain [*ståndpunkt* standpoint], hold steadfast by [*tron* the faith]; keep (stick) to; *hänga ~ a) tr* fasten (attach) [*vid* to]; *b) itr* remain hanging [*vid* from]; *köra ~* (*allm.*) get stuck [*i dyn* (*äv. bildl.*) in the mud]; come (be brought) to a standstill (a dead stop); *sitta ~* [ha fastnat] adhere, stick; [om pers. o. fordon o. d.] be stuck [fast]; [vara inklämd] be jammed [*i* in]; *slå ~* hammer .. on (down) fast; drive .. home; *bildl.* se *-slå; stå ~ a)* [om pers.] stand firm (steadfast); *äv.* abide [*vid sitt ord* by one's word]; *b)* [om sak, t. ex. anbud] hold (stand) good; *det står ~, att* it is an established fact that; *sätta ~* .. *a) eg.* fix (fasten) .. [*i, vid* to]; attach .. [*i, vid* to]; *b) bildl.* [ngn] drive .. into a corner; *sätta sig ~* [is. om sak] stick [fast]; [friare] establish o.s.; *ta ~* catch, seize; *ta ~ tjuven!* stop [the] thief!
3 fast *adv* **1** [nästan] *~ otrolig* almost (wellnigh) unbelievable **2** firmly; compactly; permanently; *vara ~ anställd* have a permanent appointment (job); *en ~ avlönad befattning* an appointment at a fixed salary; *vara ~ besluten att* be firmly resolved to; *sitta ~ i sadeln* sit firm (have a firm seat) in the saddle
1 fasta, *ta ~ på* [*ngns ord*] seize upon .., bear .. in mind
2 fast|a I *itr* fast; *på -ande mage* on an empty stomach **II** s **1** [-ande] fasting **2** [-etid] fast; *~n* Lent
fastbinda *tr* tie (fasten) .. on (up)
fastedag fast-day, day of fasting
faster [paternal] aunt
fastetid time of fasting
fast‖frusen *a* .. frozen fast **-gjord** *a* fastened &c **-grodd** *a, vara ~* have taken root [*i* in] **-göra** *tr* fasten, make .. fast; fix, secure **-het** firmness &c; solidity; stability; strength **-hålla** se [*hålla*] *fast* **-hållande** *s* holding &c; adherence [*vid* to]; persistence [*vid* in]
fastighet [hus] house-property; [jordegendom] landed property; [mera *abstr*] real estate **-s|agent** estate and property agent **-s|auktion** estate auction-sale **-s|bevillning** real-estate tax **-s|bolag** real-estate company **-s|köp** real-estate purchase **-s|lån** loan on real-property security **-s|ägare** property-holder; [hyresvärd] landlord
fast‖kedja *tr* chain [.. fast (on)] [*vid* to] **-kila** *tr* wedge [.. fast (tight)] **-klamrad** *a* firmly clinging (attached) [*vid* to] **-klibbad** *a* sticking [*vid* to] **-klämd** *a, sitta ~* sit jammed in [*mellan* between] **-knuten** *a* firmly tied [*vid* to] **-körd** *a* stuck
fastlag, *~en* Lent; *ibl.* Shrovetide **-s|måndag** Shrove Monday **-s|ris** 'Shrovetide scourge' **-s|söndag** Quinquagesima **-s|upptåg** Shrovetide revel
fastland continent; [i mots. till öar] mainland **-s|bo** mainlander **-s|klimat** continental climate
fast‖limma *tr* glue .. on [*vid* to] **-låsa** *tr bildl.* decide (settle) .. [definitely] **-löda** *tr* solder .. on [*vid* to] **-lödd** *a* .. firmly soldered [on]
fastmera *adv* [much] rather; [tvärtom] on the contrary
fastna *itr allm.* get caught; [is. om sak] catch; [i ngt klibbigt e. d. samt om pers.] stick (get stuck) [fast]; [i kläm] get jammed; [*frimärket*] *~r inte* .. does (will) not stick; *han ~de med foten* **i** [*en grop*] his foot [got] caught (he got his foot caught) in ..; [*orden*] *~de i halsen på honom* .. stuck in his throat; *~ på kroken* be (get) hooked
fast‖nagla *tr* nail [.. firmly] [*på, vid* to]; *stå som ~d* stand [as if] rooted to the spot **-nitad** *a* firmly riveted [*vid* to] **-rostad** *a,* [*skruven*] *är ~* .. has got rusted in **-rotad** *a* firmly rooted **-satt** *a* fixed (fastened) [on] [*vid* to] **-sittande** *a* .. fixed (attached) [*vid* to] **-skruvad** *a* .. screwed tight (firmly) [*i* into; *vid* on to] **-slagen** *a* .. hammered on; *bildl.* fixed, established; hard and fast [*regel* rule] **-slå** *tr* **1** *eg.* se *slå* [*fast*] **2** *bildl.* lay down [as a law] [*att* that]; [en regel, sanning] establish; [bestämma] fix; settle **-spika** *tr* se *spika* [*fast*] **-ställ|a** *tr* fix [*dagen för* .. the day of ..]; determine, settle; [stadfästa] confirm, ratify, sanction; [konstatera] establish; *i lag -d* prescribed by law **-ställelse** fixing &c; confirmation, establishment **-sydd** *a* .. sewn on [*vid* to] **-vuxen** *a* firmly rooted [*vid* to]
fastän *konj* although, [even] though
fat **1** [för matvaror] dish **2** [te-] saucer **3** [bunke, hand- o. d.] basin **4** [laggkärl] cask, barrel; [kar] vat; [*vin, öl*] *tappat från ~*[*et*] .. drawn from the wood (cask)
fatabur store-room; *ur egen ~* out of one's own head
fatal *a* deplorable; [obehaglig] odious **-ier,** *försitta ~na* let all the days of grace slip by **-ie|tid** prescribed time [for application]; *~ens utgång* (*äv.*) deadline **-ism** fatalism **-ist** fatalist **-istisk** *a* fatalistic **-itet F** stroke of bad luck
1 fatt *a, hur är det ~?* how do matters stand (what is the matter) [*med* with]?

2 fatt 1 *gå, simma, åka* [i] ~ *ngn* catch a p. up **2** *få (ta)* ~ *i* get (catch) hold of; *leka ta* ~ play [at] tig

fatt‖a I *tr* o. *itr* **1** [ta tag i] grasp; *äv.* seize; ~ *tag i* (*äv.*) take hold of; ~ *om* [beton.] *äv.* clasp **2** [friare] se ex. under *eld, posto* o. d. **3** *bildl.* [med abstr. obj.] [intagas av] conceive [*böjelse för* an inclination for; *avsky för* a hatred of]; form [*agg mot* a grudge against]; take [*motvilja (tycke) för* a dislike (a fancy) to]; be seized with [*misstanke att* . . a suspicion that . .]; [ett beslut] arrive at, come to; ~ *nytt hopp* gain fresh hope; ~ *kärlek till* fall in love with; ~ *mod* take (pick up) courage; ~ *smak för* . . acquire a taste for **4** *bildl.* [begripa] grasp, understand, comprehend; *ha lätt att* ~ be quick in the up-take; *det är mer än jag kan* ~ that is beyond me; *har du ~t, vad jag menar?* do you catch my meaning? **II** *rfl* **1** recover o. s. **2** ~ *sig kort* be brief **-ad** *a* [lugn] composed **-|as** *dep* **1** [ej finnas tillräckligt av] be wanting, be short; [vara borta] be missing; *vad som* ~ *honom i* [*kunskaper*] what he lacks in . .; *det* ~ *ännu* [*en krona*] there is still [a shilling] missing; *det -ades honom ej mod* he was not wanting (lacking) in courage; *det -ades bara!* well really, what next? well, I never! **2** [felas] *vad* ~ *dig?* what is the matter [with you]? **-bar** *a* comprehensible [*för* to]; conceivable [*anledning* reason]

fattig *a* **1** *eg.* [mots. rik] poor; [medellös] penniless; [behövande] indigent, needy; [om jordmån, ämne] *äv.* meagre; *~t folk, ~a* poor people; *rika och ~a* rich and poor; *de ~a* the poor; *ha det ~t* be badly (poorly) off; *han ser riktigt ~ ut* he looks very much out at elbows **2** [friare] poor; [usel] miserable; [obetydlig] paltry; *efter* ~ *förmåga* to the best of my feeble powers; *~a fem kronor* a paltry five bob **F -begravning** pauper's funeral **-bössa** poor-box **-distrikt** poor-relief district **-dom** poverty [*på* in, of]; [armod] penury; [nödställdhet] destitution; [social företeelse] pauperism; [brist] deficiency [*på* in, of], lack (dearth) [*på* of] **-doms|bevis** *bildl.* confession of poverty **-gård** workhouse **-hjon** pauper **-hjälp** charity dole **-hus** poor-house **-kassa** poor-relief fund **-kvarter** slum **-lapp** pauper **-läkare** poor-law (parish) doctor **-man,** *~s barn* a poor-man's child [*pl* poor-people's children] **-t** *adv,* ~ *klädd* poorly (shabbily) dressed; *leva* ~ live in poor circumstances **-understöd** o. **-vård** poor relief; [*Engl.* numera] National Assistance

fattigvårds‖inspektör National Assistance Officer **-lag** *hist.* Poor Law; [*Engl.* numera] National Assistance Act **-nämnd** *Engl.* National Assistance Board

fatt‖lig = *-bar* **-ning 1** *sport.* hold (grip) [*om* round] **2** [självbehärskning] self-possession (-command); [lugn] composure; *behålla ~en* retain one's self-possession; keep one's countenance; *bringa ngn ur ~en* put a p. out of countenance, confuse (disconcert) a p.; *förlora ~en* lose one's self-command (one's head) **-nings|förmåga** [power[s *pl*] of] apprehension; *äv.* intelligence, capacity; *det går över hans* ~ that is beyond him; *ha trög* ~ be slow in the uptake

fatöl draught beer (ale)

faun faun **-a** fauna

favor‖isera *tr* favour; treat . . with special favour **-it** favourite; *äv.* pet; i *sms* favourite [*författare* author o. s. v.] **-it|system** favouritism

favör favour; [förmån] advantage; *till ngns* ~ to a p.'s advantage

F-dur F major

fe fairy; *ibl.* fay

feber fever; ['temperatur'] temperature; [spänning] excitement; [brådska] flurry; *ha* ~ be feverish, have a temperature; *ligga i 40°* ~ have a temperature of 104° **-aktig** *a* feverish *äv. bildl.; äv.* febrile **-aktighet** feverishness, febrility **-alstrande** *a* fever-generating **-anfall** attack of fever **-artad** *a* fever-like, febrile **-behandling** fever treatment **-blossande** *a* hectic **-dröm** feverish dream **-fantasi,** *~er* imaginings of a fevered brain **-fri** *a* . . free from fever, feverless **-glänsande** *a* fever-bright **-het** *a* fever-heated **-hetta** fever heat **-kurva** temperature chart **-sjuk** *a, en* ~ a fever patient **-sjukdom** fever [disease] **-stillande** *a,* ~ *medel* anti-febrile remedy **-termometer** clinical thermometer **-tillstånd** feverish state **-träd** blue gum[-tree] **-yr** *a* fevered **-yra -yrsel** feverish rambling[s *pl*]

febril *a* feverish

februari February; jfr *april*

federal‖ism federalism **-ist** federalist **-istisk** *a* federalistic

federation federation **-s|lag** *sport.* international (test-match) team **-s|match** *sport.* international (test) match

fe‖drottning fairy queen **-eri** fairy-drama

feg *a* cowardly; [klenmodig] timorous, timid; *en* ~ *stackare* a coward; *visa sig* ~ show the white feather **-het** cowardice, cowardliness &c **-t** *adv* in a cowardly fashion

feja *tr* o. *itr* clean

fejd feud; [friare] strife; *bildl. äv.* quarrel, controversy

fel I *s* **1** [mera stadigvarande, medfött ~] *allm.* fault; [is. kroppsligt] defect; [ofullkomlighet] imperfection; [brist] failing, shortcoming; [avigsida] demerit, bad point; *det är ngt* ~ *på mina ögon* there is something wrong (the matter) with my eyes **2** [mera tillfälligt] fault; [i [be]räkning] error [*på* of]; [misstag, språk-] mistake; [grovt misstag] blunder; [försummelse] omission; [fabrikations-] flaw [*hos, i, på* in]; *ha* ~ be [in the] wrong; *däri ligger hela ~et* that is what is wrong **3** [skuld] fault; *vems är ~et?* whose fault is it? *det är inte mitt* ~ [, *att* . .] I am not to blame [for . . -ing] **II** *a* wrong **III** *adv* [underrättad] wrongly; [gissa] wrong; *ge* ~ (*kortsp.*) [make a] misdeal; *räkna* ~ miscalculate; *slå* ~ *a) eg.* miss [the mark]; *b)* [misslyckas] go wrong, prove a failure; [om plan o. d.] miscarry; *det slår inte ~, att han* . . he cannot fail to . .; *ta* ~ make a mistake [*på datum* in the day]; *äv.* be mistaken

fela *itr* [begå fel] err; [brista] be wanting [*i* in]; [handla orätt] do wrong

fel‖adresserad *a* wrongly addressed **-aktig** *a* [oriktig] erroneous, mistaken, wrong; [behäftad med fel] incorrect; [bristfällig] defective; [osann] false, misleading; [ej felfri] faulty [*varor* goods] **-aktighet** [utan *pl*] incorrectness, faultiness; [med *pl*] fault, mistake, error **-ande** *a* **1** erring &c; *äv.* faulty; *den* ~ the culprit **2** [som fattas] missing, wanting **-as** *dep* se *fattas* **-bedöma** *tr* misjudge **-bedömning** misjudgement **-behandling** wrong treatment **-beräkna** *tr* miscalculate **-beräkning** miscalculation **-datera** *tr* misdate **-debitering** mischarge **-drag** wrong (false) move **-fri** *a* . . free from fault (defect); [. . quite] correct; faultless; flawless; *äv.* perfect **-frihet** freedom from fault (defect &c)

-givning *kortsp.* misdeal **-grepp** *mus.* false touch; *bildl.* mistake, wrong move; blunder **-kalkyl** miscalculation **-kalkylera** *tr* miscalculate **-källa** source of [the] error (of errors) **-läsning** [av handskrift o. d.] misreading; [vid uppläsning] slip in reading **-orienterad** *a* disorientated **-placera** *tr* misplace **-procent** percentage of error **-riktad** *a* misdirected **-räkning** miscalculation [*på* of] **-skriven** *a* miswritten; jfr *äv.* *-stavad* **-skrivning** miswriting; *en ~* an error in writing **-slagen** *a* [gäckad] disappointed; *~ skörd* a failure of the crops **-slut** [a] false (wrong) conclusion **-slående** *s* failure **-stavad** *a* wrongly spelt, mis-spelt **-stavning** mis-spelling **-steg** false step, slip; *bildl. äv.* lapse **-syn** *bildl.* error in judgement **-sägning** [a] slip of the tongue **-sänd** *a* wrongly dispatched, misdirected **-taxering** wrong assessment **-tecknad** *a* wrongly drawn **-teckning** defective ([a] mistake in the) drawing **-tolka** *tr* misconstrue; misinterpret **-tolkning** misinterpretation, misconstruction **-tryck** misprint **-värdera** *tr* miscalculate, misvalue; estimate wrongly **-växt** *a* misgrown

fem *räkn.* five; *en ~ sex stycken* five or six; *ha, kunna* [*ngt*] *på sina ~ fingrar* have . . at one's finger tips (fingers' ends) **-aktare** *teat.* five-act play **-bladig** *a bot.* five-leaved **-delad** *a* five-part **-dubbel** *a* fivefold **-dubbelt** *adv* five times **-faldig** *a* fivefold **-fingrad** *a* five-fingered **-hundra** five hundred **-hundratalet,** *på ~* in the sixth century **-hörnig** *a* pentagonal **-hörning** pentagon

femin||in *a* feminine **-in|um** **1** [-t ord] feminine [noun] **2** [honkön] the feminine gender **-ism** feminism **-istisk** *a* feministic

fem||kamp *sport.* pentathlon **-kampare** pentathlete **-klassig** *a, ~t läroverk* five-year-course school **-ling[ar]** quintuplet[s] **-ma** [siffra] five; [vid tärningsspel] cinque; *en ~* [om pengar] *a)* [sedel] a five-kronor (o. s. v.) note; *b)* [belopp] **F** five bob **-procentig** *a* o. **-procents-** five-per-cent . . **punds|sedel** five-pound note, **F** fiver **-rums-** i *sms* five-room . . **-sidig** *a* five-sided **-siffrig** *a* **(-spaltig)** *a* five-figure (-column) **-stavig** *a* five-syllabled **-stämmig** *a* five-voice . . **-tal** [[the] number] five **-te** *räkn.* fifth; *~ kolonnen* the fifth column; *~ maj* [ss. *adv* on] the fifth of May; [i början av brev o. d.] May 5 (5th May); *vart ~ år* every five years; *för det ~* in the fifth place **-te|del** fifth [part] **-te|kolonnare** fifth columnist **-tiden,** [*vid*] *~* about five o'clock **-tio** fifty **-tionde** fiftieth **-tionde|del** fiftieth [part]

femti[o]||tal [[the] number] fifty; *ett ~* . . about (some) fifty . .; *på ~et* in the fifties **-årig** *a* fifty-year-old **-åring** man (o. s. v.) of fifty **-års|dag** fiftieth anniversary **-års|-ålder,** *vid ~n* at fifty **-öring** fifty-öre piece

femton *räkn.* fifteen **-de** *räkn.* fifteenth **-hundratal,** *på ~et* in the sixteenth century **-årig** *a* fifteen-year-old **-åring** boy (girl) of fifteen

fem||tums- i *sms* five-inch **-tusen** five thousand **-tåg,** *med ~et* by the five [o'clock] train **-tåig** *a* five-toed **-uddig** *a* five-pointed **-vånings|hus** five-stor[e]y house **-årig** *a* **1** five-year-old **2** [för fem år] five-year [*kontrakt* contract] **-åring** child of five; [häst o. d.] five-year-old **-års|dag** fifth anniversary **-års|period** five-year period **-års|plan,** *~en* the Five-Year Plan **-års|åldern,** *vid ~* at [the age of] five **-öres|frimärke (-öring)** five-öre stamp (piece)

fena fin; *flyg. äv.* vertical stabilizer

fender *sjö.* fender

Fenic||ien Phoenicia **f-ier** **f-isk** *a* Phoenician

Fenix, [*Fågel*] *~* [the] Phoenix

fen||köl *sjö.* fin-keel **-lös** *a* finless

fenn||icism Fennicism **-oman** Fennoman

fenol|harts phenolic resin

fenomen phenomenon **-al** *a* phenomenal, prodigious

fenstråle fin-ray

feodal *a* feudal **-ism** feudalism **-rätt (-väsen)** feudal law (system)

ferie||arbete holiday work **-hem (-koloni)** holiday guest-house (camp) **-kurs** vacation course **-läsning** holiday studies *pl* **-r** holidays; vacation *sg* **-resa** holiday journey (tour) **-skola** vacation school

ferm se *färm*

fernissa *s.* o. *tr* varnish

fe||saga fairy tale **-slott** fairy palace

fest festival; *äv.* celebration; [munter *~*] festivity, **F** spree; [-ande] merry-making; [bjudning] party; *ställa till en ~* get up a festival; *gå, vara på ~* go [out] to a party **-a** *itr* **1** [kalasa] feast [*på* on] **2** [gå på fest[er]] go out to parties **-ande** *s* feasting, merry-making **-arrangör** organizer (getter-up) of an (the) entertainment **-dag** festival day; *allmän ~* public (bank) holiday **-deltagar|e,** *-na* those attending the celebration (&c) **-dräkt** party clothes *pl,* evening dress **-föremål,** *~et* the fêted guest **-föreställning** *teat.* festival performance **-glädje** festive mirth **-ivitas** [air of] festivity **-klädd** *a* dressed [up] in evening dress, dressed for a party **-kommitté,** *~n* the festival committee **-lig** *a* **1** *eg.* festive, festival **2** [storartad] grand **3** **F** se *lustig, löjlig* **-lighet** festivity **-marsch** *mus.* **(-middag)** festival march (dinner, banquet) **-prisse** gay dog **-program** program[me] [for the festival] **-sal** grand [banqueting] hall **-skrift** dedication volume [*tillägnad* .. in honour of ..] **-skrud** festal array **-smyckad** *a* .. adorned for the festival (&c) **-spel** *teat.* drama (opera, musical) festival **-stämning** festival (festal) humour (air; spirits *pl*) **-tal** [main] speech (address) **-tåg** festal procession **-um,** *post ~* a day after the fair **-våning** drawing-room suite; reception apartments *pl*

fet *a allm.* fat [*personer* people; *fläsk* bacon]; [fyllig] plump; [-lagd] stout; [mat, jordmån] rich; [flottig] oily, greasy; *~ stil* (*boktr.*) boldface; *bli ~* (*äv.*) put on flesh (weight); *det blir man just inte ~ på!* one won't get fat on that! *en ~ syssla* a lucrative position **-het** fatness; richness &c

fetisch fetish **-dyrkan (-dyrkare)** fetish-worship (-worshipper)

fet||knopp *bot.* stonecrop, wall-pepper **-lagd** *a* . . inclined to stoutness, somewhat stout; plump; [kvinna] *äv.* buxom **-ma** **I** *s* fatness; [is. hos pers.] stoutness, corpulency; [jordens] *äv.* richness **II** *itr* se [*bli*] *fet* **-ost** fat (rich) cheese **-sill** full herring **-stil** *typ.* boldface[d type]

fett fat; [smörj-] lubricant; [t. ex. för håret] oil; [späck] lard; *kok* shortening **-bildning** *konkr* accumulation of fat; *sjuklig ~* fatty degeneration **-brist** shortage (scarcity) of fat **-fläck** grease spot **-fri** *a* .. free from fat **-halt** percentage of fat **-hjärta** fatty heart

fettisdag, *~en* Shrove Tuesday **-s|bulle** Shrove-Tuesday bun

fett||klump lump of fat **-knöl** fatty nodule **-kopp** grease cup **-körtel** fatty gland **-lager** layer of fat **-rik** *a* .. rich in fatty matter **-sot** *läk.* adiposity **-spruta** grease gun **-valk** pad of fat **-ämne** fat, fatty substance

fiasko fiasco; washout; *göra ~* make a fiasco; [om tillställning] fall flat

fib||er fibre, *Am.* fiber **-er|artad** *a* fibre-like **-er|glas** fibre glass **-er|matta** coconut mat **-platta** fibre [building] board **-rös** *a* fibrous
fick||a pocket **-flaska** pocket flask **-foder** pocket-lining **-format** pocket size **-kalender** pocket almanac **-kam (-kniv)** pocket-comb (-knife) **-lampa** [electric] torch; *Am.* flash-light **-lamps|batteri** torch (&c) battery **-lock** pocket-flap **-lån** temporary loan **-ord-bok** pocket dictionary **-pengar** pocket-money *sg* **-slagskepp** pocket battleship **-stöld** [a case of] pocket-picking **-tjuv** pickpocket **-upplaga** pocket edition **-ur** watch
fideikommiss entailed estate **-arie** tenant in tail [*till* to (of)] **-brev** deed of feoffment
fiende enemy [*till* of]; *poet.* foe [*till* to]; *skaffa sig ~r* make enemies **-hand,** *falla (dö) för, falla (råka) i ~* perish at the hand (fall into the hands) of the enemy **-här (-land)** hostile army (country)
fiendskap enmity; *äv.* hostility [*mot* towards (to)]
fientlig *a* hostile [*mot* to[wards]]; [ss. andra led i *sms* ofta] anti- [t. ex. *förbuds~* anti-prohibition]; *stå på ~ fot med* be at enmity with **-het** hostility; *börja (inställa) ~erna* commence (suspend) hostilities **-t** *adv* hostilely &c; *vara ~ stämd mot* be inimically disposed towards
fiff||a *itr, ~ upp* smarten .. up **-ig** *a* clever, smart; [slug] shrewd **-ighet** cleverness &c **-ikus** **F** sly dog
figur *allm.* figure; [individ, is. nedsättande] individual; [ritad] diagram; *göra en slät ~* cut a poor figure **-era** *itr allm.* figure; appear, pose **-lig** *a* figurative **-målning** figure-painting **-åkning** figure-skating
fik||a *itr* hanker [*efter* after (for)] **-en** *a* hankering [*efter* for]; covetous [*efter* of] **-enhet** covetousness
fikon fig **-[a]||löv** fig-leaf **-träd** [common] fig-tree
fik||tion fiction **-tiv** a fictitious, fictional
fikus [india-]rubber tree
1 fil [rad] row; [*rummen*] *ligga i ~* .. are in a suite
2 fil [verktyg] file **-a** *tr* o. *itr* **1** *eg.* file **2** *bildl.* polish, *äv.* file
3 fil sour [whole] milk
filantrop philanthropist **-i** philanthropy **-isk** *a* philanthropic[al]
filare filer
filatel||i philately **-ist** philatelist **-istisk** *a* philatelic
filbunke [bowl of] sour whole milk
filé 1 *kok.* fillet **2** [knytning] netting
filharmonisk *a* philharmonic
filial branch office **-affär (-avdelning -kontor)** branch shop (department, office)
filigran filigree **-s|arbete** [a piece of] filigree-work
filipin philippine; *spela ~ med ngn* play at philippines with a p.
Filipp||erbrevet *bibl.* the Epistle to the Philippians **-inerna** the Philippines
filist||é -eisk *a* o. **-er** Philistine **-rös** *a* Philistine
film film; [-bild] [motion (moving)] picture; *Am. äv.* movie; *gå in vid ~en* become a film actor (actress) **-a** *tr* [take(make)a]film; *~ ngt* make a film (picture) of a th. **-apparat** film projector **-ateljé** film studio[s *pl*] **-atisera** *tr* adapt .. for the screen **-atisering** adaptation for the screen, screen version **-bild** screen-picture **-biten** *a* **F**, *vara ~* be a film-fan **-bolag (-byrå)** film company (agency) **-censur** film censorship **-fotograf** cameraman **-föreställning** film show **-författare** scenario (script, screen) writer **-hjälte (-hjältinna)** hero (heroine) of the screen **-industri** film industry **-inspelning** filming; film production **-journal** film (movie) magazine
filmjölk sour junket, curds *pl*
film||kamera film (motion picture) camera **-konst** cinematic art **-krönika** newsreel **-manuskript** script, film scenario **-producent** film producer **-program** film program[me] **-projektionsapparat** film projector **-recension** film review **-regissör** film director **-rulle** film cartridge, filmreel **-rättigheter** film rights **-skådespel** film **-skådespelare (-skådespelerska)** film (screen) actor (actress) **-stjärna** film star **-teknik** film technique **-text** film text **-upptagning** filming
filolog philologist **-i** philology **-isk** *a* philological **-möte** conference of philologists
filosof philosopher **-era** *itr* philosophize [*över* upon (on, about)] **-i** philosophy **-ie** *a, ~ doktor* Doctor of Philosophy (Ph. D.) **-isk** *a* philosophic[al]
filspån filings *pl*
filt 1 [ämne] felt **2** [säng-] blanket; [res-] rug **-a** *tr* felt; *~ ihop sig* get matted **-aktig** *a* felty
filter filter, drainer, strainer
filt||hatt felt hat, *Am.* fedora **-matta** felt carpet
filtr||at filtrate **-era** *tr* filter, filtrate **-er|apparat** filtering apparatus **-er|duk** filter gauze **-ering** filtering; filtration **-er|kol** filtering-charcoal **-er|papper** filter[ing]-paper
filt||socka (-tak -toffel) felt sock (covering, slipper)
filur sly dog, slyboots
fimmelstång pole
fin *a* **1** [mots. grov i eg. bem.] fine; [tunn, small] thin; [spenslig] slender; [späd] tender; [tråd] fine-spun **2** [mots. enklare, sämre] fine; [skör, ömtålig] delicate; [vacker] handsome; [stilig] elegant; [prydlig] neat, spruce; [belevad] polished, well-bred; [förfinad] refined; [värdig] dignified, aristocratic; [utmärkt] first-rate (-class), superior; [utsökt] choice, exquisite, select; [känslig] sensitive; [noggrann, t. ex. mätning] accurate; [skarp] keen; *iron.* fine (pretty, nice) [*oreda* muddle]; *en ~ dam* a high-born (well-bred) lady; *en ~ flicka* a girl of good family; *en ~ herre* a gentleman; *en ~ och hygglig karl* a nice gentlemanly fellow; *~a händer* delicate (finely shaped) hands; *~a namn* aristocratic names; *ha ~ näsa för* .. have a keen nose for ..; *~ stil* small type (handwriting); *en ~ vink* a delicate (gentle) hint; *det anses inte ~t* it is not considered proper; [*det var*] *just inte ~t av honom* .. not exactly a tactful thing of him to do; *klä sig ~* dress up in one's best
final *mus.* finale; *sport.* final [heat]
finans||departement finance department; *Engl.* the Exchequer **-er** finances **-geni** financial genius **-iell** *a* financial **-iera** *tr* finance **-krets,** *i ~ar* in financial circles **-kris** financial crisis **-man** financier **-minister** Minister of Finance; *Engl.* the Chancellor of the Exchequer; *Am.* secretary of the Treasury **-ministeriet** the Ministry of Finance **-politik** financial policy **-väsen** finance **-år** financial (fiscal) year
fin||are *komp.* **I** *a* finer &c, jfr *fin* **II** *adv* more finely &c, jfr *2 fint* **-arbeta** *tr* finish **-ast** *superl.* **I** *a* finest &c, jfr *fin* **II** *adv* most finely &c, jfr *2 fint* **-bageri** fancy bakery

finess finesse *fr.; ~er* niceties
finfin *a* **F** superfine, first-rate, tip-top; exquisite
fing|er finger; *ha ett ~ med i spelet* have a finger in the pie; *ha långa -rar* [stjäla] be light-fingered; *inte lägga -rarna emellan* handle the matter with the gloves off; *peka ~ åt* point one's finger at; *inte röra ett ~* not lift (stir) a finger; *se genom -rarna med* wink at; *slå ngn på -rarna* (*bildl.*) come down on a p.
fingera *tr* feign, simulate **-d** *a* fictitious, imaginary
finger||avtryck finger-print **-borg** thimble **-borgs|blomma** fox-glove **-bred** *a* .. of finger-(a finger's) breadth **-färdig** *a* nimble-fingered; dexterous, deft **-färdighet** dexterity, manual skill; *mus.* [skill of] execution **-skiva** *tel.* dial **-spets** finger-tip **-sättning** *mus.* fingering **-tjock** *a* ..of a finger's thickness **-tuta** finger-stall **-vante** [knitted] fingered glove **-visning** hint **-övning** is. *mus.* finger exercise
fingra *itr* finger [*på* at]; [friare] tamper [*på* with]
fin||hackad *a* finely chopped; *kok. äv.* .. minced small **-het** fineness &c, jfr *fin;* [-känslighet] delicacy; [finess] refinement, tact; *äv.* [good] style **-hyllt** *a* delicate-complexioned
finit *a språkv.* finite
fink *zool.* finch
finka 1 [arrest] lock-up **2** *järnv.* guard's van
finkalibrig *a* small-bore
fin|kam small-tooth comb **-ma** *tr* comb .. with a tooth comb; *bildl.* [en trakt] search .. thoroughly
finkel F rot-gut **-olja** fusel-oil
fin||klippa *tr* **1** cut up .. fine **2** cut .. accurately **-kornig** *a* fine-grained **-krossad** *a* .. crushed small **-känslig** *a* delicate **-känslighet** delicacy [of feeling]
Finland Finland **f~s|svensk** *a* Finland-Swedish
finlemmad *a* slender-limbed
finländ||are Finn **-sk** *a* Finnish
fin||mala *tr* grind .. fine (small) **-malen** *a* finely ground **-maskig** *a* fine-meshed **-mekaniker** precision mechanician
finn||a I *tr* **1** [hitta o. d.] find; [upptäcka] discover; [hitta rätt på] find out; [påträffa] come upon, *äv.* [oförmodat] catch, come across **2** [uppnå] find [*tid till att* time to]; [röna] meet with [*uppmuntran* encouragement] **3** [erfara] find, see **4** [anse] think, consider; *~ lämpligt* think fit; *~ för gott att* think it best to **5** *~ på'* find out, discover; *~ på råd* find a way **II** *rfl* **1** [*~ sig vara*] find o.s. **2** [känna sig] feel; [anse sig] consider (think) o.s. **3** [foga, nöja sig] be content [*i* with]; *~ sig i* put up with; submit to [*det oundvikliga* the inevitable]; *äv.* stand [*ngt* a th.] **4** [reda sig] *han -er sig alltid* he is never at a loss; [*han blev först litet häpen*] *men fann sig snart* .. but soon came to himself **-ande,** .. *är till ~s* .. is to be found **-|as** *dep* [vara] be; [stå att -a] be to be found; exist; *det -s mycket att se* there is a great deal to see; *det -s gott om plats* there is plenty of room; *-s det ägg?* have you [got] any eggs? *~ kvar' a)* [återstå] be left; [i behåll] be extant; *b)* [*~ på samma plats*] be still there; *~ till'* exist
finn|blod Finnish blood
1 finne [folkslag] Finn
2 finn||e pimple; [inflammerad] blotch **-ig** *a* pimpled; [pers.] *äv.* pimple-faced
finn||kvinna Finnish woman **-mark 1** Finnish forest settlement **2** [valuta] Finnish mark, Finn-mark
fin||polera *tr* high-polish; *~d* highly polished **-randig** *a* narrow-striped
finsk *a* Finnish; *F~a viken* the Gulf of Finland **-a 1** [språk] Finnish **2** [kvinna] Finnish woman **-född** *a* Finnish-born **-språkig -talande** *a* Finnish-speaking **-ugrisk** *a* Finnic-Ugric; Fenno-Ugrian **-vänlig** *a* pro-Finnish
fin||skuren *a* **1** *kok.* .. minced (cut up) small **2** [t. ex. tobak] fine cut *äv. bildl.;* [anletsdrag] finely chiselled **-slipa** *tr* polish .. smooth **-smakare** epicure [*på* in]; gourmet *fr.* **-smed** whitesmith **-smide** whitesmithery **-snickare** cabinet-maker **-spunnen** *a* fine-spun **-stött** *a* .. pounded fine
1 fint *fäktn.* o. *allm.* feint; *bildl.* stratagem, trick
2 fin||t *adv* finely &c, jfr *fin; ~ bildad* .. of superior education, cultured, refined; *~ utarbetad* elaborately worked-out; *där går det alltid mycket ~ till* things are always done in first-rate style there **-tandad** *a* finely (fine-, small-)toothed
fintlig *a* ingenious, clever
fin|trådig *a* fine-threaded
finurlig a [is. pers.] shrewd, cunning, cute; [is. sak, t. ex. anordning] clever, ingenious
fiol [*spela* play the] violin, **F** fiddle; *betala ~erna* pay the piper; *spela första ~[en]* (*eg.*) play (be) [the] first violin; *bildl.* play first fiddle **-fodral** violin-case **-hals** neck of a (the) violin **-lektion** violin lesson **-makare** violin-maker **-solo** violin solo **-spel** violin-playing **-spelare** violin-player, violinist **-stall** bridge of a (the) violin **-stråke (-sträng)** violin-bow (-string)
1 fira *tr* o. *itr sjö.* (*äv.: ~ på*) ease [away]; [skot] slack, ease off; *~ ned'* lower
2 fira I *tr* **1** *allm.* celebrate; [minne] commemorate; [friare, avhålla] hold [*gudstjänst* service]; *var tänker du ~ helgen?* where are you going to spend the holiday? **2** [hedra] fête; *äv.* honour **II** *itr* [taga ledigt] **F** take off-days
firma firm; *~n tecknas av* [*herr A.*] .. signs for the firm; *~n J. Smith & Co.* Messrs. J. Smith & Co.
firmament, *på ~et* in the firmament
firma||märke *hand.* **(-namn)** firm's (firm) trade mark (name) **-register** register of firms **-stämpel** firm's stamp
fischy fichu
fisk fish; *bildl.* [*en ful ~* an ugly] customer; *få, fånga några ~ar* catch a few fish; *köpa lite ~* buy some fish; *i det lugnaste vattnet gå de största ~arna* still waters run deep; *varken fågel eller ~* neither fish nor fowl; *få sina ~ar varma* **F** catch it hot; *där är han som ~en i vattnet* he takes to it like a fish to the water **-a** *tr* o. *itr* fish; *~ efter* (*bildl.*) angle (fish) for; *~ i grumligt vatten* fish in troubled waters **-affär** fishmonger's [shop] **-a|fänge** catch [of fish]
fiskar||befolkning fisher population **-båt** fishing boat **-e** fisherman **-flicka** fisher lass **-gubbe** old fisherman; **F** old salt **-gumma** fisherwoman **-hamn** fishermen's harbour **-stuga** fisherman's cottage
fisk||art species of fish **-artad** *a* fish-like **-avel** fish-breeding **-ben** fish-bone **-bestånd** stock of fish **-blåsa** air bladder; sound **-bulle** fish-ball **-damm** fish-pond
fiske fishing [*av, efter* of (for)] **-båt** fishing-boat **-don** fishing-tackle *sg* **-flotta** fishing-fleet **-färd** fishing-expedition (-trip) **-garn** fishing-net **-lycka,** *försöka ~n* try one's

luck at fishing **-läge** = *fisk-* **-plats** fishing-ground
fiskeri fishery **-inspektör** fisheries inspector **-näring** fishing industry **-styrelse** fisheries board
fiske||rätt fishing-rights *pl* **-vatten** fishing-ground **-vård** fish protection
fisk||filé fillet of fish **-fjäll** fish-scale **-fångst** catch [of fish] **-färs** fish-pudding **-gjuse** osprey **-hall** fish market-hall **-hamn** fish-harbour **-handel 1** *abstr* fish-trade **2** [bod] fish-shop, fishmonger's **-handlare** [i stort] fish-salesman (-dealer); [detalj] fishmonger **-håv** landing-net, bag net **-konserver** preserved (tinned, canned) fish *sg* **-leverolja** cod-liver oil **-lim** fish-glue **-lukt** smell of fish **-läge** fishing-village **-mjöl** fish meal **-mås** [common] gull, sea-gull **-nät** fishing-net **-odlare** pisciculturist **-odling** pisciculture, fish-culture **-redskap** fishing-implement (-tackle) **-rik** *a* .. abounding in fish **-rom** [hard] roe **-rätt** *kok.* fish course **-rökeri** **-salteri** [fish] curing-house **-sort** variety of fish **-stim** shoal of fish **-stjärt** fish-tail **-sump 1** fish-chest **2** [båt] well-boat **-tärna** common tern **-uppköpare** fish-factor **-yngel** fish-spawn **-öga** fish's eye
fiss *mus.* F sharp
fistel *läk.* fistula
fix *a* **1** *en* ~ *idé* a fixed idea; ~ *punkt* [på termometer o. d.] standard point **2** ~ *och färdig* perfectly ready
fixer||a *tr* **1** [fastställa] fix [*till* at] **2** *foto.* o. d. fix **3** [skarpt betrakta] look hard at **-bad** *foto.* fixing-bath **-ings|bild** puzzle-picture **-salt** hyposulphite of soda, fixing salt
fixstjärna fixed star
fjant fiddle-faddler; whipper-snapper **-a** *itr,* ~ *omkring* go fiddle-faddling about; ~ *för* .. make up to .. **-ig** *a* fussy **-ighet** fussiness
fjol, *i* ~ last year; *i* ~ *somras* last summer
fjoll||a foolish (silly) woman (girl) **-ig** *a* foolish, silly **-ighet** foolishness &c
fjolår, ~*et* last year
fjord [i Norge] fiord; [i Skottl.] firth
fjorton *räkn.* fourteen; ~ *dagar* fortnight *sg; i dag* ~ *dagar* this day fortnight; *i dag för* ~ *dagar sedan* a fortnight ago to-day; *med* ~ *dagars mellanrum* at fortnightly intervals **-de** fourteenth; *var* ~ *dag* once a fortnight **-[de]del** fourteenth [part] **-hundratal,** *på* ~*et* in the fifteenth century **-årig** o. s. v. se *fem-*
fjoskig *a* daft, crazy
fjun [dun] down; [på växt] *äv.* floss; [på persika] fur **-ig** *a* downy; flossy **-ighet** downiness &c
fjäd|er 1 [fågel-] feather; is. *bildl. äv.* plume; *prunka, lysa med lånta -rar* (*bildl.*) be decked out in borrowed plumes **2** [spänn-] spring **-beklädd** *a* feather-covered, feathered, plumy **-beklädnad** plumage **-boll** shuttle-cock **-bolster** feather bed **-buske** *mil.* plume **-dräkt** plumage **-fä** poultry **-lätt I** *a* .. [as] light as a feather **II** *adv, väga* ~ be as a feather in the scales, be a feather[-]weight **-moln** cirrus **-ombyte** *zool.* moulting **-penna** quill **-skrud** plumage **-vagn** spring carriage **-vikt** *sport.* feather-weight **-vippa** feather-duster **-våg** spring balance
fjädr||a I *tr* o. *itr* be elastic, spring **II** *rfl* [göra sig till] show o.s. off [*för* to] **-ande** *a* elastic; [gång] springy **-ing** spring suspension
1 fjäll fell; [norska] fjeld; [snow-]mountain
2 fjäll scale **-a I** *tr* scale [off] **II** *itr* peel; ~ *av* [*sig*] scale (peel) off
fjällandskap fell (fjeld) scenery
fjäll||bestigare fjeld- (*äv.* alpine)climber, alpinist **-bestigning** fjeld-(alpine)climbing **-biten** *a* mountain-crazy **-brud** saxifrage
fjäll||fisk scaly fish **-ig** *a* scaly, scaled
fjällnatur fell (fjeld) scenery
fjällning scaling; *läk.* peeling
fjäll||ripa *zool.* ptarmigan **-räv** *zool.* arctic fox
fjällskivling ruffled agaric
fjälltopp (-trakt) fell-(fjeld-)top (region) **-uggla** snowy owl **-vidd,** *på* ~*erna* on the boundless fells (fjelds) **-växt** fell (fjeld) plant
fjälster sausage-skin
fjär *a* stand-off[ish]
fjärd bay
fjärde *räkn.* fourth; ~ *Mosebok* Numbers **-del** fourth [part], quarter; *tre* ~*ar* three fourths (quarters)
fjärding [kärl] firkin **-s|man** parish constable **-s|väg,** *en* ~ a quarter of a [Swedish] mile
fjäril butterfly; [natt-] moth **-s|håv** butterfly-net **-s|larv** caterpillar **-s|lik** *a* butterfly-like **-s|vinge** butterfly's wing
fjärm||a I *tr* remove .. [far off] **II** *rfl* draw away [*från* from]; remove [o.s.] **-are** *a* o. *adv* farther (further) [off]
fjärran I *a* distant, remote, far[-off]; *i F*~ *västern* (*östern*) in the Far West (East) **II** *adv* afar, far [away (off)]; *från när och* ~ from far and near; *hålla sig* ~ *från* keep aloof from **III** *s* distance; *i* ~ in the distance, afar off **-[i]från** *adv* from afar **-liggande** *a* far-off
fjärr||belägen *a* far-distant **-blick** distant gaze **-blickande** *a* distant-gazing **-eld** *mil.* long-distance fire (firing) **-fotografering** telephotography **F-karelen** 'Outer' (Russian) Carelia **-kontroll** remote control **-projektil** long-distance missile **-samtal** trunk (long-distance) call **-skrivmaskin** teleprinter **-skådande I** *a* far-seeing; clairvoyant, second-sighted **II** *s* clairvoyance, second sight **-skådare** clairvoyant **-spaning** long-range reconnaissance **-strid** long range fight[ing] **-styrd** *a* remote controlled, guided **-styrning** remote control **-syn** distant vision **-synt** = *-skådande* **-synthet** far-seeing[ness] **-trafik (-tåg)** long-distance traffic (train) **-vapen** long-range weapon **-värme** distant heating **-värme|central** district heating station
fjäsa *itr,* ~ *för* pay .. overdue attention; fawn [up]on (to)
fjäsk 1 [brådska] hurry, flurry; bustle **2** [fjäsande] fuss [*för* of; *med* about] **-a** *itr* **1** be in a hurry &c **2** make a fuss [*för* with] **-ig** *a* fussy; fawning
fjät footstep
fjätt||ra *tr* fetter, shackle; *äv.* chain **-rar** fetters, shackles; *slå ngn i* ~ (*bildl.*) fetter (shackle) a p.
flabb 1 [pratmakare] driveller **2** drivel; jfr *flatskratt* **-a** *itr* drivel **-ig** *a* drivelling
flack *a* flat, level; [ytlig] superficial
flacka *itr* rove (roam) [about]
fladd||er flutter **-er|aktig** *a* fickle **-er|mus** *zool.* bat **-ra** *itr* flutter; [om fågel] flit; [vaja] flap; [om ljus, låga] flicker **-rig** *a* **1** [löst hängande] flapping **2** *bildl.* [ostadig] volatile, fickle
flaga I *s* flake; [av slagg] scale **II** *itr,* ~ *av sig* shed flakes **III** *rfl* flake, scale off
flagg flag, *äv.* colours *pl; föra svensk* ~ fly [the] Swedish colours; [*segla*] *under främmande* (*falsk*) ~ .. under a foreign flag (under false colours); *stryka* ~ strike one's colours **-a I** *s* flag; *föra kunglig* ~ fly the royal ensign (standard); *hissa* ~*n på halv stång* fly the flag [at] half mast **II** *itr* fly flags (the (one's) flag); *det* ~*s för* .. the

flags are (the flag is) flying for (in honour of) .. **-duk 1** [tyg] bunting **2** [-a] flag **-lina** flag-cord **-ning,** *det är allmän ~* there is a general (universal) display (flying) of flags **-prydd** *a* flag-adorned **-skepp** *sjö. mil.* flagship **-skrud 1** [stads] flag-array **2** *sjö.* dressing of flags **-stång** flagstaff **-ställ** set of signal-flags
flagig *a* flaky; flawy
flagna *itr* (**flagra** *itr*) flake [off], scale off
flagrant *a* flagrant
flak se *is~* **-vagn** open-sided waggon
flamingo *zool.* flamingo
flamländ||are Fleming **-sk** *a* Flemish **-ska 1** [språk] Flemish **2** [kvinna] Flemish woman
flamm||a I *s* **1** flame *äv. bildl.* **F**; **F** *äv.* [is. *Am.*] baby, date; [häftig] *äv.* blaze, flare **II** *itr* flame, blaze; *~ för a)* [det ädla] be enthusiastic for; *b)* [en flicka] **F** be sweet on; *~ upp'* flame up (flare [up]) [*för* at] **-ig** *a* flamy; [om färg] flaming; *~ björk* plum-pattern birch
flamsk = *flamländsk*
flamugn reverberatory furnace
Fland||ern Flanders **f-risk** *a* = *flamländsk*
flanell flannel **-byxor** flannel trousers, flannels
flanera *itr* stroll about
flank flank **-anfall** flank attack, attack in the flank **-era** *tr* flank **-hot** menace on the flank **-skydd** protection of the flank
flanör flaneur *fr.*; man about town
flarn, *driva som ett ~ för vinden* drift like a cork before the wind
flask||a *allm.* bottle; [fick-] flask; [av metall] can; [öl] *på -or* .. in bottles **-barn** bottle-fed baby **-borste** bottle-brush **-hals** bottle-neck **-korg** bottle-basket **-post** bottle-message[s *pl*] **-öl** bottled (bottle-)beer
flat *a* **1** *eg.* flat; [tallrik] shallow; *med ~a handen* with the flat of the (one's) hand **2** *bildl.* [efterlåten] weak (indulgent) [*mot* to]; [häpen] aghast, dumbfounded; chap-fallen **-a** [hand-] flat of the (one's) hand, palm **-bottnad** *a* flat-bottomed **-het 1** flatness **2** [efterlåtenhet] weakness, indulgency; [häpenhet] dumb-foundedness, blank amazement **-skratt** o. **-skratta** *itr* guffaw **-tryckt** *a* .. pressed flat
flau *a* dull, flat
flax F = *1 tur 2*
flax||a *itr* flutter; *~ med vingarna* flap (flutter) its (o. s. v.) wings **-ig** *a* fluttering &c; [ombytlig] flighty
flegma phlegm, apathy **-tiker** phlegmatic person **-tisk** *a* phlegmatic
fler = *-a 1* **-a (-e)** *a* **1** [jämför.] more; [talrikare] more numerous; *vi bli inte ~* there won't be [any] more of us; *långt ~ människor* [*än vanligt*] far (many) more people ..; *allt ~ och ~* .. more and more .. **2** [utan jämför.] many; [talrika] numerous; [åtskilliga] several; *med ~* (*m. fl.*) and others; *äv.* etc.; *vid ~ tillfällen* (*äv.*) on more than one occasion **-armad** *a* many-branched **-dubbel** *a* manifold **-dubbla** *tr* multiply **-faldig** = *mång-* **-faldiga** *tr* multiply; [skrift o. s. v.] reproduce **-falt** *adv* many times, [ever so] much **-fas-** multi-phase **-färgad** *a* multi-coloured, many-coloured **-färgs|tryck** polychromous phototype **-motorig** *a* multi-engined **-sidig** *a* polygonal **-siffrig** *a* many-figure .. **-språkig** *a* polyglot **-stavig** *a* polysyllabic **-stegs|raket** multi-stage rocket **-städes** *adv* in several places **-stämmig** *a* polyphonous **-stämmigt** *adv* [sjunga] in parts **-tal 1** *gram.* plural **2** *~et* (: *större delen*) most [*människor* people], the [great] majority [of ..]; *i ~et fall* in most cases **3** *ett ~* .. a number of .. **-årig** *a* .. of several years[' duration]; *bot.* perennial
flesta *a, de ~ a) fören.* most; *b) självst.* [om förut nämnd] most of them; *de ~* [*människor*] most people; *de ~* [*böckerna*] most of the ..
1 flicka *tr, ~ ihop* patch .. up
2 flick||a girl; *-orna Brown* the Brown girls; *gamla -or* [ogifta] old maids **-aktig** *a* girlish **-ansikte** girl's face **-bekant** girl friend **-bok** *en bra ~* a good book for girls **-hatt** girl's hat **-jägare** runner after girls **-klass** girls' class **-namn** girl's ([frus] maiden) name **-pension** girls' boarding-school **-scout** girl scout **-skola** girls' school **-snärta F** young thing **-stumpa F** little lass **-tid** girlhood **-tjusare** girl-charmer **-tycke,** *ha ~* be a favourite with girls **-unge** little girl, lassie
flik [av plagg, på kuvert] flap; [snibb] lappet; *naturv.* lobe; [bit] patch **-ig** *a* lobate
flimmer quivering **-hår** flagellum
flimra = *glimma*
flin grin; [hånlöje] sneer **-a** *itr* grin
flinga flake
flink *a* (*äv.*: *~ av sig*) [kvick] quick (nimble) [*i* at]; [driftig] active; [rask, t. ex. svar] brisk; [färm] prompt; *~ i fingrarna* nimble-fingered **-het** quickness &c
flint||a flint **-hård** *a* flinty **-låsgevär** flint gun
flintskall||e bald head **-ig** *a* bald
flintyxa flint axe
flisa I *s* [spån] chip; [trä-, skärva] splinter **II** *tr, ~ sönder* splinter **III** *rfl* splinter
flit 1 *eg.* diligence; [arbets-] industry; [trägenhet] assiduity **2** *med ~* (: *avsikt*) purposely, on purpose; deliberately **-betyg** *skol* marks *pl* for application **-ig** *a* diligent; [idog] industrious; [arbetsam] hard-working; [trägen] assidous; [aldrig sysslolös] busy; [ofta upprepad, t. ex. besök] frequent; *en ~ teaterbesökare* a habitual theatre-goer
flock 1 flock; [vargar] pack; [fågel-] *äv.* flight **2** *bot.* umbel **-a** *rfl* flock [together]; cluster **-ull** waste wool **-vis** *adv* in (by) flocks
flod 1 *eg.* river; *bildl.* flood, stream **2** [högvatten] flood, tide **-arm** branch (arm) of a (the) river **-bank** river-bank **-brädd** edge of a (the) river **-bädd** river-bed **-fart** river navigation **-fattig** *a* .. with few rivers **-häst** *zool.* hippopotamus **-mynning** river mouth; [vid] *äv.* estuary **-rik** *a* .. abounding in rivers **-spruta** river fire-engine **-tid,** *vid ~* at high (flood) tide **-våg** tidal wave, tide-wave **-ångare** river steamer
1 flor 1 [tyg] gauze; [sorg-] crape **2** [slöja] veil *äv. bildl.*
2 flor, *komma* (*stå*) *i sitt ~* come out into (be in) blossom (flower) **-a** flora
Floren||s Florence **f-tinare f-tinsk** *a* Florentine
florer||a *itr* [i dålig mening] be rife (rampant); jfr *blomstra* **-ande** *a* widely prevalent
florett [fencing-]foil **-fäktning** fencing [at] foils]
flor||höljd *a* .. draped in crape **-s|huva,** *ta sig en ~* **F** have a booze **-s|tunn** *a* .. [as] thin as gauze
floskler high-sounding words, balderdash *sg*
1 flott grease; [stek-] dripping; [ister] lard
2 flott I *a* ['glad'] gay [*levnadssätt* life]; [frikostig] generous; [frikostigt tilltagen] handsome; [överdådig] extravagant; [elegant] stylish, dashing **II** *adv* gaily &c; *leva ~* lead a gay life; [*sjösättningen*] *gick ~* .. went off without a hitch
3 flott *a sjö., komma ~* get afloat **-a I** *s* **1** navy; [avdelning] fleet; *gå in vid ~n* enter (join) the Navy **2** [civilt] fleet **II** *tr* float [*timmer* timber]

flott||bas (-besök) naval base (visit)
flotte raft
flottfläck grease spot
flotthet extravagance; gaiety; generosity
flottig *a* greasy
flott||ilj flotilla; *flyg.* wing; *Am.* group **-ist** sailor
flott||karl floater **-led** floating-way **-ning** [log-]floating **-ningsränna** flume
flott||politik (-revy -station) naval policy (review, station)
flottyr frying-fat **-stekt** *a,* ~ *potatis* French fried potatoes *pl*
flottör *allm.* float; [på flygplan] pontoon
flox phlox
flug||a fly; *slå två -or i en smäll* kill two birds with one stone; *en* ~ *gör ingen sommar* one swallow does not make a summer; *få* ~*n på ngt* get a th. on the brain **-fiske** fly-fishing **-fångare** fly-paper **-håv** fly-net **-larv** fly-larva **-papper (-smälla)** fly-paper (-bat) **-snappare,** *grå* ~ spotted flycatcher; *svart-vit* ~ pied flycatcher **-svamp** fly agaric, flybane **-vikt** *sport.* flyweight
fluidum fluid, liquid
fluktu||ation fluctuation **-era** *itr* fluctuate
flundra flounder
fluor *kem.* fluorine **-escens** fluorescence **-escera** *itr* fluoresce **-escerande** *a* fluorescent
fluster bee-hive entrance
flux *adv* straight [away], all in a jiffy
1 fly [på ankare] fluke, flue
2 fly I *itr* flee [*för fienden* before the enemy]; [undkomma] escape; [rymma] run away; *livet hade* ~*tt* life was extinct; ~*dda tider* times long past **II** *tr* flee from [*lasten* vice], escape; [fara] shun
flyg 1 ~*et (mil.)* the air force **2** *med* ~ by air; *när går* ~*et till ..?* when does the plane for .. leave? **3** [-konst] aviation **-a** *itr* o. *tr* fly; [sväva högt, uppåt] soar [*mot höjden* aloft]; [rusa, störta] *äv.* rush, dash, dart; ~ *i luften* [explodera] go (blow) up; ~ *fel* fly out of one's course; *vad kan ha flugit i honom?* what[ever] can have possessed (got into) him? [*ordet*] *flög ur honom* .. escaped him; ~ *på' ngn* fly at a p. **-ambulans** ambulance plane **-ande** *a* flying [*fästning* fortress; *slagskepp* superfortress; *tefat* saucer] **-anfall** air raid (attack) **-are** airman, aviator; [förare] [air] pilot **-bas** air base **-bensin** aviation petrol (*Am.* gas[-oline]) **-biljett** air-ticket **-blad** fly-sheet; [broschyr] leaflet, pamphlet **-bolag** airline [company] **-bomb** aircraft (aerial) bomb **-bombardemang** aerial bombardment **-bragd** flying exploit **-båt** seaplane; [transocean] *äv.* clipper **-certifikat** pilot's [flying-]certificate (licence) **-dräkt** flying suit **-duglig** *a* air-worthy
flygel 1 wing; *mil., polit., sport.* flank **2** *mus.* [grand] piano **-byggnad** [detached] wing **-karl** *mil.* man on the flank
flyg||ekorre flying squirrel **-eskader** air squadron **-fisk** flying-fish **-formering** flight formation **-expedition** air terminal **-foto-[grafering]** aerial photograph[y] **-fyr** [aerial] beacon; [radio] range [station] **-fä** winged insect **-fält** airfield, airport, aerodrome; *Am. äv.* airdrome **-färd** flight **-färdig** *a* **1** [fågelunge] [full-]fledged **2** [flygare] ready to fly **-förare** air pilot **-förband** flying unit **-förbindelse** air service **-förmåga** ability to fly **-hall** hangar **-hamn** airport; [för hydroplan] seaplane base **-hastighet** flying (air) speed **-haveri** = *-olycka* **-huva** flying helmet **-höjd** flying altitude **-industri** aviation industry **-ingenjör** aeronautical engineer **-instrument** flight instrument **-kapten** [vid trafikflyget] flight captain **-karta** aviation map (chart) **-klarerare** flight dispatcher **-klubb** flying-club **-konst** [[the] art of] flying **-kropp** body [of a (the) aeroplane]; fuselage **-kunnig** *a* able to fly **-kår** *mil.* flying-corps **-larm** air-raid alert (warning) **-led** airway **-linje** air route (service), airline **-lärare** flight (flying) instructor **-maskin** plane; *Engl. äv.* aeroplane, *Am.* airplane; flying machine **-mekaniker** air [-craft] mechanic **-motor** aircraft (aero-[plane], *Am.* airplane) engine **-myra** winged ant **-navigation** air navigation **-navigatör** flight navigator **-ning** flying, flight; aviation, aeronautics *pl* **-nät** network of air lines **-officer** flying (air-force) officer **-olycka** aeroplane (flying-) accident, air crash **-passagerare** air passenger **-paviljong** air terminal **-plan** plane, *Engl. äv.* aeroplane, *Am.* airplane; aircraft [lika i *pl*] **-plans|fabrik** aeroplane &c factory **-plans|-konstruktör** aeroplane &c designer **-plans|-kryssare** aircraft-carrier **-plans|typ** aeroplane &c type; type of plane **-plats** aerodrome; se *äv. -fält* **-post[märke]** air mail [label] **-radar** aviation radar **-radiofyr** [radio] range [station]; [radio] beacon **-rutt** air route (service) **-sand** drift-sand **-skrift 1** pamphlet **2** [med -plan] sky-writing **-skydd** air cover **-spanare** [air] observer **-spaning** air reconnaissance **-sport,** ~*en* flying **-station** airport, aerodrome **-strid** air fight, aerial combat **-styrman** flight officer **-säker|het** flight safety **-teknik** aeronautics *pl* **-tekniker** air mechanic **-teknisk** *a* aerotechnical **-term** aviation (aeronautic[al]) term **-tid** flight (flying) time **-timme** flight (flying) hour **-trafik** airway traffic, air service **-tur** flying-trip, flight **-uppvisning** air display **-vana** flying experience **-vapen** *mil.* air force; *Engl.* [the] Royal Air Force (R.A.F.); *Am.* Army Air Force (A.A.F.) **-verksamhet** flying activity **-väder** flying weather **-värdinna** flight (air) hostess, stewardess **-väsen** aviation **-ödla** dragon **-övning** practice flight; ~*ar* (*äv.*) flying-practice *sg*
flyhänt *a* nimble-fingered; *bildl.* ingenious, deft, dexterous
flykt flight; [från fanan o. d.] desertion; [rymning] escape; *poetisk* ~ poetic inspiration; *driva på (ta till)* ~*en* put .. (take) to flight; *gripa tillfället i* ~*en* seize the opportunity (moment as it flies)
flykt||a *itr* flee; [om tid] fleet **-artad** *a* rout-like **-försök** attempted escape **-ig** *a* **1** [övergående] fleeting, passing; [genomläsning] cursory; *kasta en* ~ *blick på ..* give .. a hasty (passing) glance; *en* ~ *bekantskap* a slight acquaintance **2** *kem.* o. d. volatile **3** [ostadig] fickle, flighty **-ighet** fickleness **-ing** fugitive; [gm krigsoperationer] *äv.* displaced person; [till främmande land] refugee **-ings|läger** refugee camp **-ings|råd** refugee council
flyt||a *itr* **1** [uppbäras av vätska] float *äv. bildl.;* .. *har flutit i land* .. has been washed ashore **2** [rinna] flow *äv. bildl.;* [om t. ex. tårar] run **3** [vara i -ande tillstånd] be fluid; [bläck o. d.] run **4** [med beton. part.] ~ *ihop* [om färger] run into each other; ~ *upp* rise to the surface **-ande I** *a* **1** [ovanpå] floating; *hålla det hela* ~ *(bildl.)* keep things going **2** [rinnande] flowing, running, *äv. bildl.;* fluent [*engelska* English] **3** [mots. fast] fluid; [föda] *äv.* liquid; ~ *bränsle* liquid fuel **II** *adv* [tala] fluently **-docka** floating dock **-dräkt** floating dress

flytt||a I *tr* move; (*äv.: ~ bort*) remove; *skol.* move .. up [*till* [in]to] **II** *itr* move (*äv.: ~ på sig*); [om tjänare] leave [*från en plats* a place]; [om fåglar] migrate; [till annat land] emigrate **III** *~ fram* [*klockan*] move (put) .. on (forward); *~ ihop* (*ihop med ngn*) go to live together (with a p.); *~ in till staden* move into town; *~ upp* [i graden] move .. up; promote **IV** *rfl* move, change one's place **-bar** *a* movable, mobile, portable **-block** *geol.* erratic block **-fågel** migratory bird **-lass** vanload of furniture [being removed] **-ning** moving &c; removal, transportation; [nomaders] migration **-ningsbetyg** leaving-certificate, character **-ningsdag** day for (of) removal; quarter-day **-vagn** removals van, pantechnicon [van], transport lorry (truck)

flytväst life jacket (*Am.* vest)

flå *tr* flay; [is. fisk] skin

flåsa *itr* puff [and blow]; [flämta] pant

fläck 1 [blod-, bläck- o. s. v.] stain, mark; *äv.* spot; [sot-] smut; *bildl.* stain, blemish **2** [på djurhud] spot **3** [ställe] spot; [[jord-]lapp] plot, patch; *på ~en* [genast] on the spot; all at once; *jag får honom inte ur ~en* I can't move him; *vi komma inte ur ~en* we are not making any progress (getting anywhere) **-a** *tr* spot (stain) *äv. bildl.;* [smutsa ned] [be]smear; [nedsöla] soil; *~ ifrån sig* leave stains; *~ ned sig* get o.s. (one's clothes) [all] stained (soiled) **-fri** *a* stainless &c; unsoiled; *bildl. äv.* unspotted, blameless, immaculate **-ig** *a* jfr *fläck* **1** stained, soiled **2** spotted [*tiger* tiger] **-tyfus** *läk.* spotted fever **-uttagning** removal of stains **-uttagnings|medel** stain-remover **-vatten** scouring water **-vis** *adv* in spots (places)

fläder elder **-buske** elder-tree **-mus** bat **-te** elder-flower tea

fläka *tr* slit .. up; *~ av* rip off

fläkt 1 [[vind]pust] breath [of air]; breeze; puff; [friare o. *bildl.*] waft; *en frisk ~* a breath of fresh air; *milda ~ar* balmy breezes **2** [-anordning] fan; [åkerbruk] winnower; ⊗ [fan-]blower **-a I** *tr* [*rfl*] fan [o.s.] **II** *itr, det ~r så skönt och svalt* there is such a delicious cool breeze blowing; *~ bort* [t. ex. flugor] fan away **-ande** *s, vindens ~* the play of the wind

flämt||a *itr* **1** pant **2** [fladdra] flicker **-ning** **1** pant **2** flicker

fläng bustling; hurry; *i* [*flygande*] *~* in a [flying] hurry **-a I** *tr* strip [*av* off; *sönder* .. in two] **II** *itr* fling [*omkring i rummet* round the room]; *~ omkring* dash about

fläns o. **-a** *tr* flange

flärd vanity; frivolity **-fri** *a* unaffected, artless; [blygsam] modest **-frihet** artlessness &c; simplicity **-full** *a* vain; frivolous

fläsk pork; [sid-] bacon; *ärter och ~* split-pea soup and bacon **-filé** *kok.* fillet of pork **-flott** pork-dripping **-hare** *kok.* prime back of pork **-karré** ribs of pork **-korv** pork sausage **-kotlett** pork chop (cutlet) **-pannkaka** pork-pancake **-skiva** slice of pork (bacon) **-svål** bacon rind

flät||a I *s* plait; *äv.* tress; [nack-] pigtail; [bakverk] twist **II** *tr* plait, braid; [krans o. d.] twine; *~ in'* (*bildl.*) intertwine **III** *rfl* entwine itself [*om*[*kring*] round] **-verk** plaited (basket-)work, wicker-work

flöd||a *itr* flow; [ymnigt] pour, stream; *~ av* (*bildl.*) overflow with; *~ över'* (*eg.*) flow (run) over; *bildl.* brim over [*av* with] **-ande** *a* flowing &c; *bildl.* fluent; [fantasi] exuberant **-e** flow; torrent, stream (alla *äv. bildl.*)

flöjel vane, weathercock

flöjt flute **-blåsare** flute-player **-ist** flutist **-spel** fluting

flört 1 [-ande] flirtation **2** [pers.] flirt[er] **-a** *itr* flirt **-ig** *a* flirtatious, flirty

flöte float; *vara bakom ~t* **F** be behind the times

flöts *geol.* seam

f-moll *mus.* F minor

fnas husk, shuck **-a** *tr* husk **-ig** *a* scabby

fniss||a *itr* o. **-ning** titter, giggle

fnitt||er -ra = *fniss|ning -a*

fnoskig *a* dotty; [fånig] silly, idiotic

fnurr||a *bildl.* hitch; *det har kommit en ~ på tråden* a hitch has cropped up somewhere; [mellan två personer] they have fallen out **-ig** *a bildl.* huffy

fnys||a *itr* snort [*av ilska* with rage] **-ning** snort

fnösk||e tinder, touchwood **-torr** *a* .. [as] dry as tinder (&c)

foajé *teat.* foyer *fr.*

fob (f. o. b.) *adv hand.* fob (free on board)

fock *sjö.* foresail

focka *tr* **F** turn .. off, [give .. the] sack

fock||mast *sjö.* foremast **-skot** *sjö.* foresheet **-stag** forestay

1 foder [i kläder o. friare] lining; [omhölje] casing; *bot.* calyx

2 foder [-medel] [cattle-]food; fodder; *mil. äv.* forage **-beta** *bot.* fodder (feeding-) beetroot

foderblad *bot.* sepal

foder||brist fodder shortage

foderbräde *byggn.* dressing

foder||kaka [cattle-food] cake **-lada** straw-barn **-skörd** fodder-(forage-)crop

fodertyg lining

fodervaxt fodder-(forage-)plant

1 fodra *tr* line

2 fodra *tr* [give .. a (its o. s. v.)] feed, fodder

fodral case; [låda] *äv.* box; [omhölje] cover

1 fog [skäl] justice, [good] reason, justification, right; *ha fullt ~ för* have every reason (justification) for; *med* [*allt*] *~* with good reason; *äv.* reasonably

2 fog joint; *vetensk.* suture

fog||a I *tr* **1** [förena] *eg.* join [. . *till, i* to]; *bildl.* add [. . to], attach [. . to] **2** [avpassa] suit **3** [bestämma] ordain; *ödet har ~t det så* fate would have it so **II** *rfl* **1** [ansluta] join [itself o. s. v.] on [*till* to] **2** [falla sig] *om det ~r sig så* if things turn out [in] that way **3** [lyda] give in; *~ sig efter* [omständigheterna] accommodate o.s. to, [andras vanor] fall in with, [befallning] comply with; *~ sig i* resign o.s. to

fogde *hist. ung.* sheriff, bailiff; *Am.* marshall

foglig *a* accommodating; compliant, submissive; [saktmodig] gentle **-het** compliancy; gentleness

fokus focus

foli||ant [book in] folio; folio volume **-o[format]** folio [size]

folk 1 [-slag, nation] people, nation **2** [människor] people *pl;* **F** folks *pl;* [underlydande] servants *pl; ur ~ets djupa led* from the ranks of the people; *F~ets Hus* the People's Palace; *vara som ~*[*et*] *är mest* be just like ordinary people; *det är skillnad på ~ och ~* there are people and people; *det blir nog ~ av honom till sist* he will turn out all right before he has done **-anda,** *~n* the spirit of the people **-bibliotek** free (public) library **-bildning** [the status of] popular adult education **-bildnings|rörelse** adult education movement **-bok** popular book **-dans** folk-dance **-demokrat** popular (folk-)democrat **-demokrati** people's democracy **-diktning** popular (national) poetry **-djupet** the masses *pl* **-dräkt** peasant (national) costume **-etymologi** popular etymology **-fattig** *a* sparsely populated **-fest** [högtid] national holiday **-front** popular (people's) front **-församling** national assembly **-försörjning** national food supply **-försörjningsministerium** Ministry of Food and Supply **-försörjningsnämnd** Food Office **-gunst** popularity **-hjälte** popular hero **-hop** crowd (mob) [of people] **-humor** folk (popular) humour **-hushållning** national economy **-hälsa** public health **-högskola** 'people's high school' **-ilsken** *a* vicious; savage **-karaktär** national character **-klass** class [of the people] **-kommissarie** [i Sovjetunionen] People's Commissar **-kyrka** national church **-kär** *a* beloved by his (o. s. v.) people **-kök** [public] soup-kitchen **-lager** stratum [*pl* strata] of the population **-ledare** popular leader **-lek** national game **-lig** *a* **1** [nöje] popular; democratic [*regent* ruler] **2** [i umgänge] affable **-lighet** popularity; affability **-liv,** *~et* the life of the people; *svenskt ~* the customs and manners of the Swedish people; *~et på gatorna* the crowds in the streets **-livs|forskning** ethnology

folklor||e folklore **-ist** folklorist

folk||lynne national character **-massa** = *-hop* **-medvetande,** *i ~t* in the public consciousness **-melodi** folk-melody; popular melody **-mening** popular opinion **-minskning** decrease in (of) [the] population **-mål** dialect **-mängd** population **-möte** public (mass-) meeting **-mötes|talare** mass-meeting orator **-nykterhet** national standard of temperance **-nöje** popular amusement **-omröstning** plebiscite **-park** people's park **-pension,** *~en* the National Pensions Scheme **-pensions|anstalt,** *~en* the National Pensions Board **-pensions|lag** National Pensions Bill **-ras** race [of people] **-representant** [i riksdag] representative of the people **-resning** popular rising **-rik** *a* populous **-räkning** census [of population] **-rätt** [the] law of nations; *~en* international law **-rättslig** *a*, *~a frågor* questions of international law **-rörelse** national movement **-saga** popular (folk-)tale **-samling** gathering of people, crowd **-sed** popular custom **-skara** = *-hop*

folkskol||a elementary (*Engl.* primary) school; *Am.* public (common) school; *högre ~* higher-grade primary school **-e|barn** elementary(&c)-school child **-e|bildad** *a* . . with an elementary-school education **-e|bildning** elementary-school education **-[e]inspektör** elementary-schools inspector **-e|seminarium** training-college **-e|stadga** elementary-education code **-e|väsen** elementary-school system

folkskollärar||e elementary-school teacher **-examen** elementary-school teacher's certificate examination **-inna** = *-e* **-kår** elementary-school teachers *pl*

folk||skygg *a* shy with people; shy of society ([om djur] human beings) **-skygghet** shyness of society &c **-slag** nationality **-språk** popular idiom **-stam** tribe **-styrd** *a* democratically governed **-styrelse** democratic government **-sång** national anthem **-sägen** popular tradition (legend) **-talare** popular orator **-teater** popular theatre **-tom** *a* [om land o. d.] depopulated; [om gata] deserted, empty **-tro** popular belief **-trängsel** crowd[s *pl*] of people **-tät** *a* densely populated **-täthet** density of population **-undervisning** popular education, public instruction **-universitet** people's university **-upplaga** popular edition **-upplopp** riot **-upplysning** enlightenment of the people (masses); popular enlightenment **-uppviglare** popular agitator **-vald** *a* democratically (popularly) elected **-vandring** *hist.* Völkerwanderung *ty.; allm.* general migration **-vett** [good] manners *pl* **-vilja,** *~n* the will of the people **-vim|mel,** *i -let* in the throng (crowd) [of people] **-visa** folk-song **-välde** democracy mocrat **-vänlig** *a* democratic[ally disposed] **-vänlighet** democratic sympathies *pl* **-ökning** increase in (of) the] population

1 fond [bakgrund] background; *teat. äv. a)* [på scenen] back [of the stage]; *b)* [*första radens* the dress-circle] centre

2 fond fund; capital; [donerad] foundation; [förråd] stock, store **-börs** stock exchange

fond|dekoration *teat.* back-drop

fond||era *tr* fund; consolidate **-marknad** stock[-and-share] market **-mäklare** stockbroker

fonem phoneme

fonet||ik phonetics *sg* **-iker** phonetician **-isk** *a* phonetic

fono||graf phonograph **-logi** phonology

fontän fountain; *äv.* jet [of water]

fora [lass] load; wag[g]on-load; [vagn] cart

forc||e majeure force majeure *fr.* **-era** *tr* force; press on [*arbetet* the work] **-era|d** *a* forced, strained; *i -t tempo* at top-pressure speed

fordom *adv* formerly, in times past; [högtidligare] in days of yore; *från ~* from former (ancient) times **-tima** *adv* in ancient days

fordon vehicle; [last-] cart, van, truck

fordra *tr* **1** [med personsubj.] demand [*ngt av ngn* a th. of a p.; *betalning* payment]; [bestämt] insist upon; [omilt] exact; [göra anspråk på] require [*att ngn skall* . . a p. to . .]; [som sin rätt] claim; *~ räkenskap av ngn* call a p. to account; *jag har 10 pund att ~ av honom* I have a claim of 10 pounds on him **2** [med saksubj.] *a)* [er-] require, want, call for; *b)* [t. ex. arbetet *~r* stor omsorg] demand; *c)* [[på]bjuda] prescribe; *d)* [taga [tid] i anspråk] take

fordr||an 1 *allm.* demand [*på* [*ngn*] on]; [*äv.:* vad som erfordras] requirement [*på* [*ngn*] in] **2** [penning-] claim; [*jag har*] *en liten ~ på er* . . a small account against you **-ande** *a* exacting **-as** *dep* be required (needed); *det ~* [*mod*] (*äv.*) it takes . . **-ing** jfr *-an; ~ar* **1** demands; [förväntningar, -ar på livet] expectations [from life]; [anspråk] claims; [*motsvara*] *alla nutida ~ar* [come up to] all modern requirements; *ställa höga ~ar på* [*ngn*] be exacting in one's demands on . . **2** [tillgodohavanden] [active] debts, claim[s] **-ings|ägare** creditor

forell *zool.* river trout

for||karl carter **-lön** cartage, carriage

form 1 *allm.* form; *äv.* [skapnad, fason] shape; cut; *fys., kem.* [*i fast* (*flytande*) in a solid (fluid)] state; *i ~ av a)* in [the] form of [*dagbok* a diary]; *b)* in the shape of [*ett ägg* an egg]; *c)* in the state of [*ånga* vapour]; *hålla mycket på ~en* stand upon forms (formalities) **2** *sport.* [*ej vara i* be out of] form **3** *gjut.* o. *bildl.* mould; *kok.* dish, tin **-a I** *tr* mould *äv. bildl.;* [friare] shape [*munnen till* . . one's mouth to . .]; [i ord] frame **II** *rfl* mould itself

formalin formalin

formal||ism [a piece of] formalism **-ist** formalist **-istisk** *a* formalistic **-itet** formality, matter of form; *utan ~er* without ceremony

forman carter
form||at [shape and] size **-ation** formation **-bar** *a* formable; mouldable, plastic **-barhet** plasticity, mouldability **-bröd** tin loaf **-el** formula **-ell** *a* formal; conventional **-enlig** *a* correct (regular) [in form] **-era I** *tr* **1** [vässa] sharpen **2** *mil.* form **II** *rfl mil.* form [*till* into] **-ering** *mil.* o. *allm.* formation **-fattig** *a* . . with few forms **-fel** [i uppsats] formal error; [i ansökningshandlingar] informality **-fråga** question of form **-fulländad** *a* . . perfect in form **-fulländning** perfection of form **-givning** shaping; *konkr* design **-känsla** feeling for form **-lig** *a* [uttrycklig] express; [riktig] regular **-ligen** *adv* expressly, regularly; [bokstavligen] literally; [helt enkelt] simply **-lära** *gram.* accidence **-lös** *a* formless, shapeless; [obestämd] vague **-löshet** formlessness &c **-rik** *a* . . possessing a large number of forms; [språk] highly inflexional **-rikedom** abundance of forms **-sak** matter of form, formality **-sinne** sense of (for) form **-skön** *a* . . beautiful in form **-skönhet** beauty of form **-stridig** *a* . . contrary to the prescribed form **-säker** *a* [person] . . versed in the forms; [föremål] sure in form, firmly moulded (drawn) **-ulera** *tr* draw up, word **-ulering** [the] drawing up (&c) [*av* of]; wording; formulation **-ulerings|konst** power of finding the right wording **-ulär** formula; [blankett] form
forn *a* **1** former, earlier **2** [-tida] ancient **-engelsk** *a* Old English; *språkv. äv.* Anglo-Saxon **-forskare** antiquarian, archæologist **-forskning** antiquarian (archæological) research **-fynd** archæological find **-grav** ancient barrow (grave) **-historia** ancient history **-historisk** *a* .. of ancient history **-kunskap** archæology **-lämning,** [*fasta*] *~ar* ancient monuments **-minne,** *~n* ancient monuments (memorials) **-nordisk** *a* Old Scandinavian **-norsk** *a* Old Norse **-språk** ancient language; *i ~et* in the early stages of the language **-stor,** *från ~a dar* from the grand old days **-svensk** *a* Old Swedish **-tid** prehistoric period (age); *~en* antiquity; *i den grå ~en* in a dim and distant past **-tida** *a* ancient
fors 1 *allm.* rapid[s *pl*]; *äv.* chute **2** [friare o. *bildl.*] stream, torrent, cascade **-a** *itr* rush, race; [friare] gush; *regnet ~de ned* the rain came down in torrents **-farare** rapids-shooter **-färd** shooting the rapids
forsk||a *itr* search [*efter* for]; *absol.* carry out research; *~ i* inquire into, investigate **-ande** *a* inquiring; [ögonkast] searching **-ar|begåvning** gift for research; [om pers.] gifted investigator **-ar|blick** investigator's eye **-are** investigator [*i* of]; [natur-] scientist; [humanist] scholar **-ar|gärning** scientific achievement **-ar|stipendium** research scholarship **-ning** [*vetenskaplig* scientific] investigation; inquiry; [vetenskaplig] *äv.* research[-work]; [särsk. naturvetenskap] science; *geogr.* exploration **-nings|laboratorium** research laboratory **-nings|metod** method of research **-nings|resa** exploration expedition **-nings|resande** explorer
forsl||a *tr* transport, convey, carry; *~ bort* carry (&c) away, remove **-ing** carriage, transportation, conveyance
forst||kongress forestry congress **-man** forester **-mästare** certificated forester **-revir** forest district **-väsen** forestry organization
1 fort *mil.* fort
2 fort I *adv* **1** [huvudbet.] *a)* [i snabbt tempo] fast; *b)* [snabb, på kort tid] quickly, speedily; *c)* [raskt] rapidly; *d)* [i [all] hast] hastily; *det gick ~* that was quick work; *det gick ~ för honom* it was a very quick business for him; *det går inte* [*så*] *~ för mig att* . . I must take my time about . . -ing; *tiden går ~* time flies **2** [om klocka] *gå för ~* be fast **II** *itj ~!* quick! sharp! **-a** *rfl* [om klocka] gain
fort||bestå *itr* continue [to exist] **-bestånd** continued existence **-bildning** further education (training) **-bildnings|kurs** continuation course **-fara** *itr* continue (go on) [*att tala* speaking]; [hålla i] keep on [*med* with]; [räcka, vara] last **-farande** *adv* still **-färdig** *a* (*äv.*: *~ av sig*) expeditious; nimble **-gå** *itr* go on; [-sätta] continue; [-skrida] proceed **-gående I** *s* continuance **II** *a* continued **-gång** [further] progress; continuation, continuance
fortifikation fortification **-s|kår,** *~en* (*Engl.*) the [Corps of] Royal Engineers
fort||körning driving at high speed; [*få böta för*] *~* .. for exceeding the speed limit **-leva** *itr* survive; live on **-löpa** *itr* run on, continue [to run]; [om kurs] go on **-löpande** *a* continuous; [kommentar o. d.] running
fortplant||a I *tr* **1** [om människor, djur] propagate, reproduce **2** [friare o. *bildl.*] transmit [*på, till* to] **II** *rfl* [om ljud, ljus o. d.] travel, propagate [o.s. (itself)]; *eg. äv.* breed; [om sjukdom] spread, be transmitted; [om rykte] spread **-ning** propagation; transmission
fortplantnings||drift reproductive (propagative, procreative) instinct **-duglig** *a* reproductive **-förmåga 1** [organismers] procreative faculty (power) **2** *fys.* power of transmission **-organ** reproductive organ
fort||satt *a* continued; [-löpande] continuous; [ytterligare] further **-skaffa** *tr* transport, convey **-skaffnings|medel** means *sg* o. *pl* of conveyance (transportation) **-skrida** *itr* proceed; [framskrida] advance
fortsätt||a I *tr* continue; *äv.* go on (proceed) with; [återupptaga] take up . . again; [fullfölja] carry on **II** *itr* go on (continue) [*att läsa* reading]; [efter uppehåll] proceed; *fortsätt bara!* go ahead! **-ning** continuation; *~* (*forts.*) *följer* [*i nästa nummer*] to be continued [in our next] **-nings|kurs (-nings|skola)** continuation course (school)
forvagn transport wagon
forward *sport.* forward **-s|kedja** line of forwards
fosfat phosphate
fosfor phosphorus **-escens** phosphorescence **-escera** *itr* phosphoresce **-escerande** *a* phosphorescent **-fri** *a* non-phosphorous **-förening** phosphide **-förgiftning** phosphorus poisoning **-haltig** *a* phosphorus-containing **-syra** phosphoric acid **-tändsticka** phosphorus match
fossil *s* o. *a* fossil **-fynd** fossil find
fostbrödralag foster-brotherhood
foster *fysiol.* foetus; *bildl.* offspring, creation **-barn** foster-child **-broder** foster-brother **-bygd** native place **-dotter (-fader)** foster-daughter (-father) **-fördrivning** [criminal] abortion **-föräldrar** foster-parents **-jord** native soil (country)
fosterland [one's] [native] country **-s|fientlig** *a* anti-patriotic **-s|förrädare** traitor [to one's country] **-s|försvarare** defender of home and country **-s|kärlek** patriotism, love of one's country **-s|vän** patriot **-s|älskande** *a* patriotic
foster||ländsk *a* patriotic **-ländskhet** patriotism **-mor (-son)** foster-mother (-son)
fostr||a *tr* (*äv.*: *~ upp*) bring up, educate;

foster; *bildl. äv.* breed **-an** bringing up &c; [upp-] education; *fysisk* ~ physical training **-are** fosterer; trainer of the young

fot 1 *allm.* foot [*pl* feet; jfr *fötter*]; [på glas] stem; [på lampa o. d.] stand; *sätta sin* ~ *på* [*fast mark*] set foot on ..; [*trampa*] *ngn på* ~*en* .. on a p.'s foot; *stå på* [*god, förtrolig*] ~ *med ngn* be on a .. footing (on .. terms) with a p.; *leva på stor* ~ live in grand style, **F** live it up; *på resande* ~ on the move; *på stående* ~ instantly; *försätta på fri* ~ set free; *få fast* ~ get a footing **2** [längdmått] foot **-a** *tr* o. *itr* base **-a|bjälle,** *från hjässan till* ~*t* from head to foot (top to toe) **-a|pall** footstool **-behandling** pedicure **-beklädnad** footwear *koll*

fotboll football **-s|lag (-s|match -s|plan)** football team (match, ground) **-s|spelare** football player

fot||broms foot-brake **-bräde** running board **-folk** = *infanteri* **-fäste** foothold; [fast fot] footing; *beröva ngn* ~*t* (*bildl.*) cut the ground from under a p.'s feet; *förlora* ~*t* lose one's foothold; *vinna* ~ gain a footing **-gängare** pedestrian; [*vara dålig* be a poor] walker **-knöl** ankle **-lampa** standard lamp **-led** ankle-joint **-not** footnote

foto = *-grafi* **-elektrisk** *a* photoelectric

fotogen paraffin[-oil], *Am.* kerosene **-kök** petroleum-oil stove, primus [stove] **-lampa (-motor)** petroleum[-oil] lamp (motor)

fotograf photographer **-era I** *tr* o. *itr* photograph **II** *rfl*, [*låta*] ~*sig* have one's photo[-graph] taken **-ering** photographing, photography

fotograf||i photo[graph] **-i|affär** camera (photographic supply) store **-i|album** photograph album **-i|apparat** [photographic] camera **-i|ateljé** photographic studio[s *pl*] **-i|plåt (-i|ram)** photo[graph] plate (frame) **-isk** *a* photographic; ~*t magasin* = *-i|affär*

foto||gravyr photogravure **-metri** photometry **-stat** photostat **-typi** phototype

fot||s, *gå till* ~ go (travel) on foot; walk **-sack** carriage apron **-s|bred** *a* .. one (a) foot broad **-s|bredd** foot's breadth; *ej vika en* ~ not yield an inch **-s|djup** *a* .. one foot deep **-sid** *a* .. reaching [down] to one's (the) ankles **-skada** injury to one's foot **-soldat** foot-soldier **-spak** foot-lever; *flyg.* rudder bar **-spår** footprint, footmark; is. *bildl.* footsteps *pl* **-steg** step; [på bil] running-board **-stig** foot-path **-ställning** position of the foot (feet) **-stöd** support for the feet; foot support (rest) **-sula** sole [of a (the, one's) foot] **-svett** sweaty feet *pl* **-vandra** *itr* **F** hike **-vandring** [-ande] **F** hiking; [utflykt] walking-tour, **F** hike **-vård** pedicure **-ända** foot-end

fox||terrier fox-terrier **-trot** [dans] fox trot

frack [rock] tails *pl*; [-kostym] dress suit; ~ *och vit halsduk* full evening dress; white tie **-klädd** *a* .. in full evening dress **-skjorta** dress shirt **-skört** dress-coat tail

fradg||a I *s* froth (foam); ~*n står om munnen på honom* he is frothing (foaming) at the mouth **II** *itr* o. *rfl* foam, froth **-ig** *a* frothy, foamy

fragment fragment **-arisk** *a* fragmentary

frakt [till sjöss] freight; [skeppslast] cargo; [till lands] goods *pl*; ~*en betald* freight paid; ~[*en*] *betalas vid framkomsten* freight forward **-a** *tr* **1** = *be-* **2** [transportera] *a)* [till sjöss] freight; *b)* [till lands] carry **-avgift** freight rate **-fart** freight traffic **-fartyg** cargo steamer, freighter **-flygplan** cargo (*Am. äv.* freight) plane, air truck **-fri** *a* o. **-fritt** *adv* free of freight **-gods** goods *pl* [to be dispatched by goods (freight) train]; [*skicka* ..] *som* ~ .. by goods (freight) train **-gods|expedition** goods (freight) office

fraktion 1 group [of a party] **2** *kem.* fraction

frakt||kostnad freight charge **-nedsättning** reduction in freight rates **-sats** freight rate **-sedel** [till lands] consignment note; [till sjöss] bill of lading

fraktur 1 *läk.* fracture **2** [-stil] *boktr.* black letter; Gothic type

fram 1 [rum] *a)* [-åt, vidare] on, along; *b)* [genom] through; *c)* [: ~ *i dagen*] out; *d)* [: ~ *till ngn*] up [to ..]; [till målet] there; *gå vägen* ~ walk on along the road; ~ *med det!* [come,] out with it! ~ *med dig!* [ur gömställe] out you come! *längre* ~ further on; [*fara, gå*] ~ *och tillbaka* .. there and back; [upprepat] .. to and fro; *ända* ~ all the way there; *ända* ~ *till* .. as far as [to] .., right on to ..; ~ *och bak a)* [-sida o. baksida] front and back; *b) adv* in front and behind **2** [om tid] on; *litet längre* ~ a little later on; ~ *på dagen* later in the day; [*till*] *långt* ~ *på* [*natten*] until a late hour in ..; *ända* ~ *till* right on [in]to [*våra dagar* our own day]

fram||axel front axle **-ben** fore (front) leg **-besvärja** *tr* conjure up **-bringa** *tr* bring forth; [skapa] create; [säd, ljud] produce **-bära** *tr* take (&c) .. [up] [*till* to]; [erbjuda] present, offer; [vad ngn sagt] report [*till* to]; [hälsning] deliver, convey; [lyckönskan, ursäkt] tender **-del** fore-part; front **-deles** *adv* later on; [i framtiden] in the future **-draga I** *tr* draw forth (forward, up, out); bring out; ~ .. *i dagen, ljuset* bring .. to light **II** *itr* se *draga* [*fram*] **-fart** [persons ~ på gatan] (*äv.: vild* ~) reckless driving; [friare] rampaging[s *pl*]; [ödeläggelse] ravaging[s *pl*] **-flytta** *tr* move forward; [uppskjuta] postpone **-fot** forefoot **-fusig** *a* pushing; [näsvis] pert, saucy **-fusighet** pushingness &c **-föda** *tr* bring forth; give birth to

framför I *adv* in front; [vara långt ~] ahead **II** *prep* **1** [rumsbet.] *äv. bildl.* before, in front of; [framom] ahead of; *mitt* ~ right (straight) in front of **2** [om företräde] *a)* [i värde, vikt] above, ahead of; *b)* [hellre än] preferably (in preference) to, rather than; ~ *allt* above all (everything); ~ *alla andra* above all the rest, of all others; *föredra mjölk* ~ *kaffe* prefer milk to coffee

fram||föra *tr* **1** se *föra* [*fram*] **2** [teaterpjäs o. d.] present **3** *bildl.* [överbringa] convey, give, deliver; ~ *sitt ärende* state one's business **-förande** *s* presentation; delivery **-gent** *adv,* [*allt*] ~ ever after, [från nu] henceforth **-gå** *itr bildl.* be clear (appear) [*av* from]; ~*ngen ur folkets led* risen from the lower orders **-gång** success; *med* ~ successfully; *utan* ~ unsuccessfully, with no success **-gångs|rik** *a* successful **-hjul** front wheel **-hålla** *tr bildl.* give prominence (call attention) to; [ss. mönster] hold .. up [as a model]; [i ord ~, betona] point out **-härda** *itr* persist; [vara ståndaktig] persevere **-häva** *tr bildl.* hold up; [nödvändigheten av] emphasize (lay stress upon) [*att* the fact that] **-i I** *prep* in the front of **II** *adv* in the front (fore part) **-ifrån** *adv* from in front **-ilande** *a*, *ett* ~ [*tåg*] an onward-speeding .. **-kalla** *tr* **1** call .. up; bring up [*för tanken* before the mind] **2** *foto.* develop **3** *bildl.* call forth, evoke [*ett svar* an answer]; [förorsaka] cause; [åstadkomma] bring about,

create; [t. ex. motstånd] provoke; [uppväcka] arouse [*skratt* laughter] **-kallare** *foto.* developer **-kallning** *foto.* development **-kasta** *tr bildl.* throw out; [plan] put forward; [tanke] bring up; [beskyllning] bring forward; [nämna] mention; *ett löst ~t påstående* a haphazard statement
framkom‖lig *a* [om väg] passable, trafficable; [om vatten] navigable; *allm.* practicable **-lighet** practicability &c **-ma** *itr* **1** *eg.* se *komma* [*fram*]; [till målet] arrive [*till* at (in)] **2** [friare o. *bildl.*] come out; *~ med* bring (put) forward, propose; [upptäckas] be discovered **-st** [fortkomst] advance, progress; [ankomst] arrival; [*att*] *betalas vid ~en* (*hand.*) charges forward; cash on delivery
fram‖kropp anterior part of the body **-laddare** muzzle-loader **-leta** *tr* hunt (fish) .. out [*ur* of]; *~ ur minnet* ransack one's memory to recall **-leva** *tr* live; *~ sitt liv* pass one's life **-liden** *a* late **-locka** *tr* bring (draw) forth; [nyhet o. d] elicit **-lykta** head light **-lägga** *tr bildl.* [-visa] set out; [plan] put forward; submit [*för* to]; present [*ett lagförslag* a bill]; [anföra] adduce **-lämna** *tr* hand (give) .. in; [över-] deliver **-länges** *adv* forwards; *åka ~* sit facing the engine **-mana** *tr bildl.* call forth, evoke; [-besvärja] conjure up **-marsch** advance; *bildl.* advancement; *vara stadd på ~* be advancing
framme *adv* **1** *eg.* in front [*vid* at (by)]; *hålla sig ~* push o.s. forward **2** [vid mål] at one's destination; *när vi voro ~* when we got there; *nu är vi ~* here we are **3** ['ute' (t. ex. om solen), framtagen o. d.] out; [till beskådande] on view; [ej undanlagd] [*lämna plånboken* leave one's pocket-book] about; [till hands] ready; *när olyckan är ~* when things go wrong; [*det är nog han som*] *varit ~* .. has been at work (has done it)
fram‖mumla *tr* mutter forth **- - och återresa** journey there and back **-om I** *prep* before, ahead (in advance) of **II** *adv* ahead, in advance **-pressa** *tr bildl.* extract [*ur* out of]; [tårar] draw; [ljud] utter **-provocera** *tr* provoke **-på I** *adv* in [the] front **II** *prep* **1** [om rum] in the fore part of, in the front of **2** [om tid] a little later in ..; *till långt ~* [*dagen*] till well on into .. **-rusande** *a* [ut] outrushing; [framåt] onrushing **-ryckning** advance **-sida** front [side], face **-skjutande** *a* projecting, protruding **-skjuten** *a* advanced; *bildl.* prominent **-skrida** *itr* [i rum] march (pass) along; [friare] progress, advance **-skridande** *s* **1** marching along **2** advance, progress **-skriden** *a* advanced; *tiden är långt ~* it is getting late **-skymta** *itr* = *skymta; låta ~ att ..* give an intimation that .. **-släpa** *tr bildl.* drag on [*sitt liv* one's existence] **-snyfta** *tr* say .. amid sobs, sob out **-springande** = *-skjutande* **-sprungen** *a, ~ ur ..* prompted by .. **-sprängande** *a, komma ~* come galloping along **-stamma** *tr* stammer forth (out)
framsteg progress [alltid *sg*]; [stort] stride **-s|anda** progressive spirit **-s|fientlig** *a* anti-progressive **-s|man** man of progress, progressionist **-s|parti** progressive (reform) party **-s|vänlig** *a* progressive, pro-reform
fram‖stickande *a* protruding **-stupa** *adv* flat, prostrate **-stycke** front [piece (part)] **-stå** *itr* stand out [*som* as]; *~ som misstänkt* appear suspicious **-stående** *a* **1** *eg.* prominent **2** [högt stående] prominent; [ansedd] eminent; [-trädande] outstanding; [skicklig] clever
framställ‖a I *tr bildl.* **1** [återge, visa] represent [*i bild* in pictures]; *äv.* show; [återge] reproduce; [konstnärl.] represent; [på scen] [im]personate; [skildra] describe; [framlägga] bring (put) forward, propose; [teori] expound; *~ en anhållan* make a request; *~ en fråga* put a question; *~ invändningar* raise objections; *på -d begäran* in response to an expressed wish **2** [tillverka] produce; [fabriksmässigt] manufacture **II** *rfl* represent o.s.; [uppstå] arise **-ning 1** [i bild] representation **2** = *skildring; redogörelse* **3** [-s|sätt, förf:s] style; [talares, konstnärs] presentment; *teat.* impersonation **4** [förslag] proposition, proposal; [hemställan] petition [*om* for]; *på ~ av* on the recommendation of **5** [tillverkning] production; *äv.* manufacture **-nings|förmåga (-nings|konst)** power &c (art) of [re]presentation **-nings|kostnad** cost of production **-nings|sätt** manner of [re]presentation; [tillverknings-] production method
fram‖stöt *mil.* o. *bildl.* forward move, push, drive; attack **-synt** *a* [förutseende] far-seeing (-sighted); [klärvoajant] .. gifted with second sight **-synthet** far-sightedness; vision; [the gift of] second sight **-säga** *tr* articulate, pronounce; [ett tal] deliver; [ur minnet] recite **-sägning** delivery; recitation **-säte** front seat **-tand** front tooth **-tass** fore paw **-tid** future; [karriär i -en] future career; *det skall* (*får*) *~en utvisa* time will show; *~ens dom* the verdict of posterity; *ställa saken på ~n* (*jur.*) return an open verdict; [friare] let the matter rest **-tida** *a* future
framtids‖bekymmer anxiety for the future **-dröm (-land)** dream (land) of the future **-löfte** promise for the future **-man** coming man **-möjligheter** future possibilities **-plats** post (&c) affording the prospect of a permanency (of advancement) **-tro** faith in the future **-utsikter** future prospects
fram‖till *adv* in front **-trolla** *tr* conjure forth **-träd|a** *itr* **1** *eg.* se *träda* [*fram*]; [inför domstolen, på scenen] appear [before the (in) court, upon the stage] **2** *bildl.* appear; make one's appearance; [ur det fördolda] come into sight (view); [märkas] be noticed; [utveckla sig] develop; [avteckna sig] stand (come) out; *låta ngt ~* bring .. out (into relief); *han -er med stora anspråk* he is very pretentious **-trädande I** *s* [public] appearance **II** *a* prominent, outstanding **-tung** *a flyg.* nose heavy **-tvinga** *tr* extort; [kräva] necessitate **-visa** *tr* show **-växande** *a eg.* sprouting; [friare] .. growing up
framåt I *itj* on! onward! forward! **II** *adv a)* [i rummet] ahead; *äv.* along; [vidare ~] on[ward[s]]; forward[s]; *b)* [i tiden] ahead, into the future; *äv.* forward; *gå ~ a)* [promenera fram] walk along [*emot, till* towards (to); *b)* *bildl.* [utvecklas] go ahead, progress **III** *prep a)* [i rummet] [on] towards; [[fram] längs] [on] along; *b)* [i tiden] [on] towards **-anda** go-ahead spirit **-blickande** *a* forward(&c)-looking **-böjd** *a* .. bent forward[s]; *gå ~* walk with a stoop **-gående** *a* forward, onward; progressive; *bildl.* [t. ex. stad] thriving **-lutande** *a* stooping **-riktad** *a* pointed forwards **-skridande I** *s* progress[ion] **II** *a* progressive **-strävande** *a bildl.* pushing, go-ahead
fram‖ända front end **-över I** *adv* forwards **II** *prep* out (away) across
franc franc
franciskan[munk] Franciscan [monk]
1 frank *a* frank, open; free and easy
2 frank Frank, Franconian

franker||a *tr* prepay; [med frimärke] stamp **-ing** prepayment [of postage]
Frankfurt, ~ *am Main* Frankfurt-on-the-Main
frankisk *a* Frankish
franko *adv* **1** post-paid; post-free **2** *hand.* carriage free **-tecken** postage-stamp
Frankrike France
franktirör franc-tireur *fr.*
Frans Francis, Frank; [smekn.] Frankie
frans fringe **-ig** *a* fringed, fringy; [trasig] frayed
fransk *a* French; [*bunden*] *i ~t band* .. in calf; French bound; *ett ~t bröd* a French roll **-a** French **-engelsk** *a* French-English [dictionary]; Franco-British [pact] **-fientlig** *a* anti-French **-svensk** *a* French-Swedish **-talande** *a* French-speaking **-tysk** *a* French-German; Franco-German [war] **-vänlig** *a* pro-French, Francophil[e]
frans||man Frenchman; *-männen a)* [några stycken] [the] Frenchmen; *b)* [nationen] the French **-ysk** *a* French; *~ visit* flying visit **-yska** Frenchwoman **-äs** [dans] française *fr.*
frapp||ant **I** *a* striking **II** *adv* strikingly **-era** strike; surprise
1 fras rustle, rustling
2 fras phrase **-eologi** phraseology **-era** *tr* o. *itr mus.* phrase **-fri** *a*.. free from phrasiness
frasig *a kok.* crisp
fras||makare phrase-maker(-monger) **-makeri** phrase-making(-mongering) **-rik** *a* full of fine-sounding phrases
fraternisera *itr* fraternize
fred peace; *hålla ~* keep the peace; *leva i ~ med* live at peace with; *lämna ngn i ~* leave a p. alone; *sluta ~* conclude peace; *inte få vara i ~ för* [*besökande*] never have any peace from..; *till ~s* satisfied **-a** *tr* protect.. [*mot, för, från* from (against)]; *med ~t samvete* with a clear conscience
fredag Friday; *~en den 1sta April* on Friday, April 1st; *om ~arna* on Fridays; *i ~ens tidning* in Friday's paper
fred||lig *a* peaceful; [from] gentle, harmless; *på ~ väg* in a peaceful way, on peaceful terms **-lös** *a* outlawed; *en ~* an outlaw **-löshet** outlawry
freds||anbud peace offer **-apostel** apostle of peace **-arbete** work in the peace cause **-brott** violation of the peace **-domare** *Engl.* justice of the peace **-domstol,** *~en i Haag* the Hague Peace Tribunal **-duva** dove of peace **-fot,** *på ~* on a peace footing **-förbund** peace alliance **-fördrag** peace treaty **-förhandling,** *~ar* peace negotiations; [informella] peace talks **-garanti** peace guarantee **-ivrande** *a* .. working for peace **-konferens** peace conference **-kärlek** love of peace **-mäklare (-mäkling)** peace mediator (mediation) **-offensiv** peace offensive **-pipa** pipe of peace **-politik** policy of peace **-pris,** *Nobels ~* The Nobel Peace Prize **-propaganda** peace propaganda **-rörelse,** *~n* the peace movement **-sak,** *~en* the cause of peace **-slut** conclusion of peace **-strävan** striving for peace **-tid,** *i, under ~*[*er*] in peace-time **-traktat** peace treaty **-trevare** peace feeler **-underhandlare** peace negotiator **-utsikter** prospects of (outlook *sg* for) peace **-vilja** [the] will for peace **-villkor** peace terms **-vän** pacifist **-älskande** *a* peace-loving
fregatt frigate
frejd character (repute) **-ad** *a* celebrated **-[e]-betyg** [certificate of] character **-ig** *a* = *käck, tillitsfull*

frekven||s *elektr.* o. d. frequency; [besökarantal] patronage [*i, på, vid* of] **-s|band** *radio.* frequency band **-tera** *tr* resort to, frequent
frene||si frenzy **-tisk** *a* frenetic, frenzied
frenolog phrenologist **-i** phrenology
fresk fresco **-o|målare** fresco-painter **-o|målning** painting in fresco; *konkr* fresco
frest||a *tr* **1** [söka förleda] tempt [*till* to] **2** [försöka, pröva] try [*lyckan* one's fortune (luck)] **3** [utsätta för påfrestning] try; [en mekanism o. d.] strain **-ande** *a* tempting **-are** tempter **-else** [*falla, råka i* fall (get) into] temptation **-erska** temptress
fri *a* **1** free; [oavhängig] independent; [ogenerad] free and easy; *~ bredd* (*höjd*) [under bro] horizontal (vertical) clearance; *på ~ fot* at large; *försätta på ~ fot* set free; *skjuta på ~ hand* fire standing; *de ~a konsterna* the liberal arts; *~ kost* board free; [*föra*] *ett ganska ~tt språk* [make use of] rather plain language; *lämna ngn ~tt spelrum* let a p. have ample (unrestricted) scope; *av ~ vilja* of one's own accord ([free] will), voluntarily; *bli ~ från en börda* get rid of a burden; *gå ~ a)* [från obehag] get off; *b)* [bli -känd] be acquitted; *c)* [undkomma] escape; *göra sig ~ från* get rid of; *det står dig ~tt att gå* you are free (at liberty) to go **2** [öppen] open [*himmel* sky]; *i ~a luften* (*i det ~a*) in the open air **3** [oupptagen] vacant [*befattning* post]
1 fria *itr* **1** propose [*till* to] **2** *~ till ngns gunst* court a p.'s favour
2 fri||a **I** *tr* [be- o. d.] set free; *hellre ~ än fälla* err on the side of leniency **II** *rfl, ~ sig med ed* clear o.s. by oath [*från* from] **-ande** *a, ~ dom* verdict of acquittal
friar||brev letter of proposal **-e** suitor [*till* for the hand of]; *allm.* lover **-ärenden,** *vara stadd i ~* be going courting (a-wooing)
fri||biljett *järnv.* pass; *teat.* o. d. free-admission ticket, complimentary ticket **-bord** free board **-boren** *a* freeborn **-brottning** free style ([amerikansk ~] catch-as-catch-can) wrestling **-bytare** freeboter **-byteri** freebooting
frid *allm.* peace; [lugn] tranquillity; *~ vare med eder!* peace be unto you!
fridag free (off) day; [tjänstefolks] day out
frid||full *a* peaceful **-fullhet** peacefulness **-lysa** *tr* proclaim .. inviolable; [område] enclose; [villebråd o. d.] place .. under the protection of the law **-lyst** *a* [.. proclaimed] inviolable; enclosed; [villebråd] preserved; *~ ämne* forbidden subject **-lös** *a* restless **-sam** *a* peaceable **-s|furste,** *~n* the Prince of Peace **-störare** disturber of the peace; [friare] intruder
frielev free scholar; [stipendiat] exhibitioner
frieri proposal [of marriage]
fri||exemplar free (presentation, specimen) copy **-giva** *tr* liberate, [set ..] free; [pers. o. varor] release; [slav] emancipate **-givning** liberating &c; liberation; release; emancipation **-gjord** *a* free[d] **-gjordhet** freed state; freedom; [i sätt] free and easy manners *pl* **-gång** ⊕ idle running; neutral [running] **-göra** **I** *tr* free; [från bojor o. d.] release; *allm.* [äv. energi, kapital o. d.] liberate, set .. free **II** *rfl* free o.s. (&c); *kem.* [be] disengage[d] **-görelse** freeing &c; release, liberation **-hamn** free port **-handel** free trade **-handels|område** free trade area **-handels|-politik** free trade policy **-handels|sammanslutning,** *den europeiska ~en* the European Free Trade Association (EFTA) **-handlare** *polit.* Free-Trader **-hands|teckning** free-hand drawing

friherr||e *ung.* baron; *Engl. äv.* lord **-e|krona** baron's coronet **-e|skap** barony **-inna** baroness; *Engl. äv.* lady **-lig** *a* baronial
frihet 1 freedom; [ss. mots. till tvång] liberty; [från skyldighet] exemption; [fritt spelrum] latitude, scope; *återfå ~en* recover (regain) one's freedom (liberty); *poetisk ~* poetic licence **2** privilege; *ta sig ~en att ..* take the liberty of ..-ing; *ta sig ~er med* take liberties with
frihets||anda spirit of freedom (liberty) **-begär** desire for freedom **-fientlig** *a* .. hostile to liberty **-hjälte** hero in a (the) struggle for independence; national hero **-kamp (-krig)** struggle for (war of) independence **-kämpe** patriot **-kärlek** love of freedom (liberty) **-längtan** longing for freedom **-rörelse** independence movement **-straff** imprisonment **-älskande** *a* freedom-loving
fri||hjul [på cykel] free wheel **-hult** fender **-idrott** athletics *pl*
frikadell *kok.* forcemeat ball
frikall||a *tr* [från plikt] exempt *äv. mil.;* [från löfte] release **-else** exemption; release
frikassé fricassee
frikativa *språkv.* fricative
fri||koppling neutral [gear] **-kort** free pass **-kostig** *a* liberal, generous; [om gåva] handsome **-kostighet** liberality; generosity
friktion friction **-s|fri** *a* frictionless **-s|motstånd** frictional resistance **-s|yta** friction surface
fri||kyrka Free Church **-kyrklig** *a* Free-Church ..; *Engl. äv.* nonconformist **-kår** free company **-känna** *tr* acquit [*från* of]; find .. not guilty; jfr *-kalla, -ta[ga]* **-kännande I** *s* acquittal; non-conviction **II** *a, en ~ dom* a verdict of not guilty **-köpa I** *tr* redeem; [fånge] ransom **II** *rfl* buy o.s. off **-lans** free lance **-lista** free list
frilla concubine
fri||lufts- i *sms vanl.* open-air [*teater* theatre] **-luftsbad** outdoor swimming **-luftsliv** outdoor life (recreations *pl*) **-modig** *a* frank; [modig] fearless
frimurar||e Freemason **-loge** Freemasons' lodge **-orden** the Order of Free and Accepted Masons
fri||mureri Freemasonry **-märke** [postage-] stamp
frimärks||album stamp-album **-automat** stamp-selling machine **-handel** postage stamp dealer **-handlare** stamp-dealer **-häfte** book of stamps **-samlare** stamp-collector **-samling** *konkr* stamp-collection; [samlande] stamp-collecting
fri||passagerare unbooked passenger; *sjö.* stowaway **-plats** [i skola] free place; *teat.* free seat, complimentary seat **-religiös** *a* dissenting
1 fris *ark.* frieze
2 fris [folkslag] Frisian, Frieslander
friser||a *tr, ~ ngn* dress a p.'s hair **-ing** hairdressing **-kappa** hairdresser's sheet **-salong** hairdressing saloon **-tång** curling-tongs *pl*
frisignal all-clear signal
frisinn||ad *a* liberal-minded; *polit.* Liberal **-at** *adv, rösta ~* vote Liberal **-e** liberal-mindedness &c; *polit.* Liberalism
frisisk *a* Frisian **-a 1** [språk] Frisian **2** [kvinna] Frisian woman (o. s. v.)
frisk *a* **1** [bibehållen; ny] fresh **2** [sund] sound; healthy; [ss. predik.-fylln.: *ej sjuk*] well **3** [uppfriskande] refreshing; [kall] cold; [bitande] keen **4** *~ och välbehållen* safe and sound; *~ aptit* a keen appetite; *~a krafter* fresh strength *sg; hämta litet ~ luft* get some [fresh] air; *bevara .. i ~t minne* retain a lively recollection of ..; *~t mod!* be of good cheer! cheer up! *~a tag!* go ahead! [vid rodd] pull away! *~t vatten* cold water **-a I** *tr, ~ upp minnet av* freshen up (brush up) one's recollection of **II** *itr, det ~r i* the wind is freshening
friskara *mil.* free company
frisk||betyg certificate of health **-förklara** *tr* give .. a clean bill of health **-gymnastik** physical training, **F** P. T., gym **-het** freshness &c **-na** *itr, ~ till* recover **-sport[are** member of the] keep-fit movement **-t** *adv* freshly, jfr *frisk;* **F** [duktiga tag: *arbeta* work] ever so [hard]; *det blåser ~* there is a fresh breeze blowing **-us F** daredevil
fri||språkig *a* outspoken **-spark** free kick
frist respite; *äv.* set term
fri||stad [place of] refuge; resort [*för* of] **-stat,** *den irländska ~en* the Irish Free State **-stil** *sport.* free style **-stund 1** *allm.* leisure moment **2** *skol.* o. d. break, recreation **-stående** *a* detached, isolated; [oberoende] independent
fris||yr hair style, coiffure *fr.* **-ör** hairdresser
fri||ta[ga] I *tr, ~ ngn från* liberate (release) a p. from **II** *rfl, ~ sig från* absolve o.s. from, repudiate **-tid** leisure (spare) time, time off; [ferier] holidays *pl; på ~, under ~en* in leisure hours **-tids|sysselsättning** spare-time occupation; hobby, recreation **-timme** leisure (free) hour, hour off
fritt *adv* freely; [oberoende] independently; [*tala* speak] openly (frankly); [avgifts-] free [of charge ([kostnads-] of expense)]; *~ banvagn* (*kaj, ombord*) (*hand.*) free on rail (alongside, on board); *~ förfoga över ..* have .. at one's own (entire) disposal; [*historien*] *är ~ uppfunnen ..* is a pure invention
fri||tänkare free-thinker **-tänkeri** free-thinking **-vakt** *sjö.* off-duty watch; *ha ~* be off duty **-vikt** *järnv., flyg.* amount [of luggage] carried free
frivillig *a* voluntary; *mil.* o. d. volunteer; *en ~* (*mil.*) a volunteer **-het** voluntariness; [fri vilja] free will **-kår** *mil.* volunteer corps
frivol *a* flippant; [oanständig] indecent **-itet** flippancy; indecency
frod||as *dep* thrive, flourish **-ig** *a* [växt] luxuriant *äv. bildl.;* [pers. o. djur] fat, plump **-ighet** luxuriance [of growth]
from *a* **1** *eg.* pious; [helgonlik] saintly; [andäktig] devout, religious **2** [friare, om pers. el. djur] quiet, gentle; [om hund] good-tempered; *en ~ önskan* an idle wish **-het 1** piety; saintliness &c **2** gentleness &c **-leri** sanctimoniousness **-ma,** *till ~ för ..* for the benefit of .. **-sint** *a* meek, gentle, good-natured
front front; *göra ~ mot* (*mil.* o. d.) face; *bildl.* bid defiance to, stand up against **-anfall** *mil.* frontal attack **-avsnitt** *mil.* front sector **-espis** *byggn.* front gable **-förändring** change of front (*bildl.* tactics, attitude) **-linje** *mil.* front [line] **-soldat** combat soldier, fighting man **-tjänst** active (*Engl. äv.* overseas) service
1 frossa *läk.* (*äv.: ~n*) ague
2 fross||a *itr* **1** *eg.* gormandize; gorge (stuff) o.s. [*på* with] **2** *bildl.* [i nöjen o. d.] revel **-are** glutton [*på* of], gormandizer [*på* on]; reveller [*i* in] **-eri** gluttony; *äv.* gormandizing &c
frosskakning ague-fit(-shake), fit of shivering
frost frost; *få ~ i* [*händerna*] get (have) [ones hands] frost-bitten **-beständig** *a* frost-proof **-biten** *a* frostbitten (-blighted) **-fri** *a* frostless **-härdig** *a* frost-resisting **-härjad** *a*

frost-ravaged **-ig** *a* **-klar** *a* frosty **-knöl** ulcerated chilblain **-natt** frosty night **-skada** injury from frost **-skadad** *a* frost-blighted **-spricka** chap **-sår** chilblain **-öm** *a* exposed to frost
frott‖é terry towelling, mesh tissue **-é|handduk** Turkish (rough) towel **-era** *tr* rub, chafe
fru [dam] lady; [gift kvinna] married woman; [hustru] wife; [titel] Mrs.; *~n i [huset]* the mistress of . .; *vad önskar ~n?* what do you want, Madam (**F** ma'am)?
frukost breakfast; *~en är serverad!* breakfast is ready! *dricka te till ~* take tea for (with) one's breakfast; *äta [ägg till] ~* have [eggs for] breakfast **-bord** breakfast-table **-bricka** [måltid] breakfast tray **-dags** *adv* [*det är* it is; *vid* at] breakfast-time **-era** *itr* have breakfast **-lov** *skol.* [*på, under ~et* in (during) the (one's)] lunch hour (recess) **-middag** lunch[eon] **-rast** time off for lunch, lunch hour
frukt 1 *konkr* fruit *äv. koll;* [markens gröda o. d.] *äv.* yield **2** *bildl. abstr* [följd, resultat] consequence, result; *icke bära ~* (*bildl.*) prove fruitless
frukta *tr* o. *itr* fear (*äv.: ~ för*); [starkare] dread; [vara rädd för] be afraid of; *man ~r för [hans liv]* fears are entertained of . .
frukt|affär fruit-shop
fruktan fear [*för* of]; [starkare] dread [*för* of]; [skrämsel] fright [*för* of]; [oro] apprehension[s *pl*] (anxiety) [*för* about]; *hysa ~ för a) allm.* be in fear of; *b)* [oro] be alarmed about; *c)* [respekt] stand in awe of; *injaga ~ hos ngn* inspire a p. with fear; *av ~* [t. ex. darra] with fear (&c) **-s|värd** *a* terrible, fearful; [förfärlig] dreadful; [friare] terrific
fruktbar *a* fertile; [samarbete] fruitful; [jordmån] productive [*på* of] **-het** fertility, fruitfulness, productivity
frukt‖bringande *a* [friare bet.] profitable, productive **-bärande** *a* fruit-bearing; [friare] fruitful **-handlare** fruit-seller ([i parti] -salesman) **-kniv (-korg)** fruit-knife(-basket) **-lös** *a allm.* fruitless; *bildl.* futile; [*visa sig* prove] useless **-mos** pulped fruit **-odlare** fruit-grower **-odling 1** *abstr* fruit-growing **2** *konkr* fruit farm **-press** fruit press **-saft** fruit juice **-sallad** fruit salad **-sam** *a* fruitful *äv. bildl.;* [avelsam] prolific **-samhet** fruitfulness, fecundity **-skörd** fruit-gathering (*konkr* -harvest) **-sort** sort of fruit **-träd** fruit-tree **-trädgård** [fruit-]orchard
fruntimmer woman; [*våra* our] womenfolk
fruntimmers‖aktig *a* womanish **-fasoner** women's ways **-göra** [a] woman's job **-karl** ladies' man, lady-killer
frus|en *a* **1** *allm.* frozen; [om växt o. d.] blighted by frost, frosted; [pudding o. d.] iced; *~et kött* cold-storaged meat **2** cold; [genom-] *äv.* chilled
frusta *itr* snort; *~ till'* give a snort
fryntlig *a* genial **-het** geniality
frys‖a I *itr* **1** *allm.* [utan beton. part] freeze [*till* into]; [känna kyla] be (feel) cold; [förstöras av frost] get blighted by [the] frost; *det har frusit* [*på*] *i natt* there has been a frost in the night; *jag -er förskräckligt* I am shivering with cold; *jag -er om fingrarna* my fingers are cold (freezing) **2** [med beton. part.] *~ fast i* [*isen*] get frozen fast in . .; *~ ihjäl* get (be) frozen to death; *~ in, inne* be (get) ice-bound; *~ till'* freeze (get frozen) over **II** *tr* [mat] freeze **-eri** **-hus** freezing-house; cold-storage plant **-maskin** freezing-machine **-ning** freezing; (*äv.: ~ till is*) congelation **-punkt** freezing-point; [noll-] is. *bildl.* zero **-rum** freezing chamber
1 fråga *s* question; [förfrågan] inquiry; *göra ngn en ~* ask a p. a question; *det är en annan ~* that is [quite] another question (matter); *det blir en senare ~* that will be a matter for consideration later on; *vad är det ~n om? a)* [vad gäller ~n?] what is the question about? *b)* [vad står på?] what is the matter? what is up? *c)* [vad vill ni?] what do you want? [*personen, saken*] *i ~* . . in question; *i ~ om* in regard (reference) to; *det kan inte komma i ~* it (that) is altogether (quite) out of the question; *han kan inte komma i ~* he is ineligible (out of the question); *sätta i ~ a)* [begära] demand; *b)* [betvivla] call . . in question; *utom all ~* unquestionably
2 fråg‖a I *tr* o. *itr* ask [*ngn om ngt* a p. about a th.; *efter ngn* for a p.]; [förhöra] question; *ibl.* (*äv.: ~ om, efter*) inquire [*om (efter) priset på* the price of]; *förlåt att jag ~r, men* . . excuse my asking, but . .; *~ ut' ngn* interrogate a p. [*om* as to] **II** *rfl* ask o.s. [the question] [*om* whether]; *~ sig för* [*noga*] make [careful] inquiries [*om* about (as to)] **-ande** *a* inquiring, questioning; *språkv.* interrogative
fråge‖byrå inquiries office **-form** question form **-formulär** questionnaire *fr.* **-pronomen (-sats)** interrogative pronoun (clause) **-sport** quiz **-ställning** question at issue, problem **-tecken** question-mark, query **-timme** question hour
frågvis *a* inquisitive **-het** inquisitiveness
från I *prep* from; [bort ~ o. d.] off; *vika av ~ vägen* turn off the road; *~ och med sid. 8* from page 8 on[wards]; *~ och med nu* from now onwards, henceforth; *historier ~* [*hans barndom*] stories of . .; *~ det ögonblicket* [ever] since that moment; *ett undantag ~ regeln* an exception to the rule; *för att börja ~ början* to begin at the beginning **II** *adv, ~ och till* [hit och dit] to and fro; [då och då] off and on; *det gör varken ~ eller till* that (it) is neither here nor there **-draga** *tr* [av-] deduct **-döma** *tr jur., ~ ngn* [*ngt*] sentence (condemn) a p. to forfeit (lose) . . **-fälle** decease, death **-gå I** *tr* [svika] go back upon [*sitt ord* one's word]; [avvika från] abandon, depart from **II** *itr* [-räknas] be to be deducted **-koppla** *tr* disconnect, disengage **-känna** *tr, ~ ngn* [*god smak*] deny a p.'s [possession of] . . **-locka (-lura)** *tr, ~ ngn ngt* wheedle a th. out of a p. **-narra** *tr, ~ ngn ngt* cheat a p. out of a th. **-rycka** *tr, ~ ngn* [*ngt, ledningen*] snatch (wrest) . . off a p. (out of a p.'s hands) **-räkna** *tr* deduct **-röva** *tr, ~ ngn ngt* rob (despoil) a p. of a th. **-se** *tr* disregard, leave . . out of consideration; *~tt detta* (*att* . .) apart from that (the fact that) . . **-sida** [på hus o. d.] back; [på mynt o. d.] reverse **-skild** *a* [om makar] divorced; *hon är ~* she is (has been) divorced **-skilja** *tr* detach, separate **-slagen** *a* switched off **-stötande** *a* repellent ([starkare] repulsive) [*sätt* manners *pl*]; [utseende] unattractive **-säga** *rfl* [avvisa] decline; [nöje] forgo; [ansvar] disclaim **-ta[ga]** *tr, ~ ngn ngt* deprive a p. of a th. **-träda** *tr* [befattning] relinquish, retire from; [arrende] leave **-varande** *a* absent; *bildl.* absent-minded; *de ~* those absent **-varo** absence [*av* of; *från* from]; [brist] lack, want
fräck *a* impudent, insolent; [oblyg, om pers.] unblushing; [ogenerad] **F** cheeky; [djärv]

daring; [oanständig] indecent **-het** impudence, insolence; cheek **F**; *med en ~ utan like* with unparalleled effrontery (&c)
fräken horsetail
fräkn‖e freckle **-ig** *a* freckled; [pers.] *äv.* freckle-faced
fräls‖a *tr* save [*från* from]; *relig. äv.* redeem; [rädda] *äv.* rescue [*från* from]; *fräls oss ifrån ondo!* deliver us from evil! **-are** saviour; *F~n, vår F~* the (our) Saviour **-e** *a, ~ rättigheter* a nobleman's rights; *~ och ofrälse* noblemen and commoners **-ning** saving &c; *relig. äv.* salvation [*från* from]; [räddning] deliverance **-ningsarmé,** *~n* the Salvation Army **-nings|soldat** salvationist
främj‖a *tr* further; [t. ex. ngns intresse] promote; [uppmuntra] encourage **-ande** *s* furthering &c, promotion, encouragement; *till ~ av* for the furtherance (&c) of **-are** supporter; promoter
främling stranger [*för* to]; [utlänning] foreigner **-s|bok** visitors' book **-s|fientlig** *a* .. hostile to[wards] foreigners **-s|hat** hatred of foreigners **-s|legion,** [*Franska*] *F~en* the Foreign Legion **-s|ström** stream of visitors (tourists) from abroad
främmande I s **1** [främling] stranger; [gäst] guest; [besökande] caller **2** *koll* company; *äv.* guests (visitors) *pl* **II** *a* [utländsk] foreign; [obekant, t. ex. ansikte] strange (unknown) [*för* to]; [andras, t. ex. egendom] other people's; [obekant [med], okunnig [om]] [*vara* be] unfamiliar [*för* with]; [ovidkommande] extraneous; [*vistas*] *i ~ land* .. in a foreign country; *en ~ herre* an unknown gentleman, a stranger; *intet är mer ~ för oss än* .. nothing is further from our thoughts (intentions) than ..; *komma i ~ händer* get into other (the wrong) people's hands; *jag är helt och hållet ~ för tanken* the thought has never entered my head **III** *adv* strangely, unfamiliarly
främ‖re *a eg.* fore [*delen av huvudet* part of the head]; *vetensk.* anterior; front [*bänk (vokal)* seat (vowel)]; *F~ Asien* Hither Asia; *F~e Orienten* the Near East **-st** *adv* [om rum, rang] foremost; [om ordning] first; [framför allt o. d.] especially; [t. ex. *~* i hopen] in the forefront of ..; *ligga ~* [vid tävling] be ahead (leading); *stå ~ på* [*listan*] stand first on ..; *först och ~* first and foremost, primarily **-sta (-ste)** *a* [om rum o. rang] foremost; [om ordning] first; *i -sta rummet* in the foremost (first) place, first of all
frän *a eg.* rank; [om smak] *äv.* acrid; [skarp] pungent; *bildl.* caustic; [högdragen] arrogant; [rå] coarse
fränd‖e kinsman, relative; *vänner och ~r* [one's] kith and kin **-e|folk** [nation] kindred nation (people) **-skap** kinship, relationship
fränhet rankness, pungency; arrogance
1 fräsa I *itr* hiss; [om dryck] fizz; [i stekpanna] frizzle; [katt o. d.] (*äv.: ~ och spotta*) spit [*åt* at] **II** *tr kok.* fry, frizzle
2 fräs‖a *tr* ⊕ cut, mill .. with a cutter **-are** milling-machine worker
fräsch *a* fresh[-looking]; [blomstrande] blooming; [obegagnad] [quite (as good as)] new **-het** freshness; bloom **-ör** freshness &c
frät‖a I *tr* o. *itr* **1** *eg.* [om syra, rost o. d.] corrode; eat [*hål på* a hole in]; *~ av', bort'* eat (corrode) away; erode **2** *bildl.* fret, gnaw (*äv.: ~ på*) **II** *rfl, ~ sig igenom* eat its way through **-ning** corrosion; erosion

frö seed[s *pl (koll)*]; *bildl.* germ **-a** *rfl* go to seed **-blandning** assortment of seeds **-förädling** seed-improvement **-handel** seedsman's shop **-handlare** seedsman **-hus** *bot.* seed-vessel
fröjd joy (delight) [*över* at; *för* to] **-a** = *glädja* **-e|full** *a* joyous, joyful
frö‖kapsel seed-case **-katalog** catalogue (list) of seeds
fröken [unmarried] young lady; [ogift, t. ex. på mantalsförteckning] spinster; [lärarinna] teacher; [framför namn] Miss; *~ Ur* (*Engl.*) Tim
frö‖klöver seed clover **-kontroll** seed-testing **-mjöl** *bot.* pollen, anther-dust **-planta** seedling **-skal** *bot.* testa; *koll* seed-husks *pl* **-träd** seed tree
fuchsia fuchsia
fuffens trick[s *pl*]; *ha* [*ngt*] *~ för sig* be up to something ([some sort of] mischief)
fug‖a *mus.* fugue **-erad** *a* fugued
fukt damp; [imma] moisture **-a I** *tr* moisten; [med tårar] wet **II** *itr* be (get) damp; *det ~r i källarn* the cellar is damp **III** *rfl* moisten **-drypande** *a* .. wet with damp **-fläck** damp-stain **-fri** *a* .. free from damp, dry **-halt** moisture content **-ig** *a* damp; [is. ständigt] moist; [om luft] *äv.* humid; *en ~ blick* a tearful glance **-ighet** dampness; humidity; moisture **-ighets|halt** degree of moisture **-ighets|mätare** hygrometer **-skada** *s* injury from damp **-skadad** *a* .. injured by damp
ful *a* ugly; [ej tilltalande] unattractive, *Am.* homely; [för örat] harsh; [om väder] bad; [*flickan är*] *inte ~* .. not bad-looking; *vara ~ i munnen* be foul-mouthed; *ett ~t spratt* a dirty trick; *~a ord* bad language *sg* **-het** ugliness &c **-ing** fright
full *a* **1** full [*med, av* of]; *äv.* filled [*av, med* with]; [*bordet*] *är ~t med* [*böcker*] .. is [all] covered with ..; *han har huvudet ~t av idéer* his head is teeming with ideas **2** [hel, -ständig o. d.] full [*avlöning* pay; *sysselsättning* employment; *verksamhet* activity; *fart* speed]; *äv.* whole; complete [*förtroende* confidence]; *vara i ~t arbete* be hard at work [*med* at; *med att* ..-ing]; *till ~ belåtenhet* to my (o. s. v.) entire satisfaction; *~a namnet* name in full; *ha ~ sysselsättning* be fully occupied; *~ tid* (*sport.*) time; *~ tjänstgöring* whole-time duty; *av ~aste övertygelse* from a thorough conviction **3** [onykter] drunk; tipsy; **F** tight, high
fullastad *a* .. fully loaded (&c); *sjö.* .. carrying a full cargo
full‖blod thoroughbred **-blodig** *a* wholeblood; *bildl.* full-blooded **-blodshingst** thoroughbred stallion **-bokad** *a* booked up, fully booked; sold out **-borda** *tr* complete; [[av]-sluta] finish, accomplish; [utföra] perform, carry out; *ett ~t faktum* an accomplished fact **-bordan 1** completion; accomplishment **2** fulfilment [*av ett löfte* of a promise]; *gå i ~* come true; *i tidens ~* in the ful[l]ness of time **-fjädrad** *a* **1** *eg.* full-fledged **2** *bildl.* full-blown **-följa** *tr* [-borda] complete; [föresats, plan] carry out, prosecute; [fortsätta [med]] continue, carry on; [utnyttja] follow up; *jur.* o. d. carry on [*ett mål* a case] **-följande** *s* completing &c; completion, accomplishment; continuation **-giltig** *a* [perfectly] valid **-gjor|d** *a, efter -t arbete* [*reste han*] when his work was done .. **-god** *a* [perfectly] satisfactory, adequate; [mynt] standard **-godhet** satisfactoriness; adequateness **-gången** *a* fully developed

-göra *tr* [utföra [t. ex. uppgift]] carry out, [plikt] perform; [uppfylla] fulfil; ~ *sin militärtjänst* do o.'s military service **-görande** *s* carrying out &c; performance; fulfilment
fullkom||lig *a* perfect [*i sitt slag* of its kind]; [absolut] utter; [fullständig] complete, total; ~ *dårskap* downright folly **-lighet** perfectness; [med *pl*] perfection **-na** *tr* [*rfl*] perfect [o.s.] **-ning** perfection
fullastad *a* fully loaded
fullmakt 1 [bemyndigande] powers *pl; konkr, jur.* power (letter) of attorney; [vid röstning] proxy; ~ *in blanco* carte blanche *fr.* **2** [på syssla] [ämbetsmans] letters of appointment; *mil.* commission
full||mogen *a* fully ripe, mature[d] **-mognad** full maturity **-måne** full moon **-mäktig** authorized agent, proxy **-o,** *till* ~ in (to the) full **-packad** *a* packed [full], crammed [*av, med* with]; [lokal] crowded **-proppad** *a* stuffed; crammed **-riggad** *a sjö.* full-rigged **-riggare** full-rigged vessel (o. s. v.) **-satt** *a* studded [*med spik* with nails]; [salong] filled to capacity; [*salen*] *var* ~ *till sista plats* .. was packed in every corner **-skriven** *a* .. filled with writing **-stoppad** *a* .. crammed full [*av, med* of] **-stämmig** *a mus.* full-voiced; [orkester] full
fullständig *a* complete; [förstärkande] *äv.* utter; [*det*] ~*a namnet* the name in full; ~ *avhållsamhet* total abstinence; *göra* ~ complete **-a** *tr* [make (render) . .] complete **-ande** *s* completing &c; *till* ~ *av* . . to complete . . **-het** completeness **-t** *adv* completely; entirely; ~ *otrolig* absolutely unbelievable
fullt *adv* fully; [alldeles] quite; [fullständigt] completely; *tro* ~ *och fast på* . . have absolute faith in . ., be firmly convinced of . .; *njuta* ~ *och helt av* [*sin ledighet*] enjoy . . to the full; *ha* ~ *upp att göra* have plenty to do
full||talig *a* numerically complete; full; *äro vi* ~*a?* are we all here? **-taligt** *adv* in full numbers **-teckna** *tr* [lista] fill . . with signatures; [belopp] subscribe . . in full **-tonig** *a mus.* full-toned; *bildl.* eloquent **-träff** direct hit **-viktig** *a* . . of full weight **-vuxen** *a* full-grown, *äv.* fully grown; *en* ~ a grown-up [person], an adult **-värdig** *a* sound **-ända I** *tr* complete; jfr *-borda;* ~*d* complete, perfect **II** *rfl* perfect o.s. **-ändning** completion; *(äv.:* ~*en)* perfection
fullödig *a* standard; [gedigen] sterling; *bildl. äv.* thorough, genuine; [uttryck] fully adequate **-het** sterlingness &c
fult *adv* in an unsightly (ugly) way; harshly; [moraliskt] in a nasty (disgusting) way; . . *låter* ~ . . sounds ugly &c; *det var* ~ *gjort av honom* it was a nasty thing of him to do
fuml||a *itr* fumble [*med* with (at)] **-ig** *a* fumbling
fundament foundation **-al** *a* fundamental
funder||a *itr* [grubbla] (*äv.: gå och* ~) ponder [*på* upon]; *äv.* muse (meditate) [*på* upon (about)]; think; ~ *hit och dit* cast about in one's mind; ~ *på saken* think the matter over; *jag* ~*r smått på att* . . I am half thinking of . . -ing; ~ *ut'* think (find) out **-are,** *ta sig en* ~ have a good think **-ing,** ~*ar* meditations, speculations; [idéer] ideas, notions **-sam** *a* [tankfull] thoughtful, contemplative; [tveksam] hesitative
fungera *itr* [om sak] function, *allm.* work, **F** go; [om pers.] officiate, act
funktion function; *sätta* [*en maskin*] *i* (*ur*) ~ throw . . into (out of) gear **-alism** (*äv.:* ~*en*) Functionalism **-alistisk** *a* functionalistic **-är** official, functionary; ~*er* (*äv.*) salaried staff *sg*
fura pine, fir-tree; se *äv. tall*
furag||e *mil.* o. **-era** *mil. tr* o. *itr* forage
furie fury
furir *mil.* company quartermaster-sergeant
furnera *tr* furnish, provide, supply
furste prince **-hov** sovereign prince's court **-krona** princely crown **-n|döme** principality **-par** royal (princely) couple **-svit** [på hotell] royal suite **-ätt** princely race **-ättling** descendant of princes
furst||inna princess **-lig** *a* princely; [förlovning] *äv.* royal **-ligt** *adv* like a prince; *bli* ~ *belönad* receive a princely reward
furu red (yellow) deal; *hand.* redwood **-bord** deal table **-bräder,** [*hyvlade*] ~ (*hand.*) redwood boards **-möbler** deal furniture *sg* **-planka** red (yellow) deal **-skog** pine forest **-trä** pinewood **-ved** pine firewood **-virke** red (yellow) deal
fusion fusion; *hand. äv.* merger; [bank-] amalgamation
fusk 1 [-arbete] [a piece of] scamping (*konkr* scamped work); *konkr äv.* [a] scamped job **2** [bedrägeri] [an act (a case) of] cheating **-a I** *itr* **1** [med arbete o. d.] scamp; ~ *med ngt* scamp a th.; ~ *i ngns hantverk* (*bildl.*) trespass on a p.'s preserves **2** *skol., hand., spel.* o. d. cheat [*i* at]; *skol. äv.* crib **F II** *rfl,* ~ *sig igenom* [*i examen*] cheat o.s. through [an exam] **-eri** trickery **-verk** = *fusk 1*
futtig *a allm.* paltry; [småaktig] petty
futur||ist futurist **-istisk** *a* futurist[ic] **-um** *gram.* the future [tense]
fux bay [horse]
fy *itj* ugh! oh! ~ *skäms!* fie for shame! ~ *tusan!* confound it!
fylka *rfl* flock [*kring* round]; *bildl. äv.* rally [*kring ngn* round (to) a p.]
fyll||a I *s* booze; *i* ~*n* [*och villan*] [when] in a drunken fit **II** *tr* **1** fill; [fullproppa o. *kok.*] stuff; [~ ut] fill up; [behov, brist] supply; *bildl.* fulfil, serve; ~ [*vin*] *i* [*ett glas*] pour out . . into . .; ~ *med luft* inflate **2** [med beton. part.] ~ *i a)* [kärl] fill up; *b)* [ngt som fattas] fill in; *c)* [vätska] pour in; ~ *upp* fill up; ~ *ut* [t. ex. raden] fill out; *äv.* [t. ex. programmet] fill up **-bult** toper, boozer **-d** *a* filled; *kok.* stuffed
fylleri drunkenness, intoxication **-st** drunken man; drunkard
fyllig *a* **1** [pers.] plump **2** [friare] *a)* [t. ex. röst] full, rich; *b)* is. *hand.* full-bodied; [cigarr] full-flavoured; *c)* [detaljerad] detailed **-het 1** plumpness **2** fullness &c; fullness of tone (flavour &c)
fyllnad filling *äv. konkr;* [tillskott] supplement **-s|belopp** supplementary sum **-s|gods** [i tidn. o. *bildl.*] padding **-s|material** filling **-s|val** *polit. Engl.* by-election **-s|ämne** *univ.* additional (subsidiary) subject
fyllning *allm.* filling[-material]; [väg-] ballast; [i tand] stopping; *kok.* stuffing
Fyn Funen
fynd find; [upptäckt] discovery; *bildl.* [ngt oväntat] godsend; [god idé] stroke of genius **-gruva** *bildl.* treasure-house [*för* for]; mine **-ig** *a* inventive; [snabbtänkt] ready-witted; ingenious, resourceful **-ighet 1** ingenuity **2** *bergv. konkr* deposit **-ort** finding-place; *biol.* habitat
1 fyr lad; [*en glad* a lively] spark
2 fyr = *fuffens, skoj* o. d.
3 fyr 1 *mil.,* [*ge*] ~*!* fire! **2** [eldstad] stove ([under ångpanna] furnace)[-fire]

4 fyr *sjö.* light; jfr *blänk-;* lighthouse; jfr *-torn*
fyra I *räkn.* four; *mellan ~ ögon* in private; *på alla ~* on all fours **II** *s* four; *han går i ~n* (*skol.*) he is in the fourth form (class) **-hundra** four hundred **-tiden,** *vid ~* [at] about four o'clock **-vånings|hus** four-stor[e]y house
fyr|bent *a* [djur] four-footed, quadruped; [stol o. d.] four-legged
fyrbåk beacon
fyr||dubbel *a* fourfold, quadruple **-dubbla** *tr* quadruple **-faldig** *a* fourfold [*leve* cheer] **-fota|djur -foting** quadruped **-hjulig** *a* four-wheel[ed] **-händig** *a* o. **-händigt** *adv mus.* four-handed **-kant** square; is. *geom.* quadrangle; [*tio meter*] *i ~* [ten yards] square **-kantig** *a allm.* square; *geom.* quadrangular **-ling** quadruplet **-makts-** four power [conference] **-mastad** *a* (**-mastare**) *sjö.* four-masted(-master) **-motorig** *a* ⊕ four-engined
fyr||mästare lighthouse keeper **-personal** lighthouse staff
fyr||radig *a* four-row . .; [strof o. d.] four-lined **-sidig** *a* four-sided **-sitsig** *a* four-seated; *~ bil* four-seater
fyrskepp lightship
fyr||spann four in hand **-språng,** *i ~* [at a] full gallop, [at] full speed **-stämmig** *a* . . in four parts **-takts|motor** ⊕ four-stroke [-cycle] (four-cycle) engine
fyrti||o forty **-on[de]del** fortieth [part] **-årig** o. s. v. jfr *fem-* **-åttatimmars,** *en ~ arbetsvecka* a forty-eight-hour week
fyr||torn lighthouse [tower] **-vaktare** lighthouse keeper
fyrverk||are pyrotechnist **-eri** (*äv.*: *~er*) fireworks *pl* **-eri|pjäs** firework
fyrväppling *bot.* four-leaved trefoil (clover)
fyrväsen lighthouse service; Lights and Buoys Service
fysik 1 [vetenskap] physics *pl* **2** [kroppsbeskaffenhet] physique, constitution **-alisk** *a* physical **-er** physicist **-lektion** (**-lärare**) physics lesson (teacher) **-um** physics institution
fysiolog physiologist **-i** physiology **-isk** *a* physiological
fysionom physiognomist **-i** physiognomy **-isk** *a* physiognomical
fysisk *a* physical; **F** [fullständig, t. ex. omöjlighet] *äv.* sheer
1 få *pron* few; (*: några ~*) a few; *alltför ~* all too few; *det återstår endast ~ dagar* [*till julen*] there are but (only) a few days left . .
2 få I *hjälpv.* **1** [få tillåtelse att . .] be allowed to; [i pres. o. imperf. ibl.] may (*resp.* might); [med nekande adv, uttryckande förbud] must [not &c]; *~r jag följa med?* may I come too? *vi ~r inte sitta uppe länge* we are not allowed to sit up late; *vad ~r det lov att vara?* what can I serve you with (do for you) [, Sir (Madam)]? *~r det inte vara ngt annat?* is there nothing else I can offer ([i bod] show) you? *du ~r inte bli ond* you mustn't get angry **2** [vara tvungen att] have to; *äv.* must; *du ~r ursäkta mig* you must excuse me **3** [få tillfälle att, kunna] be able to; *äv.* can (could); *det ~ vi tala om sedan* we can talk about that later; *vi fick göra som vi ville* we could do as we liked **4** *~ höra* (*veta* o. d.), se resp. verb; *låt mig ~ göra det* let me do it; *jag ber ~ meddela* I beg to inform you **II** *tr* **1** [erhålla, mottaga] receive; *äv.* get; *jag fick brev* [*från* . .] I received a letter . .; *vad fick du till lunch?* what did you have for lunch? *~r jag boken, så är du snäll* may I have the book, please? *kan vi få litet mat?* can we have some food? *får jag litet* [*salt*]? may I trouble you for some . .? [*varan*] *står inte att ~* . . is unobtainable; *här ~r den inte plats* there is no room for it here; *han skall ~ sig!* I'll give it him! **2** [skaffa sig] get, obtain; *var har du ~tt den där boken?* where did you get that book? *~ tillträde* obtain admission; [tillförsäkra sig] secure [*en god plats* a good seat] **3** [uppleva o. d.] experience, meet with; [finna] find [*ro* peace]; *~ huvudvärk* get a headache; *~ snuva* catch a cold **4** *~ ngn att göra ngt* (*ngn till ngt*) get a p. to do (make a p. do) a th. **5** [med obj. + predik.-fylln.] *a*) *~ ngn fast* get a p. caught; *~ ngt gjort* get a th. done; *b*) *~ sin bror på besök* have one's brother come on a visit; *~ det trevligt* have a jolly good time **6** [med beton. part.] *~ bort* remove; *~ fram a*) [ta fram] get . . out [*ur fickan* of one's pocket]; *b*) [framlocka] bring out; *~ ngt för sig* get a th. into one's head; *~ i sig* [mat] get down, [lära sig] learn; *~ igen* have (get) . . back; *~ in* get . . in, [radiostation] get, tune in to; *~ loss en spik* get a nail to loosen; *jag fick inte med väskan* [*när jag reste*] I left my bag behind . .; *det där måste vi ~ med* we must get that in, too; *~ tag på* get hold of; *kan jag ~ tillbaka på* [*1 kr.*]? can you give me change for . .? *~ upp* [öppna] get . . open; [knut] undo; [kork] get . . out [*ur* of]; [fisk] land; [vilt] start; *kan jag ~ upp kappsäcken på mitt rum?* can I have my bag brought to my room? *~ över* [kvar] have . . over (left) **III** *rfl* = *II; jag kunde inte ~ mig till att svara* I could not get myself to answer
fåfäng *a* **1** [sysslolös] idle **2** [gagnlös] vain, useless **3** [flärdfull] vain; [egenkär] conceited **-a** vanity **-lig** *a* vain **-lighet** vanity
fågel bird; *jakt. kok. koll* game birds *pl;* [is. höns-] fowl **-art** bird species **-bo** bird's nest **-bur** bird-cage **-bössa** fowling-piece **-fri** = *fredlös* **-fångst** bird-catching; fowling **-holk** nesting-box **-hund** pointer; setter **-jakt** bird-shooting **-kvitter** [the] chirping (twitter) of birds **-kännare** ornithologist **-lik** *a* bird-like **-lim** bird-lime **-näbb** bird's bill, beak **-perspektiv** bird's-eye view; [*London*] *sett i ~* a bird's-eye view of . . **-skrämma** scarecrow **-sång** [the] singing (song) of [the] birds, bird song **-unge** young bird, nestling **-vinge** bird's wing **-vilt** *koll* game birds *pl* **-väg,** *~en* as the crow flies; air distance **-vän** bird-lover **-värld** bird world **-ägg** bird's egg [*pl* birds' eggs]
fåkunnig *a* ignorant **-het** ignorance
fåle [unghäst] colt
fåll hem
1 fålla [får-] pen, fold
2 fåll||a *tr* hem **-ning** hemming **-söm** hemstitching
få||mansvälde oligarchy **-mäld** *a* . . sparing of speech; taciturn, reticent
fån||a *itr* drivel **-e** fool; [starkare] idiot **-eri** drivelling
fång 1 armful [of [*ved* wood]] **2** *jur., laga ~* legal acquirement **-a I** *s, taga* . . *till ~* take . . prisoner[s *pl*], capture . .; *ta sitt förnuft till ~* listen to reason **II** *tr* catch *äv. bildl.;* [i fälla] trap **-ande** *s* catching &c; capture **-dräkt,** *i ~* in prison (convict's) dress **-e** prisoner, captive **-en** *a* imprisoned, captive; *ge sig ~* surrender; *hålla* [*ngn*] *~ a*) keep . . in prison; hold . . [a] captive (prisoner); *b*) [t. ex. ngns uppmärksamhet]

hold, retain **-enskap** [*råka i* fall into] captivity; [vistelse i fängelse] imprisonment **-knekt** [förr] turnkey, gaoler **-kost** prison fare **-lina** *sjö.* painter **-läger** [war-prisoners'] concentration camp
fångst 1 [fångande] catching (&c), capture **2** [byte] catch *äv. bildl.;* [jakt] bag **-fartyg** [val-] whaler; [säl-] sealer **-redskap** *koll* trapping-tackle(-gear)
fång||transport removal (transport) of [the] prisoners **-vagn** prison van; **F** Black Maria **-vaktare** prison-warder, jailer **-vård** prison welfare
fånig *a* idiotic; [starkare] insane; [friare] silly **-het** idiocy; silliness; *~er* stupidities
fåordig *a* .. of few words; [ordkarg] taciturn, reticent, laconic **-het** taciturnity &c
får sheep [*pl* lika]; [-kött] mutton
fåra I *s* furrow; [rynka] line; *bildl. äv.* groove **II** *tr* furrow; *äv.* line
får||aherde shepherd **-a|kläder,** [*en ulv*] *i ~* .. in sheep's clothing **-aktig** *a* sheepish, sheepy **-avel** sheep-breeding **-bog** *kok.* shoulder of mutton **-hjord** herd (flock) of sheep **-hund** sheep-dog, collie[-dog] **-klippning** sheep-shearing **-kotlett** mutton chop **-kött** mutton **-sax** sheep shears *pl* **-skalle** *bildl.* **F** numskull **-skinn** fleece; *bokbind.* sheep[skin] **-skinns|fäll (-skinns|päls)** sheepskin rug (jacket) **-skock** flock of sheep **-skötsel** sheep-farming **-stek** *kok.* [leg of] mutton **-stuvning** lamb (mutton) stew **-ull** sheep's wool
fåtal, *ett ~* [*åskådare*] a small number of .. **-ig** *a* .. few in number[s *pl*] **-ighet** fewness; paucity **-igt** *adv, ~ besökt* poorly attended
fåtölj arm-chair
fåvitsk *a* foolish **-het** foolishness **-o,** *tala i ~* talk foolishness
fä *eg.* beast; *koll* cattle; *bildl.* [rå person] brute **-aktig** *a* beastly; brutish **-bod** *ung.* chalet *fr.*
fäderne, *på ~t* on the (one's) father's (the paternal) side **-arv** patrimony **-bygd** home of one's [fore]fathers **-gård** family estate **-hem** paternal home **-jord,** *~en* one's native soil **-s|land** = *fosterland* **-ärvd** *a* .. handed down from father to son, hereditary
fäfot, *ligga för ~* lie uncultivated (*bildl.* waste)
fägn||a I *tr* = *glädja; det ~r mig* [*att* ..] I am delighted .. **II** *rfl* rejoice [*över* at] **-ad** *s* delight
fägring beauty
fä||hund *bildl.* **F** blackguard **-hus** cow-house (-shed)
fäkt||a *itr* **1** fence ([friare] fight) [*med florett* with a foil]; *bildl.* tilt [*mot* at] **2** [bibet.], *~ med armarna* brandish one's arms about **-are** fencer [*på* with] **-konst** fencing **-mask** fencer's mask **-mästare** fencing-master **-ning** fencing &c [*med, på* with]; [strid] fight, encounter
fäll fell; [täcke] skin rug
1 fälla trap; *gå i ~n* fall (walk) into the trap; *lägga ut en ~ för* set a trap for
2 fäll||a I *tr* **1** [bringa att falla] fell; *jakt.* bring .. down; [slå till marken] knock .. down; *bildl.* [regering] overthrow **2** [låta falla] drop [*bomber* bombs]; [sänka] lower; [bajonett] level; [tårar] shed **3** [förlora, t. ex. håret, modet] lose; [horn o. d.] shed; [om sak, t. ex. blad] shed **4** [döm-] condemn, convict **5** [uttala, t. ex. några ord] drop, let fall; [hotelse] utter; *~ utslaget* pronounce the verdict **6** *kem., geol.* deposit; *~* [*ut*] precipitate **7** *~ igen* (*ihop*) shut [up]; [ngt hopfällbart] fold; *~ ned* let down **II** *itr sjö.* bead away **-ande I** *s* felling &c; conviction; pronouncement **II** *a* [vittnesmål] criminative; *~ dom* sentence of guilty **-bar** *a* collapsible, folding **-bom** *järnv.* barrier **-bord** folding table **-kniv** clasp-knife **-ning** *konkr geol.* deposit; *kem.* precipitate; [bottensats] sediment **-stol** folding chair; [vil-] deck-chair
fält *allm.* field *äv. bildl.; bildl. äv.* sphere, scope; [vägg-] bay, pane; [dörr-] panel; *lämna ngn fritt ~* give a p. a free hand; *rymma ~et* quit the field, decamp; *i ~* (*mil.*) in the field; *draga i ~* take the field; *stå i vida ~et* be far from being settled **-armé (-artilleri)** field army (artillery) **-biskop** *ung.* Army Chief of Chaplains **-duglig** *a* .. fit for active service **-flaska** *mil.* water bottle, flask **-grå** *a* field-gray **-gudstjänst** drum-head service; field service; church parade
fältherre general, military commander **-begåvning (-blick)** strategic talent (eye) **-egenskaper** generalship *sg*
fält||kanon field gun **-kikare** field glasses *pl* **-krigsrätt** drum-head court martial **-kök** field kitchen **-lasarett** field hospital **-liv** camp life **-läkare** army surgeon **-marskalk** field marshal **-mässig** *a* active-service **-mätning** [detail] surveying (*äv.: ~ar*) **-post** field post **-präst** army chaplain **-sjukhus** field hospital **-skjutning** field target practice **-skär** barber-surgeon **-slag** pitched battle **-spat** *geol.* fel[d]spar **-stol** campstool **-säng** camp bed[stead] **-tecken** [fana] banner **-telefon** field telephone **-tjänst** field service **-tjänst|övning** field day **-tåg** campaign [*mot* against (on)] **-uniform** active-service uniform **-utrustning** field kit **-väbel** sergeant major, *Am.* master sergeant
får sheep [*pl* lika]; [-kött] mutton
fängelse 1 [fångenskap] imprisonment [*på livstid* for life] **2** [inrättning] prison, jail; *sitta i ~* be in prison (jail) **-direktör** governor of a (the) prison **-håla** dungeon **-mur** prison wall **-präst** prison chaplain **-straff** imprisonment **-väsen** prison organization
fängs||la *tr* **1** [slå i bojor] fetter **2** [sätta i fängelse o. d.] imprison, arrest **3** *bildl.* fascinate; [draga till sig] attract **-lande** *a* fascinating; attractive **-lig** *a, i ~t förvar* (*jur.*) [*hålla* keep] in custody
fänkål fennel
fänrik ensign
färd 1 journey; [forsknings-] expedition; [turist-] trip, tour; [till sjöss] voyage; [bil- o. d.] ride, [flyg-] flight; *under mina ~er* [*i främmande länder*] on (in the course of) my travels ..; *ställa ~en till* .. make for .. **2** *bildl., vara i ~ med att* be busy ..-ing **-as** *dep* travel **-e,** *draga, fara, gå sina ~* take one's departure, depart; *vad är på ~?* what is up (the matter)? [*det är*] *fara på ~* [there is] danger ahead
färdig *a* **1** [huvudbet.] *a*) [om sak] finished; [undangjord] done; [avslutad] complete; [klar] ready; [t. ex. soppa] prepared; *b*) [om pers., beredd o. d.] ready [*till* for]; prepared; *få .. ~* get .. done; *göra .. ~* get .. ready; finish; *bli ~ med* [*ngt*] get through with ..; *göra sig ~* [*att* ..] get ready [to ..]; *vara ~ a*) [*att* ..] be ready [to ..]; *b*) (*äv.: vara ~ med*) have done **2** [bibet., nära att] on the point of; *~ att kikna av skratt* fit to split with laughter **-gjord** *a* finished, complete; [kläder] ready-made **-het** [skicklighet] skill (dexterity) [*i* in (at)]; [talang] accomplishment; *övning ger ~* practice makes perfect **-klädd** *a* .. [all] ready dressed; *är du ~?*

have you finished [dressing]? **-kokt** *a* .. quite (ready) boiled **-produkt** finished product **-sydd** *a, ~a kläder* ready-made clothes

färd||knäpp F one for the road **-led** high-way **-ledare** leader (conductor) [of an (the) expedition (a tour)], guide **-mekaniker** flight engineer **-riktnings|visare** direction arrow

färg 1 colour (*Am.* color) *äv. bildl.;* [målar-] *äv.* paint; [till -ning] dye; *ge ~ åt* (*bildl.*) lend colour to; *i vilken ~* [*skall huset målas*]? what colour ..? *grå till ~en* gray in colour **2** [bibet.] *a)* [trycksvärta] ink; *b)* [ansikts-] colour; *c) kortsp.* suit **-a** *tr* colo[u]r *äv. bildl.;* [tyg o. d.] dye; [måla] paint; [t. ex. med blod] stain; *~ av'* [*sig*], *ifrån' sig* give off its (o. s. v.) colour **-are** dyer **-band** [för skrivmaskin] [typewriter] ribbon **-beständig** *a* colour-fast, unfadable **-blandning** blending of colour; colour-blend **-blind** *a* colour-blind **-blindhet** colour-blindness, daltonism **-borttagningsmedel** paint remover **-brytning** colour-refraction **-film** technicolor (colour) film **-filter** colour filter **-fläck** [på kläder] paint-stain **-foto[grafi]** colour photo[graph] **-glad** *a* **(-glädje)** gay in (gaiety of) colour **-grann** *a* gaudily coloured, gaudy **-handel** paint-seller's trade; [butik] paint shop **-handlare** paint-seller **-harmoni** harmony of colours **-illustration** coloured illustration **-karta** coloured card **-klick** daub (splash) of colour **-kombination** colour combination **-komposition** colour composition **-konstnär** artist in colour **-kopp** colour-(paint-)saucer **-krita** crayon **-känsla** sense of colour **-lagd** *a* coloured **-låda** paint-(colour-)box **-lägga** *tr* colour **-lära** chromatology **-lös** *a* colourless; *polit.* neutral **-ning** dyeing **-nyans** tint, shade **-orgie** blaze (riot) of colour **-penna** coloured pencil **-plansch** coloured illustration **-prakt** colour display **-prov** colour sample **-pyts** paint-pot **-reseda** dyer's weed, weld **-rik** *a* profusely (richly) coloured; *bildl. äv.* vivid **-rikedom** richness (profusion) of colour **-sinne** sense of colour **-skala** colour-scale **-skiftande** *a* .. with an ever changing play of colours; [pärlemor] iridescent **-skiftning 1** [-förändring] changing (change) of colour **2** [nyans] hue, tint, shade **-spel 1** play of colours, iridescence **2** *kortsp.* suit hand **-stark** *a* highly coloured, colourful **-television** colo[u]r television **-ton** [colour] tone; tinge **-tryck** colour-printing; [*ett* a] colourprint **-tub** paint-tube **-verkan** colour effect **-växt** dye plant **-äkta** *a* [colour-] fast, unfadable **-ämne** dye

färj||a I *s* ferry[-boat] **II** *tr* ferry [*över* across] **-båt** ferry-boat **-förbindelse,** *ha ~ med* be in ferry communication with **-karl** ferryman **-läge** ferry station **-trafik** ferry service

färm *a* prompt, expeditious **-itet** promptness

färre *a* fewer; *~* [*till antalet*] .. less numerous

färs *kok.* forcemeat, farce **-era** *tr* stuff

färsk *a* **1** *eg. a)* [ej salt, (rökt, skämd)] fresh; *b)* [ej torkad] green; *c)* [ej gammal] new **2** [friare o. *bildl.*, t. ex. spår, sår] fresh; [nyhet] recent; *de ~aste nyheterna* the latest news **-vattensfisk** fresh-water fish

Färöarna the Faroe Islands, the Faroes

fäst *a bildl.*, [*mycket*] *~ vid* [very much] attached to; [very] fond of

fäst||a I *tr* **1** *eg.* fasten [*vid* to (on [to])]; attach [*vid* to]; *~ ngt med* [en knappnål, en spik o. d.] fasten a th. [on] with .. **2** [friare o. *bildl.*, låta [blicken] vila] fix [*på* upon]; [rikta uppmärksamheten på] direct (call, draw) [attention to]; *~ vikt vid* attach importance to **II** *itr* [om gummi o. d.] adhere, stick **III** [med beton. part.] *~i* fasten .. on; *~ upp* fasten .. up **IV** *rfl* **1** [om sak (*: fastna; äv. bildl.*)] stick [fast] [*i* in] **2** [om pers.] become attached [*vid ngn* to a p.]; *~ sig vid* [*ngt*] notice, pay attention to ..; *icke ~ sig vid småsaker* not bother about trifles **-ad** = *fäst* **-e 1** [*få* find a] hold, [fot-] foothold; [svärd-] hilt **2** [himla-] firmament **3** *bildl.* [fast grund] foundation; [rot-] [*få* take] root **-folk** engaged couple **-man** fiancé *fr.; äv.* [*hennes* her] intended **-mö** fiancée *fr.; äv.* [*hans* his] intended

fästning *mil.* fort[ress] **-s|verk** fortifications *pl*

föd||a I food; [näring] nourishment *äv. bildl.;* [kost] diet; [uppehälle] living; *inte göra skäl för ~n* not be worth one's salt **II** *tr* **1** [skaffa till världen] give birth to; bear; *absol.* bear children; *~s* be born [*på nytt* anew] **2** [ge föda åt] feed [*på* on], nourish; [underhålla] support; *bildl.* [nära] foster **III** *rfl* live; [om djur] feed **-d** *a* born [*av* of]; *han är ~ blind, till* [*förbrytare*], *i* [*Stockholm*], *den* [*2 jan.*] he was born blind (a ..; at ..; on the ..); *~a och döda* [rubrik] births and deaths; *fru Smith, ~ Jones* Mrs. Smith née Jones

födelse birth; *alltifrån ~n* from one's birth up **-attest** birth certificate **-dag** birth-day; *hjärtliga lyckönskningar på ~en!* many happy returns [of the day]! **-dags|barn** birthday celebrant **-dags|gåva** birthday present **-dags|kalas** birthday party **-kontroll** birth-control **-märke** birth-mark; mole **-ort** birthplace; [i formulär] place of birth **-år,** [*ngns ~* the] year of [a p.'s] birth **-överskott** excess of births

föd||geni [an] eye for the main chance **-krok** means *sg* o. *pl* of livelihood **-o|ämne** article of food, foodstuff **-sel 1** [förlossning] childbirth; [nedkomst] delivery **2** [födelse] birth **-slo|vånda** travail **-slo|värkar** throes of childbirth

1 föga *s, falla till ~* yield (submit) [*för* for]; give (**F** cave) in

2 föga I *s* (*pron*) [very] little **II** *adv* [very (but)] little; [icke just] not exactly ([: *knappast*] scarcely) [*lysande* brilliant]; [ibl. med nekande förstav.] *~ uppbygglig* unedifying; *~ angenäm* disagreeable

föl foal; [unghäst] colt; [sto-] filly **-a** *itr* foal

följ|a I *tr* **1** [*~* efter] follow; [efterträda] succeed **2** [hinna med] follow **3** [ledsaga] accompany *äv. bildl.; eg.* go with; *äv.* see [*ngn hem* a p. home] **4** [*~* utmed] follow **5** [*~* med blicken] watch **6** [*~* ngt ss. rättesnöre] obey; *~ sitt eget huvud* take one's own course **II** *itr* **1** follow; [i tiden] *äv.* ensue; [bifogas] be enclosed; *brev -er* letter to follow **2** [med prep:uttr., prep obeton.] *~ av* .. follow from [*det sagda* what has been said]; *det -er av sig självt* it (that) is a matter of course **III** [med beton. part.] *~ av* [*ngn*] see .. off; *~ med a) absol.* go (come) with a p.; *b)* [hinna med] keep pace with [*sin tid* the times]; *~ med sin tid* (*äv.*) keep up to date; *c)* [förmå uppfatta] follow; *~ med* [*på utfärden*] join the party ..

följ||aktligen *adv* accordingly, consequently **-ande** *a* [the] following; [på-] [the] next (*äv.: den därpå ~*); *på ~ sätt* as follows; *~ dag* [on] the following (the next) day; [*brevet*] *är av ~ lydelse* .. runs as follows; [*det*] *~* [*är* ..] the following (what fol-

lows) . .; *på varandra* ~ successive, consecutive **-as** *itr dep,* ~ *åt* go (*bildl.* run) together
följd 1 [rad] succession, line; [t. ex. av olyckor] series; [alfabetisk] order; [av år] course **2** [logisk ~, verkan] consequence [*för* to]; [resultat] result; *ha till* ~ . . have . . as a consequence; *till* ~ *av* . . in consequence of . . **-företeelse** consequence, sequel **-riktig** *a* logical; [konsekvent] consistent **-sats** corollary **-sjukdom** *läk.* sequela [*pl* sequelae] **-verkan** resulting effect
följe 1, *ha ngn i* ~ be accompanied by a p. **2** retinue; *äv.* attendants *pl* **3** [pack] gang, crew **-slagare** companion; [uppvaktande] attendant, follower **-tong** serial [story]
fölskinnspäls foal-skin coat
fönst|er window; *stå i -ret* [om pers.] stand at the window; [om sak] be in the window; [*sova*] *för öppet* ~ . . with one's (the) window open **-bleck** metal window-sill **-bord** window-table **-bräde** window-sill **-båge** *ark., byggn.* window-sash **-glas** window-glass **-hake** window-catch **-karm** window-frame **-lucka** [window-]shutter **-målning** stained-glass window **-nisch** window-bay (-recess) **-post** window-post **-ruta** (**-skyltning** *hand.*) window-pane (-dressing) **-smyg** window-splay
1 för I *s sjö.* stem, prow; *i* ~*en* at the prow **II** *adv sjö.* fore [*och akter* and aft]; ~ *om masten* before the mast; [*rakt*] ~ *ut, över* [right] ahead ([inombords] forward)
2 för I *prep* **1** [till förmån ~, jfr dock *3;* i stället ~; ~ [ngns] räkning; avsedd ~; ~ att få; på grund av; i utbyte mot] for; *göra ngt* ~ *ngn* do a th. for a p.; *öga* ~ *öga* an eye for an eye; *vad tar ni* ~ *det?* what do you charge for it? **2** [i genitivbet. el. i *sms*] of; *vara föremål* ~ be the object of; *till förmån* ~ in favour of; *priset* ~ the price of; *sinne* ~ *humor* a sense of humour; *tidningen* ~ *i går* yesterday's paper **3** [i dativbet.; ~ vilken ngt göres, finnes till; ~ ngns uppfattning; nytta, skada ~] to; *visa ngt* ~ *ngn* show a th. to a p.; *nyttig* (*viktig*) ~ useful (important) to; *tala om' ngt* ~ *ngn* tell a p. a th. **4** [såsom] as; [ibl. oöversatt, se *gram.*]; *hålla ngt* ~ *otroligt* regard a th. as unlikely; *kalla sig* ~ *doktor* call o.s. doctor **5** *skydd* ~ [*kölden*] shelter from . . **6** [tidsbet.] for; *en gång* ~ *alla* once and for all; ~ *en tid* for a (some) time; ~ [*tio år*] *sedan* [ten years] ago **7** [rumsbet.] before; to, over; *gardiner* ~ *fönstren* curtains before the windows; *hålla handen* ~ *munnen* hold one's hand to one's mouth **8** [andra prep] *skriven* ~ *hand* written by hand; *steg* ~ *steg* step by step; ~ *det första* in the first place; *köpa* ~ *egna pengar* buy with one's own money; *rädd* ~ afraid of; *typisk* (*karakteristisk*) ~ typical (characteristic) of **9** [utan prep] [*han blir sämre*] ~ *varje dag* . . every day; ~ *mig får han resa vart han vill* he can go wherever he likes as far as I am concerned **10** ~ *så vitt* provided; ~ *så vitt inte* unless **11** ~ *att a)* [med inf] [in order] to; *jag har kommit hit* ~ *att träffa honom* I came here to meet him; [vid rörelseverb] *fara ut* ~ *att bada* go out bathing; *b)* [på det att] so that; *c)* [därför att] because **II** *adv* **1** [mots. emot] for; ~ *och emot* pro and con[tra], for and against **2** [rumsbet.] [*luckan, regeln*] *är* ~ . . is to **3** [allt-] too [*ung* young] **III** *konj* [ty] for
för|a I *tr* **1** [förflytta] convey; *äv.* transport, remove; [t. ex. ett glas till munnen] raise; [ta med sig] *a)* [hit] bring; *b)* [dit] take; [bära, *äv.* om vind, transportmedel o. d.] carry *äv. bildl.* **2** [leda o. d.] *eg.* o. *bildl.* lead; [ledsaga] conduct; [t. ex. en bil] drive; [fartyg] sail; ~ [*ngn*] *inför* [*domaren*] bring . . before . .; *vad -de dig dit* (*hit*)? what took you there (brought you here)? ~ *ngn i olycka* bring a p. to misfortune **3** [hantera o. d., t. ex. ett verktyg] handle **4** *hand.* (: ~ *på lager*) keep [*en vara* a line of goods] **5** *bildl. a)* [hän-, räkna] assign; *b)* [t. ex. ett samtal] carry on; *c)* [åstadkomma, t. ex. oväsen] make **II** *itr* [om väg o. d.] lead; *det skulle* ~ *för långt* [*att* . .] it would carry (take) us too far . . **III** [med beton. part.] ~ *bort* convey (carry, take) . . away ([undan] off); ~ *fram* carry ([hitåt] bring) . . forward; *mil. äv.* lead (march) . . forward; ~ *igenom* carry . . through, jfr *genom*~; ~ *ihop* bring ([sätta] put) . . together; ~ *in* take ([hit] bring, [pers., djur] lead) . . in (into a (the) room o. s. v.); ~ *med sig a)* carry . . along with one (it o. s. v.); *b) bildl.* [ss. följd] involve; ~ *tillbaka* bring . . back [again]; ~ *upp* bring (lead &c) . . up; ~ *ut* bring (&c) . . out [*ur* of]; [pers., djur] lead (conduct) . . out [*ur* of; *på* into]; ~ *ut* [*en vara*] *i marknaden* place . . on the market, jfr *exportera;* ~ *vidare* [skvaller o. d.] pass on . .; ~ *över* bring (carry &c) . . across, [varor] *äv.* transport **IV** *rfl* carry o.s. [*väl* well]
förakt contempt [*för* for (of)]; [överlägset] disdain ([ringaktning] disregard) [*för* of (for)]; *hysa* ~ *för* feel contempt for **-a** *tr* despise; [försmå] disdain; scorn **-full** *a* contemptuous; *äv.* disdainful, scornful **-lig** *a* [värd förakt] contemptible; [starkare] despicable, mean
för‖allmänliga *tr* generalize **-andliga** *tr* spiritualize
föraning premonition
förankr‖a *tr* anchor; *bildl., han är djupt* ~*d i* he is deeply rooted in **-ings|boj** anchored buoy
förank‖ra *tr* anchor; *bildl., han är djupt* ~*d i* he is deeply rooted in **-ings|boj** anchored ~ *att ngn blir avskedad* cause a p. to be dismissed **2** [ge anledning till] occasion, lead to **-låt|a** *tr* = *-leda; känna sig -en att* feel called upon to **-stalta** *itr* o. *tr,* ~ [*om*] make arrangement (arrange) for [*ngt* a th.] **-staltande** arranging; *på* ~ *av* . . through the arrangement of . .
förarbet‖a *tr* work [up] [*till* into] **-e** preparatory (preliminary) work
förare [vägvisare] guide; [bil-, lok- o. d.] driver; *flyg.* pilot
förarg‖a I *tr* provoke, annoy; [reta] *äv.* vex; *det* ~*r mig mycket, jag är mycket* ~*d över att* . . I am very much provoked (&c) that . .; *bli* ~*d* be provoked (get angry, vexed) [*över* at] **II** *rfl* be provoked [*över* at] **-as** = *-a II* **-else** annoyance, vexation; [förtrytelse] mortification; [anstöt] offence **-else|källa** source of annoyance (&c) **-else|-väckande** *a* offensive; [starkt] scandalous; ~ *beteende* (*jur.*) disorderly behaviour **-lig** *a* **1** [förtretlig] provoking, annoying; [brydsam] awkward; *så* ~*t!* what a nuisance! how annoying! **2** [retsam] provoking, aggravating **-lighet** annoying thing, trouble
förar‖hytt [lastbil] driver's cab; *flyg.* pilot's cockpit **-säte** driver's (pilot's) seat
förband 1 *läk.* [*första* first-aid] bandage **2** *mil.* [composite] unit; *flyg.* formation **-s|artiklar** *läk.* ambulance (first-aid) requisites **-s|flygning** formation flying **-s|gas** [surgical] gauze **-s|låda** first-aid kit, first-aid

outfit **-s|material** dressing material **-s|plats** *mil.* dressing-station; [bakom fronten] [casualty] clearing station

förbann||a *tr* curse **-ad** *a* cursed; [svordom] damned; [svagare] confounded **-else** curse [*för* to]; *fara ut i ~r mot* curse

förbarm||a *rfl* have pity [*över* [up]on]; *Herre, ~ dig över ..!* Lord, have mercy on ..! **-ande** compassion, pity; *bibl.* mercy

förbehåll reserve; *äv.* reservation; [klausul] saving clause; [villkor] condition; *med, under ~ att ..* provided that ..; *utan ~* without [any] reserve &c; *med ~ för möjliga misstag* (*hand.*) errors excepted **-a I** *tr, ~ ngn ngt* (*ngn att*) reserve a th. for a p. (a p. the right to) **II** *rfl* [betinga sig] reserve .. for o.s.; [fordra] demand **-en** *a* reserved **-sam** *a* reserved; reticent, uncommunicative **-samhet** reserve; reticence &c **-s|lös** *a* unreserved

förben||a *tr* o. *rfl* ossify **-ad** *a* ossified; fossilized; **F** stick-in-the-mud **-as** *dep* = *-a*

förbered||a I *tr* prepare [*för, på* for] **II** *rfl* prepare [o.s.] [*för* (*på, till*) for]; [göra sig i ordning] get [o.s.] ready [*för, till* for]; *~ sig på* [*ett tal*] prepare .. **-ande** *a* [arbete, skola o. d.] preparatory; [t. ex. möte] preliminary **-d** *a* prepared; *vara ~ på* be prepared for **-else** preparation [*för* (*på, till*) for]

förbi I *prep* past, by **II** *adv* **1** *eg.* past, by **2** [friare, predikativt (: *slut*)] over, past; [borta, avslutad] gone, done; *min tid är ~* my time is up (over)

för||bida se *bida* **-bidan** = *-väntan*

förbi||fart, *i ~en* in (when) passing **-gå** *tr* pass .. over [*med tystnad* in silence] **-gående I** *s, i ~ a*) *allm.* in passing; *b*) *bildl.* incidentally; by the way (*äv.*: *i ~ sagt*) **II** *a, en* (*de*) *~* a passer-by ([the] passers-by) **-gången** *a, känna sig ~* feel left out

förbilliga *tr* cheapen

förbind||a I *tr* **1** [förena] join; attach [*med* to]; *äv.* connect (is. *bildl.* combine) [*med* with] **2** [förplikta] bind .. over (pledge) [*till* to] **3** *läk.* bandage, dress **II** *rfl* **1** [ingå förbund] ally o.s. [*med* with] **2** bind (pledge) o.s. **-else 1** *eg. a*) *allm.* connection; [mellan pers.] relations *pl*; *b*) [samfärdsel, -linje] communication *äv. mil.*; *c*) [förlovning] alliance; *stå i ~ med* [*ngn, en plats*] be in communication (touch, contact) with ..; *äv.* communicate with (*hand.*); *sätta sig i ~ med* get into touch with, contact **2** [förpliktelse] obligation; [revers] bond; *hand.* [skuld] liability; *utan ~* [om pris] not binding **-else|karl** *mil.* signal man **-else|linje** *mil.* o.d. line of communication **-else|länk** connecting link **-else|man** contact [man] **-else|medel** means *sg* o. *pl* of communication **-else|officer** liaison (*fr.*) officer **-else|patrull** connecting group **-else|-tjänst** communications *pl* **-lig** *a* obliging; complaisant; [leende] engaging **-lighet** complaisancy **-ning 1** bandaging &c **2** ⊕ joint

förbi||passerande *a* passing-by; *en* (*de*) *~* a passer-by ([the] passers-by) **-se** *tr* overlook; disregard **-seende** [*av* through an] oversight

för||bistring confusion **-bittra** *tr* **1** *eg.* embitter **2** [-arga] exasperate **-bittring** exasperation; [starkare] rage

förbjud||a *tr* forbid; [om myndighet o. d.] prohibit; *det borde ~s!* it ought to be stopped! *det Gud -e* which God forbid **-e|n** *a* forbidden [*frukt* fruit]; prohibited [*varor* goods]; *~ ingång* (*genomfart*) no admission (thoroughfare); *-t område* no trespassing; *rökning ~!* smoking prohibited; no smoking

för||blanda *tr* mix .. up **-blekna** *itr* fade **-blinda** *tr* blind *äv. bildl.*; [bedåra] infatuate **-blindelse** infatuation **-bli[va]** *itr* remain [*äv.* i brevslut]; *~ ung* keep young; [*boken*] *var och -blev borta* .. was gone for good [and all] **-bluffa** *tr* amaze, astound; **F** flabbergast **-bluffelse** amazement **-blända** = *blända* **-blöda** *itr* (**-blödning**) bleed (bleeding) to death **-borga** *tr* conceal [*för* from] **-borgad** *a* [dold] hidden [*för* from] **-brinna** *itr* burn; *bildl.* be consumed

förbruk||a *tr* consume, use up; [pengar, kraft] spend **-are** consumer; user **-ning** consumption **-ningsartikel** article of consumption, commodity; consumer goods *pl*

för||bruten *a* forfeited **-brylla** *tr* bewilder, confuse, perplex **-bryllelse** bewilderment

förbryt||a I *tr* **1** do wrong **2** = *förverka* **II** *rfl* offend (trespass) [*mot* against]; *~ sig mot* [*den goda tonen* o. d.] commit (be guilty of) a breach of **-ar|anlag** criminal disposition **-ar|band** gang of criminals **-are** criminal; [dömd fånge] convict **-ar|-koloni** convict settlement **-ar|natur** criminal propensity ([pers.] type) **-ar|register** criminal register **-ar|typ 1** criminal type **2** [-kategori] type of criminal **-else** [brott] crime; [svagare] offence

förbrän||na *tr* burn [.. up]; *bildl.* blast **-ning** burning &c; *fys.* [*fullständig* complete] combustion **-nings|gas** exhaust gas **-nings-hastighet** rate of combustion **-nings|motor** internal-combustion engine **-nings|produkt** product of combustion

förbrödr||a I *tr* unite .. in a brotherly bond **II** *rfl* fraternize [together] **-ing[sfest]** fraternization [gathering]

förbud prohibition; [*mot utförsel* export] ban; *det är ~ på det* that is forbidden **-s|anhängare** prohibitionist **-s|fientlig** *a* antiprohibitionist **-s|fråga** (**-s|krav**) prohibition question (plea) **-s|vän** **-s|vänlig** *a* prohibitionist

förbund 1 *abstr* compact; *stå i ~ med* be in compact with; is. *bibl.* covenant; [förbindelse o. konkr] alliance, union **2** *konkr* federation, association, jfr *fack-*; *polit.* confederation; *ingå ~ med* form an alliance with; *Nationernas F~* the League of Nations

1 förbund|en *a, med -na ögon* blindfold[ed]

2 förbund||en *a* **1** [förenad o. d.] connected [*med* with (to)]; communicating (in communication) [*med* with]; [allierad] allied [*med* to]; *det är -et med stor risk* it involves considerable risk; *därmed -na svårigheter* concomitant difficulties **2** [förpliktad o. d.] bound ([genom löfte] pledged) [*till* to]; *jag skulle vara er mycket ~* [*, om ..*] I should be very much obliged to you .. **3** *läk.* bandaged, dressed **-s|armé** federal army **-s|kansler** Federal Chancellor **-s|medlem** member of a (the) federation **-s|regering** federal government **-s|stat** federal state

förbygga *rfl* overbuild

förbyt||a I *tr* change [*i, till* into] **II** *rfl* o. **-as** *itr dep* change [*i, till* into]

förbättr||a I *tr* improve; [rätta] amend; is. *moral.* reform; *det ~r inte saken* that does not mend matters **II** *rfl* improve; mend one's way **-as** *itr dep* = *-a II* **-ing** improvement; [till hälsan] recovery

förbön intercession [*för* for]

fördatera *tr* antedate

fördel advantage [*framför* over; *för* to (for); *med* of]; [fromma] benefit; [vinst] profit; [nytta] good; *dra* (*ha*) *~ av* derive (have an) advantage (&c) from; benefit by

(from); *till ngns* ~ *a) eg.* [*bli, vara* be] to a p.'s advantage; *b)* [t. ex. tala] in a p.'s favour
fördel||a I *tr* distribute [*bland (emellan, på)* among[st]]; [genom lottning] allot; [uppdela] divide [*i* into]; [allmosor] dispense **II** *rfl* distribute themselves; [skingras] disperse
fördelaktig *a* advantageous [*för* to (for)]; [vinstgivande] profitable [*för* to (for)]; [gynnsam] favourable [*villkor* terms]; *ett ~t yttre* a prepossessing appearance
fördelning 1 *abstr* distribution [*bland, emellan, på* among[st]]; allotment **2** *mil.* division **-s|chef** *mil.* general officer commanding **-s|grund** principle of distribution
för||denskull *adv* for that reason; jfr *därför* **-detting** Retired-List man; **F** has-been; *Am.* back-number
fördjup||a I *tr* deepen; [kunskaper] *äv.* improve **II** *rfl* [i ett ämne] enter (go) deeply [*i* into]; [i studier o. d.] become engrossed (absorbed) [*i* in] **-ad** *a bildl.* absorbed; [om studier] deeper **-ning 1** [personlig] depth **2** *konkr* depression; [mark-] hollow; *byggn.* recess, niche
fördold *a* hidden; secret
fördom prejudice (*äv.: ~ar*); *ibl.* bias **-s|fri** *a* unprejudiced, unbias[s]ed **-s|frihet** freedom from prejudice **-s|full** prejudiced
fördrag 1 [överenskommelse] treaty **2** [tålamod] patience; forbearance **-a** *tr* bear, stand; [uthärda] endure; [tåla] put up with **-sam** *a* tolerant (forbearing) [*mot* towards (to)] **-samhet** tolerance, forbearance **-s|brott** breach of a (the) treaty **-s|enlig (-s|vidrig)** *a* .. according (contrary) to [the] treaty
för||driva *tr* **1** *eg.* drive .. away ([ut-] .. out) [*ur* of]; [ur landet] banish **2** [tiden] while away (pass) [the time] **-dröj|a I** *tr* delay, retard; [uppehålla] detain; *-d utlösning* time limit release **II** *rfl* be delayed **-dröjning** delay; detention **-dubbla I** *tr* double; *bildl.* redouble **II** *rfl* o. **-dubblas** *dep* [re]double **-dumma** *tr* render .. stupid, stupefy; *absol.* blunt the intellect **-dunkla** *tr* darken; *äv. bildl.* obscure; [överträffa] eclipse; overshadow **-dyra** *tr* make .. dearer (more expensive); increase the cost (price) of **-dyring,** *~en av ..* the rise (increase) in the price (cost) of .. **-dystra** *tr* make .. gloomy; [ngns liv] cast a gloom over ..
fördäck foredeck
fördäm||ma *tr* dam [up] **-ning** dam
fördärv 1 [fall] ruin; [undergång] destruction; [förbannelse] bane [*för* to]; *bringa, störta* [*ngn*] *i ~et* lead (drive) .. to destruction, bring .. to ruin **2** [sedligt ~] decay, corruption; [ngns] depravity **-a** *tr* **1** [i grund] ruin; [tillintetgöra] destroy; [skada] damage; [skämma] spoil **2** *bildl.* [sedligt] corrupt, deprave; [ngns rykte, utsikter] blight **-ad** *a* **1** ruined &c; [skämd] bad; [i oordning] deranged [*ekonomi* finances *pl*]; *arbeta sig ~* work o.s. to death **2** *bildl.* depraved **-as** *dep* be ruined; [skadas] get damaged; [skämmas] be spoilt **-bringande** *a* fatal, destructive **-lig** *a* harmful, pernicious; [skadlig] injurious; destructive
för||dölja = *dölja* **-döma** *tr* condemn; [ogilla] blame; *relig.* damn **-dömd** *a relig.* damned; *-dömt!* hang it [all]! **-dömelse** *bibl.* condemnation **-dömlig** *a* condemnable, blamable
1 före [väglag] going, running; [skid- o. s. v.] surface [for skiing o. s. v.]

2 före I *prep* before; [i rum] *äv.* in front of; [framom] *äv. bildl.* ahead (in advance) of; ~ *detta* (*f. d.*), se *detta* **II** *adv* before; *saken har varit ~* [*hos oss*] [we] have dealt with (considered) the matter **-bild** prototype [*för, till* of]; [mönster] pattern; *äv.* example **-bildlig** *a* typical; [mönstergill] exemplary, model, ideal **-brå** *tr* [*rfl*] reproach [o.s.]; [starkare] upbraid; [klandra] blame [*för* for] **-bråelse** reproach; *få ~r* be reproached **-brående** *a* reproachful **-bud 1** *poet.* harbinger **2** [tecken] presage [*till* of]; [yttre] omen [*till* of] **-bygga** *tr* [förhindra] prevent; [vidta åtgärder emot] provide against; [-komma] forestall **-byggande I** *s* preventing &c; prevention **II** *a* preventive **-båda** *tr* forebode; [is. ngt ont] portend **-bära** *tr* plead [.. as an excuse] **-bärande** *s, under ~ av* [*sjukdom*] on the plea of .. **-drag 1** discourse; talk; [föreläsning] lecture; *polit.* o. d. address; *hålla ett ~* give (deliver) an address (&c); [lärt] read a paper **2** [-nings|sätt] *mus.* interpretation **-draga** *tr* **1** [framsäga] deliver; [uppläsa [utantill]] recite; *mus.* execute **2** [redogöra för] present [*en rapport* a report] **3** [ge företräde] prefer [*framför* to]; .. *är att ~* .. is preferable **-dragande** *a, den ~ a)* the reciter; *b)* the presenter [of the case], the rapporteur *fr.* **-dragnings|lista** agenda [list] **-drags|hållare** lecturer **-drags|turné** lecturing tour **-döme** [*ge ett* set an] example; [mönster] model, pattern **-dömlig** *a* .. worthy of imitation; [t. ex. uppförande] exemplary **-falla** *itr* **1** [hända] occur, pass **2** [synas o. d.] seem (appear) [*ngn* to a p.] **-finna** *tr* find **-finnas** *dep* exist; *de ~* [*hos* ..] they are to be found [in ..] **-fintlig** *a* existing; .. to be found **-giva** *tr* pretend, allege **-givande,** *under ~ av* .. under pretext of .. **-gripa** *tr* forestall, anticipate **-gå** *tr* **1** precede **2** se *exempel* **-gående I** *a* preceding; *äv.* [t. ex. tillfälle] former, earlier **II** *s, hans ~* his previous (former) life; his antecedents *pl* **-gångare -gångerska** precursor, forerunner **-gångs|land** leading country **-gångs|man** pioneer **-ha** *tr* have .. in (on) hand; [ha för sig] be doing **-havande,** *hans ~n* his doings **-hålla** *tr* point out; *~ ngn* [*ngt*] expostulate with a p. on (for, about) .. **-komm|a I** *tr* **1** [komma .. i förväg] be in advance of ..; [-gripa] anticipate, forestall **2** [hindra] = *-bygga* **II** *itr* [-finnas, hända] occur; jfr *-finnas; av* (*på*) *-en anledning* for a definite reason; owing to circumstances that have occurred **-kommande I** *s* anticipation; prevention **II** *a* **1** occurring; *ofta* (*sällan*) ~ frequent (rare) **2** [tillmötesgående] obliging; [artig] courteous **-komst** occurrence; *äv.* presence [*i* in] **-lig-g|a** *itr* be before us (o. s. v.); [bevis] be forthcoming; [finnas till] exist; [finnas att tillgå] be available; [*en sådan situation*] *-er ännu inte* .. has not yet arisen; *här -er ett misstag* this is a mistake; *om intet giltigt skäl -er* if there is no just cause **-liggande** *a, ~* [*sak, fall*] .. before us (o. s. v.); the present .. **-lägga** *tr* **1**, *~ ngn* [*ngt*] place (put, lay) .. before a p.; [underställa] submit .. to a p. **2** [-skriva] prescribe; [befalla] command, order **-läs|a** *tr* **1** [upp-] read [*för* to] **2** [hålla -ningar] lecture [*i, över* on; *vid* at; *om* about] **-läsare 1** reader **2** lecturer **-läsning 1** reading **2** [*gå på* (*bevista, hålla*) go to (attend, deliver) a] lecture **-läsnings|sal** lecture-room (-hall) **-läsningsserie** series of lectures **-löpare** *bildl.* precursor **-mål 1** *konkr* object [*för löje* of ridicule]; [nyttigt] article; [friare]

thing **2** [ämne] subject [*för* of]; *bli, vara ~ för a)* [kritik o. d.] be subjected to; *b)* [uppmärksamhet, intresse] attract ..

fören||a I *tr allm.* unite [*med* to; *till* into]; [förbinda] join (connect) [.. together]; [is. i tanken] associate; [*kem.* o. friare] combine; [sammanföra] bring .. together **II** *rfl* unite [*med* with]; associate o.s. [*med* with]; [*kem.* o friare] combine [*med* with]; [vara -ade] be combined (associated) [*i* in]; [om floder o. d.] meet, join **-ad** *a* united &c; *äv.* [t. ex. härar] allied; [t. ex. bolag] associated; [stater] federated; *F~e Arabrepubliken* the United Arab Republic; *med ~e krafter* with combined strength; *vara ~ med a)* be bound up (associated) with; *b)* [medföra fara, svårigheter o. d.] involve **-hetliga** *tr* render .. uniform, standardize **-ing 1** [utan *pl*] uniting &c [*till* into]; [friare] association; [is. av pers., stater o. d.] union; [*kem.* o. friare] combination **2** [med *pl*] *a)* [förbund] alliance, union; [samfund] society; [större] association; [mera intim] club; *b) kem.* compound **-ings|band** bond of union; [friare] tie [of sympathy] **-ings|lokal** club (&c) premises *pl* **-ings|länk** connecting link **-ings|medlem** member of a (the) society (&c) **-ings|punkt** *allm.* is. *bildl.* point of union; [samlingspunkt] focus **-ings|stadgar** rules of a (the) society **-ings|-väsen,** [*vi ha*] *ett utvecklat ~* .. a great number of societies

för||enkla *tr* simplify **-enkling** simplification **-enlig** *a* consistent, compatible; *.. är inte ~t med* .. does not accord with **-ent** *a, F~a Nationerna* the United Nations (*förk.* the U.N.); *F~a Staterna* the United States [of [North] America] (*förk.* [the] U.S.A.)

före||sats purpose; intention; [beslut] resolution **-skrift** direction; instruction; [läkares] prescription; [åläggande] order, command **-skriva** *tr* prescribe [*ngn vad han skall göra* to a p. what [he is] to do]; direct; *~ ngn* [medicin o. d.] prescribe .. for a p.; [villkor] dictate [terms to a p.] **-slå** *tr* propose (suggest) [*ngn ngt* a th. to a p.]; *absol.* make a suggestion; *~ ngn* [*som kandidat*] nominate a p. [*till* for] **-spegla I** *tr, ~ ngn* [*ngt*] hold out to a p. the prospect (promise) of .. **II** *rfl* promise o.s. .. in advance **-spegling** promise (prospect) [*om* of]; *falska ~ar* dazzling promises **-språkare 1** [som ber [för ngn]] intercessor (pleader) [*för* for; *hos* with] **2** [som förordar] advocate [*för* of]; spokesman [*för* for] **-spå** *tr* predict, prophesy **-stava** *tr* **1** [-säga] dictate ([ed] administer) [*för* to] **2** [ingiva] suggest **-stå I** *tr* be [at the] head of, superintend; [hus, affär e. d.] manage; [leda] conduct **II** *itr* [vara -stående] be at hand, be near; [vara överhängande] impend **-stående** *a* (*äv.: nära ~*) approaching; *vara* [*nära*] *~* (*äv.*) be [close] at hand **-ståndare** manager; director; head; [för institution] superintendent; [för skola] headmaster **-ståndarinna** [lady] manager (&c) [*för* of]; [för skola] headmistress

föreställ||a I *tr* **1** [framställa el. vara i stället för] represent; *teat.* o. d. [im]personate **2** [presentera] introduce [*för* to]; [vid hovet o. d.] present [*för* to] **II** *rfl* **1** [tänka sig o. d.] imagine; *äv.* fancy **2** [presentera sig] introduce o.s. [*för* to] **-ning 1** representation [*av* of]; *teat.* o. d. performance; *äv.* show **2** [erinring o. d.] remonstrance **3** [idé] idea (conception) [*om* of] **-nings|sätt** conception of things **-nings|värld** [personal] philosophy

före||sväva *tr, det ~r mig*[*, att jag har* ..] I seem to have a dim recollection (a vague idea) [of having ..]; *något sådant har aldrig ~t mig* such an idea never entered my mind **-sätta** *rfl* make up one's mind for; set o.s. [*en uppgift* a task]

företag undertaking; enterprise; jfr *affärs~; mil.* operation **-a I** *tr* [arbeta o. d.] undertake; [göra, utföra t. ex. en resa] make; [steg, åtgärd] take **II** *rfl* undertake [*att* to]; [göra] do [*med* with] **-are** enterpriser, undertaker **-sam** *a* enterprising **-samhet** enterprise, enterprising spirit **-s|ekonomi** business economics *pl*

före||tal preface, foreword **-te** *tr* **1** [framvisa] show [up]; [framtaga] produce **2** [anföra] bring forward **3** [erbjuda] present **-teelse** phenomenon [*pl* phenomena]; [friare] fact; *en vanlig ~* a matter of common occurrence **-träda** *tr* **1** [gå före] precede **2** [representera] represent **-trädare** [i ämbete o. d.] predecessor [in office] **-träde 1** [audiens], *få ~ hos* .. obtain an audience of .. **2** [förmånsställning] preference; [i rang] precedence **3** [överlägsenhet] (*äv.: ~n*) superiority [*framför* to]; [fördel] advantage [*framför* over] **-trädes|rätt** [right of] precedence **-trädes|rättighet** privilege **-trädesvis** *adv* preferably; [i synnerhet] especially **-vara** *itr jur.* [om mål] be on (before the court)

föreviga *tr* perpetuate [*i* in]; immortalize

förevis||a *tr* show [*för* to]; [för pengar] *äv.* exhibit **-are** exhibitor; [museum] guide **-ning** [-ande] exhibition; [föreställning] performance

förevändning pretext; [undskyllan] excuse; [undflykt] evasion; *ta* [*ngt*] *till ~* [*för* ..] take .. as an excuse [for ..]

förfall 1 [state of] decay; [t. ex. konstens] decline; [urartning] degeneration; [moraliskt] degradation; *råka i, komma på ~* [om pers.] fall upon evil days **2** [förhinder] *utan laga ~* without [a] lawful (valid) excuse; *få, ha ~* be prevented from being present; *anmäla ~* excuse o.s. for non-attendance **-a** *itr* **1** [falla sönder] [fall into] decay; [moraliskt] degenerate; *~ till dryckenskap* take to drink[ing] **2** *a)* [gå om intet] come to nothing; [förslag] be dropped, lapse; *b)* [bli ogiltig] become invalid; *c) ~* [*till betalning*] fall (become) due **-en** *a* **1** decayed &c; dilapidated [*äv.* om pers.]; [om fastighet] .. [gone] out of repair **2** [ogiltig o. d.] invalid &c; [skuld] due [for payment]; [premie] outstanding; [förverkad] forfeit[ed] **-o|dag** due day for payment **-s|period** period of decay

förfalsk||a *tr* [räkenskaper o. d.] falsify; [mynt] counterfeit; [namnteckning o. d.] forge **-are** forger, counterfeiter **-ning** falsification; forgery

förfar||a *itr* [gå till väga] proceed [*efter* by; *mot* against]; [handla] act [*mot* towards] **-ande** *s äv. jur.* procedure; ⊕ process **-as** *dep* [förstöras] be wasted; go bad **-en** *a* experienced (skilled) [*i, på* in] **-enhet** experience **-ings|sätt** method (way) of proceeding, procedure; ⊕ process

förfasa *rfl* be horrified [*över* at]

författ||a *tr* write; [avfatta] pen **-ar|arvode** author's fee[s *pl*] **-ar|bana** author's career **-are** author [*av, till* of]; writer **-ar|förening** society of authors **-ar|honorar** author's fee[s *pl*]; [i procent av bokpriset] royalty **-arinna** authoress **-ar|kongress** congress of authors **-ar|namn** [antaget] pen-name **-ar|register** index of authors **-ar|rätt** author's copyright **-ar|skap** authorship; *konkr* [skrifter] writings *pl*

författning 1 [tillstånd] condition, state **2** *polit.* [stats-] constitution **-s|enlig** *a* statutory; constitutional **-s|revision** reform of the constitution **-s|rätt** constitutional law **-s|samling** statute book **-s|strid** constitutional struggle **-s|stridig** *a* unconstitutional **-s|ändring** amendment of the constitution

förfel||a *tr* miss; *bildl. äv.* [sin verkan, sitt syfte] fail to [produce the effect desired (achieve its purpose)] **-ad** *a* ineffective; [liv] misspent; *vara* ~ prove a failure (mistake)

för||fina *tr bildl.* refine; *~de* [*seder*] polished .. **-fining** refinement **-finska** *tr* make .. Finnish, Finnicize

förfjol, *i* ~ [during] the year before last

för||flacka *tr* superficialize, vulgarize **-flackning** superficiality **-flugen** *a* [t. ex. tanke] wild, random; [ord] idle; unguarded [expression] **-flut|en** *a* past; [förra] last; *det -na* the past; *låt det -na vara glömt!* let bygones be bygones! **-flyga** *itr* pass away; slip by **-flyktiga[s]** *itr* [*dep*] vaporize; *bildl. äv.* vanish, evaporate **-flyta** *itr* pass, be spent; [om tid] go by, elapse **-flytta I** *tr* move; *äv.* remove, transfer; *bildl.* transplant **II** *rfl* move; *is. bildl.* transport o.s. **-flyttning** removal; transfer; transplantation

förfog||a I *itr*, ~ *över* have .. at one's [own] disposal **II** *rfl* repair [*till* to]; ~ *sig bort* remove o.s. **-ande** [*till ngns* at a person's] disposal

förfrisk||a *tr* [*rfl*] refresh [o.s.] **-ning** refreshment

för||frusen *a* frost-bitten **-frysa I** *itr* [om växt] get blighted with frost; [om lem] get frost-bitten **II** *tr*, ~ [*fötterna*] get .. frost-bitten **-fråga** *rfl* inquire (make inquiries) [*om* about (as to); *hos* of] **-frågan** **-frågning** inquiry **-fula** *tr* uglify **-fuska** *tr* bungle, spoil **-fång** detriment; [skada] injury; *vara till ~ för* be a hindrance (detrimental) to **-fäa** *tr* brutalize; [-slöa] stupefy

förfäder ancestors; forefathers

för||fäkta *tr* defend; [sina rättigheter] assert; [teori] maintain; [tala för] advocate **-fära** *tr* terrify [*med* with]; strike .. with terror, appal **-färan** terror; [fasa] horror **-färas** *dep* be terror-struck, be shocked (appalled) [*över* at (by)] **-färdiga** *tr* make [*av* [out] of]; [tillverka] manufacture; [konstruera] construct **-färlig** *a* terrible; frightful, dreadful; **F** [oerhörd] awful, terrific; [hemsk] appalling, ghastly **-färlighet** = *ryslighet*

förfölj||a *tr* pursue, chase; [plåga] persecute; [om tanke] haunt **-are** pursuer; persecutor **-else** pursuit; *bildl.* persecution [*mot* of] **-else|mani** persecution mania

förför||a *tr* seduce; [locka] allure; [till ngt ont] corrupt **-are** seducer

förfördela *tr* wrong, injure

förför||else seduction; [lockelse] allurement **-erska** seductress; [friare] temptress **-isk** *a* seductive; [t. ex. kvinna] bewitching **-iskhet** seductiveness, allurement; fascination

för||gapa *rfl* go crazy [*i* about] **-gasa** *tr* gasify; *~s* become gas **-gasare** ⊕ carburettor **-gasning** gasification; carburation

förgift||a *tr* poison [*med* with (by)]; [moraliskt] infect [*med* with (by)] **-ning** poisoning; *bildl.* infection **-nings|försök** attempted poisoning [*mot* of]

för||gjor|d *a, det är som -t* things are as if bewitched **-glömma** *tr* forget

förgranskning preliminary examination

för||grena *rfl* branch off, ramify **-grenad** *a* ramified **-grening** ramification **-gripa** *rfl*, ~ *sig på, mot* do violence to, violate, outrage **-griplig** *a* reprehensible; [ärerörig] injurious **-grova** *tr* coarsen

förgrund foreground; *träda i ~en* (*bildl.*) come to the fore(front) **-s|figur** prominent figure (personage)

för||grymmad *a* incensed ([ursinnig] enraged; [svagare] annoyed) [*på* with; *över* at] **-grymmas** *dep* become incensed **-gråten** *a* [om ögon] .. red (swollen) with weeping; *hon var alldeles* ~ she had been crying her eyes out [*av* for] **-grämd** *a* grieved; care-worn; [min o. d.] woeful **-guda** *tr bildl.* idolize; [dyrka] adore **-gudning** idolization; adoration **-gylla** *tr* gild; *bildl. äv.* embellish **-gylld** *a* gilt **-gyllning** gilding; *äv.* gilt **-gå I** *itr* pass [away (by)]; [försvinna] disappear, vanish **II** *rfl*, ~ *sig* [*mot*] forget o.s. [and insult] **-gången** *a* past, bygone **-går** = *förr-* **-gård** fore-court **-gås** *dep* [förolyckas] be lost; [omkomma] perish [*av* with]; [*vara nära att*] ~ *av* [*nyfikenhet*] be dying with ..

förgäng||else corruption; decay **-lig** *a* perishable; corruptible; [dödlig] mortal **-lighet** perishability, transience

för||gäta = *glömma* **-gätenhet** = *glömska* **-gätmigej** *bot.* forget-me-not **-gäves** *adv* in vain; *vara* ~ (*äv.*) be futile **-göra** *tr* destroy, annihilate; [bringa .. om livet] put .. to death **-hala** *tr* **1** *eg. sjö.* warp [.. away] **2** ~ *tiden* draw out (waste) the time; [saken] procrastinate, defer, retard

förhall [entrance-]hall, lobby

förhalning 1 *sjö.* warping **2** *bildl.* drawing out; procrastination, retardment **-s|politik** policy of procrastination; go-slow policy

förhand 1 *kortsp.* [the] elder hand; [*sitta i* (*ha*) ~ have the] lead **2** *på* ~ beforehand; [beställa] in advance; [betala] prepay; *Tackande Er på* ~ Thanking you in anticipation

förhandenvarande *a, under* ~ [*omständigheter*] under present (existing) ..

förhandl||a *itr* o. *tr* negotiate [*med* with; *om* about]; [överlägga om] deliberate upon, discuss **-are** negotiator **-ing,** *~ar* [vid domstol, möte o. d.] proceedings; [underhandling] negotiation; [överläggning] deliberation **-ings|bord,** *kring ~et* round the negotiating table **-ings|ordning** course of procedure **-ings|villig** *a* .. willing to negotiate **-ings|väg,** *på ~en* by way of negotiation[s *pl*]

förhands||löfte promise in advance **-meddelande** notification in advance **-reklam** advance advertisement ([person] publicity) **-rätt** prior right **-uppgörelse** preliminary agreement

för||hasta *rfl* be rash (too hasty) **-hastad** *a* rash **-hatlig** *a* hateful (detestable, odious) [*för* to] **-hemliga** *tr* conceal, keep .. secret **-hinder,** *få* ~ be prevented [from] going; *i händelse av* ~ in case of impediment **-hindra** *tr* prevent [*ngn från att* a p. [from] .. -ing] **-hindrande** *a* preventive

förhistor||ia previous history **-isk** *a* prehistoric

förhjälpa *tr*, ~ [*ngn*] *till* [*ngt*] help (assist) .. to obtain ..

förhoppning [hopp] hope; [förväntning] expectation; *en sviken* ~ a disappointment; *~ar* [utsikter] prospects; *göra sig ~ar* indulge in expectations; *ha, hysa de bästa ~ar* **hope for the best**; *i ~ att* .. hoping (trusting) to .. **-s|full** *a* hopeful; [lovande] promising

för||hornas *itr dep* become cornified **-hyda** *tr sjö.* sheathe, double **-hydning[spapp]** sheathing [felt] **-hyra** *tr* **1** [hus o. d.] rent; [båt e. d.] hire **2** [sjöman] hire

förhytt fore-cabin

förhåll||a *rfl* **1** [om pers.] *a)* [uppföra sig] behave; [handla] act; *b)* [förbli] keep [*lugn* quiet]; [t. ex. likgiltig] remain **2** [om sak] *kem.* o. d. behave; [t. ex. om sjukdom] develop; *hur därmed än må ~ sig* however that may be; [*det kan omöjligen*] *~ sig på det viset* .. be like that; *så -er sig saken* that is how matters stand **-ande** *s* **1** [uppträdande] behaviour, conduct **2** [förbindelse] relations *pl;* [kärleks-] intimacy; liaison; *ett spänt ~* estrangement; strained relations *pl; stå i vänskapligt ~ till* be on friendly terms with; *i ~ till* [*sina förmän*] in relation to .. **3** [proportion] *mat.* ratio; proportion; *det står icke i rimligt ~ till* it is out of all proportion to; *i ~ till* [*sina inkomster*] in proportion to ..; *i ~ till sin ålder* [*är han*] for his age .. **4** [tillstånd] state of affairs (things), *(äv.: ~na)* conditions *pl;* [omständigheter] circumstances *pl; verkliga ~t* [*är det att* ..] the fact [of the matter] [is that ..]; .. *visade, att så var ~t* .. proved this to be the case **-ande|-vis** *adv* proportionately **-nings|order** *pl* orders, instructions

för||håna *tr* scoff at **-hårdnad I** *a* hardened; *läk.* indurate[d] **II** *s läk.* induration

förhänge curtain *äv. teat.*

för||härda I *tr* harden **II** *rfl* harden one's heart **-härdad** *a* obdurate **-härdelse** obduracy **-härja** *tr* ravage, lay waste **-härliga** *tr* glorify [is. *bibl.*]; [prisa] laud, extol **-härskande** *a* predominant; [gängse] prevalent; *vara ~* predominate, prevail **-häva** *rfl bildl.* pride o.s. [*över* [*ngt*] on], [skryta] boast [*över* [*ngt*] of] **-hävelse** arrogance; [*utan* without] boasting **-häxa** *tr* bewitch **-häxning** bewitchment **-höja** *tr* raise; [t. ex. lön, pris] increase; *bildl.* heighten, enhance **-höjning** raising &c; mera *konkr* increase; [av lön] rise, *Am.* raise **-hör** examination; [utfrågning] interrogation; [rättsligt] inquest **-höra I** *tr* examine; [utfråga] interrogate; *skol.* question [*på* on], *äv.* hear **II** *rfl,* se *höra* [*sig för*] **-hörs|domare** examiner **-hörs|metod** method of interrogation **-hörs|-protokoll** verbatim report of a cross-examination

förhöst early autumn

för||inta *tr* annihilate, destroy **-intande** *a* crushing [*blick* glance]; destructive **-intelse** annihilation; destruction **-intelse|krig** war of annihilation **-intelse|vapen** destructive weapon **-irra** *rfl* go astray; [friare] find one's way by mistake **-ivra** *rfl* get too excited **-jaga** *tr* chase (drive) .. away; is. *bildl.* banish **-kalka** *tr* **-kalkas** *dep fysiol.* calcify **-kalkning** calcification **-kasta I** *tr* reject, repudiate; [förslag] *äv.* turn down; [som oduglig] discard **II** *rfl geol.* be displaced **-kastelse** rejection; repudiation **-kastelse|dom** condemnation **-kastlig** *a* repudiable; [friare] objectionable; [fördömlig] condemnable; [avskyvärd] abominable **-kastning** *geol.* fault

förklar||a I *tr* **1** explain [*för* to]; [klargöra] make .. clear, elucidate; [utlägga] expound; [tolka] interpret **2** [påstå] declare [*(äv.) krig* war; *att* that]; [uppge] state; [t. ex. ngn för segrare] proclaim; *~s häktad* be formally arrested **3** [härliggöra] glorify **II** *rfl* **1** explain o.s. **2** declare (state) one's opinion **-ad** *a* **1** [avgjord] declared; avowed **2** [anlete] glorified, transfigured **-ande** *a* explanatory; [exempel] illustrative **-ing 1** explanation [*av, på, till, över* of]; [tolkning] interpretation; *ge ~ på* account for; *till ~* in (by way of) explanation **2** [uttalande] declaration; *äv.* statement; *avge en ~* make a declaration; *utan ett ord till ~* without a word of explanation, without any comment **3** [*bibl.* o. friare] glorification **-ings|försök** attempt at explanation **-ings|grund** reason (motive) [*till* for, of], explanation [*till* of] **-ings|sätt** method of explication **-lig** *a* explicable; [lätt insedd] comprehensible; *av lätt ~a skäl* for obvious reasons

för||klena *tr* depreciate, disparage **-klinga** *itr* die away; *~ ohörd* fall on deaf ears

förklok *a* .. wise beforehand

förkläda *tr* [*rfl*] disguise [o.s.] [*till* as a]

förkläde 1 [plagg] apron; [barns] pinafore **2** *bildl.* [person] chaperon[e]

förklädnad disguise

för||knippa *tr* associate **-kola** *tr* [*rfl*] **-kolas** *dep* char **-kolna** *itr* get charred; *bildl.* cool **-komma** *itr* get lost; [om brev o. d.] miscarry **-kommen** *a* missing; [socialt] lost; gone astray

förkompani *mil.* point company

för||konstlad *a* artificial **-konstling** over-refinement; affected ways *pl* **-koppra** *tr* [coat .. with] copper **-korta** *tr* shorten; [friare o. *bildl.*, t. ex. ord, (*mat.*) ett bråk] abbreviate; [t. ex. bok] abridge; [tiden] beguile **-kortning** shortening &c [*av* of]; [av ord] abbreviation [*av* of; *för* for]; [av bok o. d.] abridgement **-kortnings|tecken** mark of abbreviation

förkovra I *tr* improve; [föröka] increase **II** *rfl* improve; advance; *~ sig i* [*franska*] improve o.'s [French]

förkrigs- i *sms* pre-war

för||kromad *a* chromium-plated **-kroppsliga** *tr* embody, incarnate **-kroppsligande** embodiment, incarnation

förkross||a *tr* crush; overwhelm **-ad** *a* broken-hearted; *relig.* [syndare] contrite **-ande** *a* crushing; heart-breaking; [t. ex. majoritet] overwhelming **-else** *relig.* contrition

förkrymp||a I *tr* stunt .. in growth **II** *itr* o. **-as** *dep* become stunted **-t** *a* stunted, dwarfed; *fysiol.* abortive **-t|het** stuntedness; abortion

förkunn||a *tr* announce [*för* to]; [utropa] proclaim; [predika] preach **-else** announcement; proclamation

förkunskaper previous knowledge *sg* [*i* of]; *ha goda* (*dåliga*) *~* (*äv.*) be well (poorly) grounded [*i* in]

förkväva *tr* choke, stifle, smother

förkyl||a *rfl* catch [a] cold **-d** *a, bli ~* catch [a] cold; *vara litet ~* have a slight cold **-ning** cold

för||kämpe champion [*för* of] **-känning** premonition, fore-warning **-känsla** presentiment [*av* of] **-kärlek** predilection [*för* for]; partiality [*för* to (for)] **-kättrad** *a* decried, run down **-köp** *teat.* o. d. advance-booking

förköpa *rfl* overbuy o.s.

för||köpsbyrå advance-bookings office **-köps-pris** advance-booking price **-körs|rätt** right of way **-laddning** *mil.* grommet, wad

förlag 1 [förläggande [av böcker]] publication; *utgiven på B:s ~* published by B. **2** [bok-] publishing-house

förlaga original text

förlags||aktiebolag publishing company; *~et Methuen & Co.* Methuen & Co. Ltd. **-kapi-**

tal working capital **-rätt** publishing-right[s *pl*]
förlam‖a *tr* paralyze *äv. bildl.;* [bedöva] stun **-ning** *läk.* paralysis
för‖leda *tr* mislead (entice) [*till* into] **-ledande I** *s* enticement **II** *a* enticing **-legad** *a* faded old . .; musty; old-fashioned; [nyhet] stale **-liden** *a* **1** [till ända] past, over, spent **2** [förra] last **-lig** *a sjö., ~ vind* se *medvind*
förlik‖a I *tr* reconcile [*med* to] **II** *rfl* become reconciled [*med* to (with)] **-as** *dep* [-sonas] be reconciled; come to terms; [sämjas] agree, get on **-na** *tr* compare [*med* to] **-ning** reconciliation; [överenskommelse] agreement, settlement **-nings|man** conciliator; *Engl.* conciliation officer **-nings|nämnd** conciliation board
för‖lisa *itr* be wrecked; [om båt] *äv.* founder, go down; [om pers.] be shipwrecked **-lisning** foundering &c; [ship]wreck **-lita** *rfl, ~ sig på a)* [ngn] trust in; *b)* [ngt] trust to (rely on) [*att få hjälp* obtaining help] **-litan** confidence [*på* in]; *i ~ på* re-report **-ljud|as** *dep, det -es att* . . it is reported that . . **-ljugenhet** mendacity **-ljuva** *tr* gladden, cheer **-lopp 1** [tids] lapse; *inom ~et av* within **2** [skeende] course; *~et var följande* the course of events was this
förlor‖a I *tr* o. *itr* lose [*på affären* on the bargain; *i vikt* flesh]; *~ förståndet* go out of one's mind; *~ medvetandet* faint, lose consciousness; *~ sin prestige (äv.)* lose o.'s face; *~ i styrka* decrease in strength **-ad** *a* lost; [borta] missing; [bortkastad, pengar o. d.] wasted; *den ~e sonen* the Prodigal Son; *~e ägg* poached eggs; *gå ~* be lost [*för* to]; *jag är ~* I am lost (done for) **II** *rfl* lose o.s. (be lost) [*i* in]; [ljud] die away **-are** [*en dålig* a bad] loser
förloss‖a *tr* deliver; *relig.* redeem **-are** deliverer; *relig.* redeemer **-ning** deliverance; *läk.* delivery; childbirth; *relig.* redemption **-nings|arbete** labour [of childbirth] **-nings|hem** [maternity] nursing-home
förlov, *med ~* with your permission **-a I** *tr* betroth [*med* to] **II** *rfl* become engaged [*med* to] **-ad** *a* **1** *det ~e landet* the Promised Land **2** engaged [to be married] [*med* to]; *de ~e* the engaged couple
förlovning engagement **-s|annons** announcement of an (the) engagement **-s|ring** engagement ring
för‖lupen *a* runaway; [kula] stray **-lust** loss [*för* for; *på* on]; *sälja (gå) med ~* sell (be run) at a loss; [*det vore*] *ren ~* . . a dead loss; [*affären*] *går med ~* . . is a losing concern; *på vinst och ~* at random (a venture); *~er* [i fältslag, *stora* heavy] casualties **-lusta** *tr* [*rfl*] divert [o.s.] **-lustbringande** *a, vara* [*mycket*] *~* be attended with [heavy] losses [*för* to (for)]; *ett ~ företag* a losing concern **-lustelse** amusement, [*offentlig* public] entertainment
förlust‖ig *a, gå ~* [*ngt*] lose . ., forfeit . . **-konto** loss account **-lista** *mil.* casualty list **-sida** debet side **-siffra** *mil.* number of casualties
förlyfta *rfl, ~ sig på a)* [en koffert o. d.] injure o.s. in lifting . .; *b)* [en uppgift] fail in . . by trying for too much, overreach o.s. in . .
fö'rlåt veil
förlåt‖a *tr* forgive [*ngn ngt* a p. for a th.]; pardon; [ursäkta] excuse; *förlåt att jag frågar* excuse my asking; *förlåt, jag hörde inte* I beg your pardon[, but I didn't catch what you said]; *förlåt!* [som ursäkt] [I am] sorry **-else** foregiveness [*för* for]; *be* [*ngn*] *om ~* ask (beg) a p.'s foregiveness; *jag ber om ~!* [ursäkta] I beg your pardon! **-lig** *a* pardonable, excusable
förläg‖en *a* abashed; embarrassed [*över* at]; [blyg] shy; [försagd] self-conscious; *göra* . . *~* embarrass . . **-enhet 1** confusion, embarrassment; shyness **2** [trångmål], *råka, vara i ~ om pengar* get into (be in) difficulty (be hard up, be embarrassed) for money
förlägg‖a *tr* **1** [slarva bort] mislay **2** [placera] locate [*till* in]; *mil.* station [*i, vid* in (at)]; [till viss tid] assign; *~ scenen till* lay the scene in, set it in **3** [böcker o. d.] publish **-are** [bok-] publisher **-ning** location; *mil. äv.* station, camp **-nings|ort** *mil.* permanent station
för‖läna *tr, ~ ngn* . . grant a p. . ., confer . . on a p.; [t. ex. talförmåga] endow a p. with **-länga** *tr* lengthen, prolong; [friare] extend *äv. mat.* [*ett bråk* a fraction] **-längning** prolongation; extension **-längnings|-sladd** *elektr.* flex, extension cord **-längningsstycke** extension piece **-läning** [gods] fief, fee **-läst** *a* overworked by reading; strained (worn thin) by over-study **-löjliga** *tr* [hold . . up to] ridicule **-löpa I** *itr* [-flyta] pass; [av-] pass off **II** *tr* run away from; desert **III** *rfl* lose one's head **-löpning** indiscretion **-lösa** *tr läk.* deliver **-lösande** *a, det ~ ordet* the saving word
för‖mak 1 [salong] drawing-room **2** *fysiol.* auricle **-man** [överordnad] superior; [arbets-] foreman, **F** boss
förman‖a *tr* [uppmana] exhort; [varna] warn; [tillrättavisa] admonish **-ing** exhortation, admonition **-ings|tal** admonitory address
förmast *sjö.* foremast
förmedl‖a *tr* act as [an] intermediary in; [åvägabringa] bring about; [nyheter o. d.] supply; *~ ett köp* effect a purchase; *~ trafiken mellan* . . ply between . . **-ande** *a* mediatory **-are** intermediary [agent] **-ing** intermediation; supplying; *genom ~ av* through the medium of **-ings|byrå** agency
1 förmena *tr* [neka, ej unna] deny [*ngn ngt* a p. a th.]
2 förmen‖a I *tr* [tro] think, believe, be of opinion **II** *rfl, ~ sig ha rätt* hold (consider) that one is right **-ande** *s, enligt hans ~* according to his opinion **-t** *a* supposed
förmer[a] *a* better; superior [*än* to]
förmiddag forenoon, [oftast] morning; [*kl. 9*] *~en (f. m.)* . . in the morning, . . a.m. (ante meridiem *lat.*); *i ~s, i dag på ~en* this morning; *om, på ~arna* in the mornings **-s|dräkt** morning dress
för‖mildra *tr* = *mildra; ~nde omständigheter* extenuating circumstances **-minska** *tr* diminish, lessen; *i ~d skala* on a reduced scale **-minskas** *dep* diminish, decrease **-minskning** reduction **-moda** *tr* suppose; presume; *ja, jag ~r det* yes, I suppose so **-modan** supposition; [*efter* (*mot*) according (contrary) to] expectation **-modligen** *adv* presumably **-multna** *itr* moulder [away]; decay **-multning[sprocess** process of] decay
förmynd‖are guardian [*för* for (of)] **-ar|medel** trust money *sg* **-ar|regering** regency **-erskap** guardianship; *bildl.* authority
förmå *itr* o. *tr* **1** [kunna o. d.] be able to, be capable of; [i pres. o. imperf.] can, could; *jag ~r intet mot henne* I have no power against her; *allt vad huset ~r* all that the establishment can produce **2** *~ ngn* [*till*] *att* induce (prevail upon, get) a p. to; [beveka] persuade a p. to

förmåga 1 [kraft] power [*att* to]; *äv.* powers *pl;* [prestations-] capacity [*att* for]; [fallenhet o. d.] faculty [*att* for (of) . . -ing]; [duglighet] ability [*att undervisa* to teach]; [gåva] gift, talent; *överstiga ngns* ~ surpass (be beyond) a p.'s powers (capacity); *uppbjuda all sin* ~ tax one's powers to the utmost; *efter bästa* ~ to the best of one's ability **2** [pers.] man (woman) of parts (ability); [talang] talent

förmån [*bereda ngn en* secure a p. an] advantage; *till* ~ *för* for the benefit of; [t. ex. uttala sig] in [a p.'s] favour; *ha* ~*en att* . . have the privilege of . . **-lig** *a* advantageous [*för* to]; [välgörande] beneficial; [vinstgivande] profitable; [gynnsam] favourable [*svar* reply; *villkor* terms] **-s|rätt (-s|ställning)** prior (preferential) right (position)

1 förmäla *tr* [omtala] state, report, tell

2 förmäl||a I *tr* marry [*med* to] **II** *rfl,* ~ *sig med* wed **-ning** marriage

förmät||en *a* presumptuous; *vara nog* ~ *att* . . make so bold as to . . **-enhet** presumption

förmög||en *a* **1** [i stånd [att]] capable **2** [rik] wealthy; [predikativt] well off; *en* ~ *man* a man of property **-enhet 1** [kroppsliga, andliga] ~*er* powers **2** fortune; [egendom] property; *privat* ~ *(äv.)* private means *sg* o. *pl* **-enhets|förhållanden** financial circumstances **-enhets|skatt** property tax **-enhets|-överlåtelse** transfer of property **-et** *adv, gifta sig* ~ marry money

förmörk||a *tr* darken; [himlen o. *bildl.*] cloud; [ngns syn] dim; *astron.* eclipse **-as** *dep* darken; be darkened **-else** *astron.* eclipse

för||namn Christian name, first name; *Am. äv.* given name; *i* ~ *heter han* . . his Christian name is . . **-nedra** *tr* [*rfl*] **1** [mots. upphöja] humble [o.s.] **2** [göra -aktlig] debase (lower) [o.s.]; *hur kan du* ~ *dig till sådant?* how can you stoop to that? **-nedring** humiliation; debasement **-nedrings|tillstånd** state of humiliation &c

förnek||a I *tr* [icke erkänna] deny; [bestrida] dispute; [t. ex. sin son] disown; [sin natur] abnegate **II** *rfl* **1** [neka sig] deny o.s. **2** be untrue to o.s.; [*hans sinne för humor*] ~*r sig aldrig* . . is never at fault **-else** denial; abnegation

förnickl||a *tr* nickel; ~*d* nickel-plated **-ing** nickel-plating

förnim||bar *a* perceptible [*för* to] **-ma** *tr* **1** be sensible of; [se] perceive; [höra] hear; *filos.* apprehend **2** [märka] notice; [få veta] hear of **-mande I** *s* perception; apprehension **II** *a* perceptive; apprehensive **-melse 1** [det förnumna] perception; apprehension **2** [känsla] sense, sensation; [friare] impression

förnuft (*äv.* : ~*et*) reason; *sunt* ~ common sense; [*vara*] *vid sitt sunda* ~ . . in one's right mind; *tala* ~ *med* talk sense to; *ta sitt* ~ *till fånga* listen to reason **-ig** *a* reasonable; [förståndig] sensible **-ighet** reasonableness, rationality **-s|enlig** *a* rational **-s|grund** rational ground **-s|lös** *a* irrational **-s|skäl** rational argument **-s|stridig** *a* . . contrary to all reason **-s|vidrig** *a* irrational; [friare] unreasonable

för||numstig *a* [min] knowing; [person] sapient **-numstighet** knowingness; sapience **-nya** *tr* [*rfl*] renew [o.s.]; [upprepa] repeat; [återuppliva] refresh **-nyelse** renewal; is. *relig.* regeneration

förnäm *a* noble, aristocratic; [högättad] high-born; [fin och ~] high-bred; [om sak] distinguished; [värdig] dignified; ~*t folk* people of rank; *i* ~ *avskildhet* in splendid isolation **-het** distinction; high breeding **-itet 1** = *-het* **2** great personage **-lig** *a* distinguished **-ligast** *adv* chiefly, principally **-st I** *a* foremost; first; [om pers.] *äv.* greatest; most distinguished **II** *adv* = *främst*

för||närma *tr* offend; insult; affront; *bli* ~*d över* take offence at **-närmande** *a* insulting (offensive) [*för* to] **-närmelse** offence [*mot* against]; insult (affront) [*mot* to] **-nödenheter** necessities, requisites; [livs-] necessaries **-nödenhets|artikel** commodity **-nöja I** *tr* [göra belåten] content; [roa] gratify, please **II** *rfl* amuse o.s. **-nöjd** *a* **1** = *-nöjsam* **2** [belåten] content, satisfied **-nöjelse** [-lustelse] amusement, pleasure **-nöjsam** *a* contented **-nöjsamhet** contentedness **-nöta** *tr bildl.* use up; waste [*tiden med att* one's time in] **-olyckad** *a* . . who lost his (o. s. v.) life [*vid* by]; [till sjöss] wrecked; [flygplan] crashed **-olyckas** *dep* meet with an accident; [om fartyg] be wrecked **-olämpa** *tr* offend, insult; ~*d* [*över, av*] very much offended [at (by)] **-olämpning** insult (affront) [*mot* to]

förord 1 [rekommendation] [special] recommendation **2** [företal] preface, foreword **-a** *tr* [*livligt* highly] recommend [*hos* to; *till* for]

förordn||a *tr* **1** [påbjuda] ordain, decree; [testamentariskt] provide [*om* for]; [ordinera] prescribe **2** [utse] appoint; [bemyndiga] commission **-ande** *s* **1** ordaining &c; ordination; provision [*om* for]; prescription [*om* of] **2** appointing; [att sköta tjänst] commission, warrant **-ing** decree, edict

förore||na *tr* defile, contaminate; [vatten o. d.] pollute **-ing** defilement; contamination; pollution

förorsaka *tr* cause, occasion, give

förort suburb **-s-** i *sms* suburban

förorätta *tr* wrong, injure

för||packa *tr* pack (wrap) [. . up] **-packning** package, wrapping; *konkr äv.* packet; [burk] tin, *Am.* can; [ask] box **-passa I** *tr* [befordra] dispatch [(*äv.*) *till evigheten* into eternity] **II** *rfl,* ~ *sig bort* take o.s. off

förpatrull *mil.* advance patrol

för||pesta *tr* make . . stink, infect, pollute *äv. bildl.* **-pinad** *a* tortured

förpjäs *teat.* curtain-raiser

för||plikta I *tr* lay [*ngn* a p.] under an (the) obligation **II** *rfl* engage o.s. **-pliktad** *a, känna sig* ~ *att* feel [in duty] bound (obliged) to **-pliktande** *a* binding **-pliktelse** engagement; [friare] obligation; [skyldighet] duty **-pläga I** *tr* entertain; treat [*med* to] **II** *rfl* feast [*med* [*ngt*] on] **-plägnad** fare, food; [undfägnad] entertainment **-plägnads|-tjänst** supply service

för||post *mil.* outpost *äv. bildl.* [*mot* against] **-post|fäktning** *mil.* outpost skirmish **-pricka** *tr* check . . off **-prövning** preliminary examination

förpupp||a *rfl* o. **-ning** change into a chrysalis

förr *adv* **1** [förut] before **2** [fordom] (*äv.* : ~ *i tiden*) formerly; *man ansåg* ~ people used to think **3** [tidigare] sooner, earlier; *ju* ~ *dess bättre* the sooner the better **4** [hellre] rather, sooner **-a -e** *a* **1** [mots. 'senare, nuvarande'] the former; *-e ägaren* the late owner; [[nyss] avgångne, avlidne] late; *i -a hälften* [*av 1800-talet*] in the early part . . **2** [nästföregående] [the] last; *i -a veckan* last week; *mitt -a brev* my preceding letter

förresten se *rest*

förrgår the day before yesterday

förridare outrider

för||ringa *tr* lessen; [ngns förtjänst o. d.] belittle; [t. ex. värdet av] depreciate **-rinna** *itr* run (flow) away [*i* into]; is. *bildl.* ebb away
förromantisk *a* pre-Romantic
förrosta *itr* rust away, corrode
förrum ante-room
förruttn||a *itr* [is. om frukt] rot; putrefy **-else** putrefaction, corruption **-else|bakterier** putrefactive bacteria
för||rycka *tr* distort [*proportionerna* the proportions]; [friare] dislocate **-ryckt** *a* distracted; [friare] mad; *bli (göra ngn)* ~ go (drive a p.) mad **-ryckt|het** madness **-rymd** *a* runaway; [t. ex. fånge] escaped **-ryska** *tr* Russify **-ryskning** Russification **-råa** *tr* coarsen; brutalize **-råd** store; [tillgång] supply; [lager] stock; *ett rikt* ~ *av* (*bildl.*) [t. ex. anekdoter] a rich store of **-råda I** *tr* betray [*åt, för* to]; [röja] reveal **II** *rfl* betray o.s.; give o.s. away **-råds|fartyg** *sjö. mil.* supply ship, store carrier **-råds|förvaltare** storekeeper **-råds|hus** storehouse; warehouse **-råds|rum** store room
förräd||are traitor [*mot* to]; betrayer [*mot* of]; [fosterlands-] *äv.* quisling **-eri** treachery [*mot* to]; [lands-] [an act of] treason [*mot* to] **-isk** *a* treacherous **-iskhet** treacherousness
förrän *konj* before; *icke* ~ *a)* [ej tidigare än] not before; [t. ex. kl. 5] not earlier than; *b)* [först] not till (until); *knappt* [*hade han gått,*] ~ . . no sooner [had he gone] than . .
förränta I *tr* **1** [placera] invest **2** [betala ränta[n] på] pay [the] interest on **II** *rfl,* ~ *sig* [*bra, dåligt*] yield (bring in) [a good (poor)] interest
förrätt *kok.* first dish (course)
för||rätta *tr* [t. ex. andakt] perform; [t. ex. ärende] accomplish; [t. ex. uppdrag] carry out; [t. ex. barndop] officiate at; [auktion o. d.] hold **-rätt|ning 1** [-ande] performing &c **2** [med *pl*] function, duty; ceremony **-sagd** *a* timid **-sagdhet** timidity **-saka** *tr* renounce; resign, give up; [umbära] deny o.s. **-sakelse** privation; [frivillig] [an act of] self-denial
försalong *sjö.* fore-saloon(-cabin)
församl||a I *tr* assemble, gather **II** *rfl* o. **-as** *dep* assemble; gather together; meet **-ing 1** [möte] meeting; [-ade personer] assembly **2** *kyrkl.* [is. i kyrkan] congregation; [kyrkosamfund] church; [socken] parish **-ings|-bo** parishioner **-ings|frihet** right of public (free) assembly **-ings|hus** church-house **-ings|liv** congregational life **-ings|medlem** member of a (the) congregation **-ings|syster** parish nurse
försats *gram.* antecedent clause
för||se I *tr* furnish, supply; provide; [med utrustning] equip **II** *rfl* furnish (&c) o.s.; [vid bordet] help o.s. [*med* to] **-sedd** *a,* ~ *med* . . furnished (&c) with . .; *vara* ~ *med* (*äv.*) have; *väl* ~ [om pers.] well supplied (&c) **-seelse** fault, offence; *jur.* misdemeanour **-segel** *sjö.* foresail, head sail **-segla** *tr* seal [up . .] *äv. bildl.* **-sena 1** *tr* delay; retard; *vara* ~*d* be late, be delayed; ~*t tåg* delayed train **2** *rfl* be late; ~ *sig till* [*tåget*] miss . . **-sening** delay
försig||gå *itr* take place; [inträffa] happen, come about; [avlöpa] pass off; *handlingen* ~*r i (på)* the scene is laid in (at) **-kommen** *a* advanced, forward; [i studier] well up **-kommenhet** forwardness
försiktig *a* cautious [*med* with]; *äv.* guarded [*tal* language]; [aktsam] careful [*med* with (of)] **-het** cautiousness &c; care; caution; [klokhet] discretion **-hets|mått** **-hets|åtgärd** precautionary measure, precaution; *vidtaga alla -mått* take every precaution **-t** *adv* cautiously; ~*!* [to be handled] with care! *gå* ~ *till väga* proceed cautiously
för||silvra *tr* silver *äv. bildl.*; ~*d* silver-plated **-sinka I** *tr* = *-sena* **II** *rfl* be (get) delayed **-sitta** *tr,* ~ *tiden* [be in] default; ~ *tillfället* lose the opportunity; **F** miss the bus **-sjunka** *itr* sink [*i* into]; *bildl. äv.* fall (lapse) [*i* into]; *äv.* [i drömmerier] be (become) lost [*i* in] **-skaffa I** *tr* procure; [glädje o. d.] afford **II** *rfl* procure **-skansa** *tr* [*rfl*] entrench [o.s] **-skansning** entrenchment
förskepp forepart of a ship, prow
förskingr||a *tr* scatter, disperse; [förslösa] dissipate; [försnilla] embezzle **-ing** dispersion; embezzlement
förskinn leather apron
förskjut||a I *tr* **1** [rubba] displace; *geol.* dislocate **2** [visa ifrån sig] reject; [barn] disown **3** [pengar] advance **II** *rfl* o. **-as** *dep* get displaced; [om last] shift **-ning** displacement; *geol.* dislocation; *sjö.* shifting; [friare] change
förskola preparatory school; *bildl.* preparation
förskon||a *tr,* ~ *ngn från (för)* . . spare a p. . .; preserve a p. from . . **-ing** forbearance, mercy; *utan* ~ unsparingly
förskott o. **-era** *tr* advance **-s|likvid** [payment in] advance **-s|vis** *adv* in advance
förskrift copy; *skriva efter* ~ write copies
förskriv||a I *tr* **1** [rekvirera] order **2** [överlåta] convey [*till, åt* to] **II** *rfl* **1** [härleda sig] come, derive [one's (its) origin], originate **2** ~ *sig åt den onde* sell one's soul to the devil
för||skräck|a *tr* frighten, scare; [svagare] startle; *bli -t* get frightened (&c) [*för, över* at] **-skräckelse** fright, alarm; consternation **-skräcklig** *a* dreadful, frightful; [ohygglig] horrible; **F** awful **-skrämd** *a* frightened, scared [out of one's wits] **-skyllan,** *utan* [*min*] *egen* ~ through no fault of mine **-skämd** *a* foul; *bildl.* corrupt
förskärarkniv carving-knife
förskön||a *tr* embellish; [t. ex. en stad] beautify; *äv.* adorn **-ande** *s* embellishment, adornment **-ings|medel** beautifier [*för* of]
1 fö'rslag *mus.* grace[-note]
2 förslа'g 1 proposal; [råd] suggestion; [anbud] offer [*om, till* for]; [plan] project (scheme) [*till* for]; [utkast] draft [*till* of]; *på* ~ *av* at the suggestion of; *väcka* ~ *om* move **2** [kostnads-] estimate [*för, till* of] **3** [tjänste-] nomination list **-en** *a* cunning [*skälm* rascal], artful [*påfund* device]; [fyndig] smart **-enhet** cunningness &c **-s|ritning** draft plan **-s|rum** place on the nomination list **-s|ställare** mover, proposer [of the (a) motion (&c)] **-s|vis** *adv* as a suggestion; [försöks-] tentatively; [t. ex. beräknad till . .] roughly
för||slappa *tr* weaken; [t. ex. disciplin] relax **-slappas** *dep* be (become) relaxed **-slappning** weakening; [i moralen] laxity **-slava** *tr* enslave **-slå** *itr* suffice [*för, till* for]; *det* ~*r inte långt* that won't go far **-slöa** *tr* blunt; *bildl. äv.* stupefy, dull **-slöas** *dep* grow (get) blunt (*bildl.* dull, stupid) **-slösa** *tr* waste (squander) [*på* on]; [friare] dissipate [*på* in]; [slösa] lavish [*på* on]
försmak [*känna en* have a] foretaste [*av* of]
för||små *tr* disdain; [förakta] despise **-smäda** *tr* scoff at **-smädelse** scoffing **-smädlig** *a* [hånfull] sneering, scoffing; [-tretlig] annoying; ~*t nog* provokingly enough **-smädlighet** sneeringness &c; [med *pl*] sneer **-smäkta** *itr* [i fängelse o. d.] pine [away],

languish; grow faint [*av törst* with thirst; *av värme* from heat] **-snilla** *tr* embezzle [*pengar* [*för ngn*] [a p.'s] money; *ur* from] **-snillning** embezzlement **-soffa** *tr* dull, render .. inert **-soffas** *dep* become dulled, grow inert **-soffning** inertness
försommar early summer
förson||a I *tr* **1** [blidka] conciliate, placate **2** [förlika] reconcile [*med* to] **3** [sona] atone for **II** *rfl* reconcile o.s. [*med* to]; [inbördes] become reconciled, make it up **-ing** reconciliation; [*till*] ~ [*för*] (*äv. relig.*) [in] atonement [for (of)] **-ings|död** expiatory death **-ings|offer** *relig.* expiatory sacrifice **-ings|politik** policy of reconciliation **-lig** *a* conciliatory, placable, forgiving **-lighet** conciliatory spirit
för||sorg 1 *genom ngns* ~ through (by) a p. **2** [om-], *dra* ~ *om* provide for; take care of **-sova** *rfl* oversleep o. s.
förspel *mus.* prelude
förspill||a *tr* waste; [sin lycka] throw .. away
för||språng start; [erövrat] lead; *få* ~ *före* .. gain a start over .. **-spän|d** *a* [om häst] .. in the shafts; *är vagnen* ~? is (are) the horse(s) in? *ha det väl -t (bildl.)* have a pretty clear board before one
först I *konj* when .. first **II** *adv* first; [icke förrän] not till (until), *äv.* only; [i början] at first; [för det första] in the first place; [vid uppräkning] first[ly]; *stå, komma* ~ [på listan o. d.] be first [*på* on], be at the head (top) [*på* of]; *den som kommer* ~ *till kvarnen, får* ~ *mala* first come, first served; [*du kan göra det*] *lika väl* ~ *som sist* .. just as well now as later; ~ *och främst* before all; ~ *nu* [*märker jag*] only (not until) now [do I ..]; *de väntas hem* ~ *i morgon* they are not expected until tomorrow: *det är* ~ *nyligen som* .. it is only recently that ..; ~ *på 1900-talet* not till the 20th century; [*detta gör jag*] *allra* ~ (: ~ *av allt*) .. [the very] first thing **-a -e** *a* o. *räkn.* first; [i rummet] foremost; [i tiden] earliest; [i titlar] principal (chief, head); [ursprunglig] original, primary; *den -a maj* [i början av brev] May 1st; 1st May; *den -e* [*jag mötte*] the first person (o. s. v.) ..; *det -a* [*du bör göra*] the first thing ..; *-a raden (teat.)* dress circle; *Am.* balcony; *i -a rummet* in the first place, first of all; *med det -a* as soon as possible, at the earliest opportunity
förstad suburb; i *sms* (: ~*s*-) suburban **-s|bo** suburban [dweller (resident)]
förstag forestay
första||gradsekvation equation of the first degree **-gångs|brottsling** first offender **-hands|upplysningar** first-hand information *sg* **-klass-** i *sms* first-class **-maj** i *sms* May-Day **-rangs-** [om kvalitet] i *sms* first-rate **-rangs|plats** pride of place **-sids|nyhet** front page news
förstatlig||a *tr* nationalize **-ande** *s* nationalization
för||stavelse prefix **-steg** precedence
för||stelna *itr* stiffen; grow quite stiff (numb) [*av köld* with cold]; *vetensk.* fossilize **-stelnad** *a* quite stiff (numb); [form] fossilized **-stenad** *a* petrified *äv. bildl.* [*av* with]
förstepilot first pilot, captain
först||född *a* first-born **-föderska** primipara *lat.* **-födslo|rätt** priority of birth; [*sälja sin* sell one's] birthright **-klassig** *a* first-class (-rate) **-kommande** *a*, *den* ~ the first-comer **-lings|arbete** first (maiden) work **-nämnd** *a* first-mentioned
för||stockad *a bildl* hardened, obdurate **-stockelse** hardness of heart; obduracy

-stoppa *tr* constipate **-stoppning** constipation **-stora** *tr eg.* (*äv. foto.*) enlarge; *opt.* o. *bildl.* magnify; *starkt* ~*d a)* greatly enlarged; *b)* highly magnified **-storing** enlargement **-storings|glas** magnifying-glass **-sträcka I** *tr* **1** *läk.* strain **2** [[ngn] pengar] advance **II** *rfl* strain o.s. (a limb) **-sträckning 1** *läk.* strain [*i* of] **2** [av pengar] advance **-strö I** *tr* divert; [roa] entertain, amuse **II** *rfl* amuse (divert) o.s. **-strödd** *a* preoccupied **-ströddhet** preoccupation **-ströelse** diversion [*för* for]; recreation **-ströelse|lektyr** light reading **-stucken** *a* concealed, hidden; [hot] veiled
förstudier preparatory study *sg*
förstuga [entrance] hall; passage
för||stulen *a* furtive, stealthy **-stumma** *tr* silence **-stummas** *dep* become silent; [om rykte] die down **-stå I** *tr* understand [*av* from (by); *med* by]; [begripa] comprehend, grasp; [få klart för sig] realize; [inse] see; [veta] know; ~ *mig rätt!* don't misunderstand me! *efter allt vad man kan* ~ as far as one can see; *du* ~*r väl, att* [*jag inte kan* ..] you must see that ..; *låta ngn* ~ [*att* ..] give a p. to understand ..; [antyda] intimate (hint) to a p. ..; *hon har lätt att* ~ she is quick to grasp (quick in the uptake); *det* ~*s!* that is clear! ~*s!* of course! *det* ~*s av sig självt* that is a matter of course, that's obvious; *åh, jag* ~*r!* Oh, I see! *och så,* ~*r du* .. and then, you see, .. **II** *rfl*, ~ *sig på* .. *a)* understand ..; *b)* [affärer] be skilled in (clever at) ..; *c)* [mat, tavlor] be a judge of ..; ~ *sig på att* .. know (understand) how to ..; *jag* ~*r mig inte på honom* I can't make him out **-stående** *a* understandable (comprehensible) [*för* to] **-ståelse** understanding (comprehension) [*för* of]; [t. ex. röna] sympathetic appreciation [*för* of] **-ståelse|full** *a* sympathetic, understanding **-stående** *a* sympathetic
förstånd understanding, comprehension; [tankeförmåga] intellect; [begåvning] intelligence; [sunt förnuft] [common] sense; [omdöme] discretion, judgement; *det övergår mitt* ~ [*hur* ..] it passes my comprehension (is beyond me) [to understand how ..]; *mitt* ~ *står stilla* I am at my wit's end; *ta'a* ~ *med* talk sense to; *han hade inte bättre* ~ *än att han* .. he was foolish enough to ..; [*du talar (handlar),*] *som du har* ~ *till* .. according to your lights; *vara ifrån* ~*et* be out of one's senses; *förlora* ~*et* lose one's reason **-ig** *a* intelligent; [förnuftig] sensible; [klok] wise; prudent **-igt** *adv* intelligently &c; *bära sig* ~ *åt* act (behave) wisely **-s|fråga** intelligence question **-s|gåvor** intellectual powers **-s|människa** [a] matter-of-fact (common-sense) person (o. s. v.) **-s|mässig** *a* rational **-s|sak,** *en* ~ a matter of the understanding **-s|skäl,** *av* ~ for common-sense reasons **-s|äktenskap** marriage of convenience
för||ståsigpåare connoisseur *fr.* [*i* on (of)]; *iron.* would-be authority **-ställa I** *tr* [röst] disguise **II** *rfl* dissimulate, dissemble **-ställd** *a* disguised, [låtsad] feigned **-ställning[s|-konst** art of] dissimulation **-stämd** *a* **1** = *ned-* **2** *mus.* .. out of tune **-stämning** *bildl.* gloom, sadness **-ständiga** *tr,* ~ *ngn att* [*icke*] .. enjoin upon (order) a p. [not] to .. **-ständigande** *s* [befallning] injunction[s *pl*], order[s *pl*] **-stärka** *tr* strengthen; *mil.* o. ⊕ reinforce; *radio.* amplify; *bildl. äv.* fortify **-stärkare** [av ljud o. d.] amplifier **-stärkning** strengthening &c *äv. konkr;* is. *mil.* reinforcement; *radio.* amplification

förstäv *sjö.* stem; [bog] bows *pl;* [förskepp] prow
förstör||a I *tr* destroy *äv. bildl.;* [härja] lay waste; *bildl. äv.* wreck, blast; [[totalt] fördärva] *äv. bildl.* ruin; ['fördärva' t. ex. nöjet] spoil; [[allvarligt] skada] [permanently] injure (damage) **II** *rfl* injure o.s. permanently; destroy (ruin) one's health **-ande** *a* destroying; destructive (ruinous) [*för* to] **-as** *dep* be destroyed (&c); *äv.* decay; [totalt] perish **-bar** *a* destructible **-else** destruction **-else|begär** destructive instinct **-else|lusta** love of destruction **-else|verk** work of destruction **-ing** = *-else; Jerusalems* ~ the Fall of Jerusalem
försum||lig *a* negligent [*i* in]; [slarvig] neglectful (careless) [*i* in] **-lighet** negligence, neglectfulness **-ma I** *tr* neglect; leave .. undone; [ej passa på, t. ex. tillfälle, tåg] miss; [t. ex. tillfället] let .. slip; ~ *att* fail to; *känna sig* ~*d* feel slighted; *ta igen det* ~*de* make up for lost time (ground) **II** *rfl* miss one's opportunity; be neglectful **-melse** [a piece of] neglect (negligence); [underlåtenhet] failure; [förbiseende] oversight
för||sumpad *a* embogged, sloughed **-supen** *a* sottish; drunken
försvag||a *tr* weaken; enfeeble; [förslappa] enervate; [skada, t. ex. ngns syn] impair; [mildra, dämpa] soften **-as** *dep* grow (get) weak[er], weaken [down] **-ning** weakening; enfeeblement, enervation
försvar defence; justification [*av, för* of]; [beskydd] protection [*för* of]; *landets* ~ the national defences *pl; ta ngn i* ~ stand up for a p.; [*tala*] *till* ~ *för* .. in defence of ..; *andraga, anföra till sitt* ~ say .. for (in justification of) o.s. **-a I** *tr* defend [*för* from; *mot* against]; [rättfärdiga] justify; [i ord, äv. t. ex. ngns sak] advocate, stand up for **II** *rfl* defend (justify) o.s. **-are** defender **-lig** *a* **1** defensible; justifiable; [ursäktlig] excusable **2** [hjälplig] [just] passable; [tillfredsställande] satisfactory **3** [summa o. d.] respectable, **F** jolly big
försvars||advokat counsel for the defence **-anstalter** [*vidtaga* take] defensive measures **-beredskap** defence preparedness **-chef** Chief of Defence **-departement** Ministry of [National] Defence; ~*et* (*Engl.*) the War Office **-duglig** *a, sätta* .. *i* ~*t skick* render .. capable of defence **-fientlig** *a* anti-defence **-fråga** defence matter; ~*n* the national defence question **-förbund,** [*anfalls- och*] ~ [offensive and] defensive alliance **-krafter** defensive forces **-krig** defensive war **-läge** defence posture **-lös** *a* defenceless **-makten** the Armed Forces *pl*; [myndighet] the military authorities *pl* **-medel** means *sg* o. *pl* of defence **-minister** Minister of [National] Defence, Defence Minister; ~*n (Engl.)* the Secretary of State for War **-pakt** defence agreement **-skrift** apology **-ställning** *mil.* position of defence *äv. bildl.;* defensive attitude **-system** defence system **-tal** *jur.* speech for the defence **-tillstånd** state of defence **-vapen** defensive weapon **-verk** defensive works *pl*, defences *pl* **-vilja** will[ingness] to defend o. s. (the nation) **-vän** national defence advocate (supporter) **-vänlig** *a* .. in favour of the national defence cause **-väsen** national defence **-åtgärd** defensive measure
försvensk||a *tr* **1** give .. a Swedish character; make .. Swedish **2** [översätta] turn .. into Swedish; ~*s* become (be made) Swedish
för||svinna *itr* disappear [*från, ur* from; [*in*] *i* into]; [med ens] vanish [away]; [ur sikte] be lost; [om tid] pass [away]; [upphöra att finnas till] cease to exist; *försvinn!* be off with you! **-svinnande** *adv* exceedingly [*liten* small] **-svunnen** *a* vanished; lost; [bortkommen] missing
för||svåra *tr* render (make) .. [more] difficult; [förvärra] aggravate; [tilltrassla o. d.] complicate **-svärja** *rfl* **1** [svärja falskt] forswear (perjure) o.s. **2** ~ *sig åt* (*till*) [en viss åsikt] commit o.s. to .. **-syn 1** *relig.*, ~*en* Providence; *låta det gå på Guds* ~ let matters take their own course, let things slide **2** [hänsyn] consideration [*för* for] **-synda** *rfl* **-syndelse** sin [*mot* against] **-synt I** *a* considerate, tactful; discreet **II** *adv* considerately &c **-synthet** considerateness; discretion **-såt** [bakhåll] ambush; [friare] trap; [svek] treachery; *lägga* ~ *för* set snares for **-såtlig** *a* treacherous; [fråga] tricky **-såtlighet** treacherousness &c; [med *pl*] insidious allusion **-säga** *rfl* make a slip of the tongue; [-råda ngt] let the cat out of the bag
försäkr||a I *tr* **1** [bedyra] assure [*ngn om* a p. of]; *det* ~*r jag!* I can assure you! you can take my word for it! *vara* ~*d om att* rest assured that **2** [assurera] insure; *den* ~*de* the policy-holder; *ha högt* ~*t* be insured for a high figure **II** *rfl* **1** ~ *sig om* secure, make sure of **2** insure one's life (o.s.) **-an** assurance, declaration **-ing 1** = *-an* **2** [liv-] assurance, insurance; [brand-, sjö-] insurance
försäkrings||agent insurance agent **-bolag (-brev)** insurance company (policy) **-givare** assurer, insurer **-premie** insurance premium **-summa** amount insured for **-tagare** insurant, policy-holder **-värde** insured value **-väsen** insurance
försälj||a *tr* sell **-are** seller; [yrkesbenämning] salesman **-ning** selling; [med *pl*] sale; *till* ~ for sale **-nings|automat** penny-in-the-slot machine **-nings|chef** sales manager **-nings|kostnad (-nings|kurs)** selling costs *pl* (rate) **-nings|pris** selling-price **-nings|provision** seller's commission **-nings|summa** proceeds *pl* of a (the) sale **-nings|villkor** *pl* selling conditions, terms of sale **-ningsvärde** selling value
för||sämra *tr* deteriorate; [skada, -svaga] impair **-sämras** *dep* deteriorate; get (become, grow) worse; [moraliskt] degenerate **-sämring** deterioration (impairment) [*i* in (of)]; [moraliskt] degeneration [*i* in] **-sända** *tr* dispatch; [is. med järnväg, fartyg] consign **-sändelse** *konkr hand.* consignment; [kolli] parcel; [post-] [postal] packet (package) **-sänka** *tr bildl.* [i sorg] plunge [*i* into]; [i fattigdom] reduce [*i* to] **-sänkning,** ~*ar* (*bildl.*) influential friends **-sätta** *tr* **1** set [*i rörelse* in motion; *ngn i frihet* a p. free] **2** put [*i raseri* in a rage]; place [*i säkerhet* in safety] **3** ~ *ngn i konkurs* declare a p. a bankrupt **4** ~ *berg* move mountains
försättsblad *bokbind.* front fly-leaf; endpaper
försök attempt; [bemödande] effort [*till* at]; *vetensk.* experiment [*med* with; *på* on]; [prov] trial (test) [*med* with (of)]; *våga* ~*et* take one's chance [with it], risk it; *på* ~ *a)* just for a trial; *b)* [på måfå] at a venture **-a I** *tr* try [*att* to]; *absol.* have a try; [fresta på] attempt [*att* to]; [bemöda sig] endeavour, seek; *försök bara!* [uppmuntrande] just try! [hotande] just you try it on! ~ *duger* there's no harm in trying **II** *rfl,* ~ *sig på* .. try one's hand at ..; [våga sig på] venture [up]on .. **-s|anstalt** experimental laboratory **-s|ballong** *bildl.*

[*släppa upp en* send up a] kite **-s|flygning** trial flight **-s|gård** experimental farm **-s|-kanin** *bildl.* guinea-pig **-s|objekt** object [to be] experimented on **-s|person** experimentee **-s|skola** experimental school **-s|station** experimental station **-s|tävling** trial race (&c) **-s|vis** *adv* by way of experiment (trial)

försörj||a I *tr* provide for; [underhålla] support, keep **II** *rfl* get (earn) a living (support o.s.) [*genom, med* by] **-are** supporter &c **-ning** providing &c; provision; support **-nings|inrättning** house of maintenance **-nings|möjligheter** means of support (subsistence) **-nings|plikt (-nings|pliktig** *a*), ~ *emot* liability (liable) for the maintenance of

för||ta[ga] I *tr* **1** [t. ex. verkan av] take away **2** ~ *ngn* deprive a p. of **II** *rfl* overdo o.s., overtax one's strength **-tal** [*gement* a foul] slander; [starkare] calumny [*mot* against (upon)] **-tala** *tr* slander; calumniate; defame **-tals|kampanj** slandering campaign **-tappad** *a* lost; *en* ~ a lost soul **-tappelse** perdition, damnation

förtecken *mus.* [key] signature

för||teckna *tr* note (put) down . .; make a list of **-teckning** [lista] list (catalogue) **-tegen** *a* uncommunicative, reticent **-tegenhet** reticence **-tenna** *tr* tin **-tennare** tinsmith **-tenning** tinning; *konkr* coat of tin

förtid, *i* ~ too early (soon), prematurely; *gammal i* ~ old before one's (its) time **-ig** *a* premature

för||tiga *tr* keep . . secret (to o.s.); pass over in silence **-tjocka** *tr* thicken **-tjusande** *a* charming; delightful; [utsökt] exquisite; *o, så ~!* how perfectly charming (&c)! **-tjusning** [hänryckning] enchantment [*över* at]; [hänförelse] enthusiasm [*över* about, over, at]; [glädje] delight [*över* at (in)] **-tjust** *a* [intagen] charmed (&c) [*i* with]; [förälskad, betagen] [*bli* fall] in love [*i* with]; fond [*i* of]; [att göra ngns bekantskap] happy, pleased

förtjän||a I *tr* o. *itr* **1** [förvärva] earn; [mera allm. bet.] make; [vinna] gain (profit) [*på en affär* by a bargain] **2** [vara, göra sig värd[ig]] deserve; [ett besök] be worth; *du ~r inte bättre* you don't deserve anything else **II** *rfl* earn; make **-st 1** [arbets-] earnings *pl*; [vinst] profit[s *pl*]; *. . går med ~* . . is run at a profit **2** [merit] merit; [*behandlas*] *efter ~* . . according to one's deserts; *utan egen ~* without any merit of one's own; *räkna sig* [*ngt*] *till ~* take credit to o.s. for . .; *det är hans ~, att* it is due (thanks) to him that **-st|full** *a* [om pers.] deserving; [om handling] meritorious **-st|medalj** Order of Merit **-st|märke** merit (efficiency) badge **-st|möjlighet** chance to earn [money] **-t** *a* **1** se *-a I 1* **2** [t. ex. belöning] deserved, merited **3** *göra sig ~ av* [tack o. d.] show o.s. deserving of . ., deserve . .

för||tona I *itr* [om ljud] die away; [om färg] tone in [*i* with] **II** *rfl* fade away [*i* into] **-torka** *tr* dry [up]; [växter] wither **II** *itr* dry up, wither away **-torkas** *dep* = *-torka II* **-trampa** *tr* trample; tread down **-trampad** *a* is. *bildl.* down-trodden

förtret annoyance (vexation) [*över* at]; [ss. känsla] [*av* in] chagrin; [bekymmer] trouble; *göra, vålla ngn ~* get a p. into trouble; *på ~* [in order] to annoy (vex) **-a** *tr* annoy, vex; *med ~d min* with a look of annoyance **-lig** *a* vexatious **-lighet** [med *pl*] vexation, annoyance

förtro I *tr* confide **II** *rfl* = *an~*

förtroende *allm.* confidence; faith; trust; [tillit] reliance; *hysa ~ för* have confidence in; *ingiva ~* inspire confidence; *sätta ~ till* place confidence in; *åtnjuta allmänt ~* enjoy (have) public confidence; *i ~ sagt* confidentially speaking; between ourselves; *förlust av medborgerligt ~* loss of [one's] civil rights **-fråga,** *göra . . till ~* put . . to a vote of confidence **-full** *a* confiding, trustful **-ingivande** *a* . . calculated to inspire confidence; [uppträdande] reassuring **-man** [legat] fiduciary; [i arbetstvist] delegate **-post** position of trust **-uppdrag** commission of trust **-votum** vote of confidence

för||trogen *a* **1** confidential [*vän* friend]; [intim] intimate **2** [hemma i] familiar [*med* with] **-trogenhet** familiarity [*med* with], [intimate] knowledge [*med* of] **-trolig** *a* **1** confidential **2** intimate; [vän] close; [samspråk] familiar; *stå på ~ fot med* be on an intimate footing (on familiar terms) with **-trolighet** confidentiality; intimacy; familiarity **-trolla** *tr* enchant; *bildl.* bewitch **-trollning** enchantment; bewitchment; *bryta ~en* break the spell

förtrupp *mil.* advanced guard; *äv.* [friare] vanguard

för||tryck oppression; [friare] tyranny **-trycka** *tr* oppress **-are** oppressor **-tryta** *tr* provoke, annoy; displease **-trytelse** annoyance; displeasure ([starkare] indignation) [*över* at] **-trytsam** *a* indignant [*över* at] **-träfflig** *a* excellent; [friare] (**F**) splendid **-träfflighet** excellence; splendidness **-träng|a** *tr* **1** constrict **2** *-da komplex (läk.)* inhibitions **-trängning** constriction **-trösta** *itr,* ~ *på* [Gud] trust in; [egen kraft] trust to **-tröstan** trust; reliance; [hopp] confidence [*på* in] **-tröstansfull** *a* full of confidence **-tröttas** *dep* [grow] weary, tire **-tulla** *tr* = *tullbehandla; har ni ngt att ~?* have you anything to declare [for customs]? **-tullning** customs examination **-tunna** *tr* thin [. . down]; [luft] rarefy; [utspäda] dilute **-tunnas** *dep* get (become) thin[ner] **-tunning** thinning &c; rarefaction **-tvina** *itr* wither [away] [*av* with]; [tyna [bort]] *äv. bildl.* languish [away] **-tvivla** *itr* despair [*om ngt* of a th.; *om ngn* about a p.] **-tvivlad** *a* [om pers.] . . in despair [*över* at]; [desperat] desperate; ~ *belägenhet* hopeless situation; *en ~ handling* a deed of desperation; *det är så att man kan bli ~* it is enough to drive one mad (drive one to despair) **-tvivlan** despair; desperation [*över* at] **-tydliga** *tr* make . . clear[er]; *bildl. äv.* elucidate **-tydligande I** *s* elucidation, explanation **II** *a bildl.* elucidative **-tyska** *tr* Germanize **-täckt** *a* veiled, covert; *i ~a ordalag* in veiled language *sg* **-tälja** *tr* tell, relate **-tänka** *tr, inte ~ ngn, att (om) han är* . . not blame (think ill of) a p. for being . .

förtänksam *a* prudent; [förutseende] foresighted **-het** prudence; foresight

för||tära *tr* eat; [göra slut på] eat up; *d:o* o. *bildl.* consume, [starkare] devour; *aldrig ~* [*fisk*] never take (touch) . . **-täring** [*ej till* not for] consumption; *konkr* food; *äv.* refreshments *pl* **-täta** *tr* condense ([friare o. *bildl.*] concentrate) [*till* into]; *~d stämning* exalted atmosphere **-tätas** *dep* be[come] condensed **-tätning** condensation; ~ *i lungorna* condensation of the lung tissues **-töja** *tr* o. *itr* moor [*vid* to], make [. .] fast [*vid* to] **-töjnings|lina** holding rope **-töjning[s|mast]** mooring [mast] **-töjnings|-plats** lay-by; *Am.* tie-up wharf **-törna** *tr* provoke **-törnad** *a* provoked (indignant) [*på* with; *över* at] **-törnas** *dep* be provoked **-underlig** *a* marvellous; [underlig] strange **-undra I** *tr* make [*ngn* a p.] wonder **II** *rfl* wonder (marvel) [*över* at] **-undran** wonder[-ment] [*över* at]; jfr *förvåning* **-undras** *dep* = *undra II* **-unna** *tr bibl.* o. d. vouchsafe; [friare] grant

1 fö'rut *adv sjö.* forward; [utombords] ahead

2 för‖ut *adv* before; *äv.* in advance; [förr] formerly; [tidigare] previously; *gå ~, så kommer jag efter!* go on ahead and I'll follow! *med huvudet ~* head first **-utan** *prep* without

förut‖beställa *tr* order .. in advance **-beställning** ordering [*av* of ..] ahead; [*en* an] advance order **-bestämma** *tr* predestine **-bestämmelse** predestination **-fattad** *a* preconceived; *~ mening* (*äv.*) prejudice

förutom *prep* besides [*det att hon är* her being]

förut‖satt, *~ att* provided [that] **-se** *tr* foresee; anticipate; provide for; *efter vad man kan ~* as far as one can see **-seende I** *s* foresight; [förtänksamhet] forethought **II** *a* foreseeing; provident **-skicka** *tr* premise **-säga** *tr* foretell, predict; is. *meteor.* forecast **-sägelse** prediction; is. *meteor.* forecast **-sätta** *tr* presuppose; *log.* postulate; [ta för givet] take it for granted; [anta] presume, assume **-sättning 1** assumption, presumption; *log.* postulate **2** [villkor [för]] condition (prerequisite) [*för* for]; [erforderlig egenskap] qualification [*för* for]; *under den ~en att ..* on the assumption (&c) that ..; *under ~ att jag erhåller* [*hjälp*] on the understanding (on condition) that .. is afforded me **3** *~ar* [utsikter att lyckas] prospects **-sättnings|lös** *a* unprejudiced, impartial **-varande** *a* [föregående] previous; [förra] former

förvalt‖a *tr* [t. ex. kassa] administer; [egendom] manage; *~ sitt pund väl* put one's talents to profitable use **-ande** *a* administrative **-are** administrator; [av bruk o. d.] manager; [på egendom] supervisor; [konkurs- o. d.] trustee **-ning** administration, management **-nings|domstol,** *Högsta ~en* the Supreme Administrative Court **-nings|-kostnader** (**-nings|område** **-nings|rätt**) administrative expenses (district, law)

förvandl‖a I *tr* transform (turn, convert) [*till, i* into]; [förbyta] change [*till, i* into]; [till ngt sämre] reduce [*till* to] **II** *rfl* transform (&c) o.s. [*till* into] **-as** *dep* be transformed (&c) (*äv.* turn, change) [*till, i* into] **-ing** transformation; conversion; change; reduction

för‖vanska *tr* corrupt; tamper with; [yttrande] misrepresent **-vanskning** corruption &c **-var 1** se *fängslig* **2** [safe] keeping; custody; charge; *ta .. i ~* take charge of ..; *lämna* [*ngt*] *i ~ hos ngn* commit .. to a p.'s charge **-vara** *tr* **1** [ha i -var] keep **2** [skydda] guard [*mot* against] **-varing,** *inlämna till ~* leave .. to be called for; *järnv.* put .. in the cloak-room; *Am.* check; *ta emot till ~* receive .. for safe keeping; .. *mottagas till ~!* [anslag] .. stored [here]!

förvarings‖avgift *järnv.* cloak-room ([bank o.d.] depositing-)fee **-kärl** receptacle **-pärm** paper-filing cover, file **-rum** store-room; *järnv.* o. d. cloak-room

för‖veckling complication; entanglement **-vedas** *dep* lignify **-vekliga** *tr* effeminate **-vekligas** *dep* become effeminate **-verka** *tr* forfeit **-verkliga** *tr* [t. ex. förhoppningar] realize; [idé] carry out **-verkligande** realization **-verkligas** *dep* be realized; materialize; [om dröm o. d.] come true **-vildad** *a* undomesticated, wild; [t. ex. seder] demoralized **-vildas** *dep* become undomesticated ([om människor] decivilized, barbarized); [om ett barn] be turned into a young savage; [om djur, växt] run wild **-vildning** barbarization, demoralization **-villa I** *tr* [föra vilse] *äv. bildl.* lead .. astray; [vilseleda] misguide; [förvirra] bewilder, confuse **II** *rfl* go astray, lose one's way (o.s.); *bildl.* get bewildered **-villande** *a* [likhet] deceptive **-villelse** error, aberration

förvinter early winter

för‖virra *tr* confuse; [-brylla] bewilder, perplex; [svagare] puzzle; [bringa ur fattningen] disconcert; [bringa i oordning] derange; *~t tal* incoherent speech **-virring** confusion; [persons] *äv.* perplexity, bewilderment; [om sak] *äv.* disorder[ed state] **-visa** *tr* banish [*ur* from, out of] *äv. bildl.;* [lands-] *äv.* exile; *skol.* expel **-visning** banishment; exile **-visnings|dom** sentence of banishment (*skol.* expulsion) **-vissa I** *tr, ~ ngn* [*om ngt, att ..*] assure a p. [of a th.; that ..]; *vara ~d* rest assured; [övertygad] be convinced **II** *rfl* make sure [*om* of; [*om*] *att* that] **-vissning** assurance; conviction **-visso** *adv* for certain; [visserligen] certainly **-vittra I** *itr* [på ytan] weather; [upplösas] disintegrate; moulder, decay **II** *tr* disintegrate **-vittring** weathering &c; disintegration **-vrida** *tr* distort; twist; *~ huvudet på ngn* turn a p.'s head **-vridning** distortion **-vränga** *tr* distort **-vrängning** distortion **-vålla** *tr* cause **-vållande** *s, utan mitt ~* through no fault of mine; *det har skett genom hans eget ~* it is his own doing **-våna I** *tr* surprise, astonish; *det ~r mig* I am surprised; *~d* surprised &c [*över* at] **II** *rfl* be surprised (&c) [*över* at]; [*det är ingenting*] *att ~ sig över ..* to be wondered at **-vånande** *a* surprising, astonishing **-vånansvärd** *a* surprising; [underbar] wonderful, marvellous **-våning** surprise, astonishment

förväg, *i ~* in advance, ahead, beforehand

förvägen *a* over-bold, rash

för‖vägra = *vägra* **-välla** *tr* parboil **-vänd** *a* disguised &c; [otymplig] awkward; [moraliskt fördärvad] perverted; [idé] preposterous **-vända** *tr* [stil, röst] disguise; *~ synen på ngn* (*bildl.*) distort a p.'s vision **-vändhet** perversity **-vänta I** *tr* expect; *äv.* look forward to **II** *rfl* expect **-väntan** [*mot* contrary to one's] expectation [*på* of]; [*lyckas*] *över ~ ..* beyond all expectations **-väntans|full** *a* expectant **-väntning** = *-väntan; motsvara ngns ~ar* come up to a p.'s expectations **-världsligad** *a* secularized; [pers.] *äv.* wordly

för'värmning ⊕ pre-heating

för‖värra *tr* make .. worse, aggravate **-värras** *dep* grow worse, become aggravated

förvärv 1 = *-ande* **2** [ngt -at] acquisition; [genom arbete] earnings *pl* **-a I** *tr* acquire; [förtjäna] earn; [skaffa sig] procure; [vänner] make; [vinna] gain; [uppnå] attain; *surt ~d* hard-earned **II** *rfl* acquire **-ande** *s* acquiring &c; acquisition; attainment **-s|arbete** wage-earning; *skaffa sig ~* get a job **-s|begär** acquisitiveness **-s|källa** source of income **-s|möjligheter** means of earning (chance *sg* to earn) a living **-s|syfte,** *i ~* for the purposes of making money (of earning a livelihood)

för‖växla *tr* confuse, mix [..] up **-växling** confusion; [misstag] mistake **-växt** *a* overgrown; [missbildad] deformed **-yngra** *tr* [*rfl*] rejuvenate [o. s.]; make .. [look] younger **-yngras** *dep* grow young again **-yngring** rejuvenation **-ytliga** *tr* superficialize **-zinka** *tr* [coat .. with] zinc; [järnbleck] galvanize **-åldrad** *a* antiquated, outmoded, .. out of date; [ord] obsolete **-ädla** *tr* **1** ennoble **2** [djur, växt] breed, improve; [råämne] refine, work up **-ädlas** *dep* [om smak] become more refined **-ädling** ennoblement; breeding &c; refinement

föräldra||ansvar (-hem -kärlek) parental responsibility (home, affection) **-lös** *a* orphan[ed] **-möte** parents' meeting **-r** parents

förälsk||a *rfl* fall in love [*i* with] **-d** *a* .. in love [*i* with]; [t. ex. blick] amorous **-else** falling in love; [kortvarig] infatuation

föränd||erlig *a* variable; [ombytlig] changeable; [lyckan] fickle **-erlighet** variability **-ra I** *tr* [[om]byta] change [*till* into]; [göra ändring i] alter; *icke ~ en min* not move a muscle **II** *rfl* o. **-ras** *dep* change, alter; *~ till sin fördel* alter for the better **-ring** change; alteration; *sjuklig ~* pathological change

för||ära *tr, ~ ngn* .. make a p. a present of .. **-äta** *rfl* overeat o.s. [*på* on] **-öda** *tr* [härja] devastate; lay .. waste **-ödelse** devastation; *anställa stor ~* make great havoc

förödmjuk||a *tr* [*rfl*] humiliate [o.s.] **-else** humiliation

för||öka I *tr* **1** = *öka* **2** [fortplanta] multiply **II** *rfl* increase; multiply **-ökning 1** increase **2** [släktets] multiplication **-öva** *tr* commit [*våld mot* an outrage on]; [brott] *äv.* perpetrate

föröver *adv sjö.* forward

förövning preliminary exercise

fösa *tr* drive (shove) [*fram* along]

fötter feet; *ligga för ngns ~* lie at a p.'s feet; *komma på ~ igen* get on to one's feet ([bli frisk] legs) again; *hjälpa* ([*bildl.*] *sätta*) *ngn på ~* help a p. on to his feet, set a p. on his legs again; *stå på egna ~* stand on one's [own] legs; *trampa .. under ~na* trample .. under foot

G

gadd sting; *med ~* (*äv.*) stinged **-a I** *tr* goad; *~ upp* incite; jfr *uppvigla* **II** *rfl*, *~ ihop sig* se *samman~* [*sig*]

gaffel 1 fork, prong; *kniv och ~* a knife and fork **2** *sjö.* gaff **-bit** titbit **-formig** *a* fork-shaped, forked **-klo** prong; *sjö.* gaff jaw **-segel** gaff-sail **-udd** prong

gagat jet

gage pay, salary; fee

gagn use; jfr *nytta;* [fördel] advantage, benefit **-a** *tr* benefit, be of use (advantage) to; [ngns intressen] *äv.* serve; *det kommer inte att ~ saken mycket* it will not much further the matter, it won't do much good; *vartill ~r det?* what is the good of that? se *äv. båta* **-elig** *a* useful **-lös** *a* useless, .. of no use; [frukt-] unavailing, futile **-virke** timber for structural purposes; carpenter's wood **-växt** utility plant

1 gala *itr* crow; [om gök] cuckoo, call

2 gala *s* gala; *i* [*full*] *~* in state **-dräkt (-föreställning)** gala attire (performance)

galant I *a* [artig] gallant **II** *adv, det gick ~ att* it went fine to **-eri** gallantry **-eri|varor** fancy goods

gala||uniform full-dress uniform **-vagn** state coach

galeas *sjö.* two-masted schooner

galeja galley

gal||en *a* **1** mad; **F** crazy; **F** [uppsluppen] wild [*av* with]; [förtjust] passionately fond [*i* of]; crazy [*i* about]; *bli ~* go mad (&c); *det är så att man kan bli ~* it is enough to drive one mad **2** [om sak: på tok] wrong [*ända* end]; [bakvänd] absurd; [dåraktig] mad, wild; *det är (var) inte så -et* [it's] not half bad; *hoppa i ~ tunna* get into the wrong box **-en|panna** madcap **-enskap 1** [vansinne] madness; [dåraktighet] folly **2** [med *pl*] piece of folly; *prata ~er* talk nonsense (bosh) *sg; ha ~er för sig* commit follies, [tokerier] play wild pranks **-et** *adv* wrong; *bära sig ~ åt a)* [bakvänt] be awkward; *b)* [oriktigt] go about it in the wrong way; *c)* [dumt] do a foolish thing; *gå ~* go wrong *äv. bildl.*, [om klocka] be wrong; *det har gått ~ för honom* things have gone wrong with him

galg||backe gallows-hill **-e** gallows *sg* [*pl* gallowses]; *sluta i ~n* come to the gallows **-fågel** gallows-bird **-fysionomi** gallows look **-humor** grim humour

galil||é Galilean **G-éen** Galilee **-eisk** *a* Galilean

gall||a *eg.* gall; bile *äv. bildl.*; *utösa sin ~ över* vent one's spleen upon **-blåsa** gall-bladder

1 galler [folkslag] Gaul

2 galler [till skydd] grating, grid; [bur- o. d.] [cage(&c)-]bars *pl;* [spjälverk] lattice, trellis **-fönster 1** grated window **2** lattice-window **-försedd** *a* grated; barred; latticed **-grind** open-work iron gate, lattice gate

galleri gallery

galler||port = *-grind* **-verk** lattice-work

gall||feber bilious fever; *reta ~ på ngn* stir up a p.'s bile **-gång** bile duct

gall||icism Gallicism **G-ien** Gaul

gallimatias balderdash

gallions|bild figure-head

gallr||a *tr* [skog] thin; [rotfrukter] single; *~ bort (ut)* [onyttigt o. d.] sort (weed) out **-ing** thinning [out] &c

gallsjuk *a* bilious *äv. bildl.*

gallskrik yell, howl **-a** *itr* yell, howl

gallstekel gall-fly

gallsten *läk.* gallstone, bilestone **-s|kolik** biliary colic

Gallup|undersökning Gallup poll

galläpple gall-nut, oak-apple

galning madman; *som en ~* (*äv.*) like mad

galon lace (braid) *äv. koll;* [gradbeteckn.] *äv.* stripe

galopp 1 *ridk.* gallop; *kort ~* canter; *i ~* at a gallop; *fatta ~en* (*bildl.*) catch the drift; *följa med i ~en* (*bildl.*) keep up the pace **2** [dans] galop **-era** *itr* **1** gallop; *~nde lungsot* galloping consumption **2** [dansa] galop

galosch galosh, *Am.* rubber shoe **-hylla** galosh-rack

galt 1 *zool.* boar **2** [tackjärns-] sow
galvan||isera *tr* galvanize **-isering** galvanizing **-isk** *a* galvanic
galär galley **-slav** galley-slave
gam vulture
gamling old man; *~ar* old folks (people)
gam|mal *a* old; [forntida] ancient [*tider* times]; [åldrig] aged; [begagnad] *äv.* second-hand [*möbler* furniture *sg*]; [ej färsk] stale [*bröd* bread; *kvickhet* joke]; [t. ex. bruk, sed] time-honoured, . . of long standing; [före detta] former; *en tio år ~ pojke* a ten-year old boy, a boy of (aged) ten; *-la nummer* [av tidskrifter] back numbers; *~ och van* practised; [*vara* be] an old hand; *den -la goda tiden* the good old times (days) *pl; inte se så ~ ut som man är* not look one's age; *~ som gatan* as old as the hills; *den -le (-la)* the old man (woman) o. s. v.; *de ~las hem* old people's (folks['']) home; *av ~t* of old; *av ~ vana* from long-accustomed habit; [*känna ngn*] *sedan ~t* . . from of old (from a long time back) **-dags** *a* old-fashioned **-modig** *a* = *-dags;* [omodern] *äv.* out of fashion (date), outmoded; [föråldrad] antiquated **-stavning** old spelling
gamman, *med fröjd och ~* with merriment and glee
ganglie ganglion [*pl. äv.* ganglia]
gangster gangster **-kupp** gangster exploit
ganska *adv* [mycket] very; [riktigt] quite [*trevlig* nice]; [tämligen] fairly (*äv.* tolerably) [*bra* good]; ['rätt så'] pretty; [svagare el. ogillande] rather [*tråkig* dull]; *~ mycket a)* [ss. adj.] a great (good) deal of [med *sg*], quite a ([rather] a large) number of [*folk* people], *äv.* quite a lot of; *b)* [ss. adv] very much, a good (great) deal, quite a lot; *det är ~ (= väl) mycket* it is rather a lot
gap mouth; [djurs o. ⊕] *äv.* jaws *pl;* [hål] gap, opening **-a** *itr* **1** [om pers. o. djur] open one's mouth; hold one's mouth open; [förvånat] gape [*av* with]; [stirra] stare; [skrika] **F** bawl, scream **2** [om avgrund] yawn; [stå öppen] stand open **-ande** *a* [folkhop] gaping; [mun] wide-open; [avgrund] yawning; *~ sår* gaping wound, gash **-hals** = *skrik-* **-skratt** roar of laughter, guffaw; *brista i ~* burst out laughing **-skratta** *itr* roar with laughter, guffaw
garage garage
garant guarantor; *äv.* surety **-era** *tr* (*äv.* : *~ för*) guarantee; [friare] *äv.* warrant, vouch for [*sanningen av* . . the truth of . .] **-i** guarantee; [friare] *äv.* security; *ikläda sig ~ för* assume responsibility for **-i|belopp** guaranteed amount **-i|bevis** written guarantee **-i|fond** guarantee fund **-i|förening** guarantee association
gard 1 *fäktn.* guard; *ställa sig i ~* take [up] one's guard **2** *kortsp.* guard; *ha (vara) ~* be guarded **-e** guards *pl; det gamla ~t* the Old Guard **-era** *tr* [*rfl*] guard (protect) [o.s.]
garderob 1 wardrobe; *Am.* [clothes] closet; *järnv.* o. d. cloak-room; *Am.* check room **2** [kläder] wardrobe **-iär** cloak-room attendant (&c) **-s|avgift** cloak-room (checking) fee **-s|märke** cloak-room ticket; *Am.* check
gardes||officer officer in the Guards **-regemente** Guards Regiment
gardin curtain; [rull-] blind; *dra upp (ned) ~en* draw (let) up (down) the blind **-stång** curtain rod (pole) **-tyg** curtain stuff **-tyll** curtain net
gardist guardsman
garn yarn; [ull-] *äv.* wool; [bomulls-] *äv.* cotton; [nät] net; *fastna i ngns ~* (*bildl.*) get caught in a p.'s toils **-bod** hosier's shop
garner||a *tr* [kläder] trim; [mat] garnish **-ing** trimming; garnish
garn||fiske net-fishing **-handlare** hosier, dealer in wools **-härva** skein of wool (&c)
garnison garrison; *ligga i ~* (*äv.*) be garrisoned **-s|läkare** surgeon attached to a (the) garrison **-s|ort** garrison station
garnityr garniture; [uppsättning] set
garn||nystan ball (clew) of yarn (&c) **-ända** end of yarn (&c), thrum
garv||a *tr* tan *äv. bildl.;* [bereda [hudar]] curry, dress **-are** tanner **-eri** tannery **-syra** *kem.* tannic acid
1 gas [tyg] gauze
2 gas gas; *släcka (tända) ~en* turn out (on) the gas; *dra av ~en* [på motor] throttle back; *dra på ~* open the throttle **-angrepp** *mil.* gas attack **-arm** gas-bracket(-fixture) **-behållare** gas-holder, gas container **-belysning** gas-lighting **-besparande** *a* gas-saving **-bildning** gas-formation
gasbinda gauze bandage (roller)
gas||bomb [-behållare] gas container; *mil.* gas (chemical) bomb **-brännare** gas-burner
gasell gazelle
gas||form, *i ~* in ([*övergå* pass] into) the form of gas **-formig** *a* gaseous **-förbrukning** gas-consumption **-förgifta** *tr* poison . . by gas; is. *mil.* gas; *~d (äv.)* gas-poisoned, gassed **-förgiftning** gas-poisoning; is. *mil.* gassing **-indikator** gas detector
gask [fest] **F** spree, jollification **-a** *itr, ~ upp sig* get into hilarious spirits; jfr *rycka* [*upp sig*]
gas||kamin gas stove; [i badrum o. d.] geyser **-klocka** gas tank **-kokare** gas cooker **-kran** gas-tap **-krig** gas war[fare] **-kök** gas stove **-ledning** gas-pipe **-ljus** gaslight **-lukt** smell of gas **-lykta** gas-lamp **-låga** gas-jet **-mask** *mil.* gas-mask **-mätare** gas-meter **-pedal** [på bil] foot throttle **-pollett** gas-meter disk **-ransonering** restrictions *pl* in the use of gas **-reglage** throttle lever **-rör** gas-pipe; [huvud-] gas-main
gass heat, [full] blaze **-a I** *itr* be blazing hot **II** *rfl* bask [*i solskenet* in the sun] **-ande -ig** *a* blazing, broiling
gas||skydd *mil.* gas protection **-slang** gas-tube; *en ~* a [piece of] gas-tubing **-spis** gas-cooker(-range)
1 gast [sjöman] hand
2 gast [spöke] ghost **-a** = *gallskrika*
gastillförsel gas supply
gastkrama *tr, bli ~d* be ghost-ridden, [friare] be seized in an iron grip
gastronom gastronome, gastronomist
gas||tryck gas pressure **-turbin** gas turbine **-tändare** gas-lighter **-ugn** gas oven **-verk** gas-works *sg* o. *pl* **-ångor** gas fumes
gat||a street; jfr *bak~, huvud~; gammal som ~n* as old as the hills; *~n avstängd!* no thoroughfare! *~ upp och ~ ned* up and down the streets; *på ~n* in the street; *på sin mammas ~* on one's native heath; *ett rum åt ~n* a front room, a room on the street **-beläggning** street surface **-hörn** street corner **-lopp,** *springa ~* run the gauntlet **-lykta** street lamp **-läggning** *konkr* pavement **-pojke** street boy; *äv.* street arab, guttersnipe **-skylt** sign board **-slinka** street wench **-sopare** street-sweeper **-sten** paving-stone (*koll* -stones *pl*) **-strykare** street-loafer
gatt *sjö.* **1** [hål] hole **2** [sund] gut, narrow inlet, narrows *pl*

gatu‖belysning street-lighting **-bild** street-scene **-buller** street-noise **-försäljare** street-vendor **-korsning** intersection of two streets, crossing; crossways *pl* **-namn** street-name
gatunge street urchin
gatu‖nivå street-level **-nät** network of streets **-renhållning** [street-]scavengering **-strid,** *~er* street fighting *sg* **-vim|mel,** *i -let* in the throng of the streets **-övergång** street-crossing
gatvisa street ballad
gavel gable; [säng-] end; [*ett rum*] *på ~n* .. in the gable; *på vid ~* wide open **-fönster** gable-window **-spets** attic gable, gable head
ge = *giva*
gebit domain, province
gedig‖en *a* **1** [metall] native, pure; [massiv] solid **2** *bildl.* sterling, solid; *äv.* genuine; *en ~ man* (*äv.*) a man of solid character; *ett -et arbete* a piece of solid workmanship **-enhet 1** nativeness; solidity **2** sterling qualities *pl,* genuineness
gehäng sword-belt; [axel-] baldric
gehör 1 *mus., språkv.* [*spela efter* play by] ear **2** *bildl., skaffa sig ~* gain a hearing; *vinna ~ hos ngn* find a ready listener in a p.
gejser geyser
gelatin gelatine **-artad** *a* gelatinous
gelé jelly
gelik|e equal; *dina -ar* (*äv.*) the likes of you
gemak [state-]apartment, state-room
gemen *a* **1** [nedrig] low (mean, **F** dirty) [*handling* act]; base [*otacksamhet* ingratitude]; [friare: otäck] horrid **2** *~e man* (*mil.*) the rank and file; *allm.* the man in the street; *i ~* in general **-het** [egenskap] meanness &c; [handling] [act of] meanness, low (&c) trick **-ligen** *adv* commonly, in general **-sam** *a* [is. för alla] common [*för* to]; [is. för två el. flera] joint [*ansvar* responsibility]; [ömsesidig] mutual [*vän* friend]; *ha ~ma intressen* have interests in common; *göra ~ sak med* make common cause (*äv.* throw in one's lot) with **-samhet** community [*i* of] **-samhets|bad** mixed bathing **-samhets|känsla** sense of community **-samt** *adv* [*ha* .. have ..] in common; jointly; [sinsemellan] between them (o. s. v.) **-skap** communion; community; [samband] connection
gemyt [sinnelag] disposition, temper[ament]; [godlynthet] good nature **-lig** *a* **1** [pers.] good-humoured(-natured), genial, pleasant **2** [sak] [nice and] cosy, comfortable **-lighet 1** good humour, geniality **2** cosiness &c
gemål consort; is. *skämts.* spouse
1 gen *biol.* gene, factor
2 gen *a* short, near, direct **-a** *itr* take a short cut
genant *a* embarrassing, awkward
genast I *adv* at once; on the spot; immediately; [om ett ögonblick] directly; *~ i morgon bittida* first thing to-morrow morning **II** *konj (äv. : ~ när)* directly
gendarm gendarme *fr.*
gendriva *tr* disprove; [kritik] refute
genealog genealogist **-i** genealogy **-isk** *a* genealogical
genera I *tr* [besvära] constrain, incommode, be a nuisance to; [göra förlägen] be embarrassing to; *~r det, om jag röker?* do you mind my smoking? *det skulle inte ~ honom att* he wouldn't hesitate to; *låt inte mig ~!* never mind me! **II** *rfl, ~ er inte för min skull!* never mind me! **-d** *a* embarrassed; *äv.* self-conscious; jfr *förlägen; jag är ~ för honom* I feel embarrassed in his presence
general general **-agentur** general agency **-direktör** director general, general manager **-församling** general assembly **-guvernör** governor general **-isera** *tr* generalize; *äv.* make sweeping statements **-isering** generalization **-katalog** union catalogue **-konsul** consul general **-löjtnant (-major)** lieutenant (major) general **-order** general orders *pl* **-repetera** *tr* have a full (dress) rehearsal of **-repetition** dress rehearsal [*på* of] **-sekreterare** secretary general **-stab** *mil.* general staff **-stabs|chef** Chief of the General Staff **-stabs|karta** ordnance map **-stabs|officer** general-staff officer **-strejk** general strike
generat‖ion generation **-or** *fys.* generator
gener‖ell *a vetensk.* generic; [friare] general; *~ fullmakt* full power of attorney **-ositet** generosity **-ös** *a* generous [*mot* to]
genetik genetics *sg* **-er** geneticist
Genève Geneva
genever gin
Genèvesjön the Lake of Geneva, Lake Leman
gengas producer gas; i *sms* producer-gas
gen‖gångare ghost, revenant *fr.* **-gåva** present in return **-gäld,** *i ~ för* in return for **-gälda** *tr* requite; *~* [*ngn*] .. pay a p. back for ..; *~ ont med gott* return good for evil
geni genius [*pl* geniuses] **-al[isk]** *a* brilliant; [uppfinning] ingenious; *en ~ man* a man of genius **-alitet** brilliance; [ngns] *äv.* genius **-knöl** bump of genius; *gnugga ~arna* **F** cudgel one's brains
genitiv [*i* in the] genitive
genius genius [*pl äv.* genii]
gen‖klang echo *äv. bildl.; bildl. äv.* sympathy; *vinna ~* meet with response **-kärlek** love in return, requited love **-ljud** [*ge* awake an] echo, reverberation **-ljuda** *itr* echo (reverberate) [*av* with] **-mäla** *tr* [invända] object [*mot, på* to]; [svara] reply; [starkare] rejoin **-mäle** reply; [i tidn.] rejoinder; [skarpt] retort
genom *prep* **1** [rum] through, jfr *i~; komma in ~ fönstret* (*dörren*) come in at the window (door); *kasta ut ~ fönstret* throw out of the window; *fara ~* [över] .. go by way of .. **2** [tid] through; *~ hela* [*året*] all through .., throughout .., *äv.* all .. round **3** [~ anger ngn, ngt ss. mellanhand] through [*pressen* the press]; [ss. överbringare] by; [*skicka en hälsning*] *~ ngn* .. by a p.; [*jag fick veta det*] *~ honom* .. through him **4** [~ anger medlet] by [means of] **5** [på grund av] by, owing to, thanks to; *~ giftermål* by marriage; [*omkomma*] *~ olyckshändelse* .. through (owing to) an accident **-arbeta** *tr* deal with .. thoroughly, work through **-blöt** *a* soaking wet **-blöta** *tr* drench, soak **-borra** *tr* pierce *äv. bildl.;* [med borr] bore through; [med dolk] stab **-brott** break[ing] through; *mil.* breach in the enemy's line; *bildl.* triumph[al emergence]; *komma till ~* break through; emerge **-bruten** *a* broken through; *~* [*strumpa*] open-work .. **-bäva** *tr, ~s av* thrill (be thrilled through and through) with **-diskutera** thrash out **-driva** *tr* force .. through, get .. carried, *äv.* carry [*sin åsikt* one's point] **-dränka** *tr* soak [*med* in], saturate [*med* with] **-dålig** *a* thoroughly bad **-elak** *a* downright ill-natured (&c) **-fara** *tr* pass (travel) through; [om blicken] pass over; [*en tanke*] *-for mig* .. passed (went) through my mind **-fart** way through;

transit; passage *äv. konkr;* ~ *förbjuden!* no thoroughfare! **-farts|gods** transit goods *pl* **-forska** *tr* explore (examine) thoroughly **-frusen** *a* chilled through (to the bone) **-föra** *tr* carry .. through (out), realize, effect **-förande** *s* carrying through (&c), realization, accomplishment **-förbar** *a* feasible, practicable **-god** *a* [om pers.] genuinely good **-gripande** *a* thorough; [förändring] sweeping, radical **-gräddad** *a* well-baked **-gå** *tr,* jfr *gå* [*igenom*]; *mil.* pass (go) through *äv. bildl.;* [svårigheter] *äv.* undergo, suffer; [erfara] experience **-gående I** *a* [all-]pervading [*drag i* characteristic of]; [fel, otur] constant; *järnv.* through [*tåg* train]; transit [*varor* goods; *trafik* traffic] **II** *adv* all through, throughout **-gång** going through &c; *äv. konkr* passage; ~ *förbjuden!* no passage! **-gångs|frakt** through rates *pl* **-gångs|stadium** intermediate (transition) stage **-hederlig (-hygglig)** *a* downright (thoroughly) honest (nice) **-ila** *tr bildl.* pass through; jfr *-fara* ex. **-komisk** *a* irresistibly funny **-korsa** *tr* cross [and recross] **-kämpa** *tr* fight .. through **-leta** *tr* search through, ransack **-leva** *tr* live through; jfr *upp-* **-lida** *tr,* ~ *mycket* go through a great deal of suffering **-lysa** *tr* [med röntgen] X-ray, fluoroscope **-lysande** *a* translucent, pellucid **-lysning** fluoroscopy **-lysnings|-skärm** fluorescent screen **-läsa** *tr* read through, peruse **-läsning** reading through, perusal **-marsch,** *vara på* ~ *till* be on the march through to **-prygla** *tr* thrash .. soundly **-pyrd** *a* impregnated; *bildl.* steeped [*av* in] **-resa I** *s,* ~ [*genom* ..] journey through ..; *vara på* ~ *till* .. be passing through [the town (o. s. v.)] on one's way to .. **II** *tr* journey (pass, travel) through **-rese|tillstånd** through-journey (transit) permit **-rutten** *a* rotten to the core

genom||se *tr* look through; [granska] revise; [motor] overhaul **-skinlig** *a* transparent; *bildl. äv.* plain; *eg. bet. äv.* diaphanous **-skinlighet** transparency **-skåda** *tr* see through; [hemlighet] penetrate, find out **-skära** *tr* cut through; [väg o. d.] intersect, traverse **-skärning 1** intersection **2** [t. ex. en lodrät] cross section; *sedd i* ~ *(äv.)* sectional view of **-slags|kopia** carbon copy **-släpplig** *a* pervious **-släpplighet** perviousness **-snitt 1** = *-skärning 2* **2** [*i* on an (the)] average; ~*s-* average .. **-snittlig** *a* average **-snittligt** *adv* on an (the) average **-snoka** = *-leta* **-stekt** *a* well done **-stråla** *tr* irradiate **-strömma** *tr* flow through; [flod] *äv.* traverse **-ströva** *tr* roam (&c) through, traverse **-svettig** *a* .. wet through with perspiration **-syn** inspection, perusal; [av motor] overhaul **-syra** *tr bildl.* leaven, imbue **-söka** = *-leta* **-tryckt** *a* [tyg] through-printed **-tråkig** *a* insufferably dull **-tränga** *tr* = *tränga* [*igenom*]; [-borra] pierce *äv. bildl.;* [sprida sig i] permeate **-trängande** *a* [blåst, blick] piercing; [lukt, intellekt] penetrating **-trött** *a* tired out, dog-tired **-tåg,** [*begära*] *fritt* ~ .. the right to march through **-tänk|a** *tr* think (reason) .. out; *ett väl -t* [*tal*] a carefully prepared .. **-usel** *a* thoroughly bad **-vaka** *tr, en* ~*d natt* a sleepless night **-våt** *a* wet through; [kläder] soaking wet **-väv|d** *a* interwoven; *-t tyg* double-faced cloth

genre genre *fr.;* [friare] style

gen||saga protest **-skjuta** *tr* [upphinna] [take a short cut and] overtake; [hejda] intercept **-strävig** = *motspänstig* **-störtig** *a* refractory [*mot* to]; *äv.* restive **-svar** reply; *bildl.* [-klang] response **-sägelse** contradiction; *utan* ~ indisputably

gentemot I *adv* opposite **II** *prep* **1** [mitt emot] opposite [to] **2** *bildl.* against; [i motsats till] in opposition to; [i förhållande till] in relation to; [i jämförelse med] in comparison to (with); [inför] in the face of

gentil *a* fine, stylish; [frikostig] generous, handsome; [förnäm] gentlemanly

gentjänst service in return; *göra en* ~ reciprocate

gentlemanna||chaufför gentleman chauffeur **-mässig** *a* gentlemanlike

Genu||a Genoa **g-es g-esisk** *a* Genoese

genuin *a* genuine; [inbiten] out-and-out

genus *gram.* gender

genväg short cut *äv. bildl.*

geofys||ik geophysics **-isk** *a* geophysical

geograf geographer **-i** geography **-isk** *a* geographical

geolog geologist **-i** geology **-isk** *a* geological

geofys||ik geophysics *sg* **-isk** *a* geophysical

gepäck luggage; jfr *bagage*

gerilla guerilla *äv.* i *sms* [*-krig* warfare]

german Teuton **-sk** *a* Teutonic; *språkv. äv.* Germanic

gerundium gerund

geschäft business; *göra ett* ~ do a deal; *vara ute och göra* ~ be out jobbing **-[s]makare** jobber **-s|makeri** jobbery

gesims cornice

gess *mus.* G flat

gest gesture

gestalt figure; [personlighet] personage; [i bok] character; [form] form, shape **-a I** *tr* shape [*sitt liv* one's life]; form, mould; *teat. äv.* create **II** *rfl* [utveckla sig] turn (work) out; [arta sig] shape **-ning** formation; [av roll o. d.] creation; [form o. d.] form; configuration, shape **-nings|förmåga** formative (creative) power **-psykologi** Gestalt psychology

gestikuler||a *tr* gesticulate **-ing** gesticulation

gesäll journeyman **-prov** apprentice's qualifying piece

get goat **-a|bock** he-(billy-)goat **-hud** goatskin **-hår** goat's hair

geting wasp **-bo (-gadd)** wasp's nest (sting) **-midja** wasp waist **-svärm** swarm of wasps

get||mjölk goat's milk **-ost** goat's-milk cheese **-pors** sweet gale, bog-myrtle **-ragg** goatwool **-skinn** goat-fell; goatskin

getto ghetto

gevär [räfflat] rifle; [friare] gun; *i* ~*!* to arms! *för fot* ~*!* order (ground) arms! *sträcka* ~ lay down one's arms **-s|eld (-s|-exercis)** rifle-fire(-drill) **-s|kolv** butt-end of a (the) rifle **-s|mynning** muzzle **-s|pipa** rifle-barrel **-s|salva** rifle volley **-s|skytt** rifleman

Gibraltar sund the Straits of Gibraltar

gid guide

giffel [bröd] crescent

1 gift *s* poison *äv. bildl.;* [orm-] venom *äv. bildl.;* [sjukdoms-] virus; *läk.* toxin

2 gift *a* married [*med* to] **-a I** *tr,* ~ *bort* marry .. off; ~ *om sig* [*med*] remarry **II** *rfl* marry (*äv.* : ~ *sig med*) [*av kärlek* for love]; get married [*med* to]; ~ *sig rikt* marry money **-as|lysten** *a* .. keen on getting married **-as|tankar,** *gå i* ~ be thinking of getting married **-as|vuxen** *a* .. old enough to get married, marriageable

gift||blandare poison-mixer **-blåsa** poison-bag; *bildl.* venomous person, spite **-bägare** poison-cup

gifte marriage; *i första* ~*t* [*hade han* ..] by his first marriage ..

giftermål marriage; *äv.* match **-s|anbud** offer (proposal) of marriage **-s|annons** marriage advertisement **-s|balk** marriage act

gift||fri *a* non-poisonous **-gas** poisonous (poison) gas **-ig** *a* poisonous; *bildl.* venomous **-ighet** poisonousness &c; *~er* [i ord] venomous remarks, nasty cracks **-mord** murder by poison **-orm** poisonous snake **-piller** poison pill **-tand** fang
gigant giant **-isk** *a* gigantic
gigg gig *äv. sjö.; sjö. mil.* galley
gikt gout **-bruten** *a* gouty, gout-ridden
gilja se *1 fria*
giljotin o. **-era** *tr* guillotine
gill *a, gå sin ~a gång* be going on just as usual **-a** *tr allm.* approve of **-ande** *s* approving; [*med* with] approval
gille 1 [fest] banquet, feast; party **2** [samfund] guild, society
giller trap, gin; *bildl. äv.* snares *pl*
gille|sal guild hall; [fest-] banqueting hall
gillra *tr* set [*en fälla* a trap]
giltig *a* valid; [biljett] *äv.* available **-het** validity; availability; *äga ~* be in force; hold good **-hets|tid** term of validity
ginst *bot.* broom
gipa *itr* gybe
gips gypsum; ⊕ o. *läk.* plaster of Paris **-a** *tr* [tak] plaster; *läk.* dress .. in plaster of Paris **-avgjutning** plaster cast **-figur** plaster figure **-förband** *läk.* plaster-of-Paris bandage **-modell** plaster model **-tak** plaster[ed] ceiling
gir o. **-a** *itr* sheer; *äv.* [friare] turn, swerve
giraff giraffe
girera *tr* endorse; transfer
girig *a* avaricious, miserly; [lysten] covetous (greedy) [*efter* of]; *den ~e* the miser **-buk** miser **-het** avariciousness &c, avarice, greed; [vinstbegär] avidity
girindikator turn-and-back indicator
girland garland, festoon
giro transfer, endorsement; se *post~* **-räkning** current account; *insätta .. på ngns ~* pass .. to a p.'s current account
giss *mus.* G sharp
gissa I *tr* o. *itr* guess [*på* at]; [sluta sig till] divine; [förmoda] conjecture; *rätt ~t!* (*äv.*) you've got it! **II** *rfl, ~ sig till* guess; divine; *det kan man inte ~ sig till* there's no guessing that
giss||el scourge; [friare] *äv.* sting **-la** *tr* scourge; is. *bildl.* lash
gisslan hostage; *ställa ~ för sig* furnish a hostage; *ta ~* take hostages
gissning guess; *äv.* conjecture, surmise; *blotta ~ar* (*äv.*) mere guesswork *sg* **-s|tävlan** guessing competition **-s|vis** *adv* by [way of a] guess
gist||en *a* [båt, kärl] leaky; [golv] gaping **-na** *itr* become leaky; begin to gape
gitarr [*knäppa på* twang the] guitar
gitt|a F, *jag -er inte höra på längre* I have no mind to listen any more; *.. bäst han -er* .. as much as [ever] he likes, .. to his heart's content
gitter *fys.* [rum-] gratings *pl;* [kub-] [cube-] lattice
giv *kortsp.* deal; *den nya ~en* the New Deal; *den rättvisa ~en* the Fair Deal
giv|a (ge) I *tr* **1** give; [skänka] present [*ngn ngt* a p. with a th.]; [förläna] *äv.* lend [*glans åt* splendour to]; render [*hjälp* help]; [bevilja] *äv.* grant [*tillåtelse* permission]; [räcka] hand (pass) [*ngn saltet* a p. the salt]; *inte ~ mycket för* [*ngns omdöme*] not think much of ..; *~ ngn ett slag* deal a p. a blow; *~ ngn rätt* grant a p. is right; *Gud -e att ..!* God grant that ..! **2** [avkasta] yield, *äv.* give **3** *teat.* play, perform, *äv.* give **4** *kortsp.* deal **5** [med beton. part.] *~ efter* yield [*för* to]; *inte ~ efter* (*äv.*) hold one's own, stand firm; *~ ifrån sig a) fys.* emit (give off) [*värme* heat]; *b)* [avstå från] give up, deliver; *c)* [livstecken, ljud] give; *~ igen* retaliate; *~ med sig a)* se *~ efter; b)* [minska i styrka] abate; *~ till ett skrik* cry out, set up a yell; *~ tillbaka* [*pengar*] give [a p.] change [*på* out of]; *jag kan inte ~ tillbaka* I have no change; *~ upp* give up *äv. sport.; ~ ut* [pengar] spend; [publicera] publish; [tidning o. s. v.] edit **II** *rfl* **1** give o.s. (take) [*tid* time] **2** [ägna sig] devote o.s. [*åt* to] **3** [i strid] yield; *mil.* surrender; [friare] give in **4** [om sak] yield (give way) [*för* to]; [slakna] slacken; [töja sig] stretch **5** [smärta, köld] abate, subside **6** *det ger sig nog med tiden* things will come round [all right] in course of time **7** *~ sig till att* [*springa*] start (set about) ..-ing; *~ sig till att skrika* (*äv.*) set up a howl (yell) **8** [med beton. part.] *~ sig av* set out (start) [*på* on]; [avlägsna sig] be off, *äv.* take one's departure; *nu måste jag ~ mig av* now I must be off; *~ sig in i* go into (enter) [politics]; *~ sig in på* [*ett företag*] embark upon ..; enter into [*en fråga* a question]; *~ sig in vid teatern* go on the stage; *~ sig på a)* [ngn] fly at, attack, set upon; *b)* [uppgift o. d.] set about, *äv.* tackle; *~ sig ut* go out [*och fiska* fishing]; start (set out) [*på* on]; [våga sig ut] venture out; *~ sig ut för att vara, kunna* pretend (profess o.s.) to be, profess to know; *~ sig åstad* se *~ sig av*
giv||akt se [*giv*] *akt* **-ande** *a* fertile *äv. bildl.; bildl. äv.* fruitful; [vinst-] profitable **-are -arinna** giver, donor **-|as** *opers dep, det -es* .. there is (are) .. **-|en** *a* given; [avgjord] clear, evident; definite [*värde* value]; *det är en ~ sak* it is a matter of course; that's obvious; *det är -et!* of course! *ta för -et, att* .. take it [for granted] that .. **-et|vis** *adv* [as a matter] of course, naturally **-mild** *a* open-handed (generous) [*på* with] **-mildhet** open-handedness; generosity
1 gjord *a* done; made; jfr *göra; en ~ historia* a made-up story
2 gjord *s* girth **-a** *tr* gird
gjut||a *tr* **1** [hälla] pour; [tårar; sprida] shed **2** ⊕ cast; [metall] *äv.* found; [glas] press; *~ om* recast, refound; [for...a] mould; [*klänningen*] *sitter som -en* .. fits like a glove **-are** founder **-betong** cast concrete **-eri** foundry **-form** mould **-gods** cast-metal articles *pl*, castings *pl* **-järn** cast iron; *~s-* cast-iron **-ning** casting &c **-stål** cast steel
glacéhandske kid glove
glaciär glacier
glad *a* **1** [-lynt] cheerful, *äv.* bright; [uppsluppen] merry, *äv.* jolly, gay [*lax* dog; *färger* colours]; *glatt mod* a light heart; *göra sig en ~ dag* make a day of it; *~a nyheter* joyful news *sg; ~ och trevlig* jolly and bright **2** [lycklig] happy; [belåten] delighted (pleased) [*över* at, about]; *äv.* [blott ss. pred.] glad; *bli ~* be delighted; *bli ~ igen* cheer up; *~ jul!* A Merry Christmas!
glada *zool.* kite
gladeligen *adv* cheerfully &c; [villigt] willingly
gladiator gladiator; *~s-* i *sms* gladiatorial
gladlynt *a* cheerful; [godlynt] good-humoured **-het** cheerfulness, good humour
glam, *skämt och ~* fun and merriment **-ma** *itr* talk (chat) merrily
glans 1 [ytas] lustre; [sidens] *äv.* gloss; [gulds] glitter; [pålagd el. gm gnidning] polish **2** [sken] brilliance, brightness; [bländande] glare; [strål-] radiance **3** [prakt] *bildl.* magnificence, splendour, re-

splendence; *äv.* glory; *skänka ~ åt* lend lustre to; *det gick med ~ a)* it passed (went) off brilliantly; *b)* [för honom] he came off with flying colours **-dagar** palmy days **-full** *a bildl.* brilliant **-ig** *a* glossy; lustrous **-[k]is** glassy ice **-lös** *a* lustreless, lack-lustre, dull **-nummer** [ngns] show-piece; [aftonens] star turn (feature) **-pap-per** glazed paper **-period** heyday, golden age **-punkt** climax, acme; [fests] crowning effect **-roll** great (crack **F**) part (&c) **-tid** = *-period*

glappa *itr* be loose, have too much play; [om sko] [click-]clack

glas 1 glass; [innehåll i et ~] *äv.* glassful; *ett ~ vatten* a glass of water; *sätta .. inom ~ och ram* frame [and glaze] .. **2** *sjö.* [*slå* strike the] bell; *åtta ~* eight bells **-affär** [bod] glass-shop **-artad** *a* glassy, glass-like; *med ~ blick* with glazed eyes **-bit** piece of glass **-blåsare** glass-blower **-bruk** glass-works *sg* o. *pl* **-burk** glass jar **-era** *tr* glaze; [bakverk] ice, frost **-fiber** glass fibre **-flaska** glass bottle **-karaff** decanter **-klar** *a* .. as clear as glass **-klocka** glass bell **-kula** glass sphere **-kupa** glass cover, bell-glass; [på lampa] glass shade **-monter** show case **-målning,** *fönster med ~ar* stained-glass [window] **-mästare** glazier **-pärla** glass bead **-ruta** pane [of glass] **-rör** glass tube

glass ice[-cream] **-försäljare** ice-cream vendor

glas||skiva glass plate **-skärv|a** splinter of glass, glass splinter; *-or* (*äv.*) broken glass **-slipare** glass-grinder (-cutter) **-tyg (-ull)** glass cloth (wool) **-varor** glass goods; glassware *sg* **-veranda** glassed-in veranda[h] **-yr 1** glazing **2** *kok.* icing, frosting

glasögon [*begagna* wear] spectacles *äv. bildl.;* [eye]glasses; [stora ~] goggles **-bågar** spectacle frame *sg* **-orm** cobra

1 glatt *adv* gaily &c; *det gick ~ till* we (o. s. v.) had a merry time [of it]

2 glatt I *a* smooth; [glänsande] glossy, polished; [hal] slippery **II** *adv* smoothly

gles *a* **1** [hårväxt, ställe] thin; [befolkning] sparse; [skog o. d.] open; [vävnad] loose **2** [-t sittande] open [*tänder* teeth] **-bebyg-gelse** sparsely built-up area **-befolkad** *a* sparsely populated **-na** *itr* **1** grow thin (&c); [om hår] *äv.* go thin **2** become [more] open; *leden ~* the ranks are thinning out

gli spawn; [barn] brat; *~n* small fry *pl*

glid 1 [skidföre] running **2** [med *pl*] glide, slide; *på ~* on the glide (slide) **-a** *itr* glide; [över hård yta] slide; [halka] slip *äv. bildl.; flyg.* side-slip; [friare, *äv.* : *låta ~*] pass [*med blicken över* .. one's eye over ..]; *~ ifrån* drift apart **-ande** *a* [rörelse] gliding; [skala] sliding **-flygplan** glider **-flykt** gliding (soaring) flight; *en ~* a glide; *flyg.* volplane; *gå ned i ~* volplane down **-ning** gliding &c; glide, slide **-rörelse** gliding (sliding) motion **-skydd** non-skid device **-skydds|kedja** [på bil] non-skidding chain

glim||ma *itr* gleam; [glittra] glitter **-mer 1** gleaming &c; jfr *-ma*; *äv.* gleam, glitter **2** *min.* mica **-ra** *itr* glimmer, glisten

glimt gleam *äv. bildl.;* [skymt] glimpse; *få en ~ av* catch a glimpse of; *ha en ~ i ögat* have a glint (twinkle) in one's eye **-a** *itr* glance, glimpse, glint **-vis** *adv* by glimpses (flashes)

glåpord-style: **glirning** gibe, gird, home-thrust, **F** dig; *få en ~* come in for a gibe (&c)

glitt||er 1 glitter, lustre; [daggens o. d.] glistening; *konkr* tinsel **2** *bildl.* [*tomt* empty] show **-er|guld** gold tinsel **-ra** *itr* glitter, sparkle **-rande** *adv, ~ glad* in sparkling[ly high] spirits

glo *itr* stare (gape, goggle) [*på* at]

glob globe; [friare] *äv.* ball; jfr *ögon~* **-al** *a* global **-formig** *a* globular

glop puppy, jackanapes, whipper-snapper

glori||a 1 halo; [friare] nimbus **2** [tyg] gloria **-fiera** *tr* glorify

glos||a 1 word; [vokabel] vocable **2** [spe-] scoff, sneer **-bok** vocabulary notebook; [tryckt] glossary, vocabulary

glosögd *a* wall-eyed

glugg hole, aperture; [skott-] loop-hole; [friare] gap, opening

glunkas *opers dep, det ~* there is a whisper abroad [*om saken* about it; *om att* that]

glup||a *itr, ~ i sig maten* gobble up (bolt) one's food **-ande -sk** *a* voracious (ravenous) [appetite]; [om storätare] gluttonous; [lysten] greedy [*på, efter* of]; [om pris] exorbitant **-skhet** voraciousness &c; exorbitance

glycerin glycerine

glykos glucose

glåmig *a* washed out; [blek och ~] *äv.* sallow **-het** washed-out appearance; sallowness

glåpord taunt, jeer, scoff

gläd||ja I *tr* give .. pleasure; [starkare] delight; *äv.* please, make .. happy; *om jag kan ~ dig därmed* if it will be any pleasure to you; *det -er mig* I am very glad [of that (to hear it)] **II** *rfl* be glad (delighted) [*åt, över* at, about]; rejoice [*åt, över* in (at)]; *kunna ~ sig åt* enjoy [*ett gott anseende* a good reputation] **-jande** *a* pleasant, joyful [*nyheter* news *sg*]; hopeful [*tecken* sign]; [tillfredsställande] satisfactory [*för* to]; [lycklig] happy [*tilldragelse* event]; *~ nog* fortunately enough **-jas** *itr dep* = *-ja II*

glädje joy [*över* at]; [nöje] pleasure [*över* in]; [starkare] delight [*över* at]; [lycka] happiness; [munterhet] mirth; *~n stod högt i tak* [the] mirth ran high, the fun was at its height; *det är mig en stor ~ att* it gives me great pleasure to; *det skall bli mig en ~ att* (*äv.*) I shall be most happy (&c) to; *finna ~ i, ha ~ av att* find (take) pleasure (&c) in .. -ing; *bereda ngn ~* give (afford) a p. happiness (&c); *uttrycka sin ~ över* express one's satisfaction at; *han hade ~ av* [*sina barn*] .. were a delight (a [source of] joy) to him; *av ~* [t. ex. utom sig] with joy; [t. ex. fälla tårar] for joy; *till stor ~ för* .. to the great delight of .. **-betygelse** expression of joy (&c) **-budskap** good tidings *pl; ett ~* a joyful piece of news **-bägare** cup of joy **-fest** rejoicing **-flicka** prostitute **-hus** brothel **-källa** source of joy **-lös** *a* joyless; cheerless **-löshet** cheerlessness **-rop** cry (shout) of joy **-rus** transport[s *pl*] of joy; *äv.* rapture **-spridare** joy-bringer **-språng** gambol, caper **-strålande** *a* radiant [with joy] **-stö-rare** kill-joy; **F** wet blanket **-tjut** shout[s *pl*] of joy **-tår,** *~ar* tears of joy **-yttring** manifestation of joy **-ämne** subject for (of) rejoicing

gläfs yap, yelp **-a** *itr* yap[-yap], yelp

gläns||a *itr* shine [*av* with]; *äv.* glitter; [om tår] glisten; [siden] be glossy **-ande** *a* shining &c, shiny; [ögon] lustrous; [siden] glossy; *bildl.* brilliant, splendid

glänt, *stå på ~* stand (be) ajar **-a I** *itr, ~ på* .. open .. slightly **II** *s* [skogs-] glade

glätta *tr* smooth [.. down]; [polera] polish; [papper] glaze

glättig *a* gay; cheerful, light-hearted **-het** gaiety; cheerfulness &c
glöd 1 *konkr* burning (live) coal; *koll* [ofta] embers *pl* **2** [sken o. *bildl.*] glow; [hetta] heat; *bildl. äv.* ardour, fervour; [lidelse] passion **-a** *itr* glow [*av* with]; is. *bildl.* be [all] aglow; [brinna] burn **-ande** *a* glowing; [järn] red-hot *äv. bildl.;* [eldig] fiery; [önskan] burning, ardent, fervent; [lidelsefull] passionate; *samla* ~ *kol på ngns huvud* heap coals of fire on a p.'s head **-ga** *tr* make .. glowing hot (red-hot); anneal; [vin] mull **-gad** *a* red-(white-)hot **-het** *a* glowing (red-, white-)hot **-lampa** incandescent lamp; *vanl.* [electric] bulb; [för ficklampa] flashlight bulb **-rita** *itr* do pokerwork, poker **-strumpa** incandescent (gas-) mantle **-tråd** [glow-lamp] filament
glögg hot wine (brandy) cup
glöm||ma I *tr* **1** forget; [försumma] neglect; *jag har -t* [*vad han heter*] I forget ..; *man -mer lätt* one is apt to forget; ~ *bort* forget [.. altogether] **2** [~ kvar] leave [.. behind], *äv.* forget **II** *rfl* forget o.s., *äv.* be forgetful of o.s.; ~ *sig kvar* stay on [*för länge* too long] **-sk** *a* (*äv.* : ~ *av sig*) forgetful; absent-minded; [t. ex. av ngns närvaro] unmindful, oblivious; *vara* ~ [*av sig*] (*äv.*) be absent-minded, have a short memory **-ska 1** [*av ren* out of sheer] forgetfulness **2** oblivion; *råka i* ~ be forgotten, fall into oblivion
gnabb bickering[s *pl*] **-as** *itr dep* bicker [with each other]
gnag||a I *tr* o. *itr* gnaw [*på* at]; [knapra] nibble **II** *rfl* gnaw its way [*igenom* through] **-are** *zool.* rodent
gnat nagging [*på* at; *över* about], *äv.* cavilling, carping **-a** *itr* nag (carp, cavil) [*på* at] **-ig** *a* nagging; ~ *av sig* fretful, peevish
gnejs gneiss **-artad** *a* gneissic
gnid||a *tr* o. *itr* rub; [friare] scrape [*på fiolen* one's fiddle]; [snåla] *bildl.* pinch **-are** miser, niggard **-ig** *a* stingy, miserly &c **-nings|elektricitet** frictional electricity
gniss||el screech[ing] &c, jfr *-la;* [friare] jars *pl* **-la** *itr* screech; [hjul] squeak; [dörr] creak; *det* ~*r i maskineriet* (*bildl.*) things are not working smoothly; ~ *med tänderna* gnash (grind) one's teeth
gnist *telegr.* wireless **-a I** *tr* o. *itr* wireless; *tr äv.* send .. by wireless **II** *s* **1** spark; *ha* ~*n* (*bildl.*) have the spark of genius; *sakna* ~*an* be rather pedestrian (**F** a bit stodgy) **2** [smula] vestige [*sanning* of truth], particle; *en* ~ *av hopp* (*äv.*) a gleam of hope **-bildning** formation of sparks **-dämpare** spark reducer **-fri** *a* sparkless **-fångare** spark arrester **-ra** *itr* emit sparks; [lysa] sparkle; flash [*av vrede* with rage]; [*få ett slag*] *så att det* ~*r för ögonen* .. that makes one see stars **-regn** shower of sparks
gno I *tr* rub **II** *itr* **1** [arbeta] toil (drudge, grind, work [away]) [*med* at] **2** [springa] run [*för brinnande livet* for dear life] **3** ~ *på a)* go on rubbing; *b)* work away; *c)* run hard[er]
gnola *tr* o. *itr* hum [*på* at]
gnugga *tr* rub [*sig i ögonen* one's eyes]; ~ *geniknölarna* cudgel one's brains
gnutta F particle, atom
gny I *s* din; jfr *vapen*~; *bildl.* cry-out **II** *itr* roar; [vapen] clatter; [människor] clamour; [jämra sig] whimper
gnägg||a *itr* neigh; [lågt] whinny **-ande** *a* [skratt] cackling **-ning** neigh[ing]
gnäll [jfr *-a*] **1** creak[ing], squeak[ing] **2** whine, whimper; [småbarns] puling **3** [knot] grumbling; [gnat] nagging **-a** *itr* **1** [*om dörr* o. d.] creak, squeak **2** [klaga] whine, whimper; pule **3** [knota] grumble [*över* about (at)]; [gnata] nag, carp **-ig** *a* **1** creaking &c, creaky **2** whining **3** grumpy; jfr *grinig, gnatig* **-måns** whimperer, whiner
gobeläng Gobelin tapestry
god *a* [jfr *gott*] good [*mot* to]; [vänlig] kind [*mot* to]; [utmärkt] excellent (first-rate) [*kvalitet* quality]; *äv.* capital; [välkänd] respectable [*familj* family]; [tillfredsställande] satisfactory; [välsmakande] *äv.* nice; *god dag!* how do you do [besvaras: how do you do]; ~ *natt!* good night! ~ *mat* (*äv.*) good things to eat; *här finns* ~ *plats* there is plenty of room here; *vara vid gott mod* keep a good heart; *för gott pris* at a [fair] bargain, *äv.* cheap; *vara i sin* ~*a rätt* be quite within one's rights; *lägga in ett gott ord för* put in a word for; *ha ett gott sätt* have pleasing manners *pl;* ~ *tid* (*äv.*) ample (plenty of) time; [*komma in som*] ~ *trea* .. a good third; *på* ~*a villkor* on favourable terms; *en* ~ *vän* a great friend; [*han är*] *inte* ~ *på* .. not exactly friendly to (sweet on **F**); *ta för* ~ = *godtaga; hålla sig för* ~ *att* consider it beneath one to, be above ..-ing; *han är inte* ~ *att handskas med* he is not easy to deal with; *var så* ~ *och ..! vill ni vara så* ~ *och ..?* please ..! will you [kindly] ..? *var så* ~*! a)* [här har ni] here you are[, Sir (Madam)]! *b)* [ta för er] help yourselves, please! *c)* [ja, gärna] by all means! *för mycket av det* ~*a* too much of a good thing; *livets* ~*a* the good things of life; *gå i* ~ *för* se [*gå i*] *borgen* [*för*]
Godahoppsudden the Cape of Good Hope
god||artad *a läk.* non-malignant, benign **-bit** dainty morsel; titbit *äv. bildl.* **-dagar,** *ha* ~ have an easy time **-dags|pilt** easy-going fellow, bon vivant *fr.* **-e|man** trustee; [i stärbhus] executor **-het 1** goodness &c, jfr *god; ha den* ~*en att* be kind enough to **2** [kvalitet] quality **-hets|fullt** *adv* kindly **-hjärtad** *a* kind-hearted **-känd** *a* approved [*som* as]; *bli* ~ [*i examen*] pass [one's examination] **-känna** *tr* **1** approve [*ngn som* a p. as]; [i examen] pass; [förslag] approve of, sanction **2** [gå med på] *äv.* agree to; [medge] allow, admit; [ursäkt, bevis] accept **-kännande** *s* approving &c; approbation, approval; admission, acceptance **-lynt** *a* good-humoured **-lynthet** good-humouredness **-modig** *a* good-natured **-modighet** good-naturedness, good nature **-natt,** *säga* ~ *åt ngn* say good night to a p.; i *sms* good-night [kiss]
godo, *i* ~ amicably, in a friendly spirit; *en uppgörelse i* ~ an amicable settlement; *med* ~ *eller ondo* by friendly means or otherwise; *äv.* by fair means or foul; *saldo mig till* ~ balance in my favour; *kan jag få ha det till* ~ [*till en annan gång*]? can I leave it [standing] over ..? *håll till* ~*! a)* [ta för er!] please help yourselves! *b)* [svar på tack] you are [quite] welcome [to it]! [*få*] *hålla till* ~ *med* [have to] put up with; *räkna ngn ngt till* ~ put a th. down to a p.'s credit *äv. bildl.*
gods 1 property; [ägodelar] possessions *pl* **2** [som forslas] goods *pl; lättare* ~ (*bildl.*) light wares *pl* **3** [material] material **4** [jorda-] estate
god|saker good things to eat; [söt-] sweet-[meat]s, bonbons, *Am.* candies; goodies **F**
gods||bangård (-expedition) goods station (service) **-finka** luggage van **-magasin** goods

shed **-trafik** goods traffic **-tåg** goods (freight) train **-vagn** goods (freight) wag[g]on &c; jfr *vagn* **-ägare** estate owner, landed proprietor; *~n* the landlord, [adlig] the squire

god‖taga *tr* approve [of], accept **-tagande** *s* approving &c; approval, acceptance **-tagbar** *a* acceptable **-templare** Good Templar **-templar|orden** the [Independent] Order of Good Templars **-trogen** *a* simple-hearted, credulous, unsuspicious **-trogenhet** credulity, confidingness &c **-tycke 1** [*efter* at one's] discretion (pleasure, will) **2** *det rena ~t* pure arbitrariness **-tycklig** *a* [egenmäktig] arbitrary; [nyckfull] capricious **-villig** *a* voluntary **-villigt** *adv* voluntarily, of one's own accord (free will)

1 goja, F *prata ~* talk rubbish (bosh)

2 goja = *papegoja*

1 golf [bukt] gulf

2 golf [spel] golf **-bana** golf-course, golf-links *sg* o. *pl* **-byxor** plus fours **-klubba** golf-club **-spel** [game of] golf **-väska** golf-bag

Golfströmmen the Gulf Stream

Golgata Golgotha; *äv.* Mount Calvary

golv floor; [-beläggning] flooring; [*slänga* . .] *i ~et* . . to the floor **-beläggning** flooring **-bjälke** flooring beam **-bonare** floor-polisher **-bräder** flooring boards **-drag** draught at the feet (through the floor) **-fyllning** deafening **-klocka** grandfather clock **-lack** floor varnish **-lampa** floor-lamp **-matta** floor carpet **-planka** floor[ing]-board **-springa** joint in a (the) floor **-trasa** floor-cloth **-yta** floor-surface

gom palate **-segel** soft palate; velum

gona *rfl* **F** make o.s. comfortable; indulge [*med* in]

gondol gondola; [ballong-] car **-jär** gondolier

gonggong [dinner-]gong; *~en har ringt* the gong has gone

gordisk *a, den ~a knuten* the Gordian knot

gorilla gorilla [ape]

gorm‖a *itr* brawl; kick up a row [*för* (*om*) about] **-ande** brawl; racket, row

goss‖aktig *a* boyish **-e** boy; *äv.* lad; [friare] fellow; *gamle ~!* old boy (fellow, chap, man)! **-e|barn** male (boy-)child **-e|lynne** boy nature **-kläder** boys' clothes **-kostym** boy's suit **-skola** boys' school **-år** boyhood

got Goth **-ik** Gothic **-isk** *a* Gothic **-iska** Gothic

gott jfr *god* **I** *a* o. *s* **1** *predik., det känns ~ att* it feels nice to; *det är inte ~ att säga* it is not easy to say; *det är kanske så ~* it will (would, might) perhaps be just as well [*att du gör det* for you to do it] **2** *allt ~* everything good, every happiness; *göra mycket ~* do a great deal of good; *ha ~ av* derive (have) benefit from **3** *på ~ och ont* (*vanl.*) that cuts both ways; *~ om a)* [tillräckligt] plenty of; *b)* [mycket] a great many (**F** lots of) **II** *adv allm.* well; [starkare] capitally, excellently, first rate; [gärna] very well; *jag kan ~ göra det* I can very well do it; *leva ~* live well; *lukta* (*smaka*) *~* smell (taste) nice; *skratta ~* laugh heartily; *sova ~* sleep soundly; jfr *sova*; [*göra*] *så ~ man kan* . . one's best; *finna för ~* think fit (proper); *reda sig så ~ man kan* make the best of things; *så ~ först som sist* just as well now as later; *så ~ som* [*färdig*] all but [finished]; *så ~ som ingenting* practically (next to) nothing; jfr *nästan*

gott‖er sweet[ie]s, **F** goodies **-finnande** *s, efter ~* as one thinks best; [*jag överlämnar det*] *till ert ~* . . to your own choice (discretion) **-göra** *tr* **1** *~ ngn för* make good to a p. [*hans förlust* his loss]; make up to a p. for; [skada] indemnify; [utlägg] repay a p. for; [besvär] recompense a p. for **2** [med sakobj., ersätta] make . . good, make up for . .; [avhjälpa] redress, repair **-görelse 1** compensation, recompense; indemnification; [betalning] remuneration, payment; [skadestånd] indemnity **2** [avhjälpande] redress

gottköps‖affär bargain store, low-price chain store **-kvickhet** shallow witticism **-pris,** *till ~*[*er*] at bargain prices **-varor** cheap-line goods

gottskriva *tr, ~ ngn* . . pass (place) . . to a p.'s credit, credit a p. with . .

gourm‖and gourmand **-é** gourmet *fr.*

grabb F [liten] urchin; [pojke] *vanl.* fellow, chap; [kille] bloak, guy

grabb‖a *tr* o. *itr* (*äv.* : *~ tag i*) **F** grab [hold of]; *~ åt sig* appropriate **-näve F** [big] fistful

grac‖e 1 [behag] grace[fulness], charm **2** [gunst] favour **3** *de tre ~rna* the three Graces **-iös** *a* graceful

grad 1 degree; [utsträckning] extent; *i hög ~* to a great extent; *äv.* [t. ex. häpen] highly, exceedingly, intensely; *i högsta ~* extremely, exceedingly; *till den ~* [*otrevlig*] . . to such a degree (an extent) **2** *naturv.* degree; *det är tio ~er kallt* it is ten degrees below zero (freezing-point); *i 30 ~ers vinkel* at an angle of 30 degrees; *på 60 ~ers nordlig bredd* at 60 degrees North Latitude **3** [rang] rank, grade; *passera ~erna* rise through (pass) the various grades (degrees); [*tjänstemän*] *av lägre ~*[*er*] . . of the lower grades; *stiga i ~erna* rise in the ranks **4** *univ., ta ~en* take one's [doctor's &c] degree **-beteckning** *konkr* badge of rank **-era** *tr* ⊕ graduate; [friare] grade [*efter* according to] **-ering** graduation; gradation **-skillnad** difference of (in) degree **-skiva** protractor **-tal,** *vid låga ~* at low temperatures

gradual|avhandling = *doktors-*

gradvis I *adv* by degrees, gradually; step by step **II** *a* gradual

graf‖ik graphic art; *konkr* black-and-white drawings *pl* **-isk** *a* graphic [*framställning* representation] **-iker** black-and-white artist

grafit graphite

grafolog graphologist

gram gram[me]

grammatik grammar **-alisk** *a* grammatical[ly correct] **-er** grammarian **-fel** grammatical mistake **-plugg** grammar-grinding **-regel** grammatical rule

grammat‖isk *a* grammatical **-iskt** *adv* grammatically; [*det är*] *~ oriktigt* . . bad grammar

grammofon gramophone *äv. i sms* [*-skiva* record; *-stift* needle]; *Am.* phonograph **-program** *radio.* record program[me]

gran 1 [träd] Norway spruce, spruce[-fir] **2** [virke] spruce timber; [sågad] white deal

granat 1 [ädelsten] garnet **2** *mil.* shell; [hand-] hand-grenade **3** [frukt] pomegranate **-eld** *mil.* shell fire **-kartesch** shrapnel [shell] **-kastare** shell-thrower, trench-mortar **-skärva** shell-splinter **-splitter** shell-splinters *pl* **-säker** *a* shell-proof **-äpple** pomegranate

granbarr spruce needle (leaf); *koll* spruce needles *pl*

1 grand 1 *~et och bjälken* the mote and the beam **2** [smula] atom; whit; jot; [*inte göra*] *ett skapande ~* . . a [single] mortal thing; *lite*[*t*] *~* [*bättre*] a trifle [better]; *vänta lite*[*t*] *~* wait a minute

2 grand [titel] grandee **-ezza** grandeur **-ios** *a* grandiose
granhäck spruce hedge
granit granite **-block** granite block **-klippa** granite rock
gran||kotte spruce-cone **-kvist** spruce twig
grann *a* **1** [brokig] gaudy, gay; [prålig] garish, showy; [lysande] brilliant **2** [fraser o. d.] high-sounding, fine **3** [ståtlig] fine [-looking] [*karl* fellow]
grann||by neighbouring village **-e** neighbour **-folk** [-nation] neighbouring nation **-fru** neighbour's wife **-gård,** *i ~en* (*äv.*) at the next house (farm o. s. v.) [to ours]
grannlag||a I *a* [finkänslig] tactful; considerate; [ömtålig] delicate **II** *adv* tactfully &c **-enhet** tactfulness &c; discretion; delicacy
grannland neighbouring country; *vårt västra ~* our neighbouring country in the West
grannlåt [prål] show; display; *~[er]* gewgaws; *bildl.* [i tal] pretty phrases
grann||skap neighbourhood, vicinity **-sämja** neighbourliness, [good] neighbourship; *leva i god ~* be on neighbourly terms
granntyckt *a* fastidious, over-nice(-particular) [*i, på* in]; [snarstucken] touchy
gran||ris spruce twigs *pl* **-ruska** spruce-top
gransk||a *tr* examine; scrutinize; [kontrollera] check [*siffror* figures]; jfr *recensera, rätta II 1, genomse* **-ande** *a* [t. ex. blick] scrutinizing, *äv.* critical **-are** examiner **-ning** examining &c; examination; scrutiny; [kontroll] check-up
gran||skog spruce forest **-sångare** chiffchaff **-virke** spruce timber; [sågat] white deal
grasser||a *itr* [om sjukdom] rage, be prevalent (rife); [om osed o. d.] run rampant; *~ i* [om spöke] haunt; [om rövare o. d.] infest; jfr *husera* **-ande** *a* prevalent, rife; rampant
gratifikation gratuity; bonus
gratin *kok.* gratin *fr.; ~ på* [*fisk*] baked . . **-era** *tr* bake . . in a gratin-dish
gratis *adv* gratis; free [of cost], for nothing **-aktie** bonus-share **-bespisning** free meals *pl* **-biljett** free (complimentary) ticket **-lyssnare** [i radio] non-paying listener-in **-nöje** free amusement
gratul||ant congratulator **-ation** congratulation **-ations-** congratulatory **-era** *tr* congratulate [*till* on]
1 grav *a, ~ accent* grave accent
2 grav *s* **1** grave; [murad o. d.] tomb **2** [dike] trench is. *mil.*; [avlopps-] drain; jfr *vall~*
grava *tr kok.* pickle . . raw
grav|allvarlig *a* portentously solemn
gravation *jur.* encumbrance **-s|bevis** deed of hypothecation **-s|fri** *a* unencumbered
1 gravera *tr* o. *itr, ~* [*in*] engrave
2 graver||a *tr jur.* encumber **-ande** *a* [friare] aggravating
graver||ing *konst.* engraving **-nål** engraving needle
grav||fynd (-fält -häll) grave-find (-field, -slab) **-hög** grave-mound ([större] -hill), barrow
gravid *a* pregnant **-itet** pregnancy
gravit||ation gravitation **-ations|fält** gravitational field **-ations|lag,** *~en* the law of gravitation **-etisk** *a* grave, solemn; *äv.* pompous
grav||kammare sepulchral chamber, sepulchre **-kapell** mortuary (burial-)chapel **-kor** crypt **-kulle** grave[-mound] **-kummel** barrow
gravlax *kok.* raw-pickled salmon
grav||lik *a* sepulchral [*röst* voice]; [tystnad] death-like **-plats** place for (of) his &c grave **-plundring** grave-robbing **-skick** form of burial **-skrift** epitaph **-skändare (-skändning)** grave-desecrator (-desecration) **-sten** gravestone, tombstone **-valv** [funeral] vault, tomb **-vård** = *-sten; äv.* sepulchral monument
gravyr engraving
gravöl funeral feast
gravör engraver
gredelin *a* heliotrope, lilac, mauve, puce
grejor things, articles, paraphernalia; **F** duds, tackle (gear, kit) *sg*
grek Greek **-inna** Greek lady (woman) **-isk** *a* Greek; [antikt] *äv.* Grecian **-iska** [språk] Greek **-isk-katolsk** *a, ~a kyrkan* the Greek Church; *en ~ trosbekännare* an orthodox Catholic **G~land** Greece
gren 1 branch; [av flod, bergskedja] arm **2** [förgrening] fork **-a I** *itr, ~ ut sig* branch out **II** *rfl* branch, fork **-hopp** *gymn.* straddle-jump **-ig** *a* branched **-ljus** branched candle **-sle** *adv* astride [*över* of]; astraddle **-verk** [network of] branches *pl*
grep pitchfork **-e** handle; *med ~* handled
grepp grasp [*i, om* of]; [vid brottning o. *bildl.*] grip [*i, om* of]; [tag] *äv.* hold; *mus.* touch; *ett gott ~* (*bildl.*) a good hit (stroke); *ha det rätta ~et om* have the knack of
Greta Maggie, Peg, Meg
grev||e count; *Engl.* earl; [vid tilltal] Your Lordship, My Lord; *i ~ns tid* in the nick of time **-e|titel** title of count &c **-inna** countess; [vid tilltal] Your Ladyship, My Lady **-lig** *a, ett ~t gods* a count's (&c) estate; *upphöjas i ~t stånd* be created (made) an earl **-skap** [landskap] county; *eg. bet.* countship, earldom
griffel slate-pencil **-tavla** slate
grift tomb, grave
griljera *tr* grill
griller fancies, whims, curious ideas
grimas grimace; *göra en ~* make a [wry] face **-era** *itr* make [wry] faces, grimace
grim||ma halter **-skaft** halter-chain(-strap)
grin 1 [flin] grin; [hån-] leer; *bildl.* [hån] sneer **2** [gråt] whine **-a** *itr* **1** grin; leer; *~ illa* make (pull) [wry] faces **2** [*armodet*] *~de dem i ansiktet* . . stared them in the face **3** [gråta] whine, pule
grind gate **-stolpe** gate-post **-stuga** [gate-keeper's] lodge **-vakt** gate-keeper; [i kricket] wicket-keeper
grin||ig *a* **1** whining, puling, whimpering **2** [knarrig] complaining; [kritisk] fault-finding; [kinkig] peevish **-olle** whimperer, cry-baby
grip [sagodjur] griffin
grip||a I *tr* **1** [fatta tag i] seize *äv. bildl.* [*tillfället* the opportunity]; [tjuv o. d.] *äv.* capture, catch; *äv.* [t. ex. tyglarna] catch (take) hold of; (*äv.* : *~ om*) clasp, clutch, grip; *~ tyglarna* (*bildl.*) take the reins; *~ . . ur luften* (*bildl.*) make . . up; *~s av* [*förtvivlan*] be seized with . .; *~s på bar gärning* be caught in the act **2** [röra] *bildl.* affect, move **II** *itr* **1** *~ efter* grasp (catch, snatch) at; *~ in i* interfere with; *~ till* [*flykten*] take to [flight] **2** [med beton. part.] *~ sig an med* set about (to work at) [*ett arbete* a job; *att* . . . . -ing]; *~ omkring sig* spread, gain ground **-ande** *a* [rörande] touching, moving &c; pathetic **-bar** *a* jfr *fattbar;* [påtaglig] palpable, tangible **-en** *a* **1** seized [*av* with]; jfr *-as* [*på bar gärning*] **2** [rörd] touched, moved &c **-enhet** emotion **-organ** *zool.* prehensile organ
gris 1 pig; [-kött] pork; *köpa ~en i säcken* buy a pig in a poke **2** *bildl.* pig; [smek-

ord] ducky, poppet **-a** *itr* **1** farrow **2** *bildl.*, ~ *ner* (*ner sig*) make the place (get o.s.) in a mess **-aktig** *a* piggish, piggy **-fot** pig's foot; *-fötter* (*kok.*) pigs' pettitoes (trotters) **-kotlett** pork cutlet **-kulting** sucking-pig; **F** piggy **-mat** pig's food **-stek** roast pork; *en* ~ a joint of young pork

gro *itr eg* germinate, sprout; [växa] grow; *bildl.* rankle, *det* [*ligger och*] *~r i honom* it rankles in his breast (mind); ~ *fast* (*bildl.*) take root; ~ *igen'* [om jord] grass over; [om sår] heal [up] **-bar** *a* germinative **-barhet** germinativeness; fertility

grobian boor, churl; [starkare] ruffian

groblad *bot.* common plantain

groda 1 *zool.* frog **2** *bildl.* blunder

grodd *s* germ; sprout; *koll* sprouts *pl* **-knopp** germinal bud

grod‖damm frog-pond **-lår** frog's leg **-perspektiv** frog's-eye view **-rom** frog spawn **-sim** frog-swimming **-spott** cuckoo-spit, frog-spittle **-yngel** tadpole; *koll* tadpoles *pl*

grogg grog, *äv.* whisky (brandy) and soda; *Am.* highball **-a** *itr* [drink] grog **-[g]las** grog-tumbler, whisky glass

groll grudge; *äv.* [*hysa* be filled with] rancour; *gammalt* ~ long-standing grudge; *hysa* ~ *mot ngn* (*äv.*) bear a p. a grudge

groning germinating &c; germination, sprouting

grop pit; jfr *sand~*; [större] hollow, cavity; [i väg] hole; *flyg.* bump, pocket; [i kind, haka] dimple; *gräva en* ~ *åt andra och falla själv däri* fall into one's own trap **-ig** *a* **1** . . full of holes; [golv, väg] worn into holes; [väg] *äv.* rutty; [kind] dimpled **2** [hav] rough; *flyg.* bumpy

gross, *i* ~ by the gross

grossess = *havandeskap; i* ~ pregnant

gross‖handel wholesale trade, wholesaling **-handels|firma** wholesale house, firm of [wholesale] merchants **-handlare** wholesale dealer, merchant **-ist** = *-handlare*

grotesk *a* grotesque

grott‖a cave; cavern; grotto **-e|kvarn** treadmill **-forskare** cave explorer **-invånare** cave-dweller; *förhist.* caveman **-målning** cave painting

grov *a* **1** [motsats 'fin'] coarse [*handduk* towel; *hy* complexion]; [stor] large; [storväxt] big [*karl* man]; [tjock] thick; [bastant] stout **2** *bildl.* rough; [klandrande] coarse, gross [*okunnighet* ignorance]; crude [*fasoner* manners]; [allvarlig] grave [*fel* mistake]; [ohyfsad] rude; *~t artilleri* heavy guns *pl*; *ett ~t brott* a heinous crime; *i ~a drag* in rough outline *sg*; ~ *sjö* rough sea; *bli* ~ *i munnen* use rough language, take to abusive language **-arbetare** unskilled (general) labourer **-arbete** unskilled labour; jfr *-göra* **-göra** rough work **-het** coarseness &c; jfr *grov; ~er* foul language *sg* **-huggen** *a* rough-hewn; ~ *ved* thick logs *pl* **-hyvla** *tr* rough-plane **-kalibrig** *a* large-bore(-calibred) **-kornig** *a* **1** *eg.* coarse-grained **2** *bildl.* coarse, gross; broad [*skämt* jest] **-lek** coarseness &c; [storlek] size **-lemmad** *a* heavy-limbed **-mala** *tr* coarse-grind **-maskig** *a* coarse-(large-)meshed **-smed** blacksmith **-sortering** preliminary assorting **-stammig** *a* thick-stemmed **-sysslor** rough jobs **-t** *adv* coarsely &c; *förtjäna* ~ *på* **F** make a pile (pot) of money on **-tarm** *anat.* colon

grubb‖el [*sjukligt* morbid] brooding; [funderande] musing[s *pl*]; *relig. äv.* speculation **-la I** *itr* brood; [fundera] cogitate, muse, ponder; puzzle [one's head] **II** *rfl,* ~ *sig för*-*därvad över* . . **F** rack one's brains trying to think out . . **-el|sjuk** *a* given to morbid brooding **-lare** brooder; cogitator; [friare] philosopher **-leri** = *-el*

gruff [bråk] **F** row; [gräl] *äv.* wrangle; jfr *gräl* **-a** *itr* make (kick up) a row [*för, om* about], *äv.* wrangle; ~ *på ngn* scold a p., rate at a p.

grum‖la *tr* **1** *eg.* make . . muddy, *äv.* soil **2** [friare] cloud, dim; [göra suddig] blur; [fläcka] soil, sully, tarnish; [fördunkla] obscure **-las** *dep* **1** become muddy **2** be clouded &c **-lig** *a* muddy *äv. bildl.;* clouded &c; obscure; *fiska i ~t vatten* fish in troubled waters **-mel** sediment

grums grounds (dregs) *pl* **-ig** *a* dreggy

1 grund I *a* shallow; [vatten] *äv.* shoal **II** *s* shoal; [sand-] bank, [undervattensklippa] sunk[en] rock; *komma av ~et* get afloat; *gå på* ~ run aground

2 grund 1 [underlag] foundation [*för, till* of]; [hus-] *äv.* foundations *pl; bildl. äv.* basis; *lägga ~en till* se *-lägga; ligga till* ~ *för* be the basis (at the bottom) of; *lägga ngt till* ~ *för* (*bildl.*) make a th. the basis of, base . . on a th.; *från ~en* from the [very] bottom (foundation); [*förstöra* . .] *i* ~ . . completely, entirely, totally, utterly; *i ~en* at bottom; [*brinna ner*] *till ~en* . . to the ground; *gå till ~en med* [*frågan*] go to the [rock] bottom of . ., *äv.* probe . . right through **2** *första ~erna* the elements **3** [mark] ground **4** [skäl] reason; [orsak] cause; [bevekelse-] motive; *på goda ~er* for excellent reasons; *på mycket lösa ~er* on a very slight foundation; *på* ~ *av* owing to, on account of, because of

1 grunda[s] *tr* [*dep*], ~ *upp* silt up

2 grund‖a I *tr* **1** [-lägga] found; [affär o. d.] establish, set up; [företag] start; [friare] lay the foundation of **2** [stödja] base [*sin mening på* one's opinion on] **3** *mål., konst.* ground, prime **II** *rfl,* ~ *sig på* be based on **-ackord** fundamental chord **-ad** *a* founded &c; [misstanke] well-grounded **-are** founder **-avgift** basic fee **-begrepp** fundamental principle; *pl äv.* elements **-betingelse** essential condition **-betydelse** primary sense **-drag 1** [karaktär] essential (fundamental) feature (characteristic) **2** *~en* [*till* . .] the [main] outlines [of . .] **-falsk** *a* fundamentally wrong **-fel** fundamental fault (error) **-fond** *hand.* capital stock **-form** basic form **-färg 1** *fys.* primary (ground, basic) colour **2** *mål.* ground colour, first coat **-förutsättning** fundamental condition (prerequisite) **-karaktär** essential character **-känning** *sjö.* grounding; *få* ~ ground, bump the bottom

grundlag fundamental law; [avs. författn.] constitution[al law] **-s|enlig** *a* constitutional **-s|vidrig** *a* unconstitutional **-s|ändring** amendment of the constitution

grundlig *a* thorough; profound [studies]; [ingående] close; [gedigen] solid, sound; [t. ex. förändring] fundamental; [reform] radical **-het** thoroughness &c **-t** *adv* thoroughly &c; [fullständigt] completely, utterly

grund|linje, *~rna till* (*bildl.*) the outlines of

grundlägg‖a *tr* found, lay the foundation[s *pl*] (*bildl. äv.* basis) of; jfr *2 grunda I* **-ande** *a* fundamental; [princip] *äv.* basic **-are** founder **-ning** foundation

grund‖lön basic salary (wages *pl*) **-lös** *a* groundless; baseless; unfounded; jfr *-ad* **-murad** *a bildl.* safely established **-ning** *mål.* priming **-orsak** primary cause **-plan** ground-plan **-plåt** nucleus [*till* of]; first contribution; *skänka ~en till en fond* start a fund by giving a donation **-princip** basic (leading) principle **-pris** basic price **-regel** fundamental rule **-sats** principle **-skott,** *ett ~ mot* (*bildl.*) a knock-out blow to **-sten** foundation-stone **-stomme** groundwork (*bildl. äv.* skeleton) [*till* of] **-stämning** keynote **-stöta** *itr sjö.* [strike] ground **-stötning** grounding **-tal** *gram.* cardinal number **-tanke** fundamental (leading, basic) idea **-tema** main theme **-text** original text **-ton 1** *mus.* ground-note **2** [friare] keynote **-val** foundation; *bildl. äv.* groundwork, basis **-vatten** subsoil (underground) water **-villkor** primary (fundamental) condition **-ämne** *kem.* o. d. element

grupp group; [klunga] cluster; [av träd] clump; *flyg.* flight; *polit.* o. d. *äv.* section **-bild** group-portrait **-chef** *mil.* section commander **-era** *tr* group **-ledare** group-leader **-vis** *adv* in (by) groups (&c)

grus gravel **-a** *tr* **1** [väg] gravel **2** *bildl.* dash, [gäcka] frustrate **-gång** gravel walk **-hög** heap of gravel (*bildl.* ruins *pl*) **-tag** gravel-pit, sand-pit

1 gruva *rfl, ~ sig för . .* dread . .

2 gruv||a mine; [kol-] *äv.* pit **-arbetare** miner; [kol-] *äv.* collier **-bolag** mining ([kol-] *äv.* colliery) company **-distrikt** mining district **-drift** mining **-fält** mining area; [kol-] coal-field **-gas** [explosiv] fire-damp; [kolsyra] choke-damp **-gång** mine-passage **-lampa** miner's (safety) lamp

gruvlig *a* dreadful, horrible; awful

gruv||olycka mining disaster **-props** pit-prop **-ras** [the] falling-in of a (the) mine, mine landslip **-samhälle** mining community **-schakt** [mine-]shaft **-strejk** miners' strike; [i kolgruva] coal strike **-stötta** pit-prop **-öppning** pit-mouth

1 gry, *det är gott ~ i honom* he has [got] grit

2 gry *itr* dawn *äv. bildl.;* break; jfr *dagas* **-ende** *a* dawning; *bildl. äv.* [t. ex. anlag] budding

grym *a* cruel [*mot* to]; [vild] fierce, ferocious; *ett ~t öde* (*äv.*) a harsh fate **-het** cruelty; *begå en ~* commit an act of cruelty (an atrocity) [*mot* against, on]

grymt||a *itr* o. *tr* grunt **-ning** grunt[ing]

gryn 1 [korn] grain **2** *koll hand.* peeled (hulled) grain; [havre-] *äv.* groats *pl* **-ig** *a* grainy; granular

gryning dawn *äv. bildl.*; jfr *dag~*

grynna sunk[en] rock, reef

grynvälling *bildl.* mess of pottage

gryt *jakt.* [*gå i* run to] earth, *äv.* burrow

gryt||a pot, pan; *små -or ha också öron* little pitchers have long ears **-krok** pot-hook **-lapp** sauce-pan (kettle) holder **-stek** braised beef

grå *a* grey, *äv.* gray; [-sprängd] grizzled; [dyster] dull, drab; *i den ~ forntiden* in remote antiquity **-aktig** *a* greyish **-al** white alder **-blek** *a* ashen grey **-blå** *a* greyish blue **-daskig** *a* dirty grey **-gås** grey lag-goose **-het** greyness; dullness &c **-hårig** *a* grey-haired; [-sprängd] grizzled **-kall** *a* bleak, chill, raw **-lle** grey horse **-na** *itr* turn grey; [pers.] go (get) grey **-nad** *a* grey; grizzled **-papper** *ung.* bastard paper **-päron** butter-pear **-skäggig** *a* grey-bearded **-sparv** [house-]sparrow **-spräcklig** *a* grey-spotted; [tyg] *äv.* pepper-and-salt **-sprängd** *a* grizzled; [skägg] *äv.* grizzly **-sten** grey stone; [ämne] grey rock; *koll* grey stones *pl; byggn. äv.* rubblework [*~s|kyrka* church] **-sugga** *zool.* wood-louse

gråt crying, weeping; [snyftning] sobbing; *brista i ~* burst into tears; *ha ~en i halsen* be on the verge of tears, *äv.* have a lump in one's throat **-a I** *itr* cry [*av glädje* for joy; *av ilska* with rage]; *äv.* weep [*av* for]; *det är så att man kan ~ åt det* it is enough to make one weep; *låt henne ~ ut!* let her have her cry! **II** *tr* weep [*strida tårar* copious tears]; [t. ex. sina ögon röda] cry **III** *rfl* cry o.s. [*till sömns* to sleep] **-erska** [professional] mourner **-färdig** *a* . . ready to cry, . . on the point of crying **-mild** *a* tearful; [sentimental] maudlin

gråtrut herring-gull

grå||tt *s* grey **-verk** miniver **-väders|dag** dull (*bildl.* cheerless) day **-väders|stämning** dull weather mood

1 grädda *tr* bake; [plättar] fry

2 grädd||a *s, ~n av . .* the cream of . . **-bakelse** cream cake (tartlet), éclair *fr.* **-e** cream **-färgad** *a* cream-coloured **-ning** baking &c **-skål -snäcka** cream-jug **-tårta** sugar trifle **-vit** *a* creamy **-våffla** cream waffle

gräl 1 [tvist] quarrel; [i ord] *äv.* squabble, wrangle; *råka i ~* fall out, get at logger-wrangle; *råka i ~* fall out (get at logger-heads) [*med ngn* with a p.] **2** [ovett] scolding[s *pl*] [*på* of], rating[s *pl*] [*på at*] **-a** *itr* **1** quarrel; squabble, wrangle **2** *~ på ngn* scold a p. [*för att han är* for being]

gräll *a* loud, glaring; [iögonenfallande] striking

gräl||makare quarreller, squabbler, wrangler **-sjuk** *a* **1** quarrelsome **2** scolding

gräm||a I *tr* grieve, vex, mortify **II** *rfl* grieve [*över* at (for)]; worry [*över* about], *äv.* fret [*över* over] **-else** grief; worry; mortification

gränd alley, [by-]lane; [ruskig] slum

gräns 1 [-linje] boundary; *polit.* frontier; [friare] border-line; *på ~en till [vansinne]* on the verge of . . **2** [yttersta] limit [*för* of]; *bildl. äv.* bounds *pl; allting har en ~* there is a limit to everything; [*hans oförskämdhet*] *känner inga ~er* . . knows no bounds; *sätta en ~ för a)* set bounds (limits) to; *b)* [stoppa] put an end (a stop) to; *det går över alla ~er!* [no really,] that's the limit! **3** [[del utmed] -linje] confines *pl,* border[s *pl*]; [. . *ligger*] *vid norska ~en* . . on the Norwegian border **-a** *itr, ~ till* border [up]on *äv. bildl.;* [område] *äv.* be bounded by; [ägor] *äv.* adjoin, abut on; *med en till visshet ~nde sannolikhet* with a probability almost amounting to certainty **-befolkning** border[land] population **-bevakning** frontier patrolling (*konkr* guard) **-bo** borderer **-bygd** border country **-dragning,** *~en* [*är inte lätt*] to draw a borderline . . **-fall** *bildl.* border[line] case **-intermezzo** border (frontier) incident **-kränkning** violation of the frontier **-land** border country; borderland **-linje** se *gräns, äv.* boundary-line **-lös** *a* boundless, limitless; unbounded; [ofantlig] immense, tremendous **-märke** boundary-mark; landmark *äv. bildl.* **-område** border (frontier) district; is. *bildl.* borderland **-patrull** border (frontier) patrol **-postering** frontier outpost **-problem** border (frontier) problem **-påle** boundary pole **-reglering** boundary adjustment, demarcation **-röse** boundary-cairn **-stad (-station)** frontier town (station) **-strid** border (&c) conflict; *~er* (*äv.*) border fighting (warfare) *sg* **-trakt** = *-område* **-vakt** frontier guard **-värde** limit value

gräs grass; *i ~et a)* [på ~et] on the grass; *b)* [i ~et] in the grass; *bita i ~et* lick the dust; *förtjäna pengar som ~* make a mint

of money **-and** *zool.* mallard, wild duck **-bevuxen** *a* grass-grown, grassed **-frö** grass-seed[s *pl*] **-grön** *a* grass-green **-hoppa** grasshopper; *äv.* locust **-hopps|svärm** swarm of locusts **-klippnings|maskin** lawn-mower
gräslig *a* atrocious (horrid) [*mot* to]; [t. ex. olycka] shocking, terrible; [friare] awful, frightful **-het** atrociousness &c; *~er* atrocities; horrid (shocking) things
gräs||lök chive **-mark** grassland **-matta -plan** lawn; grass, turf; [lekplats] green **-slätt** grassy plain; prairie **-strå** blade (stalk) of grass, grass-blade(-stalk) **-torv** [green] turf, greensward **-torva** sod, turf **-vall 1** grassy bank **2** *jordbr.* = *vall 2* **-änka (-änkling)** grass widow (widower) **-ätande** *a* graminivorous; feeding on grass
gräv||a *tr* o. *itr* dig [*efter* for]; [t. ex. kanal] cut; *bildl.* [i låda, i sitt minne] delve; [om mullvad o. d.] burrow; [rota] rummage [*i fickorna* in one's pockets]; *~ fram* dig up, unearth; *~ ned sig i* dig (burrow) one's way down into; [begrava sig] bury o.s. in; *~ ut* dig out, excavate **-ling** *zool.* badger **-maskin** excavator, dredger, shovelling machine **-ning** digging; *vetensk.* excavation **-skopa** dredger ladle, bucket
gröda [växande] crops *pl;* [skörd] harvest
grön *a* green [*av* with] *äv. bildl.; komma på ~ kvist* find one's feet again; *i min ~a ungdom* **F** in my salad days; *den ~a ön* [Irland] the Emerald Isle; *i det ~a* in the [green] fields (the country); *lägga sig i det ~a* lie down on the [green] grass **-aktig** *a* greenish **-bete,** *vara på ~ (bildl.)* be in the country **-fink** greenfinch **-foder** green forage **-gräs,** *i ~et* on the grass **-göling 1** *zool.* green woodpecker **2** *bildl.* greenhorn **-kål 1** *bot.* kale, borecole, curly greens *pl* **2** [soppa] kale soup **G~köping F** little Puddleton **-köpings|mässig** *a* Puddletonian **G~land** Greenland **-ländare** Greenlander **-ländsk** *a* Greenland[ic] **-rätt** vegetable course **-saker** vegetables
grönsaks||bod vegetable (greengrocer's) shop **-handlare** greengrocer **-konserver** tinned (canned) vegetables **-land** vegetable garden (plot) **-soppa** vegetable soup
grön||sallad green salad **-siska** siskin **-ska I** *s* **1** [vår-] verdure; *ängarnas ~* the green of the meadows **2** [grönhet] greenness **3** [lövverk] greenery, green foliage **II** *itr* be (become) green **-skande** *a* verdant **-såpa** [green] soft soap **-t** *s* **1** green **2** [-foder, -saker] green stuff **3** [till prydnad] greenery
1 gröpa *tr, ~ ur* hollow out
2 gröp||a *tr* bruise . . to groats (&c) **-e** groats *pl;* [finare] grits *pl*
gröt 1 porridge; ⊕ pulp, pap; *gå som katten kring het ~* beat about the bush; *vara alltför het på ~en* be over-eager **2** *läk.* poultice **-fat** porridge-bowl **-ig** *a* porridge-like; pulpy; [röst] *äv.* thick **-igt** *adv, tala ~* talk thick **-kokare** porridge-saucepan **-myndig** *a* pompous, high and mighty
guano guano; *bildl.* = *smörja I 2*
gubb||aktig *a* old-mannish, old man's . ., senile **-|e 1** old man; jfr *bond~* o. d.; *~n S.* old S.; *~n (sjö.)* the Old Man; *min ~!* old fellow (chap, man)! **2** [bild] picture; [grimas] face; *~ eller pil* [på mynt] head[s *pl*] or tail[s *pl*]; *göra -ar åt* pull faces at **3** *göra en ~* make a blunder; *den ~n går inte!* that story won't go down with me! **F** that's a bit too thick! **-hem** alms-house **-stackare** poor old buffer
Gud God [*Fader* the Father]; *det förbjude ~!* God forbid! *~ bevare oss!* God preserve us! jfr *bevara 2; ta ~ i hågen* take one's courage in both hands; *~ vet, ~ skall veta* Heaven knows; *om ~ vill* God willing; *det var en ~s lycka* it was a piece of good fortune; *för ~s skull* for the love of God; [ss. utrop] *äv.* for goodness' (Heaven's) sake!
gud god; *det vete ~arna!* Heaven only knows! **-a|benådad** *a* divinely gifted **-a|bild** image of a god **-a|boren** *a* god-begotten **-a|dryck** *bildl.* drink fit for the gods **-a|gnista** divine spark **-a|gåva** god-sent gift, godsend **-aktig** *a* pious, devout; [liv] godly **-aktighet** piety, godliness **-a|lik** *a* godlike **-a|lära** = *mytologi* **-a|saga** divine myth **-a|skön** *a* divinely beautiful **-a|tro** [*hednisk* heathen] religion **-barn** godchild **-bevars I** *itj* goodness me! **II** *adv* [förstås] of course; [för all del] to be sure; *iron.* if you please **-dotter** god-daughter **-fa[de]r** godfather **-fruktig** *a* god-fearing, devout; jfr *-aktig* **G~i,** *en ~ behaglig gärning* a pious deed; *ha ~ nog av . .* have enough and to spare of . . **-inna** goddess **-lig** *a* godly, pious; *neds.* goody-goody **-lighet** godliness &c **-lös** *a* godless; impious; [leverne] wicked; [tal] profane; [hädisk] blasphemous **-löshet** godlessness &c; profanity **-mo[de]r** godmother
gudom divinity; *~en* the Deity **-lig** *a* divine *äv. bildl.;* [härlig] superb, magnificent **-lighet 1** divineness &c **2** [gud] divinity; god
guds||beläte, *~t* the likeness of God **-dom** [eldprov] ordeal **-dyrkan** worship, religion **-fruktan** fear of God; [fromhet] piety, godliness **-förgäten** *a* God-forsaken [*ort* place] **-förnekelse** denial of God; *äv.* atheism **-förtröstan** trust in God **-gemenskap** communion with God
gudskelov *itj* o. *adv* thank goodness (Heaven)
guds||man religious man, divine **-moder,** *Heliga G~!* Holy Virgin! **-nåd[e]lig** *a* sanctimonious; jfr *salvelsefull*
gudson godson
gudstjänst [divine] service; *~en är slut (äv.)* church (chapel) is over; *bevista ~en (äv.)* attend church (chapel) **-lokal** place of worship **-ordning** order for divine service; *äv.* liturgy
gul *a* yellow **-a** *s* yolk **-aktig** *a* yellowish
gulasch 1 *kok.* gulash **2** [war-]profiteer **-a** *itr* profiteer [*i, med* in] **-pris** profiteering price
gul||blek *a* sallow **-brun** *a* yellowish brown
guld gold; *gräva ~* dig for gold; *lova ngn ~ och gröna skogar* promise a p. wonders (everything under the sun); *skära ~ med täljkniv (ung.)* coin money; *trogen som ~* true as steel **-arbete** [specimen of] goldwork **-armband** gold bracelet **-belagd** *a* gold-coated **-blond** *a* light golden **-broderad** *a* gold-embroidered **-bokstav** gold[en] letter **-brokad** gold brocade, cloth of gold **-brosch** gold brooch **-brun** *a* golden brown; [hår] *äv.* auburn **-bröllop** golden wedding **-bågad** *a* gold-rimmed **-feber** gold fever **-fisk** gold-fish **-fynd** find of gold **-förande** *a* gold-bearing, auriferous **-förråd** stock of gold **-galon** gold braid (lace) **-glans** gold (*bildl.* golden) lustre **-gruva** gold-mine; *bildl.* mine of . . **-grävare** gold-digger **-gul** *a* golden yellow **-halt** percentage of gold **-kant** gilt edge; [på porslin o. d.] gold rim **-kantad** *a* gilt-edged [*äv. värdepapper* securities] **-kassa** *hand.* holding (stock) of gold **-kedja** gold chain **-klausul** gold clause **-klimp (-klocka)** gold nugget (watch) **-korn** grain of gold; *bildl.* precious grain **-krog F** posh (flash) restaurant **-krona** gold[en] crown

-lockig *a* .. with golden curls **-makare** alchemist **-makeri** alchemy **-medalj** gold medal **-mynt** gold coin (piece) **-myntfot,** *~en* the gold standard **-märke** *sport.* gold badge **-papper** gold paper **-paritet** *ekon.* gold parity; *~en* the mint par of exchange **-penna** gold nib (&c) **-plomb** gold-filling (&c) **-pokal** *sport.* gold cup **-regn** *bot.* se *gull-* **-ring** gold ring **-smed** goldsmith; [ss. butiksägare] *vanl.* jeweller **-smeds|affär** jeweller's shop **-smidd** *a* gold-laced **-smide** goldsmith's hammered work **-snitt** [på bok] gilt-edge[s *pl*] **-tacka** gold bar **-tand** gold tooth **-tryck** gold-print; *bokbind.* gold-tooling **-vaskare** gold-washer, placer-miner **-våg** gold balance; *väga sina ord på ~* weigh accurately every word one utters **-åder** auriferous vein **-ålder** golden age

gul||hyad *a* yellow-complexioned **-hårig** *a* yellow-haired **-ing 1** [mongol] yellowman **2** [strejkbrytare] blackleg

gull||gosse [spoilt] darling **-regn** *bot.* laburnum **-ris** golden rod **-stol,** *bära ngn i ~* chair a p. **-viva** cowslip, *äv.* oxlip

gul||måra *bot.* yellow bedstraw **-na** *itr* turn (grow) yellow **-ockra** yellow ochre **-skiva** *foto.* yellow screen **-sot** jaundice **-sparv** yellow hammer **-sångare** = *härmsångare* **-törne** furze, gorse

gum||aktig *a* old-womanish; jfr *gubb-* **-ma** old woman; *äv.* old lady; jfr *gubbe; min ~* [maka] the wife, my old woman; *min ~ lilla!* my old lady! [till barn] my little lady!

gummera *tr* gum [*fast* on]

gummi 1 gum **2** [kautschuk] [india-]rubber; *Am.* eraser **-band** rubber (elastic) band **-boll** [india-]rubber ball **-båt** rubber boat **-duk** rubber sheeting **-handske** [india-]rubber glove **-hjul** *vanl.* rubber-tyred wheel **-klack** rubber heel **-plantage** rubber plantation **-ring** rubber ring ([till cykel o. d.] tyre) **-slang** rubber hose (tube) (&c) **-snodd** elastic [cord] **-strumpa** elastic stocking **-stövlar** rubber [knee]boots, *Engl.* wellingtons **-sula** [india-]rubber sole **-träd 1** [eucalyptus] gum-tree **2** [india-]rubber-tree **-tuta** rubber finger-stall **-tyg** water-proof material

gump rump

gums||e ram **-horn** ram's horn

gumstackare poor old woman

gung||a I *s* swing; jfr *-bräde* **II** *tr* o. *itr* swing; [på -bräde o. friare] see-saw; [vagga, i -stol, om vågor] rock; [om vågor, starkare] toss; se *äv. vaja; ~ ngn* (*äv.*) give a p. a swing; *sitta och ~ på stolen* sit tilting one's chair; *~ på vågorna* [pers.] be rocked (tossed) on the waves; *känna marken ~ under sina fötter* feel the ground tottering beneath one's feet **-bräde** plank-seat; [vid gungning] see-saw **-fly** quagmire *äv. bildl.* **-häst** rocking-horse **-ning** swinging &c; *försätta .. i ~* set .. rocking &c **-stol** rocking-chair

gunnrum *sjö. mil.* ward-room; gun-room

gunst favour; *stå i ~ hos ngn* be in high favour with a p., be in a p.'s good graces *pl; fria till folkets ~* court popular favour **-ig** *a* **1** [bevågen] well-disposed (friendly) [*mot* towards (to)]; [om lyckan] propitious; [gynnsam] favourable **2** *min ~ herre* my fine friend (fellow, Sir); [*det passade inte*] *~ herrn* .. his lordship **-ling** favourite; jfr *älskling, favorit* **-lings|system** favouritism

gunås *itj* o. *adv* alas; worse luck

gupp 1 bump; [grop] pit, hole; [i skidbacke] jump; *flyg.* bump, pocket **2** [skakning] jolt, jog **-a** *itr* jolt, jog; [åkdon] *äv.* bump; [om kork o. d.] bob [up and down] **-ig** *a* bumpy, jolty

gurgel F row, kick-up; [gräl] squabble

gurg||elvatten gargling-water **-la I** *tr* gargle [*halsen* one's throat] **II** *itr* [om ljud] gurgle **III** *rfl, ~ sig* [*i halsen*] gargle [one's throat] **-ling** gargling &c; *en ~* (*äv.*) a gargle

gurk||a cucumber **-list -säng** cucumber-bed

Gustav Gustavus [*Adolf* Adolphus] **g~ian g~iansk** *a* Gustavian

guterad *a* appreciated; jfr *omtyckt* o. d.

guttaperka gutta-percha *äv. i sms*

guvern||ant governess [*för* to] **-ör** governor

gyck||el [skoj] play, sport; [skämt] fun; [upptåg] joking, jesting, larking, joke[s *pl*] &c; *driva ~ med* = *-la* [*med*] **-el|bild** illusion **-el|makare** joker, jester, wag **-la** *itr* jest (joke; [håna] jeer) [*med, över* at]; *~ med ngn* make fun of (poke fun at) a p. **-lare** joker; jester, wag; [föraktl.] buffoon, clown

gyllen||e *a* golden; [av guld] gold[en]; *den ~ friheten* glorious liberty; *finna den ~ medelvägen* strike the golden mean; *~ snittet* (*mat.*) the golden section **-läder** gilt leather

gymnas||ie- i *sms* 'gymnasium'; *Engl. ung.* senior school; [efter 1944] grammar school; *Am. ung.* senior high school **-ist** *Engl.* senior ([efter 1944] grammar) school scholar (boy, girl); *Am.* senior high school boy &c **-ium** 'gymnasium'; *Engl. ung.* senior school; [efter 1944] grammar school; *Am. ung.* senior high school

gymnast gymnast

gymnastik 1 gymnastics *pl;* **F** gym; *skol. äv.* drill[ing], physical training, P.T.; *.. är en bra ~* .. is an excellent [form of] exercise **2** = *-sal* **-direktör** *ung.* certificated gymnastics teacher **-dräkt** gymnasium (gym **F**) costume **-lektion** gymnastics (physical-drill) lesson **-lärare** gymnastics (&c) master (mistress) **-sal** gymnastics (drill) hall, gymnasium, **F** gym **-sko** gym[nasium] shoe; **F** sneaker **-trupp** gymnastic team **-uppvisning** gymnastics display

gymnast||isera *itr* go in for (do some) gymnastics (physical exercises) **-isk** *a* gymnastic

gynekolog gyn[a]ecologist **-i** gyn[a]ecology

gynn||a *tr* favour; [beskydda] patronize; [främja] further, promote **-are 1** favourer &c; *äv.* patron **2** *skämts.* **F** fellow, chap **-sam** *a* favourable [*för* to]; [förhållanden] *äv.* propitious; *ta en ~ vändning* (*äv.*) take a turn for the better; *i ~maste fall* (*äv.*) at best

gyro ⊕ gyro **-kompass** gyro compass **-skop** gyroscope

gytter conglomeration

gyttj||a mud; *äv.* slough, sludge; [blöt] ooze; [smuts] mire, slush **-e|bad** mud-and-massage bath **-e|botten** oozy bottom **-ig** *a* muddy; oozy; miry; slushy

gyttr||a *tr* o. *rfl, ~ ihop* [*sig*] cluster together **-ig** *a* .. clustered together

gå I *itr* o. *tr* **A** *eg. bet.* **1** [motsats: åka o. d., stå] walk; [stiga] step [*åt sidan* to one side]; [kliva] stride, stalk; *gå ut och ~* take (go for) a walk **2** [motsats: stanna kvar, stå stilla] *allm.* go; *vart ~r du?* where are you going? [röra sig] move [*ur fläcken* from the spot]; [förfoga sig] get [*ur vägen för ngn* out of a p.'s way]; *äv.* [tyst o. d.] pass [*genom rummet* through the room]; [bege sig av] go away (*äv.* : *~ sin väg*); leave (depart) [*till* for]; *äv.* be off; *nu måste jag ~* now I must be off; *han gick hemifrån* [*kl. 9*] he left home ..; *~ till sjöss* go to sea **3** [om sak] go, pass;

[t. ex. tåg, båt] *äv.* travel [*med en hastighet av* at a speed of]; [regelbundet] ply (run) [*mellan* between]; *båten ~ till* [*Hull*] the steamer is bound for ..; *det gick* [*med rasande fart*] [om bil o. s. v.] the car (o. s. v.) (*äv.* we o. s. v.) went .. **4** [avgå jfr d. o.] start [*till* for]; *äv.* leave (*äv.* : *~ från*) **5** [röra sig, t. ex. på hjul] run **6** [vara i gång] go [*klockan ~r* the clock is going]; [maskin, fabrik] run, work; [med elektricitet o. d.] *äv.* be worked [by electricity]; [*klockan*] *~r rätt* .. is right; *~ tom* [maskin] run idle; *~ varm* run hot **B** [friare o. *bildl.*] **1** go [*i kyrkan* to church]; *~* [*omkring*] *i* [*trasor*] go about in ..; *som jag ~r och står* just as I am; *~ på föreläsningar* attend lectures **2** [vara] be [*i andra klassen* in the second form]; *det ~r ett rykte att* there is a rumour that; *det ~r* [*en liter i flaskan*] .. holds ..; *det ~r* [*100 öre*] *på en krona* there are .. in (to) a krona; *det ~r lätt för dig att* it is easy for you to **3** [om tid] pass [away], *äv.* go [by] **4** [nå] reach; [sträcka sig] go, extend **5** [väg, flod] run; [väg, dörr o. d.] *äv.* lead **6** [belöpa sig] amount [*till* to] **7** [avlöpa] turn out [*bra* well]; *äv.* go off [*lyckligt* successfully]; *det får ~ som det vill!* things must go as they will! *hur det än ~r* whatever happens; *hur ~r det för dig?* how are you getting on? *hur ~r det för honom om ..?* what will happen to him if ..? *hur ~r det med* [*dina planer*]? what about ..? **II** *rfl*, *~ sig trött* get o.s. tired with walking, walk till one is tired; *~ sig varm* get hot with walking, walk o.s. into a heat **III** [med beton. part.] *~ an* [vara passande] do, be proper (all right); *det ~r inte an* it won't do [*att* to]; *det ~r alltid an att försöka* there is no harm in trying; *det ~r väl an* [*för den som*] it is all right ..; *~ av a)* [stiga av] get out (off); *b)* [brista] break; [nötas av] wear through; [färg o. d.] wear off; [isär] *äv.* come in two; *~ bort* go out [*på middag* to dinner]; [fläck o. d.] disappear; jfr *~ av; ~ därifrån* leave [the place]; *~ efter a)* = *hämta; b)* [om klocka] be slow (behind [time]); *~ fram* go (walk) forward (on); *~ skoningslöst fram mot* proceed rigorously against; *~ fram till* .. go up to ..; *~ framför, före a)* eg. *bet.* go (walk) in front [of ..]; *b)* [ha företräde framför] rank before ..; c) [klocka] be fast; *~ för sig* = *~ an; ~ hem till ngn* go to a p.'s home, go to see a p.; *~ i* = *rymmas; det där ~r inte i mig!* that won't go down with me! *~ ifrån* leave; [*tåget*] *gick ifrån mig* I missed ..; *~ igen a)* [om död] walk the earth; [idé o. d.] reappear; *b)* [*dörren*] *~r inte igen* .. doesn't (won't) shut [to]; *~ igenom a)* go (walk, pass) through; [tvärsöver] cross, go across; *b)* [friare] = *genom~;* [förslag o. d.] pass; [efter röstning] be carried; *~ igenom i examen* pass one's examination; *~ ihop* [mötas] meet; [förenas] join, unite; *bildl.* agree; *få det att ~ ihop* [med pengar] make both ends meet; *~ in* go in[side]; *~ in för a)* [idé o. d.] embrace, adopt; *b)* [sport. o. d.] go in for, take up; *~ in i* [klubb] join .., *äv.* become a member of ..; *~ in på* [*ett ämne*] enter upon ..; [bifalla] agree (consent) to; *~ in vid teatern* go on the stage; *~ inåt med fötterna* turn one's toes inwards; *~ isär* come apart, *bildl.* diverge; *~ med* [utan obj] go (come) too (as well); jfr *följa* [*med*]; *~ ner* go down; [om sol o. d.] *äv.* set; [i nedre våningen] go downstairs; [t. ex. flygare] *äv.* alight, descend; [ridå] *äv.* fall, drop; *~ ned sig på isen* go through [the ice]; *~ om ngn* overtake a p. [in walking]; [vid tävling] pass a p., go (get) ahead of a p.; *~ omkring* walk about; go round; *~ omkull* [om företag] come to grief; *~ till* = *hända; hur skall det ~ till?* how is it to be done (managed)? *hur gick det till?* how did it happen? what happened? *så ~r det till här i världen* that's the way of the world; *~ tillbaka a)* go back, return; *b)* [i tid] date back [*till* to]; *c)* [avta] recede, abate, subside; [försämras] deteriorate, go backwards; *d)* [om köp, avtal] be cancelled (annulled); *~ undan* get out of the way; *det ~r undan med arbetet* the work is progressing fast; *~ under* be ruined; [fartyg] go down, be lost; *~ upp* (*allm.*) go up; [om pris, flygmaskin o. d.] *äv.* rise, ascend; [stiga upp] rise; [pers.] *äv.* get up; [öppnas] [come] open; [om is] break up; [om knut] come (get) undone; *det gick upp för mig att* it dawned upon me that; *~ upp mot* come up (be equal) to; *ingenting ~r upp mot* .. there is nothing like (to compare with) ..; *~ upp och ner* [om priser] fluctuate; *~ ur* (*allm.*) get out [of ..]; [tävling] withdraw; [fläck] disappear; *~ ut på* [åsyfta] be aimed at, amount to; *~ utför* go down[wards]; *det ~r utför med honom* he is on the downward path, things are going downhill with him; *~ utåt* [dörr, fönster] open outwards; *~ vidare* go on; *låta .. ~ vidare* pass .. on; *~ åt a) vad ~r åt honom?* what is the matter with him? *b)* [finna åtgång] sell; [ta slut] be consumed (used up); *c)* [behövas] be needed; *det ~r åt* [*mycket tyg till* ..] .. takes ..; *d) ~ illa åt* se *fara* [*illa med*]; *e) ~ åt av* [*längtan, skratt*] **F** be dying with ..; *~ över a)* = *genomse; b)* = *över~; c)* [om smärta] subside, pass over

gående *a, en ~* a pedestrian (foot-passenger); [*supén*] *serverades vid ~ bord* a buffet (a stand-up ..) was served; *för långt ~ slutsatser* too far-reaching conclusions

1 gång [*utan pl*] **1** [om levande varelser] walking; [sätt att gå] gait; [*känna igen ngn*] *på ~en* .. by his step (walk); *ha en spänstig ~* have a springy step (gait) **2** [om sak: rörelse] going; *äv.* moving; [motor o. d.] running, working; *äv.* motion, movement; [lopp] run; [fort-] progress; [förlopp] course [*under tidens ~* in [the] course of time]; *världens ~* the way of the world; *under* [*samtalets*] *~* in the course of ..; *låta saken ha sin ~* let the matter take its course; *få .. i ~* get .. going (started); *äv.* start ..; *hålla i ~* keep going; *komma i ~* get started; [om maskin] begin running (working); *sätta .. i ~* start (set) .. going (running), start ..; *vara i ~* be running (working, going); [om förhandl. o. d.] be in progress, be proceeding; *i full ~* well under way; [om arbete] *äv.* in full swing

2 gång [*pl -ar*] **1** [väg] path[way], walk **2** [i o. mellan hus] passage; [i kyrka] aisle **3** *anat.* duct, canal

3 gång [*pl -er*] **1** time [*förra ~en* last time; *varje ~* every time]; *en ~ a)* once [*om året* a year]; *b)* [om framtid] some time, some (one) day; *c)* [ens] even [*inte en ~ min bror* not even my brother]; *en ~ till* once more, *äv.* [over] again; *en halv ~ till så stor* half as large again; *en ~ för alla* (*äv.*) **F** for good; *det var en ~* [i saga] once upon a time there was; *en enda ~* only once; *en och annan ~* every now and then, once in a while, occasionally; *ngn ~*

some time; [ibland] *äv.* now and then, from time to time; *ngn enda ~* on some rare occasion; *för en ~s skull* for once in a while; [*bara*] *för den här ~en* [just] for this once; *med en ~* all at once; *på en ~ a)* [*alla* all] at one time; *b)* [t. ex. alltihop] at one time; *c)* [plötsligt] all at once, in one (a) moment; *~ på ~* time and again; over and over again; *två åt ~en* two at a time **2** *två ~er två är fyra* twice two is four; *två ~er till* twice more; *tre ~er* three times; *storlek 10 ~er 15* size 10 by 15

gång||are [häst] steed **-art** [hästs] pace **-bana** foot-path; [trottoar] pavement, *Am.* sidewalk **-bar** *a* [mynt, talesätt] current; *hand.* marketable **-barhet** currency; marketability **-bro (-bräda)** foot-bridge (-plank) **-|en** *a* **1** *den -na sträckan* the distance walked **2** gone; [förfluten] gone by; *äv.* [t. ex. vecka] past; *långt ~* [sjukdom] far advanced **-järn** hinge **-kläder** wearing-apparel *sg* **-spel** *sjö.* capstan **-stig** foot-path, *äv.* path **-trafik** pedestrian traffic **-tävlan** *sport.* walking-race **-väg** foot-path

gåpåar||aktig *a* hustling, go-ahead **-e** hustler, pushing fellow

går, *i ~* yesterday; *i ~ morse* (*eftermiddag*) yesterday morning (afternoon); *i ~ kväll* yesterday evening; [senare] last night; *i ~ för åtta dar sedan* yesterday week

gård 1 [-splan] yard; [bak-] backyard; [på lant-] farmyard; [framför herr-] courtyard; *ett rum åt ~en* a back room **2** [egendom] farm; [större] estate; [man-] farmstead, homestead; jfr *herr~*

gårdag yesterday (*äv. : ~en*) **-s|tidning[en]** yesterday's paper

gård||farihandel house-to-house peddling **-fari|handlare** itinerant pedlar **-s|dräng** farm-hand (-labourer); jfr *dräng* **-s|flygel** back wing **-s|folk 1** *~et* the people living on the farm (&c) **2** [tjänstefolk] farm hands *pl* **-s|hus** house across the yard **-s|karl** care-taker; odd-job man **-s|plan** courtyard; jfr *gård 1* **-s|rum** back room **-sida,** *åt ~n* at (to) the back [of the house] **-var** watch-dog

gås goose [*pl* geese]; *det går vita gäss* [*på sjön*] there are white horses . .; [*det är som att*] *slå vatten på en ~* . . pouring water on a duck's back **-bröst** *kok.* goose-breast **-flock** flock of geese **-fot** goose's foot **-hud** goose-skin; *få ~* get goose pimples **-karl** gander **-leverpastej** pâté de foie gras *fr.; äv.* goose liver paste **-marsch,** *gå i ~* walk in single file **-penna** quill **-stek** roast goose **-unge** gosling **-ört** silver weed

gåt||a riddle; [friare] enigma, puzzle, mystery **-full -lik** *a* mysterious, enigmatic[al]

gåv||a gift; *äv.* present [*till* for (to)]; [testamenterad] bequest; *en ~ från himmeln* a gift from above (from heaven, from the blue); [*en man*] *med stora -or* (*äv.*) . . of great parts **-o|brev** deed of gift **-o|medel** gift-money *sg; äv.* donations **-o|paket** gift parcel

gäck 1 = *-eri; driva ~ med* = *-as* [*med*] **2** = *narr, spefågel; släppa ~en lös* let o.s. go [and be merry] **-a** *tr* **1** [håna] mock **2** [svika] baffle; [plan o. d.] frustrate **-ad** *a* [t. ex. förhoppningar] frustrated **-ande** *a* mocking **-as** *itr dep, ~ med* mock (scoff) [at], deride; jfr *gyckla* **-eri** mocking [*med* at]; jfr *gyckel*

gädd||a pike; *or* (*vanl.*) pike *sg* **-[d]rag** [trolling-]spoon; *ro ~* troll for pike **-fiske** pike-fishing **-krok** pike-hook

gäl gill; *djur som andas med ~ar* gill-breathing animals

gälbgjutare brazier

gäld = *skuld 1* **-a** *tr* se *betala, gen~, sona* **-enär** debtor; *vara ngns ~* (*äv.*) be in a p.'s debt

gälhåla gill-cavity

gäll *a* shrill; [genomträngande] *äv.* piercing

gäll||a *itr* o. *tr* **1** [äga giltighet] be valid; [lag, kontrakt] *äv.* be in force; [biljett o. d.] *äv.* be available; [mynt] be current; [påstående o. d.] be true (hold good) [*om* of]; [äga tillämpning på] apply to, hold for **2** [avse] be intended for; [ha till syfte] have . . as its object; [röra] concern, have reference to; *vad -er frågan?* what is the question (is it all) about? *detsamma -er om* the same may be said of **3** [anses] pass [*som* as]; be looked upon (regarded) [*för, som* as]; *gå och ~ för* . . pass o.s. off as being . . **4** *opers, det -er* it is a question (matter) [*livet* of life or death]; *det -de* [*ngt viktigt*] there was . . at stake; *springa som om det -de livet* run for dear life; *nu -er det att . .!* now we have got to . .! *när det verkligen -er* when it really comes to the point [*att* of . . -ing] **-ande** *a* valid [*för* for]; . . in force; available; [tillämplig] applicable [*för* to]; se *äv. gängse; göra ~* [påstå] assert, maintain; *göra* [*sina kunskaper*] *~* bring . . to bear, display . .; *göra sina anspråk ~* urge (enforce) one's claims; *göra sig ~* assert o.s. (itself); [*tröttheten*] *börjar göra sig ~* . . is beginning to tell

gäms *zool.* chamois, Alpine goat

gäng [arbets-] gang; [kotteri] set; jfr *liga*

gäng|a I *s* [screw-]thread(worm); *i de gamla -orna* (*bildl.*) in the old groove; *ur -orna* **F** off the hooks; *känna sig ur -orna* **F** feel off colour **II** *tr* thread

gänglig *a* lank, lanky **-het** lank[i]ness

gängse *a* current; [rådande] prevalent

gärd tribute

gärd||a *tr, ~ in, ~ om* = *inhägna, om~* **-e 1** = *-s|gård* **2** [åker] field; *~t är uppgivet* the game is lost **-s|gård** fence **-s|gårdsstör** fence-(hurdle-)pole **-smyg** *zool.* wren

gärna *adv* [villigt] willingly; [med nöje] gladly; [lätt] easily, *äv.* readily; *jag skall ~ medge att* I am quite prepared (ready) to admit that; *jag skulle ~ vilja* [*ha . .*] I should be glad to . .; *jag skulle ~ vilja veta* I should like to know; *hur ~ jag än ville* though nothing could give me more pleasure; *han får ~* [*följa med*] he is quite welcome to . .; *du kan ~* [*göra det*] you may just as well . .; *lika ~* just as well; *ja, ~* [*för mig*]*!* by all means!

gärning 1 act, deed; *i ord och ~ar* in word and deed *sg* (actions); *goda ~ar* good deeds, kind actions; *bli tagen på bar ~* be caught in the [very] act (red-handed) **2** [verksamhet] work **-s|man,** *~nen* the perpetrator, *äv.* the culprit

gäsp||a *itr* yawn **-ning** yawning; *en ~* a yawn

gäst guest; [besökande, hotell-] visitor; [på restaurang] customer **-a** *tr, ~ ngn* be a p.'s guest; *~ ngns hem* be a guest at a p.'s home **-a|bud** feast; *äv.* banquet **-bok** guest book **-fri** *a* hospitable **-frihet** hospitality **-föreläsare** visiting lecturer **-föreställning** guest performance **-givare** inn-keeper, landlord **-givar|gård** inn, hostelry **-roll** starring part; *ge ~er* appear as a star **-rum** spare room; *äv.* guest-room **-spel** *teat.* guest (visiting) performance **-spela** *itr* appear as a visiting company (&c), *äv.* give a special performance **-vänlig** = *-fri*

göd||a I *tr* **1** fatten; [människor] *äv.* feed up; [djur] *äv.* fat; *slakta den -da kalven* kill the fatted calf **2** [jord o. växter] fertilize; jfr *-sla* **II** *rfl* feed (fatten) [o.s.] up **-boskap** fattening (fatted) cattle *pl* **-kalv** fattened (fatting) calf; *kok.* prime veal **-kur** [för pers.] feeding-up cure **-ning** fattening &c; fertilizing &c **-nings|medel** fertilizing substance, fertilizer **-sel** manure; *äv.* dung **-sel|hög** dunghill **-sel|ränna** manure-drain **-sel|stack (-sel|stad -sel|vatten)** manure-hill(-yard, -water) **-sla** *tr* manure; dung **-svin** fattening (fatted) pig

gök 1 cuckoo **2 F** [pers.] fellow, chap **-blomster** *bot.* ragged robbin **-klocka** cuckoo-clock **-unge** young cuckoo

göl pool; [liten sjö] *äv.* mere

göm||ma I *s* hiding-place; [*leta i*] *sina -mor* .. one's [secret] drawers; [*skogens*] *innersta ~mor* the innermost recesses of .. **II** *tr* **1** [dölja] hide [.. away] (conceal) [*för* from]; [t. ex. ansiktet i händerna] bury **2** [spara] keep [*till, åt* for]; save [up]; [låta ligga] *äv.* put .. by; *~ undan* put .. away **III** *rfl* hide; conceal o.s. **-sle** = *-ma I;* [djurs] haunt **-ställe** hiding-place, hide-out

1 göra *s* [uppgift] business; [arbete] task, work; [möda] trouble

2 göra I *tr* **1** [syssla med, utföra] do [*sin plikt* one's duty; *affärer med* business with]; *äv.* perform [*en uppgift* a task]; *~ en god affär* strike a good bargain **2** [åstadkomma] make [t. ex. ngns bekantskap, en bekännelse, ett misstag, en uppfinning]; *äv.* bring about [*en förändring* a change]; *~ ett mål (fotb.)* score a goal **3** [obj. neutralt pron. el. adj.] do; make; *vad är att ~?* what's to be done (are we to do)? *det gör ingenting!* it doesn't matter! never mind! *det gör ingenting till saken* it makes no difference; *vad har du här att ~?* what are you doing here? *det är ingenting att ~ åt saken* there is nothing to be done in the matter; it cannot be helped; *~ gott* do good; *~ sitt bästa* do one's best; *det låter sig inte ~* it can't be done **4** [med obj. o. predik. adj.] render [*det omöjligt (svårt)* it impossible (difficult)]; *~ en tjänst* render (do) a service **5** [förorsaka] cause [*ngn sorg* a p. sorrow]; [bereda] give (afford) [*ngn den glädjen att* a p. the pleasure of .. -ing]; *det gör mig ont* [*att höra*] I am sorry ..; [företaga] go for [*en promenad* a walk] **6** [tillverka] make; [konstnärligt] *äv.* do [*en tavla* a picture] **7** [i vissa förbind.] make, do; jfr ex.; *~ ngn glad* make a p. happy; *~ ngn galen* drive a p. mad; *~ ngn orätt* do a p. wrong; *~ det till regel att* make it a rule to; *~ det möjligt för ngn att* enable a p. to **II** *itr* **1** [handla] act; *inte veta hur man skall ~* not know how to act **2** [uppföra sig] behave **III** [i stället för förut nämnt verb] do; be; shall, will; jfr ex.; [*skall jag ..*] *ja, gör det!* .. yes, do! [*om du inte ..*] *så gör jag det ..* I shall; *regnar det? ja, det gör det* is it raining? yes, it is **IV** [med beton. part.] *var skall jag ~ av ..?* where am I to put ..? what am I to do with ..? *~ av med* [*pengar*] spend ..; *~ efter* imitate, copy; *~ ngn emot* cross (thwart) a p.; *~ ifrån sig* [*ett arbete*] get .. out of hand; *~ om* [på nytt] do .. over again; [upprepa] repeat; [ändra] alter; *~ sitt till för att det skall lyckas* do one's part to make it succeed; *det gör varken till eller ifrån* it makes no difference; *~ undan* get .. done (off one's hands); *~ upp* [planer] make; [program o. d.] draw up; [räkning] settle; *~ ngt åt saken* do something about it (the matter) **V** *rfl* **1** make o.s. [*omtyckt* popular]; [låtsas vara] make o.s. out (pretend) to be [*till helgon* a saint] **2** [ta sig ut] come out (look) [*bra* well] **3** [~ åt sig] make o.s. [*en klänning* a dress]; [låta ~] have .. made; [förvärva] make [*en förmögenhet* a fortune]; form [*en idé om* an idea of] **4** *~ sig a'v med* get rid of; *~ sig ti'll* be affected, give o. s. airs; jfr *förställa II; ~ sig till för* make up to

Göran George

görande *s, ngns ~[n] och låtande[n]* a p.'s doings [and dealings]

gördǁel girdle **-la** *tr* [*rfl*] girdle [o.s.]

görǁlig *a* feasible, practicable; *i ~aste mån* as far as possible **-ning,** *ngt är i ~en* something is brewing (being done) **-o|mål** [sysselsättning] occupation; [arbete] business, work; [åliggande] duty

1 gös [tackjärns-] sow

2 gös [fisk] pike-perch

3 gös *sjö.* jack

1 göt casting; ingot

2 göt [folkslag] Goth

Göteborg Gothenburg **g~are** Gothenburg man **g~sk** *a* [.. of] Gothenburg **g~ska I** [språk] Gothenburg dialect **2** [kvinna] Gothenburg woman

götisk *a* Gothic; jfr *gotisk*

H

h 1 h; *utelämna ~* [i vulg. spr.] drop one's h's (aitches) **2** *mus.* B natural

ha [*förk.* av *hava*] **I** *hjälpv.* have **II** *tr* **1** have; [äga] possess; **F** have got; [erhålla, få] get; *~r du en penna på dig?* have you got a pencil [on you]? *~ ledigt* be free (off duty); *~ rätt* be right; *~ det bra* be well off; *~ stort anseende* enjoy a high repute; *~ svårt att ..* find it difficult to .. **2** [förmå, låta] get, have, make; *~ ngn att göra ngt* have (make) a p. do (get a p. to do) a th. **3** *var ~ vi söder?* where is [the] South? *här ~r du!* here you are! *nu ~r jag det!* now I've got it! *vad vill ni ~?* *a)* what do you want? *b)* [om förtäring] what will you take? what would you like? *c)* [om betalning] what is your charge? *hur ~r du det nu?* how are you getting on now? **4** *~ bort a)* take away; have .. removed; *b)* [förlora] lose; [förlägga] mislay; *vad ~r du för dig?* what are you doing (up to)? *~ ngn hos sig* [som gäst] have a p. staying with one; *~ i'* [lägga, hälla i] put in; *~ igen* se *stänga; ~ inne* [varor] have .. in stock; *~ med* [*sig*] have (take) .. with one; *~ på sig* [kläder] have on .. (.. on); *~ pengar på sig* have (got) money about (on) one; *~ hela dagen på sig* have the whole day at one's disposal; ~ *sönder* break; ~ *undan* .. get .. out of the way; ~ *över* [kvar] have .. left

Haag the Hague

1 hack, *följa ngn ~ i häl* be at (follow hard on) the heels of a p. (a p.'s heels)

2 hack [skåra] jag, notch

1 hack|a 1 *kortsp.* small (low) card **2** [liten sedel] *ung.* five-bob piece, trifle; *han går inte av för -or* **F** he is not a nobody by any means

2 hack||a I *s* pick[axe]; [bred] mattock; [rens-] hoe **II** *tr* **1** work .. with the mattock; hoe **2** [kött] chop; [fin-] *äv.* mince **3** *han ~de tänder* his teeth were chattering **III** *itr* **1** [om fågel] peck [*på* at] **2** [om tänder] chatter **3** [i bord, mark] hack, pick **4** [kritisera] ~ *på* .. find fault with ..; jfr *gnata* -|**ad** *a, det är varken -at eller malet (ordspr.)* it is neither one thing nor the other **-else** chopped (cut) straw, chaff **-hosta** hacking cough **-ig** *a* [om egg] jagged; [om tal] stuttering, jerky **-mat** minced meat; *bildl.* mincemeat, mish-mash **-spett** *zool.* spotted woodpecker

haffa *tr* **F** nab, cop

hafs 1 [slarv] slovenliness **2** [brådska] hurry-scurry(-flurry), scramble **-a** *itr* do things (one's work) in a hurry; jfr *slarva II; ~ ifrån sig* .. scramble through .. **-ig** *a* slapdash, slovenly **-igt** *adv* carelessly, in a slovenly way (fashion)

hage 1 enclosed [wooded] pasture[-ground] **2** [lund] grove **3** [för småbarn] [baby's] playing ground **4** *hoppa ~* play at hopscotch

hagel 1 *meteor.* hail; *ett ~* a hail-stone **2** [gevärs-] [small] shot *sg* o. *pl* **-bössa** shot-gun, fowling-piece **-korn** hail-stone, pellet of hail **-patron** buck-shot **-skada** damage [done] by hail[-storm] **-skur** *meteor.* hail-shower, hail-storm **-svärm** *jakt.* charge [of shot]

hagla *itr* hail; [*kvickheterna*] *~de* .. came thick and fast

hagtorn hawthorn, haw; *äv.* may **-s|blomma** hawthorn blossom, may[-flower] **-s|buske (-s|häck)** hawthorn-bush (-hedge)

1 haj *zool.* shark [*äv.* ockrare]

2 haj *a* **F** startled, scared **-a** *itr, ~ till* give a start; be startled &c

haj||fena shark's fin **-fiske** shark-fishing

hak notch; *äv.* hack, dent

1 haka chin; [*stå i vatten*] *till ~n* .. up to one's chin

2 haka I *tr* o. *itr* hook [*i, vid* to]; ~ *av* unhook; ~ *fast a)* hook on, fasten; *b)* [fastna] get caught [*i* by (on)], catch; ~ *i'* = ~ *fast b); ~ igen* fasten; ~ *upp a)* [fästa upp] loop up; *b)* [öppna] unhook, unfasten; ~ *upp sig* get caught; *bildl.* get stuck; ~ *upp sig på småsaker* stick at trifles **II** *rfl* get stuck; *där ~de det sig* that was the hitch; ~ *sig fast* cling [*vid* to] *äv. bildl.*

hakband string; [brett] cheek-band

hak||e 1 hook; ~ *och hyska* hook and eye; [fönster-] catch **2** *det finns en ~* (*bildl.*) there is a (one) drawback (little hitch) to it; *tusan -ar!* the very deuce! **-formig** *a* hooked, hook-like

hakgrop [chin] dimple

hakkors swastika

hak||lapp bib, feeder **-påse** double chin; [djurs] cheek pouch **-rem** chin-strap **-skägg** chin-beard

hal *a* slippery; *bildl. äv.* evasive; [glatt] sleek, oily; *det är ~t på vägarna* the roads are slippery; ~ *tunga* smooth (glib) tongue; *sätta ngn på det ~a* (*bildl.*) drive a p. into a corner; [*våga sig ut*] *på ~ is* (*bildl.*) .. on to treacherous ground

hala I *tr* o. *itr* haul; *äv.* pull, tug; ~ *an* (*sjö.*) haul (tally) aft [*ett skot* a sheet]; ~ *in* haul in; ~ *ned ett segel* haul [down] a sail; ~ *styv* haul taut; ~ *ut* haul out; ~ *ut på tiden* draw out (protract) the time **II** *rfl, ~ sig ned* lower o.s., let o.s. down; ~ *sig upp* haul (drag) o.s. up

halk||a I *s* slipperiness; *~n är svår* the roads are very slippery **II** *itr* slip [and fall]; *äv.* slide, glide; [slira] skid; [*orden*] *~de över hennes läppar* .. escaped her lips; ~ *förbi* (*bildl.*) skim past, skilfully elude; ~ *omkull* slip over (down), slip and fall **-ig** *a* slippery **-skydd** non-skidding contrivance

hall hall; [i våning o. hotell] lounge; se *äv. salu~, sim~*

halleluja *itr* Hallelujah!

hallon raspberry **-busk|e** raspberry bush; *-ar* (*äv.*) raspberry-canes **-saft** raspberry juice (syrup) **-sylt** raspberry jam

hallstämp||el o. **-la** *tr* hall-mark

hallucination hallucination

hallå I *itj* hallo[o], hullo **II** *s* [oväsen] hullabaloo, to-do **-man** *radio.* announcer

halm straw; *en .. av ~* (*äv.*) a straw .. **-bädd** bed of straw, pallet **-fläta** straw-plait **-färgad -gul** *a* straw-coloured **-hatt** straw hat **-kärve** sheaf **-madrass** straw-mattress(-bed) **-matta** straw-mat **-stack** straw-stack(-rick) **-strå** straw; *gripa efter ett ~* (*bildl.*) catch at a straw **-tak** thatched roof **-täckt** *a* straw-covered, thatched

hals 1 neck; [strupe, svalg; ⊕] throat; *falla ngn om ~en* fall upon a p.'s neck; *ge ~* [om hund] give tongue; [om pers.] raise a cry; ~ *över huvud* head over heels; *skära ~en av sig* cut one's throat; *ha ont i ~en* have a sore throat; *vara trång i ~en* [om plagg] be tight at the neck; *få .. i ~en* have .. stick in one's throat; choke on ..; *med full ~* at the top of one's voice; *få ngn på ~en* get saddled with a p.; *få en process på ~en* have a lawsuit fastened on one **2** *mus.* stem **3** *sjö.* tack; *ligga för babords ~ar* be (stand) on the port tack **-band** necklace; [för hund] collar **-brytande** *a, ett ~* [*företag*] a breakneck .. **-bränna** *läk.* heartburn **-böld** *läk.* quinsy, throat abscess **-duk 1** neckerchief, scarf; [tjock] neckwrap, scarf **2** [kravatt] [neck-]tie; [*en*] *vit ~* a white tie **-fluss** *läk.* tonsilitis; *ha ~* (*äv.*) have a sore throat **-grop,** *ha hjärtat i ~en* have one's heart in one's mouth **-hugga** *tr* behead, decapitate **-katarr** *läk.* pharyngitis **-kedja** neck chain **-kota** cervical vertebra **-krås** ruff, frill **-körtel** tonsil **-linning** neck-band **-läkare** throat specialist **-muskel** cervical muscle **-pulsåder** carotid artery **-sjukdom** throat disease **-smycke** necklace **-starrig** *a* obstinate, stubborn **-starrighet** obstinacy, stubbornness

halst||er gridiron, grill **-ra** *tr* grill

hals||vidd neck-measure[ment] **-åkomma** throat complaint

1 halt [av fett, i metall o. d.] proportion, percentage; [mynt-] standard; *bildl.* standard, quality, character

2 halt I *s* halt **II** *itj mil.* halt! [stanna] stop!

3 halt *a* lame [*på ena foten* in (of) one foot] **-a** *itr* limp [*på vänstra foten* with the left foot]; *bildl.* [om jämförelse] not hold good

haltlös *a* worthless, valueless; futile, vain **-het** worthlessness; futility

halt||signal signal to halt **-ställe** halt[ing-place]

halv *a* half; ~ *två* at half past one ([*is. Am.*] one-thirty); ~*a dagen* half the day; *en* ~ *dag* half a day; *en* ~ *fridag* a half-holiday; *en* ~ *gång till så lång* half as long again; *en och en* ~ *timme* an hour and a half; one and a half hours; *tre och ett* ~*t år* three years and a half; ~ *tjänstgöring* half-time duty; *flagga på* ~ *stång* fly the flag at half-mast; *mötas på* ~*a vägen* meet halfway; *till* ~*a priset* at half price **-a 1** half; *de togo var sin* ~ they took one half each; *en* ~ *öl* a small (half a) bottle of beer **2** [andra sup] second glass **-annan** *a* one and a half **-apa** semi-ape **-ark** half-sheet **-automatisk** *a* semi-automatic **-back** *sport.* half-back **-besatt** *a* half-filled **-bildad** *a* half educated **-bildning** half-culture **-biljett** half-ticket **-blind** *a* half blind; purblind **-blod** [djur] half-pure blood; *ett* ~ a half-bred; [människa] half-breed **-blunda** *itr, sitta och* ~ sit with o.'s eyes half-closed **-bror** half-brother **-butelj** half-bottle **-cirkel** semicircle **-cirkelformig** *a* semicircular **-civiliserad** *a* half-civilized **-dager** twilight **-dags|tjänst** half-time job **-dunkel I** *s* semi-dusk **II** *a* half-dark **-däck** half-deck; *mil. sjö.* quarter-deck **-däckad** *a* **(-däckare)** half-decked (-decker) **-död** *a* half dead **-era** *tr* o. *itr* halve, divide . . into halves; bisect; [dela lika] go halves **-fabrikat** half-finished product; *koll äv.* semi-manufactures *pl* **-fet** *a* [ost] half-fat; *boktr.* boldface **-figur,** *porträtt i* ~ half-length portrait **-fnoskig** *a* half-witted **-fransk** *a,* ~*t band* half [French] binding **-full** *a* half full; [pers.] half-intoxicated **-fylld** *a* half-filled **-färdig** *a* half ready (done, finished); *en* ~ . . a half-finished &c . . **-galen** *a* half mad **-gammal** *a* no longer young **-gjord** *a* half finished (done) **-gud** demigod **-gången** *a* [foster] half-mature **-herre** would-be gentleman **-herrskap** would-be gentlefolks **-het** halfness; [ljumhet] half-heartedness **-hög** *a, med* ~ *röst* in an undertone **-idiot** semi-idiot **-kast** half-caste **-klot** hemisphere **-klädd** *a* half dressed **-kokt** *a* half boiled; underdone **-kupé** semi-compartment **-kväden** *a, förstå* ~ *visa* be able to take a hint **-kvävd** *a* half choked **-ligga** *itr* recline **-mesyr** half measure **-mil,** *en* ~ half a mile; *den första* ~*en* the first half-mile **-måne** half moon, crescent **-månformig** *a* crescent-shaped **-mörk** *a* semi-dark **-mörker** semi-darkness **-naken** *a* half naked **-not** half-note **-officiell** *a* semi-official **-part** half part (share) **-profil,** *i* ~ in half-profile (-face) **-rund** *a* semicircular **-rå** *a* half raw **-sanning** half-truth

halvsekel half-century **-dag,** *på* ~*en av* . . on the fiftieth anniversary of . . **-gammal** *a* half-a-century old

halv||siden silk-and-cotton cloth, mixed silk **-sittande** *a, i* ~ *ställning* in a half-sitting (reclining) posture **-skugga** half-shade **-skymning,** *i* ~*en* in the [semi-]twilight **-slag** half-hitch **-slummer** half-sleep **-slumra** *itr* be half asleep, doze **-sluten** *a* half closed **-smält** *a* [föda] half digested **-sovande** *a* dozing, half asleep **-spänn,** *på* ~ at half-cock **-stekt** *a* half roasted; [inte färdigstekt] underdone **-stor** *a* half sized **-strumpa** sock **-sula** *s* o. *tr* [half-]sole **-sulad** *a* half-soled **-svälta** *itr* be half starving (starved) **-syskon** half-brothers and sisters **-syster** half-sister **-söt** *a* medium sweet

halvt *adv* half [*på skämt* in jest]; ~ *om* ~ *lova* give a sort of half-promise

halv||tid *sport.* half-time; *första* ~*en* the first half **-tids|tjänst** half-time job **-timma** **-timme** half-hour; *en* ~ half an hour; *en* ~*s* . . half an hour's . .; *om en* ~ in half an hour['s time] **-tokig** *a* half-witted, half mad **-ton** *mus.* semitone **-torr** *a* [om vin] medium dry **-trappa,** *en* ~ half a flight [of stairs] **-täckt** *a* [vagn] hooded **-vaken** *a* half awake, half-waking **-vokal** semi-vowel **-vuxen** *a* [om pers.] half grown-up; adolescent; [om djur, växt] half-grown **-vägs** *adv* half way **-ylle** half-wool

halvår half-year, six months; *ett* ~ half a year; *per* ~ half-yearly **-s|betalning** half-yearly (semi-annual) payment **-s|gammal** *a* six months old [*barn* child]; of six months **-s|ränta** half-year's (six-months') interest **-s|vis** *adv* every half year (six months); *äv.* half-yearly

halv||ädelsten semi-precious stone **-ö** peninsula **-öppen** *a* half open; [på glänt] ajar; *med* ~ *mun* with lips parted

hammar||e hammer **-skaft (-slag)** hammer-handle (-blow, -stroke) **-smed** hammer-smith **-smide** *konkr* hammered goods *pl*

hammel|sadel *kok.* saddle of mutton

1 hamn [skepnad] guise; jfr *vålnad*

2 hamn 1 harbour **2** [mål för sjöresa, sjöstad] port; *bildl.* o. *poet.* haven; *inre* (*yttre*) ~ locked (outer) basin; *anlöpa en* ~ make (call at) a port; *löpa in i en* ~ enter a port; *söka* ~ seek harbour (shelter); *uppnå* ~[*en*] reach port *äv. bildl.* **-a** *itr bildl.* land [*i diket* in the ditch]; end up [*i galgen* on the gallows]; . . ~*de i brasan* . . found its way into the fire **-anläggning** harbour, dock plant **-arbetare** docker, quay labourer **-arm** mole, jetty, pier **-avgifter** harbour (port) dues, dock charges **-buse** waterside rough; [friare] blackguard, rowdy **-fogde** harboursuperintendent **-inlopp** harbour mouth **-kaj** harbour wharf **-kapten** harbourmaster **-kontor** harbourmaster's office **-område** harbourarea **-plats 1** [rum i hamn] [harbour]berth (accommodation) **2** = *-stad* **-stad** port; seaport **-styrelse** harbour board; ~*n* (*äv.*) the Harbour Authorities *pl*

hamp||a I *s* **1** hemp **2** *ta ngn i* ~*n* **F** lay hands on a p. **II** *rfl* = *slumpa II* **-frö** hempseed **-rep** hempen (hemp-)rope

hamr||a *tr* o. *itr* **1** hammer [*på* at]; ⊕ *äv.* beat, forge **2** [friare o. *bildl.*] drum [*på bordet* on the table]; strum [on the piano] **-ad** *a* hammered; *äv.* beaten

hamst||er *zool.* hamster **-ra** *tr* o. *itr* hoard **-rare** hoarder

han *pron* he; [om djur, sak] it; *äv.* **he, she**; jfr *gram.*

han- i *sms* male **-blomma** male flower

hand hand; **F** paw; [sida] *äv.* side; *min högra* ~ (*bildl.*) my right-hand man; *byta om* ~ change hands; *bära våldsam* ~ *på* lay violent hands on; *bära* ~ *på* . . do . . violence; *få* ~ *om* . . get . . into one's [own] hands; *äv.* be entrusted with . .; *ha sin* ~ *med* [i spelet o. d.] have a (one's) hand in . .; *han har ingen* ~ *med* . . he can't handle . .; he is not able to manage . .; *ha* ~ *om* be in (have) charge of; *lägga sista* ~*en vid* finish off, put the last (finishing) touches to; *räcka* . . ~*en* put (hold) out one's hand to . .; *skaka* ~ *med* shake hands with; *ta sin* ~ *ifrån* abandon, *äv.* wash one's hands of; *ta* ~ *om* take care of, *äv.* look after; *efter* ~ by degrees; *vara för* ~*en* exist; be close at hand; *de kunna ta varandra i* ~ (*bildl.*) **F** [with them] it's six of one and half a dozen of the other; *ha* . . *helt i sin* ~ have . . entirely under control; *i första* (*andra*) ~ *a*) at first (second) hand; *b)* [i första (andra) rummet] in the first (second) place; *äv.* firstly (secondly); [*köpa ngt*] *i andra* ~ . . second-hand; *ha . . på* ~ (*hand.*) have the option of . .; *ge på* ~ pay money down (in hand); *på egen* ~ *a)* [ensam] by o.s.; *b)* [självständigt] for o.s., on one's own account; *på fri* ~ by hand; [oförberett] off-hand; *på vänster* ~ on the left[-hand side]; [*sälja*] *under* ~ . . privately; [*leva*] *ur* ~ *i mun* . . from hand to mouth; *ge vid* ~*en* indicate, show, prove; jfr *händer* **-a,** *till* ~ [på brev] to be delivered by hand; . . *för att gå husmodern till* ~ . . as mother's help; [*brevet*] *har kommit mig till* ~ (*hand.*) . . is [duly] to hand, . . has come to hand

hand||arbete hand-work; [om sömnad o. d.] needlework, handicraft; *ett* ~ a piece of needlework **-arbets|lärarinna** needlework (&c) mistress **-bagage** hand luggage (*Am.* baggage) **-bibliotek** reference library **-boj|a** handcuff, manacle [båda *äv.* : *belägga med -or*] **-bok** handbook; [läro-] *äv.* manual **-boll** *sport.* handball **-brev** personal letter **-broderad** *a* hand-embroidered **-broms** hand-brake **-duk** towel; [köks-] [tea] cloth

handel 1 trade; [i stort] *äv.* commerce; [affärstransaktion] transaction; [köp] bargain; [handlande] trading, *äv.* dealing; jfr *handla 1;* [affärsrörelse] business; *idka* ~ be in (carry on) trade; [om pers.] *äv.* be a merchant; *idka* ~ *med* [varor] deal in . .; *i* [*allmänna*] ~*n* in the [open] market; ~ *och sjöfart* trade and navigation **2** ~ *och vandel* [doings and] dealings *pl; äv.* conduct

handels||attaché commercial attaché **-avtal** trade agreement **-balans** [lands] balance of trade; [firmas] trade balance **-bank** commercial bank **-block** trade bloc **-blockad** commercial blockade **-bod** shop; *Am.* store; jfr *butik* **-centrum** trade centre **-delegation** trade delegation **-departement** trading (commercial) department; ~*et* (*Engl.*) the Board of Trade **-fartyg** merchant (trading) vessel (ship), merchantman **-flagga** merchant (mercantile) flag; *den brittiska* ~*n* (*äv.*) the red ensign **-flotta** merchant fleet, mercantile marine **-frihet** freedom of trade **-förbindelser** commercial (business) connections (relations) **-fördrag** commercial treaty, trade agreement **-geografi,** ~[*en*] commercial geography **-gymnasium** commercial high school **-högskola** school of economics and business administration; business school; commercial college; *vid* ~*n i London* at the London School of Economics **-idkare** tradesman [*pl äv.* tradespeople]; *äv.* shopkeeper **-idkerska** tradeswoman, shopkeeper **-institut** commercial school (college) **-kammare** chamber of commerce **-korrespondens** commercial (business) correspondence **-lära** theory of commerce; [lärobok] commercial primer **-man** = *-idkare* **-marknad** trade market **-minister** minister for commerce; *Engl.* President of the Board of Trade **-politik** commercial policy **-politisk** *a* politico-commercial **-register** trading-firm register **-resande** commercial traveller [*för* representing; *i* in] **-rätt** commercial law **-rättigheter,** *söka* ~ apply for a trading license **-rörelse** business, trade **-stad** commercial town (city) **-teknik** technics *pl* of commerce **-traktat** = *-fördrag* **-trädgård** market garden **-utbyte** se *varu-* **-var|a** commercial (trade) commodity; *-or* (*äv.*) goods **-väg** commercial (trade) route; *gå* ~*en* enter (go into) commerce

hand||fallen *a* nonplussed, taken aback; *vara* ~ (*äv.*) be at a loss **-fast** *a* strong, sturdy, stalwart **-fat** [wash-hand] basin **-flata** the flat (palm) of the (one's) hand **-full** *a, en* ~ . . a handful of . ., (*äv.*) a few . . **-gemäng** *mil.* close (hand-to-hand) fight[ing]; [friare] scuffle; *råka i* ~ (*mil.*) come to close quarters ([friare] to blows) **-gjord** *a* hand-made **-granat** hand-grenade **-grepp** movement (turn) of the (one's) hand; *mil.* motion

handgriplig *a* **1** *ett* ~*t skämt* a practical joke; *en* ~ [*tillrättavisning*] a forcible . . **2** [påtaglig] obvious; *äv.* palpable, tangible **-heter,** *det kom till* ~ it came to blows **-t** *adv, gå* ~ *till väga* resort to manual force

hand||gången *a,* ~ *man* myrmidon **-ha** *tr* **1** have (be in) charge of, be responsible for **2** [ämbete] discharge **3** [rättvisa o. d.] administer **4** [hantera] handle **5** [makten] wield **-havare** administrator; wielder **-havd** *a,* ~*a medel* money lodged in one's care

handikapp o. **-a** *tr* handicap

hand||kammare store-room, pantry **-kanna** water-jug, ewer **-kassa** ready money **-klappningar** clapping *sg* of hands; [friare] applause *sg* **-klaver** concertina, accordion **-klove** = *-boja* **-kraft** hand-power; *drivas med* ~ be worked by hand **-kyss** kiss on the (a p.'s) hand **-kärra** hand-barrow

handla *itr* **1** [göra affärer] trade (deal, do business) [*i* (*med*) in; *med ngn* with a p.] **2** [göra uppköp] deal; [gå i butiker] go shopping; ~ *hos* . . do one's purchasing (buying) at . . **3** [bete sig] act [*efter sitt samvete* according to one's conscience; *mot ngn* towards a p.]; ~ *överilat* act rashly **4** [vara verksam] act; *tänk först och* ~ *sen!* think before you act! ~ *rätt (orätt)* act right[ly] (wrong[ly]) **5** ~ *om a)* deal with, treat of, be about; *b)* [vara fråga om] be a question of

handlag, [*gott*] ~ *för att* . . knack of . . -ing; *ha gott* ~ *med barn* (*äv.*) be a good hand at managing children

handlande I *a* acting &c; *de* ~ *(teat.)* the dramatis personae *lat.* **II** *s* tradesman [*pl äv.* tradespeople]; [butiksägare] shopkeeper; [i parti] merchant

hand||led wrist **-leda** *tr* have oversight over; *äv.* superintend; [i studier] guide, tutor, instruct **-ledare** superintendent; tutor **-ledning** superintendence; guidance; *H*~ *i* . . [boktitel] [A] Guide to . .

handling 1 action; *en* ~*ens man* a man of action; *skrida från ord till* ~ proceed from words to deeds **2** [bedrift] act, deed; *goda (dåliga)* ~*ar* good (evil) deeds **3** [i roman, drama] action; [intrig] plot **4** [aktstycke] document; ~*ar* proceedings; *lägga till* ~*arna* put . . aside **-s|frihet** liberty (freedom) of action; *äga* ~ (*äv.*) be a free agent **-s|kraft** power of action, energy **-s|kraftig** *a* energetic, active **-s|sätt** [line of] conduct; behaviour

hand||linning wrist-band **-lov**[e] wrist **-lån** temporary loan **-lägga** *tr* deal with; *jur.* try **-läggning** dealing [*av* with]; *målets* ~ (*äv.*) the trial of the case **-löst** *adv* headlong, precipitately **-målad** *a* hand-painted **-penning** earnest-money, deposit **-pump** hand pump **-räckning 1** assistance; *ge ngn en* ~ lend a p. a helping hand **2** *mil.* fatigue-duty **-räcknings|manskap** *mil.* fatigue-duty men *pl* **-rörelse** motion (movement, [elegant] gesture) of the (one's) hand **-s,** *till* ~ at hand; *nära till* ~ *liggande* [förklaring o. d.] plausible, obvious **-s|bredd**

hand's breadth **-sekreterare** private secretary
handskaffär [butik] gloveshop, *äv.* glover's shop
handskakning handshaking; [a] handshake
handskas *itr dep,* ~ *med a)* [hantera] handle; *b)* [t. ex. barn, djur] deal with; *c)* [behandla] treat; ~ *vårdslöst med* (*äv.*) be careless with
handsk‖beklädd *a* gloved **-e** glove; [krag-] gauntlet; *kasta ~n åt ..* (*bildl.*) throw down the gauntlet to .. **-makare** glove-maker, glover
handskrift 1 hand[writing] **2** [motsats maskin-] [hand-]script **3** [manuskript] manuscript [*förk.* MS., *pl* MSS.]
handskriv‖else = *handbrev* **-en** *a* written by hand, in script, in longhand
handskskinn glove-leather(-kid)
hand‖slag handshake **-smidd** *a* hand-wrought **-spak** handspike **-spruta** manual syringe **-start 1** [hand-]starting lever, starter **2** *vid* ~ [*bör man*] when starting by hand .. **-stickad** *a* hand-knitted(-knit) **-stil** hand[-writing]; *ha en vacker* ~ write a beautiful hand **-sydd** *a* hand-sewn (-made) **-tag 1** *abstr* grip, grasp, hold; *ge ngn ett* ~ give a p. a hand **2** *konkr* handle [*på, till* of]; [runt] knob **-teckning** pencil-sketch (-drawing) **-tryckning 1** pressure (squeeze) of the hand; *ge ngn en* ~ (*vanl.*) press a p.'s hand **2** [dusör] tip; *ge ngn en* ~ [muta] grease a p.'s palm **-uppräckning,** *medelst* ~ by show of hands **-vapen** hand weapon; *pl äv.* small arms **-vev** hand crank **-vändning,** *i en* ~ in a trice **-väska** handbag; *Am.* pocket-book; [dams] *äv.* vanity-bag **-vävd** *a* hand-woven **-vävstol** hand-loom
hane 1 [djur] male; [fågel-] *äv.* cock **2** [tupp] cock; *den röde ~n* the fire fiend **3** [på gevär] cock, hammer; *spänna ~n på ..* cock .. **-gäll,** *i ~et* at cockcrow
hangar hangar **-fartyg** aircraft carrier
hanhänge *bot.* male catkin
hank, *inom stadens ~ och stör* within the bounds (confines) of the town **-a I** *itr* **F**, *gå och* ~ be ailing (puling), go about looking poorly **II** *rfl* **F**, ~ *sig fram* shift (muddle) along
hankatt tom-cat
hankig *a* **F** ailing, puling, out-of-sorts, poorly
han‖kotte *bot.* male cone **-kön** male sex
hans *pron* his
Hansan *hist.* the Hanseatic League
hantel dumb-bell
hanter‖a *tr* handle; [sköta] manage; [racket o. d.] wield; [använda] use, make use of; [behandla] treat **-ing 1** handling &c **2** [näring] craft, trade, branch of industry; [sysselsättning] occupation **-lig** = *lätt~*
hantlangare hodman, help[er]; *neds.* menial; *bildl.* [verktyg] tool
hantverk handicraft [trade], craft, trade **-are** [handi]craftsman, artisan, mechanic; [friare] workman **-s|förening** craftsmen's association **-s|mässig** *a* [nedsättande] mechanical **-s|skrå** craft guild **-s|utställning** arts and crafts exhibition
harang long speech, tirade; rigmarole [*om* about] **-era** *tr* harangue
hare hare; *bildl.* coward, **F** funk
harem harem **-s|dam** lady of a (the) harem
har‖hjärtad *a* timid, chicken-hearted **-ig** *a* timid, **F** funky; [försagd] pusillanimous **-jakt,** *vara ute på* ~ be out hare-hunting
harkl‖a *itr* o. *rfl* hawk, clear one's throat **-ing** hawk[ing]
harkrank crane fly, daddy longlegs
harlekin harlequin, merry andrew
harläpp hare-lip
harm indignation [*mot* against (with); *över* at]; [svagare] resentment; [förtret] annoyance, vexation; *i ~en* in his (o. s. v.) indignation **-a** *tr* vex, annoy; fill .. with indignation **-as** *itr dep* get (be) annoyed [*över* at]; feel indignant (be vexed &c) [*på* with; *över* at] **-lig** *a* provoking, vexatious, annoying **-lös** *a* unoffending, inoffensive; [ofarlig] harmless, innocuous **-löshet** unoffendingness &c
harmon‖i harmony; [endräkt] concord **-iera** *itr* harmonize; ~ *med* (*äv.*) be in harmony with **-i|lära** theory of harmony, harmonics *sg* **-isk** *a* harmonious; *mus.* harmonic
harmsen *a* indignant, *äv.* angry [*på* with]; *äv.* vexed, annoyed
harmynt *a* hare-lipped **-het** hare-lip
harnesk cuirass; armour *äv. bildl.; råka* (*vara*) *i* ~ (*bildl.*) get (be) up in arms [*mot* against]; *sätta ngn i ~ mot* set a p. up against
harp‖a I *s* **1** *mus.* harp **2 F** old hag, witch **3** [redskap] riddle; [grövre] screen; sifting-machine **II** *tr* riddle; screen; sift
harpass, *stå på* ~ lie in wait for a (the) hare
harp‖olek harp-playing **-o|lekare -spelare** harp-player, harper; [till yrket] harpist
harpun harpoon **-era** *tr* harpoon **-erare** harpooner
harpya *zool.* harpy eagle; *mytol.* harpy
harr *zool.* grayling
harskla = *harkla*
har‖skramla beater's rattles *pl*, harestop; [friare] rattle **-spår** hare's track, pricks *pl;* [ett ~] prick[ing] **-stek** roast hare **-syra** *bot.* sor[r]el
hart *adv,* ~ *när* very nearly, almost, all but; ~ *när omöjligt* practically impossible
hartass [på djuret] hare's foot; [annars] hare-foot; *stryka över med ~en* (*bildl.*) smooth it over
harts resin; [hårt] rosin **-a** *tr* rosin; [stråke] *äv.* resin; [flaska] *äv.* seal up **-olja** resin oil
harunge leveret, young hare
harv harrow **-a** *tr* harrow **-pinne** harrow-tooth
harvärja, *ta till ~n* take to one's heels, *äv.* show the white feather, fight shy
has hock; *äv.* ham, haunch; *rör på ~orna!* **F** hurry your stumps! **-a I** *itr* shuffle, shamble; ~ *ned* [om strumpa o. d.] slither (slip) down **II** *rfl,* ~ *sig fram* shuffle (&c) along; ~ *sig nedför ..* go slithering down ..
hasard 1 = *-spel* **2** [slump] chance, luck **-spel** game of chance; [-ande] gambling; gamble *äv. bildl.;* [vågspel] hazard **-spelare** gambler
haschisch hashish, hasheesh
hasp -a *tr* hasp
hasp‖el reel; *gruv.* winch **-el|spö** spinning-rod **-la** *tr* reel; ~ *ur sig* (*bildl.*) reel off
hassel *bot.* hazel; *koll* hazels (hazel-trees) *pl* **-buske** hazel-bush(-shrub) **-hänge** hazel catkin **-mus** dormouse **-nöt** hazelnut; [större] cob-nut
hast haste, hurry; *i* ~ in a hurry; *äv.* hastily; [plötsligt] all of a sudden; *i största* ~ in great haste, in the greatest hurry **-a** *itr* hurry, hasten; *tiden ~r* time is short; *det ~r mycket med ....* is very urgent; *det ~r inte med ..* there is no hurry about .. **-ig** *a* [snabb] rapid, quick; [påskyndad] hurried; [plötslig] sudden; [skyndsam, obetänksam] hasty; *i ~t mod* unpremeditatedly; *jur.* without premeditation **-igast** *adv, som* ~ in a great hurry; *titta in som* ~ pop in for a moment **-ighet 1** speed; *äv.* rate [at a rate of]; *vetensk.* veloc-

ity; ~ *större än ljudets* supersonic speed; *högsta tillåtna* ~ speed limit, maximum speed **2** [snabbhet] rapidity; *äv.* quickness **3** [brådska] hurry, haste, hastiness; *i ~en a)* in his (o. s. v.) hurry (haste); *b)* [förhastat] rashly, unpremeditatedly

hastighets‖begränsning speed limit **-flygning** speed-flying; *en* ~ a speed-flight **-grad** rate of speed **-löpare** *sport.* sprinter **-löpning** sprinting; *en* ~ a sprint[ing]-race **-mätare** speedometer; (*flyg.* air-)speed indicator **-rekord** speed-record **-åkare** [på skridskor] speed-skater **-åkning** speed-skating **-ökning** acceleration

hast‖igt *adv* [snabbt] rapidly, quickly, fast; [brådskande] hastily; *helt* ~ all of a sudden; [oväntat] quite unexpectedly; ~ *och lustigt* without [any] more ado, then and there, straight away **-verk,** *ett* ~ a hurried piece of work, a hasty performance

hat hatred; *poet.* hate; [avsky] detestation; i *sms äv.* -phobia; [agg] spite **-a** *tr* hate; [avsky] detest, abhor **-full** *a* full of hatred [*mot* towards]; *äv.* spiteful (rancorous) [*mot* towards] **-propaganda** propaganda of hatred

hatt 1 hat; *vara karl för sin* ~ stand up for o.s., hold one's own **2** ⊕ cap, hood **-affär** hatter's [shop], hat-shop **-ask** hatbox; [kartong] bandbox **-band** hat-ribbon **-brätte** hat-brim **-butik** = *-affär* **-hylla (-hängare)** hat-rack (-rail) **-kulle** hat-crown **-makare** hat-manufacturer; [-handlare] hatter **-modist** hat modiste, milliner **-nål** hat-pin **-skrålla F** guy of a hat **-stomme** hat-body (-shape)

haubits howitzer

hausse rise, boom **-spekulant** bull [operator]

hav sea *äv. bildl.*; ocean; *en droppe i ~et* a drop in the ocean; *hela ~et stormar* [lek] general post; *mitt ute på ~et* right out at sea; *till ~s a)* to sea; *b)* [läge] at sea; *vid ~et a)* [vistas] at the seaside, by the sea; *b)* [om stad] on the sea [coast]; *öppna ~et* the high seas *pl;* [*höjd*] *över ~et* .. above sea level

hav‖a = *ha* **-ande** *a* pregnant, gravid; *vara* ~ (*äv.*) be with child **-andeskap** pregnancy, gravidity

havanna Havana [cigar]

haver‖era *itr* get (be) wrecked, *bildl. äv.* shipwrecked; [om el. med flygmaskin, båt] have a breakdown, **F** get smashed **-i 1** *sjö.* shipwreck; *flyg.* breakdown, crash **2** [sjöskada] loss and damage **3** *hand. jur.* average **-ist 1** shipwrecked vessel; *flyg.* wrecked (crashed) aeroplane (&c) **2** [pers.] shipwrecked man; *flyg.* wrecked airman (&c)

havre oats *sg* o. *pl; av* ~ .. of oats, oat **-flingor** rolled oats **-gryn** *koll* hulled oats; *äv.* coarse oatmeal; *vanl.* rolled oats **-gryns|gröt** [oatmeal] porridge **-käx** oatmeal biscuit **-mjöl** oatmeal **-soppa** oatmeal soup **-åker** oat field, field of oats

havs‖arm arm of the sea **-bad 1** sea-bathing; *ett* ~ a sea-bathe **2** [badort] seaside watering-place (resort) **-band,** *i ~et* on (among) the seaward skerries **-bott|en** sea (&c)-bottom; *på -nen (vanl.)* at the bottom of the sea **-bris** sea breeze **-bukt** bay, gulf **-djup** depth [of the sea] **-djur** marine animal **-fisk** marine (sea-)fish **-fiske** deep-sea fishing **-forskning** oceanography **-gud** sea-god **-katt** *zool.* sea-cat(-wolf), wolf-fish **-klimat** maritime (sea-)climate **-kust** sea coast, seashore; *en .. vid ~en (äv.)* a seaside .. **-luft** sea air **-orm** sea-serpent **-sand** sea-sand **-skum** sea-foam **-sköldpadda** turtle **-strand** seashore, beach **-ström** sea (ocean) current **-trut** *zool.* greater black-backed gull **-tång** seaweed **-vatten** sea (ocean) water **-vidunder** sea monster **-vik** = *-bukt* **-växt** marine plant **-yta** surface (level) of the sea; *under (över) ~n* below (above) sea level **-örn** white-tailed (*Am.* gray sea) eagle

heat *sport.* heat

hebr‖é Hebrew **-eisk** *a* **-eiska** Hebrew; *.. som ~ för mig* .. all Greek to me

Hebriderna the Hebrides

hed moor[land]; [ljung-] *äv.* heath

heden‖dom heathendom; [lära] heathenism; paganism **-hös,** *från* ~ from time immemorial

heder honour; [berömmelse] *äv.* credit; [ärlighet] honesty; *på ~ och samvete* on one's faith and honour; *på ~ och ära!* [up]on my honour! *det länder dig till* ~ that is to your (does you) credit **-lig** *a* **1** honourable; [redbar] honest; [ärbar] respectable **2** [anständig] decent; [frikostig] handsome [*belöning* reward] **-lighet** honesty; honourableness; respectability; decency; *~en själv* honour itself **-s,** *komma till ~ igen* be restored to its place of honour **-sam** *a* honouring, honourable; jfr *-lig*

heders‖begrepp notion of honour **-betygelse** mark of honour (respect); *under militära ~r* with full military honours **-bevisning** = *-betygelse* **-borgare** honorary freeman [*i* of] **-bror,** [*min*] *~!* dear old fellow! **-dag** day of honour **-doktor** honorary doctor [*vid* of] **-gubbe -gumma** [a] good old sort **-gåva** testimonial [gift] **-gäst** guest of honour **-knyffel F,** *en riktig* ~ a real brick **-kodex** code of honour **-känsla** sense of honour **-ledamot** honorary member **-legion,** *H~en* the Legion of Honour **-man** man of honour **-omnämnande** honourable mention **-ord,** *på* ~ on one's word of honour; [*frigiven*] *på* ~ .. on parole **-plats** place ([sitt-] seat) of honour **-president** honorary president **-pris** presentation prize **-sak** point of honour **-skuld** debt of honour **-titel** honorary title **-uppdrag** charge (commission) of honour **-vakt** guard of honour

hedervärd *a* worthy, honest

hedna‖folk heathen people **-mission,** *~en* foreign missions *pl* **-världen** the heathen world; *äv.* heathendom

hedn‖ing heathen; [f. Kr.] pagan **-isk** *a* heathen; pagan

hedr‖a I *tr* honour; show (pay) honour to; [göra heder åt] do honour (credit) to **II** *rfl* do o.s. honour (credit) **-ande** *a* jfr *hedersam;* [vandel] honourable

hegemoni hegemony

hej *itj* hullo! **-a I** *itj* hurrah, **F** 'rah! **II** *tr* ⊕ ram .. with a (the) log-rammer **III** *itr* shout 'Hurrah' (**F** 'Rah'); whoop, yell **-are 1** ⊕ log-rammer, pile-driver **2** = *baddare* **-ar|klack** *sport.* claque [of yellers] **-a|rop** shout of 'Hurrah' &c

hejd, *det är ingen ~ på* there are no bounds to **-a I** *tr* stop; [t. ex. ofog] put a stop to, check **II** *rfl* stop (check) o.s.; [om talare o. d.] *äv.* pull up [*tvärt* short] **-lös** *a* [våldsam] violent; [ofantlig] enormous; [som ej kan -as] uncontrollable, unrestrainable; [hänsynslös] reckless

hejduk myrmidon, tool

hejdundrande *a* **F** tremendous

hekatomb hecatomb

hektar hectare

hektisk *a* hectic

hekto hectogramme; *ett* ~ (*ung.*) three and a half ounces, a quarter of a pound **-grafera** *tr* mimeograph, duplicate **-gram** =

hekto **-liter** hectolitre; *ung.* twenty-two gallons, two and three quarter bushels
hel *a* **1** [total, odelad] whole; *äv.* entire; *~a* the whole [*landet* country]; *~a dagen* all (the whole) day; *en ~ del* a great deal of; *över ~a landet* throughout (all over) the country; *~a Sverige* all (the whole of) Sweden; *som en ~ karl* like a man; *en ~ förmögenhet* quite a fortune; *~a namnet* the name in full; *~a tal* whole (integral) numbers; *tre ~a* [*och en fjärdedel*] three wholes . .; *varje ~ timme* every full hour; *det är inte så ~t med* [*den saken*] **F** there's something rather shady about . .; *vara trött på det ~a* be sick of the whole thing (of it all); *på det ~a taget* on the whole, taken altogether **2** [ej sönder] whole, unbroken; *ett ~t glas a)* a sound glass; *b)* [mått] a whole glass[ful] [of . .] **-a I** *s* **1** = *-butelj* **2** [sup] first dram; *~n går!* now for the first! **II** *tr* heal **-afton,** *ha en ~* **F** make a night of it **-aftons-** whole-evening [film] **-ark** folio **-as** *itr dep* [om sår] heal [up] **-automatisk** *a* fully automatic
helbrägda *a* whole **-görelse** healing; [genom tron] faith-healing
hel||butelj whole (large) bottle **-däckare** *sjö.* full-decker **-fabrikat** *koll* finished goods (products) *pl* **-fet** *a* whole-fat **-figur** full figure; [*porträtt*] *i ~* whole-length . .
helg festival; [friare] holiday[s *pl*] **-a** *tr* sanctify; [inviga] consecrate, dedicate; [helighålla] keep . . holy, hallow; *~t varde ditt namn!* hallowed be thy name! *ändamålet ~r medlen* the end justifies the means **-d** [okränkthet] sanctity; [ställes] sacredness; [stämning] solemnity; *hålla . . i ~* hold . . sacred **-dag** holy-day; [ledig dag] holiday **-dags|kläder** holiday clothes
helgedom sanctuary; [byggnad] *äv.* sacred edifice, temple
helgeflundra *zool.* halibut
helg||else holiness; [-ande] sanctification **-e|rån** sacrilege **-fri** *a, ~ dag* working day
helgjuten *a bildl.* as if cast in one piece; [personlighet] of a piece, consistent, harmonious
helgon saint; *förklara för ~* canonize **-bild** saint's image **-dyrkan** saint-worship **-förklaring** canonization **-gloria** halo, aureole **-legender** legends of the saints **-lik** *a* saintlike, saintly
helgtrafik holiday traffic
helhet entirety; completeness, wholeness, totality; *i sin ~* in its entirety; *äv.* as a whole; entirely; jfr *helt* **-s|bild (-s|intryck)** general picture (impression) **-s|verkan** total effect
helhjärtad *a* whole-hearted
helig *a* holy; [helgad] sacred; [högtidlig] solemn [*löfte* promise]; *~a tre konungar* (*bibl.*) the three Magi; *den ~a natten* the Night of the Nativity; *det allra ~aste* the Holy of Holies; *Erik den ~e* Saint (St.) Eric; [*lova*] *vid allt vad ~t är . .* by all that one holds sacred **-het** holiness; *Hans H~* [om påven] His Holiness
helikopter helicopter
helinackordering 1 *abstr* full board and lodging **2** *konkr* boarder
heliotrop heliotrope
hell *itj* [all] hail! *~ dig!* hail to thee!
hellen Hellene **-[i]sk** *a* Hellenic **-istisk** *a* Hellenistic
heller *adv* [eft. neg.] either; *ej ~* nor; neither; *. . och det gör inte jag ~ . .* nor do I, . . and I don't either
hellinne I *s* whole linen **II** *a* all-linen
hellre *adv* rather; *äv.* sooner; *jag vill ~ gå* I should prefer to walk; *jag går ~ än jag åker* I prefer walking to riding; *ju förr dess ~* the sooner the better; *vi önska ingenting ~* we wish no better
hellång *a* full-length
helnykter *a* teetotal **-het** total abstinence, teetotalism **-ist** total abstainer, teetotaller
helomvändning right-about turn; is. *bildl.* volte-face *fr.*
hel||pension 1 [skola] boarding-school **2** = *-inackordering 1* **-siden** whole (pure) silk; i *sms* whole-(all-)silk **-sides-** whole-page [illustration]
helsike F = *helvete*
hel||skinnad *a, komma ~ undan* get off scotfree (unscathed) **-skägg** full beard **-spänn,** *på ~* at full cock; *bildl.* on tenter-hooks; [på sin vakt] on the qui vive *fr.*
helst I *adv* **1** preferably, by preference; *jag ville ~* I should like best of all **2** [i synnerhet] especially [*som* as] **3** *hur som ~* anyhow, no matter how; [i varje fall] in any case; [ss. svar] just as you like (please); *därmed må vara hur som ~* be that as it may, however that may be; *hur länge som ~* any length of time; [*kosta*] *hur mycket som ~ . .* any amount; *hur stor som ~* no matter how large; *ingen som ~ anledning* no reason whatever; *när som ~* [at] any time, whenever you (o.s.v.) like; *vad som ~* anything [whatever]; *var (vart) som ~* [just] anywhere; *vem som ~* anybody, anyone **II** *konj, ~ som* especially (all the more) as
hel||stekt *a* . . roasted whole **-svart** *a* all black **-syskon** whole brothers and sisters **-t** *adv* entirely, wholly; completely, totally; [alldeles] altogether, quite; [ganska] quite, rather; *~ och hållet* altogether, completely; *~ om! (mil.)* right-about face! *göra ~ om (mil.)* face about; [friare o. *bildl.*] turn right about face; *en ~ liten . .* quite a small . .; *ngt ~ annat* quite a different thing; *gå ~ upp i* be completely engrossed in **-tid** *sport.* time **-tids|tjänst** full-time job **-timme** whole (full) hour **-täckt** *a, ~ bil* covered (close) car
helvet||e [dödsrike] Hell; *ett riktigt ~* a regular hell; *dra åt ~!* go to hell! **-es** *a, ett ~ oväsen* the (a) hell (deuce) of a row, an infernal row **-es|eld** hell fire **-es|kval** *pl* torments of hell; [friare] excruciating pain *sg* **-es|maskin** clock-work (infernal) machine **-isk** *a* infernal, hellish
hel||vit *a* all white **-ylle** whole (all) wool **-år** whole year **-års|prenumerant** whole-year subscriber
hem I *s* home; [bostad] *äv.* house, place; *lämna ~met* leave home; *i ~met* in the (one's) home **II** *adv* **1** home; [*bjuda ngn*] *~ till sig . .* to one's home (house); *låna . . med sig ~* borrow . . and take it home [with one]; *gå ~* go home; *hälsa ~!* remember me (kind regards) to your people at home! **2** (*spel.*) *ta ~ ett stick* win (make) a trick; *gå ~* get home, [i bridge] make the contract **-adress** permanent address **-arbete** home-work **-bageri** small-scale bakery **-bakad** *a* home-made **-biträde** maid **-biträdes|lag** Domestic Servant Act **-bjuda** *tr* **1** se *hem II 1* **2** *~ ngn ngt* [till inlösen] give a p. the first refusal of a th. **-bränd** *a* home-(illicitly) distilled **-bränning** home-(illicit) distilling **-buren** *a, få . . ~* have . . delivered at one's home **-bygd** native place **-bygds|kunskap** regional study (geography and folklore) **-bygds|vård** local

monuments preservation **-bära** *tr bildl.* present, offer; [vinna] carry off; ~ *ngn sin hyllning* pay one's respect to a p. **-bärning** delivery at one's home **-falla** *itr* **1** *jur.* devolve (revert) [*till* to] **2** [friare] yield, give way; [hänge sig] give o.s. up; [bli offer] fall a victim [*åt* to] **-fallen** *a* addicted [*åt* to] **-forsla** convey . . [to a p.'s] home **-frids|brott** *jur.* violation of domicile **-färd** homeward journey, journey home **-föra** *tr* take ([hit] bring) . . home **-förlova** *tr* [trupper] disband, demobilize; [skolungd.] dismiss; [riksdag] adjourn **-gift** dowry **-gjord** *a* home-made **-gård** home farm **-ifrån** *adv* from home; *gå* ~ leave (set out from) home **-industri** home industry **-inredning** interior decoration

hemisfär hemisphere

hem||kalla *tr* recall, summon . . home **-kommen** *a, nyligen* ~ just back [home] **-komst** return home **-konsulent** domestic-economy adviser **-känsla** home-feeling **-kär** *a* fond of (devoted to) one's home **-lagad** *a* home-cooked(-made) **-land** native country, homeland **-lands|toner,** *det är* ~ it is quite like home

hemlig *a* secret [*för* from]; [dold] hidden (concealed) [*för* from]; [i smyg] clandestine; [mots. 'offentlig'] private; *strängt* ~ strictly confidential **-het 1** [utan *pl*] secrecy, privacy; [*göra ngt*] *i* ~ . . in secret, . . secretly **2** [med *pl*] secret; *en offentlig* ~ an open secret **-hets|full** *a* mysterious; [förtegen] secretive **-hets|fullhet** mysteriousness &c **-hets|makeri** mystery-making; secretiveness **-hålla** *tr* keep . . secret (*äv.* conceal . .) [*för* from] **-stämpel** secret stamp **-stämpla** *tr* stamp . . as secret; make a secret of . .; ~*d* (*äv.*) classified

hem||lik *a* home-like **-liv** home life; *äv.* domesticity **-lån,** *som* ~ [om bok] for home reading **-längtan** homesickness, longing for home; *känna* ~ feel homesick **-läxa** homework **-lös** *a* homeless

hemma *adv* at home; ~ *hos mig* in my home; *där* ~ at home; *borta bra men* ~ *bäst* East, West, home is best; *han är* ~ *i M.* his home is at M.; *höra* ~ *i* [om sak] belong to; *känna sig som* ~ feel at ease; *stanna* ~ *från skolan* stay away from school **-front** home front **-hörande** *a,* ~ *i* [om pers.] native of, [who is (o. s. v.)] domiciled in . ., with his (o. s. v.) home in . .; [fartyg] of, belonging to, hailing from **-lag** home team **-marknad** home market

hemman homestead; [freehold] farm **-s|ägare** yeoman[-farmer], freeholder; *vanl.* farmer

hemma||plan *sport.* home ground **-sittare** stay-at-home **-stadd** *a* **1** [*känna sig* feel] at home **2** *bildl., vara* ~ *i* be at home in (familiar with, versed in) [Latin]; *äv.* be well up in, have a command of **-varande** *a, de* ~ those at home

hemorrojder *läk.* piles, *äv.* h[a]emorrhoids

hem||ort se *-vist* o. *-trakt;* [födelse-] native place; *flyg.* home base **-orts|försvar**[et] home defence **-orts|rätt,** *ha* ~ *i* have domiciliary rights in (at); *vinna* ~ *i* [*språket*] gain recognition in . . **-permittera** *tr* grant . . home leave; ~*d* on home leave **-resa** *s* journey (voyage, return) home; homeward journey (&c); *under* ~*n* (*äv.*) while going (&c) home **-resa** home journey **-sjuk** *a* homesick

hemsk *a* **1** ghastly; [skrämmande] frightful, shocking; [kuslig] uncanny, weird; [hisklig] grisly, gruesome; [olycksbådande] sinister, dismal, gloomy **2** [förstärkande] **F** awful, frightful, tremendous; *det var* ~*t!* how awful! **-het** ghastliness &c

hem||skillnad *jur.* judicial separation **-skrivning** *skol.* home composition

hemskt *adv* **1** in a ghastly (&c) fashion, uncannily &c **2** awfully &c

hem||slöjd *ung.* domestic (home) crafts (industries) *pl* **-socken** home parish **-spunnen** *a* home-spun **-stad** home ([födelse-] native) town

hemställ||a *tr,* ~ . . *till* [ngns bedömande] submit . . to; ~ *till ngn* put it to a p.; ~ *att* suggest (propose) that **-an** petition, suggestion, proposal

hem||sydd *a* home-made **-sysslor** housework *sg* **-sända** *tr* send . . home; [varor] *äv.* deliver; [fångar, flyktingar] repatriate **-söka** *tr* **1** [m. sjukdom, krig] visit, scourge **2** [pest, rövare] infest; [sjukdom] attack, afflict **-sökelse** visitation; scourge; infliction **-sömmerska** home dressmaker **-tam** *a* domesticated **-trakt** home district; se *äv.* *-bygd; i min* ~ (*äv.*) in the neighbourhood of my home **-transport** transport, delivery **-trevlig** *a* nice and comfortable (cosy, snug); jfr *trivsam* **-trevnad** domestic comfort, homelike feeling

hemul, *ha* ~ *för sig* have authority **-s|man** *jur.* warrantor

hem||uppgift (-uppsats) *skol.* home task (composition) **-vist** [place of] residence, place of abode; *naturv.* habitat; *vara* ~ *för* (*bildl.*) be a seat (centre) of **-väg** way home; [-färd] homeward way; *bege sig på* ~ start for home (homewards); *vara på* ~ [om fartyg] be homeward bound **-värn** home guard, civil defence **-väv|d** *a* homewoven; *-t tyg (äv.)* homespun **-åt** *adv* homewards, towards home

henne *pron* [om pers.] her; [om djur o. sak] it; [om fartyg] her; jfr *hon* **-s** *pron* **1** *fören.* her; [om djur o. sak] its; *ibl.* her **2** *självst.* hers

herald||ik heraldry, blazonry **-iker** herald[ist], armorist **-isk** *a* heraldic

herbarium herbarium

herd||abrev pastoral letter **-e** shepherd; *bildl.* o. *poet. äv.* pastor; i *sms* -herd **-e|dikt** pastoral (bucolic) poem **-e|gosse** shepherd's boy **-e|idyll** pastoral idyll **-e|stav** shepherd's crook **-inna** shepherdess

Herkules Hercules **h~arbete,** *ett* ~ a Herculean task

hermafrodit hermaphrodite

hermelin ermine *äv. i sms*

hermet||isk *a* hermetical **-iskt** *adv* hermetically [*sluten* sealed]

her||oisk *a* heroic[al] **-oism** heroism **-os** hero

herr 1 [framför namn] Mr. [*pl* Messrs.] [*förk.* av Mister (*pl* Messieurs)]; [på brev] *Engl.* Esq. [efter namnet; *förk.* av Esquire]; *Am.* Mr. **2** [framf. titel] ~ *professor* (*doktor, pastor*) *Smith* Professor (Doctor, the Reverend [*förk.* Rev.]) Smith **3** [vid tilltal] *ja,* ~ *professor* yes, Professor; yes, sir; ~ *greve!* ~ *baron!* (*Engl.*) Your Lordship! [annars] Count! Baron! ~ *biskop!* My Lord Bishop! ~ *ärkebiskop!* Your Grace! ~ *ordförande!* Mr. Chairman! *äv.* Sir! **-a|döme** dominion **H~an** se *herre* 7 **-ans F**, *i* ~ *namn* for goodness' sake; *ett sådant* ~ *väder!* what awful weather! *i många* ~ *år* for years and years, for ages **-ar 1** [framf. pers.-namn, is. i firmanamn] Messrs. [*förk.* av Messieurs (utläses messers); Messrs. John Smith & Sons] **2** [framf. titel o. d.] ~ *professorer M. och N.* Professors M. and N.; ~ *piprökare* pipe-smokers; ~ *lärare* the gentlemen on the staff **3** *Mina* ~*!*

Gentlemen! *Mina damer och ~!* Ladies and Gentlemen! **-avdelning** gentlemen's (men's) department **-a|välde** [makt] domination [*över* over]; [myndighet] dominion (supremacy) [*över* over (of)]; [styrelse] rule (sway) [*över* over (of)]; [övertag] mastery (command) [*över* of]; [kontroll] control [*över* of]; *ha ~ till sjöss* have command of the sea (supremacy at sea); *ha ~ över sig själv* have self-control **-bjudning** [gentle]men's party, stag party **-cykel** man's bicycle

herr‖e 1 gentleman **2** se *herr, herrar* **3** [i tilltal] *vad önskar -n?* what do you want, sir? **4** [förnäm ~, adlig] nobleman; [*Engl.* i vissa fall] lord **5** [härskare] lord; [friare] master; *min ~ och konung* My Sovereign Lord and King; *situationens ~* master of the situation; *spela ~* lord it [*över* over]; *vara ~ på täppan* rule the roost; *vara sin egen ~* (*äv.*) be a free agent, be one's own master; *bli ~ över ngt* gain the mastery of (over) a th., get the better of a th. **6** [husbonde] master **7** *H~n* the Lord; *~ Gud!* Good God! Good Gracious! **-e|folk** master race **-ekipering[s|affär]** [gentle]men's outfitter's **-e|lös** *a* without a master; [egendom, bil o. d.] ownerless, abandoned, unclaimed; [hund] *äv.* stray **-e|man** gentleman; [godsägare] country gentleman **-e|säte** country place (seat); manorial estate **-främmande** gentlemen visitors

herrgård 1 = *herresäte* **2** [byggnad] manor [-house]; *äv.* hall

herr‖hatt gentleman's hat **-kläder** gentlemen's (men's) clothing *sg* **-konfektion** = *-kläder, -ekiperingsaffär* **-kostym** gentleman's (*hand.* gent's) suit **-middag** [gentle-] men's dinner party **-mod** men's fashion

herrnhut|are, *-arna* the Moravian brothers

herrskap 1 [fin familj] gentleman's family; [herre o. fru] master and mistress, Mr. and Mrs. Smith (o. s. v.); *tar ~et emot?* are Mr. and Mrs. Smith (o. s. v.) at home? **2** [-sfolk] gentry; gentlefolks *pl; spela ~* play the gentlefolks **3** [vid tilltal] *skall ~et gå redan?* are you going already? *Mitt ~!* Ladies and Gentlemen! **-s|aktig** *a* genteel **-s|folk** = *herrskap 2*

herr‖skräddare [gentle]men's (*hand.* gents') tailor **-strumpor** men's socks **-sällskap,** *i ~* with gentlemen (a gentleman); [bland herrar] among gentlemen **-toalett** [lokal] gentlemen's lavatory (*Am.* restroom) **-tycke** sex appeal

herrum study; [ungkarls] bachelor's room

hertig duke **-döme** duchy **-inna** duchess **-lig** *a* ducal

hes *a* hoarse; [röst] *äv.* husky **-het** hoarseness

het *a* hot; [klimat] *äv.* torrid [zone]; *bildl. äv.* ardent [*längtan* longing], fervent [*böner* prayers]; [uppbragt] heated (excited) [discussion]; *han hade en ~ stund* he had a hot time of it; *i ~aste striden* in the very thick of the battle; *göra det ~t för ngn* make it hot for a p., give a p. hell; *ha det ~t om öronen* be in a pretty pickle (in a fine mess)

het|a *itr* **1** [kallas] be called (named); *vad -er du?* what is your name? *vad -er hon i sig själv?* what was her maiden name? *.., vad han nu -er ..,* Mr. What's-his-name; *vad -er .. i pluralis?* what is the plural of ..? *vad -er det på engelska?* what is the English for it (is it in English)? **2** *opers, .. som det -er* as the phrase (saying) goes, as they say [in Swedish]; as the word (term) is; *det -er att ..* it is said (people say) that ..; *det -er att han (o. s. v.) ..* he (o. s. v.) is said to ..

hetero‖dox *a* heterodox[ical] **-gen** *a* heterogeneous **-genitet** heterogeneity

hetlevrad *a* hot-headed(-tempered); [argsint] irascible

hets 1 [-ande] baiting (pestering, worrying) [*mot* of] **2** [oro] bustle **-a** *tr* bait (worry) [*till döds* to death]; [tussa] hound [*på* on to]; [*~ upp*] incite [*till* to], egg .. on; *~ upp sig* get excited **-ande** *a* excitatory, inflammatory; [dryck] fiery, heady **-ig** *a* hot, fiery, impetuous; vehement [desire (hatred)]; heated [discussion] **-ighet** hotness &c, impetuosity; vehemence **-jakt** hunt[ing] (chasing) [*på* of]; [efter nöjen] chase [*efter* after], eager pursuit [*efter* of] **-kampanj** hate-campaign, witch-hunt

hetsporre hotspur

hett *adv* hotly &c; jfr *het; det går (gick) ~ till* they are having a hot time of it (it was hot work) **-a I** *s* heat; *bildl. äv.* ardour; [häftighet] impetuosity; *i ~n* (*bildl.*) in the heat of the moment; *i stridens ~* in the heat of the struggle (*bildl.* of the debate) **II** *itr* emit heat; *det ~de i ansiktet* my face burned **III** *tr* = *upp~*

hexameter hexameter

hicka I *s* hiccup[s *pl*] **II** *itr* hiccup

hickory hickory

hier‖arki hierarchy **-oglyf** hieroglyph

himla F I *a* awful **II** *adv* awfully **III** *rfl* turn (roll) up one's eyes to heaven

himla‖fäste, *på ~t* in the firmament **-kropp** heavenly (celestial) body **-mat** *kok. ung.* trifle **-rand** horizon **-stormande** *a* heaven-storming, titanic **-valv,** *~et* the vault (canopy) of heaven; *äv.* the sky, the heavens *pl*

him|mel 1 sky; *äv.* firmament; *under bar ~* in the open [air]; *allt mellan ~ och jord* every mortal thing **2** [Guds ~, paradis] heaven, Heaven; *uppstiga till -len* ascend into heaven **-rike,** *~t* the kingdom of heaven; *ett ~ på jorden* (*bildl.*) a heaven upon earth **-s|blå** *a* sky blue, azure **-s|färd,** *Kristi ~* the Ascension [of Christ] **-s|färdsdag,** *Kristi ~* Ascension Day **-s|hög** *a* .. [as] high as heaven; [svagare] sky-high **-sk** *a* heavenly; [t. ex. sällhet] celestial; *bildl. äv.* divine; [tålamod] angelic; *det ~a riket* [Kina] the Celestial Empire **-s|mekanik** celestial mechanics *sg* **-s|skriande** *a* [orättvisa] crying; [brott] atrocious **-s|vid** *a bildl.* immense, enormous; *en ~ skillnad* all the difference in the world

hin the devil; [*hon är*] *ett hår av ~* .. a devil of a woman; *~ håle* (*äv.*) the Evil One, Old Harry

hind hind

hinder obstacle [*för, mot* to]; *äv.* impediment [*för* to]; [som fördröjer] hindrance; *äv.* obstruction; *sport.* [häck o. d.] hurdle, fence; [dike o. d.] ditch, bunker; [spärr] bar *äv. bildl.; lägga ~ i vägen för ngn* (*ngt*) put obstacles in a p.'s path (in the way of a th.); *det möter intet ~ från min sida* there is nothing to prevent it as far as I am concerned, *äv.* I have no objection to it; *övervinna alla ~* surmount every obstacle; *vara till ~s för ngn* be in a p.'s way; *ta ett ~* (*sport.*) jump (take, clear) a fence (&c) **-bana** *sport.* steeplechase course **-hoppning** *ridk.* hurdle-jumping **-löpning -ritt** steeplechase **-sam** *a* cumbersome **-s|lös** *a* **(-s|löshet)** *jur.* [till äktenskap] free (freedom) of matrimonial disability **-s|löshetsbevis** [för utgivare] authorization for the publication [*av* of] **-s|lös-hetsintyg** [över rätt att lämna landet] authorization to leave the country; exit permit

hindr||a *tr* **1** [för-] prevent [*ngn från att göra* a p. from doing]; [avhålla] *äv.* deter, keep, restrain, withhold; [hejda] stop, check **2** [vara till hinders för] impede, hamper, keep . . back; [trafik, utsikt] obstruct, block; [störa] hinder; [fördröja] delay **-ande** *adv, stå ~ i vägen* be an obstacle (a hindrance)

hindu Hindu, Hindoo **-isk** *a* Hindu **-iska** [språk] Hindi

hingst stallion **-föl** male foal

hink bucket [*vatten* of water]; [mjölk-, slask-] pail

1 hinn|a I *tr* **1** = *uppnå* **2** [få färdig] manage to accomplish (to get . . done); [ha tid att] have time to **II** *itr* **1** [nå] *~ till* [*målet*] reach . . **2** [komma] get; [mot den talande] come; *hur långt har du hunnit?* how far have you got? **3** [ha tid lyckas] have (find) time; [komma i tid] be in time; *icke ~ med tåget* miss (not catch) the train; *. . allt vad han -er* . . as fast as [ever] he can **4** *~ dit* manage to get there; *~ fram* arrive [*till* at (in)]; *absol. äv.* reach one's (its) destination, *äv.* get there; *~ med* [följa med] keep up (pace) with; *~ ifatt* catch up with, *äv.* overtake; *~ till* [räcka] be enough

2 hinna *zool. bot.* membrane; [friare] coat; [tunn] film

hippa F party; jollification, rag, spree

hirs *bot.* millet

hisklig *a* horrid, horrible; jfr *förfärlig*

hisn||a *itr* turn (go) dizzy (giddy) **-ande** *a* dizzying; [höjd] *äv.* dizzy, giddy

hiss lift; is. *Am.* elevator **-a** *tr* hoist; [pers.] *äv.* toss; *~ segel* (*äv.*) set (make) sail; *~ upp* hoist (run) up **-förare (-korg)** lift (&c) -attendant (-cage, -car) **-pojke** lift(&c)-boy **-trumma** lift(&c)-shaft(-well)

histor||ia 1 history [*äv.* lärobok]; *gamla (nyare) tidens ~* ancient (modern) history **2** [berättelse] story; [sak] *äv.* thing, business, affair; *en snygg ~!* a fine (pretty) business! *en tråkig ~* a sad (unpleasant) business (affair) **-ie|bok** history-book **-ie|forskning** history research **-ie|uppfattning** concept (idea) of history **-ik** history **-iker** historian **-isk** *a* historical; [minnesvärd; *äv. gram.*] historic [*ögonblick* moment; *presens* present]

hit *adv* here; *kom ~!* come [on] (in, up, out) here! *ända ~* as far as this; *det hör inte ~* that does not come in here; *~ och dit* here and there, hither and thither, to and fro **-färd,** *på ~en* on the (my o. s. v.) journey (way) here **-hörande** *a* belonging to (falling under) this category, pertinent **-intill[s]** *adv* thus far, as far as this **-komst,** *vid min ~* on my arrival **-om** *prep* [on] this side [of] **-re** *a, den ~* . . the . . nearer here **-resa,** *på ~n* on the journey here

hitt||a I *tr* find; [träffa på] light (come) [up]on **II** *itr* find the (one's) way; [känna vägen] know the (&c) way; *det var som ~t* it was a regular godsend; *~ på' (eg.* o. *bildl.)* hit upon; [upptäcka] find [out], discover; [uppfinna] invent; [uppdikta] make up **-e|barn** foundling **-e|gods** lost property **-e|lön** reward

hit||tills *adv* up to now, hitherto, till now, as yet; [så här långt] so (thus) far **-väg,** *på ~en* on the (my o. s. v.) way here **-åt** *adv* in this direction

hiva *tr* o. *itr* heave

hjord herd; [får-] flock *äv. bildl.* **-instinkt** herd instinct

hjort [kron-] red deer *sg* o. *pl;* [hanne] *äv.* stag; [dov-] fallow-deer *sg* o. *pl;* [hanne] *äv.* buck **-djur,** *~en* the deer **-horn 1** antler **2** [ämne] hartshorn **-horns|salt** salt of hartshorn **-kalv** fawn

hjortron *bot.* cloudberry

hjul wheel; [utan ekrar] trundle **-a** *itr* turn Catherine-wheels; *flyg.* cart-wheel **-axel** axle-tree; ⊕ shaft **-bent** *a* bandy-(bow-) legged **-broms** wheel brake **-båt** paddle boat (steamer) **-don** wheeled vehicle **-eker** wheel-spoke **-makare** wheelwright **-nav** hub, wheel-nave **-ring** tire, tyre **-spår** wheel-track; [djupare] rut **-ångare** paddle steamer

hjälm helmet **-buske** plume of a helmet

hjälp 1 help; [bistånd] *äv.* aid, assistance; [understöd] support; [botemedel] remedy [*mot, för* for]; *första ~en* [vid olycksfall] first aid; *komma ngn till ~* come to a p.'s assistance; *få ~ av* . . be helped by . .; *tack för ~en!* thanks for your kind assistance! I am much obliged to you! *ta* [*händerna*] *till ~* have recourse to . .; *vara ngn till stor ~* be a (of) great help to a p. **2** *~er* (*ridk.*) aids **-|a I** *tr* o. *itr* help; [biträda] aid; [bistå] assist; [bota] remedy; [rädda] save, rescue; *vill du ~ mig* [*ett ögonblick*] just give me (lend) a hand . . *Gud -e oss!* the Lord have mercy on us! *så sant mig Gud -e!* so help me God! *jag kan inte ~ att* (*äv.*) it is not my fault that; *det -te!* (*äv.*) that had an effect, that did the trick; *det -te inte* it was of no avail; *vad -er det, att jag . .?* what's the good (use) of my . . -ing? *~ ngn a'v med* help a p. off with; *~ till* help, make o.s. useful; *~ upp* [förbättra] improve; *~ ngn ur en förlägenhet* relieve a p. from an embarrassment **II** *rfl, ~ sig själv* help o.s.; [reda sig] manage **-aktion** relief action **-ande** *adv, träda ~ emellan* come to the rescue **-as** *itr dep, det kan inte ~* there is no help for it; *~ åt* help (assist) one another **-behövande** *a, de ~* those requiring (in need of) help; *äv.* the needy **-expedition** relief expedition **-fartyg** auxiliary vessel **-gumma** charwoman **-klass** relief class [for backward children] **-kryssare** *sjö.* auxiliary cruiser **-källa** resource; [litterär] work of reference, source **-lig** *a* passable, tolerable, moderate; **F** decent **-lös** *a* helpless, shiftless **-löshet** helplessness &c **-medel** means *sg* o. *pl* [of assistance]; aid; [utväg] expedient; se *äv. -källa* **-motor** auxiliary engine (motor) **-program** aid (relief) program[me] **-reda 1** [pers.] helper, assistant **2** [bok] guide **-sam** *a* helpful, ready (willing) to help; [välgörande] charitable [*mot* to (towards)] **-samhet** readiness (&c) to help; charitableness **-station** first aid station **-sökande I** *s* applicant for relief, suppliant **II** *a* seeking relief **-tank** *flyg.* auxiliary fuel tank **-trupp** auxiliary force; *~er* auxiliary troops, auxiliaries **-verb** *gram.* auxiliary [verb] **-verksamhet** relief activity

hjälte hero **-bragd** heroic achievement (deed) **-dikt** heroic poem **-dyrkan** hero-worship **-dåd** = *-bragd* **-död** heroic death; *dö ~en* die the death of a hero **-konung** hero king **-mod** heroic courage, heroism **-modig** *a* . . of heroic courage, heroic **-saga** hero-saga

hjältinna heroine

hjärn||a brain; [förstånd] brains *pl; stora ~n* (*äv.*) the cerebrum; *lilla ~n* (*äv.*) the cerebellum; *bry sin ~* rack one's brains **-bark** cortex **-blödning** *läk.* cerebral h[a]emorrhage **-hinna** cerebral membrane **-hinne|inflammation** meningitis **-kirurg** brain surgeon

-kontor F upper storey **-operation** operation on the brain **-skakning** *läk.* concussion [of the brain] **-skål** brain-pan **-slag** [apoplectic] stroke **-spöke,** *det är bara ~n* they are idle imaginings **-trust** brains trust **-tumör** tumor on the brain **-tvätt** brainwash[-ing]

hjärt||a heart; *säga ngn sitt ~s mening* give a p. a piece of one's mind; *jag har inte ~ till det* I haven't [got] the heart for it; *lätta sitt ~* unburden one's mind; *med lättat ~* with a sense of relief; *av hela mitt ~* with all my heart, from [the bottom of] my heart; *en sten föll från mitt ~* a weight was lifted off my mind; *det skär mig i ~t* it cuts me to the heart (quick); *i själ och ~, i djupet av sitt ~* in one's heart of hearts, at heart; *i ~t av* [*staden*] in the heart (very centre) of . .; *med lätt ~* with a light heart; *lätt om ~t* light of heart, light-hearted; [*saken*] *ligger mig om ~t* I have . . at heart; *ha ngt på ~t* have a th. on one's mind; *lägga* [*en förmaning*] *på ~t* take . . to heart **-andes** *itj, kära ~!* dear me! well, I never! **-ans I** *a, av ~ lust* to one's heart's content **II** *adv, ~ gärna* with all my (o. s. v.) heart; [för all del] by all means **-ans|kär** sweet-heart **-attack** heart attack **-blad** *bot.* cotyledon **-e|angelägenhet** affair of the heart **-e|barn** darling (pet) child **-e|blod** heart's blood **-e|glad** *a* [simply] delighted **-e|god** *a* truly kind-hearted **-e|krossare** heart-breaker **-e|lag** [sinne-] disposition; [hjärta] heart, mind

hjärter *koll* hearts *pl;* [ett kort] heart; *~ äss* the ace of hearts

hjärte||rot, *ända in i ~en* to the very marrow **-sak,** *det är en ~ för mig* it is a thing I have at heart **-sorg** poignant (deep) grief; *dö av ~* die of a broken heart **-suck** deep-drawn sigh **-varm** *a* very hearty **-vän** bosom friend **-värme** warmheartedness

hjärt||fel heart disease **-formig** *a* heart-shaped; *bot.* cordate **-förlamning** [*dö av* die of] heart failure **-förmak** auricle **-innerlig** *a* most fervent **-innerligt** *adv* **F** most awfully; thoroughly [*trött på* tired of] **-kammare** ventricle **-klaff** cardiac valve **-klappning** palpitation of the heart **-kramp** *läk.* angina pectoris *lat.* **-lidande** heart complaint **-lig** *a* hearty; [kyligare] cordial; [om pers. *äv.* : *~ av sig*] kind, genial; *~a hälsningar* kind regards [*till* to]; *~a lyckönskningar* sincere congratulations (good wishes); *~t tack* most hearty thanks **-lighet** heartiness; cordiality **-ligt** *adv* heartily &c; *~ gärna* with great pleasure **-ljud** cardiac sound **-lös** *a* heartless; *äv.* unsympathetic, unfeeling **-medicin** cardiac, cordial; heart-stimulant **-muskel** heart muscle **-nerv** cardiac nerve **-nupen** *a* sentimental **-pulsåder** aorta **-punkt** *bildl.* centre[-point], heart, core **-skärande** *a* heart-piercing (-rending) **-slag 1** heart-beat (-throb) **2** *läk.* [heart-]stroke, heart failure **-slitande** *a* heart-rending(-breaking) **-verksamhet** action of the heart **-ängslig** *a* nervous and frightened [*över* at]

hjässa crown; *äv.* [*en kal* a bald] pate

ho *s* trough

hobby hobby **-rum** work room

hockey *sport.* hockey **-klubba** hockey-stick

hojta *itr* shout (yell) [*till* to, at]

holk 1 *bot.* calycle **2** = *fågel~*

Holland Holland

holländ||are Dutchman; *-arna* (*koll*) the Dutch **-sk** *a* Dutch; *~a Indien* the Dutch East Indies *pl* **-ska 1** [språk] Dutch **2** [kvinna] Dutch woman

holme islet, holm[e]

homeopat homoeopathist **-i** homoeopathy **-isk** *a* homoeopathic

homer||isk *a* Homeric **H-os** Homer

homo||gen *a* homogeneous **-genitet** homogeneity **-sexualitet** homosexuality **-sexuell** *a* homosexual; [substantiverat] homosexualist

hon *pron* [om pers.] she; [om djur o. sak] it; *ibl.* she; jfr *gram.*

hon||a female; jfr *björn~* o. s. v. **-blomma** female flower **-hänge** female catkin **-katt** she-cat **-kön** female sex

honn||ett *a* honest, straightforward **-eurs** *pl fr., göra les ~* do the honours **-ör 1** [hälsning] salute (*äv.* : *göra ~* [*för*]); [hedersbevisning] *mil.* honours *pl;* [friare] honour **2** *kortsp.* honour

honom *pron* [om pers. o. ibl. djur] him; [om sak o. djur] it; jfr *han*

honor||ar fee; *äv.* remuneration **-atiores** *pl, stadens ~* the notabilities of the town **-era** *tr* [betala] remunerate; [inlösa] honour; [skuld] settle, pay off

honung honey **-s|burk** honey-jar **-s|kaka** honeycomb **-s|len** *a* honeyed [*röst* voice] **-s|slungare** ⊕ honey extractor **-s|söt** *a* honey-sweet, sweet as honey; jfr *-s|len*

honväxt female plant

hop I *s* [hög] heap ([uppstaplad] pile) [*med* of]; [människor] crowd; jfr *folk~* o. *massa;* [friare] lot; *en hel ~* **F** *äv.* heaps (lots) *pl* [of . .]; *skilja sig från ~en* be out of the common run **II** *adv* = *ihop* **-a I** *tr* heap (pile) up; [bevis, skatter] accumulate **II** *rfl* [om saker] accumulate; [om snö] form drifts (a drift); [öka sig] increase **-as** = *-a II* **-bit|en** *a, med -na tänder* with clenched teeth **-diktad** *a* made-up, concocted **-fallen** *a* se *-skrumpen* o. *infallen* **-foga** *tr* join; [m. fog] joint; *snick. äv.* splice; [maskin] assemble **-fällbar** *a* folding; *äv.* collapsible **-fälld** *a* shut-up **-gyttring** conglomeration **-klämd** *a* squeezed (pinched) together **-knäppt** *a* buttoned up; [händer] folded, clasped **-kommen** *a, bra ~* [*bok*] . . well put together (composed) **-krupen** *a* hunched-up; *sitta ~* sit crouched (huddled) up **-körd** *a* [om saker] cramped together **-lagd** *a* folded[-up]

1 hopp hope [*om* of]; jfr *förhoppning; hysa ~ om* [*att kunna*] have (be in) hopes of . . -ing; *ha gott ~* (*absol.*) be of good hope; *sätta sitt ~ till* pin one's faith on; *ge upp ~et* give up (abandon) hope; *I hopp om att . .* [i brev] Trusting (Hoping) to . .

2 hopp jump; [djärvare] leap; [elastiskt] spring; [skutt] bound; [lekfullt] skip; [fågels] hop; [sim-] dive; jfr *höjd~* o. s. v. **-a I** *itr* jump; leap; spring; bound; skip; hop; dive; jfr *2 hopp; ~ och skutta* hop and skip, caper; *~ av* jump off (out [of]); *polit.* seek (ask for) political asylum; *~ på* jump in [*ett tåg* a train]; jump on [to] [a bus]; *~ till* give a start (jump); *~ ut* jump out; [med fallskärm] *äv.* bail out; *~ över* (*bildl.*) skip [*några sidor* a few pages] **II** *tr, ~ stavhopp* do pole-jumping **-as** *itr* o. *tr dep* hope [*på* for]; *äv.* hope for [the best]; *det ~ jag* I hope so; *det ska vi väl ~* let us hope so

hoppetossa F flibbertigibbet

hopp||full *a* hopeful; *äv.* confident **-fullhet** hopefulness **-ingivande** *a* hopeful, hope-inspiring

hoppla *itj* houp la!

hopplös *a* hopeless; [om pers.] *äv.* devoid of hope; *äv.* desperate [situation]; *ett ~t före-*

tag (*äv.*) a forlorn hope; *ge upp ngt som ~t* give up a th. as a bad job **-het** hopelessness

hopp||rep skipping-rope **-san** = *-la* **-stav** *sport.* jumping-pole **-tävling** jumping competition

hop||rafsad *a* scrambled together, se *rafsa* [*ihop*]; *en ~ samling* (*äv.*) a scratch lot **-rullad** *a* rolled up **-sjunken** *a* shrunk up **-skjutbar** *a* folding, telescopic **-skrumpen** *a* shrivelled-up **-slagen** *a* **1** [bord o. d.] folded-up; [bok] shut-up, closed **2** *bildl.* combined, united; *hand.* amalgamated **-slagning 1** folding up &c **2** *hand.* amalgamation **3** *skol.*, [*klassernas*] ~ the uniting of . . **-slingrad** *a* intertwined **-snörd** *a* **1** laced-up **2** [friare o. *bildl.*] compressed **-sparad** *a*, *~e slantar* savings, *äv.* a nest-egg **-svetsa** *tr* weld together **-sätta** *tr* put together; [maskin] assembl: **-sättning** putting together; [av maskin] assembly **-tagning** [vid stickning] narrowing **-tals** *adv* by (in) heaps; *~ med* .. heaps of .. **-trängd** *a* crowded (packed, cramped) together; *äv.* compressed: [handstil] cramped **-vikbar** *a* foldable, collapsible

hor adultery; [friare] fornication **-a** whore

hord horde

horisont, *i* (*vid*) *~en* on the horizon (skyline); *över min ~* beyond me (my reach) **-al** *a* horizontal **-al|plan** horizontal plane

hormon hormone **-injektion** hormone injection

horn horn; [på kronhjort] antler; [jakt-] bugle; [bil-] *äv.* hooter; *ha ett ~ i sidan till ngn* bear a p. a grudge; *stånga ~en av sig* (*bildl.*) sow one's wild oats; *ta tjuren vid ~en* take the bull by the horns *äv. bildl.* **-artad** *a* horn-like, horny **-blåsare** horn-(bugle-)player(-blower) **-blände** *miner.* hornblende **-boskap** horned cattle **-bågad** *a* horn-rimmed **-hinna** *anat.* horny coat, cornea **-lös** *a* hornless, unhorned **-musik** horn (brass-band) music **-orkester** brass band **-stöt** *mus.* bugle blast **-ämne** horny substance

horoskop [*ställa ngns* cast a p.'s] horoscope

hortensia *bot.* hydrangea

hos *prep* **1** [~ ngn] at . .'s house (office) o. s. v.; in . .'s home (rooms) o. s. v.; [bo] *~ sin farbror* . . at one's uncle's [place o. s. v.], . . with one's uncle; *hon bor ~ oss* she is staying with us (at our house) **2** [bredvid, intill] by; *kom och sitt ~ mig i soffan* come and sit by (beside) me on the sofa **3** [friare] *vara adjutant ~* . . be an A.D.C. to . .; *arbeta ~ ngn* work for a p.; [*arbetarna*] *~ honom* . . in his employ; *jag var ~ honom, när* . . I was with him when . .; *jag har varit ~ honom* [*med paketet*] I have been to him . .; *jag har varit ~* [*doktorn*] I have been to . .; [*frågan är aktuell*] *~ oss* . . amongst us **4** [om egenskap, känsla o. d.] in; about, with; *det finns ngt ~ henne, som* . . there is something about her that . .; *~ de gamla grekerna* with the ancient Greeks; [*det finns*] *~ Byron* . . in Byron; *felet ligger ~ mig* the fault lies (rests) with me

hosianna *itj* o. *s* hosanna

hospital [lunatic] asylum

host||a I *s* cough; *få ~* get a cough **II** *itr* o. *tr* cough; *~ blod* cough up blood; *~ till'* give a cough (hem) **-anfall (-attack)** fit (attack) of coughing

hostia host

host||medicin (-pastill) cough-mixture (-lozenge, -drop)

hot threat[s *pl*] [*om* of; *mot* against]; [-ande fara] menace; *ett tomt ~* empty threats *pl; bruka ~* use threats *pl* **-a** *tr* o. *itr* threaten [*ngn till livet* a p.'s life]; [högre stil] menace; *krig ~r* war is impending (imminent) **-ande** *a* threatening &c; [överhängande] *äv.* impending, imminent

hotell hotel; *~ Svea* the Hotel Svea **-betjäning** hotel staff (attendants *pl*) **-direktör (-innehavare)** hotel manager (-keeper) **-personal** hotel staff **-pojke** page (bell) boy **-rum** hotel room **-råtta F** [tjuv] 'hotel-rat' **-räkning** hotel bill **-vaktmästare** hotel porter **-ägare** hotel proprietor

hot||else threat [*mot* against]; menace [*mot* to]; *fara ut i ~r mot* utter threats against **-else|brev** threatening letter **-full** *a* menacing

hottentott Hottentot

1 hov [häst-] hoof; *försedd med ~ar* (*äv.*) hoofed

2 hov court; *på* (*vid*) *~et* at court; at the court [*i* in] **-bal** court ball **-dam** lady in waiting [*hos* to]

hovdjur, *~en* the hoofed animals

hovdräkt court dress

hov||folk courtiers *pl* **-fotograf** court (royal) photographer **-fröken** maid of honour [*hos* to] **-funktionär** court functionary (official) **-kapell** *mus.* royal orchestra; *Kungl. ~et* the Royal Opera-House Orchestra **-leverantör** purveyor to H.M. the King (Queen) **-man** courtier **-marskalk** master of the Royal Household **-mästare 1** [i privathus] butler **2** [på restaurang] head waiter **-narr** court jester **-predikant** court chaplain **-rätt** *ung.* [circuit] court of appeal **-rätts|assessor** Associate Judge of Appeal **-rätts|notarie** appeal-court clerk **-rätts|president** *ung.* Master of the Court of Appeal **-rätts|råd** *ung.* Senior Judge of Appeal

hovskald court poet; *Engl.* poet laureate

hov||slag hoof-beat **-slagare** horseshoer, blacksmith **-slageri** farriery; *konkr äv.* blacksmith's shop

hov||sorg court mourning **-stall,** *~et* the royal stables *pl* **-stallmästare** *ung.* [royal] equerry **-stat** royal household

hovtång [a pair of] nippers (pincers) *pl*

hu *itj* ugh! whew! *~ då* [*, så du skrämde oss*]*!* Oh . .!

huckle kerchief

hud skin; [av större djur] hide; *ha tjock ~* be thick-skinned; *ge ngn på ~en* give a p. a good hiding (rating) **-flänga** *tr* scourge, horsewhip; *bildl. äv.* cut .. up **-färg 1** colour of the skin; [hy] complexion **2** [kött-] skin (flesh) colour **-färgad** *a* flesh-coloured **-kräfta** carcinoma **-kräm** cold cream **-lös** *a* skinless; [skavd] galled; raw *äv. bildl.* **-sjukdom** skin-disease **-specialist** dermatologist **-veck** fold of the skin **-vård** care of the skin **-överföring** *läk.* skin-grafting

hugad *a*, *~e spekulanter* intending purchasers

hugenott Huguenot

hugfäst||a *tr* commemorate; celebrate [*minnet av* the memory of] **-ande,** *till ~ av* in commemoration of

hugg 1 [jfr *-a*] cut; [vårdslöst] slash; [med dolk e. d.] stab *äv. bildl.;* [slag] blow, stroke; [m. tänder] bite; *~ och slag* blows and stripes; *måtta ett ~ mot* aim a blow at **2** [friare o. *bildl.*] [märke efter] cut; [av smärta] spasm, twinge; [håll] stitch; *ge ~ på sig* lay o.s. open to attack (criticism); [*med käppen*] *i högsta ~* . . ready to strike **-|a I** *tr* o. *itr* **1** [m. vapen el. verktyg] cut; [vårdslöst] slash; [m. dolk

e. d.] stab; [timmer, sten] hew; [fälla] fell, cut down; [ved] chop; [om bildhuggare] carve; ~ *sten* hew (cut) stone; ~ *klorna i* se *klo;* ~ *i sten* (*bildl.*) go wide of the mark; *det är -et som stucket* (*ordspr.*) it is much of a muchness **2** [med klor, tänder] grab, clutch; bite **3** *bildl.* [gripa] seize (catch) hold of **4** ~ *för sig* help o.s. [greedily] [*av* to], grab; ~ *i'* set to [*med* at]; ~ *tag i* se *-a I 2;* ~ *in på* (*mil.*) charge; ~ *till' a) tr* strike, deal . . a blow; *b) itr bildl.* ask an exorbitant price **II** *rfl,* ~ *sig fast i a)* [om pers.] seize firm hold of; *b)* [om krok, tagg o. d.] catch [in] **-are 1** [pers.] se *sten~, ved~* o. s. v. **2** [vapen] cutlass **3** *bildl.* = *baddare* **-järn** chisel **-kubb**[e] chopping-block **-orm** viper; adder **-sexa F** snatch meal, grab-and-scramble meal **-sår** cut, gash **-tand** [orms] fang; [vargs o. d.] tusk **-vapen** cutting-weapon **-värja** rapier

hugn||a *tr vanl.* favour **-ad,** *till* ~ *för* to the comfort of

hug||skott passing fancy; [nyck] whim, caprice **-svala** *tr* comfort; solace **-svalelse** comfort; solace; consolation

huj, *i ett* ~ in a twinkling (jiffy)

huk, *sitta* (*sätta sig*) *på* ~ squat (squat down) [on one's haunches] **-a** *rfl* crouch [down]

huld *a* [välvillig] benignant, kindly; [om lycka] propitious [*mot* towards (to)]; [nådig] gracious; [intagande] fair **-het** benignity; kindliness &c **-hets|ed** oath of fealty

huldra lady of the woods

huligan hooligan

hull flesh; *lägga på ~et* put on flesh; *med ~ och hår* bodily, entirely; [svälja ngt] whole

huller om buller *adv* higgledy-piggledy, pellmell

hulling barb; [på harpun o. d] flue, fluke

hum, *ha ~ om* have some idea (notion) of

human *a* [människovänlig] humane; [behandling] kind, considerate; [priser] moderate **-iora** *pl* humane studies, [the] humanities **-ism** humanism **-ist** humanist **-istisk** *a* humanistic; *äv.* humane **-itet** humanity **-itär** *a* humanitarian

humbug humbug, fraud; **F** bunk[um] **-s|affär** bogus business **-s|makare** humbug, impostor **-s|medicin** quack-medicine

humla *zool.* humble(bumble)-bee

humle *bot.* hop; [ss. vara] hops *pl* **-ranka** hop-bine(-bind) **-stör** hop-pole; *lång som en ~* lanky as a bean-pole

hummer lobster **-burk** tin (*Am.* can) of lobster **-sallad** lobster salad

humor humour **-esk** humorous story (sketch) **-ist** humorist **-istisk** *a* humorous

humus humus, vegetable soil

humör temperament; [lynne] temper; [sinnesstämning] humour, mood, spirits *pl; fatta ~* flare up; *äv.* take offence [*över* at]; *förlora ~et* lose one's temper; *hålla ~et uppe* keep up one's spirits; *tappa ~et* lose courage; *visa ~* show bad temper; *på dåligt ~* in a bad mood (humour); out of spirits; *på gott ~* in a good humour, in good spirits

hund dog; [jakt-] *äv.* hound; *leva som ~ och katt* live a cat-and-dog life; *må som en ~* be as sick as a dog; *slita ~* lead a dog's life, [have to] rough it; *lära gamla ~ar sitta* teach an old dog new tricks **-bomb** cracker, squib **-bröd** dog-biscuit **-dressyr** dog-training **-gård** [dog-]kennels *pl* **-göra** [a piece of] drudgery **-halsband** dog-collar **-huvud,** *få bära ~et* (*bildl.*) be made the scapegoat [*för* for] **-koja** [dog-]kennel **-koppel 1** [kedja o. d.] leash **2** *koll* [hundar] brace (pack) of dogs **-käx** = *-bröd* **-liv** a dog's life **-loka** *bot.* wild chervil **-piska** dog-whip

hundra hundred; *ett~* a (*beton.* one) hundred; *några ~* a few hundred; *några ~..* some hundreds of . .

hundracka cur

hundra||de I *s* hundred; *i ~n* in hundreds **II** [ordningstal] hundredth **-del** one hundredth part **-faldig** *a* hundredfold **-kronesedel** hundred-crown note **-lapp F** *ung.* fiver **-procentig** *a* one-hundred-per-cent . .

hund|ras dog breed, breed [of dog]

hundra||tal 1, *tiotal och ~* tens and hundreds; *ett ~* a hundred or so, about (upwards of) a hundred; *i ~* in hundreds **2** [århundrade] century **-tals** *a* hundreds [*människor* of people] **-tusen** a (one) hundred thousand **-tusentals** *a* hundreds of thousands **-årig** *a* a (one) hundred years old; [a] one-hundred-year-old . . **-åring** centenarian **-års|dag** centennial day, centenary; hundredth anniversary **-års|minne -års|jubileum** centenary

hund||rova *bot.* bryony **-s|fott** [på släde] dickey **-s|fottera** *tr* bully **-sim** *sport.* dog-paddle **-skall** barking of dogs (a dog); *jakt.* cry of hounds **-skatt** dog-duty(-tax) **-släde** dog-sledge **-släkte,** *~t* the canine race **-spann** dog-team **-utställning** dog show **-vakt** *sjö.* middle watch **-valp** pup[py] **-viol** *bot.* dog's (dog-)violet **-väder,** [*ett*] ~ vile (dirty) weather **-vän** dog-lover **-år,** *mina ~* my years of struggle [for success] **-ör|a** dog's ear; *-on* [i bok] dogs' ears

hunger hunger [*efter* for]; se *äv. -s|nöd;* [svält] starvation; *~n är den bästa kryddan* hunger is the best sauce; *lida ~ns kval* suffer from the pangs of hunger **-död,** *dö ~en* die of starvation **-kravaller** hunger riots **-kval** *pl* pangs of hunger **-s|nöd** famine **-strejk -strejka** *itr* hunger-strike

hungr||a *itr* be hungry (starving); is. *bildl.* hunger [*efter* for]; *~ ihjäl* starve to death **-ig** *a* hungry; [svulten] starving; *~ som en varg* (*äv.*) ravenously hungry

hunner Hun; *~na* the Huns

hur I *itj* what! **II** *adv* o. *konj* **1** [frågande] how; *äv.* what; *~ menar du?* what do you mean? *~ ser hon ut?* what does she look like? *~ så?* why [so]? *~ sade Ni?* (*äv.*) I beg your pardon? *~ är det med honom?* how is he? **2** *eller ~?* [inte sant?] isn't that so? am I not right? don't you think? [*han har rest,*] *eller ~?* . . hasn't he? [*Ni röker ju,*] *eller ~?* . ., don't you? **3** *~ . . än* however; *~ skicklig han än är* clever as he may be; *~ jag än gör* whatever I may do; *~ han* [*än*] *arbetade* however [much] he worked, *äv.* work as he might; *~ gärna jag än ville* however much I should like to; *~ det nu var* whatever happened; *äv.* somehow or other

hurra I *itj* hurrah! **II** *s* o. *itr* hurrah; *~ för ngn* cheer a p.; *ingenting att ~ för* nothing to boast of **-rop** cheer

hurtig *a* [rask] brisk, smart; [vaken] alert; [frimodig] frank; [livlig] keen **-het** briskness &c; alacrity

huru = *hur* **-dan** *a* **1** [frågande] *~t väder är det?* what sort (kind) of weather is it? **2** [relativt] *~t väder vi än få* whatever (no matter what) weather we may have **-ledes** *adv* how, in what way (manner) **-vida** *konj* whether

hus house; [byggnad] building; i *sms* hall; se *stads~* o. d.; [familj] family [the Royal Family]; *som barn i ~et* as a member of the family; *föra stort ~* keep a large establishment; *hålla öppet ~* keep open house; *var har du hållit ~?* where [ever] have you been? *gå man ur ~e* turn out to a man; *göra rent ~* (*bildl.*) make a clean sweep **-a** housemaid; [som passar upp vid bordet] parlourmaid **-andakt** family prayers *pl* **-apotek** family medicine-chest
husar hussar
hus‖behov, *till ~* for household use; *kunna .. till ~* know .. just passably (tolerably well) **-behovs|virke** wood for [o.'s own] household requirements **-bil** house-car, trailer **-block** block [of houses] **-bonde** master; *~ns röst* his master's voice **-bond|-folk** master and mistress **-byggare** house builder **-båt** house-boat **-djur** domestic animal; *~en* [på en gård] *koll* the live stock *sg* **-djurs|avel** live-stock breeding **-era** *itr* **1** [hålla till] haunt **2** [fara fram] carry on; [vilt] run riot; [härja] ravage, make havoc **-e|syn,** *förrätta ~ i* carry out the prescribed inspection of; *gå ~ i* [en våning] make a tour of inspection of **-fader** father (head) of a (the) family **-fasad** house-front **-fluga** *zool.* [common] house-fly **-folk** [tjänare] household servants *pl* **-fred -frid** domestic peace **-fru** mistress of a (the) household **-föreståndarinna** lady housekeeper **-förhör** parish catechetical meeting **-geråd (-gud)** household utensils *pl* (god)
hushåll [inrättning] [domestic] establishment; [-ning] housekeeping; [personer] household, family; *ett ~ på fem personer* a household (family) of five [persons]; *bilda eget ~* set up house; *sköta ngns ~* keep house for a p.; *äv.* do a p.'s housekeeping for him o. s. v. **-a** *itr* **1** keep house **2** [vara sparsam] economize; *~ med* be saving (economical) with **-erska** housekeeper **-ning** **1** housekeeping **2** [förvaltning] [economic] administration, management **3** [sparsamhet] economizing; *äv.* economy, thrift **-nings|-sällskap** rural-economy association; agriculture society **-s|aktig** *a* economical, thrifty **-s|arbete (-s|bekymmer)** household work (cares, worries) **-s|bestyr** *pl* household (domestic) duties (cares) **-s|bok** household [account-]book **-s|göromål** = *-s|bestyr* **-s|-hjälp** home help **-s|kassa -s|pengar** housekeeping money (allowance) **-s|skola** domestic science school, school of home economics **-s|våg** household balance
hus‖jungfru = *-a* **-katt** domestic cat; *bildl.* tame cat **-knut** corner of a (the) house **-kors** *bildl.* domestic plague **-kur** household remedy **-lig** *a* [om pers.] domesticated, of a domestic turn; [om sak] domestic; *äv.* household [*angelägenhet* matter]; *~a sysslor (äv.)* housework *sg* **-lighet** domesticity **-läkare** family doctor **-länga** range (row) of houses **-mans|kost** homely fare; *äv.* potluck **-mo[de]r** **1** housewife; [matmor] mistress of a (the) household **2** [på sjukhus o. d.] matron **-moders|förening** housewives' society; *Engl. ung.* Women's Institute **-rad** row of houses **-rum** houseroom, accommodation, lodging **-svala** house-martin **-tomte** brownie
hustru wife **-plågare** wife-tormentor
hus‖tyrann domestic tyrant **-undersökning** search, [house-]raid **-vagn** caravan; *Am.* trailer **-vill** *a* homeless; *vara ~* be without house and home **-värd** landlord **-ägare** house owner
hut **I** *s, lära ngn veta ~* teach a p. manners; *han har ingen ~ i sig* he has no sense of shame (no decency) in him; *vet ~!* damn your insolence! **II** *itj, å ~!* what impudence! **-a** *itr, ~ åt ngn* tell a p. to mind his manners; [friare] snub a p., take a p. down a peg or two **-lös** *a* shameless, impudent
huttla *itr* **F**, *jag låter inte ~ med mig* I am not (don't mean) to be trifled with
huttra *itr* shiver [*av* with]
huv hood; *äv.* cap; [symaskins o. d.] cover; [för motor] *äv.* bonnet; [rök-] cowl; [te-] cosy **-a** hood, helmet; [kråka] *äv.* bonnet
huvud **1** head; *bildl. äv.* brains *pl*, intellect; *ha ~et på skaft* **F** have a head on one's shoulders, *äv.* be all there; *hals över ~* headlong, precipitately; *hålla ~et kallt* (*bildl.*) keep a cool head; *tappa ~et* lose one's head; *~et högre än ..* (*bildl.*) head and shoulders above ..; *efter sitt ~* one's own way; *få i sitt ~, att ..* take it into one's head to ..; *ställa saken på ~et* (*bildl.*) put the matter all topsy-turvy; *växa ngn över ~et* [om sak] get beyond a p.'s control; *han växte oss alla över ~et* he grew head and shoulders above the rest of us **2** *huvud-* i *sms bildl.* [i första hand] primary; [förnämst] principal, main, chief, head; jfr *nedan sms;* [ledande] leading **-agent** head (chief) agent **-andel** principal part **-angrepp** main attack **-ansvar** main responsibility **-argument** chief argument **-arvinge** principal heir **-bangård** principal (main) station; *äv.* head terminus **-beståndsdel** principal (chief) ingredient **-betoning** main stress **-betydelse** primary (principal) sense **-bok** *hand.* general ledger **-bonad** headgear (*äv. : ~er*) **-bry,** *göra* [*sig, ngn*] *~* puzzle .. **-byggnad** central (main) building **-drag** principal (main, leading) feature; *~en av* [*svenska historien*] the main outlines of .. **-duk** kerchief, head-cloth, [head] scarf (square) **-fel** principal fault **-flod** main river **-form** **1** *anat.* shape of the head **2** principal (&c) form **3** *gram.* voice **-gata** main street; *äv.* thoroughfare **-grupp** main group **-gärd** **1** bed's head **2** [kudde] pillow **-ingång** main entrance **-intresse** principal (chief, main) interest **-jägare** headhunter **-kassa** main (central) cash department **-knopp** **F** head-piece, noddle, top storey **-kontor** head (principal &c) office **-kran** main tap **-kudde** pillow **-kvarter** headquarters *pl* [*förk.* H.Q.] **-ledning** [för gas, vatten] main [pipe]; *elektr.* main circuit **-linje** principal line; *telegr.* o. d. main (*äv.* trunk) line; [t. ex. i litteratur] mainstream; [i politik] *äv.* guiding principle **-lärare** head teacher **-lös** *a bildl.* foolish; [dumdristig] foolhardy; [tanklös] thoughtless **-man** [för släkt] head [*för* of]; *jur.* o. *hand.* principal; [för bank o. d.] trustee **-massa,** *~n* the [main] bulk **-motiv** chief motive **-måltid** principal meal **-nyckel** master-key **-näring** primary (principal) trade **-ord** **1** principal (*äv.* key-)word **2** *språkv.* head-word **-orsak** principal cause, main reason **-parten** the principal (main) part **-person** principal (chief, leading) person[age] ([i drama o. d.] character) **-postkontor** General Post Office **-redaktör** editor-in-chief **-riktning** general direction; [i konst] principal (general) trend **-roll** leading part **-räkning** mental arithmetic **-rätt** *kok.* principal course
huvudsak, *~en* the principal (main, chief) thing; the main point; *i ~* in the main; on the whole; jfr *-ligen* **-lig** *a* principal, main, chief; [första] primary; [väsentlig] essential **-ligen** *adv* principally &c; for the main part; mostly

huvud‖sallat cabbage lettuce **-sats 1** *log.* [the] main proposition **2** *gram.* principal sentence, main (principal) clause **-skalle** skull **-skepp** *ark.* nave **-skål** *anat.* brain-pan, cranium **-stad** capital; [stor] metropolis; *~s-i sms* of the capital **-station** = *-bangård* **-stråk** main thoroughfare (artery) **-stupa** *adv* head first; [friare] headlong *äv. bildl.; bildl. äv.* precipitately **-styrka** *mil.* main body **-svål** scalp **-syfte** main purpose **-syssla** principal occupation **-säte** [principal] centre **-talare** principal speaker **-tanke** main idea **-titel** [riksdagens] *ung.* estimates *pl* **-ton 1** *mus.* key-note **2** *språkv.* main stress **-uppgift** principal task (function) **-verb** main (principal) verb **-vikt,** *lägga ~en vid* lay particular (the chief) stress upon **-villkor** primary (essential) condition **-vinst** grand prize **-vittne** principal witness **-väg** trunk (main) road **-värk** headache **-ämne** principal (chief) subject; [ngns] *äv.* special[i]ty

hux flux *adv* **F** straight off, all in a jiffy

hy complexion; *äv.* skin

hyacint *bot. miner.* hyacinth

hybrid *a* o. *s* hybrid **-form** hybrid form

hyck‖la I *tr* simulate, feign **II** *itr* play the hypocrite [*inför* before], dissemble [*inför* to] **-lad** *a* simulated &c; [låtsad] mock, sham, pretended **-lande** *a* hypocritical **-lare** hypocrite **-leri** hypocrisy; [i tal] *äv.* cant

hydda hut, cabin; [stuga] cottage

hydra hydra *äv. bildl.*

hydr‖at *kem.* hydrate **-aulisk** *a* hydraulic

hydro‖grafi hydrography **-elektrisk** *a* hydro-electric **-plan** hydroplane; *vanl.* seaplane

hyena hyena *äv. bildl.*

hyende, *lägga ~ under lasten* (*bildl.*) bolster up vice

hyfs = *-ning; sätta ~ på* = *-a* **-a** *tr* **1** [sak] (*äv.* : *~ till*) trim (tidy) up, make .. tidy (trim) **2** *bildl.* teach .. manners; **F** lick .. into shape **3** *mat.* simplify (reduce) [an equation] **-ad** *a* well-behaved(-mannered); *äv.* proper **-ning 1** trimming up &c **2** [belevenhet] good manners *pl* **3** *mat.* simplification, reduction

hygge [timber-]felling; *konkr* clearing

hygglig *a* **1** [om pers.] well-behaved; [snäll] kind, good, **F** decent; [anständig] respectable; [tilltalande] nice; *en ~ karl* a nice (**F** decent) [sort of] fellow **2** [t. ex. villkor, väder, rum] decent; [moderat] fair (reasonable, moderate) [price]

hygien hygiene **-isk** *a* hygienic; sanitary

hygrometer hygrometer

1 hylla shelf; [möbel] set of shelves; jfr *bok~;* [bagage-] rack; *lägga .. på ~n* put .. on the shelf

2 hylla *tr* **1** [ära] do (pay) homage to; *äv.* honour **2** [omfatta] embrace, favour

hylle *bot.* involucre, perianth

hyll‖fack pigeon-hole **-meter** shelf-metre

hyllning homage; [folkets] ovation; *ägna ngn sin ~* pay homage to a p. **-s|adress** homage-paying address **-s|dikt** complimentary poem **-s|gärd** tribute (mark) of homage (respect)

hyll‖papper shelf-paper, lining paper **-remsa** shelf-edging

hylsa case; *äv.* casing; ⊕ socket, sleeve; [kapsyl] cap, capsule; [av skinn o. d.] loop

hymn hymn; [friare] *äv.* anthem

hynda bitch

hyper‖bel hyperbola **-nervös** *a* hyperneurotic **-trofi** *läk.* hypertrophy

hypno‖s hypno|sis [*pl* -ses] **-tisera** *tr* hypnotize **-tisk** *a* hypnotic **-tism** hypnotism **-tisör** hypnotizer, hypnotist

hypokond‖ri *läk.* hypochondria, spleen **-risk** *a* hypochondriac[al], splenetic

hypotek mortgage; [handling] mortgage-deed; [säkerhet] security **-s|bank** [real-estate] mortgage bank **-s|förening** mortgage society **-s|lån** advance granted by a mortgage bank, mortgage loan; *ta ~ på ..* raise a mortgage on ..; *äv.* mortgage ..

hypo‖tenusa *geom.* hypotenuse **-tes** hypothes|is [*pl* -es] **-tetisk** *a* hypothetic[al]; [tvivelaktig] doubtful

hyr‖a I *s* **1** rent; [för båt, bil, sal o. d.] hire; *betala* [*3 000 kr.*] *i ~* pay a rent of .. **2** *sjö.* [tjänst] berth; [lön] [seaman's] wages *pl; ta ~* ship [*på* on board] **II** *tr* rent; hire; *~ av ngn* rent off (from) a p.; *att ~!* to let! [båt o. d.] for hire! *~ in sig hos ngn* take lodgings in a p.'s house; *~ ut* [rum] let; [båt o. d.] hire out; *äv.* let out on hire; *~ ut i andra hand* (*äv.*) sublet **-bil** taxi, cab

hyres‖annons 'to-let' advertisement **-avkastning** rent-yield **-bidrag (-ersättning)** allowance for (in lieu of) rent **-fri** *a* rent-free **-fritt** *adv, bo ~* live rent-free **-förmedling 1** *abstr* house-agency **2** *konkr* = *uthyrningsbyrå* **-gäst** tenant; [för kort tid] lodger **-hus -kasern** tenement (apartment) house; block of flats **-kontrakt** lease; [för lösöre] hiring-agreement **-kontroll** rent control **-lag,** *~en* the House-Rents Act **-marknad** houses(flats, apartments)-to-let market **-nivå** rent level **-nämnd** rent-controlling board; [för reglering av bostadsförh.] Housing Committee (*Am.* Office) **-ocker** extortionate renting **-reglering** housing (rent) control **-värd** landlord **-värdinna** landlady

hyrkusk [hackney] coachman

hysa *tr* **1** house *äv. bildl.;* accommodate; [pers.] *äv.* put up, take in **2** [innehålla] contain **3** *bildl.* [känsla, åsikt] entertain, have; [förhoppn.] *äv.* cherish; [illvilja] feel (harbour, nurse) .. [*mot* towards]

hyska 1 eye **2 F**, *klara ~n* manage, win through

hyss F, *ha ngt ~ för sig* be up to [some] mischief

hyssj *itj* hush! shsh! **-a** *itr* cry hush [*åt* to]

hyster‖i hysteria; *läk. äv.* hysterics *pl* **-isk** *a* hysterical; *få ett ~t anfall* have a fit of hysterics

hytt *sjö.* cabin; [elegant] state-room

1 hytta *itr, ~ åt* shake one's fist at; *~ åt ngn med fingret* hold up one's finger threateningly (wag one's finger) at a p.

2 hytta ⊕ smelting-house, foundry

hytt‖kamrat *sjö.* cabin-mate **-plats** *sjö.* berth **-ventil** porthole

hyv‖el plane **-el|bänk** [carpenter's] bench; workbench **-el|spån** *koll* shavings *pl* **-la** *tr* o. *itr* plane; *~ av* smooth off, *bildl.* rub off; *~t virke* planed wood

hå *itj* Oh! *~ ~!* Oho! *~ ~, ja ja!* Oh, dearie me!

håg 1 [lust] inclination; [fallenhet] bent, liking, taste **2** [sinne] mind; *äv.* thoughts *pl; glad i ~en* gay at heart; *ta Gud i ~en* trust to Providence; *slå .. ur ~en* dismiss .. from one's mind (thoughts), give up all idea of .. **-ad** *a* inclined; *äv.* disposed; *jag är inte alls ~ att* I don't care at all to; I don't feel at all inclined to **-komst** remembrance, recollection, memory **-lös** *a* listless; [oföretagsam] unenterprising; [loj] indolent **-löshet** listlessness; indolence

hål hole; [öppning] aperture, mouth; [lucka] gap; [rivet ~] tear; *han har ~ på armbågarna* his coat is out at the elbows; *ta ~ på* make a hole in; [sticka ~ på] *äv.*

pierce, perforate; *läk.* lance **-a** cave, cavern; [djurs o. *bildl.*] den; *anat.* cavity; [landsorts-] hole **-fot** arch [of the foot], instep **-fots|inlägg** arch support **-ig** *a* full of holes; [pipig] honeycombed; [friare] hollowed **-ighet** hollow, cavity **-kaka** round loaf **-kort** punch card

håll 1 *s* [tag] [*få* get a] hold (grip) [*på* on] **2** [smärta] stitch **3** [avstånd] distance; *på långt* ~ at a distance; *på nära* ~ at close hand, close at hand, near by; *släkt på långt* ~ distantly related **4** [riktning] direction; [sida] quarter, side; *från alla* ~ [*och kanter*] from all directions (quarters); [*de gingo*] *åt var sitt* ~ .. their several ways; *på alla* ~ everywhere; *på annat* ~ in another quarter, elsewhere; *åt vilket* ~? which way? *åt mitt* ~ my way

håll||a I *tr* **1** hold [*ngn i handen* a p.'s hand; *mun* one's tongue; jfr *mun* ex.; *andan* one's breath]; ~ *sin hand över* protect **2** [bibe-, ~ sig med] keep [*ögonen öppna* one's eyes open; *sitt löfte* one's promise; *jämna steg* pace] **3** [rymma] hold; [inne-] contain **4** [vid vadhållning] bet (lay, wager, stake) [*tre mot ett* three to one] **5** [bära, utstå] bear; ~ *provet* stand the test; jfr *prov 1;* ~ *stånd* hold out, stand firm, keep one's ground **6** [anse, ~ för] consider; regard (look upon) [*som* as] **II** *itr* **1** hold; have hold [*i, om* of]; ~ *för' ögonen* cover (shade) one's eyes; ~ *på a)* [sin mening] stick to; *b)* [ngn, ngt] think a lot of, set great store by **2** [stanna] stop; *äv.* halt, pull up **3** [vara stark nog] hold; [om bro, is] bear; [om kläder] wear, last **4** [röra sig] keep [*åt höger* to the right] **5** [vid vad] bet, wager, stake **6** ~ *av'* be fond of; ~ *ef'ter* [övervaka] keep a tight hand over; ~ *före* = *anse;* ~ *i'* se [*hålla*] *fast; absol.* hold on; ~ *i sig* continue, persist, go on; ~ *igen* (*bildl.*) act as a check; ~ *ihop* keep (**F** stick) together; ~ *in* [häst] pull up, rein in; ~ *me'd ngn* agree with a p. [*om att* that]; [ställa sig på ngns sida] side with a p., back a p. up; ~ *på'* [syssla] be busy (at work); [just göra ngt] be .. -ing; [fortsätta] go (keep) on; [vara nära att] be on the point of [*säga* saying]; *var -er du till?* what are your whereabouts? **F** where du you hang out? ~ *till* [*i skogen*] have its (their) haunts ..; ~ *tillbaka* withhold, keep back; ~ *upp med* cease, leave off, discontinue [*att* ..-ing]; ~ *uppe* [mod, humör] keep up .. (.. up); [om väder] *det -er uppe* it holds up (keeps fine); ~ *ut* hold out; ~ *ut med* put up with **III** *rfl* **1** hold o.s. [*upprätt* upright; *beredd* in readiness]; keep [o.s.] [*ren* clean]; keep [*ur vägen* out of the way; *lugn* quiet; *i sängen* in bed]; ~ *sig framme* keep to the fore; ~ *sig hemma* keep (stay) at home; ~ *sig kvar* keep (stick) [*i sadeln* to the saddle]; ~ *sig neutral* remain neutral; ~ *sig uppe* keep [o.s.] up, keep afloat; ~ *sig för skratt* restrain o.s. from laughing; *jag kunde inte* ~ *mig för skratt* I couldn't help laughing **2** [om mat o. d.] keep; [om tyg] wear; [om priser] be maintained **3** ~ *sig för god att* consider o.s. above ..-ing; ~ *sig med..* keep [*en tidning* a paper]; ~ *sig till* keep (**F** stick) to [*sanningen* the truth]; [ta sin tillflykt till] fall back on; [åberopa] go by **-bar** *a* **1** tenable; [teori] *äv.* valid **2** [material] durable, lasting; [färg] fast; [tyg o. d.] .. that wears well (will wear); [mat] .. that keeps well (will keep) **-barhet 1** tenability, validity **2** durability, lastingness; wearing (keeping) qualities *pl* **-en** *a* [avfattad] written, couched; *strängt* ~ brought up strictly; *hel och* ~ the whole [of] **-et** *adv, helt och* ~ wholly and entirely (completely) **-fast** *a* tenacious; solid, firm *äv. bildl.* **-fasthet** tenacity; solidity, firmness, strength **-fasthets|lära** ⊕ the theory of tenacity **-fasthets|prov** strength test **-hake** check (hold) [*på* on] **-ning** [kropps-] carriage [*på* of]; [uppträdande] deportment; [friare o. *bildl.*] attitude [*mot* towards]; *ha god* ~ (*äv.*) hold o.s. well; [*det är*] *ingen* ~ *på honom* (*bildl.*) .. no steadiness about him; *inta en fast* ~ *mot* .. make a firm stand against .. **-nings|lös** *a* vacillating; **F** wobbly, flabby; [karaktärslös] devoid of character; unstable, unprincipled **-plats** *järnv.* halt; [spårv. o. d.] stop[ping-place] **-punkt** *bildl.* basis, holding-ground; [för bedömande] criterion

hål||rum cavity **-slev** *kok.* perforated ladle **-stans** punch[ing-machine] **-söm** hemstitching; [broderi] drawn-thread work; *sy* ~ hemstitch **-timme** *skol.* blank hour **-väg** narrow pass, gorge **-ögd** *a* hollow-eyed; *äv.* .. with sunken eyes

hån scorn; [spott] derision, mockery; [i ord] *äv.* scoffing &c; jfr *-a; ett* ~ *mot* an insult to **-a** *tr* [förlöjliga] deride; make fun of; [föraktl.] put .. to scorn; [i ord] *äv.* scoff (sneer, jeer, gibe) at, mock, taunt **-ande** *a* derisive, mocking **-full** *a* scornful; scoffing &c; derisive **-grin** broad grin (leer) **-le** *itr* smile scornfully, sneer (jeer) [*åt* at] **-leende** **-löje** scornful smile **-skratt** derisive (mocking, scornful) laughter **-skratta** *itr* laugh derisively &c (jeer) [*åt* at]

hår hair; *ha kortklippt* ~ have short hair; *komma ~et att resa sig på ens huvud* make one's hair stand on end; *en* [*flicka*] *med rött* ~ (*äv.*) a red-haired ..; *det var på ~et att han* he was within a hair's breadth of .. -ing **-a** *itr,* ~ *av sig* shed (lose) its hair **-band** hair-ribbon **-beklädnad** hairy coat; *zool.* pelage **-bevuxen** *a* haired, hairy **-borste** hairbrush **-borttagnings|medel** hair-remover, depilator **-botten** capillary matrix; [friare] scalp

hård *a* hard; [fast] *äv.* firm, solid; [sträng, svår] *äv.* severe [*mot* towards (to, on); *klimat* climate; *villkor* condition]; [bister] stern; [behandling, liv, väder] *äv.* rough; [barsk, om ljud, färg] harsh; [högljudd] loud [*knackning* knock]; [storm] heavy; *göra* ~ harden; *ha* ~ *hud* (*bildl.*) be thick-skinned; ~ *konkurrens* keen competition; *vara* ~ *i magen* be constipated; *ställa på hårt prov* try very hard; *sätta hårt mot hårt* pit force against force **-arbetad** *a* hard to work; *bildl.* difficult to manipulate **-frusen** *a* frozen hard; hard-frozen [ice] **-gräddad** *a* hard-baked **-handskar,** *ta i med ~na* handle a th. with the (one's) gloves off **-het** hardness &c; severity **-hets|prov** hardness test **-hjärtad** *a* hard-hearted; [känslolös] callous **-hudad** *a* tough-skinned; *bildl.* thick-skinned **-hänt I** *a* *bildl.* rough[-handed] [*mot* with]; [friare] severe **II** *adv, gå* ~ *till väga* deal severely [*med* with] **-kokt** *a* hard-boiled **-metall** hard metal **-na** *itr* harden; become (grow, get) hard **-nackad** *a bildl.* stubborn (dogged) [*motstånd* resistance]; obstinate [*nekande* denial] **-nad** *läk.* callosity

hårdragen *a* forced, strained, far-fetched

hård||smält *a* **1** [föda] difficult (hard) to digest; [friare] *äv.* indigestible **2** [metall] refractory **-sövd** *a, vara* ~ be a heavy sleeper

hår||filt hair-felt **-fin** *a* **1** [tråd o. d.] [as] fine (thin) as a hair **2** *bildl.* exceedingly fine, minute. subtle **-fläta** plait, braid **-frisyr** hair-style **-frisör** hairdresser **-frisörska** ladies' hairdresser **-färg** colour of the hair **-fäste** *ung.* forehead; *rodna upp till ~t* blush to the roots of one's hair **-ig** *a* hairy **-klippning** haircut[ting] **-klyveri** hair-splitting (*äv. : ~er*) **-klädsel** head-dress **-kärl** capillary vessel **-lock** lock of hair; [kvinnas] *äv.* tress **-lös** *a* hairless; bald **-nål** hairpin **-nåls|kurva** hairpin bend **-nät** hair-net **-piska** pigtail; [stång-] queue **-resande** *a* hair-raising, blood-curdling, appalling, shocking **-rot** hair-root **-sikt** hair sieve **-slinga** hair-curl, ringlet; *äv.* tress **-s|mån** [*icke en* not a] hair's breadth; [friare] shade, trifle **-spänne** hair-slide, [hair] slip **-strå** hair

hårt *adv* hard; [fast, tätt] firm[ly], tight[ly]; [högljutt] loud; *bildl.* severely &c; se *hård; fara ~ fram med* deal hardly with; *ta ngt ~* take a th. hardly (very much to heart); *det satt ~ åt att* [*övertyga honom*] it was tough work . . -ing; *det skall sitta ~ åt om inte* [*han skall komma*] it will go hard but . .

hår||test -tofs tuft of hair **-tuss** wad of hair **-vatten** hairwash, hair-lotion, hair tonic **-växt** growth of hair; *vanprydande ~* disfiguring hairs *pl*

håv 1 [fisk-] net **2** [kyrk-] collection-bag; *gå med ~en* (*bildl.*) fish [for compliments] **-a** *tr* o. *itr, ~ in* gather (sweep, rake) in; *~ upp* land

håvor favours; [jordens] fruits

häck 1 hedge; *sport.* hurdle; *bilda ~* [om människor] form a lane **2** [foder- o. d.] hack, rack **-a** *itr* breed

häckla I *s* heckle **II** *tr* **1** heckle, dress, comb **2** *bildl.* cavil (carp) at, find fault with

häcklöp||are hurdle-racer, hurdler **-ning** hurdle-racing(-race), hurdling

häckningstid breeding-season

häda *tr* o. *itr* blaspheme (*äv. : ~ Gud*)

hädan *adv* hence; *skiljas ~* depart this life; *vik ~!* get thee hence! **-efter** *adv* henceforth, from this time onwards; from now on; in future **-färd** passing, departure [from this life] **-kalla** *tr* [om Gud] call . . unto Himself

häd||are blasphemer **-else** blasphemy; [svordom] curse **-isk** *a* blasphemous; [friare] profane, impious

häft||a I *tr bokbind.* sew, stitch; *~ ihop* fasten . . together **II** *itr* stick (adhere) [*vid* to]; *bildl.* [misstanke] attach [*vid* to]; *~ för skuld* be in arrears for the payment of a debt; *~ i skuld till ngn* be in a p.'s debt **-ad** *a* [bok] sewn, stitched; *äv.* paper-backed **-e** [av bok] part, instalment; [av tidskrift] number, issue; [broschyr] booklet; [skrivbok] exercise-book

häftig *a* [is. om sak] violent; [t. ex. tal, törst] vehement; [impulsiv] impetuous; [humör] impulsive, hasty; [hetlevrad] hot-headed (-tempered); [snar till vrede] irascible, hasty-tempered; [t. ex. smärta] acute, sharp, intense; *ett ~t regn* a heavy downpour; *ett ~t uppträde* a scene **-het** violence; vehemence; impetuosity, impulsiveness &c; irascibility; hot temper, hot-headedness **-t** *adv* violently &c; jfr *häftig; andas ~* breathe quickly, pant

häft||plåster adhesive (sticking) plaster **-stift** drawing pin; *Am.* thumb-tack

häger *zool.* heron

hägg bird-cherry

hägn [*stå under ngns* be under a p.'s] protection **-a** *tr* o. *itr bildl.* protect, guard

hägr||a *itr* loom *äv. bildl.* **-ing** mirage; *bildl. äv.* illusion

häkt||a I *s* hook **II** *tr* **1** [fästa] hook [*fast* [*vid*] on [to]]; *~ av* unhook **2** arrest, take . . up (into custody) **-ad** *a, den ~e* the prisoner, the man (o. s. v.) under arrest **-e** custody; jail, gaol **-ning** arrest **-nings|order** warrant [for a p.'s arrest]

häl heel; *följa ngn tätt i ~arna* follow close upon a p.'s heels

hälft half; *~en av arbetet* half the work; *~en så stor* half as large, half the size; *på ~en så kort tid* in half the time; *till ~en färdig* half done; *göra . . till ~en* do . . by halves

häll [stone] slab; [i öppen spis] hearthstone; [berg-] flat rock; jfr *1 spis*

1 hälla [under hålfoten] strap

2 häll|a 1 *tr* pour; [spilla] spill; *~ i, ur* pour out **2** *itr, det -er ned* the rain is pouring down

hälle||berg [bed]rock, solid rock **-flundra** halibut

hällregn pouring rain; *ett ordentligt ~* a regular downpour **-a** *itr* pour [with rain]

hällristning rock-carving, petroglyph

1 hälsa health; *ha ~n* be in good health; [*klen*] *till ~n* . . in health

2 häls||a *tr* o. *itr* **1** greet; [högtidl.] salute; *~ ngn välkommen* bid a p. welcome, welcome a p.; *~ god morgon på . .* wish . . good morning; *~ god dag på ngn* say how do you do to a p. **2** *~* [*till*] *ngn* send a p. one's regards (compliments, respects, love); *~ dem så mycket!* give them my (our) best regards (&c)! *~ hem!* remember me to your people! *då kan vi ~ hem* **F** then it's all up with us! *låta ~* send word; *jag kan ~ från* [*din bror*] I can give you news of . .; *jag skulle ~ från herr M., att han* I was to tell you from Mr. M. that he; *vem får jag ~ ifrån?* what name, please? *~ på* [besöka] go (come) and see **-ning 1** greeting &c; [högtidl.] salutation; [honnör] salute; [bugning] bow **2** [översänd] compliments *pl;* [bud] message, word; *hjärtliga ~ar* kind regards, love *sg; jag ber om min ~ till* please remember me to **-nings|-ord** words of welcome **-nings|tal** address of welcome; opening address

hälskydd heel-protector

hälso||bringande *a* salubrious, health-giving **-brunn** spa **-farlig** *a* dangerous to the (one's) health **-källa** mineral spring **-lära** hygiene **-pedant** valetudinarian **-sam** *a* wholesome; [klimat o. d.] salubrious, healthy; *bildl. äv.* salutary **-skäl,** *av ~* for reasons of health **-tillstånd** state of health; *hans ~* [the state of] his health **-vådlig** *a* injurious to the (one's) health; [ohygienisk] insanitary **-vård** [enskild] care of the (one's) health; [allmän] public health **-vårds|inspektör** public health inspector **-vårds|-nämnd,** *~en* the Board of Health

hämma *tr* [hejda] check, repress; *äv.* arrest; [blodflöde] *äv.* sta[u]nch; [verka hindrande på] obstruct (block) [the traffic]; impede; [fördröja] retard; *~d i växten* stunted [in growth]; *psykiskt ~d* inhibited

hämn||a I *tr* avenge; revenge **II** *rfl* se *-as; det ~r sig* [*att ljuga*] . . brings in its revenges **-as** *dep* **I** *tr* avenge, take vengeance for **II** *itr* avenge (revenge) o.s., take revenge (vengeance) [*på* [up]on]; retaliate

hämnd revenge; [högtidl.] vengeance; [vedergällning] retaliation; *~en är ljuv* revenge is sweet **-akt** act of revenge **-begär** desire

for vengeance **-girig** **-lysten** *a* revengeful; vindictive **-lystnad** revengefulness; *äv.* vengeful spirit
hämning checking &c; se *hämma; psyk.* inhibition **-s|lös** *a* free from [any] inhibitions; uninhibited
hämpling *zool.* linnet
hämsko drag *äv. bildl.; bildl. äv.* clog
hämta I *tr* fetch; [av-] call (come) for; *låta* ~ send for [the post]; ~ *krafter* recover (get up) one's strength; ~ *tröst* draw (derive) consolation; ~ *frisk luft* get fresh (take the) air **II** *rfl bildl.* recover [*efter, från* from]
händ||a I *itr* happen; [förekomma] occur, come to pass; ~ *vad som* ~ *vill* happen what may; *det kan* ~ perhaps; *det kan* ~ *att han* it is possible he, he may; *det kan nog* ~ that may be [so]; *det må vara hänt* **F** it can't be helped **II** *rfl* happen, chance, come about (to pass); *det -e sig inte bättre än att han . .* as ill luck would have it, he . .
händelse 1 occurrence; [viktig] event; [episod] incident **2** [tillfällighet] coincidence; [slump] chance; *av en ren* ~ quite by chance; by a pure chance (coincidence) **3** [fall] case; *för den* ~ *att han kommer* in case he comes, in the event of his coming; *i alla* ~*r* at all events; jfr *fall 2; i* ~ *av* in case of **-diger** *a* eventful, momentous **-förlopp** course of events **-lös** *a* uneventful **-rik** *a* eventful **-vis** *adv* by chance; accidentally; [apropå] casually; *han var* ~ *. .* he happened to be . .; *jag träffade . .* ~ I happened to meet . .; I ran across . .
händer hands; jfr *hand; tvätta* ~*na* wash one's hands; *bort med* ~*na!* hands off! *upp med* ~*na* hands up! *ge ngn fria* ~ give a p. a free hand; *i goda* ~ in safe hands; [*motarbeta*] *. . med* ~ *och fötter* (*bildl.*) . . tooth and nail; *övergå i andra* ~ change hands, be transferred; *låta ngt gå sig ur* ~*na* let a th. slip through one's fingers
händig *a* handy (dexterous) [*med* with]
hänför||a I *tr* **1** [föra . . till] assign [*till* to]; [räkna] class [*till* among], range [*till* under] **2** [hänrycka] carry away, transport; [gripa] *äv.* thrill **II** *rfl* **1** have reference [*till* to]; [datera sig] date back [*från* to] **2** *låta* ~ *sig av* allow o.s. to be carried away by **-ande** = *förtjusande, underbar* **-d** *a* carried away, enraptured; *i* ~*a ordalag* in enthusiastic terms **-else** rapture; [fröjd] exultation; enthusiasm
häng||a I *tr* hang; [t. ex. ljuskrona] suspend; droop [*med huvudet* one's head]; [tvätt] hang up; ~ *med näsan över* [*boken*] pore over . ., bury one's nose in . . **II** *itr* hang; [~ fritt] be suspended; [om kjol] hang down [at one side]; ~ *och dingla* hang loose, dangle; *stå och* ~ hang about; *det -er alldeles i luften* (*bildl.*) that's all in the air; ~ *ngn om halsen* cling round a p.'s neck; ~ *efter ngn* cling [like a leech] to a p.; ~ *fram* hang out; ~ *i'* work hard; *jag -er knappt ihop* **F** I can hardly keep body and soul together; *så -er det ihop* that's how it is; ~ *med'* **F** hang on; ~ *upp sig på* take exception to **III** *rfl* hang o.s.; ~ *sig på ngn* hang o.s. on (attach o.s.) to a p. **-ande** *a* hanging; [fritt] suspended [*i taket* from the ceiling]; *bli* ~ *i* get caught on **-antenn** *radio.* trailing aerial (*Am.* antenna) **-are** [krok] hook; [pinne] peg; [större] rack; [stropp] hanger, loop **-björk** weeping birch **-bro** suspension bridge **-e** *bot.* catkin **-färdig** *a* **F**, *se* ~ *ut* look very much down in the mouth
hängiv||a *rfl* surrender o.s. (give o.s. up) [*åt* to]; [ägna sig] devote (apply) o.s. [*åt* to]; [hemfalla] abandon o.s. (give way) [*åt* to]; indulge [*åt* in] **-en** *a* devoted, affectionate **-enhet** devotion (attachment) [*för* to]
häng||koj hammock **-lampa** hanging (pendulum) lamp **-lås** padlock (*äv. : sätta* ~ *för*) **-matta** hammock
hängning hanging
häng||selstropp brace-end **-sjuk F** ailing, seedy **-slen** [*ett par* a pair of] braces (*Am.* suspenders) **-växt** hanging plant
hänryck||a *tr* ravish, enrapture **-ning** rapture[s *pl*], ecstasy of delight
hän||seende, *i detta* ~ in this respect (regard); *i tekniskt* ~ in respect (regard) to technique; from a technical point of view; *i* ~ *till* in consideration of; with respect (regard) to **-skjuta** *tr* refer, submit **-soven** *a* deceased **-syfta** *itr,* ~ *på* allude to; [förtäckt] hint at **-syftning** allusion [*på* to]; hint [*på* at]
hänsyn [*bristande* lack of] consideration; *äv.* regard, respect; *låta alla* ~ *fara* throw all considerations to the winds; *ta* ~ *till* take . . into consideration, pay regard to . .; *utan att ta* ~ *till* regardless of, disregarding . .; *av* ~ *till* out of consideration for; *med* ~ *till* with regard (respect) to, as regards; in reference to; regarding, touching; [i betraktande av] in view of, considering **-s|full** *a* considerate [*mot* to (towards)] **-s|fullhet** considerateness; *äv.* consideration **-s|lös** *a* regardless of other people['s feelings]; inconsiderate; [grym] ruthless; [uppförande] reckless; [uppriktighet] uncompromising **-s|löshet** regardlessness of other people; inconsiderateness &c
hän||tyda = *-syfta* **-visa** *tr* o. *itr* direct; refer; [åberopa] point; *jur.* assign, allot; *vara* ~*d till* be obliged to resort to; be reduced to [*att . .* . -ing]; be thrown upon [*sig själv* o.s.] **-visning** reference; direction **-vända** *rfl* address o.s. (apply) [*till* to]; [vädja] appeal [*till* to] **-vändelse** application; appeal; *genom* ~ *till* by applying to
häp||en *a* amazed; [oroad] startled; jfr *förvåna*[*d*] **-enhet** amazement, *i första* ~*en* in the confusion of the moment **-na** *itr* be amazed [*för, vid, över* at] **-nad** = *-enhet; slå . . med* ~ strike . . with amazement **-nads|väckande** *a* amazing, astounding, stupendous
1 här *s* army; *bildl. äv.* host
2 här *adv* here; ~ *i huset* in this house; ~ *inne* in here; *är det* ~ [*du bor*]*?* is this where . .? ~ *ha vi det!* here we are! *så* ~ *års* at this time of the year; ~ *borta* over here; ~ *och där* here and there
härad *ung.* jurisdictional district **-s|hövding** district (circuit) [assize-court] judge
härav *adv* from (of, by, out of) this; *äv.* hence [*följer det* it follows]
härbärg||e shelter, accommodation; lodging; [för husvilla] [common] lodging-house, [night-]refuge **-era** *tr* lodge; put up
härd hearth; *bildl.* seat (centre) [*för* of]; [för laster] nest
härd||a I *tr* harden [*mot* against]; *bildl. äv.* inure [*mot* to]; ⊕ anneal, temper **II** *rfl* harden o.s., inure o.s.; [stålsätta sig] steel o. s. [*mot* against] **-ad** **-ig** *a* hardy; inured to hardship[s] **-ning** hardening; tempering **-nings|grad** degree of hardness **-nings|ugn** tempering stove

här||efter *adv* jfr *därefter, hädanefter* **-emot** jfr *däremot*
härflyta *itr* spring (emanate, originate) [*av, från* from (out of)]
härför *adv* for this purpose; *som bevis ~* as a proof of this
härförare army leader, general
här||i *adv* in this (that) [respect] **-ifrån** *adv* from here; *bildl.* from this **-igenom** *adv* through here; *bildl.* owing to this (that), on this account; [medelst detta] by this (&c) means, in this (&c) way **-invid** *adv* close to here
härj||a *tr o. itr* **1** ravage [*i ett land* a country]; [ödelägga] devastate, lay waste; *~ .. våldsamt* make havoc among .. **2** [husera] make a row, run riot **-ad** *a* ravaged &c; *se ~ ut* look worn and haggard **-ning,** *~ar* ravages **-nings|tåg** ravaging-expedition
här||jämte *adv* in addition [to this] **-komst** extraction, descent, parentage; [ursprung] origin; [djurs] stock, breed **-leda I** *tr* derive *äv. språkv.*; [slutsats] deduce **II** *rfl* be derived [*från, ur* from] **-ledning** *språkv.* derivation; deducing; deduction
härlig *a* glorious; [präktig] magnificent, splendid, grand; [förtjusande] lovely; [vacker] fine *äv. iron.* **-a** *adv, .. så det står ~ till* **F** .. like anything **-het** gloriousness &c; magnificence, splendour, grandeur; *bibl. o. d.* glory; *hela ~en* **F** the whole business (show)
härma *tr* imitate; [förlöjliga] mimic; [efterapa] copy
härmed *adv* with (by, at, to) this; jfr *därmed; ~ är saken utagerad* this has settled the matter; *hand.* herewith, hereby; *~ sänder jag er ..* (*hand.*) enclosed (by the same mail) I am sending you ..
härmning imitation; mimicry **-s|förmåga** imitative capacity (ability)
härmsångare icterine warbler
härnad, *draga i ~ mot* take up arms against **-s|tåg** warlike expedition
här||nedan *adv* below **-nere** down here **-näst** *adv* next; [nästa gång] next time
härold herald
härom *adv* [*öster* east] from here; [angående detta] about (as to) this; *äv.* on (to, for) this **-dagen** *adv* the other day **-kring** *adv* round here; [i trakten] in the country about here, in this neighbourhood **-kvällen** *adv* the other evening, an evening or two ago **-sistens** *adv* **F** a little while ago; recently **-året** *adv* a year or so ago
härordning army organization
här||ovan *adv* above **-på** *adv* **1** [rum] on this (that) **2** [tid] after this (that) **-röra** *itr, ~ från* come (arise) from, originate in, spring from; [bero på] be due to
härs *adv, ~ och tvärs* to and fro, in all directions
härsk||a *itr* **1** rule; [regera] reign **2** [om sak] predominate; [råda] prevail, be prevalent **-ande** *a* ruling [*klass* class]; [parti] dominating; [gängse] prevalent, prevailing
härskara host
härskar||e **1** ruler; *äv.* monarch, sovereign **2** [herre] master (lord) [*över* of] **-inna 1** ruler &c **2** mistress, lady **-later** domineering airs (ways) **-natur,** *ha en ~* be a born ruler
härsken *a* rancid
härsklyst||en *a* desirous of power, masterful, domineering **-nad** desire for power, domineeringness &c
härskna *itr* go (become, turn, get) rancid
här||skri war-cry; [friare] outcry **-s|makt** armed force, army; *med ~* by military forces
här||stamma *itr, ~ från* be descended from; [om pers. o. sak] derive one's (its) origin from; [datera sig från] date from **-stamning** descent; [ursprung] origin; [ords] derivation **-städes** *adv* here, in this place; *H~* [på brev] local **-till** *adv* to this (that, it); *~ kommer ännu, att* to this must be added that; jfr *därtill* **-under** *adv* **1** [rum] under this **2** [tid] during the time this was (is) going on, all the while **-ur** *adv* out of this **-utöver** *adv bildl.* beyond this
härva skein; [trasslig] tangle
härvarande *a, en ~ .. a ..* of this place, a local; *å ~* [*postanstalt*] at this ..
härvel reel
härvid *adv* at (to, on) this **-lag** *adv* in this matter (connection); [i detta fall] in this case
härväsen army organization
här||åt *adv* **1** = *hitåt* **2** at this **-över** *adv* over (across, above) here; *bildl.* at (on, about, of) this; jfr *däröver*
hässja I *s* drying-hurdle **II** *tr* hurdle
häst 1 horse; *sätta sig på sina höga ~ar* ride one's high horse; *sitta till ~* be on horseback **2** *gymn.* vaulting-horse; [i schack] knight **-avel** horse-breeding **-fluga** horse-fly **-garde,** *~t* the Horse Guards *pl* **-gödsel** horse dung **-handlare** horse-dealer **-hov** horse's hoof **-hovs|ört** *bot.* coltsfoot **-kapplöpning** horse-racing; *en ~* a horse-race **-kastanje** *bot.* horse-chestnut **-kraft** [*beräknad* (*bromsad, effektiv*)] horse power (H.P.) (brake, effective)] horse power (H.P.) **-krake** hack, jade **-kur** *bildl.* drastic cure **-kött** [mat] horseflesh **-lass,** *ett ~* a horse-load (cartload) [of ..] **-längd** *sport.* horse-length **-minne F** phenomenal memory **-rygg,** *på ~en* on horseback **-räfsa** horse-rake **-sko** horseshoe **-skojare** horse-cadger, coper **-sko|söm** horseshoe-nail **-skötare** groom **-sport,** *~en* equestrian sport; [kapplöpnings-] horse-racing, the turf **-svans** horse's tail, horse-tail **-tagel** horse-hair **-täcke** horse-cloth **-uppfödare (-uppfödning)** horse-breeder (-breeding)
hätsk *a* malignant (spiteful, rancorous) [*mot* towards]; [bitter] bitter, fierce **-het** malignancy; spitefulness &c; rancour
hätta hood; [munk-] cowl
häv||a I *tr* **1** heave; [slänga] toss, chuck **2** *bildl.* jfr *upp~*; [bilägga] settle; [bota] cure **3** *~ ur sig ..* **F** come out with .. **II** *itr* heave; *på tå häv!* (*gymn.*) on your toes rise! **III** *rfl* **1** raise o.s. **2** = *-as* **-arm** lever **-as** *itr dep* heave
hävd 1 [odling] cultivation **2** *jur.* prescription; [nyttjande] usage; [burskap o. d.] tradition, custom **3** [chronicled] history; *~er* (*äv.*) annals of the past **-a I** *tr* [ställning] maintain, keep up; [rättighet, åsikt] vindicate **II** *rfl* hold one's own, vindicate o.s. **-a|tecknare** se *historiker* **-vunnen** *a jur.* prescriptive; [friare] time-honoured (established) [*bruk* custom]
häv||ert siphon **-kraft** leverage **-stång** lever
häx||a witch; [käring] old hag **-dans** witches' dance; *bildl.* whirling maze **-förföljelse** witch-hunting **-kittel** witches' cauldron **-mästare** wizard, sorcerer **-process** witch-trial
hö hay **-bärgning** haymaking **-feber** *läk.* hay fever **-frö** hay-seed
1 höft, *på en ~* [på måfå] at random; [ungefär] roughly, approximately

2 höft hip; *~er fäst!* hands to hips! **-ben** hip-bone **-hållare** roll-on, corselet, girdle **-kläde** loincloth **-led** hip-joint

hög I *s* **1** [hop] heap; [uppstaplad] pile [*med* of]; [trave] stack; *samla på ~* pile (heap) up; [*ett exempel*] *ur ~en* .. at random **2** [kulle] hillock; [konstgjord] *äv.* mound **II** *a* **1** *allm.* high; [reslig] tall; [upphöjd] elevated; [straff, skatt; sjö] heavy; [~t uppsatt] exalted; [furstlig pers.] august; [-dragen] haughty, high and mighty; *i ~ grad* to a great extent; *en ~ militär* a high-ranking officer; *i egen ~ person* in person **2** [ljud] loud; *mus.* high; *med ~ röst* in a loud voice; *spela ett ~t spel* play for high stakes, play a hazardous game; *ha ~ tanke om* have a great idea (opinion) of; think highly of; *det är ~ tid att de* [*ge sig av*] it is high (quite) time for them to ..; *vid ~ ålder* at an advanced age **3** [luft] clear **4** [subst.] *~[a] och låg[a]* high and low, the exalted and the lowly **-adel,** *~n* the higher (titled) nobility

högaffel hay-fork, pitchfork

hög||akta *tr* esteem; [svagare] respect; *äv.* value **-aktning** esteem; respect; *med utmärkt ~* [i brev] with respectful regards, truly and respectfully **-aktningsfull** *a* respectful **-aktningsfullt** *adv* [i brev] Yours truly (faithfully) **-aktuell** *a* of great current interest; topical, very burning [*fråga* question] **-altare** high altar **-barmad** *a* high-bosomed **-borg** *bildl.* stronghold **-bur|en** *a, med -et huvud* with [one's] head erect (one's head [held] high) **-djur 1** *pl koll* big game **2** *bildl.* **F** big gun, swell **-dragen** *a* haughty, lofty, high and mighty **-eligen** *adv* exceedingly; *äv.* highly [*road* amused]

hög|er I *a* right; *äv.* right-hand; *på min -ra sida* on my right[-hand side]; *åt ~* to the right; *se varken åt ~ eller vänster* look neither right nor left; *till ~ om* to the right of **II** *adv, ~ om!* right turn! *rättning ~!* right dress! **III** *s* **1** *polit., ~n* the Right, the Conservative (Tory) Party **2** *sport., en rak ~* a straight right **-extremist** right-wing extremist **-gående** *a* right-hand **-gänga** right-hand thread **-handske** right-hand glove **-inner** *sport.* inside right forward **-man** conservative **-press** conservative press **-sko** right shoe **-styrd** *a* [bil] right-handed[ly steered] **-sväng** right turn **-trafik** right-hand traffic **-vridande** *a* [vind] .. veering to the right **-ytter** *sport.* outside right forward

hög||fjäll *pl, ~en* the High Alps **-fjälls** i *sms* high alpine .. **-frekvens** high frequency

högfärd pride [*över* in]; [fåfänga] vanity; se *äv. inbilskhet, dryghet* **-ig** *a* proud [*över* of]; se *äv. inbilsk, dryg 1* **-s|galen** *a* bursting with vanity (&c)

hög||förräderi high treason **-glans** high polish (lustre) **-gradig** *a* highgrade; [ytterlig] extreme, excessive; [svår] severe **-halsad** *a* high-necked **-het 1** [upphöjdhet] loftiness, sublimity; [storhet] greatness **2** *Ers H~* Your Highness **-hus** high building, tower block **-intressant** *a* highly interesting **-klackad** *a* high-heeled **-klassig** *a* high-class **-konjunktur** trade boom; *en ~ inom* .. a boom period in .. **-kor** chancel **-kvarter** headquarters *pl* (H.Q.) **-kyrka -kyrklig** *a* High Church **-känslig** *a* extremely sensitive **-land** upland; *Skotska -länderna* the Highlands **-ljudd** *a* loud; [-röstad] loud-voiced, vociferous; [bullersam] noisy **-ländare** Highlander **-länt** *a* upland .. **-läsning** reading aloud **-mod** pride [*går före fall* will have a fall]; [övermod] arrogance; [-dragenhet] haughtiness, loftiness; *äv.* airs *pl* **-modig** *a* proud [*över* of]; arrogant [*över* about]; haughty, lofty **-mosse** *bot.* high moor, raised bog **-mässa** *kat.* high mass; *protest.* morning service **-platå** tableland **-prosa** literary prose **-re I** *a* higher &c; jfr *hög II; de ~ klasserna* the upper classes (*skol.* forms); *intet ~ önska* desire nothing better; *ett ~ väsen* a superior being; *~ bildning* a liberal education; *en ~ flickskola* a girls' high school; *den ~ matematiken* higher (advanced) mathematics *sg; på ~ ort* in high quarters *pl; i ~ stil* in elevated style; *~ undervisning* secondary education **II** *adv* **1** higher &c; more highly **2** *tala ~* speak louder **-rest** *a* tall **-röd** *a* bright red, vermilion, scarlet **-röstad** *a* = *-ljudd* **-sinnad** *a* high-minded, generous; jfr *storsint* **-sinthet** high-mindedness, generosity **-skola** university college; [friare] academy **-slätt** tableland, plateau **-sommar,** *under ~en* in the height of the summer **-språk** standard language **-spänd** *a elektr.* high-voltage, high-tension[ed] **-spänn,** *på ~* (*bildl.*) at high tension **-spänning** *elektr.* high tension; *~s-* i *sms* high-tension **-st I** *a* highest &c; *H~a domstolen* the Supreme Court; *den H~e* the Most High; *~a fart* maximum speed; *~a tillåtna hastighet* speed limit; *det ~a goda* the supreme good; *i ~a grad förnärmad* deeply offended **II** *adv* highest &c; most highly; [mest] most; [i ~a grad] in the highest degree, exceedingly, extremely; *allra ~* .. .. at the utmost (very most) **-stadiet,** *på ~* in the upper (higher) forms **-st|bjudande** *a, den ~* the highest bidder **-stämd** *a bildl.* high-pitched, lofty, elevated **-svenska** standard Swedish **-säsong** height of the season **-säte 1** *hist.* high settle **2** [hedersplats] seat of honour **-t** *adv* **1** high &c; highly &c **2** [ljud] loud[ly]; *läsa ~* read aloud **3** [högeligen] highly [*begåvad* gifted]; *~ spända* [*förväntningar*] high-pitched ..; *lova ~ och dyrt* promise solemnly; *~ älskad* dearly beloved **-talare** loud-speaker **-t|flygande** *a* high-soaring; [planer] ambitious

högtid feast is. *bibl.;* is. *kyrkl.* festival **-lig** *a* solemn; [tillfälle] grand; ceremonious, ceremonial **-lighet 1** [utan *pl*] solemnness &c; *äv.* solemnity; [ståt] pomp, state **2** [med *pl*] ceremony **-lig|hålla** *tr* celebrate, commemorate, keep **-ligt** *adv* solemnly &c; *tag det inte så ~!* don't be so solemn about it! **-s|dag** festival (commemoration) day; *äv.* red-letter day **-s|dräkt** *allm.* festival attire; [frack] evening dress **-s|klädd** *a* in festival attire; in full (evening) dress

hög||travande *a* bombastic, high-flown; [pers.] *äv.* pompous **-tryck[sområde** area of] high pressure **-t|stående** *a, ett ~ folk* a nation on a high level of culture **-tysk** *a* **-tyska** High German **-t|älskad** *a* dearly beloved **-vakt 1** [manskap] main guard **2** [lokal] main guardhouse **3** [vakthållning] main guard duty **-vatten** high water; [tidv.] high tide **-vilt** big game **-välboren** *a* Right Honourable **-välvd** *a* high-arched **-värdig** *a* high-grade(-test) **-växt** *a* tall **-vördighet,** *hans ~ biskopen* the Right Reverend the Lord Bishop **-ättad** *a* .. of noble lineage **-önsklig** *a, i ~ välmåga* in the best of health

höj|a I *tr* raise [one's voice; the price]; make .. higher (taller &c); [öka] increase; [för-] heighten [the effect]; [förbättra] improve [the standard]; *~ hyran* put up the rent; *~ ngn till skyarna* exalt (praise) a p.

to the skies; ~ *stämningen* raise the spirit of the company; *vara -d över alla misstankar* be above suspicion; *vara -d över allt tvivel* be beyond all doubt **II** *rfl vanl.* rise *äv. bildl.*; raise o.s. *äv. bildl.*
höjd 1 height; [högsta ~] top, summit; *vetensk.* altitude; *förlora (vinna)* ~ (*flyg.*) lose (get) height; *på sin* ~ at the utmost; *det är ändå ~en!* that's really the limit! *på samhällets ~er* at the pinnacle of society **2** *mus.* pitch **-flygning** altitude flying; *en* ~ an altitude flight **-hopp** high jump **-hoppning** high jumping **-kurva** contour line **-läge** level of altitude; *mus.* pitch-level **-mått** height-measurement **-mätare** altimeter **-punkt** highest point, peak; *bildl.* height, climax **-rekord** *flyg.* altitude record **-roder** *flyg.* elevator **-skillnad** difference in altitude **-vind** upper wind
höj|ning 1 raising **2** rising, rise; jfr *höja II; geol.* elevation
hök hawk; ~ *och duva* [lek] tig
hö||lada hay-barn **-lass** [cart]load of hay
hölj||a I *tr* cover; [insvepa] wrap [up], envelop; *-d av ära* covered with glory; *-d i dunkel* wrapped (veiled) in obscurity **II** *rfl* wrap o.s. up; [med ära, skam] cover o.s. **-e** envelope; *bot.* sheath
hölster [pistol-] holster
höna 1 hen **2** [våp] goose
höns 1 *pl* fowls; [hönor] hens; *koll äv.* poultry *sg; ha* ~ keep poultry; *vara högsta ~et i korgen* (*bildl.*) be cock of the roost, be top dog; *som yra* ~ like giddy geese **2** *kok.* chicken; ~ *med ris* chicken with rice [and curry] **-avel** poultry-rearing **-buljong** chicken soup **-bur** hen-coop **-gård 1** poultry-yard, fowl-run **2** [-eri] poultry-farm **-hjärna** *bildl.* addle-pate; *ha* ~ (*äv.*) be bird-brained **-hus** poultry-(fowl-)house **-minne** memory like a sieve **-skötsel** poultry-farming **-ägg** hen's egg
hör||a I *itr,* ~ *till* belong to; jfr *till~; det hör till [yrket]* it goes with ..; ~ *hemma* belong [*i* to]; [härstamma] hail [*i* from]; *det hör inte hit* it has nothing to do with this; it is irrelevant; ~ *ihop* belong together; ~ *till [de bästa eleverna]* be one of ..; *det hör till' att ..* it is the right and proper thing that (to *inf.*) **II** *tr* o. *itr* **1** *allm.* hear; [få] ~ (*äv.*) learn, be told; *hör du det?* do you hear? *det gör mig ont att* ~ I am sorry to learn; *det ville han inte* ~ *talas om* he wouldn't hear of it; *det -s bra härifrån* you can hear well from here **2** [~ på, lyssna] listen [*musik* to music]; [å-] hear; attend [*en föreläsning* a lecture]; *hör du*[, *kan du*] I say, .., look here .. **3** [friare] hear (inquire, ask) [*efter' om* whether]; *äv.* find out; *jag har -t sägas* I have heard it said, I am given to understand; *låt ~!* out with it! ~ *av'* hear from; *~s av'* send word; ~ *fel* mis-hear; ~ *på'* listen; *hör på den!* well I never! ~ *på radio* listen in; *hör på!* listen! *hör upp bättre!* pay better attention! ~ *upp* [upp~] cease, discontinue; ~ *upp en läxa* hear a lesson; ~ *upp sin läxa* say one's lesson; ~ *åt'* inquire **III** *rfl, låta* ~ *sig offentligt* sing (o. s. v.) in public; *det låter* ~ *sig!* that's something like! ~ *sig fö'r* make inquiries [*efter* for (about)] **-apparat** hearing apparatus **-bar** *a* audible **-barhet** audibility; *radio.* reception **-bild** *radio.* feature program[me] **-håll,** *inom (utom)* ~ within (out of) ear-shot (hearing) **-lur 1** [för döva] ear-trumpet **2** *tel.* ear-piece, receiver; *radio.* headphone, earphone
hörn corner; [vrå] nook; *vika om ~et* turn the corner; *får jag vara med på ett ~?* may I join you as well? **-a 1 1 F** = *hörn* **2** *fotb.* corner **-hus (-plats -rum)** corner house (seat, room) **-sten** corner-stone **-tand** eye-tooth
hör||sal lecture-room **-sam** *a* obedient **-samhet** obedience **-samma** *tr* obey; *äv.* heed; [bjudning] accept **-sel** [sinne] hearing **-sel|-förmåga** hearing ability **-sel|gång** *anat.* auditory canal (duct) **-spel** radio play **-sägen** [*enligt* from] hearsay
hö||räfsa hay-rake **-skrinda** hay-waggon **-skulle** hay-loft **-snuva** = *-feber*
höst autumn; *Am.* fall; *i* ~ this autumn; *i ~as* last autumn; *om ~en* in [the] autumn; *på ~en 1947* in the autumn of 1947
höstack hayrick, haystack
höst||dag, *en* ~ a day in autumn, an autumn day **-lik** *a* autumnal **-löv** autumn leaf (leaves) **-mörker** autumn darkness **-råg** autumn-sown rye **-termin** autumn term **-vete** autumn-sown wheat
hö||tapp wisp of hay **-tjuga** tedding fork, pitchfork
höva, *över ~n* beyond measure, excessively
hövding chief[tain]
hövisk *a* [artig] courteous; [ridderlig] chivalrous **-het** courteousness, courtesy, chivalry
hövitsman captain; *bibl. äv.* centurion
hövlig *a* civil [*mot* to]; [artig] polite; [belevad] courteous **-het** civility; politeness; courtesy **-hetsvisit** courtesy (polite) call **-t** *adv* civilly &c; *bemöta* .. ~ treat .. with civility; *svara* ~ give a civil reply [*på* to]
hövålm haycock

I

1 i i; *pricken över* ~ the dot over the i; *bildl. äv.* the finishing touch
2 i I *prep* **1** *a*) [punkt, område, befintlighet, tidrymd] *allm.* in [Stockholm; April; *forna tider* earlier times]; ~ *afton* tonight; ~ *höst* this (next) autumn; *b*) [inom] in [history, literature]; *c*) [i fråga om] in [his studies] **2** *a*) [geogr. punkt el. tidpunkt, mindre stad, 'vid'] at [Oxford; *solnedgången* sunset; *jul* Christmas]; ~ *arbete* (*vila*) at work (rest); ~ *början av* at the beginning of; ~ *detsamma* at that very moment; all at once; [*stå*] ~ *fönstret* .. at the window; *b*) [i fråga om] *duktig* ~ *kricket* good at cricket **3** *a*) [på ytan] on [*trappan* the staircase; *soffan* the sofa]; *b*) [angående] [*uttala sig*] ~ *en fråga* .. on a question; *c*)~ *radio* (*telefon*) on the radio (telephone); *vara* ~ *tjänst* be on duty; *sitta* ~ *en kommitté* be (sit) on a com-

mittee 4 [genitivförh.] *freden* ~ *L.* the peace of L.; *gatorna* ~ *Stockholm* the streets of Stockholm; *det roliga* ~ *historien* the amusing part of the story 5 [till] to; *gå* ~ *skolan* go to school; *har du varit* ~ *England?* have you been to England? 6 [medlet] by [radio]; [*hängande*] ~ *ett snöre* .. by a string; *hålla* ~ *handen* hold by the hand 7 [riktning, rörelse] into; *få ngt* ~ *sitt huvud* get a th. into one's head; *störta* [*landet*] ~ *krig* plunge .. into war 8 [tidslängd] for [*många år* many years; *framtiden* the future] 9 [orsak] of; *dö* ~ *kräfta* die of cancer 10 *5 minuter* ~ *7* five minutes to (*Am.* of) seven 11 [per] *en gång* ~ *veckan* once a week; [*sex mil*] ~ *timmen* .. an hour 12 [såsom] as [*födelsedagsgåva* a birthday present; *regel* a rule] 13 ~ *och för* [*granskning*] for [the purpose of] ..; ~ *och för sig* in (by) itself; ~ *och med* with; ~ *och med att han kom* [*hade han*] in coming .. 14 ~ *det att han kom* as he came, [in] coming **II** *adv* 1 [*hoppa* jump] in; *hälla* ~ *vatten* pour out water 2 *kaffe med grädde* ~ coffee with cream in it

iakt||taga *tr* 1 observe; [lägga märke till] *äv.* notice; [uppmärksamt] *äv.* watch 2 *bildl.* observe; exercise [*måtta* moderation]; keep [*diet* a strict diet]; ~ *neutralitet* (*äv.*) maintain neutrality **-tagande** *s* observance, observation **-tagare** observer **-tagelse** observation **-tagelse|förmåga** power (faculty) of observation

ibland I *prep* = *bland; mitt* ~ amid[st], in the midst of **II** *adv* [då o. då] occasionally, sometimes; *äv.* at times, now and then

icke *adv* 1 not; no; none; *i* ~ *ringa grad* to no small extent; *en* ~ *alltför* .. a none too .. 2 i *sms vanl.* non- **--fackman** non-professional, amateur **--krigförande** *a* non-belligerent **--rökare** non-smoker **--vara** non-existence

id *zool.* ide

idas *itr dep* have enough energy [to]; [bry sig om] bother

ide hibernating-den, winter lair; *gå i* ~ (*bildl.*) shut o.s. up in one's den (lair); *ligga i* ~ (*äv. bildl.*) hibernate

idé idea [*om* about (as to, of, on)]; [föreställning] *äv.* notion; [begrepp] conception; *få en* ~ have an idea; *det är ingen* ~, *att* .. it is no good (use) .. -ing, there is no point in ..-ing

ideal ideal [*av (för)* of]; *äv.* i *sms* **-isera** *tr* idealize **-isk** *a* ideal; [fulländad] perfect **-ism** idealism **-ist** idealist **-istisk** *a* idealistic **-itet** ideality **-stat** *äv.* Utopia

idé||association association of ideas **-dikt** poem of ideas **-drama** problem drama

ideell *a* idealistic; ~*a föreningar* non-profit-making associations

idéfattig *a* unimaginative

idegran *bot.* yew[-tree]

idéhistoria history of ideas

idel *a* [ren] pure (sheer) [*avund* envy]; [blott] mere; nothing but; ~ *fröjd* all (nothing but) joy **-ig** *a* continual, perpetual; incessant **-igen** *adv* perpetually &c; ~ *fråga* keep on asking

idémässigt *adv* ideologically

ident||ifiera *tr* identify **-ifikation** identification **-isk** *a* identical **-itet** identity **-itets|kort** identity card

ideolog||i ideology **-isk** *a* ideological

idé||rik *a* [pers.] prolific ([sak] full) of ideas **-rikedom** profusion of ideas **-värld** world of ideas

idiom idiom **-atisk** *a* idiomatic[al]

idio||synkrasi idiosyncrasy **-t** idiot; [svagare] imbecile **-ti** idiocy; imbecility **-tisk** *a* idiotic[al] **-t|säker** *a* fool-proof

idissl||a *itr* o. *tr* 1 (*äv.* : ~ *födan*) ruminate, chew the cud 2 *bildl.* repeat, harp on **-are** ruminant [animal]

idka *tr* [bedriva] carry on; *äv.* practise [yrke o. d.] *äv.* follow; [studier] pursue; ~ *studier* (*äv.*) study; ~ *sällskapsliv* go in for society life

idog *a* industrious; [trägen] assiduous **-het** industriousness &c; industry

idol idol

idrott athletics *pl; äv.* [athletic] sports *pl* [skidåkning o. d.] exercise; [tennis, fotboll o. d.] *skol. univ.* games *pl* **-a** *itr* go in for athletics (&c); *äv.* play games

idrotts||blad sports paper **-dag** *skol.* games [and athletics] holiday **-förening** athletics (*äv.* games) association (club) **-gren** branch of athletics; *äv.* [kind of] sport; [tennis, fotboll o. d.] [type of] game **-klubb** = *-förening* **-ledare** athletics (sports) leader (organizer); *skol.* games master (mistress) **-lov** *skol.* time off (holiday) for games (&c) **-man** athlete **-märke** athletics badge **-nyheter** *radio.* sports news *sg* **-plan -plats** sports ground; *skol.* [playing] field **-pris** athletics (&c) prize (trophy) **-rekord** athletics (sporting) record **-rörelse** athletics (&c) movement **-tidning** sports (&c) paper **-tävling** athletic (sports) competition (contest)

idyll idyll; [plats] idyllic spot **-isk** *a* idyllic

ifall *konj* if, in case; ~ *detta är sant* (*äv.*) should this be true; [förutsatt] supposing (provided) [that]; [huruvida] if, whether

ifatt se *2 fatt*

ifråga||komma -sätta se *1 fråga* **-varande** *a, den* ~ .. the .. in question (referred to)

ifrån I *prep* se *från I;* ~ *sig* beside o.s. [*av raseri* with rage] **II** *adv* [borta] away; [frånvarande] absent; *komma* ~ [bliva fri] get off; *komma* ~ *att* get away from the fact that

igel leech **-kott** hedgehog

igen *adv* 1 [ånyo] again; *om* ~ over again; [en gång till] once more 2 [tillbaka] back; *slå* ~ strike back; *taga* ~ [förlorad tid] make up for 3 = *kvar 2* 4 [*dörren*] *slog* ~ .. slammed to 5 *fylla* ~ fill in **-känd** *a* recognized **-kännings|signal** recognition signal **-kännings|tecken** distinctive (distinguishing) mark **-känning** *a* recognizable [*på* by] **-mulen** *a* overclouded, overcast; .. clouded over

igenom *prep* o. *adv* through; *tvärs* ~ straight (right) through ([*över*] across); *dagen* ~ throughout the day; all day long; *hela livet* ~ all (throughout) one's life; *hela året* ~ all the year round

igen||snöad *a* [väg] snowed-over; [spår] obliterated by snow **-växt** *a* [stig] overgrown; [sjö o. d.] choked-up

ignorera *tr* ignore, take no notice of; [t. ex. varning] disregard; [ej hälsa på] cut [dead]

igångsättning starting

ihjäl *adv* to death; [plötsligt] [*skjuta*] ~ *ngn* .. a p. dead; *arbeta* ~ *sig* kill o.s. with work; *konkurrera* ~ kill .. by competition; *skratta* ~ *sig* die of laughing (laughter); *slå* ~ [*sig*] kill [o.s.]; *svälta* ~ die of hunger (starvation), *äv.* starve to death **-frusen** *a* frozen to death **-skjuten** *a* shot dead **-slagen** *a* killed **-sparkad** *a* kicked to death

ihop *adv* 1 [tillsammans] together; *passa* ~ go well together 2 *fälla* ~ shut up; *sätta* ~ [*en historia*] make up ..

ihåg *adv, komma* ~ remember; [erinra sig] recollect; [lägga på minnet] bear (keep) in mind; *jag kommer inte* ~ (*äv.*) I forget; *kom* ~ *att du är . .!* mind you are . .!
ihålig *a* hollow; *äv.* empty [phrases] **-het 1** *abstr* hollowness &c **2** *konkr* hollow, cavity; hole
ihållande I *a* prolonged [*applåder* applause *sg*]; continuous (steady) [*regn* rain] **II** *adv* continuously &c
ihärdig *a* [om pers.] persevering; [trägen] assiduous; *äv.* tenacious; [t. ex. regn, nekande] persistent **-het** perseveringness, perseverance; assiduity; tenacity; persistence
ikläda I *tr* dress . . in; clothe . . in *äv. bildl.* **II** *rfl* **1** dress o.s. in; clothe o.s. in, don **2** *bildl.* [ansvar o. d.] take . . upon o.s., assume; [risk] incur
ikon icon
il gust of wind; [by] squall **-a** *itr* **1** [högtidl.] speed; [skynda] hurry; [starkare] fly; dart, dash; *tiden* ~*r* time flies [apace] **2** *det* ~*r i tänderna på mig* I have shooting-pains in my teeth
ilastning loading
il||bud urgent message [*efter* for]; [pers.] express messenger **-gods** *koll* goods *pl* dispatched (forwarded) by passenger train; express[-delivery] goods (parcels) *pl; ett* ~ an express[-delivery] parcel **-gods|expedition** [lokal] express-goods(-parcels) office
illa I *adv* [dåligt] badly; *äv.* [*låta* sound] bad; [moraliskt] evil; [orätt] wrong; [svårt] badly (severely) [*skadad* damaged]; ~ *ansatt* hard pressed; ~ *använd* ill-spent; ~ *berörd* unpleasantly affected; ~ *sjuk* seriously ill; ~ *underrättad* ill-informed; *det går* ~ *för honom* things are going badly ([galet] wrong) with him; *göra* ~ do wrong; *göra ngn* ~ hurt a p.; *den luktar* ~ it has a nasty smell; *den* ~ *gör, han* ~ *far* who evil does he evil fares; *det var inte så* ~ *menat* no offence was meant; *må* ~ be poorly (out of sorts); [vilja kräkas] feel sick; *hon ser inte* ~ *ut* she is not bad-looking; *sitta* ~ [om kläder] be a bad fit, fit badly; *tycka* ~ *vara* (*ta* ~ *upp*) [att] take it amiss (take offence) [that]; *ta inte* ~ *upp!* don't be offended! *vara* ~ *till mods* be down-hearted (sick at heart) **II** *a* bad; *är det så* ~? is it as bad as all that? *det var* ~ *det!* that's a pity! *inte alls* ~ not [half] bad, pretty well (good) **-luktande** *a* nasty-(evil-)smelling **-mående I** *s* indisposition **II** *a* poorly, unwell, out of sorts; *känna sig* ~ [ha kväljningar] feel sick **-sinnad** *a* ill-(evil-)disposed [*mot* to (towards)]; [om handling] malicious **-sittande** *a* badly fitting
ill|dåd = *-gärning*
illeg||al *a* illegal **-itim** *a* illegitimate
iller polecat
ill||fundig *a* wily, cunning; [påhitt] insidious; [listig] *äv.* crafty; jfr *-marig* **-fundighet** wiliness &c **-gärning** malicious (evil, foul, wicked) deed; outrage [*mot* on] **-gärnings|man** evil-doer; malefactor **-listig** = *-fundig*
illitterat *a* illiterate, unlettered
illmarig *a* sly, knowing; [skälmsk] arch; [bakslug] cunning
illojal *a* disloyal; [konkurrens o. d.] unfair
ill||röd *a* blazing red **-tjut** se *-vrål*
illu||mination illumination **-minera** *tr* illuminate **-sion** illusion; [villfarelse] delusion; *göra sig* ~*er* cherish illusions **-sionist** illusionist **-sions|fri** *a* free from all illusion[s] **-sorisk** *a* illusory; [bedräglig] illusive; [inbillad] imaginary
illust||er *a* illustrious **-ration** illustration **-ratör** illustrator **-rera** *tr* illustrate
ill||vilja [ondska, agg] spite; [avoghet] ill will; [elakhet] malevolence; [djupt rotad] malignity **-villig** *a* malevolent (malignant) [*mot* towards] **-vrål F** terrific yell (howl)
il||marsch forced march **-ning** thrill (spasm) [*av glädje* of joy]; [av smärta] shooting pain **-paket** express parcel **-samtal** *tel.* express call
ilsk||a [hot] anger ([boiling] rage) [*mot ngn* against a p.; *över ngt* at a th.]; *i* ~*n* in his (o. s. v.) anger; *äv.* for very rage; [*göra ngt*] *i* ~*n* . . in a fit of anger **-en** *a* angry; [ursinnig] furious; [om djur] savage, ferocious; [tjur] *äv.* mad **-et** *adv* with hot anger, angrily &c **-na** *itr,* ~ *till* work o.s. up into a rage (fury, passion)
il||telegram express (urgent) telegram **-tåg** express [train] **-tågsfart,** *med* ~ at express speed
imaginär *a* imaginary *äv. mat.*; unreal, fancied
imbecill *a* imbecile
imit||ation imitation **-ativ** *a* imitative; ~*a metoden* [språkunderv.] *vanl.* the Direct Method **-atör** imitator; [varietéartist] mimic **-era** *tr* imitate; *äv.* copy; [människor] *äv.* mimic; ~*t elfenben* imitation ivory
imma I *s* **1** [ånga] vapour, mist **2** [beläggning] steam, moisture; [av köld] frost **II** *itr* o. *tr, det* ~*r på* [*fönstret*] . . is getting misted [over]
im||materiell *a* immaterial **-matrikulera** *tr* matriculate
immig *a* **1** [luft] misty **2** moist with steam, steamed (misted) over; jfr *imma*
immigr||ant immigrant **-ation** immigration **-era** *itr* immigrate [*till* into]
immun *a* immune [*mot* against (from, to)] **-itet** immunity
imperat||iv *gram.* [*i* in the] imperative **-or** imperator
imperfekt[um] imperfect; *i* ~ in the past (preterite) tense
imper||ialism imperialism **-ialist** imperialist **-ialistisk** *a* imperialist[ic] **-ium** empire
imponer||a *itr* make an impression [*på* [up]on]; ~ *på* (*äv.*) impress **-ande** *a* impressive; imposing; commanding [*gestalt* figure]; striking [*siffror* figures]
impopul||aritet unpopularity **-är** *a* unpopular [*hos* (*bland*) with]
import 1 *abstr* importing, importation **2** *konkr* [summa -erade varor] imports *pl* **-artik|el** imported (import) article; *-lar* (*äv.*) imports **-avgift** import duty **-era** *tr* import [*till* into (to)] **-firma** firm of importers, importing firm **-förbud** import prohibition; ban on imports **-hamn** import-trade [sea]port **-handel** import trade **-kvot** import quota **-licens** import license **-tull** import duty **-var|a** = *-artikel; -or* (*äv.*) imported (import) goods **-ör** importer **-överskott** surplus of imports
impot||ens *läk.* impotency **-ent** *a* impotent
impregner||a *tr* [tyg] waterproof; [trä] creosote; *allm.* impregnate; ~*d regnkappa* waterproof, mackintosh **-ing** impregnation, saturation **-ings|medel** [för trä] rot-proofing agent
impress||ario impresario **-ionism** impressionism **-ionist** impressionist **-ionistisk** *a* impressionist[ic]
improduktiv *a* unproductive; *äv.* unprofitable
improvis||ation improvisation **-atör** improviser **-era** *tr* improvise; [om talare] *äv.* extemporize

impuls impulse; [plötslig] prompting; [is. utifrån] stimulus (spur, incitement) [*till* to] **-iv** *a* impulsive **-ivitet** impulsiveness
in *adv* in; [inne] inside; *kom ~ ett tag!* step inside a moment! *hit* (*dit*) *~* in here (there); *~ i* into; *~ till London* up to London **-ackordera I** *tr* board and lodge .. [*hos* with]; *vara ~d* (*äv.*) be a boarder **II** *rfl* arrange to board and lodge [*hos* with] **-ackordering 1** *abstr* board-and-lodging accommodation **2** [pers.] boarder; *ha ~ar* take in boarders **-ackorderings|ställe** boarding-house **-alles** *adv* in all, [taken] all together **-andas** *tr dep* inhale; *äv.* breathe .. in **-andning** inhalation **-arbeta** *tr* **1** work .. in; *~d* worked in **2** = *tjäna* [*in*] **3** *hand.* work up (create) a market for; *~d* [pers.] trained to the work (o. s. v.); [firma] well established; [handelsresande] *~d i* .. with a thorough knowledge of **-avel** in-breeding
inbe||grepp, *~et av* .. the quintessence (sum) of .. **-grip|a** *tr* comprise, comprehend; [innesluta] include; jfr *inberäkna, innebära;* *-en* included; .. [*ej*] *-en* [not] including ..; *-en i* [*samtal*] engaged in .. **-räkna** *tr* include, take .. into account, count (reckon) in .. [*i* in] ..; *allt ~t* inclusive **-sparing** saving **-tala** *tr* pay [up] **-talning** paying [in (up)], payment **-talnings|kort** *post.* postal cheque-form
inbill||a I *tr, ~ ngn ngt* make a p. believe a th.; *vem har ~t dig det?* who ever put that into your head? *försök inte ~ mig det!* don't try to put that over me! **II** *rfl* imagine; *äv.* fancy; *~ sig vara* .. imagine that one is .. **-ning 1** imagination **2** [falsk föreställning] fancy; *det är bara ~!* all fancy! **-nings|foster,** *rena ~* pure fancies (imaginings) **-nings|förmåga** power of imagination; imaginative power **-nings|sjuk** *a, en ~* an imaginary invalid; *vara ~* suffer from imaginary complaint
inbilsk *a* conceited **-het** conceitedness, conceit
in||bindning binding; *till ~* to be bound **-biten** *a* confirmed [*ungkarl* bachelor]; inveterate [*rökare* smoker; *vana* habit] **-bjud|a** *tr* invite; [*Herr o. fru M.*] *ha äran ~* .. *till middag* .. request the pleasure of the company of .. to dinner; *allmänheten -es* the public are cordially invited; *~ till aktieteckning* invite subscriptions for shares **-bjudan** invitation **-bjudande** *a* inviting; [lockande] tempting **-bjudning** = *-bjudan* **-bjudnings|kort** invitation card **-blanda** *tr* [sak] mix in; *bildl.* [pers.] mix .. up [*i* in]; [indraga] involve, implicate **-blandning** *bildl.* interference; [ingripande] intervention
in blanko *adv* in blank; in blanco
in||blick *bildl.* insight [*i* into]; *få en ~ i* (*äv.*) catch (have) a glimpse of **-bringa** *tr* yield **-bringande** *a* profitable; lucrative, remunerative **-bromsning** braking, application of the brake[s]
inbrott 1 [början] setting in; *vid dagens ~* at the break of day, at daybreak (dawn); *vid nattens ~* at nightfall **2** [av tjuv] burglary; [på dagen] house-breaking; *göra ~ hos ngn* commit a burglary (&c) at (break into) a p.'s house **-s|försäkra** *tr* o. *itr* insure .. against burglary (&c) **-s|försäkring** burglary insurance **-s|stöld** = *inbrott 2* **-s|tjuv** burglar; [på dagen] house-breaker
in||bryta *itr* set in, come on; [om dag] break, dawn; [om natt] close in, fall **-brytning** *mil.* break-in [*i* in] **-buktning** indentation **-bunden** *a* **1** [bok] bound **2** *bildl.* uncommunicative, reserved; [förtegen] secretive **-bundenhet** uncommunicativeness &c; reserve **-bura** *tr* **F** lock .. up **-byggd** *a* built-in; [badkar] boxed-(cased-)in; [veranda] closed-(covered-)in **-byggare** = *-vånare* **-bäddad** *a* embedded **-bördes I** *adv* [ömsesidigt] mutually; [med varandra] with one another; *ett ~ söndrat folk* a people divided amongst themselves **II** *a* mutual [*aktning* respect]; reciprocal [*plikter* duties]; [t. ex. läge] relative; *~ testamente* (*jur.*) a [con]joint will **-bördeskrig** civil war
in casu *lat., varje sak avgörs ~* each case is decided on its merits
indefinit *a gram.* indefinite
indel||a *tr* divide ([uppdela] divide up) [*i* into; *efter* according to]; [i klasser] classify **-ning** dividing [up]; *äv.* division; classification **-nings|grund** ground (basis) of division (&c)
index index [*för, över* of] **-bunden -reglerad** *a* tied to the living-index **-siffra (-tal)** index figure (number)
indian [American (Red)] Indian **-bok** Red-Indian story-book **-hövding** [Red-]Indian chief **-sk** *a* [Red-]Indian **-sommar** Indian summer **-tjut** Indian war-whoop
indic||iekedja chain of circumstantial evidence **-ium** indication [*på* of]; [*dömas*] *på -ier* .. on circumstantial evidence
Indien India
indiffer||ens indifference **-ent** *a* indifferent
indign||ation indignation **-erad** *a* indignant [*över* at]
indigo indigo **-blå** *a* indigo[-blue]
indikativ *gram.* [*stå i* be in the] indicative [mood]
indirekt I *a* indirect; *~ anföring* reported (oblique) speech; *~ arbitrage* (*hand.*) compound arbitrage; *~ belysning* concealed lighting **II** *adv* indirectly; in a round-about way
indisk *a* Indian
in||diskret *a* indiscreet; jfr *ogrannlaga;* [frispråkig] outspoken **-diskretion** indiscretion **-disponerad** *a* **1** [opasslig] indisposed, .. out of sorts; .. not in good form (the right mood) **2** = [*ej*] *disponerad* **-disposition** indisposition.
individ *a* individual; *äv.* person; [exemplar, om djur] *äv.* specimen **-ualist** individualist **-ualitet** individuality **-uell** *a* individual; *äv.* subjective
indo||europé -europeisk *a* Indo-European
indol||ens indolence; *äv.* idleness **-ent** *a* indolent; *äv.* idle, lazy
in||draga *tr* se *draga* [*in*]; [friare] draw in; [fordringar, lån] *äv.* call in; [växlar o. d.] retire; [ta bort, körkort o. d.] withdraw; [permission] cancel; [underhåll o. d.] stop, discontinue; [tidning o. d.] suppress; [tåg] take off **-dragbar** *a* retractile, retractable **-dragning** drawing (&c) in; withdrawal; stoppage; suppression; [tågs] taking off **-dragnings|stat,** *komma på ~* be placed on the Superannuation List **-driva** *tr bildl.* [fordringar] collect; [på laglig väg] recover **-drivare** debt-collector **-drivning** collecting; [debt-]collection; recovery
in||ducera *tr* o. *itr* induce **-duktion** *log. fys.* induction **-duktions|ström** induction (induced) current
industri industry **-aktier** industrial shares **-alisera** *tr* industrialize **-alisering** industrialization **-alism** industrialism **-alster** industrial product; product of industry **-anläggning** industrial plant **-ell** *a* industrial **-företag** industrial enterprise (plant) **-gren** branch of industry **-ledare** leader in in-

dustry, captain of industry **-man** industrialist **-mässa** industries fair **-ort** industrial centre **-produkt** = *-alster* **-produktion** industrial output **-stad** industrial town **-utställning** industrial exhibition **-vara** industrial article

ineffektiv *a* ineffective; [odugIig] inefficient

in‖emot *prep* **1** [tid] towards **2** [antal o. d.] nearly, close [up]on **-fall 1** *mil.* invasion [*i* of] **2** [påhitt] idea, fancy; [nyck] whim; [kvickt yttrande] sally; *jag fick det ~et, att* (*äv.*) the thought struck me that, I took it into my head that (to); *få ett lyckligt ~* (*äv.*) have a brain-wave **-falla** *itr*, *~ i* [*ett land*] invade . .; *~ på* [*en torsdag*] fall on . .; . ., *inföll han* . ., he put in **-fall|en** *a, -na kinder* sunken (hollow) cheeks **-falls|vinkel** ⊕ angle of incidence

infam *a* infamous **-t** *adv* infamously; *~ påpassad* most objectionably looked after

infanter‖i infantry **-i|regemente** foot regiment **-ist** foot-soldier, infantry man **-i|strid** infantry fighting

in‖fart approach *äv. sjö.;* [ingång] *äv.* entrance **-fatta** *tr* [kanta] border; [juveler o. d.] set, mount; *~ i ram* frame **-fattning** *konkr* [kant] border; [ram] framework; [för juveler o. d.] setting, mounting

in‖fektera *tr* infect **-fektion** infection **-fektions|sjukdom** infectious disease **-fernalisk** *a* infernal

infiltrera *tr* o. *itr* infiltrate

infinit *a gram.* infinite **-iv** *gram.* infinitive; *i ~* in the infinitive **-iv|märke** sign of the infinitive

infinna *rfl* [visa sig] appear, make one's appearance; [inställa sig] put in an appearance; **F** turn up; *~ sig hos ngn* present o.s. before a p.; *~ sig vid* attend [*en begravning* a funeral]

in‖flammation inflammation [*i* in (of)] **-flammera** *tr* inflame

inflat‖ion inflation **-ions|befordrande** *a* inflationary **-ions|fara** risk of inflation **-ions|hämmande** *a* disinflationary **-orisk** *a* inflationary

inflicka *tr* interpose; put (slip, **F** pop) in

in‖fluensa influenza; **F** flu **-fluensa|epidemi** influenza wave **-fluera** *tr* o. *itr, ~* [*på*] . . influence . . **-flygning** approach **-flyta** *itr* [pengar] come (be paid) in; [i tryck] be inserted, appear **-flytande** *bildl.* influence [*på ngn* with a p.]; [inverkan, om sak] effect, impact; *röna ~ av* be influenced by; *utöva ~ på* exercise influence on **-flytelse|rik** *a* influential **-flyttning** moving in; [i ett land] immigration **-flöde** influx (inflow[ing]) [*i* into] **-foga** *tr* fit in; insert *äv. bildl.* **-fordra** *tr* **1** demand; [hövligare] solicit, request; *~ anbud* (*hand.*) invite tenders [*på* for] **2** = *återfordra*

inform‖ation information, intelligence; briefing **-ations|tjänst** information service **-ations|verk** Office of Information **-ator** [private] tutor [*för* to] **-era** *tr* inform [*om* of]; brief

infraröd *a* infra-red

in‖fria *tr* redeem; [förbindelse] *äv.* meet; [växel] honour, pay; [löfte] *äv.* fulfil **-frusen** *a* frozen in; *bildl.* frozen [credit]; *~ i isen* ice-bound

infusions|djur *pl* infusoria

in‖fånga *tr* catch; [rymling] *äv.* capture **-fälla** *tr* ⊕ let in; *sömn.* insert **-fällbar** *a* retractable, retractile **-fällning** letting in; *konkr* inlay; *sömn.* insertion, inset **-född** *a* native; *äv.* a natural-born [Englishman] **-föding** native **-för** *prep* **1** [rum] before; [i närvaro av] in the presence of; *~ domstol* in court; [*finna nåd*] *~ ngn* . . with a p.; *ställas ~ problem* be brought face to face with (be confronted by) problems **2** [tid] [omedelbart före] on the eve of; [friare] at [*underrättelsen* the news]; [med . . i sikte] at the prospect of **-föra** *tr* **1** jfr *föra* [*in*] o. *importera* **2** *bildl.* introduce; [i räkenskaper] enter; [annons o. d.] insert; [ny ordning] *äv.* inaugurate **-förliva** *tr* incorporate; *~ . . med* add . . to **-förpassa** *tr* dispatch, remove **-försel 1** = *import* **2** *~ i lön* impounding of salaries (a p.'s salary) **-förskaffa** *tr* procure

ingalunda *adv* by no means; not at all

ingefär‖a ginger **-s|päron** *pl* pear ginger *sg*

ing|en *pron* **1** *fören.* no [*ålder* age] **2** *självst.* nobody, no one, none; jfr *gram.; ~ av* . . none of . .; **-a** none; *~ mindre än* no less a person than; *~ som helst* no . . (none) whatever; *nästan ~* hardly any[body &c] **-dera** *pron* neither [of them (the two)]

ingenium understanding; brains *pl*

ingenjör engineer **-s|firma** firm of [practical (consulting)] engineers **-s|trupperna** *mil.* the Engineer Corps; (*Engl.*) the Royal Engineers; (*Am.*) U. S. Army Engineers

ingen‖stans **-städes** *adv* nowhere **-ting** *pron* nothing; *nästan ~* hardly anything, next to nothing; *det gör ~* it does not matter

in‖gifte [mellan släktingar] intermarrying **-giva** *tr* **1** = *lämna* **2** *bildl.* inspire [*ngn förtroende* a p. with confidence] **-givelse** inspiration; [påhitt] idea, impulse; **F** brain wave; *stundens ~* the impulse (spur) of the moment **-gjuta** *tr, ~ nytt liv i* (*bildl.*) infuse new life into; *~ nytt mod hos ngn* inspire a p. with new courage

ingrediens ingredient

in‖grepp 1 *läk.* incision **2** *bildl.* interference; [intrång] encroachment **-gripa** *itr bildl.* intervene; [störande] interfere; [hjälpande] step in, come to the rescue **-gripande I** *s* intervening &c; intervention; interference **II** *a* far-reaching [effect]; radical [reform] **-grodd** *a* **1** [smuts] ingrained **2** [agg, ovana] inveterate; [misstro] deep[ly]-rooted **-gå I** *itr* **1** *~ närmare på* . . enter into details respecting . . **2** [som beståndsdel] enter [*i* into], be (become) an integral part [*i* of]; [inbegripas] be included; *det ~r i hans skyldigheter att* it is part (one) of his duties **3** [ankomma] arrive; [underrättelse] come to hand; [pengar o. d.] come in **4** [om tid] begin, commence; *dagen -gick* [*strålande klar*] the day dawned . . **II** *tr* [förbund o. d.] enter into; *~ kontrakt med* (*äv.*) draw up an agreement with; *~ äktenskap med* marry; *~ ett vad* make a bet, make (lay) a wager **-gående I** *a* **1** [ankommande] arriving; [brev] incoming; [fartyg, flygplan] homebound **2** *bildl.* thorough (close) [*granskning* scrutiny]; [kännedom] intimate; [redogörelse] detailed **3** *hand.* [behållning] . . in hand; *~ balans* balance brought forward **II** *adv, tala ~ om* discuss . . in detail; *ganska ~* pretty thoroughly **III** *s* **1** *ett* [*fartyg*] *på ~* an inward bound . . **2** [jfr *ingå II*] entering into &c; [freds] conclusion **-gång 1** entrance; *konkr äv.* door, gate; *förbjuden ~!* no admission! **2** [början] commencement, beginning **-gången** *a* [brev, likvid] . . received **-gångs|dörr** entrance door **-gångs|psalm** opening hymn **-gärda** *tr* fence (hedge) in; enclose

inhal‖ationsapparat inhaler **-era** *tr* inhale

inhemsk *a* **1** *biol.* indigenous, native **2** [ej utländsk] home [industry], domestic; *äv.* Swedish, Finnish, etc.

inhibera *tr* inhibit; [fest o. d.] call off, cancel **in||hys|a** *tr* house; accommodate; *vara -t hos* [om saker] be stored at ..'s house **-hägna** *tr* enclose; ~ *med staket (mur, plank)* fence (wall, board) in **-hägnad** [staket] fence; [fålla] fold; [område] enclosure **-hämta** *tr* gather, pick up; [lära sig] learn; ~ *ngns råd* ask a p.'s advice, consult a p.; ~ *upplysningar* obtain information *sg* **-hösta** *tr bildl.* reap; *sport.* [poäng] score **-ifrån I** *adv* from within (inside) **II** *prep* from the interior of; *äv.* from inside (within)
initi||al initial **-ativ** initiative **-ativ|rik** *a* full of initiative, enterprising **-ativ|rikedom** enterprising spirit **-ativ|tagare** initiator (promoter) [*till* of] **-erad** *a* initiated [*i* into]; well-informed [*i* on]; *vara* ~ *(äv.)* have inside information
injaga *tr,* ~ *skräck i ngn* fill (strike) a p. with terror; ~ *respekt hos ngn* command respect in a p.
injektion *läk.* injection **-s|spruta** injection syringe
in||kalla *tr* call in; [riksdag] summon *äv. jur.; mil.* call up **-kallelse** summons; *mil.* calling up **-kallelse|order** *mil.* calling-up order **-kapsla** *tr* enclose, encase, encapsulate
inkarn||ation incarnation **-erad** *a* incarnate
inkasser||a *tr* collect; [inlösa] cash **-are** collector **-ing** collection; debt-collecting **-ings|byrå** debt-collecting office
in||kast 1 *sport.* throw-in **2** *post.* post-office receptacle, letter-box [slot] **3** [-vändning] objection, observation **-klarera** *tr* [fartyg] enter (clear) .. inwards
inklu||dera *tr* include **-sive** *adv* .. included; *äv.* including (inclusive of) ..
in||klämd *a* squeezed (jammed) in; *läk.* strangulated **-knappning** reduction; *bli ställd på* ~ be reduced to short allowance
inkognito *s* o. *adv* incognito
inkok||a *tr* preserve; se *konservera;* [i gelé] [set .. in] jelly **-ning** preserving &c **-t** *a* preserved &c; ~ *ål* jellied eels *pl*
inkomm||a *itr,* ~ *med* [*anbud*] *(hand.)* hand in .., submit ..; lodge [*klagomål* complaints] **-ande** *a* [fartyg, brev] incoming ~ *upplysningar* obtain information *sg* **-hösta** **-en** *a* se *insatt*
inkompet||ens incompetence; *äv.* incapacity **-ent** *a* incompetent; [sökande] not qualified
inkomst income [*av, på* from]; [statens o. d.] revenue[s *pl*]; [avkastning] yield, proceeds *pl;* ~ *av arbete (kapital)* earned (unearned) income; *ha goda* ~*er* have a good income **-bringande** *a* profitable, remunerative **-klass** income bracket **-källa** source of income **- - och förmögenhets|skatt** income and property tax **- - och utgifts|stat** revenue and expenditure budget **-sida,** *på* ~*n* on the income (**F** right) side **-skatt** income tax **-tagare** income receiver **-överföring** transfer of income
inkon||gruens incongruity **-gruent** *a* incongruous **-sekvens** inconsistency **-sekvent** *a* inconsistent
inkoppl||a *tr* se *koppla* [*in*]; *polisen är* ~*d på fallet* the case is being handled by the police **-ing** engagement, connecting [up]; ~ *och urkoppling* switching on and off
inkorporer||a *tr* incorporate [*i* in[to]] **-ing** incorporation
inkorrekt I *a* incorrect **II** *adv* incorrectly
in||kråm 1 [bröd] crumb **2** = *innanmäte* **-krånglad** *a* complicated **-kräkta** *itr* encroach (trespass, intrude) [*på* [up]on] **-inkräktare** encroacher, trespasser, intruder **-kräktning** encroachment (inroad) [*på* [up]on]
inkubations|tid *läk.* period of incubation
inkvarter||a *tr mil.* billet (quarter) [*hos* upon]; [friare] accommodate **-ing 1** billeting &c; accommodation **2** [plats] quarters *pl,* billet
inkvisi||tion, ~*en* the Inquisition **-tor** inquisitor **-torisk** *a* inquisitorial
in||köp purchase **-köpa** *tr* = *köpa* **-köps|pris** cost price **-kör|a** *tr* break in; *-d* broken in **-körning** breaking-in **-körs|port** entrance-gate; *bildl.* gateway **-laga** [skrift] petition, address; [betänkande] memorial **-lag|d** *a* **1** [i glasflaska] bottled; [i bleckburk] canned, tinned; [i ättika] pickled; [i olja o. d.] put down [in oil] **2** *-t arbete* inlaid work, inlay **-land** interior, inland parts *pl; i in- och utlandet* at home and abroad **-lands|is** *geol.* inland ice **-lasta** *tr sjö.* ship; *järnv.* load
inled||a *tr* **1** introduce [a discussion]; se *äv. börja;* [samtal, underhandlingar, förbindelser, möte] open; *äv.* enter into; [undersökning] set on foot, initiate; usher in [*ett nytt skede* a new era]; ~ *bekantskap med* form an acquaintance with **2** lead [*i frestelse* into temptation] **-ande** *a* introductory (opening) [*anförande* address (speech)]; [förberedande] preparatory, preliminary **-are** introducer, opener **-ning** introduction **-nings-** i *sms* introductory **-nings|vis** *adv* as an (by way of) introduction
inlemma *tr* incorporate
in||levelse, *förmågan av* ~ *i* the power of entering (penetrating) into **-leverera** *tr* hand in, deliver **-ljud** *språkv.* medial sound **-lopp 1** [flods] inflow, inlet; [mynning] mouth **2** se *hamn*~; *äv.* entrance **3** ⊕ inlet, intake **-lån -låning** borrowing, deposits *pl; bank.* receiving .. on deposit **-lånings|ränta** interest on deposits **-låta** *rfl,* ~ *sig i (på)* undertake, enter into; [strid, diskussion] engage in; ~ *sig med ngn* enter into relations (take up) with a p. **-lägg 1** *bildl.* [i diskussion] contribution **2** [i sko] arch support[er] **-lägga 1** = *lägga* [*in*] **2** *konst.* inlay **3** *bildl.* put in [*ett gott ord för* a word for]; [införa] insert, introduce; *jur.* [gensaga] enter, lodge **-läggning 1** *abstr* [av grönsaker o. frukt] bottling &c; se *-lagd* o. *konservering* **2** *konkr* bottled (&c) fruit (vegetables *pl*) **3** *konst.* inlay **-lämna** *tr* hand in; [ansökan o. d.] *äv.* present **-lämning 1** handing in; presentation **2** [ställe] *järnv.* cloak-room **-lämnings|kvitto** *post.* receipt of registration; [för postanvisn.] certificate of issue; *järnv.* cloak-room receipt (ticket), check **-lära** *tr* learn; [lära andra] instruct, teach **-lärning** learning; [utantill] memorizing **-löpa** *itr* **1** *sjö.* put in; ~ *i hamn* put into (enter, make) port **2** [underrättelse] come in (to hand), arrive **-lösa** *tr* [skuld] redeem; [växel] cash; [fastighet] buy [in] **-lösen** redemption; [växels] cashing **-malnings|tvång** obligatory mixing in in milling **-marsch** marching in **-mundiga** *tr* take, partake of **-muta** *tr* take out a mining-concession for, [put in a] claim **-mutning** *konkr* mining-claim
innan I *konj* o. *prep* before **II** *adv,* ~ *och utan* inside and out[side]; [*kunna ngt*] *utan och* ~ .. thoroughly (out and out) **-döme** inside, interior; *jordens* ~ *(vanl.)* the bowels *pl* of the earth **-fönster** inner window **-för I** *prep* inside, within; [bakom] behind **II** *adv, den* ~ *belägna* .. the .. within **-läsning** reading [aloud] **-mäte** [hos djur] entrails (guts, bowels) *pl;* [i frukt] pulp **-till** *adv, läsa* ~ read from the book (o. s. v.)
in natura *lat.* in kind

inne *adv* **1** [rum] inside; [inomhus] indoors; [hemma] in **2** [friare o. *bildl.*] *hand.* [i kassan] in hand; [på lager] in stock, on hand; [hemmastadd] up (at home) [*i* in]; *vara* ~ (*kortsp.*) be in play; *vara* ~ [*i saken*] know something about . ., be well versed in . . **3** [tid], *nu är tiden* ~ *att* . . now the time has come to . . **-bana** *sport.* covered court **-bo** *itr*, ~ *hos ngn* lodge (live) with a p. **-boende I** *s*, *ha* ~ take in lodgers **II** *a* **1** *alla i huset* ~ all the inmates of the house **2** *bildl.* inherent; *äv.* intrinsic [*förtjänst* merit] **-bruk**, *till* ~ for indoor use **-bränd** *a*, *bli* ~ be burnt to death in one's house (o. s. v.), perish in the burning house **-bära** *tr* imply, mean; [föra med sig] involve **-börd** import, meaning; *av följande* ~ of (to) the following purport **-fatta** *tr* [om-] embrace; [inbegripa] include, comprise; [bestå av] consist of; [-hålla] contain; [-bära] imply **-ha** *tr* **1** have . . in one's possession, possess **2** [ämbete, titel, aktier] hold **-hav** possession; *konkr* holding [*av aktier* of shares] **-havare** possessor; [av affär] proprietor; [av jord, ämbete, *äv.* aktier] holder; [av skriftligt meddelande] bearer; [av prästämbete] incumbent; [av patent] patentee **-håll** contents *pl*; [mots. 'form'] content, substance; [lydelse] *äv.* tenor **-hålla** *tr* **1** contain; [rymma] *äv.* hold **2** [lön o. d.] withhold, keep back **-hållnings|bevis** [över -hållen skatt] tax deduction receipt **-hålls|diger** *a* *bildl.* pregnant [with meaning (significance)] **-hålls|förteckning** table (list) of contents, index **-hålls|lös** *a* empty, inane **-hålls|rik** *a* containing a great deal; full [of contents]; [program o. d.] comprehensive; [liv] rich in experience[s]; *ett* ~*t liv* (*äv.*) a full life; *en* ~ *dag* an eventful day **-liggande** *a* **1** [på lager] in hand; ~ *beställningar* orders on hand **2** [-sluten] enclosed

inner *sport.* inside forward **-dörr** internal door **-ficka** inside pocket **-fönster** double window **-lig** *a* [kärlek] devoted, ardent; [önskan] fervent; [förtrolig] intimate [*vänskap* friendship]; *min* ~*aste önskan* (*äv.*) my dearest wish **-ligt** *adv* devotedly &c; [friare] heartily (utterly) [*trött på* tired of]; *hålla* ~ *av* . . be exceedingly (extremely) fond of . . **-sida** inner side *äv. bildl.*; [hands] palm **-st I** *a* innermost; [friare] inmost [*tankar* thoughts]; *äv.* deepest **II** *adv*, ~ *inne* farthest (furthest) in; *bildl.* at heart, jfr *I ex.* **-sta** *s*, *i sitt* ~ in one's inmost, *äv.* in one's heart [of hearts] **-sula** inner sole, foot sock **-tak** ceiling **-vägg** partition [wall] **-öra** *anat.* internal ear, labyrinth

inne||sluta *tr* enclose; [omge] encompass, encircle, surround, shut in; [-fatta] include **-stå** *itr*, se *innestående* **-stående** *a* [outtagen] still due to one; [på bank] deposited, on deposit; ~ *lön* salary due; ~ *fordringar* claims remaining to be drawn; ~ *på bankräkning* [. . *kr.*] *äv.* cash at bank . . **-varande** *a* present; ~ *dag* this day; *den* [*12:e*] *i* ~ *månad* on the . . inst.; ~ *år* (*äv.*) the current year **-vånare** = *in-*

innästla *rfl* insinuate (wheedle) o.s. [*hos* into the confidence of]

inofficiell *a* inofficial, unofficial; *äv.* non-official

inom *prep* **1** [rum] within; [inuti] in *äv. bildl.*; ~ *sitt fack* [*är han*] in his speciality . ., in (within) his field . .; ~ *sig* inwardly; jfr *innerst* o. *innersta*; [*styrelsen väljer*] ~ *sig* . . from among their own number **2** [rörelse] within, into **3** [tid] within; [om] in [*ett ögonblick* a moment]; ~ *loppet av* [with]in the course of; ~ *kort* in a short time, before long **-bords 1** *sjö.* [ombord] on board, aboard **2** [friare] inside **-bords|motor** *sjö.* inboard motor **-bords|-telefoni** *flyg.* intercommunication radio, **F** intercom **-hus** *adv* indoors **-hus|antenn** indoor aerial (*Am.* antenna) **-hus|bana** *sport.* covered court **-skärs** *adv* within the belt of skerries (islands)

in||ordna I *tr* range, arrange . . in order; [i system] fit . . in [*i* in] **II** *rfl* range o.s. [*i* in]; conform [*under* to] **-packning** packing [up], wrapping **-pass** interjected remark (observation) **-piskad** *a* thorough-paced, out-and-out; *en* ~ *skälm* an arch rogue **-piskare** *polit.* whip **-planta** *tr* *bildl.* implant; jfr *-prägla* **-prägla** *tr* *bildl.* engrave [*i ngns minne* on a p.'s memory]; impress [*i* on] **-pränta** *tr* impress [*hos* on]; bring . . home [*hos* to] **-pyrd** *a* reeking [*av* (*med*) of (with)] **-på I** *prep* **1** [rum] *våt* ~ *bara kroppen* wet to the skin; *alldeles* ~ quite close to **2** [tid] *till långt* ~ *natten* until far into the night **II** *adv*, *för tätt* ~ too close (near) [to it, him o. s. v.] **-rama** *tr* frame **-ramning** *konkr* frame[work]; [friare] *äv.* setting **-rangera** = *-ordna* **-rapportera** *tr* report

inre I *a* **1** [rum] inner; [skada, sjukdom, fiende, i riket, i huset] internal; [angelägenheter] *äv.* domestic; *den* ~ *missionen* home missions *pl*; ~ *mått* inside measure **2** *bildl.* intrinsic [*värde* value]; essential [*sanning* truth]; [andlig] inner [*liv* life]; ~ *öga* inward eye; *en* ~ *drift* an impulse from within; *de* ~ *sex* the inner six **II** *s* **1** [saks] interior; *äv.* inside **2** [ngns] [one's] inner man; *hela mitt* ~ [*är upprört*] my whole soul . .; *i sitt* ~ inwardly, deep in o.s., deep down

in||reda *tr* fit up (equip) [*till* as]; [med möbler] furnish **-redning 1** fitting up &c; *äv.* equipment **2** *konkr* fittings *pl*; *äv.* furniture **-registrera** *tr* register; *hand.* docket, file; *jur.* enrol; [friare] score [*en framgång* a success] **-registrering** registering &c; registration; enrolment **-resa** *s* [till annat land] entry [*till* into] **-rese|förbud** (**-rese|-tillstånd**) prohibition (permission) to enter a (the) country **-rese|visum** [entry] visa **-riden** *a* broken in (to the saddle) **-rikes I** *adv* within (in) the country **II** *a* inland [*brevporto* postage]; home [*angelägenheter* affairs]; ~ *handel* home (domestic, internal) trade **-rikes|minister** Minister of the Interior; *Engl.* the Home Secretary **-rikes|politik** domestic policy; ~[*en*] home (internal) politics *pl* **-rikes|politisk** *a* . . relating to (connected with) home (&c) politics **-rikta I** *tr* **1** [vapen] aim (sight) [*mot* at] **2** *allm.* put . . in position **3** *bildl.* direct [*mot* towards, [fientligt] against] **II** *rfl*, ~ *sig på* concentrate upon, direct one's energies towards; [sikta på] aim at **-riktning 1** sighting &c **2** *bildl.* aim and direction; *äv.* concentration; jfr *-ställning* **-ringa** *tr* encircle, surround; *bildl.* *äv.* hedge in; [boskap] round up **-ringnings|politik** encirclement policy **-rista** *tr* engrave, carve, cut **-rop** [vid auktion] [auction-]purchase **-ropa** *tr* **1** *bli* ~*d* (*teat.*) be called before the curtain **2** [på auktion] buy, have . . knocked down to one **-rotad** *a* *bildl.* deep-rooted (-seated), inveterate, ingrained **-ryckning** *mil.* joining [the Army] **-rymma** = *rymma II*, *innehålla 1* **-rådan**, *på* (*mot*) *min* ~ on (contrary to) my advice **-rätta I** *tr* [grunda] establish, set up; [skola o. d.] found; [-reda] equip; [ordna] arrange **II** *rfl* settle down [*bekvämt* comfortably]; adapt (accommodate) o.s. [*efter* to] **-rättning 1** [anstalt] establishment; [social] *äv.* institution **2** ⊕ contrivance, device, apparatus **-salta** *tr* salt [down]; [fläsk] cure; [sill, gurkor] pickle **-samla** *tr* collect, gather **-samling** collection; [av pengar] *äv.* subscription; **F** drive **-sats 1** ⊕ lining, *äv.* inset **2** *bildl.* [i spel, företag o. d.] stake[s *pl*]; [i affär] deposit; [i bolag] investment **3** [bidrag] contribution [*i* to; *för* towards]; [andel] share; [prestation] achievement, effort **-satt** *a,* ~ *i* well versed in, familiar with, well-informed on **-se** *tr* perceive, see; *äv.* be aware of; [ha (få) klart för sig] realize **-seende,** *ha* ~ *över* supervise **-segel** seal **-segling,** *under* ~ *till* inward bound for

insekt insect; *Am.* bug **-pulver** insect-powder, insecticide **-samlare** entomologist **-ätare** *zool.* insect-eater, insectivore

insida inner side; *äv.* inside; [hands] *äv.* palm; [friare o. *bildl.*] *äv.* interior

insignier insignia

insikt 1 [inblick] insight [*i* into]; [förståelse] understanding [*i* of]; [inseende] realization [*om* of]; [kännedom] knowledge [*i, om* of]; *komma till* ~ *om* realize, see; become alive to **2** ~*er* [kunskaper] knowledge *sg* **-s|full** *a* well-informed; [duglig] competent; se *äv. klok*

in||sinuant *a* insinuating **-sinuation** insinuation **-sinuera** *tr* insinuate **-sistera** *itr* insist [*på* on]

in||sjukna *itr* fall (be taken) ill [*i* with]; *vara* ~*d i* .. be down with .. **-sjungen** *a* [på grammofon] recorded **-sjunken** *a* [ögon] sunken; [kinder] hollow[ed] **-sjö** lake **-sjö|fisk** lake (fresh-water) fish **-skeppa I** *tr* [varor] ship, take .. on board; [personer, hästar o. d.] embark **II** *rfl* go on board, embark [*till* for] **-skjuta** *tr* **1** se *-flicka;* [-föra] insert **2** [vapen] adjust the sights of **-skrida** *itr* intervene (step in) [*till förmån för* on behalf of; *mot ngt* to prevent a th.] **-skridande** *s* intervention; stepping in **-skrift** inscription, legend; [på gravsten] *äv.* epitaph **-skription** inscription

inskriv||a I *tr* enter; *geom.* o. *bildl.* inscribe; [pers.] enrol *äv. mil.; mil.* enlist **II** *rfl,* [*låta*] ~ *sig* enter one's name (enrol o.s.); *univ.* matriculate; be registered **-ning** [uppsats o. d.] copying in; *allm.* entering &c; enrolment; *mil.* enlistment; *univ.* matriculation **-nings|avgift** enrolment (matriculation, registration) fee **-nings|bok** *mil.* enrolment book **-nings|område** registration area

in||skränka I *tr* [begränsa] restrict, confine, *äv.* limit; [minska] reduce, cut down, curtail **II** *rfl* restrict o.s.; ~ *sig till* confine o.s. to; [om utgift] not exceed **-skränkning** restriction; limitation; reduction, curtailment **-skränkt I** *a* **1** restricted &c; *i* ~ *bemärkelse* in a limited (restricted) sense **2** [pers.] stupid, narrow-minded **II** *adv* restrictedly; in a restricted way; [indraget] on a reduced scale **-skränkthet** [persons] stupidity, narrowness of outlook **-skärning** *konkr* incision; *äv.* cut, slit, notch; [i kust] indentation **-skärpa** *tr* inculcate [*hos* in]; [klargöra] bring .. home [*hos* to]; [eftertryckligt] enforce; impress [*hos* upon] **-slag** [i väv] weft, woof; *bildl.* element; [drag] feature; *äv.* strain (streak) [*av humor* of humour] **-slagen** *a* [fönster, tand] smashed, broken; [paket] wrapped-up **-smickra** *rfl,* ~ *sig hos* ingratiate o.s. with **-smickrande** *a* ingratiating, blandishing **-smord** *a* smeared **-smuggla** *tr* smuggle [in]; ~*de varor* smuggled goods **-smyga** *rfl* [fel o. d.] creep in [unnoticed] **-snärja I** *tr* entangle **II** *rfl* get [o.s.] entangled **-snöad** *a, bli* ~ get (be) snowed up (snowbound); [blockerad] get (be) held up by snow

insolv||ens insolvency **-ent** *a* insolvent

in||somna *itr* go off to sleep, fall asleep; *djupt* ~*d* fast asleep **-spark** *sport.* place[-kick]

inspekt||era *tr* inspect **-ion** inspection **-ionsresa** tour of inspection **-or 1** [- - -'] *jordbr.* steward; *äv.* bailiff **2** [- -' -] inspector [*för (över)* of]; *univ. ung.* warden; [för skola] *ung. Engl.* [honorary] superintendent **-ris** inspectress, woman inspector **-ör** inspector; *äv.* surveyor, superintendent

inspel||a *tr mus.* render, record; *film.* produce **-ning** rendering &c; [grammofon-] *äv.* record; *film.* production; .. *är under* ~ .. is being produced

inspicient *teat.* stage manager; *film.* studio manager

inspir||ation inspiration **-ations|källa** source of inspiration **-era** *tr* inspire **-erad** *a* inspired

in||spruta *tr* inject [*i* into] **-sprutning** injection **-sprängd** *a* blasted [*i berget* into the rock] **-spärra** *tr* shut .. up; [pers.] *äv.* lock .. up **-spärrning** [*i ensam cell* solitary] confinement

install||ation installation; *univ.* inauguration; [prästs] induction; [biskops] enthronement **-ations|affär** electric fitters *pl;* [för rörledn.] sanitary engineers *pl* **-ations|akt** installation (&c) ceremony **-ations|arbete** *elektr.* wiring [work] **-ations|föreläsning** inauguration (inaugural) lecture **-atör** installation engineer **-era 1** *tr* **1** install; *univ. äv.* inaugurate; [präst] induct **2** ⊕ install, put in, lay on, set up **II** *rfl* install (establish, settle) o.s.

instans *jur.* instance; [stadium] stage; *högre* ~ court of higher instance, superior court

insteg, *vinna* ~ get (gain) a footing [*hos* with]; [åsikt, sed] gain ground

instift||a *tr* institute; *relig. äv.* ordain; [grunda] found, establish **-are** institutor; founder **-else** institution; foundation

instinkt instinct **-iv** *a* instinctive **-ivt** *adv* instinctively; *äv.* by instinct **-liv** instinct life

institu||t institute; institution *äv. jur.;* [skola] school, college **-tion** institution, institute

instru||era *tr* teach, instruct **-ktion** instruction; [föreskrift] instructions *pl äv. konkr; äv.* briefing **-ktions|bok** instruction book; operator's manual **-ktiv** *a* instructive **-ktris** instructress **-ktör** instructor

instrument instrument **-al** *a* instrumental **-bräde** ⊕ instrument board (panel); [i bil] *äv.* dashboard **-era** *tr mus.* instrument **-flygning** instrument flying **-låda** tool-chest **-tavla** ⊕ switch-board, dashboard **-utslag** instrument reading

in||strödd *a bildl.* interspersed **-strömmande** *a* inpouring **-studera** *tr* study up; [repetera] rehearse; ~*d artighet* studied politeness **-stundande** *a,* ~ [*sommar*] the coming (approaching) ..

inställ||a I *tr* **1** [anpassa] adjust; [kamera] focus **2** [inhibera] cancel; *äv.* call off; [arbete, eld] discontinue, cease; [betalning, fientligheter] suspend; ~ *arbetet* [om arbetarna] strike [work]; ~ *driften vid en fabrik* put a (the) plant out of operation **II** *rfl* **1** [infinna sig] appear [*inför rätten* in court]; *mil. äv.* present o.s. [*till tjänstgöring* for duty], report [o.s.]; [vid möte] put in an appearance, *äv.* turn up; [bereda sig] ~ *sig på* prepare o. s. for **3** [om sak] make its appearance, *äv.* come on; [känsla] make itself felt [*hos* in]; [uppenbara sig] present itself **-ande** *s* adjustment; suspension; discontinuance; cancellation; se *-a* **-bar** *a* adjustable **-d** *a* adjusted &c; *vara* ~ *på* [om pers.] be prepared for; *vara* ~ *på att* have the intention of -ing; *vänligt* ~ kindly disposed **-else** *jur.* appearance [*inför* before] **-else|order** *mil.* calling-up order **-ning** **1** adjustment; [tids-] [time-]setting, *äv.* timing; *foto. äv.* focussing; *radio.* tuning, position **2** *bildl.* attitude [*till* to (towards)]; *äv.* [t. ex. politisk] outlook **-sam** *a* insinuating, ingratiating **-samhet** insinuatingness &c; insinuation &c

in||stämma **I** *tr jur.* summon .. to appear **II** *itr bildl.* agree [*i* with], concur [*i* in] **-stämmande** **I** *s* concurrence, agreement **II** *a, en* ~ *nick* a nod of assent **-stängd** *a* shut up; [inlåst] locked up; *äv.* confined; [om luft] stuffy, close

insubordination[s|brott case of] insubordination

in||suga *tr* suck in; [luft] inhale; [friare] suck up, absorb, imbibe; [beröm o. d.] drink in

insulin insulin

insulit wallboard

in||supa *tr* [frisk luft o. d.] drink in, inhale; *bildl.* imbibe; [uppsuga] absorb

insurgent insurgent

in||svepa **I** *tr* envelop, enwrap **II** *rfl* wrap o.s. up (envelop o.s.) [*i* in] **-svängd** *a* curved inwards; ~ *i midjan* shaped at the waist **-syltad** *a* **F** *bildl.* involved, mixed up **-syn** insight; public control [*i* of] **-sändare** **1** [pers.] sender [-in]; [till tidning] correspondent **2** [brev till tidn.] letter to the editor **-sätta** *tr* put in; [i bank] deposit; [-betala] pay in; [i företag] invest; [ngn i hans rättigheter] establish; ~ *ngn till arvinge* make a p. one's heir **-sättare** [i bank] depositor; [i företag] investor **-sättning** [av pengar] deposition; investment; *konkr* deposit **-sättnings|bevis** deposit receipt **-söva** *tr bildl.* = *-vagga* **-tag** intake; [friare] inlet **-taga** *tr* **1** *allm.* take in; [föda, medicin] take; [i skola, på sjukhus] admit; [i tidn.] insert; *äv.* publish; *~s på sjukhus* (*äv.*) be sent to hospital **2** [friare] take; [besätta] occupy *äv. mil.*; ~ *sin plats* take one's seat; ~ *en framskjuten plats* hold (occupy) a prominent position; ~ *fientlig hållning* assume a hostile attitude **3** *bildl.* [behaga] captivate, attract **-tagande** *a* attractive, charming **-tala** **I** *tr* **1** [i grammofon] speak in, record **2** ~ *ngn ngt* (*bildl.*) put a th. into a p.'s head; ~ *ngn mod* inspire a p. with courage **II** *rfl* persuade o.s.; ~ *sig själv mod* give o.s. courage

inte **I** *adv* not; *äv.* no; ~ *bättre för det!* no better for that! ~ *senare än* (*äv.*) not later than; ~ *en enda gång* (*äv.*) never once; [*det var*] ~ *för tidigt* .. none too early; *jaså,* ~ *det?* Oh, you don't (aren t o. s. v.)? **II** *s,* ~ *för* ~ not for nothing

inteck||na *tr jur.* mortgage **-nad** *a* mortgaged; [jordegendom] *äv.* encumbered **-ning** mortgage; encumbrance

integr||al[kalkyl] integral [calculus] **-erande** *a* integral [*del* part] **-itet** integrity

intele||fonera *tr* telephone in, send in .. by telephone **-grafera** *tr* send in .. by telegram (wire, cable)

intellekt intellect **-uell** *a* intellectual

intelligens intelligence **-aristokrat** intellectual aristocrat, **F** high-brow **-fri** *a* wanting in intelligence **-kvot** intelligence quotient, I.Q. **-prov** intelligence test

intelligent *a* intelligent; [starkare] clever, ingenious

intendent *Engl.* quartermaster; *mil.* paymaster; [vid museum o. d.] keeper; [vid ämbetsverk] comptroller; [polis-] superintendent **-ur** *mil.* commissariat [service] **-ur|kår,** *~en* (*Engl.*) the Army Supply Corps **-ur|trupper** supply-service troops

intens||ifiera *tr* intensify **-itet** intensity; [i arbete o. d.] intensiveness **-iv** *a* intense; [koncentrerad] intensive; [energisk] keen; energetic **-ivt** *adv* intensely &c

inter||ferens interference **-foliera** *tr* interfoliate; [friare] intersperse **-imistisk** *a* interimistic, provisional **-ims|bevis** interim certificate **-iör** interior **-jektion** *gram.* interjection **-mezzo** intermezzo, interlude **-n** **I** *s* internee **II** *a* internal; *äv.* domestic [*angelägenhet* matter] **-nat** = *-at|skola* **-national** **1** *polit.* International **2** [sång] *I~en* the Internationale **-nationell** *a* international **-nat|skola** boarding-school; *Engl.* [finare] public school **-nera** *tr* shut up, confine; [krigsfånge o. d.] intern; *de ~de* the internees **-nering** shutting up, confinement; internment **-nerings|anstalt** house of detention, lock-up **-nordisk** *a* internordic **-parlamentarisk** *a* interparliamentary **-pellation** interpellation; *Engl. vanl.* question [addressed to a minister] **-pellations|debatt** question time debate **-pellera** *tr* interpellate; *Engl. vanl.* put a question to **-planetarisk** *a* interplanetary **-punktera** *tr* punctuate, *äv.* point **-punktion** punctuation **-punktions|-tecken** punctuation mark **-rogativ** *a* interrogative **-urban** *a,* ~ *linje* trunk (*Am.* toll) line; *~t samtal* trunk (*Am.* long distance) call **-vall** interval **-vall|träning** *sport.* intervals *pl* **-venera** *itr* intervene; [medla] mediate **-vention** intervention; mediation **-vju** **-vjua** *tr* interview **-vjuare** interviewer

intet **I** *pron* **1** *fören.* no; [inte ett enda] not a [*ord* word] **2** *självst.* nothing; none [*av dessa* of these]; ~ *annat än* nothing but; *jag har ~ att invända* I have no objection; *gå* (*göra*) *om* ~ come (bring) to naught (nothing) **II** *s* [ingenting] nothing; *därav blev* ~ that came to nothing; [intighet] nothingness **-sägande** *a* insignificant; vacuous (empty) [phrases]; [fadd, banal] insipid

intig *a* vain; jfr *tom* **-het** nothingness; [fåfänglighet] vanity

intill **I** *prep* **1** [rum] up to, to; [emot] against [*väggen* the wall]; [*nära*] ~ close (near) to; *ända* ~ *benet* to the very (right to the) bone **2** [tid] until, up (down) to; ~ *dato* until this date (day) **II** *adv* adjacent, adjoining; *nära* ~ close (near) by **III** *konj* until

intim *a* intimate **-itet** intimacy

in||tolerans intolerance **-tolerant** *a* intolerant **-tonation** intonation **-tonera** *tr* intone **-transitiv** *a* intransitive

intravenös *a* intravenous

intress||ant *a* interesting **-e** interest; *finna* ~ *i, fatta* ~ *för* take an interest in; *vara av* ~ be of interest [*för* to]; *av* ~ *för* [*saken*] from interest in ..; *det ligger inte i mitt* ~ it is not to my interest **-e|gemenskap** community of interests **-e|konflikt** conflict of interests **-e|kontor** thrift (welfare) organization **-e|lös** *a* .. that lacks interest; uninteresting *äv. pers.* **-ent** *hand.* participant; [delägare] partner; [aktieägare] shareholder **-e|organisation** professional organization **-era** **I** *tr* interest; *det ~r mig föga* it is of little interest to me, I take little interest in it **II** *rfl,* ~ *sig för* take [an] interest (be interested) in **-erad** *a* in-

terested [*av, för* in];*litterärt* ~ with literary interests; *~e parter* the interested parties, the parties concerned **-e|sfär** sphere of interest **-e|väckande** *a* interesting
intrig intrigue; [stämpling] *äv.* plot [*äv.* ~ i drama, roman]; *~er* [friare] schemes **-ant** *a* intriguing, plotting, scheming **-era** *itr* intrigue, plot; scheme **-makare** intriguer; jfr *ränksmidare* **-spel** plotting &c; *äv.* intrigues *pl*
introdu||cera *tr* introduce [*hos* to] **-ktion** introduction **-ktions|brev** letter of introduction
in||tryck **1** [märke] impress (mark) [*efter* from (of)] **2** *bildl.* impression; *göra ~ på* make (create) an impression on; *ta ~ av* be influenced by; *jag hade det ~et, att* I was under the impression that; *mottaglig för ~* impressionable **-trång** encroachment, trespass; *göra ~ på* (*i*) encroach (trespass) upon **-träda** *itr* **1** enter (*äv.* : ~ *i*) **2** *bildl.* [om pers.] step in [*i ngns ställe* in a p.'s place]; [t. ex. förbättring] set in; [börja] commence, begin; [följa] ensue; [uppstå] arise, take place
inträde entrance [*i* into]; is. *bildl.* entry [*i* into]; admission, admittance; *~t är fritt* admission is free; *göra sitt ~ i* (*vanl.*) enter **-s|ansökan** application for admission **-s|avgift** entrance fee **-s|biljett** ticket of admission **-s|examen** entrance examination **-s|fordringar,** *~na äro* what is required of candidates for entrance is **-s|prövning** = *-s|examen* **-s|sökande** applicant [for admission]
in||träffa *itr* **1** occur (fall) [*på en fredag* on a Friday] **2** [ankomma] arrive (turn up) [*i* at (in)] **3** [hända] happen; *äv.* occur, come about **-tränga** *itr* penetrate [*i* into]; [objuden] intrude **-trängande** **I** *s* penetration; intrusion **II** *a* penetrating; penetrative [intelligence]
intui||tion intuition **-tiv** *a* intuitive
in||tvåla *tr* soap; [haka] *äv.* lather **-tyg** *konkr* certificate [*om* of]; [is. av privatpers.] testimonial [*på* (*om, över*) respecting (as to)]; *jur.* affidavit **-tyga** *tr* [skriftligt] certify; [bekräfta] affirm; *avskriftens riktighet ~s* certified to be a true copy; *härmed ~s, att* this is to certify that **-tåg** marching (march) in; *hålla sitt ~* make one's entry [*i* into] **-tåga** *itr* march in; ~ *i* march into **-täkt** = *-komst*
in||under *adv* o. *prep* underneath; [t. ex. våningen] below **-uti** *adv* o. *prep* inside; *äv.* within **-vadera** *tr* invade **-vagga** **I** *tr,* ~ *ngn i säkerhet* lull a p. into security, throw a p. off his guard **II** *rfl* lull o.s. [*i* into] **-val** election [*i* into]
invalid invalid; disabled person (soldier, workman) **-itet** disability; [permanent] invalidity **-itets|försäkring** disability insurance **-[itets]understöd** disability pension
invandr||a *itr* immigrate [*till* into]; [om djur, växter] find (make) its way in (into the country &c) **-are** immigrant **-ing** immigration **-ings|kvot** immigration quota
invasion invasion **-s|armé** army of invasion, invading army **-s|flotta** invading fleet **-s|hamn** invasion port **-s|hot** threat of invasion
inveckl||a **I** *tr bildl.* involve **II** *rfl* get [o.s.] involved (entangled) [*i* in] **-ad** *a* involved &c; [krånglig] complicated, intricate; *göra mera ~* complicate
invent||arieförteckning inventory[-list] **-ar|ium** [fast] fixture *äv. bildl.; hand.* stock *sg;* [i hus] furniture and fixtures; *-ier* effects, movables **-era** *tr* make an inventory (*hand.* take stock) of **-ering** inventorying; stocktaking **-iös** *a* ingenious[ly planned]
inverk||a *itr* have an effect (influence); ~ *på* (*äv.*) [exert] influence [on], affect **-an** influence, effect, impact; *utsatt för luftens ~* (*äv.*) exposed to the air; *röna ~ av* be influenced (affected) by
in||vestera *tr* invest **-vestering** investment **-vid** **I** *adv* close (near) by **II** *prep* by; [utefter] alongside; [*tätt*] ~ [*väggen*] close to . . **-vig|a** *tr* **1** [helga] consecrate; [skolhus o. d.] dedicate; [präst] ordain; [börja] inaugurate [the new year] **2** [kläder o. d.] put on (wear, use) . . for the first time **3** [sätta ngn in] initiate [*i* into]; *de -da* **F** those in the know **-vigning** **1** consecration; dedication; ordination; inauguration **2** initiation **-vignings|fest** inaugural (opening) ceremony, inauguration **-vignings|tal** dedicatory (inaugural) speech (address)
invit invitation; [vink] hint **-era** *tr* invite
invånar||antal, [*hela*] *~et* the [total] population, the [total] number of [the] inhabitants **-e** inhabitant; [i hus] *äv.* inmate; [i stadsdel o. d.] resident; *per ~* (*äv.*) per head; [t. ex. konsumtionen] *äv.* per capita
invägning weighing in
invänd||a *tr* se [*göra*] *-ning*[*ar*]; *äv.* object [*mot* to]; say to the contrary; *jag har intet att ~* [*mot det*] I have no objection; *'nej', -e han* 'No', he protested (put in) **-ig** *a* internal; inside **-igt** *adv* internally; [i det inre] in the interior; [på insidan] [on the] inside **-ning** objection [*mot* to]; *göra ~ar* object (make (raise) objections) [*mot* to (against)]
in||vänta *tr* wait for; [avvakta] await **-värtes** *a* [sjukdom, bruk o. d.] internal; inward [*suck* sigh] **-ympa** *tr* inoculate; is. *bildl.* engraft **-ympning** inoculation; engraftment
inåt **I** *adv* inwards; *gå längre ~* go further in; [*fönstret*] *går ~* . . opens inwards **II** *prep* towards the interior of; into; *ett rum ~ gården* a room at the back, a back room; *~ landet* up country **-vänd** *a* turned inwards; *psyk.* introvert; *bildl. äv.* introversive, introspective; [självupptagen] self-absorbed **-vändhet** introversiveness &c; self-absorption
in||älvor bowels, intestines; [djurs] viscera, entrails; **F** guts **-öva** *tr* practise; [repetera] rehearse; *äv.* train
iris *anat. bot.* iris
irisk *a* Irish
Irland Ireland; *poet.* Erin **irländar|e** Irishman; *skämts.* Paddy; *-na (äv.)* the Irish **irländsk** *a* Irish; *I~a fristaten* the Irish Free State, Eire **irländska** **1** [språk] Irish **2** [kvinna] Irishwoman
iron||i irony **-iker** ironic[al] person **-isera** *itr* speak ironically [*över* of (about)] **-isk** *a* ironical
irra *itr,* ~ [*omkring*] wander (rove) about
irrationell *a* irrational
irrbloss will-o'-the-wisp
ir||reguljär *a* irregular **-religiös** *a* irreligious
irr||färd [strövtåg] roving (rambling) expedition; *~er* wanderings **-gång** maze, labyrinth
irrit||abel *a* irritable **-ation** irritation **-era** *tr* irritate; *bildl. äv.* annoy, harass
irrlär||a false doctrine; *relig. äv.* heresy **-ig** *a* heretical **-ighet** heresy
iråkad *a, hans ~e svårigheter* the difficulties he has got into
is ice; *~arna äro osäkra* the ice on the lakes (o. s. v.) is treacherous (unsafe); *~en låg* [*till in i maj*] the lake[s] (o. s. v.) re-

mained frozen . .; *varning för svag* ~ [anslag] Notice: Ice Unsafe Here; Warning: Weak Ice; *gå ner sig på ~en* go through the ice; *under ~en (bildl.)* [ekonomiskt] swamped, [moraliskt] down and out **-a** *tr* **1** = *kyla II* **2** *bildl.* chill **-ande** *a bildl.* icy; *en ~ kyla* a biting (keen) frost; *bildl.* an icy coldness **-bana** *sport.* ice-track, [skating-] rink; [kanal] slide **-belagd** *a* ice-covered, frozen **-berg** iceberg **-bildning** icing, ice formation **-bit** piece (lump) of ice **-björn** polar bear **-block** block of ice **-blomma 1** *bot.* ice-plant **2** [på fönster] ice-fern **-brodd** calkin; [på sko] *äv.* ice-spur **-brytare** icebreaker, ice-breaking steamer **-bälte** ice belt

iscensätt||a *tr* stage; *äv.* produce, put . . on the stage **-ning** staging, production

ischias *läk.* sciatica **-nerv** sciatic nerve

is||dryck iced drink **-dubb** ice-prod **-flak** ice-floe **-fri** *a* ice-free; [hamn] *äv.* open **-fylld** *a* full of ice; [farvatten] *äv.* ice-choked (-clogged) **-fält** ice-field **-förhållanden** ice conditions **-förstärkt** *a* ice-strengthened **-gata** ice-coated(-glazed) road **-hav** glacial sea; *Norra (Södra) ~et* the Arctic (Antarctic) Ocean **-hinder** hindrance (delay) due to ice, ice obstacle **-hockey** ice hockey **-hög** ice-store **-ig** *a* icy; jfr *-kall* **-jakt** ice-yacht **-kaffe** ice[d] coffee **-kall** *a* ice-cold, as cold as ice; [friare] icy cold; [blick, ton] icy, glacial, frigid **-kalott** ice-cap **-kyla** icy cold; *bildl.* iciness, icy coldness **-kyld** *a* ice-cooled, iced

islage|n *a, teet (kaffet) är -t* tea (coffee) is served

islam Islam **-itisk** *a* Islamite

Island Iceland **i~s|lav i~s|mossa** *bot.* Iceland moss **i~s|sill** Iceland herring[s *pl*]

is||lossning break-up [of the ice] **-läggning** freeze-up

isländ||dare Icelander **-dsk** *a* Icelandic **-dska 1** [språk] Icelandic **2** [kvinna] Icelandic woman **-ning** = *-dare*

isnål ice needle

isol||ation insulation **-ations|förmåga** insulating property **-ator** ⊕ insulator **-era** *tr* isolate; ⊕ insulate **-erat** *adv* isolatedly; *leva ~* live (lead) an isolated life **-ering** isolation; ⊕ insulation **-erings|band** insulating tape **-erings|material** ⊕ non-conducting material **-erings|politik** isolation policy, isolationism

isop *bot.* hyssop

iso||term isotherm **-top** isotope

is||period glacial period **-pigg** icicle **-pik** ice-stick **-prinsessa** ice princess

Israel Israel **i~ier i~[i]sk** *a* Israeli **i~it** Israelite **i~itisk** *a* Israelitic, Israelite

is||rand ice front **-rapport** report of ice conditions **-region** glacial region **-ränna** channel through the ice **-situation** ice conditions *pl* **-skorpa** ice-crust **-skruvning** *sjö.* [rotary] ice-pressure **-skåp** ice-chest(-safe); [kyl-] refrigerator, ice-box; [för djupkylning] deep freeze **-stack** ice-store **-sörja** [på land] ice-slush; [i vatten] broken ice

istadig *a* restive **-het** restiveness

is||tapp icicle **-te** ice[d] tea

ister lard; [mera allm.] fat **-haka** double chin **-mage** pot-belly

istid glacial period; *~en (äv.)* the Great Ice Age

iståndsätta *tr* put . . in order; *äv.* restore, refit

is||täcke coat[ing] of ice; ice-sheet; [stadigvarande] *äv.* ice-cap **-upplag** ice-store **-vatten** icy water; [avkylt m. is] ice[d] water **-yxa** ice-pick

isär *adv* apart; [från varandra] away from each other

isättning *konkr* insertion

Italien Italy **i~are** Italian **i~sk** *a* Italian **i~ska 1** [språk] Italian **2** [kvinna] Italian woman

itu *adv* **1** in two; in half (halves); [sönder] in pieces; *plocka ~* pick to pieces **2** *ta ~ med* [en uppgift] set (get) to work at, set about

iv||er eagerness, keenness; [nit] ardour, zeal; [brinnande] fervour; *äv.* enthusiasm; *med stor ~ (äv.)* with great zest, with alacrity **-ra** *itr, ~ för a)* [att ngt görs] be eager (keen, intent) on; *b)* [t. ex. en sak] be a zealous (keen) supporter (a great champion) of **-rig** *a* eager [*på, för* for]; [nitisk] zealous; [brinnande] ardent, fervent; [angelägen] anxious; keen [*efter (på)* on]; *bli ~* get excited **-righet** = *-er; äv.* ardency, fervour; anxiety

iögonfallande *a* striking, arresting; *äv.* conspicuous, marked

J

ja I *itj* o. *adv* **1** yes; [betänksamt el. inledande] well; *~, det vet jag* yes, I know; *~, gör det!* yes, do! *~ då!* Oh, yes! **2** [stegrande] indeed; *äv.* even, nay; [*trettio, fyrtio*], *~ femtio* . . nay (even) fifty; *~, jag kommer* all right, I'm coming **3** *~, ~, akta dig!* mind what you are doing! **4** *få ~* receive a favourable reply; [vid frieri] be accepted; *säga ~ till* say yes to, answer in the affirmative **II** *s* yes; [vid röstn.] aye; [*besvara frågan*] *med ~* . . in the affirmative

jack [skåra] gash

jacka coat; [dam-] jacket

jackett morning-coat, cut-away

jag I *pron* I; [*min hustru*] *och ~* . . and I (myself); *det är ~* it is me **II** *s filos.* ego; *hans bättre ~* his better self

jag||a I *tr* **1** hunt; [hare, vilt] *äv.* shoot **2** [förfölja] chase; *~ bort* drive (turn) away; *~ ngn på dörren* turn a p. out **II** *itr* [ila] drive, chase, sweep; [rusa] hurry, dash **-are** *sjö. mil.* destroyer; jfr *jaktplan*

jagform, *i ~* in the I-form, in the first person

jaguar jaguar

jaha *adv* o. *itj* well; [-så] Oh, I see

jak yak

jak||a *itr* say 'yes' [*till* to]; answer 'yes' (in the affirmative) **-ande I** *a* affirmative **II**

adv affirmatively; *svara* ~ reply (answer) in the affirmative
jakaranda jacaranda [wood], rosewood
1 jakt *sjö.* yacht
2 jakt 1 hunting; [med bössa] shooting; *gå på* ~ go out hunting; *vara på* ~ *efter* be on the hunt for *äv. bildl.* **2** ~*en* [-tillfället] the day's shooting (hunting) **-bombplan** fighter bomber **-byte** [jägares] bag; [dagens] *äv.* kill; [djurs] prey, game, quarry **-bössa** sporting-gun **-falk** *zool.* gerfalcon **-flyg** fighter aircraft, fighters *pl* **-gevär** sporting-gun **-horn** bugle[-horn] **-hund** hunting-dog, *äv.* hunter; ~*arna* (*äv.*) the hounds **-kort** shooting-licence **-lag** game-protection law **-lopp** course steeplechasing **-lycka,** *har* ~*n varit god?* have you had a good day's sport? **-mark[er]** hunting-grounds; [inhägnade] preserves; [tätt bevuxna] coverts; [oinhägnade] chase *sg* **-plan** *flyg.* fighter, pursuit plane **-redskap** *pl* hunting-(shooting-, sporting-)kit(gear) *sg* **-rätt[igheter]** shooting-(sporting-)rights **-stadga,** ~*n* the Game Act **-stig** hunting-path; *gå ut på* ~*en* go out hunting **-stuga** hunting-(shooting-)box **-sällskap** *koll* hunting-(shooting-)party; ~*et* (*äv.*) the hunt (field, meet) **-tid** [tillåten] open time, season; *under* ~*en* during the hunting-season **-tillstånd** game licence, shooting-licence **-vagn** dog-cart **-vård** wild animal (game) protection **-väska** game-bag
jalusi 1 jealousy **2** [för fönster] jalousie *fr.; äv.* window half-blind; [på skrivbord] roll-top
jama *itr* mew; ~ *me'd* (*bildl.*) acquiesce [in everything]
jamb iamb[us] **-isk** *a* iambic
jamboree jamboree
januari January; jfr *april*
Japan Japan **j~es** Japanese; **F** Jap **j~[esi]sk** *a* Japanese **j~ska 1** [språk] Japanese **2** [kvinna] Japanese woman
jardinjär flower stand
jargong lingo, jargon; *äv.* slang; [ordsvall] jabber; [rotvälska] gibberish
jaröst vote in favour; aye[-vote]
jasmin *bot.* jasmine, jessamin[e]
jaspis *min.* jasper
jass jazz **-a** *itr* jazz **-band -kapell** jazz-band
ja||så *itj* o. *adv* Oh! indeed! is that so? really! you don't say so! ~ *inte det!* no? not? ~ [, *är du &c, gör du &c*] [oh,] are you &c? do you &c? **-sägare** yes-man **-visst** *adv* o. *itj* certainly! to be sure!
jeep jeep
jeremiad jeremiad[e], lamentation
Jeremia[s] Jeremiah
Jesaja Isaiah
jesuit Jesuit **-isk** *a* Jesuit; [neds.] Jesuitical **-orden** the Society of Jesus
Jesus Jesus **-barnet** the Infant Saviour, the Child Jesus
jet jet; se *rea-*
jetong counter; [belöning] medal
jiddisch Yiddish
jo *adv* o. *itj* yes, oh yes, why, yes; [betänksamt] well, why; ~*då* oh yes; yes, to be sure
jobb F 1 work, job **2** *börs.* = *-eri* **-a** *itr* **F 1** [arbeta] work, be on the job; [ligga i] go at it; [syssla] dabble [*med* in] **2** *börs.* o. d. speculate, do jobbing **-are** jobber; [kristids-] profiteer **-eri** speculation; profiteering **-ig** *a* **F** bothersome; [mödosam] laborious
jobspost, *en* ~ evil tidings *pl,* [a piece of] bad news
jockej jockey
jod iodine
joddl||a *itr* yodel **-ing** yodelling
jod||oform iodoform **-sprit** spirits *pl* of iodine
Johannes John; ~ *Döparen* St. John the Baptist
jolle jolly-boat, yawl; [jakts] dinghy, punt; tender
joll||er babble; [småbarns] *äv.* crowing, prattle **-ra** *itr* babble; crow, prattle
jolmig *a* mawkish, wishy-washy
jong||lera *itr* juggle *äv. bildl.* **-lör** juggler
jon ion **-isera** ionize **-isering** ionisation **-o|sfär** ionosphere
jonisk *a* Ionic; [om invånare] Ionian
jord 1 earth; [värld] *äv.* world; *på* ~*en* on above ground **3** [ämne, -art o. d.] earth; soil; *på svensk* ~ on Swedish soil; *ovan* ~ above ground **3** [ämne, -art o. d.] earth; [mat- o. d.] soil; [stoft] dust; *falla i god* ~ fall into good ground **4** [-område] land **-a** *tr* **1** [begrava] bury *äv. bildl.* **2** *elektr.* earth (*Am.* ground) **-a|gods** landed estate (property) **-ande** earth spirit; *äv.* gnome **-antenn** ground aerial (*Am.* antenna) **-areal** land area **-art 1** *kem.* earth **2** *lantbr.* soil **-axel,** ~*n* the earth's axis **-bana** *sport.* dirt track
jordbruk 1 *abstr* farming, agriculture; *idka* ~ be a farmer, farm, do farming **2** *konkr* farm **-ar|befolkning** agricultural population **-ar|distrikt** agricultural district **-are** farmer, agriculturist **-s|arbetare** farm labourer (hand) **-s|arbete** farming, farm (agricultural) work **-s|departement,** ~*et* the Department (Ministry) of Agriculture **-s|lägenhet** small farm **-s|maskin** agricultural machine **-s|minister** Minister of Agriculture **-s|politik** farming policy **-s|produkt** agricultural product **-s|redskap** farming implement
jord||bunden *a bildl.* earth-bound, earthly **-bävning** earthquake **-drabant** earth satellite **-egendom** landed property; jfr *lantgård* **-e|liv** life upon [the] Earth **-enruntflygning (-enruntresa)** round-the-world flight (trip) **-fästa** *tr* inter; *äv.* read the burial service over **-fästning** funeral service; jfr *begravning* **-förbättring** soil-improvement **-förvärv** acquisition of landed property **-glob** [terrestrial] globe **-golv** earth[en] floor **-gubbe** *bot.* strawberry **-gubbs|sylt** strawberry jam **-håla** cave in the earth **-hög** earth-mound, mound of earth **-ig** *a* [smutsig] earthy, earth-soiled **-isk** *a* earthly; [mots. himmelsk] terrestrian; [världslig] wordly, mundane; [timlig] temporal; *hans* ~*a kvarlevor* (*vanl.*) his mortal remains; *lämna detta* ~*a* depart this life **-kabel** *elektr.* underground line (cable) **-klot** earth; ~*et* (*äv.*) the [terrestrial] globe **-koka** clod [of earth] **-kula** den **-lager** earth-layer **-lapp** patch (plot) of ground **-ledning 1** underground conduit **2** *elektr.* earth-(ground-)connection; *radio.* earth (ground) lead **-lott** plot, allotment, site **-magnetism** terrestrial magnetism **-mån** soil *äv. bildl.* **-ning** *elektr.* earthing, grounding **-nöt** groundnut, peanut **-prov** sample of the soil **-reform** land reform **-register** land register **-satellit** earth satellite **-skalv** earthquake **-skorpa** earth-crust; ~*n* the earth's crust **-skred** earth-slip, landslip; landslide *äv. bildl.* **-slå** *tr* soil, earth up **-stöt** earthquake[-shock] **-vall** embankment **-värde** land value **-yta 1** surface of the ground; *på* ~*n* on the earth's surface, on the face of the earth **2** [areal] area of ground **-ägare** land-owner **-ärtskocka** Jerusalem artichoke
jota F *inte ett* ~ not a jot (an atom)

jour 1 *ha ~en* be on duty **2** *hålla ngn à ~ med* keep a p. informed on (as to); *hålla sig à ~ med* (*äv.*) keep abreast of (up to date on) **-havande** *a* [*läkare* physician (o. s. v.)] of (on duty (in charge) for) the day; *mil.* orderly

journal 1 journal, diary **2** *film.* news reel, topicals *pl* **-ism** journalism **-ist** journalist; *äv.* publicist, pressman **-istik** journalism **-istisk** *a* journalistic

jovial -isk *a* jovial **-itet** joviality

jox F stuff, rubbish, rot **-a** *itr* **F** peddle [*med* with]

ju I *adv* why; [naturligtvis] of course; [visserligen] it is true; *där är han ~!* why, there he is! *du vet ~ att* you know of course that; as you probably know; *jag har ~ sagt det* I have said (told you) so, haven't I? *du kan ~ [gärna] göra det* you may [just] as well do it **II** *konj* the; *~ förr dess bättre* the sooner the better

jub‖el [hänförelse] jubilation, rejoicing, exultation; [glädjerop] shout[s *pl*] of joy, enthusiastic cheering (cheers *pl*) [*över* at] **-el|doktor** *univ.* 'jubilee' doctor, fifty-year graduate **-el|idiot F** arch idiot **-el|rop** shout of joy; *upphäva ett ~* (*äv.*) shout for joy **-ilar** jubilee celebrator **-ilera** *itr* celebrate a (one's) jubilee **-ileum** jubilee **-ileums|-konsert** anniversary (jubilee) concert **-la** *itr* shout for joy; [inom sig] rejoice, exult **-lande** *a* shouting for joy; [triumferande] jubilant, exultant

Juda Judah **j~folket** the Jewish people; Jewry; the Jews *pl*

Judas Judas **j~kyss** Judas (traitor's) kiss **j~-pengar** traitor's reward *sg*

jude Jew; *äv.* Hebrew, Israelite; *den vandrande ~n a)* [Ahasverus] the wandering Jew; *b) bot.* spiderwort **-fientlig** *a* anti-Jewish (-Semitic) **-fråga,** *~n* the Jew[ish] question **-förföljelse** persecution of the Jews **-hat** hatred of the Jews; anti-Semitism **-hatare** Jew-hater, anti-Semitic **-kvarter** Jews' (Jewish) quarter, ghetto **-ndom** Judaism, Jewry **-pogrom** Jew-pogrom **-vänlig** *a* pro-Jewish

jud‖inna Jewish woman, Jewess **-isk** *a* Jewish

jugoslav Jugo-(Yugo-)Slav **J~ien** Jugo-(Yugo-) Slavia **-isk** *a* Jugo-(Yugo-)Slav[ian]

jul Christmas (*förk.* Xmas); [hedniskt o.*poet.*] Yule[tide]; *fira ~[en]* keep (spend) [one's] Christmas; *god ~!* A Merry Christmas; *i ~as* last Christmas; *om ~arna* at Christmas **-a** *itr* = [*fira*] *jul* **-afton** Christmas Eve **-bock** Christmas goat **-brådska,** *i ~n* in the hurry and scurry of the (one's) Christmas preparations **-dag** Christmas Day **-fest** [i skolor o. d.] Christmas party **-glädje** Christmas mirth (cheer) **-gran** Christmas tree **-grans|fot** Christmas tree stand **-gubben** = *-tomten* **-helg,** *under ~en* during the Christmas festival ([ledighet] holiday, vacation); *äv.* during (at) Christmas **-hälsning** Christmas greeting

juli July; jfr *april*

jul‖kaktus common winter cactus **-kalas** Christmas party ([för barn] treat) **-klapp** Christmas present; [*önska sig ngt*] *i ~* .. for Christmas **-kort** Christmas card

julle = *jolle*

jul‖lov Christmas holidays *pl* (vacation, recess) **-otta** Christmas-Day early service **-ros** Christmas rose **-skinka** Christmas ham **-stjärna 1** *hist.*, *~an* the Star of Bethlehem **2** *bot.* Christmas-flower **3** [i -gran] Christmas-tree star **-stämning** Christmas feeling (atmosphere, mood) **-stök** preparations *pl* for Christmas **-sång** Christmas carol (song) **-tid** Christmas time **-tomt|e,** *~n* Father Christmas, Santa Claus; *-ar* Yule gnomes

jumbo F *sport.* booby

jumper jumper

jungfru 1 [ungmö] virgin; maid; *J~ Maria* the Virgin Mary, the Holy Virgin; *J~n av Orléans* the Maid of Orleans **2** = *hem-biträde* **3** [redskap] [paving-]beetle, paving hammer **-bur** maiden's (lady's) bower **-dom** maidenhood, virginity **-färd** maiden voyage **-födsel** parthenogenesis **-kammare** servant's [bed]room **-lig** *a* maidenly, maidenlike; *äv.* maiden; *bildl.* virgin [*mark* soil] **-lighet** maidenliness; virginity **-tal** *polit.* maiden speech

jungman *sjö.* youngster, deck boy

juni June; jfr *april*

junior junior; *skol. äv.* minor

junonisk *a* Junoesque; [friare] majestic

jurid‖ik *vetensk.* jurisprudence; *allm.* law; *studera ~* study [the] law **-isk** *a* **1** *allm.* juridical **2** [friare, språk, stil] legal; *den ~a banan* the legal profession; *~ hjälp* legal assistance; *~a uppdrag* legal (*äv.* lawyer's, law) work **3** [rättslig] judicial [*ämbetsman* functionary]; *~t förfarande* judicial procedure **4** [om rättsvetenskap] jurisprudential **5** *~a fakulteten* the Faculty of Law

jur‖is, *~ doktor* Doctor of Law[s] (*förk.* efter namnet LL.D.); *~ kandidat* (*licentiat*) *ung.* Bachelor (Master) of Laws (*förk.* LL.B., LL.M.) **-ist** lawyer; [ngns] *äv.* legal adviser; [praktiserande] solicitor; [rättslärd] jurist **-ist|språk** legal language

jury [*sitta i en* be on a] jury **-man** juryman, juror

1 just *adv* just; [precis] *äv.* exactly, precisely; [alldeles] quite; [egentligen] really; *~ ingenting* nothing in particular; *~ nyss fick jag veta det* I heard it but (only) a moment ago; *~ den kvällen* that very [same] evening; *jag kom ~* [*nyss*] I got here a moment ago; *jag vet ~ inte det* I am not so sure [of that]; *ja, ~ han!* yes, him; to be sure, he and no other! the very man! [*varför tar man*] *~ honom?* .. him of all people? *det var ~ trevligt!* very nice, to be sure!

2 just *a* [otadlig] correct, *äv.* right; [lämplig] seemly, meet; [rättvis] fair **-era** *tr* **1** [rätta, inställa] adjust; [instrument] regulate, set .. right; *äv.* rectify; [avlägsna fel] correct; [friare] put .. right (to rights); [granska o. godkänna] revise; [protokoll] verify; [mål o. vikt] verify, inspect **2** *sport.* **F** nobble **-erare** adjuster; [av instrument] *äv.* regulator; [av mål o. vikt] inspector **-erbar** *a* adjustable **-ering** adjustment; regulation; correction; revision; inspection

justitie‖departement, *~et* the Department (Ministry) of Justice; *Engl.* the Lord Chancellor's Office **-kansler** Chancellor of Justice **-minister** minister of Justice; *~n* (*Engl.*) the Lord Chancellor **-mord** judicial murder **-ombudsman** Solicitor-General **-råd** Supreme Court Judge; *Engl.* Lord Justice **-rådman** *ung.* Judge of the Municipal Court **-sekreterare** Secretary of the Supreme Court

jute jute **-väv** jute cloth, gunny

juvel jewel *äv. bildl.*; *äv.* gem; [diamant] diamond; *~er* (*koll*) jewel[le]ry *sg* **-brosch** diamond brooch **-erar|affär** jeweller's [shop] **-erare** jeweller **-halsband** diamond necklace **-prydd** *a* bejewelled **-ring** diamond

ring **-skrin** jewel-case **-smycke** diamond ornament **-stöld (-tjuv)** jewel theft (thief)
juver udder
jägar||e *allm.* sportsman; i *sms* o. *bildl.* hunter; [avlönad] huntsman *äv.* friare o. *bildl.*; *mil.* light infantryman **-folk** nation of hunters **-historia** sportsman's yarn
jägmästare Crown forester, forestry officer
jäkl||ar *itj* damn! **-ig** *a* rotten; damn[ed] [*otur* bad luck]
jäkt [brådska] hurry, bustle, scurry; [hets] drive, hustle **-a I** *tr* hurry on, keep . . on the drive (run), never leave . . in peace **II** *itr* be on the drive (move), be in a hurry (hustle) **-ad** *a* harried, worried
jäm||bredd, *i* ~ *med* side by side with **-bördig** *a* equal in birth; *bildl.* equal [in merit] [*med* to], of equal merit [*med* with]; [*bli behandlad*] *som en* ~ . . as an equal **-bördighet** equality in birth (rank, standing, [friare] merit) **-fota** *adv, hoppa* ~ jump with both feet together
jämför (*jfr*) compare (cp.), *äv.* confer (cf.) *lat.* **-a** *tr* compare; ~ *med* compare with ([likna vid] to); ~*ande* [språkforskning o. d.] comparative **-bar** *a* comparable; *fullt* ~ *med* (*hand.*) quite up to the standard of **-else** comparison; *det är ingen* ~*!* there is no comparison! *utan* ~ (*äv.*) unequalled **-else|punkt** point of comparison **-elsevis** *adv* comparatively; *äv.* relatively **-lig** *a* comparable (to be compared) [*med* with (to)], jfr *-a*; [likvärdig] equivalent [*med* to]
jämgod *a,* ~ *med* equal to, as good as, quite up to; *vara* ~*a* be equals, be equal to one another
jämk||a *tr* o. *itr* [flytta] move, shift; *bildl.* adjust, adapt; ~ *på* adjust, [ändra] modify; [pruta på] give way (in); knock off [*priset* the price]; ~ *ihop sig* move closer together **-ning** [re]adjustment; modification; *äv.* compromise
jämlik *a* equal [*med* to] **-e** equal **-het** equality
jämmer groaning; [kvidan] moaning; [klagan] complaint; [högljudd] lamentation; [elände] misery **-dal** vale of tears **-lig** *a* miserable, wretched; [mera eg. bet.] mournful, wailing **-rop -skri** plaintive cry, cry of pain (distress)
jämn [i *sms* jfr *jäm-*] *a* **1** [om yta] level; even; [slät] smooth **2** [mots. udda] even; ~ *summa* (*äv.*) round sum; *ha* ~*a pengar* have the exact amount **3** [likformig] uniform [*värme* heat]; *äv.* even; [t. ex. klimat, lynne] equable; *hålla* ~*a steg med* keep in step with; *bildl.* keep pace (up) with **4** [oavbruten] continuous; *äv.* steady [*regn* rain]; [regelbunden] regular **-a** *tr* level, make . . level (even, smooth); [klippa jämn] trim; *bildl.* smooth; ~ *med jorden* level . . with the ground, raze **-grå** *a* . . of an even grey[ness] **-het** levelness; evenness &c **-hög** *a* . . of [a] uniform height; *två* ~*a* . . two equally tall . . **-höjd,** *vara i* ~ *med* be of the same level as (on a level with) **-mod** equanimity, *äv.* evenness of mind **-mulen** *a, en* ~ *himmel* an entirely clouded-over (overcast) sky **-stor** *a* of [a] uniform size; *vara* ~*a* be equal in size **-struken** *a bildl.* dead level; [medelmåttig] mediocre
jämnt *adv* **1** level; evenly &c; *äv.* even; [lika] equally; [stadigt] regularly, steadily **2** [precis] exactly; [absolut] **F** absolutely; [totalt] utterly; [helt enkelt] simply; *det var inte mer än* ~ *att han* . . it was as much as he did to . .; *jag tror honom inte mer än* ~ I only half believe him; *gå* ~ *ihop* match (square, tally) [exactly]; *3 går* ~ *upp i 15* three goes evenly into fifteen

jämn||tjock *a* of [a] uniform thickness, *äv.* uniformly thick **-årig** *a* of the same age [*med* as]; *mina* ~*a* persons of my [own] age, my contemporaries
jämra *rfl* wail, moan; [gnälla] whine; [stöna] groan; [klaga] complain; [högljutt] lament
jäm||s *adv,* ~ *med* at the level of, level with; [utmed] alongside [of] **-sides** *adv* side by side [*med* with], abreast [*med* of]; alongside [of]; *löpa* ~ *med* (*äv.*) run parallel with (to) **-spelt** *a, vara* ~ *med* be evenly matched (on level terms) with **-ställ|a** *tr* place . . side by side (on a level) [*med* with], juxtapose [*med* to]; place . . on an equality (on an equal footing, a par) [*med* with]; rank . . in the same category [*med* as]; [-föra] *äv.* draw a parallel between; *vara -d med* (*äv.*) rank [equal] with **-ställdhet** equality, parity **-t** *adv* always; **F** for ever; [oupphörligt] incessantly, perpetually; [gång på gång] constantly, continually **-te** *prep* in addition to, together with; [inklusive] including; [förutom] besides; [och även] and also **-vikt** *fys.* equilibrium; *allm.* balance *äv. bildl.*; *bringa ngn ur* ~*en* throw a p. off his balance; *i* ~ (*bildl.*) [well-]balanced **-vikts|läge** position (state) of equilibrium **-väl** *adv* likewise; [även] also
jänta F lass
järn iron; *smida medan* ~*et är varmt* strike while the iron is hot; *ha många* ~ *i elden* have many irons in the fire **-balk** iron beam **-band** iron hoop **-beklädd** *a* iron-sheathed **-beslag** iron mounting **-beslagen** *a* iron-bound **-betong** reinforced concrete **-bleck** sheet-iron **-bruk** foundry, ironworks *sg* o. *pl* **-ek** *bot.* holly **-filspån** iron filings *pl* **-galler (-grepp)** iron grate (grip) **-halt** iron content (percentage) **-haltig** *a* . . containing iron; [berg, malm] ferriferous; *läk.* chalybeate [*vatten* water] **-hand,** *styra med* ~ rule with an iron hand **-handel** *konkr* ironmonger's shop **-hantering** iron-industry (-trade) **-hård** *a bildl.* iron [*vilja* will]; *äv.* iron-hard, inflexible **-hälsa** iron constitution **-industri** iron industry **-kors** iron cross **-malm** iron ore **-natt** frosty night **-oxid** iron oxide **-pansrad** *a* iron-clad **-piller** *läk.* iron pill **-plåt** iron plate **-ridå** *teat.* iron drop-curtain, safety curtain; *polit.* iron curtain **-rör** iron pipe (piping) **-skodd** *a* iron-shod; [käpp o. d.] iron-tipped **-skrot** scrap (refuse) iron **-spett** iron-bar lever **-spik** iron nail **-spis** iron [kitchen-]range **-stång** iron bar (rod) **-säng** iron bedstead **-tacka** iron pig **-tillverkning** iron-manufacture **-tråd** [iron] wire **-varor** iron (hardware) goods; hardware *sg* **-verk** ironworks *sg* o. *pl* **-vilja** will of iron, iron will
järnväg railway; *Am.* railroad; [*vara anställd*] *vid* ~*en* . . on the railway; *resa med* ~ go by rail (train); *underjordisk* ~ (*Engl.*) tube, underground; *Am.* subway **-s-** i *sms Engl.* railway, *Am.* railroad
järnvägs||arbetare 1 [-byggare] navvy **2** [anställd vid järnväg] railway &c workman (employee, hand) **-bana** roadbed **-bank** railway embankment **-bolag (-bro -förbindelse -hotell -knut -korsning -kupé)** railway &c company (bridge, connection, hotel, junction, crossing, compartment) **-nät** railway system, network of railways **-olycka** railway accident **-resa** railway journey **-restaurang** railway-station refreshment-room[s *pl*] **-skena -spår** railway rail (line (*Am.* track)) **-station** railway station; [änd-] [railway] terminus; *Am.* [railroad] terminal **-styrelse,** ~*n* (*i Sverige*) the Board of

Management of the State Railways; *Engl.* the National Railway Executive **-syll** sleeper; *Am.* tie **-tariff** railway-rate schedule **-tjänsteman** railway employee (clerk, [högre] official) **-trafik** railway traffic (service) **-transport** carriage (conveyance) by rail[-way] **-vagn** railway carriage (car); [gods-] railway truck (waggon) **-övergång** *konkr* railway crossing; [i plan m. spåret] level crossing
järnålder, ~n the Iron Age
järpe hazel-hen
järtecken omen, portent, presage
järv *zool.* glutton, wolverine
jäs||a *itr* ferment; [om sylt o. d.] go fermented; *bildl. äv.* effervesce; *låta* [*degen*] *~* allow .. to rise; *blodet -er i honom* his blood is in a ferment; *~ av raseri* boil with rage; *~ över* ferment and run over **-ning** fermentation; *bildl. äv.* ferment; *bringa* [*sinnena*] *i ~* work up (excite) .. into a ferment **-nings|process** fermentative process **-nings|ämne** ferment *äv. bildl.*, leaven
jäst yeast **-pulver** baking-powder **-svamp** yeast (fermentation) fungus
jätte giant *äv.* i *sms* **-ansträngning** gigantic effort **-arbete,** *ett ~* a gigantic (herculean) [piece of] work **-företag** gigantic undertaking ([handels- el. industri-] business (industrial) enterprise) **-gryta** *geol.* giant's kettle, kettle hole **-hög** *a* .. of a gigantic (an enormus) height **-lik** *a* gigantic; giantlike **-stark** *a* .. of gigantic (herculean) strength **-steg** gigantic (giant) stride; *gå framåt med ~ (bildl.)* make tremendous progress, make great (big) strides **-stor** *a* gigantic, enormous, huge **-ödla** great saurian
jättinna giantess, female giant
jäv *jur.* challenge [*mot* to], recusation [*mot* of]; *inlägga ~ mot* lodge a challenge against; *laga ~* lawful disqualification **-a** *tr* **1** *jur.* [t. ex. domare] take exception to; [t. ex. testamente, val] challenge the validity of **2** [förneka] belie **-ig** *a* [vittne] challengeable, exceptionable; [ej behörig] disqualified, non-competent **-ighet** *jur.* challengeability; non-competence
jökel glacier **-is** glacial ice **-älv** glacier stream

K

kabaré cabaret
kabb||[e]leka -elök *bot.* marsh marigold
kabel cable; *sjö. äv.* hawser, cable-rope **-bro** cable suspension bridge **-brott** cable breakdown
kabeljo dried [cured] codfish
kabel||ledning cable wire **-längd** cable['s length] **-rulle** cable-reel **-telegrafera** *tr* **-telegram** cable **-vinsch** rope winch
kabinett cabinet *äv. polit.;* [dams] boudoir **-s|format** cabinet size **-s|fråga,** *ställa ~* demand a vote of confidence **-s|medlem** cabinet member
kabla *tr* o. *itr* cable
kabyss *sjö.* [cook's] galley, caboose
kackerlacka cockroach, black-beetle
kackl||a *itr* cackle; [om höna] *äv.* cluck **-ande** *a* o. *s* cackling &c
kadaver carcase, carcass; carrion *äv. bildl.* **-disciplin** *mil.* mechanical discipline **-lydnad** machine-like obedience
kadens *mus.* cadence, *äv.* fall
kader *mil.* cadre
kadett cadet; *sjö. äv.* midshipman **-skola** cadet school
kadrilj [dans] quadrille
kafé café; *äv.* tea-shop, coffee-room **-idkare** café(&c)-keeper
kaffe coffee; *dricka (koka) ~* have (make) coffee; *~ utan (med) grädde* black (white) coffee **-bjudning** coffee-party **-blandning** *hand.* blend of coffee **-brännare** coffee-roaster **-bröd** [coffee-]roll (bun, pastry) **-buske** coffee-shrub(-bush) **-böna** coffee-bean **-frukost** breakfast with coffee **-grädde** thin cream **-kanna** coffee-pot **-kokare** coffee-boiler(-percolator) **-kopp** coffee-cup; [mått] coffee-cupful **-kvarn** coffee-mill (-grinder) **-panna** coffee-pot
kaffer Kaf[f]ir, Caffre
kaffe||ransonering coffee rationing **-rast** coffee break **-rep** coffee-party **-rosteri** roasting factory **-servis** coffee-set **-sump** coffee-dregs(-grounds) *pl* **-surrogat** coffee substitute **-tår** drop of coffee
kaftan caftan; [prästrock] cassock
kagge keg, cask
kains|märke brand of Cain
kaj quay; *äv.* wharf; [strandgata] embankment; *fritt vid ~* free alongside steamer
kaja *zool.* jackdaw
kajanläggning quay [structure]
kajennpeppar cayenne pepper
kajplats quay-berth
kajuta cabin; [liten] cuddy
kak|a cake; *-or* [småbröd] biscuits
kakadu cockatoo
kakao cacao; [pulver, dryck] cocoa **-böna** cocoa-berry(-bean) **-likör** cacao
kakbit piece (lump) of cake
kakel [Dutch (glazed)] tile; *koll* tiles *pl* **-klädd** *a* faced with tiles, tiled **-ugn** [tile] stove **-ugns|eldning** stove-fire heating **-ugns|nisch** stove alcove
kak||fat cake-dish **-form** cake-tin
kaki khaki **-färgad** *a* khaki[-coloured]
kakspade cake-(tart-)shovel
kakt||é cactaceous plant **-us** cactus
kal *a* bare; [kust] naked; [gren] leafless; [skallig] bald
kalabalik affray, tumult
kalas party; treat; *få betala ~et* have to pay for the whole show **-a** *itr* feast **-mat** rich food
kalcium calcium
kalejdoskop kaleidoscope
kalender calendar; jfr *almanacka* **-år** calendar year
kalfaktor [officer's (soldier)] servant
kalfatra *tr* **1** *sjö.* caulk **2** *bildl.* find fault with
kalhugg||a *tr* clean-cut **-ning** clear (final) felling; [område] denuded area
kali potash
kaliber calibre *äv. bildl.*
kalif caliph, calif

Kalifornien California
kalikå calico
kali||salpeter potash nitrate **-um** potassium **-um|karbonat (-ium|klorat -ium|nitrat)** carbonate (chlorate, nitrate) of potassium
1 kalk [bägare] chalice; *bildl.* cup
2 kalk lime; [bergart] limestone; *osläckt ~* unslaked (quick) lime; *släckt ~* slaked lime **-a** *tr* limewash **-berg** limestone rock **-brott** limestone quarry **-bruk** lime-works *sg* o. *pl* **-bränneri** lime kiln
kalker||a *tr* carbon; *bildl.* copy **-papper** carbon-(tracing-)paper
kalk||gruva lime pit **-halt** lime content **-haltig** *a* calcareous
kalkon turkey **-tupp** turkey-cock
kalk||sten limestone **-stens|brott** limestone quarry **-stryka** *tr* limewash **-ugn** lime-kiln
kalkyl calculation; *mat. äv.* calculus; *hand.* cost-account **-era** *tr* calculate, work out
1 kall calling, vocation; [uppgift] task (mission) [in life]
2 kall *a* cold *äv. bildl.; det ~a kriget* the cold war; frigid [*zon* zone]; [kylig] chilly; [svall] cool; [*flera grader*] *~t* .. below zero; *bli ~ om fötterna* get cold feet
kall||a I *tr* o. *itr* call; name; term; [ropa på, till-] summon; *~ på läkare* send for (call in) the doctor **II** *rfl* call o.s.; [antaga namnet] take the name of **-ad** *a* called &c; *känna sig ~ till* feel called upon to (fitted for); *så ~* so-called
kall||bad cold bath; [ute] bathe **-blodig** *a* cold-blooded; cool **-blodighet** cold-bloodedness **-blodigt** *adv äv.* in cold blood **-brand** *läk.* gangrene **-dusch** cold douche *äv. bildl.*
kallelse 1 *univ.* call; *kyrkl.* invitation; [till sammanträde o. d.] summons **2** = *1 kall* **-kort** notification card
kall||front *meteor.* cold front **-grin** cold sneer **-jord,** *på ~* in cold soil (the open ground) **-na** *itr* cool; get cold **-prat F** commonplace (small) talk **-röka** *tr* cold-smoke **-sinnig** *a* cold, cool; [likgiltig] indifferent; [oberörd] unmoved **-sinnighet** coldness &c, indifference **-skur|en** *a, litet -et* a few cold-buffet dishes **-skänka** cold-buffet manageress **-sup F** involuntary gulp of cold water **-svett** cold sweat (perspiration) **-svettas** jfr *svettas* **-t** *adv* coldly &c; *ta saken ~* take the matter coolly **-vatten** cold water **-vattens|kran** cold-water tap
kalops *ung.* Scotch collops
kalori calorie **-behov** required amount of calories **-värde** caloric value
kalott calotte, skull-cap
kalsong, *ett par ~er* a pair of [under] pants (*Am.* underdrawers)
kal||ufs -uv forelock
kalv calf [*pl* calves]; *kok.* veal **-a** *itr* calve **-bräss** sweetbread[s *pl*] **-dans** *kok.* beestings (shortings) *pl* **-filé** fillet of veal
kalvin||ism Calvinism **-ist** Calvinist
kalv||kotlett veal cutlet **-kätte** calf's crib (pen) **-kött** veal **-leka** *bot.* marsh marigold **-lever** calf's liver **-läder** calf [leather] **-rullader** rolled fillets of veal **-skinn** calf's skin **-stek** joint of veal; *kok.* roast veal
kam comb; [tupps, berg-] crest; *skära alla över en ~* judge all alike **-axel** cam shaft
kamé cameo
kamel camel **-drivare** camel-driver
kameleont chameleon
kamelhår[sfilt] camel['s]-hair [rug]
kamelia *bot.* [Japan] camelia
kamelryttare camel-rider; *mil.* cameleer
kamera camera **-inställning** *film.* camera-angle **-jakt** hunting with a camera **-konst** artistic photography **-man** camera man
kameral *a* public-finance ..
kamfer camphor **-droppar** camphor essence *sg* **-liniment** camphor embrocation
kamgarn worsted [yarn]
kamin [portable [iron]] stove
kam||kofta dressing-gown, peignoir *fr.* **-ma** *tr* comb (do) [*håret* one's hair]
kammar||e room; *polit.* chamber *äv.* ⊕ o. *biol.; Engl. polit.* house **-herre** chamberlain [*hos* to] **-jungfru** lady's maid **-lärd** *a, en ~* a closet-scholar **-musik** chamber music **-tjänare** valet
kamning [frisyr] coiffure *fr.*
kamomill *bot.* wild camomile **-te** camomile tea
kamoufl||age -era *tr* camouflage *fr.*
kamp struggle [*om* for]; [strid] fight (combat) *äv. bildl.;* [drabbning] *äv. bildl.* battle; *en ~ på liv och död* a life-and-death struggle
kampa *itr* **F** camp
kampanj campaign; [för insaml. av pengar o. d.] drive
kamp||era *itr, ~ ihop med* share the same tent (o. s. v.) (*bildl.* sphere of activity) with **-ing** camping **-ingtält** camping tent
kamplust fighting spirit
kamrat *allm.* = *2 vän; äv.* comrade; [skol-] schoolfellow; [studie-] fellow-student; jfr *klass~, rums~;* [arbets-] fellow-worker; så *äv.* i andra *sms;* [kollega] colleague; [följeslagare] companion; *en god ~* a capital fellow **-anda,** *~n* [the spirit of] good fellowship **-krets,** *i ~en* among [one's] colleagues (&c) **-lig** *a* friendly (**F** chummy) [*mot* towards (to)] **-skap** companionship, comradeship **-äktenskap** companionate marriage
kamrer accountant [*i* (*på*) at (in)]
kan can, may; jfr *kunna* o. *gram.*
kana slide, skid; *åka ~* slide, go sliding
Kanad||a Canada **k-ensare k-ensisk** *a* Canadian
kanal 1 [naturlig] channel **2** [grävd; *anat.*] canal; ⊕ duct **-bank** canal embankment
kanalje blackguard, villain
kanalsystem system of canals
kanarie||fågel canary **-gul** *a* canary[-yellow] **K-öarna** the Canary Islands, the Canaries
kancer[-] se *kräft[a]*
kandelaber candelabra
kander||a *tr* candy **-ad** *a* candied
kandid||at 1 [sökande] candidate [*till* for] **2** *filosofie ~* (*ung.*) Bachelor of Arts (B.A.) **-at|examen,** *ta ~* (*ung.*) take one's B.A. degree **-atur** candidature, candidateship **-era** *itr* set [o.s.] up as a candidate
kanel cinnamon **-stång** cinnamon-roll
kanfas canvas; *äv.* buckram
kanhända *adv* perhaps; jfr *kanske*
kanik canon
kanin rabbit **-bur** rabbit-hutch **-han[n]e** buck-rabbit **-hona** doe-rabbit **-skinn** *hand.* rabbit-skin
kanister canister, tin, can
kanjon canyon
kanna [kaffe- o. d.] pot; [grädd-] jug; [vatten-] can
kannelerad *a* fluted
kannibal cannibal **-ism** cannibalism
kannstöp||a *itr* engage in political speculations **-eri** political speculation
1 kanon [-´-] canon
2 kanon gun; [äldre] cannon **-ad** cannonade **-båt** gunboat **-eld** gunfire
kanon||isera *tr* canonize **-isk** *a* canonical
kanon||kula cannon-ball(-shot) **-lavett** gun-carriage **-mat F** gun-fodder **-mynning** gun-

muzzle **-rör** gun-barrel **-skott** shot from a gun; gunfire
kanot -a *itr* canoe **-färd** canoeing-cruise (-trip) **-sport** canoeing
kanske *adv* perhaps; [måhända] maybe; *jag ~ kommer* I may (might) come
kansler chancellor **-s|ämbete** chancellorship; [expedition] Office of the Chancellor
kansli 1 chancellery **2** *allm.* secretary's office; *univ.* registrar's office; *teat.* general manager's office **-råd** *ung.* principal assistant secretary **-stil** officialese, official jargon
kant 1 edge; [bård] border; [marginal] margin; [på kläder o. d.] *äv.* edging **2** *bildl., hålla sig på sin ~* keep o.s. to o.s., hold aloof; *komma på ~ med ngn* fall out with a p. **-a** *tr* edge; [omgiva] border, line
kantarell chanterelle
kantat cantate
kant||band edging-braid, trimming-ribbon **-hugga** *tr* square-edge **-ig** *a* angular; [anletsdrag, verser] rugged; [sätt] *äv.* unpolished, abrupt
kantin canteen
kanton *polit.* canton
kantor precentor
kantr||a *itr* turn (tip) over, [be] upset, capsize **-ing** capsizal, upset
kant||sten kerb(curb)[-stone] **-stött** *a* chipped at the edge; [rykte o. d.] damaged
kanyl *läk.* cannula [*pl* cannulae]
kaolin china-clay, kaolin
kao||s chaos **-tisk** *a* chaotic
1 kap [udde] cape
2 kap [fångst] capture; *ett fint ~* **F** a fine (grand) haul
1 kapa *tr sjö.* capture, take
2 kapa *tr* **1** *sjö.* cut away; [lina] *äv.* cut **2** cross-cut [*timmer* timber]
kap||abel *a* capable **-acitet** capacity; [person] *äv.* able man
kapar||e -fartyg privateer
kapell 1 [byggnad] chapel **2** *mus.* orchestra, band **3** [skydd för motor] engine cover, cap, hood **-mästare** [orchestra] conductor; *äv.* bandmaster
kapillär[rör] capillary [tube]
1 kapital *a* **F** downright [*idiot* fool]
2 kapital capital **-behov** demand for capital **-behållning** capital [in hand] **-belopp** capital sum **-bildning** building-up (accumulation) of capital **-brist** lack of capital **-flykt** flight of capital **-försäkring** endowment insurance **-isera** *tr* capitalize **-ism** capitalism **-ist** capitalist **-placering** investment **-räkning** *bank. ung.* deposit account **-stark** *a* financially strong **-t** *adv* **F** radically, downright **-värde** capital value **-ökning** increase of capital
kapitel chapter; *ett helt annat ~* (*bildl.*) quite another story **-rubrik** chapter heading
kapitul||ation capitulation **-ations|villkor** terms of surrender **-era** *itr* capitulate, surrender
kapitäl *ark.* capital; *boktr.* small capital
kaplan chaplain [*hos* to]
Kaplandet Cape Colony
kapock kapok, silk cotton
kapp, [*köra o. s. v.*] *i ~* . . in competition; *springa* (*åka*) *i ~ med ngn* run a race with a p.; *hinna i ~ ngn* catch up (draw up level with) a p., overtake a p.
kapp||a 1 cloak; overcoat; [vid] greatcoat; [dams] *äv.* coat; *vända ~n efter vinden* veer with every wind, trim one's sail according to the wind; be a turncoat (**F** a trimmer) **2** [volang] flounce **-affär** overcoat shop
kappas *dep* vie (compete) [with one another]; jfr *kapp*
kappe *ung.* half-peck
kappficka coat-pocket
kapp||flygning flying-competition (-race) **-körning** competition driving; *en ~* a driving-race **-löpning** racing [*efter* for]; *en ~* a race **-löpnings|bana** race-(racing-)track; [häst-] race-course **-löpnings|häst** racehorse, racer
kapprak *a* bolt upright
kapprodd boat-racing; *en ~* a boat-race
kapprum cloak-room
kapp||rustning armaments competition, competition in armaments; arm[ament]s race **-segla** *itr* compete in sailing-(yacht-)races **-segling** yacht-racing; *en ~* a sailing-match (-race), a yacht-race **-seglings|båt** racing-boat(-yacht), racer **-simning** swimming-race
kapp||säck suit-case; [läder-] portmanteau; [hand-, mjuk] bag **-sömmerska** coat-maker **-tyg** coat material
kaprifol[ium] honeysuckle, woodbine
1 kapris [nyck] caprice
2 kapris [krydda] capers *pl*
kapsejsa *itr* capsize; [om bil o. d.] turn over
kaps||el capsule **-la** *tr* capsule; *~ in* incapsulate, enclose
kapsyl capsule, cap
kapsåg crosscut saw
kapten captain; *sjö. äv.* master, **F** skipper
kapun capon
kapuschong hood
kar vat; jfr *bad~, salt~, 1 så*
karaff decanter; *hand. äv.* carafe **-in** decanter, *äv.* bottle
karakteris||era *tr* characterize **-tik** characterization; descriptive account **-tisk** *a* characteristic [*för* of]
karaktär character; [beskaffenhet] *äv.* quality, nature **-s|anlag** disposition **-s|daning** character moulding **-s|drag** characteristic [feature]; trait of character **-s|fast** *a* firm (steadfast) in character; *äv.* . . of a firm character **-s|fasthet** firmness of character **-s|fel** fault (defect) of character **-s|lös** *a* lacking in character, unprincipled **-s|löshet** lack (want) of character (principle) **-s|skildring** depiction (portraiture) [of persons (a person)] from life; jfr *-s|studie* **-s|studie** character-study [*över* of] **-s|styrka** strength of character **-s|svag** *a* weak in (of [a] weak) character **-s|teckning** character-drawing, characterization
karamell sweet[meat], candy; lozenge **-fabrik** confectionery
karantän quarantine; *ligga i ~* be in quarantine **-s|tid** quarantine period
karat carat
karavan caravan **-förare** caravaneer
karbad hot[-water] bath
karbas cane; *få smaka ~en* have a taste of the cane (whip)
karbid [calcium] carbide **-lampa** carbide lamp
karbin carbine **-hake** snap-hook
karbol[syra] carbolic [acid]
karbon|papper carbon paper
karbunkel carbuncle
karburator carburettor
karda I *s* card; [för kläde] teasel **II** *tr* card
kardan||axel ⊕ cardan-(drive-)shaft **-knut** universal joint
kardborre *bot.* burdock; [blomhuvud] teasel [-burr]
kardel *sjö.* strand
kardemumma cardamom

kardinal cardinal **-fel** cardinal fault **-s|kollegiet** the College of Cardinals **-s|värdighet** cardinalate; *uppnå ~en (äv.)* attain the purple
karduspapper cartridge-paper
karel||are -sk *a* Carelian
karg *a* [pers.] chary [*på* of], sparing [*på* in]; [jord] barren
karik||atyr caricature; *polit. äv.* cartoon **-atyr|tecknare** caricaturist; *polit. äv.* cartoonist **-era** *tr* caricature; [friare] burlesque
Karin Katie, Kitty
Karl Charles
karl man; fellow, **F** chap; [mansperson] male; *en bra ~* a capital fellow; *som en hel ~* **F** like a man; *vara ~ för sin hatt* to hold one's own; *vara ~ till att* be man enough to **-a|karl,** *en ~* a man of men, a man's man **-aktig** *a* manly; [om kvinna] masculine **K~a|vagnen** Charles's Wain; *äv.* the Plough; *Am.* the Big Dipper **-a|vulen** *a* manly **-göra,** *det är ~* it is a man's job **-tokig** *a* mad after (crazy about) men **-tycke,** *ha ~* have sex appeal
karm [rygg] back; [armstöd] arm; *byggn.* frame
karmin carmine **-röd** *a* carmine-coloured, scarlet
karmosin *a* crimson **-röd** *a* crimson red
karmstol arm-chair
karneol cornelian
karneval carnival
karolin *hist.* Carolean
kaross chariot **-eri** [car] body
karott deep (vegetable-)dish
karp *zool.* carp
karriär 1 *i* [*full*] *~* at (in) full career **2** [bana] career; *göra ~* make (strike out) a career for o.s., get on in the world **-ist** careerist
kart green (unripe) fruit; *en ~* an unripe apple (o. s. v.)
kart||a map [*över* of]; *vara på överblivna ~n* (*bildl.*) be an old maid, be on the shelf **-blad** map-sheet **-bok** atlas **-bord** chart board
Kartago Chartage
kartell cartel
kart|fodral map-case(-cover)
kartig *a* unripe, green
kart||lagd *a* mapped [out] **-lägga** *tr* make (draw) the (a) map of, map [out] **-läggning** mapping, survey **-läsning** map-reading
kartnagel *läk.* malformed nail
kartograf cartographer **-i** cartography
kartong 1 [papp] cardboard, carton **2** [papp-ask] cardboard box, carton **3** *konst.* cartoon
kartotek card index
kart||ritare map-drawer **-verk 1** map[-issuing] office **2** [bok] atlas
karusell merry-go-round; *åka ~* ride on the merry-go-round (roundabout)
karva *tr* o. *itr* whittle (chip) [*på* at]; [skära] *äv.* cut
kaschmir o. **-schal** cashmere
kase beacon [fire]
kasematt *mil.* casemate
kasern barracks *pl;* jfr *hyreshus* **-förbud** confinement to barracks **-liv** barrack-life
kasino casino
kask casque, helmet
kaskad cascade; *äv.* torrent
kasper Punch **-teater** Punch-and-Judy show
Kaspiska havet the Caspian Sea
kassa 1 [pengar] cash, purse; [-låda] cash-box; *hand.* [intäkt] takings *pl; mager ~* a slender purse; *brist i ~n* a deficit in the cash-account; *per ~* (*hand.*) for cash; *vara vid ~* **F** be in funds, be flush [of cash] **2** [fond] fund; jfr *sjuk~* o. d. **3** *konkr* cashier's (cash-)department; [i butik] [cashier's] desk **-apparat** cash register **-behållning** cash in hand, cash balance **-bok** cash-book **-brist** *bokf.* deficit; [försnillning] defalcation **-fack** safe-deposit box **-förvaltare** cashier, treasurer **-kladd** rough account-(cash-)book **-konto** cash-account **-kreditiv** cash-credit **-kvitto** cash receipt; sales slip, receipt check **-pjäs** box-office play **-post** *hand.* cash entry (item) **-rabatt** discount for cash **-skrin** cash-box **-skåp** safe **-valv** strong-room, safety-vault
kasse string-bag
kassera *tr* reject; [förslag] *äv.* turn down; [kasta bort] discard
kassett *foto.* plate-holder, cassette
kassör cashier; [i butik] *äv.* money-taker; [på bank] *äv.* [receiving-]teller **-ska** [lady] cashier; [butiks-] *äv.* cash-desk girl
1 kast [klass] caste
2 kast 1 throw; [släng] fling; [knyck] jerk; toss [*på huvudet* of the head]; *stå sitt ~* put up with the consequences, take one's chance; *ge sig i ~ med* grapple with, tackle **2** *boktr.* case **-a I** *tr* o. *itr* throw; fling; jerk; toss, **F** chuck; *~ ankare* drop anchor; *veter.* abort, warp; *sömn.* overcast, whip[-stitch]; *kortsp.* discard [*kungen* the king]; *~ av* throw off; *~ i sig maten* bolt one's food; *~ loss* (*sjö.*) *a) tr* let go; *b) itr* cast off; *bildl.* cut adrift; *~ om a) tr* [ordning, platser] re-arrange, change; *b) itr* [om vind] change (veer) [round]; *flyg.* bank over; *~ omkull* throw (knock) down (over); *~ på* throw at; *~ upp = kräkas; ~ ut* throw (turn, **F** chuck) out **II** *rfl* throw (fling &c) o.s.; [om häst] plunge, shy; [om virke] warp, bend; *~ sig av och an* [i sängen] toss; *~ sig in i* plunge into; *~ sig över* fling o.s. upon, fall upon
kastanje chestnut[-tree] **-brun** *a* chestnut [-brown]
kastanjett, *~er* castanets
kastare [i bollspel] pitcher
kastby *sjö.* gust (squall) of wind, flaw
kastell citadel
kast||maskin catapult **-ning 1** throwing &c **2** *veter.* abortion, warping
kastrera *tr* castrate; [djurhane] *äv.* geld
kastrull saucepan
kast||sjuka se *-ning 2* **-spjut** javelin **-vapen** missile **-ved** *hand.* firewood [logs *pl*]
kastväsen caste-system
kasus case **-form** case-form **-ändelse** case-ending
kata||falk catafalque **-komb** catacomb **-log** o. **-logisera** *tr* catalogue **-lys** catalysis **-pult** [-start *flyg.*] catapult [launching] **-rakt** cataract
katarr *läk.* catarrh
katastrof catastrophe; [olycka] disaster; *ekon. äv.* crash **-al** *a* catastrophic; disastrous
kateder *univ.* o. d. professorial (lecturer's) chair (platform); rostrum; *skol.* master's desk
katedral cathedral
kategor||i category; *äv.* class; *alla -ier* [*av*] all descriptions (kinds) [of] **-isk** *a* categorical; [obetingad] unconditional **-iskt** *adv* categorically; *äv.* dictatorially; *han nekade ~ till det* he flatly (categorically) denied it
katekes catechism
kat||et cathetus [*pl* catheti] **-etrisera** *tr* catheterize **-od** cathode

katol‖icism Catholicism **-ik** Catholic **-sk** *a* Catholic; *den ~a kyrkan (vanl.)* the Roman Catholic Church
katrinplommon French plum
katt cat; *han gör inte en ~ för när* he wouldn't hurt a fly; *ge ~en i ngn* not care a rap what becomes of a p. (what a p. says); *jag kan ge mig ~en på . .* I'll swear . .; jfr *fan* ex. **-a** she-cat, female cat **-aktig** *a* cat-like, cattish; feline **-fot** *bot.* cat's-foot **-guld** *geol.* gold-glimmer
kattgutt catgut
katt‖hane tom-cat **-musik** **F** caterwauling **-skinn** catskin **-släktet** the cat (feline) family **-uggla** tawny owl
kattun printed calico
kattunge kitten; *som en ~* kittenish
kaus *sjö.* gutter ring, eye
kaution security, bail; *ställa ~* find (go) bail
kautschuk caoutchouc, [India] rubber; *en ~* an (a piece of) india-rubber, an eraser **-snodd** elastic [tie]
kav *adv, ~ lugnt* absolutely calm
kavaj jacket, coat **-kostym** lounge suit **-skutt** **F** informal dance
kavaljer cavalier; [bords- o. d.] partner
kavalkad cavalcade
kavaller‖i cavalry **-i|chock** cavalry charge **-ist** cavalryman, trooper, horse-soldier
kavat se *morsk*
kaveldun reed-mace
kaviar caviare
kavitet cavity
kavl‖a *tr* roll; *~ upp (äv.)* tuck up [*ärmarna* one's sleeves]; *~ ned* roll down, unroll; *~ ut* [*degen*] roll out . . **-e** roller; [bak-] *äv.* rolling-pin
kax‖e **F** big-wig, big gun (shot); *Am.* big wheel **-ig** *a* cocky (high and mighty) [*över* about]
kedj‖a **I** *s* chain; *sport.* [forward-]line **II** *tr* chain [*vid* to]; *~d (äv.)* in chains **-e|brev** chain (snowball)-letter **-e|brott** chain breakage **-e|driven** *a* chain-driven **-e|krock** chain crash **-e|reaktion** chain reaction **-e|rökare** chain-smoker **-e|stygn** chain-stitch **-e|söm** chain-stitch embroidery, *äv.* chainwork
kejsar‖döme **1** *abstr* imperial power **2** *konkr* empire **-e** emperor **-grönt** imperial green **-inna** empress **-krona** **1** crown imperial **2** *bot.* crown imperial [fritillary] **-snitt** *läk.* Caesarean section
kejserlig *a* imperial
kel‖a *itr* pet; *~ med (äv.)* fondle **-gris** pet, fondling; jfr *älskling*
kelt Celt **-isk** *a* Celtic
kem‖i chemistry **-ikalie|handel** chemist['s], *Am.* drug store **-ikalier** chemical preparations, chemicals **-isk** *a* chemical; *~ tvätt (vanl.)* dry cleaning **-ist** chemist
kennel kennel
keram‖ik ceramics *pl;* [-saker] *äv.* pottery **-isk** *a* ceramic **-ik|skärva** shard
kerub cherub
kidnappa *tr* kidnap
kik‖a *itr* **F** peep, peer **-ar|e** telescope; field-glass; **F** glass; *ha ngt i -n* **F** have [got] one's eye on a th. **-ar|sikte** telescopic sight
kik‖hosta whooping-cough **-na** *itr* whoop; [*skratta*] *så man ~r* . . till one chokes (splits)
kil wedge; *sömn.* gore
1 kila *tr* wedge [*in* in]
2 kila *itr* **F** scamper; jfr *rusa; nu ~r jag!* now I'm off! *~ in till ngn* pop in to see a p.
kilformig *a* wedge-shaped
kille **F** bloak, guy, chap
killing kid
kilo kilo **-gram** kilogram[me] **-meter** kilometre **-watt** kilowatt **-wattimme** kilowatt-hour
kilskrift cuneiform characters *pl*
kimono kimono
kimrök smoke-black, carbon black, lamp-black
Kina China
kina quinine **-bark** cinchona bark
kind cheek
kindergarten kindergarten, nursery school
kind‖k[n]ota cheek-bone **-tand** molar [tooth]
kines Chinaman, Chinese; *~erna* the Chinese **-eri** *konst.* Chinese ornamentation **-isk** *a* Chinese **-iska** **1** [språk] Chinese **2** [kvinna] Chinese woman
kinin quinine
kink‖a *itr* fret, whimper **-ig** *a* petulant, fretful; [noga] particular, hard to please, exacting; [t. ex. fråga] ticklish, delicate, **F** tricky
kiosk kiosk; [tidnings-] news-stand; [järnvägs] book-stall
kippa *itr* **1** *~ efter andan* gasp (pant) for breath **2** *skon ~r* the shoe slips down
kirgis Kirghiz
kirurg surgeon **-i** surgery **-isk** *a* surgical
kis *min.* pyrites
kis‖a *itr, ~ mot solen* screw up one's eyes in (*Am.* squint in[to]) the sun **-ande** *a* [ögon] screwed up, narrowed
kisel *kem.* silicon **-sten** pebble[-stone]
kisse[misse] pussy[-cat]
kist‖a chest; [penning-] coffer; [lik-] coffin **-bott|en**, *samla på -nen* save up money **-bro** chest bridge
kitslig *a* **1** [pers.] censorious, hypercritical; [retsam] teasing; [fordrande] hard to please, exacting **2** [sak] = *kinkig* o. *besvärlig*
kitt cement; [glasmästar-] putty **-a** *tr* cement; putty
kittel boiling-(stock-)pot; [stor] ca[u]ldron *äv. bildl.;* [fisk-, te- o. *bildl.*] kettle **-dal** *geol.* kettle-valley, punch-bowl **-flickare** tinker
kittl‖a *tr* tickle; *det ~r i fingrarna på mig att* my fingers are itching to **-ig** *a* ticklish **-ing** tickling
kiv strife, contention **-as** *dep* contend [with each other] [*om* for]; [träta] quarrel (wrangle) [*om* about (as to)]
kjol skirt **-regemente** petticoat government
1 klabb chunk [of wood]
2 klabb, *hela ~et* **F** the whole lot **-a** *itr* [om snö] cake
klack heel; *slå ~arna i taket* **F** kick up one's heels **-a** *tr* heel **-järn** heel-iron **-ning** heeling **-ring** signet-ring
kladd [*skriva* write a] rough copy **-a** *itr mål.* daub; *~ med* mess about (dabble) with; *~ ned sig* smear (daub) o.s. all over **-[bok]** rough-book **-ig** *a* smeary, dauby; [karamell] se *klibbig*
klaff flap; [på bord, lös] leaf; *anat.* valve **-bord** gate-leg (*Am.* folding) table **-[f]el** *läk.* valvular affection
klafsa *itr* splash
klag‖a *itr* complain [*för* to; *över* about (of)]; *absol.* make complaints; [jämra] lament; [*maten*] *var inte att ~ på* . . left no room for complaint; *gudi ~t* worse luck **-an** **1** complaint; [ve-] lamentation **2** *jur.* complaint **-ande** **I** *s jur., ~n* the complainant (lodger of the complaint) **II** *a* complaining; plaintive [*röst* voice]; [sorgsen] mournful **-o|låt** wailing, lamentation **-o|mål** complaint; *jur. äv.* protest **-o|mur** wailing wall **-o|skri** plaintive cry, cry of distress **-o|-skrift** written protest; *jur.* bill of protest

klammer [square] bracket; *inom* ~ in brackets
klammeri [*råka i* get involved in] altercation; wrangle, squabble; *råka i* ~ *med rättvisan* get at cross-purposes with the law
klampa *itr* clamp, stump
klamra *rfl* cling [*intill* close to]; ~ *sig fast vid* (*bildl.*) cling to
kland||er blame; [skarpt] censure; criticism [*mot* of] **-er|fri** *a* free from blame; irreproachable **-er|värd** *a* blameworthy, reprehensible, censurable **-ra** *tr* blame; censure; criticize, find fault with **-rande** *a* censorious, fault-finding
klang ring, sound; [av glas] clink; *mus.* tone, note; *hans namn har en god* ~ he has a good name **-full** *a* sonorous; [röst] *äv.* full, rich **-färg** timbre, tone quality **-lös** *a* unmelodious, flat
klanka *itr* grumble [*på* at]
klapp tap; [smeksam] pat **-a** *tr* o. *itr* **1** tap; pat; ~ *i händerna* clap one's hands, applaud; ~*t och klart* fixed and ready **2** [om hjärta] beat; [häftigt] palpitate; [hårdare] throb **-brygga** washing-barge **-er|sten** rubble **-jakt** battue[-shooting], beating; *anställa* ~ *på* [friare] start a hue and cry after
klappra *itr* clatter, rattle; jfr *skallra II*
klar *a* **1** clear; [solsken, färg] bright; [vatten] limpid; ~*t väder* fair weather **2** [färdig] ready [*till* for]; ~*t till N!* (*tel.*) [you are] through to N.! ~*t att vända!* (*sjö.*) ready about! **3** *bildl.* clear; [t. ex. stil] lucid; [tydlig] plain; *ha* ~ *blick* have a clear eye [*för* for]; [~ uppfattning] have a clear grasp [*för* of]; *göra* ~*t för ngn* make it clear to a p.; *ha* ~*t för sig* be clear about, have a clear idea of; realize; *det är* ~*t att* it is evident that; *ha* ~*a papper* have all the formalities complied with **-a I** *tr* clear *äv. bildl.*; *bildl.* o. ⊕ *äv.* clarify; [lösa] solve, *äv.* do; [lyckas med] manage; [en svår uppgift] cope with, tackle . . successfully; ~ *sin examen* get through one's exam; *det ska jag nog* ~ I'll fix that up all right **II** *rfl* get off, escape; [reda sig] manage, get on (along); *han* ~*r sig alltid* he always comes out on top **F**; *han* ~*r sig nog* (*äv.*) he'll do all right; ~ *sig utan* do without **-blå** *a* bright blue **-era** *tr* clear; [friare] fix up **F** **-erare** dispatcher **-göra** *tr* make clear (bring it home) [*för* to]; [utreda] *äv.* explain **-het** clearness &c, lucidity, clarity, jfr *klar;* [upplysning] enlightenment, light; *bringa* ~ *i* [*gåtan*] throw (shed) light upon . .; *komma till* ~ *i* [*en fråga*] arrive at an understanding of . ., see light upon . .; *gå från* ~ *till* ~ [friare] pass from glory to glory
klarinett clarinet **-blåsare** clarinet-player
klar||lägga *tr* make clear, explain **-na** *itr* [become] clear; [ljusna] brighten [up]; [om väder] *äv.* clear up; [om kaffe] settle **-röd** *a* bright red **-signal** all-clear signal **-synt** *a* clear-sighted; [skarp-] perspicacious **-synthet** clear-sightedness, clarity of vision; perspicacity **-t** *adv* clearly, brightly &c **-tänkt** *a* clear-thinking, level-headed **-vaken** *a* wide awake **-ögd** *a* bright-eyed
klase bunch [*druvor* of grapes]; [klunga] cluster
klass class; *skol. äv.* form; *första* ~ (*järnv.*) first-class [*biljett* ticket]; *åka andra* ~ travel second class **-anda** class spirit **-fördom** class prejudice **-föreståndare** class superintendent **-hat** class hatred
klassicism classicism
klassific||era *tr* classify **-ering** classification
klass||iker classic; [forskare] classical scholar **-isk** *a* classical; classic [*mark* ground]
klass||kamp class struggle **-kamrat** class-(form-)mate(-fellow); *mina* ~*er* the fellows (girls) in my form **-medveten** *a* class conscious **-medvetande** class consciousness **-motsättning** class distinction **-märke** form badge **-rum** class-room **-skillnad** class distinction **-vis** *adv* by (in) classes **-välde** class rule
klatsch I *itj* crack! **II** *s* lash, crack **-a** *itr* o. *tr* **1** ~ *med* [*piskan*] crack . .; ~ *till* [*hästen*] give . . a lash (flick) **2** [färg] daub (dash) [*på* on to] **3** ~ *med ögonen åt* **F** ogle, flash glances at **-ig** *a* **F** arresting [melody]; [rytm] dashing; [rubrik] snappy
klausul clause
klav key; *mus. äv.* clef
klav||bunden *a* tied down, shackled **-e** se *krona 5*
klav||er = *piano 1; trampa i* ~*et* **F** drop a brick, put one's foot in it **-iatur** keyboard
klem||a *itr*, ~ *med* pamper, coddle **-ig** *a* pampered &c, effeminate, soft
klen *a* **1** feeble; delicate, frail; [för tillfället] poorly, ailing **2** *bildl.* [dålig] poor; [förråd, resultat] *äv.* meagre, slender; *en* ~ *ursäkt* a poor (feeble, meagre, flimsy) excuse; ~ *till förståndet* . . of feeble (weak) intellect **-het** feebleness &c; delicacy, frailty **-modig** *a* timid, pusillanimous **-modighet** timidity
klenod jewel *äv. bildl.*; gem; [friare] treasure
klen||smed jobbing-[and-repairing] smith, tool maker **-smide** light forging
klen||t *adv* feebly &c; *det är* ~ *beställt med* . . it is a poor look-out as regards . ., . . leaves much to be desired **-trogen** *a* incredulous, sceptical **-trogenhet** incredulity, scepticism
kleptoman cleptomaniac **-i** cleptomania
klev [klyfta] cleft
kli *jordbr.* [sådor] bran; [ris-] husks *pl*
klia I *itr* itch; *det* ~*r i fingrarna på mig att* my fingers are itching (tingling) to **II** *tr* scratch **III** *rfl* scratch o.s.; ~ *sig i huvudet* scratch one's head
klibb||a *itr* be (become) sticky (adhesive); ~ *vid* stick (cling) to **-al** alder **-ig** *a* sticky [*av* with]; adhesive; [limaktig] gluey
kliché cliché [*till* for]; *boktr. äv.* [electrotype (stereotype)] block (plate); *bildl.* cliché, stereotype phrase, tag; [slagord] slogan
1 klick [kotteri] clique, set
2 klick pat [*smör* of butter]; [färg-] daub, smear, blob
klicka *itr* misfire; [mankera] go wrong, be at fault
klickväsen cliquism
klient client; *äv.* patron **-el** clientele
klimakterium climacteric; menopause
klimat climate **-feber** *läk.* tropical fever **-ombyte** change of climate
klimax climax
klimp lump; *kok.* ball **-a** *rfl* get (go) lumpy
1 klinga *s* blade
2 kling||a *itr* ring, have a ring; [ljuda] sound, resound; [om mynt] jingle **-ande** *a* ringing [*skratt* laughter]; [löften o. d.] high-sounding; ~ *mynt* hard cash
klin||ik clinic, nursing-home **-isk** *a* clinical
1 klinka [dörr-] latch
2 klinka *tr* o. *itr mus.* strum [*på piano* [on] the piano]
klinkbyggd *a* lap-jointed, clinker-built
klint hill, cliff

klipp se *tidnings~*
1 klipp|a I *tr* o. *itr* cut; [naglar] pare; [gräs] mow; [får] shear; *järnv.* o.d. clip, snip; [skägg, häck] trim; *som -t och skuren till* just cut out for; *~ itu* cut in two (half); *~ till'* cut out **II** *itr, ~ med ögonen* blink (wink) [*mot ngn* at a p.] **III** *rfl* have one's hair cut
2 klipp‖a rock *äv. bildl.* **-avsats** rock-ledge **-block** [piece of] rock **-brant** precipice **-fisk** split cod **-ig** *a* rocky; [kust] *äv.* iron-bound; *K~a bergen* the Rocky Mountains, the Rockies
klippning cutting &c; [hår-] hair-cutting; *äv.* [a] hair-cut
klipp‖spets crag, pinnacle [of rock] **-trädgård** rock garden **-ö** rocky island
klipsk *a* shrewd; [listig] cunning
klirr jingle **-a** *itr* jingle; [om glas] clink; [om mynt] chink **-ande** *a* jingling &c
klist‖er 1 paste **2** *råka i -ret* get into a scrape (hole); *vara i -ret* be in a fix (**F** the soup) **-er|burk** paste-pot **-er|remsa** [adhesive (Scotch)] tape **-ra** *tr* paste (cement, glue) [*fast vid* on to]; **F** stick; *~ igen (till, upp)* paste up
kliv, *med stora ~* in (with) great strides **-a** *itr* stride, stalk; [stiga] step; [kliva] climb; *~ fram* walk up [*till* to]; *~ in* march in; *~ ned* step down; *~ upp* climb up [*för trapporna* the stairs; *i ett träd* a tree]
klo claw; [på gaffel, grep o. d.] prong; *få ngn i sina ~r* get a p. into o.'s clutches; *råka i ~rna på..* get into the clutches of..; *slå ~rna i..* get o.'s claws into..
kloak sewer, drain **-brunn** cesspool **-ledning** main sewer (drain) **-rör** sewer, drain-pipe **-system** sewerage system **-vatten** sewage
klock‖a 1 [som ringer] bell; *ringa på ~n* ring the bell **2** [ur] clock; [fickur] watch; *ha sin ~ på sig* have one's watch on [one]; *vad är ~n?* what time is (do you make) it? *går den här ~n rätt?* is this watch (clock) right? *~n tre* at three o'clock; *~n halv tre* at half past two; *~n är mycket* it is getting late; *han förstår inte vad ~n är slagen* he is behind the times **-are** parish clerk **-ar|kärlek** fondness [*för* of] **-boj** *sjö.* bell-buoy **-kedja** watch-chain **-kjol** bell-[-shaped] skirt **-ljung** bell heather **-ren** *a* [as] clear as a bell **-ringning** bell-ringing, tolling; knell **-slag,** *på ~et* at the stroke of the clock **-spel** chime (peal) of bells **-stapel** detached bell-tower; belfry; campanile **-sträng** bell-pull(-cord)
klok *a* **1** [förståndig] wise, judicious; [begåvad] clever, intelligent; [förnuftig] sensible; [försiktig] prudent, *äv.* discreet; [tillrådlig] advisable; *de slogo sina ~a huvuden ihop* they put their heads together; *jag blir inte ~ på honom* I cannot make him out **2** [mots. 'tokig'] sane, in one's senses; *inte riktigt ~* not all there, **F** dotty, *Am.* nuts **-het** judiciousness, wisdom; prudence, discretion; [sunt förnuft] common sense **-skap** wordly wisdom **-t** *adv* judiciously &c; *du gjorde ~ i att* you would be wise to; *det var ~ gjort av dig* it was a sensible thing of you to do
klor chlorine **-gas** chlorine [gas] **-id** chloride **-kalk** chlorinated lime **-oform[era** *tr*] chloroform **-ofyll** chlorophyll **-syra** chloric acid **-väte** hydrochloric acid gas
klosett closet; [vatten-] lavatory
kloss block, clump
kloster convent; [munk-] monastery; [nunne-] nunnery; i *sms vanl.* monastery **-broder** monastery brother **-cell** monastery (convent &c) cell **-kyrka** monastery (&c) church; abbey **-liv,** *~et* [the] life in a monastery (&c) **-löfte,** *avlägga ~t* take the [monastic] vows *pl* **-ruin** ruined abbey (&c) **-skola** monastery (convent) school **-väsen,** *~det* monasticism, the monastic system
1 klot ball; *sport. äv.* bowl; jfr *jord~*
2 klot [tyg] sateen; *bokbind.* cloth **-band** buckram (cloth-)binding; *i ~* in cloth
klotrund *a* round like a ball; *äv.* ball-shaped; globular; [pers.] *äv.* rotund
klots block
klott‖er o. **-ra** *itr* scrawl, scribble
klove ⊕ clamp
klubb club
klubba I *s* club; jfr *golf~, hockey~;* [ordförandes] mallet; *gå under ~n* go under the hammer **II** *tr* club; knock .. on the head; *~ ned* [talare] call .. to order, silence
klubb‖liv club-life **-lokal[er]** club premises *pl* **-medlem** club-member **-mästare** club-master, master of ceremonies **-rum** club-room; common room
klubbslag stroke with a (the) club; knock of the mallet; *bildl.* knock-down blow
klucka *itr* cluck; [vatten] bubble; jfr *skvalpa*
kludd daub **-a** *itr* daub
klump 1 lump; [jord-, pers.] clod **2** *i ~* in the lump, wholesale **-fot** club-foot **-ig** *a* lumbering, unwieldy; [tafatt] clumsy, awkward **-ighet** clumsiness &c **-summa** lump sum
klunga cluster; bunch (group) [*människor* of people]; jfr *hop*
klunk draught [*vatten* of water]; *ta en ~* take a gulp
kluns lump **-ig** *a* clumsy
klusil *språkv.* plosive
klut patch; *sjö.* sail; *sätta till alla ~ar* clap on all sail; *bildl.* strain every nerve
kluven *a* split [*i* into]; [läpp] slit; [stjärt] forked; *bot.* cleft
klyfta 1 gorge; ravine; [avgrund] chasm, abyss; *bildl.* gulf **2** [apelsin-] pig, quarter; [äpple- o. d.] wedge
klyftig *a* shrewd, sharp; *inte vidare ~* not over-bright
klyka fork; [år-] rowlock
klys *sjö.* hawse-hole
klyscha cliché, slogan
klyv‖a I *tr* split; [dela] divide; [vatten, luft] cleave; *fys.* [atom] break up, disintegrate **II** *rfl* split **-ar|bom** *sjö.* jib-boom **-are** *sjö.* jib **-ning** split, fissure; *fys.* division; disintegration; [av atom] fission; *bildl.* [personlighets-] disintegration, schizophrenia
klå *tr* **1** thrash, beat **2** [skinna] fleece, cheat
klå‖da itch[ing] **-fingra** *itr, ~ med* tamper (tinker) with **-fingrig** *a, vara ~* have an itching finger
klåpare bungler (tinker) [*i* at]
1 kläcka *itr opers, när jag såg honom klack det till i mig* the sight of him gave me quite a turn
2 kläck‖a *tr* hatch; *~ fram* incubate; *~ ur sig* (*bildl.*) bring out **-nings|apparat** hatching apparatus
kläd‖a I *tr* **1** *~* [*på'*] dress (*äv.* : *~ på sig*); *~ och föda* clothe and feed; *~ av* [*sig*] undress; *~ om sig* change [*till middagen* for dinner] **2** [pryda] array, deck **3** [möbler] cover; [julgran] dress **4** *bildl.* clothe [*sina tankar i ord* one's thoughts into words] **II** *itr* [passa] suit, be becoming **III** *rfl* dress [o.s.]; [*~* på sig] put one's clothes on; *~ ut sig* dress up **-bylte** bundle of clothes **-e** [broad-]cloth **-e|dräkt** costume, dress **-er** clothes; *koll* clothing; [*jag ville inte vara*] *i hans ~*

.. in his shoes **-es|borste** clothes-brush **-es|-fabrikant** clothing manufacturer **-es|persedel -es|plagg** = *plagg* **-hängare 1** [vägg-fast] clothes-rail **2** [galge] coat-(clothes-) hanger **-konto** clothing-account **-korg** clothes-basket **-loge** dressing-room **-lyx** extravagance in [the matter of] dress **-nad** vestment[s *pl*], garment[s *pl*] **-nypa** clothes-peg **-pengar** dress-allowance *sg* **-påse** garment-bag **-sam** *a* becoming [*för* to] **-sel 1** *abstr* dressing, attiring **2** [dräkt] dress, attire, **F** rig **3** [möbels] covering, upholstering; [hatts] trimming **-skåp** clothes cupboard (closet), wardrobe **-streck** clothes-line **-sömnad** dressmaking **-väg,** *i* ~ in [the matter of] clothes

kläm 1 *råka i* ~ get into a jam (squeeze); *få fingret i* ~ get one's finger squeezed (pinched) **2** [kraft] force, vigour, **F** pep; [fart] go, dash; *äv.* push; *med fart och* ~ with vigour and dash **3** [uttalande vid möte] [summary] statement (pronouncement, declaration) **-|ma I** *s* **1** pinch, straits *pl; råka* i ~[*n*] get into a fix (tight corner, scrape); *äv.* come in for it **2** [för hår, papper] clip; [fjädrad] spring-holder **II** *tr* o. *itr* squeeze; [trycka] press; [nypa, *äv.* om sko] pinch; [sitt finger, sin fot] get .. pinched; *skon -mer* (*äv.*) the shoe is tight; *det är där skon -mer* that's the sore point; ~ *efter* [om fordringsägare o. d.] **F** put the screw on; ~ *fram* squeeze out; *bildl.* come out with; ~ *ihjäl* squeeze to death; ~ *ihop* squeeze up, jam; ~ *sönder* squeeze .. to pieces; *kläm till honom ordentligt!* **F** give him (let him have) a good one! **III** *rfl* get pinched (squeezed) **-mare** clip **-mig** *a* **F** [t. ex. melodi] dashing, spirited; [stilig] fine, tip-top, A 1, spiffing, smashing **-skruv** pinching-screw

klämt||a *itr* toll [*i klockan* the bell] **-ning** tolling; [en ~] toll; [begravnings-] knell

kläng||a *itr* o. *rfl* climb [*uppför* up]; ~ *sig fast vid* cling on to **-e** *bot.* tendril **-ros** rambler [rose] **-växt** creeper, climber, clinging plant

klänning dress; *äv.* frock, gown **-s|sömmerska** dressmaker **-s|tyg** dress-material

kläpp 1 tongue **2** [i ljuskrona] drop

klärobskyr chiaroscuro *ital.*, clair-obscure *fr.*

klärvoajans clairvoyance

klättr||a *itr* climb [*ned*[*för*] down; *upp* [*i*] up]; [klänga] scramble **-ing** climb[ing]

klös||a *tr* o. **-as** *itr dep* scratch; *-a ut ögonen på ngn* scratch a p.'s eyes out

klöv hoof, cloven foot

klöver 1 *bot.* clover *äv. jordbr.; bot. äv.* trefoil **2** *kortsp.* club[s *pl*] **-blad** clover-leaf; *ark.* trefoil[-leaf]; *bildl.* trio **-fält** clover-field

klövj||a *tr* transport .. on pack-horses **-e|häst** pack-horse **-e|sadel** pack-saddle

knack||a I *itr* [hårt] rap; [lätt] tap; [på dörren] knock; [på skrivmaskin o. d.] tap[-tap]; *det ~r!* there's a knock! ~ *sönder* crack **II** *tr* [sten] break **-korv** se *-vurst* **-ning** knock; rap; tap **-nings|fri** *a* anti-knock [*bränsle* fuel] **-vurst** frankfurter; [varm, is. mellan brödhälfter] **F** hot dog

knagg [i gren] knot; [i vägg] peg **-la** *rfl,* ~ *sig igenom* struggle through **-lig** *a* rough, bumpy, uneven; [vers, stil] rugged; ~ *svenska* broken Swedish **-ligt** *adv, det gick* ~ *för honom* [i tentamen] he hobbled (stumbled) badly

knaka *itr* crack; creak [*i alla fogar* in every joint]

knal *a, ha det* **~t** be poorly (badly) off; be hard up

knall report; [smäll] crack; [vid explosion] detonation; [åskskräll] peal, clap; ~ *och fall* on the spot **-a 1** *itr* **1** crack **2** [gå] **F** trot; ~ *vidare* (*äv.*) push on; *det ~r och går* **F** I am (o. s. v.) jogging along **II** *rfl,* ~ *sig i väg* **F** trot off, skedaddle **-blå** *a* vividly (bright) blue **-effekt** sensational effect **-grön** *a* vividly (bright) green **-hatt** percussion (detonating) cap **-pistol** toy pistol

knap *sjö.* cleat

1 knapp 1 button; [lös skjort-] stud **2** [på käpp, karottlock o. d.] knob; [prydnads-] *äv.* boss

2 knapp *a* scant[y]; [t. ex. utkomst, röstövervikt] bare; [seger] *äv.* narrow; [omständigheter] reduced, straitened; [tid] short; *~a* [*tre minuter*] barely . .; *ha det ~t* (*äv.*) be poorly off; *i ~aste laget* of the shortest (scantiest) measure; rather scanty; *rädda sig med ~ nöd* have a narrow escape **-a** *tr,* ~ *in på* reduce (cut down) [*utgifterna* expenses] **-ast** *adv* scarcely, hardly **-het** scantiness &c; shortage [*på* of]

knapphål buttonhole **-s|silke** buttonhole-silk **-s|söm** buttonhole-stitching, buttonholing

knapphändig *a* meagre; [förklaring, ursäkt] scantily worded, curt; se *äv. 2 knapp*

knappnål pin **-s|brev** paper (sheet) of pins **-s|huvud** pin's head **-s|styng** pin-prick

knapprad row of buttons

knapp|t *adv* **1** scantily &c; sparingly **2** *vinna* ~ win by a narrow margin **3** = *-ast;* ~ *.. förrän* scarcely .. when (before)

knapr||a I *itr* nibble [*på* at] **II** *tr,* ~ *konfekt* munch sweets **-ig** *a* crisp

knarr||a *itr* creak; [om dörr, gångjärn o. d.] squeak, groan; [om snö] [s]crunch **-ig** *a bildl.* cross, morose; [kinkig] peevish

knastra *itr* crackle; [krasa] *äv.* [s]crunch, grate

knatt||er o. **-ra** *itr* rattle

knekt *kortsp.* jack, knave

knep trick; [list] stratagem, ruse; *äv.* artifice; [fuffens] juggle **-ig** *a* **F** artful, cunning; [om sak] ingenious, clever; [svår] hard, ticklish, tricky

knip, *ha* ~ *i magen* have stomach-ache (the gripes

1 knipa I *s, vara* i ~ be in straits (at a pinch, in a scrape) **II** *tr* o. *itr* pinch *äv. bildl.;* [en applåd] elicit; ~ *ihop* pinch up (to); [ögonen] screw up; [läpparna] set one's lips

2 knipa golden-eye

knipp||a bunch **-e** cluster, fascicle; bundle; *bot.* cyme

knipsa *tr* clip [*av* off]

knipslug *a* knowing, shrewd; [listig] sly, cunning

kniptång [pair of] pincers (pliers) *pl* **-s|rörelse** *mil.* pincer movement

knittelvers doggerel [verse]

kniv knife; *ha ~en på strupen* (*bildl.*) have the dagger at one's throat, have a (the) pistol at one's head **-blad** knifeblade **-hugg** stab (slash) with a knife **-huggning** stabbing [with a knife] **-kastning** *bildl.* altercation; *polit.* cross-fire **-skarp** *a* [as] sharp as a razor **-skuren** *a* knifed, gashed with a knife **-smed** cutler **-styng** stab with (of) a knife **-s|udd** point of a (the) knife

knix [nigning] curts[e]y; [knep] **F** trick

knockout *sport.* knock-out [blow]; *vinna på* ~ score (win by) a knock-out

knodd F counter-jumper; [friare] cad

knog work, toil; **F** fag **-a** *itr* labour (work, plod) [*med* at]; ~ *fram* (*på*) trudge (plod) along; *bildl.* tug (grind) away

knoge knuckle

knogig *a* **F** fagging, strenuous; jfr *mödosam*
knollrig *a* curly
knop *sjö.* knot; *med tio ~s fart* at [a speed of] ten knots [an hour]
knopp 1 *bot.* bud; *skjuta ~* put forth buds, bud **2** = *1 knapp 2* **3 F** *vara konstig i ~en* be a bit cracked, have bats in the belfry **-as** *itr dep* bud **-ning** budding
1 knorr curl; *ha ~ på svansen* have a curly tail
2 knorr = *knot* **-a** = *2 knota*
knot grumbling [*mot* at]; murmuring
1 knota *anat.* condyle; *allm.* bone
2 knota *itr* grumble [*mot* at]; murmur
knotig *a* **1** [träd] knotty; twisted [*gren* twig] **2** [pers.] bony; [mager] scraggy
knottrig *a* granulate[d]; [hud] *äv.* rough
knubbig *a* plump, chubby
knuff push, shove; [med axeln] *äv.* charge, jostle; [med armbågen] nudge, jog; [i sidan] poke, dig, prod **-a I** *tr* push, shove; jostle &c; *~ omkull* push (shove, knock) .. over; *äv.* upset; *~ till'* push (jostle &c, bump) into **II** *rfl, ~ sig fram* edge one's way along **-as** *itr dep, ~ inte!* don't push (shove &c)!
knusa *tr* crush
knuss‖el niggardliness &c; jfr *-lig;* [svagare] parsimony; *utan ~* without stint **-la** *itr* be niggardly &c [*med* (*på*) with] **-lig** *a* niggardly, stingy; parsimonious
knut 1 [hörn] corner; *in på ~arna* at the (our o. s. v.) very doors **2** knot; [ögle-] tie; *knyta en ~* tie (make) a knot [*på* in] **3** *bildl.* point; *det är just ~en!* that's just the [crucial] point! **4** *vetensk.* node **-en** *a* tied *äv. bildl.;* knotted; clenched [*näve* fist]; *bildl.* bound up [*vid* with]; *bli ~ vid* [*en verksamhet*] be bound up (associated) with ..; become a member of the staff of .. **-ig** *a* knotty **-piska** knout **-punkt** junction, intersection; *allm.* centre
knyck jerk; [svagare] twitch **-a I** *itr* jerk (twitch) [*på* at]; *~ på nacken* toss one's head; [friare] turn up one's nose [*åt* at] **II** *tr* **F** [stjäla] pinch, bone **-ig** *a* jerky
knyckla *tr, ~ ihop* scrunch up
knypp‖eldyna lacemaker's pillow **-la** *itr* o. *tr* make [bobbin-]lace; *~de spetsar* pillow [-made] (bone) lace *sg* **-ling** lace-making
knyst F sound; *inte säga ett ~ om* not utter (breathe) [the ghost of] a sound respecting, not whisper a breath of **-a** *itr, utan att ~* without murmuring; jfr *knyst* ex.
knyt‖a I *tr* tie [*igen* up]; [t. ex. skorem] *äv.* fasten; clench [*näven* one's fist]; *bildl.* attach (associate) [*vid* to]; *~ bekantskap med* make acquaintance with; *~ fast* tie .. securely; *~ förbindelser* establish connections; *~ upp* untie **II** *rfl* knot, get knotted; [om kål o. d.] [run to] heart; *~ sig i växten* become stunted [in growth] **-e** bundle [*med* of] **-kalas F** Dutch party **-näve** fist **-nävs|slag** blow with the (one's) fist
knåda *tr* knead
knåp = *-göra* **-a** *itr* peddle [*med* at]; *~ ihop* [*ett brev*] put together, trump up **-göra** peddling (finicking) job
knä knee; ⊕ *äv.* elbow; *~na böj!* knees bend! [*ha ngn*] *i ~t* .. on one's knee[s], on (in) one's lap; *falla på ~ för* kneel [down] to, go down [up]on one's knees before (to); *på sina bara ~n* upon one's bended knees; *tvinga ngn på ~* (*bildl.*) force a p. on to his knees; *ligga på ~ för* kneel to **-byxor** [knee-]breeches, knickerbockers; **F** knick[er]s **-böja** *itr* kneel, bend one's knees
1 knäck *kok.* toffee, butter-scotch
2 knäck crack; *bildl.* [slag] blow; *ta ~en på* **F** do for **-|a** *tr* crack; [bryta av] break; [problem] **F** scotch, floor; [pers.] wreck, shatter; *en hård nöt att ~* a hard nut to crack; *det -te honom* that did for him **-e|bröd** crispbread, hard bread, ryvita
knä‖fall kneeling **-hund** lap-dog **-led** knee-joint
knäpp click, snap; [knyst] sound; [finger-] fillip, flick
knäpp‖a I *tr* button; [spänne] buckle; [händerna] fold, clasp; *~ av* (*upp*) unbutton; *~ igen* button [up]; *~ på'* (*elektr.*) snap (switch) on **II** *itr* [med fingrarna] flip, flick, snap; [med kamera] snap[shot]; *äv.* [is. film.] shoot; *~ nötter* crack nuts; *~ på* [*sin gitarr*] twang (pluck) ..; *det -te till i ..* .. gave a click **-e** clasp[-lock], snap **-ning** buttoning
knä‖satt *a bildl.* established **-skydd** knee-protector (-pad) **-skål** knee-pant(-cap); *anat.* patella **-stående** *a sport.* crouching; *~ ställning* (*mil.* o. d.) kneeling position **-svag** *a* weak (shaky) in the (one's) knees **-veck** hollow behind the knee; *darra i ~en* tremble in the (one's) knees, be ready to drop with fright
knöl 1 bump; [upphöjn. o. d.] boss, knob, knot; *vetensk.* node; [utväxt] tuber, protuberance; *bot.* bulb **2** *bildl.* **F** lout, lubber, cad **-a** *tr, ~ ihop* squash up; *~ till'* = *~ ihop; äv.* knock .. out of shape **-ig** *a* bumpy [*väg* road]; [madrass o. d.] humpy; [finger, frukt] knobby; *vetensk.* nodose; *bildl.* caddish **-påk** thick knotted stick, bludgeon; [vapen] cudgel **-ros** *läk.* traumatic erysipelas **-svan** mute swan
knös F swell, nob
ko cow [*adj.* bovine]
koaff‖yr coiffure *fr.* **-ör** coiffeur *fr.*, hairdresser
koagulera *itr* coagulate
koalition coalition
kobbe islet [rock], rock
kobent *a* knock-kneed
kobolt cobalt **-blå** *a* cobalt-blue
kobra cobra
kock [man] cook; [kökschef] chef *fr.; ju flera ~ar dess sämre soppa* too many cooks spoil the broth
kod code
kodak kodak
kodein codeine
kod‖ex codex; [t. ex. moral-] code **-ifiera** *tr* codify
kodtelegram code telegram
koefficient *mat.* coefficient
koffein caffeine
kofferdi‖kapten captain in the merchant navy **-st 1** merchant seaman **2** [fartyg] merchant-man, trader, trading-vessel
koffert trunk, *äv.* box
kofot [redskap] crow-bar, claw-wrench, **F** jemmy
kofta jacket; [stickad] jumper, cardigan
kofångare [på bil] bumper; *järnv.* cow-catcher
koger quiver
ko‖gubbe cowherd **-handel** *bildl. polit.* give-and-take (vote-bartering) deal, log-rolling **-hud** cow-hide
koj hammock; [fast] bunk; *krypa till ~s* turn in
koja cabin, hut
kojplats *sjö.* bunk, [sleeping-]berth
kok boiling; *ett ~ stryk* a thorough hiding, a good (sound) whipping
1 koka I *tr* boil; [laga mat] cook; [kaffe,

gröt, karameller] make; ~ *ihop* (*bildl.*) concoct, fabricate, make up; ~ *in* [konservera] preserve; ~ *upp* bring . . to the boil **II** *itr* boil, be boiling *äv. bildl.*; ~ *upp* come to the boil; ~ *över* boil over
2 koka [jord-] clod
kokain cocaine
kokard cockade
kok||bok cookery-(is. *Am.* cook-)book **-erska** cook
kokett *a* coquettish **-era** *itr* coquet[te] [*för (med)* with] **-eri** coquetry
kok||fru hired cook **-het** *a* boiling (piping, steaming) hot **-konst** cookery, culinary art ([ngns] skill) **-kärl** cooking-vessel; cooking-utensils *pl; pl äv.* pots and pans; *mil.* billy can **-låda** cooking-box, self-cooker **-ning** boiling; cooking
kokong cocoon
kokos||fett coco nut oil, cocoa butter **-nöt** coco nut **-palm** coco-palm
kokott cocotte, coquette, **F** demirep
kok||platta hot-plate **-punkt,** *på ~en* at the boiling-point *äv. bildl.*
koks coke
kok||salt, [*vanligt*] ~ [common] salt **-spis** cooking-range **-t** *a* boiled **-vagn** *mil.* field-kitchen **-vrå** kitchenette
kol [trä-] charcoal; *kem.* carbon; [bränsle] coal; *utbrända* ~ cinders
1 kola caramel
2 kol||a I *tr* make charcoal out of, burn . . to charcoal **II** *itr* coal; *sjö. äv.* bunker **-are** charcoal-burner **-ar|tro** implicit faith **-box** *sjö.* [coal-]bunker **-brikett** [coal-]briquet[te]
kolchos collective [farm], kolhose
kol||dioxid carbon dioxide **-eldad** *a* coal-fired (-heated)
kolera [malignant] cholera
kolerisk *a* choleric, irascible
kol||fyndighet coal deposit **-fält** coal-field **-gruva** coal-mine(-pit); [stor] colliery **-gruv|-arbetare** collier, [coal-]miner **-halt** carbon content **-handlare** coal-merchant
kolhydrat carbo-hydrate
kolibri humming-bird, colibri
kolik [the] colic **-plågor** colicky pains
kolja haddock
kollager layer of coal, coal-bed
kollaps o. **-a** *itr* collapse
kollast, *med* ~ with a cargo of coal
kollationera *tr* collate; [jämföra] compare [*sina intryck* notes]
kolleg||a colleague; *äv.* confrère *fr.*; [om tidn. o. d.] contemporary **-ial** *a* collegial; friendly **-ie|rum** *skol.* staff room; [lärarrum] masters' [common] room **-ium 1** [myndighet] 'collegium', coporate body, board **2** [lärar-] [teaching-]staff **3** [sammanträde] masters' (&c) meeting **4** *univ.* course; [anteckn.] lecture-notes *pl*
kollekt o. **-ion** collection **-iv** *a* o. *s* collective **-iv|avtal** collective bargain[ing]
koller dizziness, giddiness; the staggers *sg; äv.* vertigo
kolli package, parcel; [resgods-] *äv.* piece [of luggage]
kolli||dera *itr* come into collision, collide; ~ *med* (*äv.*) run (bump) into; *sjö.* run foul of **-sion** collision; *bildl. vanl.* clash; *komma i* ~ *med* se *-dera* [*med*]; *bildl.* [ngn] get across; [varandra] clash (conflict) with, run counter to
kollr||a *itr,* ~ *bort ngn* **F** turn a p.'s head **-ig** = *tokig*
kol||lår coal-bin **-mila** charcoal-kiln, coal pit **-mörk** *a* pitch dark **-mörker** pitch dark[-ness]

kolon colon
koloni colony; [skollovs-] holiday-camp **-al** *a* colonial **-al|minister** *Engl.* Secretary [of State] for the Colonies **-al|varor** colonial produce *sg* (wares) **-al|varuhandel** grocer's [shop] **-sation** colonization, settlement **-sera** *tr* colonize, settle **-st** colonist **-stuga** allotment-garden cottage **-trädgård** allotment [garden]
kolonn column; *mil. äv.* line **-ad** colonnade
kolor||atur colorature **-era** *tr* colour; *~d* [veckopress] *äv.* **F** gutter, yellow, sensational **-it** colour-treatment, colouring
kolos fumes *pl* from burning coke (coal, wood) **-förgiftning** asphyxia (poisoning) by the inhalation of coke(&c)-fumes
koloss colossus; [friare] hulk, monster **-al** *a* colossal; [friare] **F** enormous, tremendous, immense, huge **-al|staty** colossal statue **-alt** *adv* **F** enormously &c; *äv.* awfully
kol||oxid carbon monoxide **-papper** carbon paper
kolport||age book-hawking **-age|roman** cheap novel **-ör** book-hawker (-agent); [predikant] [lay-]preacher
kol||ryss charcoal-cart **-stybb** charcoal breeze, coal cinder **-stybbs|bana** *sport.* cinder-track **-svart** *a* coal-(jet-)black **-syra** carbonic acid **-syrad** *a* carbonated **-syre|snö** carbonic-acid snow
kolt frock
kol||tablett carbon tablet **-teckning** charcoal drawing **-tjära** coal tar **-trast** *zool.* black-bird-**tråds|lampa** carbon-filament lamp
ko|lugn *a* **F** [as] cool as a cucumber
kolumn column
kolv 1 ⊕ piston **2** [på gevär] butt[-end] **3** *kem.* retort **4** *bot.* spadix **-pump** ⊕ piston-pump **-slag** ⊕ piston-stroke **-stång** ⊕ piston-rod
kol||väte *kem.* hydrocarbon **-ångare** steam collier
kombin||ation combination; [plagg] [pair of] combinations (**F** combies) *pl* **-ations|förmåga** power of combination **-era I** *tr* combine **II** *itr* [tåg, buss] connect **-erad** *a* combined; . . in one
komedi comedy; [-spel] make-up; *spela* ~ (*bildl.*) act a part **-ant** strolling player **-författare** comedy writer
komet comet **-lik** *a* comet-like; *bildl.* [bana] meteoric
komfort comfort **-abel** *a* comfortable
kom||ik comic art; [t. ex. situationens] comedy **-iker** comic actor, comedian **-isk** *a* comic[al]; [löjlig] ridiculous; [lustig] funny, droll
komjölk cow's milk
1 komma [tecken] comma
2 komm||a I *tr* [föranleda, tvinga] make [*ngn att göra ngt* a p. do a th.]; *äv.* cause, induce; ~ *ngn att skratta* (*äv.*) set a p. laughing **II** *itr* come; [~ fram (dit)] arrive [*till* at (in)], get [*dit* there]; [infinna sig] appear, *äv.* turn up; [färdas] go [*med tåg* by train]; *här -er han* here he comes (is); *jag -er strax!* **F** coming! *-er det många?* will there be many people? *vad har du att ~ med?* what have you got to say (suggest)? [*det är ingenting*] *att ~ med* . . to make a show of; ~ *i tidningen* get into the paper; ~ *till* [*insikt*] *om* arrive at a . . of; ~ *utom dörren* get outside the door; ~ *gående* be walking [*på gatan* along the street]; *vi ~ att* . . we shall . .; [*så småningom*] *kom jag att* . . . . I got (grew) to . .; *jag kom just att tänka på att* the thought just struck me that; ~ *an på* = *bero* [*på*] ~ *av* [ha orsak i] arise from,

be due to; ~ *av sig* get confused; [tappa sammanhanget] lose the thread, find o.s. at a loss; ~ *bort* [försvinna] get lost, *äv.* disappear; ~ *efter* [bli efter] get (fall) behind; [för att hämta] call for [följa] follow; ~ *emellan* (*bildl.*) intervene; ~ *fel* (*tel.*) be put on to the wrong number; ~ *fram a)* come forth [*ur* out of]; *b)* [anlända] arrive; [hinna fram] *äv.* get there; *c)* [lyckas] get on, make one's way; ~ *fram med* [förslag] bring forward, advance; [sanningen] come out with; *det kom för mig att* it struck (occurred to) me that; *kom hit med* [*boken*]*!* bring .. here! bring me ..! *inte* ~ *i fråga* be out of the question; ~ *ifrån* get away from *äv. bildl.*; ~ *igen* come (get) back; ~ *i gång* start, get started; ~ *ihåg* remember; ~ *in i* come (get) into; *äv.* enter; ~ *in på* touch upon (go into) [a question]; ~ *i väg* get off; ~ *loss* [pers.] get away, escape; ~ *med* come [with you o. s. v.], join you (o. s. v.); ~ *med i kriget* be (get) drawn into the war, *äv.* join the war; *när allt -er omkring* after all; ~ *på* [erinra sig] come (hit) [up]on, think of; [upptäcka] find out, discover; ~ *på ngn med* [*ett fel*] catch a p. making ..; ~ *till* = *till*~; *härvid -er det till, att* to this must be added that; *hur -er det till* se *III* ex.; ~ *undan* get away, escape; ~ *upp med* [*en idé*] start ..; ~ *upp mot* match; ~ *ut* come (get) out; [om bok o. d.] appear, be published; *det -er på ett ut* it amounts to the same thing; ~ *åt* [ngt] get hold of, secure; [ngn] get at; [röra vid] touch; *vad -er åt dig?* what has possessed (got into) you? *jag kom inte åt att ..* I didn't get an opportunity of [.. ing]; ~ *över* come (get) over (across) [*till* to]; [få fatt i] come across, get hold of; ~ *överens med* come to an agreement with **III** *rfl* **1** recover [*efter* from]; come round, get better, **F** mend **2** [bero på] come [*av* from], be due (owing) [*av* to]; [hända] come about; *hur -er det sig att?* how is it (does it come about) that? ~ *sig fram* (*upp*) get on, make one's way; ~ *sig för med att* bring o.s. to **-ande** *a* coming; *äv.* [t. ex. år] .. to come; *för* ~ *behov* for future needs; ~ *släkten* (*äv.*) succeeding generations

kommanditbolag *hand.* commandite company

kommando command; *lyda* ~ obey orders; *föra* ~ *över* hold command over, be in command of, *äv.* command **-brygga** *sjö.* [captain's] bridge, navigation bridge **-ord** [word of] command **-rop** shouted order (command) **-ton** tone of command; *i* ~ in a commanding (an imperious) tone **-trupp** task (commando) force

kommater||a *tr* punctuate, put the stops in **-ing** punctuation

kommend||ant *mil.* commandant **-era I** *tr* command, *äv.* order; *som* ~*ts till* who has been appointed to; ~ *över andra* boss other people **II** *itr* be in command [*över* of] **-ering,** *få en* ~ be given a command (a commission) **-ör 1** [av orden] knight commander **2** *sjö. mil.* commodore **3** [i frälsningsarmén] commissioner **-ör|kapten** commander, captain

komment||ar commentary [*över* on]; *kortfattad* ~ brief annotations (notes) *pl* **-arer** comment *sg* **-ator** commentator **-era** *tr* comment [up]on; [i skrift] *äv.* annotate

kommers F, *hur går* ~*en?* how's business [with you]? *sköta* ~*en* run the show **-iell** *a* commercial **-kollegium,** *K*~ (*ung.*) the Swedish Board of Commerce

komminister *Engl. ung.* perpetual curate

kommiss[kläde] ammunition cloth

kommissar||iat commissioner's office **-ie** commissioner; [i Ryssl.] commissar

kommission 1 commission; jfr *kommitté* **2** *hand.* commission; *i* ~ on commission (*äv.* consignment) **-s|arvode** commission[-fee], brokerage **-är 1** *hand.* commission-agent, broker **2** *jur. ung.* appointed agent

kommitté [*sitta i en* be on a] committee **-betänkande** committee report **-förslag** committee proposal **-medlem** committee member

kommod pedestal wash-stand

kommun [i Sverige] commune; *Engl.* municipality; *äv.* urban ([lands-] rural) district; se *äv. socken; Am. ung.* township **-al** *a* communal; municipal, *äv.* county; [utskylder] *äv.* local **-al|fullmäktig** member of a communal (&c) council **-förvaltning** local government **-alisera** *tr* communalize; municipalize **-läkare** communal (municipal) doctor **-al|skatt** rate; *Am. äv.* tax **-al|stämma** commune's (&c) meeting **-al|tjänsteman** communal (&c) official **-al|utskylder** communal rates, *Am.* local taxes

kommunikation communication **-s|medel** means *sg* o. *pl* of communication **-s|minister** Minister of Transport **-s|tabell** railway[, steamboat an air-line] time-table **-s|väsen** transport organization

kommuniké communiqué *fr.*

kommun||ism Communism **-ist** Communist **-istisk** *a* Communist[ic]

kompakt *a* compact; dense [*mörker* darkness]; solid [*massa* mass]

kompan||i company **-i|chef** *mil.* officer commanding a (the) company **-jon** partner; *bli* ~*er* go into partnership [with each other] **-jonskap** partnership

kompar||ation comparison **-ativ** *a* o. *s* comparative; *i* ~ in the comparative [degree] **-era** *tr* compare, form the comparative forms of

kompass compass **-fel** (**-hus -kurs -nål -ros -streck**) compass error (bowl, course, needle, card, point)

kompendium compendium, summary, digest

kompens||ation compensation **-era** *tr* compensate; [uppväga] compensate [for], make up for

kompet||ens competence **-ent** *a* competent; [till en befattning] [fully] qualified

kompl||ement complement [*till* to (of)] **-ement|färg** complementary colour **-ett I** *a* complete **II** *adv* **F** absolutely; jfr *fullkomlig* **-ettera** *tr* complete; supplement, make more complete; ~ *varandra* [be] complement[ary to] each other **-etterande** *a* complementary; supplementary [*meddelande* information] **-ettering** completing; supplementing; [en ~] completion; *skol. univ.* supplementary examination (test); [av förråd] *äv.* replenishment; *till* ~ *av* [*förut lämnade uppgifter*] in (by way of) amplification of ..

komplex 1 complex **2** [hus- o. d.] block

kompli||cera *tr* complicate **-kation** complication **-mang** compliment **-mentera** *tr* compliment (*äv.* offer one's compliments to) [*för* on]

komplott plot; conspiracy

kompo||nent component **-nera** *tr* **1** *mus.* compose **2** *allm.* put .. together; [tavla, balett] design; [bok] compose **-sition 1** composition **2** design, composition **-sitör** composer

kompost compost **-hög** compost heap

kompott compote [*på* of]; [av frukt] stewed fruit

kompr‖ess compress **-ession** compression **-essor** compressor **-imera** *tr* compress
kompro‖mettera I *tr* compromise **II** *rfl* compromise o.s., get o.s. compromised **-miss** compromise **-missa** *itr* compromise [*i* on] **-miss|förslag** proposed compromise, proposal as (by way of) a compromise
kon [*stympad* frustum of a] cone
kona ⊕ cone, taper; [bil] clutch
koncentr‖at concentrate; *bildl.* epitome; *i* ~ (*bildl.*) in a concentrated form **-ation** concentration **-ations|förmåga** power of concentration **-ations|läger** concentration camp **-era I** *tr* concentrate; is. *bildl.* focus (centre) [*på* [up]on] **II** *rfl* concentrate [o.s.]; *äv.* focus (centre) one's attention [*på* on] **-isk** *a* concentric
koncept [rough] draft [*till* of]; *äv.* first outline; [kladd] *äv.* foul copy; *tappa ~erna* (*bildl.*) **F** be disconcerted (put out) **-papper** scribbling-paper, rough[-note] paper
kon‖cern *hand.* group [of companies]; *äv.* concern **-cession** [parliamentary] sanction [*på* for]; licence; *söka* ~ *på* apply for powers for constructing [*en järnväg* a railway] **-cessiv** *a* concessive **-ciliant** *a* conciliatory [*mot* towards] **-cis** *a* concise; [kortfattad] succinct **-densation** condensation **-dens[at]or** condenser **-densera** *tr* condense **-dition** condition; *sport. äv.* form; *i utmärkt* ~ (*sport.*) *äv.* splendidly fit **-ditionalis** [*i* in the] conditional [mood] **-ditional|sats** conditional clause
konditor pastry cook, confectioner **-i** confectioner's [shop]; [skylt] confectioner; [kafé] café, tea-shop, coffee house
kondol‖eans condolence **-eans|brev** letter of condolence **-era** *tr*, ~ *ngn* express one's condolence (sympathy) with a p. [*med anledning av* . . on . .]
kondor *zool.* condor
konduktör conductor; *järnv.* guard, ticket-collector
konfekt sweet[meat]s *pl*, bon-bons *pl; candy*; *bli lurad på ~en* (*bildl.*) be let down about it [altogether] **-ask** box of sweets **-butik** sweet[meat] (candy) shop (store)
konfektion ready-made clothing (clothes *pl*); jfr *dam~* **-s|affär** ready-made-clothing shop, outfitter's shop **-s|kostym** ready-made (factory-tailored) suit
konfekt|påse bag of sweets
konferencier master of ceremonies; compère *fr.*
konfer‖ens conference; [samspråk] *äv.* parley **-era** *itr*, ~ *med ngn om* confer (consult) with a p. about (as to); *äv.* compare notes about
konfession confession, creed
konfetti confetti
konfidentiell *a* confidential **-t** *adv* confidentially; *äv.* in confidence
konfirm‖and confirmation candidate **-ation** confirmation **-ations|undervisning** preparation for confirmation ([one's] first communion) -era *tr* confirm
kon‖fiskation confiscation **-fiskera** *tr* confiscate **-flikt** conflict; *psyk. äv.* problem **-frontera** *tr* confront, bring . . face to face [*med* with] **-fundera** *tr* confuse **-fys** *a* confused, bewildered **-genial** *a* congenial; [översättn.] in harmony with the spirit of the original **-glomerat** conglomerate **-gress** congress **-gruens** congruence, congruousness **-gruent** *a* congruent, congruous; *geom.* equal in all respects
konisk *a* conic[al], coniform
konjak cognac; *vanl.* brandy

kon‖jugation conjugation **-jugera** *tr* conjugate **-junktion** conjunction **-junktiv** [*i* in the] subjunctive [mood] **-junktur** *hand.* [state of the] market; *~er* market (trade) conditions; *dåliga ~er* slump (depression) *sg; goda ~er* prosperity (boom) *sg; vänta på bättre ~er* wait for better times **-junktur|betonad** *a* dependent on the economic (political) situation **-junktur|fråga** question dependent on the economic situation (the state of trade (the market)) **-junktur|skatt** excess-profits duty (tax) **-kav** *a* concave **-kret** *a* concrete; [förslag] *äv.* tangible **-kurrens** [*hård* keen] competition; *vara utan ~ (äv.)* be unrivalled **-kurrens|kraft** competitive power **-kurrens|kraftig** *a* . . capable of competing with any rivals; competitive [*priser* prices] **-kurrent** competitor (rival) [*om* for] **-kurrera** *itr* compete, *äv.* enter into competition **-kurrerande** *a* competing; [varor] *äv.* competitive; ~ *firmor* (*äv.*) rival firms
konkurs bankruptcy; *bli försatt i* ~ be made (declared) bankrupt; [om bolag] be put into liquidation; *gå i* ~ file one's petition; *göra* ~ fail, become bankrupt **-ansökan** petition in bankruptcy ([om bolag] for the company's winding up) **-bo** bankrupt's estate **-förbrytelse** criminal offence against the Bankruptcy Laws **-förvaltare** trustee **-lager** *hand.* bankrupt stock **-massa** = *-bo* **-mässig** *a* insolvent
konnässör connoisseur *fr.* [*av* (*på*) of]
konossement *hand.* bill-of-lading
kon‖sekutiv *a* consecutive **-sekvens 1** *log.* consequence; [följdriktighet] consistency **2** [följd] consequence, *äv.* sequel **-sekvent I** *a* consistent **II** *adv* consistently; [genomgående] throughout **-selj** cabinet council **-selj|president** president of the Council
konsert concert **-era** *itr* give a concert ([a series of] concerts) **-estrad** concert-platform **-flygel** concert grand **-mästare** principal violinist **-program** *äv.* concert-bill **-sal** concert hall
konserv, *~er* preserved foods, tinned (canned) goods **-atism** conservatism **-ativ** *a* o. *s.* conservative **-ator** [av t. ex. tavlor] restorer; [djuruppstoppare] taxidermist **-atorium** conservatoire *fr.*, conservatory of music **-burk** preserved-(canned-)meat (-fruit o. s. v.) tin (*Am.* can); [av glas] preserving-jar **-burks|öppnare** tin-(can-)opener **-era** *tr* preserve; [i burk] can, [i bleckburk] tin; [i glasflaska] bottle **-er|ad** *a* preserved &c; *-at kött* (*vanl.*) corned (canned) beef **-ering** preserving &c; tinning, canning **-fabrik** tinned-foods (canning-)factory, cannery
konsistens, *till ~en* in consistency; *antaga fast* ~ (*äv.*) acquire substantial form, materialize **-fett** heavy (consistent) grease
konsistor|ium 1 *kyrkl.* consistory; jfr *domkapitel* **2** (*univ.*) *mindre* (*större*) *-iet* the Grand (Small) Consistory; *Engl. ung.* the [University] Council (Senate)
konsol bracket; *ark. äv.* console
kon‖solidera *tr* consolidate **-sonant** consonant **-sortium** syndicate **-spiration** conspiracy, plot **-spiratör** conspirator, plotter **-spirera** *itr* conspire, plot
konst art; [skicklighet] skill; [knep] trick; *~en* [fine] art; *kunna sin* ~ be master of (a master in) one's craft; *han kan ~en att* . . he knows how to . ., *äv.* he has the knack of . . -ing; *~en är lång, livet är kort* art is long and time is fleeting; *det är just ~en!* that's the trick [of it]! *det är* (*var*) *väl ingen ~!* **F** not much to that! that's easy enough! *är det hela ~en?* **F**

is that all there is to it? *det är ingen ~ för honom att ..* it's no great matter for him to ..; *efter alla ~ens regler* according to all the recognized rules **-akademi** academy of art ([fine] arts) **-alster** art production; specimen of art-work **-anmälare** art reviewer (critic)
konstant I *a* constant; fixed (given) [*förhållande* ratio]; [oföränderlig] invariable; [ständig] perpetual, permanent **II** *s mat.* constant
konstapel 1 [police] constable **2** *mil. ung.* gunner; *sjö. ung.* leading seaman
konst|art form (species, type) of art, art form
konstater||a *tr* [fastställa] establish [*att* the fact that]; [bevisa] demonstrate, prove; [intyga] certify; [påpeka] point out, call attention to; [påstå] state, assert; [iakttaga] notice, observe; [utröna] find [out], ascertain; [sjukdom] pronounce it to be [a case of] **-ande** *s* establishing &c; establishment, certification; statement, assertion
konst||auktion art sale **-bevattning** irrigation
konstellation constellation
konsternerad *a* nonplussed, astounded, dumbfounded, taken aback
konst||fiber synthetic fibre **-flit** arts and crafts *pl* **-flygning** aerobatics *pl,* stunt flying **-form** art form **-föremål** object of art; *pl äv.* art treasures; artistic knick-knacks **-förfar|en** *a, med -na händer* with the hands of a skilled artist **-gjord** *a* artificial; [falsk] imitation; *~ dimma* smoke-screen **-glas** art glassware **-gren** branch of art **-grepp 1** trick [of the trade] **2** [knep] [crafty] device, artifice **-gödning 1** *abstr* artificial manuring **2** *konkr* artificial manure, fertilizer **-hall** art gallery **-handel** [butik] art-dealer's [shop] **-handlare** art-dealer **-hantverk** art handiwork (handicraft) **-hantverkare** art [handi-]craftsman **-historia** history of art (the [fine] arts), art history **-historiker** art historian **-historisk** *a* art-history .., relating to the history of art (&c) **-högskola** art college, college of art
konstig *a* strange, odd, curious, queer, **F** rum; [svår] intricate; [kinkig] awkward; *en ~ kropp* **F** an odd customer
konst||industri industrial art, art industry, arts and crafts *pl* **-intresserad** *a* interested in art (&c); *den ~e allmänheten* the art-loving public
konstitu||era I *tr* constitute **II** *rfl* establish o.s. (itself) **-erande** *a* inaugural [*sammanträde* meeting]; [bolagsstämma] statutory; *~ församling* constituent assembly **-tion** constitution **-tionell** *a* constitutional
konst||kritiker art critic **-kännare** connoisseur of the fine arts **-lad** *a* affected [*sätt* manners *pl*]; [-gjord] artificial; [tvungen] forced **-lös** *a* artless; [om språk] unaffected, simple **-museum** art gallery, museum of fine arts **-mässig** *a* artistic **-njutning** artistic enjoyment **-när** artist **-närlig** *a* artistic **-närlighet** artisticalness; *~en i* the artistic character of **-närs|anlag** artistic talent **-närs|bana** career as an artist, artist's career **-närs|blick** artist's eye **-närs|krets** artists' circle **-närs|liv,** *~et* the (an) artist's life **-närs|natur** artistic temperament; *en sann ~* a true artist **-paus** pause for [the sake of] effect **-poesi** literary poetry **-produkt** artistic ([-gjord] artificial) product[ion] **-prosa** artistic prose **-rik** *a* [*~t utförd*] elaborate **-riktning** tendency (movement, style, trend) in art
konstr||uera *tr* **1** design; [rita] draw; [bygga] construct **2** *språkv.* construe **-uerad** *a bildl.* concocted, made-up **-uktion 1** *abstr* designing &c; construction *äv. språkv.;* [tanke-] conception **2** *konkr* construction, *äv.* structure; design **-uktions|fel 1** ⊕ [i utförandet] constructional error, fault in the construction **2** *språkv.* construing-error (-mistake) **-uktions|lära** theory of constructions **-uktions|ritning** *skol.* constructional drawing **-uktiv** *a* constructive **-uktör** constructor, designer
konst||salong art gallery **-samlare** art collector **-samling** art collection **-silke** artificial silk, *äv.* rayon **-skapelse** artistic creation **-skatt** art treasure **-slöjd** art handicraft; arts and crafts *pl* **-smide** wrought (fine) metal work, fine art forge **-stoppning** invisible mending **-stycke** [trollkonst] jugglery-(conjuring-)trick; [något svårt] difficult feat **-uppfattning** conception (appreciation) of art **-utställning** art exhibition **-verk** work of art; [mästerverk] masterpiece **-åkare** figure-skater **-åkning** figure-skating **-älskare** art-lover
konsul consul; *svensk ~ i ..* Swedish consul in (at) .. **-at** consulate **-ent** consultant, adviser **-inna** consul's wife; *~n N.* Mrs. N. **-tation** consultation **-tativ** *a* consultative; *~t statsråd (ung.)* minister without portfolio **-tera** *tr* consult
konsum||ent consumer **-era** *tr* consume **-tion** consumption **-tions|artikel** commodity, consumer goods *pl* **-tions|förening** consumers' (co-operative) association, jfr *kooperativ* ex.
kontakt 1 *abstr* contact; *bildl. äv.* touch; *förlora ~en med* lose (get out of) touch with **2** *konkr elektr.* contact; [strömbrytare] switch; [vägg-] plug **-a** *tr* contact, get into touch with **-man** contact
kontant *a* **1** *hand.* cash; *~ betalning* (*äv.*) payment in cash (ready money); *två procents avdrag för ~ betalning* two per cent reduction (deduction) for cash payment; *~a medel* = *-er; ~ i kassan* cash in hand; *ta .. för ~* **F** take .. in earnest (at its face value); *per* [*extra*] *~* (*hand.*) for [prompt] cash **2 F** = *sams* **-belopp** cash sum, sum in cash **-er** ready money *sg*
kontemplation contemplation
kontenta, *~n av* the gist of
konteramiral rear admiral
kontinent continent **-al** *a* continental
kon||tingent *mil.* contingent; *en ~* [*danskar*] a body of .. **-tinuerlig** *a* continuous; *mat. äv.* continued **-tinuitet** continuity
konto account; [löpande räkn.] current account; *uppföra på ngns ~* put down to a p.'s account **-kurant** account current
kontor office; [firmas, bolags] *äv.* offices *pl; sitta på ~* be [employed] in an office **-ist** [office] clerk; *kvinnlig ~* lady (girl) clerk **-istförening** office clerks' association **-s|anställda** office clerks (employees) **-s|arbete** office work **-s|artiklar** office utensils (equipment *sg*) **-s|chef** office manager **-s|lokal** office [premises *pl*] **-möbel** office furniture **-s|personal** office staff **-s|plats** situation as clerk; job in an office; *ha ~* se [*sitta på*] *kontor* **-s|tid** office hours *pl*
konto|utdrag *hand.* [kunds] account statement
kontra *prep bokf.* o. d. contra; [friare] versus *lat.;* i *sms* counter- **-alt** contralto **-band** = *krigs~* **-bas** double-bass **-hent** [contracting] party [*i* (*vid*) to] **-hera** *tr* o. *itr* [make a] contract
kontrakt contract; agreement; *avsluta ~ med ngn om ngt* make (conclude) a contract with a p. about a th., *äv.* contract with a p. for a th.; *enligt ~* as per contract **-era**

= *kontrahera* **-s|bridge** contract [bridge] **-s|brott** breach of contract **-s|enlig** *a* contractual; *de ~a* [*villkoren*] *äv.* the .. as per contract **-s|prost** rural dean
kontra||mandera *tr* countermand; [avbeställa] *äv.* cancel **-märke** check **-order** counter-order **-punkt** *mus.* counterpoint **-signera** *tr* countersign **-spionage** counter-espionage
kontrast [*utgöra en* form a] contrast **-era** *itr* contrast [*med* (*mot*) with] **-verkan** contrasting effect; force of contrast
kontroll control [*över* of]; [tillsyn] supervision, inspection **-anordning** controlling device; control equipment **-ant** controller **-era** *tr* check; [uppgift] *äv.* verify, control; *äv.* make sure [*att* that]; [ha kontroll över] exercise (have) control over; *~d* [*mjölk*] *äv.* accredited (certified) ..; *~t* [*silver*] *äv.* hall-marked .. **-försök** control experiment **-kommission** *polit.* control commission **-kort** *flyg.* control card **-mjölk** controlled milk **-märke** controlling-mark **-nummer** check number **-räkna** *tr* [en sifferkolumn o. d.] add up .. again to check it **-station** control[ling-]station **-stämpel** countermark; [för guld, silver] hallmark **-torn** control tower **-ur** control (switch) clock **-ör** controller; *äv.* comptroller; [biljett-] ticket inspector
kontr||overs controversy **-är** *a* contrary; *~a motsatser* diametrical opposites; *äv.* [the] contraries of each other
kontur contour[-line]; [friare o. *bildl.*] outline **-lös** *a* vague[ly outlined] **-teckning** outline (skeleton) drawing
kontusion contusion, bruise
konung king; *Gud bevare ~en!* God save the King! **-a** se *kunga-* **-a|böckerna** [the Books of] Kings **-a|döme** monarchy **-a|makt** the power of the king **-a|rike** kingdom, realm **-a|val** election of a (the) king **-a|värdighet** royal (regal) dignity **-a|ätt** line (race) of kings **-slig** *a* kingly [*hållning* deportment]; regal (royal) [*makt* power]
konvalesc||ens convalescence **-ent** convalescent
konvalje lily of the valley
konvenans propriety; [starkare] decorum; *brott mot ~en* breach of etiquette **-skäl,** *av ~* for reasons of propriety
konvent convention; *skol.* students' council **-ion** convention **-ionell** *a* conventional
konvers||ation conversation **-ations|lexikon** encyclop[a]edia **-era** *tr* o. *itr* converse [*om* about (on)]
konvert||era *tr* convert **-er|bar** *a* convertible **-erings|lån** conversion loan **-it** convert
kon||vex *a* convex **-voj** **-vojera** *tr* **-vojering** convoy **-voj|tjänst** convoy service **-volut** envelope, wrapper; *under särskilt ~* under separate cover **-vulsion** convulsion **-vulsivisk** *a* convulsive
ko||operation co-operation **-operativ** *a* co-operative; *K~a Förbundet* the Co-operative Society; *K~a* [handelsbod] **F** Co-op
koordin||at|axel co-ordinate axis **-at|system** system of co-ordinates **-era** *tr* co-ordinate
kopi||a copy; [avskrift] *äv.* transcript; *foto. äv.* print; [målares o. *bildl.*] replica; *ta en ~ av* se *-era* **-e|bläck** copying-ink **-e|bok** *hand.* letter-book **-e|papper** carbon-paper **-era** *tr* copy; transcribe; print; jfr *-a*
kopiöst *adv* copiously; enormously; [svettas] *äv.* freely
kopp cup [*te* of tea]; [ss. mått] cupful [of ..]
koppar copper; [-slantar] coppers *pl* **-förande** *a* cupriferous **-gruva** copper mine **-haltig** *a* cupreous **-kastrull** copper saucepan **-malm** copper ore **-mynt** copper [coin] **-orm** *zool.* blindworm **-oxid** copper (cupric) oxide **-plåt** [plate of] copper-sheeting; *koll* copper-sheets *pl;* [för etsning] copperplate **-röd** *a* [as] red as copper, coppery [red] **-slagare** **1** copper-smith **2** *bildl.* hangover **-slant** copper; **F** brass farthing **-stick** [copper-plate] engraving **-tråd** copper wire **-vitriol** blue vitriol
kopp||el **1** *jakt.* leash [of ..]; [för en hund] *vanl.* lead **2** ⊕ coupling; jfr *koppling 2* **-la** **I** *tr* **1** leash **2** ⊕ couple up [*till* to]; *elektr. äv.* connect [*i serie* in a series]; *radio. tel.* connect [up (on)] [*till* to]; *~ av* (*järnv. tel. radio.*) switch off .., switch .. off; *~ av från arbetet* relax, slack off; *~ ifrån* disconnect; *~ ihop* (*elektr.*) connect, join up, put .. in circuit; *radio., tel.* connect up; *~ in* throw in, connect, *elektr.* switch in; *~ isär* ⊕ disengage, disconnect; *~ till'* [*en vagn*] (*järnv. äv.*) put on .., attach ..; *~ ur* (*elektr.*) interrupt; ⊕ *äv.* disengage **II** *itr* procure **-lare** procurer **-lerska** procuress **-ling** **1** *abstr jakt.* leashing; ⊕ connection **2** *konkr järnv., elektr.* coupling, *äv.* clutch; *tel.* switch **-lings|anordning** [på segelflygplan] release mechanism **-lings|dosa** junction box **-lings|pedal** clutch pedal **-lings|-schema** *elektr.* wiring diagram **-lings|tavla** *elektr.* switch-board
kopp||or, *~*[*na*] [the] smallpox **-ärrig** *a* pock-marked
kopra copra
kor choir; [hög-] chancel; [där altaret står] sanctuary; se *äv. grav~*
kora *tr, ~ .. till* choose (select) .. as; *äv.* elect [*ngn till president* a. p. president]
koral *mus.* choral[e] **-bok** metrical hymn-book
korall coral **-bank** = *-rev* **-halsband** coral [-bead] necklace **-rev** coral-reef **-röd** *a* coral-red **-ö** coral island; *äv.* atoll
koran, *~en* the Koran
korda *geom.* chord
korderoj medley-(mixture-)cloth
kordong cord, cordon
Korea Korea **k~nsk** *a* Korean
korg basket; [större] hamper; *få ~en* (*bildl.*) **F** get the brush-off; *ge* [*ngn*] *~en* refuse .., **F** give .. the brush-off **-boll** *ung.* basket-ball **-möbel** [set of] basketwork (wicker-[work]) furniture
kor|gosse choir-boy
korg|stol basket[work] (wicker[work]) chair
korint [dried] currant **-kaka** currant cake
kork **1** [ämne] cork **2** cork; *äv.* stopper; *dra ~en ur* uncork; *sätta ~en i* cork **-a** *tr, ~ igen* cork up **-ad** *a* **1** corked **2** [dum] stupid **-bälte** cork [life-]belt **-dyna (-ek)** cork pillow (oak) **-matta** linoleum; *hand. äv.* lino **-platta** cork slab **-skruv** cork-screw **-sula** cork sole **-väst** cork jacket
korn **1** [frö] grain *äv. bildl.* [*av sanning* of truth]; jfr *hagel~, damm~* **2** [säd] barley **3** [på gevär] bead; *mil. äv.* fore-sight; *ta fint* (*grovt, struket*) *~* take fine (coarse, medium) sight; *ta .. på ~et* (*bildl.*) get .. (hit .. off) to the life; *få ~ på* get sight of; *bildl. äv.* spot, **F** *äv.* get wind of **-a** *rfl* granulate, grain **-ax** ear of barley **-blixt** flash of summer lightning **-blå** *a* corn-flower blue **-bod** granary
kornett *mil.* o. *mus.* cornet
korn||flingor corn-flakes **-gryn** *koll* hulled barley **-gryns|gröt** barley porridge **-ig** *a* granular; *äv.* granulous
kornisch *byggn.* cornice
korn||knarr corncrake **-mjöl** barley meal (flour) **-skydd** *mil.* sight-protector
korona *astron.* corona

korp raven **-gluggar** **F** giglamps
korporation corporate body, body corporate; [sammanslutning, friare] association **-s|tävling** inter-works tournament
korpral *mil.* corporal
korpsvart *a* raven-black
korpul||ens stoutness, corpulency, embonpoint *fr.* **-ent** *a* stout, corpulent
korpus *boktr.* long primer; [kropp] body
korrekt *a* correct; [felfri] faultless; *äv.* impeccable
korrektur proof[-sheet]; *äv.* printer's proof; [*ett*] *första* ~ a first (galley) proof; *läsa* ~ *på* read the proofs of **-avdrag** pull[ed] proof, proof print **-fel** error in a (the) proof **-läs|a** *tr* read .. in proof; *illa -t* badly proof-read **-läsning** proof-reading **-tecken** correction mark
korrelat *gram.* antecedent
korrespond||ens correspondence **-ens|institut** correspondence (postal coaching) college **-ens|kurs** correspondence course; *äv.* course of instruction by correspondence **-ent** correspondent; *hand. äv.* correspondence clerk **-era** *itr* correspond
korridor corridor; [i hus] *äv.* passage; *polit.* lobby **-politik** lobby politics *pl*
korriger||a *tr* correct; [revidera] revise **-ing** correction; revision
korrosion *kem.* corrosion **-s|beständig** *a* non-corroding
korrugera *tr* corrugate; *~d plåt* corrugated iron (sheet metal)
korr||umpera *tr* corrupt **-uption** corruption; *Am. äv.* graft
kors **I** *s* **1** cross; *Röda K~et* the Red Cross [Organization]; *i* ~ crosswise, criss-cross; *lägga armarna, benen i* ~ fold one's arms, cross one's legs; *sitta med händerna i* ~ (*bildl.*) sit idle (doing nothing, twiddling one's thumbs); *krypa till ~et* eat humble pie **2** *boktr.* dagger; *mus.* sharp **II** *itj* well, I never! Oh, my! **III** *adv,* ~ *och tvärs* criss-cross, in all directions **-a** **I** *tr* cross; [skära] (*äv.* : ~ *varandra*) intersect; *bildl.* thwart [*ngns planer* a p.'s plans]; [om tankar] traverse (criss-cross, run counter to) [*varandra* each other] **II** *rfl* cross o.s. **-as** *dep* cross [each other], intersect; traverse each other, criss-cross **-band** *post.* [newspaper-]wrapper; [ss. påskrift] [By] Book-Post **-bands|försändelse,** [*som*] ~ [as a] book-rate parcel, by book-post **-drag** through-(cross-)draught **-eld** cross-fire
kors||elett corselet[te] **-ett** corset, stays *pl*
kors||farare crusader **-formig** *a* cruciform, formed like a cross **-fästa** *tr* crucify **-fästelse** crucifixion **-förhör** cross-examination (-questioning) **-förhöra** *tr* cross-examine (-question) **-lagd** *a* laid crosswise; crossed [*ben* legs]; folded [arms] **-ning** **1** crossing, intersection; jfr *järnvägs~* **2** *biol.* crossing, cross-breeding; *konkr* cross **-näbb** cross-bill **-ord[s|gåta]** cross-word [puzzle] **-riddare** crusader **-rygg,** *~en* the small of the back **-räv** cross-fox **-spindel** cross-spider **-stygn** cross-stitch **-teck|en,** *göra -net* make the sign of the cross, cross o.s. **-tåg** crusade **-verk** trellis work **-virkes|hus** half-timbered house **-väg** cross-road, cross-way; *vid ~en* at the cross-roads
1 kort card; *ett parti* ~ a game of cards; *spela* ~ play [at] cards; *lägga ~en på bordet* (*bildl.*) lay (put) one's cards on the table, make a clean breast of it; *titta i ngns* ~ (*bildl.*) watch a p.'s little game; *sätta allt på ett* ~ stake everything on one card, put all one's eggs in one basket
2 kort **I** *a* **1** [rumsbet.] short; *göra ~are* shorten, make shorter **2** [tidsbet.] short; brief [*ögonblick* moment]; *redogöra för ngt i ~a drag* give a short (brief, *äv.* concise) account of a th.; *göra processen* ~ *med* make short work of; *en* ~ *stund* a little while; ~ *tid därefter* shortly afterwards; *inom* ~ shortly, before long **3** *bildl.* short; [snäv] *äv.* abrupt (curt) [*svar* reply]; *vara* ~ *om huvudet* be short-tempered **II** *adv* shortly; briefly; *äv.* [t. ex. uttalas ~] short; *hålla* [*ngn*] ~ keep .. on a short rein; ~ *sagt* in short, in so many words; ~ *efter* .. soon after .. **-a** **I** *s, komma till* ~ fall short [*med* in]; [i tävling o. d.] come off second best, fail **II** *tr* shorten
kort|brev letter-card
kort||byxor shorts **-distans|löpare** sprinter
kortege cortège *fr.*
kort||eligen *adv* in short **-fattad** *a* brief; *K~ lärobok i* .. A Short (Concise) Treatise on (Manual of) .. **-film** short film; **F** short **-fristig** *a* short-dated; *äv.* short-term (-period **-het** shortness &c; brevity; *i* ~ briefly **-huggen** *a bildl.* abrupt
kort||hus house of cards *äv. bildl.* **-katalog** card catalog[ue]
kortklippt *a* [cut] short; [hår] *äv.* closely cropped, bobbed
kort||konst card-trick **-lek** pack of cards
kortlivad *a* short-lived
kort||parti game of cards **-register** card-index [*över* of]
kort||sida, *~n* the short side **-skallig** *a* brachycephalous **-slutning** ⊕ short-circuit[-ing]
kortspel **1** [-ande] playing [at] cards, card-playing; *fuska i* ~ cheat at cards **2** [ett ~] card-game
kortsynt *a* short-sighted
kortsystem card[-index] system
kort||tänkt *a* short-sighted, short-witted; unthinking **-varig** *a* of short (brief) duration; jfr *2 kort I 2; äv.* short-lived [success] **-varor** haberdashery *sg,* small wares **-varu|handlare** haberdasher **-våg** *radio.* short wave **-vågs-** *radio.* short-wave .. **-vägg** short[er] (end-)wall **-växt** *a* short of stature **-ända** = *-sida* **-ärmad** *a* short-sleeved
korum [the regimental] prayers *pl*
korus, *i* ~ in chorus
korv sausage
korvett corvette
korv||gubbe **F** sausage-man **-skinn** sausage-casing (-skin) **-spad,** *klart som* ~ (*bildl.*) as plain as a pike-staff **-stånd** [hot-]sausage stall
kos, *springa sin* ~ run away; .. *har flugit sin* ~ .. has disappeared (taken to its wings)
kosa course, way; *styra ~n* steer (direct) one's course (steps) [*mot* to]
kosack Cossack
ko||skälla cow-bell **-skötare** cowman
kosmet||ik cosmetic **-isk** *a* cosmetic; *~a medel* cosmetics
kosm||isk *a* cosmic **-opolit** cosmopolite, cosmopolitan **-opolitisk** *a* cosmopolitan **-os** cosmos
kospillning cow-dung
kossa **F** [moo-]cow
kost fare; ~ *och logi* board and residence
kosta *tr* o. *itr* cost; *vad ~r det?* how much is it? what is the price [of it]? ~ *vad det* ~ *vill* no matter what it costs, at all costs, cost what it may; [eg. bet.] expense no object; ~ *ngn möda* give a p. trouble; ~ *på ngt ngt* spend a th. on a th.; ~ *på barnen en god uppfostran* give one's children a

good education; ~ *på sig* . . treat o.s. to . .; *kunna* ~ *på sig* be able to afford; *det* ~*r på* (*bildl.*) it is a trial [*mig* for me], it is trying [*hälsan* for one's health]

kostbar *a* costly; precious

kost||**föraktare,** *ingen* ~ no despiser of the good things of the table **-håll** fare, diet

kost||**lig** *a* precious; [lustig] funny **-nad** cost (*äv.* : ~*er*); [utgift] expense; [utlägg] outlay; [avgift, pris] charge; *dryga* ~*er* heavy expenses; *för en ringa* ~ at a trifling cost (expense); *med stor* ~ at [a] great cost (expense); *inklusive alla* ~*er* all [the] charges included; *utan* ~*er* without [any] expense (&c) [*för* to]; *dra en* ~ *av* involve an outlay of; *ådraga sig stora* ~*er* incur great expense **-nads**|**beräkning** costs-calculation, calculation (estimate) of cost (the costs) **-nads**|**fri** *a* free of cost (expense, charge); *äv.* free **-nads**|**fritt** *adv* free of cost (&c) **-nads**|**förslag** estimate [of cost] **-pengar** board wages **-sam** *a* costly, expensive, dear

kostym **1** suit **2** *teat.* o. d. costume; *uppträda i* ~ [på maskerad] appear in fancy dress **-bal** fancy-dress ball **-ering** dressing up

kosvamp *bot.* cow-spunk

kot||**a** vertebra [*pl* vertebrae] **-knackare** chiropractor

kotlett cutlet; [med ben i] chop

kotte cone

kotteri coterie, set; [klandr.] clique **-väsen** cliquism

ko||**vända** *itr sjö.* o. **F** veer, wear [ship] **-vändning** veering &c; [en ~] *äv.* a veer **-ögd** *a* cow-eyed

krabat fellow, johnny; *din* ~*!* you young beggar!

krabb *a sjö.* choppy

krabba crab

krabbsjö chopping sea

krackeler||**ad** *a* crackled **-ing** crackle

krafs *bildl.* **F** trash **-a I** *itr* scratch **II** *rfl,* ~ *sig i huvudet* scratch one's head

kraft **1** force; [förmåga, *elektr.*] power; [styrka] strength; [eftertryck] energy; [verkan] effect; [livaktighet] vigour; jfr ex.; *hennes* ~*er* [*avtogo snabbt*] her strength . .; *samla* ~*er* gather one's strength; *ge* ~ *åt* lend (give) power to; [ngns ord] lend force to; *pröva sina* ~*er* try one's strength; *av alla* ~*er* with might and main, with all one's might; *spänna alla sina* ~*er* strain every nerve; [*springa*] *av alla krafter* . . as hard as ever one can; *i sin* ~*s dagar* [*var han*] in his prime . ., in the prime of life . . **2** *bildl., den drivande* ~*en inom* . . the leading man (driving force) in . .; *förvärva en ny* ~ secure a new co-operator (a fresh capacity); *skolade* ~*er* trained persons (workmen); *yngre* ~*er* younger men **3** *jur.* [gällande] force; *äga* ~ hold good, be in force; *träda i* ~ come into force, take effect; *i* ~ *av* by virtue of; *till den* ~ *och verkan det hava kan* for what it may be worth **-anläggning** [electric[al]] power plant **-ansträngning** straining of one's powers (every nerve); physical exertion; *göra en* ~ make a strenuous effort; *äv. eg. sport.* put on a spurt **-besparing** power economization **-foder** concentrated fodder **-full** *a* powerful; [fysiskt] vigorous, robust, strong **-fält,** *elektriskt* (*magnetiskt*) ~ electric (magnetic) field **-förbrukning** *allm.* expenditure of energy; *elektr.* power consumption **-förlust** loss of strength (*mek.* power) **-ig** *a* **1** powerful; [livlig] vigorous; *äv.* energetic; [stark] strong *äv. bildl.* [*vilja* will]; [verksam] effective; [~ till hälsan] robust; ~*t bistånd* powerful (vigorous, active) assistance; *en* ~ *protest* an emphatic protest; *ett* ~*t slag* [*i huvudet*] a powerful (violent, heavy) blow . . **2** ~ *mat* nourishing food; ~ *måltid* substantial meal **3** [stor] big; great; [väldig] tremendous **-igt** *adv* powerfully &c **-karl** strong man **-källa** source of power; *äv. bildl.* source of strength **-ledning** *elektr.* power-line, transmission line **-lös** *a* weak, powerless, lacking force (energy, power); ineffective; jfr *svag;* [orkeslös] effete, impotent **-mätning** *bildl.* trial of strength **-nät** power supply system **-prov** feat of strength [*av* on the part of] **-samling** concentration of strength (power) **-station** *elektr.* power station **-tag,** *ett verkligt* ~ a really strong pull (big tug **F**) **-uttryck** [strong] expletive; *använda* ~ use strong language **-verk** power plant, power-generating station **-yttring** manifestation of power (strength) **-åtgärd** energetic (strong) measure **-överföring** power transmission **-överskott** power surplus; excess of power

krag||**e** collar **-handske** gauntlet **-knapp** [collar-]stud **-skyddare** scarf **-stövel** top-boot

krake **1** weakling; [usling] wretch **2** [häst-] jade [of a horse]

krakel brawl, affray; jfr *gräl*

krak|**mandel** dessert almond

1 kram [varor] small wares (fancy goods) *pl*

2 kram I *a* wet, cloggy **II** *s* **F** hug **-a** *tr* **1** squeeze [*saften ur* the juice out of] **2** [omfamna] hug, embrace

kramp cramp; convulsion, spasm; *få* ~ have [the] cramp come on, be seized with [the] cramp

krampa cramp[-iron], clamp, clog

kramp||**aktig** *a* spasmodic; convulsive [*gråt* crying] **-anfall** attack of cramp **-ryckning** spasmodic twitch[ing]

kran **1** [lyft-] crane **2** [rör-] cock, tap **-arm** crane beam **-balk** crane girder, cat-head

kranium cranium

krans **1** wreath; [girland] garland **2** *bildl.* ring, circle **3** *kok.* ring-shaped roll **-artär** coronary vein; *förkalkning i* ~*erna* coronary sclerosis **-nedläggning** depositing of wreaths

krapp *bot.* ⊕ madder

krapula **F** hang-over

kras, *gå i* ~ go to (fly into, burst to) pieces **-a** *itr* [s]crunch

krasch crash; *eg. äv.* smash; *bildl. äv.* catastrophe, **F** smash-up **-a** *itr* go crash; [om företag] **F** go smash

kraschan grand star

krass *a* crass; *äv.* gross

krasse *bot.* cress; nasturtium

krasslig *a* ailing, seedy, poorly

krater crater

krats ⊕ scraper **-a** *tr* scrape, scratch

kratta I *s* rake **II** *tr* o. *itr* rake [over] [the gravel]; ~ *ihop* rake up

krav **1** [skuldfordran] monetary claim [*på* on]; [uppman. att betala] demand ([hövl.] request) for payment **2** [friare] demand [*på ngt* for a th.; *på livet* from life]; [anspråk] claim [*på* to]; *ett rättmätigt* ~ a legitimate claim; *ställa stora* ~ *på* make great (heavy) demands upon; [ngns förmåga] put . . to a severe test

kravaller riots, disturbances

kravatt tie, necktie **-nål** tie-pin

krav||**brev** demand note, dunning letter **-bud** [i bridge] forcing bid

kravellbyggd *a sjö.* carvel-built
kravla *itr* o. *rfl* crawl
kraxa *itr* croak
kreatur animal; [fä] beast *äv. bildl.; koll* cattle *pl* **-s|besättning** stock of [farm] animals; [gårdens] live stock **-s|foder** cattle-food **-s|försäkring** live-stock insurance **-s|utställning** cattle show
kredit 1 [-' -] credit; *debet och ~* the balance-sheet; se *äv. debet* **2** [- -'] credit; *på ~* [up]on credit; *äv.* **F** on tick **-aktiebolag** commercial (banking) credit company **-avtal** credit agreement **-behov** credit requirements *pl,* need for credit **-brev** *dipl.* credentials *pl;* letter[s *pl*] of credence **-era** *tr* credit; *~ ngn för [ett belopp]* (*äv.*) credit .. to a p.'s account **-givning** credit [facilities *pl*] **-iv 1** [diplomats] credentials *pl, äv.* letter of credence **2** [kassa-] *bankv.* cash credit; se *äv. rese~* **-kassa** credit bank **-or** creditor **-sida,** *på ~n* on the credit side *äv. bildl.; bokf. äv.* on the creditor side **-åtstramning** tightening of credit facilities; **F** credit squeeze
kreera *tr* create
krematorium crematorium
kreol Creole
kreosot creosote
Kreta Crete
kretin cretin
kreti och pleti F Tom, Dick and Harry
kretong cretonne; [glansig] chintz
krets circle, ⊕ circuit; [filial] *äv.* branch [organization], district (local) section; [område] district; [verksamhets-] sphere; *jordens ~* the round of the earth; *i ~en av [sin familj]* in the bosom of ..; *i väl underrättade ~ar* in well-informed circles (quarters) **-a** *itr* circle, go (fly) in circles, wheel; [sväva] *äv.* hover; *~ kring* .. [om tankar o. d.] revolve (circulate) round .. **-gång** circle; circular course **-lopp** circulation; [jordens] revolution; [av nöjen, plikter] round; [årstiders] round, periodical succession **-rörelse** circular motion, gyration
krev||ad explosion, burst **-era** *itr* explode, burst
kria, *en ~* [a piece of] written composition **-bok** composition book **-rättning** correcting of [written] compositions
kricka teal[duck]
kricket cricket **-plan** cricket ground **-spelare** cricketer, cricket-player
krig war; [-föring] warfare; *börja ~* go to war [*mot* against]; *föra ~* wage war; *förklara .. ~* declare war against ..; *befinna sig i ~* be at war; *vara med i ~* see active service **-ar|bragd** warlike exploit **-are** soldier; *poet.* warrior **-ar|folk** nation of soldiers **-ar|skara** [armed] host **-ar|yrke,** *~t* the soldier's profession **-förande** *a* belligerent; *icke ~* non-belligerent **-för|ing** [form of] warfare; [-ande] waging of war **-isk** *a* warlike [*folk* people]; martial [*hållning* bearing]; [stridbar] militant
krigs||ansvarig *a* responsible for a (the) war **-arkiv** military record office **-bedrift** warlike exploit **-blind** *a* blinded in the war **-beredskap** preparedness for war; general alert **-byte 1** [ett ~] war trophy **2** [*som* (*i*) as] [war-]booty **-domstol** military tribunal (court) **-duglig** *a* fit for active service **-fara** threat of war **-fartyg** warship, man-of-war **-flotta** navy; *äv.* battle fleet **-folk** soldiers *pl* **-fot** [*stå på* be on] war-footing; *komma på ~ med* (*bildl.*) get at loggerheads with; *sätta .. på ~* (*äv.*) mobilize .. **-front** [war-]front **-fånge** prisoner of war, war-prisoner **-fångenskap** captivity; *råka i ~* be taken a prisoner of war **-färg** war paint **-förbrytare** war criminal **-förklaring** declaration of war **-förnödenheter** necessities of war **-försäkring** war-insurance **-gud** god of war **-handling** act of war **-herre** [*överste* supreme] commander-in-chief; **F** war-lord **-hetsare** war-monger **-historia** military history **-hot** threat of war **-här** army, military force **-härjad** *a* war-devastated **-högskola** military college **-industri** war industry **-invalid** disabled soldier **-iver** jingoism **-karta** war map **-konjunktur|skatt** excess-profits duty (tax) **-konst** art of warfare; [ngns] strategy **-kontraband** contraband of war **-korrespondent** war correspondent **-kostnad** cost of [a (the)] war, war-costs *pl* **-lag** military law; *~arna* the laws of war **-ledning** conduct of [the] war; [personer] supreme command **-list** stratagem *äv. bildl.* **-lycka** fortune[s *pl*] of war; [*med skiftande*] ~ .. success in the field **-lysten** *a* bellicose **-lån** war loan **-läge** position at the front **-makt** military power; *~en till lands och vatten* the Army and Navy, the Military and Naval Forces *pl; en .. vid ~en* a military .. **-materiel** war material **-minister** minister for (of) war; *Engl.* Secretary of State for War **-ministerium** War Ministry; *Engl.* War Office **-mål** war-aim **-målning** war-paint; [dams] *äv.* make-up **-nyhet,** *~erna* the war news *sg* **-område** war zone **-operation** military operation **-orsak** cause of war **-plan** plan of campaign; *hysa ~er* be contemplating war **-potential** war potential **-propaganda** war propaganda **-risk** risk of war; *försäkr.* war-risk **-råd,** *hålla ~* hold a council of war **-rätt** [domstol] court martial; *ställa ngn inför ~* court-martial a p. **-sjukhus** clearing-station **-skadestånd** war reparation (indemnity) **-skatt** war tax **-skuld** war debt **-skådeplats** theatre of war, war-front **-stig,** *~en* the war-path **-teknik** military technique **-tid,** *i ~[er]* in (during) wartime; *äv.* in time[s] of war **-tids|fenomen** wartime development **-tillstånd** state of war[fare]; *när [landet] befinner sig i ~* when .. is at war; *~ inträder [kl. ..]* war-conditions commence .. **-tjänst** active (war) service **-tjänst|vägrare** [samvetsöm] conscientious objector (C O), **F** conchy **-trött** *a* war-weary **-tåg** warlike expedition **-utbrott** outbreak of [a (the)] war **-vetenskap** military science **-veteran** war veteran; ex-service-man **-år** war year **-ära,** *med bibehållen ~* with the honours of war intact
kriken bullace
Krim the Crimea
krimin||al *a* criminal **-al|dåre** criminal lunatic **-al|film** crime[-story] film **-alitet** criminality **-al|lagstiftning** penal legislation **-al|-polisen** *Engl.* the Criminal Investigation Department (C.I.D.) **-al|roman** crime[-story] novel **-al|statistik** criminality statistics *pl* **-ell** *a* criminal **-ologi** criminology
krimskrams baubles *pl,* trumpery
kring *prep* round, around; [tidsbet.] [round] about; jfr *om~;* [*sekretessen*] *~ denna fråga* .. concerning this matter **-drivande** *a* drifting about **-farande** *a* itinerant **-flackande** *a* roving [life] **-gå** *tr bildl.* get round, circumvent, by-pass; [undvika] evade **-gående** *a* **1** *en ~ rörelse* a flanking movement **2** evasive [*svar* answer] **-gärda** *tr* enclose; fence .. round
kringla figure-of-eight (twist-)biscuit

kring‖liggande *a* surrounding [*bondgårdar* farms] **-resande** *a* travelling; [t. ex. predikant] itinerant; *ett ~ teatersällskap* a touring theatre (theatrical) company **-ränd** *a* surrounded **-skära** *tr bildl.* cut down; curtail, restrict **-spridd** *a* [*ligga* lie] spread [all] about (around) **-strykande** *a* wandering; [i smyg] prowling **-stående** *a*, *de ~* the people (o. s. v.) standing round, the bystanders
krinolin crinoline; *äv.* hoops *pl*
kris crisis [*pl* crises] **-företeelse** feature called forth by a (the) crisis
kristall crystal **-apparat** *radio.* crystal set **-glas** crystal glass **-isera** *tr* o. *rfl* crystallize **-isk** *a* crystal[lic] **-klar** *a* crystal-clear; *äv.* crystalline **-krona** crystal-(cut-)glass chandelier **-mottagare** *radio.* crystal receiver **-palats**, *K~et* the Crystal Palace **-socker** granulated sugar; *hand. äv.* crystals *pl* **-vas** crystal-glass vase
krist|en I *a* Christian; *den -na världen* (*äv.*) Christendom; *bli ~* become a Christian **II** *s* Christian **-dom** Christianity; *skol.* divinity, scripture; *äv.* religion **-doms|fientlig** *a* anti-Christian **-doms|lärare** divinity teacher **-doms|undervisning** religious instruction **-het[en]** Christendom
kristid crisis (emergency) period; *~en* (*äv.*) the crisis **-s|nämnd** [Wartime] Food Office
Kristi Himmelsfärdsdag Ascension Day
kristillstånd state of crisis
krist‖lig *a* Christian; [sinne] Christ-like; [from] pious; *K~a föreningen av unga män* (*kvinnor*) Young Men's (Women's) Christian Association (Y.M.C.A., Y.W.C.A.) **-ligt** *adv* like Christians (a Christian) **-na** *tr* [omvända] christianize **K-us** Christ; *efter ~* A.D.; *före ~* B.C. **-us|barn**, *~et* the Christ-child; [*Madonnan med*] *~et* .. the Infant Jesus **-us|bild** image of Christ **-us|gestalt** figure of Christ
krit‖a I *s* chalk; [rit-] crayon; *ta på ~* **F** take .. on tick; *när det kommer till ~n* when it comes to the sticking-point (the real thing), *äv.* when we pass from sounds to things **II** *tr* chalk; [fönster] whiten **-bit** piece of chalk
kriterium criterion [*på* of]
kritig *a* chalky
krit‖ik 1 criticism [*över* (*av*) on (of)]; jfr *granskning; läsa med ~* read with discrimination (critical judgment); *under all ~* beneath [all] criticism **2** [recension] review, critique; *~en* [-ikerna] the critics *pl* **-iker** critic; reviewer **-ik|lysten** *a* given to criticism (criticizing) **-ik|lös** *a* uncritical; [utan urskillning] indiscriminate **-isera** *tr* criticize; [recensera] review; [klandra] comment adversely [up]on, censure, *Am.* flay; **F** slate, run down **-isk** *a* critical; crucial [*punkt* point]; *~ situation* (*äv.*) emergency
krit‖klippa chalk cliff **-pipa** clay pipe **-streck** chalk line **-vit** *a* [as] white as chalk, chalky [white]; [i ansiktet] [as] white as a sheet
kroat Croat **K~ien** Croatia **-isk** *a* Croatian
krock 1 [i -etspel] croquet **2** [bil-] **F** motor-car smash (crock) **-a I** *tr* croquet **II** *itr* [om bil o. d.] go smash, crock **-et** croquet **-et|klubba** croquet-mallet
krog pub; *litt.* public-house; *Am.* saloon; [värdshus] inn **-kund** pub-goer **-rättighet**[er] public-house license **-rörelse**, *idka ~* keep (run) a pub[lic-house] **-värd** publican
krok 1 hook; *nappa på ~en* bite at the hook; *bildl.* rise at (take, swallow) the bait; *sätta mask på ~en* bait the hook with a worm; *lägga ut sina ~ar för* (*bildl.*) angle for, try to catch **2** [krökning] bend, curve; circuitous way; *gå en stor ~* go a long way round **3 F** [vrå] corner, nook **-a** *tr* hook; *~ av* unhook
krokan ornamented (pagoda-like) pastry-cake
krokben, *sätta ~ för ngn* trip a p. up [by the heels]; *bildl.* place a stumbling-block in the way of a p.
krokett *kok.* croquette
kroki [rough] sketch [*till* of]
krok‖ig *a* crooked; [i båge] curved; [böjd] bent; *gå ~* walk with a stoop; *sitta ~* sit stooping **-linje** curve[d line] **-na** *itr* **1** get bent (&c), bend **2** [falla ihop] collapse **F** **-näsa** hooked (hook-)nose; **F** beak
krokodil crocodile **-tårar** crocodile tears
krok‖ryggig *a* with a crooked back, crook-backed, hunchback[ed] **-sabel** scimitar
krokus crocus
krokväg roundabout (circuitous) way; *gå en ~* (*äv.*) go a long way round; *~ar* (*bildl.*) devious paths, crooked ways, underhand methods
krollsplint excelsior
krom chromium, *äv.* chrome **-atisk** *a* chromatic **-gult** chrome yellow
kromosom chromosome
kron‖a 1 crown; *nedlägga ~n* abdicate [the throne]; *en ~ bland kvinnor* a pearl among women; *~n på..* the crowning achievement of..; *sätta ~n på verket* crown the work; *iron.* cap (beat) everything **2** [mynt] "krona" [Swedish o. s. v.] crown **3** [träd-] tree-top; [blom-] corolla **4** [tak-] chandelier **5** [friare] *~ eller klave?* head[s] or tail[s]? *spela ~ och klave* play [at] pitch and toss [*om* for]; *bildl.* play ducks and drakes [*om* with] **6** *~n* [staten] the State, the Crown; *vara klädd i ~ns kläder* wear the King's coat; *i ~ns tjänst* (*mil.*) in the Crown service; *på ~ns mark* on land owned by the State **-blad** *bot.* petal **-hjort** stag, red deer
kronisk *a* chronic[al] **-t** *adv* chronically; *~ sjuka* chronic invalids
kron‖jurist *Engl.* counsel for the Crown; *äv.* King's Counsel **-juveler** Crown jewels **-ljus** chandelier candle
krono‖gods national (public) domain **-jord** State demesne land **-jägare** national-forest ranger (keeper)
krono‖logi chronology **-logisk** *a* chronological **-meter** chronometer
krono‖skatt [national] revenue taxes *pl*, *äv.* tax **-skog**, *~[ar]* national forests *pl* **-utskylder** [national] revenue taxes
kron‖prins crown prince **-prinsessa** crown princess **-prins|par**, *~et* the Crown Prince and Princess **-vrak** *mil. ung.* C 3 man; reject; **F** army wash-out **-ärtskocka** artichoke
kropp body; *bära närmast ~en* carry next to one's skin; *i hela ~en* all over [one's body]; *darra i hela ~en* be all of a tremble, tremble all over; *inte ha en tråd på ~en* not have a thing on, be stark naked; [*inte äga*] *kläderna på ~en* .. the clothes on one's back; *till ~ och själ* in mind and body; *en konstig ~* **F** a rum fellow (customer, body) **-kaka** *kok.* pork dumpling
kropps‖- bodily, physical **-aga** bodily correction, corporal punishment **-ansträngning** physical exertion **-arbetare** [manual] labourer, working-man **-arbete** manual labour, physical work **-byggnad** bodily (physical) structure; [friare] physique; [beskaffenhet] constitution **-del** part of the body **-hydda** bodily frame; *äv.* body **-kraf-**

ter physical (bodily) strength *sg* **-kultur** physical culture **-lig** *a* bodily; physical [*njutningar* enjoyments]; [straff o. d.] corporal **-rörelse** movement of the (one's) body; [motion] physical exercise **-storlek,** *ett porträtt i* ~ a life-size portrait **-straff** corporal punishment **-styrka** physical strength **-temperatur** bodily (body) temperature **-tyngd** weight of the body **-visitera** *tr* search . . [from head to foot] **-vård** care of the (one's) body **-värme** heat (temperature) of the body **-övning,** *~ar* physical (bodily) exercises
kross ⊕ crushing-mill **-a** *tr* crush; [slå sönder] smash; *äv. bildl.* shatter, wreck; ~ *ngns hjärta* break a p.'s heart; ~ *allt motstånd* bear down all opposition **-|ad** *a* crushed &c; *-at hjärta* broken heart; ~ *sten* (*äv.*) rubble **-maskin** grinding machine **-sår** [severe] bruise (contusion)
krubb||a manger, crib **-[b]itare** crib-biter
krucifix crucifix
kruk||a 1 pot; [burk] jar; [med handtag] jug **2** *bildl.* coward, poltroon **-makare** potter **-russin** *hand. pl* [best] dessert raisins **-skärva** potsherd **-växt** potted plant
krull||a *tr* curl; ~ [*ihop*] *sig* curl itself up **-ig** *a* curly
krum||bukter [omsvep] circumlocutions; [undflykter] subterfuges; [bugningar] obeisances **-elur** flourish, curl **-språng** caper; gambol; *göra* ~ cut capers, gambol around
1 krus [kärl] [earthenware] jar; [m. handtag] jug, pitcher
2 krus 1 *konkr* [av tyg] ruff[le], frizzle **2** *bildl.* ceremony, fuss, **F** to-do **-a I** *tr* crisp, curl; [rynka] ruffle; [vattenyta] ripple **II** *itr* stand on ceremony [*för* with]; *jag ~r ingen!* I go my own way regardless of everybody!
krusbär gooseberry **-s|kräm** gooseberry fool
krus||flor crape **-hårig** *a* curly-(frizzy-)haired **-iduller F** frills **-ig** *a* curly; [kål o. d.] *äv.* crisp **-kål** *bot.* savoy [cabbage], kale, borecole **-ning** [på vatten] ripple
krusta crust
krustad *kok.* croustade
krustång [pair of] frizz[l]ing-(curling-)irons *pl*
krut gunpowder; [kläm] **F** spunk; *han var inte med när ~et fanns upp* he'll never set the Thames on fire; *ont ~ förgås inte så lätt* ill weeds grow apace **-durk** powder chest **-gubbe F** doughty old boy **-rök** [gun-]powder smoke **-torr** *a* bone-dry **-tunna** powder barrel **-upplag** powder store
kry *a* well; jfr *frisk;* **F** fit **-a** *itr,* ~ *på* (*till*) *sig* get better, recover; come round
krycka crutch; [käpp-] handle, crook; *äv.* [t. ex. guld-] top
krydd||a I *s* spice *äv. bildl.; kok.* seasoning, flavouring **II** *tr* season, flavour, spice *äv. bildl.; starkt ~d* highly seasoned (&c) **-bod** grocer's shop **-krasse** garden cress **-nejlika** clove **-ost** clove-spiced cheese **-peppar** Jamaica pepper, allspice **-skorpa** spiced rusk **-smak** *äv.* flavour of spice **-växt** aromatic plant, sweet herb
krymp||a I *tr* ⊕ shrink **II** *itr* shrink; [i tvätten] *äv.* get shrunk, run up; ~ *ihop* shrink [up] **-fri** *a* unshrinkable, pre-shrunk; *hand. äv.* non-shrinking; *Am.* Sanforized **-ling** cripple **-mån** shrinkage allowance **-ning** shrinkage
kryp [small] creeping (crawling) thing (creature); [ohyra] vermin **-|a** *itr* **1** creep; [kräla] crawl; ~ *för ngn (bild.)* cringe (grovel) to a p.; ~ *bakom ngn (bildl.)* shield o.s. behind a p.; *det -er i mig när jag ser det* it gives me the creeps to see it; *nu kröp sanningen fram!* now the truth emerged! ~ *ihop* huddle up, [om flera] huddle [themselves] together; crouch (cower) down; ~ *in i sitt skal* creep (retire) into its (one's) shell **2** ~ *till kojs* go to bed **-ande** = *inställsam* **-eri** abject servility **-hål** *bildl.* loophole **-in** nest, crib; [vrå] cosy corner **-skytt** stalker, poacher
krypta crypt
kryptogam *bot.* cryptogam
krysantemum chrysanthemum
kryss 1 [kors] cross **2** *sjö.* beating, cruising &c, jfr *-a;* [-ning] cruise **-a** *itr* beat [*mot vinden* [up] against the wind]; *äv.* beat to windward, tack; [segla omkring] cruise; [friare, ragla] lurch **-are** *sjö. mil.* cruiser **-förband** *byggn.* cross brace **-ning** = *kryss 2* **-prick** *sjö.* spar-buoy **-valv** cross-vault[ing]
kryst||a *itr* [vid avföring] strain [at stools] **-ad** *a* strained, laboured; [kvickhet] *äv.* forced
kråk||a 1 *zool.* [hooded] crow; *hoppa* ~ [lek] crowhop **2** [märke] tick; [fel] error-mark **-bär** crowberry **-fötter** *bildl.* pot-hooks, scrawly writing *sg* **-spark** *sömn.* featherstitch **-sång,** [*inte förstå*] *det fina i ~en* . . the beauty (joke) of it all **-vinkel** small (country) town, **F** hole
kråma *rfl* prance [about]; [om pers.] *äv.* strut (swagger) [about]; [om häst] *äv.* arch its neck
krång||el bother, trouble; jfr *trassel 2; ställa till ~ = -la I; K- -Sverige (ung.)* Red-Tape Sweden **-la I** *itr* make a bother (fuss, difficulties); [bruka knep] be up to [one's] tricks; [vara, bli -lig] be troublesome; [förorsaka -el] give (cause) trouble; *dörren ~r* the door won't open; ~ *till* [*en sak*] get . . into a muddle, make a muddle of . . **II** *rfl,* ~ *sig ifrån* . . hit upon some means of getting out of (escaping from) . .; ~ *sig igenom* find some way of getting through **-lig** *a* troublesome, bothering, tiresome; [invecklad] intricate; [svår] difficult, complicated
krås 1 [hals- o. d.] frill ruffle, ruff **2** *smörja ~et* **F** do o.s. well, feast [*med* on] **-nål** breast-pin
kräft||a 1 *zool.* crayfish; is. *Am.* crawfish; [röd] *som en kokt* ~ . . as a boiled lobster **2** *läk.* cancer **-cell** cancer cell **-fiske** crayfish-catching **-forskning** cancer research **-härd 1** *läk.* seat of a (the) cancer **2** *bildl.* canker-spot **-kalas** crayfish-feast **-klo** crayfish['s] claw **-sjukdom** cancer[-disease]; *bildl.* [t. ex. sprida sig som en] canker **-skada** cancer; *bildl.* canker **-stjärt** crayfish tail **-svulst** *läk.* cancer[ous] tumour (growth) **-sår** cancerous ulcer; *bildl.* canker **-tumör** se *-svulst*
kräk 1 = *kryp* **2** = *kreatur* **3** *bildl.* wretch, miserable beggar (fellow); *stackars* ~ poor wretch (thing); *ett beskedligt* ~ (*äv.*) a flat
kräkas *dep* **I** *itr* be sick, vomit **II** *tr,* ~ [*upp*] vomit, bring up
kräkla crozier
kräk||medel *läk.* emetic, vomit **-ning** attack of vomiting
kräl||a *itr* crawl; ~ *i stoftet* (*bildl.*) grovel [in the dust] [*för* to] **-djur** reptile
kräm cream; jfr *hud~, sko~*
krämar||e shopkeeper, tradesman; [neds.] huckster[er] **-folk,** *ett* ~ a nation of shopkeepers
krämfärgad *a* cream-coloured
krämla *bot.* russule
krämpa ailment
kräng||a I *itr sjö.* o. *flyg.* cant, list, heel [over], lurch; *äv.* roll **II** *tr* **1** cant, heave

down **2** = *vända* [*ut och in på*]; ~ *av sig* [en tröja] struggle out of .. **-ning** canting &c; *äv.* lurch, roll **-nings|vinkel** lurch[ing] angle
kränk||a *tr* violate (infringe) [*en lag* a law]; [överträda] transgress; [förorätta] wrong; [förolämpa] insult, offend **-ande** *a* insulting, offensive; ~ *tillmälen* abusive epithets **-ning** violation; infringement; transgression; wrong; insult, offence; jfr *-a*
kräpp crêpe *fr.* **-erad** *a* crapped **-[p]apper** crêpe (crinkled) paper
kräs||en *a* fastidious (particular) [*på* about]; discriminating **-lig** *a* choice, sumptuous
1 kräva *s* craw, crop, gizzard
2 kräv||a *tr* demand, claim; jfr *fordra;* [påkalla] call for; [behöva] require, need; [upptaga] take up [much time]; ~ *ngn på pengar* apply to a p. for payment, demand payment of a p.; [skriftligt] *äv.* dun a p. for money; [*olyckan*] *-de ett människoliv* .. cost one person's life, .. claimed one victim **-ande** *a* exacting; [prövande] trying; *en* ~ *uppgift* an arduous task; a task that makes great demands on its performer
krögare = *krogvärd*
krök bend; [väg- o. d.] curve, wind[ing]; [bukt] turn **-a** *tr* o. *itr* bend [*ryggen* one's back]; [armen, fingret] crook; curl [*läpparna* one's lips]; *icke* ~ *ett hår* not touch a hair **-ning 1** bending &c **2** = *krök*
krön crest; [allmännare] top, crown, ridge **-a** *tr* crown [*ngn till konung* a p. king] *äv. bildl.*
krönik||a chronicle; annals *pl*, records *pl;* [i tidn.] diary **-ör** chronicler; [i tidn.] columnist
kröning coronation
krösus Croesus
kub cube; *upphöja .. i* ~ raise .. to the third power, cube ..
kubb[e] block
kub||ik cubic **-ik|fot,** *fyra* ~ four cubic feet **-ik|innehåll** cubic content[s *pl*] **-ik|meter** cubic metre **-ik|mått** cubic measure **-ik|rot** cube root **-isk** *a* cubic **-ism** Cubism **-istisk** *a* Cubist[ic]
kuckel F jugglery
kudd||e cushion; [säng-] pillow **-var** pillowcase
kugga *tr* **1** [i examen] fail, **F** plough; *han blev* ~*d* he failed (was ploughed) **2** [lura] take .. in
kugge cog *äv. bildl.*
kuggfråga F poser, floorer; twister
kugghjul cog-wheel *äv. bildl.;* gear [wheel]
kujon coward, poltroon **-era** *tr* domineer, tyrannize over, bully; [stuka] browbeat
kukeliku *itj* cock-a-doodle-doo
kul *a* **F** wizard, super, smashing, spiffing
1 kula cave; [lya] lair, den; [bostad] **F** digs *pl*
2 kul||a 1 ball; [gevärs-] *äv.* bullet; *skjuta sig en* ~ *för pannan* blow one's brains out **2** [friare] ball; [liten, pappers- o. d.] pellet; [vid omröstning] ballot; *spela* ~ play at marbles **3** *sport., stöta* ~ put the shot (weight) **4** *börja på ny* ~ **F** start afresh; *lite på* ~*n* half seas over **-bana** *mil.* trajectory **-bane|projektil (-bane|raket)** ballistic missile (rocket) **-blixt** fire-ball
kulen *a* bleak, raw [and chilly]
kul||formig *a* ball-shaped, globular **-hål** *mil.* bullet-hole
kuli coolie
kulinarisk *a* culinary
kuling *sjö.* half-gale, fresh wind, breeze
kuliss coulisse; [-vägg] *äv.* side-scene; ~*erna* (*vanl.*) the wings; *bildl.* [*bakom* behind] the scenes
kull litter; [fåglar] hatch, brood; [friare] batch
kul|lager ball-bearing[s *pl*]
kulle 1 [höjd] hill; [liten] hillock; [grav- o. d.] mound **2** [hatts] crown
kuller||bytta [*göra en* turn a] somersault; [fall] fall, tumble **-sten** cobble[-stone]; *koll* cobbles *pl*
kull||kasta *tr* upset [*planer* plans]; overthrow [*en teori* a theory]; jfr *kasta* [*omkull*] **-körning,** *deras* ~ their being upset; ~ *med två dödsoffer* [rubrik] Motor[car] Accident. Two people killed **-prata** *tr* talk round **-ridning** fall with one's horse **-rig** *a* convex; [mage] bulging **-rösta** *tr* defeat .. by an adverse vote
kulm||en [*nå sin* reach its] climax (culminating-point); [mera eg.] highest point, summit, acme; *ekon.* maximum, peak **-inera** *itr* culminate; reach its climax &c
kul||regn rain (hail) of bullets **-[spets]penna** ball-point pen, Biro **-spruta** machine-gun [*äv. : beskjuta med* ~] **-sprute|eld** machine-gun fire **-sprute|gevär** *ung.* light machine-gun **-sprute|näste** machine-gun nest **-sprute|skytt** [machine-]gunner **-sprute|torn** gun turret **-stötare** *sport.* shot-(weight-)putter **-stötning** putting the shot (weight)
kult cult **-grotta** ritual cave **-iverad** *a* cultivated, cultured, refined
kultje *sjö.* [fresh] breeze
kultur 1 *bildl.* civilization; [bildning] *äv.* culture *äv. vetensk.* [om bakterier]; [förfining] refinement **2** [odlande] cultivation; *is. trädg. äv.* culture **3** [växter] plants *pl* **-arbete** culture-promoting work **-arv** cultural inheritance **-avtal** cultural exchange agreement **-centrum** centre of culture **-epok** cultural epoch **-ell** *a* cultural **-fientlig** *a* anti-cultural **-folk** civilized (*äv.* culturally progressive) people **-form** form of culture **-förmedlare** cultural ambassador **-gärning** cultural achievement **-historia** history of culture (civilization) **-härd** centre of culture **-intresse** cultural interest **-land** civilized country **-nation** civilized nation **-nivå** level of culture **-personlighet** man (woman) of light and leading, leading personality in the field of culture **-produkt** product of culture (civilization) **-samhälle** civilized society (community) **-språk,** *de stora* ~*en* the principal languages of the civilized world **-utbyte** cultural exchange **-växt** cultivated plant
kulör colour; *bildl. äv.* shade **-t** *a* coloured; ~*a lyktor* Chinese lanterns
kummel *ark.* cairn
kummin caraway, cum[m]in **-ost** seed-spiced cheese
kumpan companion; jfr *medbrottsling*
kund customer; *äv.* client; [på krog o. d.] frequenter
kunde se *kunna*
kund||krets circle of customers; clientèle **-tjänst** service
kung king; jfr *konung; gå till* ~*s* appeal to the highest tribunal **-a|döme** monarchy, kingdom **-a|familj,** ~*en* the Royal Family **-a|makt** power of a (the) king; royal (regal) power **-a|mord** regicide **-a|par,** [*det svenska*] ~*et* the [Swedish] royal couple, the [Swedish] King and Queen **-a|rike** kingdom **-lig** *a* royal; jfr *konungslig; deras* ~*a högheter* their Royal Highnesses; *de* ~*a* the Royal Family (personages); *K*~*a Biblioteket* the National Library **-lighet** royalty **-ligt** *adv* royally, in kingly fashion; *roa sig* ~ have a capital time [of it], live [**F** it up] royally **-s|fiskare** kingfisher **-s|fågel** goldcrest **-s|gård** demesne (domain) of the Crown (State) **-s|ljus**

bot. mullein **-s|tanke** leading idea **-s|tiger** [royal] Bengaltiger **-s|väg** *bildl.* royal road **-s|ängslilja** turkey eggs **-s|örn** golden eagle
kungör||a *tr* announce, make . . known; [utropa] proclaim; ~ *för allmänheten (äv.)* give public notice of **-else** announcement, notification; proclamation; public notice
kunn||a I *tr* **1** [känna till] know [*engelska* English]; [ha lärt sig att] know how to [*åka skidor* ski] **2** [vara i stånd att] be able to; *så gott han kunde* as best he might (could) **II** *hjälpv.* **1** be able to; be capable of [*göra* doing] **2** can, may; jfr *gram.; det skulle ~ hända* it might happen; *det skulle inte ~ hända mig* it couldn't happen to me **-ande** skill, ability, proficiency; [kunskap] knowledge **-ig** *a* **1** [skicklig] skilful, clever; *äv.* capable, competent; [styv] proficient [*i* at] **2** [som har reda på sig] well-informed; [kunskapsrik] *äv.* knowledgeable; [hemmastadd] versed, well-up; *vara tekniskt ~* possess (&c) technical skill (&c) **-ighet** = *-ande*
kunskap knowledge [*i* of (on)]; jfr *vetskap; goda ~er i [språk]* a good knowledge of . . **-a** *itr mil.* reconnoitre, *äv.* scout **-are** *mil.* reconnoitrer; [military] scout; intelligencer **-s|begär** desire (craving) for knowledge **-s|förråd** store of knowledge **-s|rik** *a* [possessed] of wide knowledge; *en ~ person (äv.)* a well-informed person **-s|törst[ande** *a*] thirst[ing] for knowledge
kupa I *s* [lamp-] shade; [bi-] hive **II** *tr trädg.* mould (bank, earth) up
kupé 1 *järnv.* compartment **2** [vagn] coupé
kuper||a *tr* **1** [svans] dock, crop **2** *kortsp.* cut **-ad** *a* [landskap] hilly, hillocky; [m. mjuka linjer] undulating
kupig *a* convex[ly rounded]; [ögon] bulging
kuplett revue (music-hall, comic) song **-författare** comic(&c)-song writer
kupol cupola, dome **-formig** *a* dome-shaped, domed **-tak** dome
kupong coupon; [mat-] *äv.* check **-biljett** coupon ticket **-fri** *a* couponless
kupp coup; *en djärv ~* a bold stroke, a daring move; *på ~en* [t. ex. att dö] on the exploit; as a result [of it]; [därvid] at it **-försök** attempted coup **-makare** [stats-] coup-d'etat maker
1 kur 1 *läk.* course of [medical] treatment [*mot* for]; [botemedel] cure [*för* for] *äv. bildl.* **2** *göra ngn sin ~* pay a p. court, court a p.
2 kur [skjul] shed, hut; [i vagn] hood
kura *itr, sitta och ~* sit cowering
kurage pluck, nerve; jfr *2 mod;* **F** guts *pl,* spunk
kuranstalt sanatorium
kurant *a* **1** *hand.* marketable, saleable **2** [gångbar] current **3** = *frisk*
kurator *univ. m. m.* 'curator'; [övervakare] *äv.* supervisor
kurbits gourd, pumpkin
kurera *tr* cure [*för* of]
kurfurste elector **-n|döme** electorate
kurios||itet curiosity; *konkr äv.* curio; *som en ~* as a curious coincidence; *~er (äv.)* bric-a-brac **-um** curiosity; [pers.] odd specimen
kurir courier **-tåg** express [train]
kuriös *a* curious, strange, quaint, odd
kurort spa, health resort
1 kurra *itr* **1** [om duva] coo **2** *det ~r i magen på mig* there's a rumbling in my insides
2 kurra F = *finka, arrest*
kurragömma, *leka ~* play [at] hide-and-seek
kurre F chap, fellow, bloke; *underlig ~ (äv.)* odd fish (cus)
kurs 1 course [of instruction] [*i* in (on)]; *skol. o. d.* curriculum; *ge en ~ i* give a course [of lectures] on; *äv.* conduct a class in **2** *sjö.* course; [-linje] track; *bildl. äv.* [line of] policy, tack; *hålla ~ på* [hamn] stand in for; [udde] make (stand, head) for; *flyg.* steer (head) for, bear down upon; *ändra ~* veer; [friare] *äv.* change one's course **3** *hand.* [på utländsk valuta] rate [of exchange] [*på* for]; [på värdepapper] price [*på* of]; *noterad ~* price (rate) quoted; *lägsta ~ (vanl.)* the bottom price (rate); *till bästa möjliga ~* at the best exchange possible; *stå högt i ~* be at a [great] premium *äv. bildl.; bildl. äv.* be in great favour; *stå lågt i ~* be at a discount **-a** *tr o. itr, ~ [med]* [buy and] sell **-avgift** course fee **-avsnitt** part of a (the) course **-bok** text-book **-deltagare** attendant at (member of) a course **-fall** *hand.* fall (drop, [häftigt] break) in [the] prices (the rate of exchange) **-förändring** change of course (policy) **-hastighet** *flyg.* [true] airspeed
kursiv I *s* italics *pl* **II** *a* italic; [läsning] . . at sight **-era** *tr boktr.* italicize, print . . in italics; [understryka] underline; *~d* [printed] in italics **-läsning** reading at sight **-stil,** *med ~* in italics **-t** *adv, läsa ~* read at sight (without preparation)
kurs||kamrat fellow student [in a course] **-ledare** leader (conductor) of a (the) course **-lista** *hand.* [över aktier] [Stock-Exchange] investment list; [över utländsk valuta] foreign-exchange table **-notering** *hand.* [official] quotation **-verksamhet** [vid univ.] extramural activity **-värde** market value; [valutas] exchange value
kurtage *hand.* brokerage, commission
kurtis flirtation; *äv.* philandering **-an** courtesan **-era** *tr, ~ ngn* court (make love to, carry on a flirtation with) a p. **-ör** philanderer, lovemaker
kurva curve; [krök] bend; *i ~n* at the curve; *ta en ~* turn a curve
kusch *itj, ~ där!* [lie] down! **-a I** *itr* lie down **II** *tr* browbeat, cow
kusin [first] cousin; *~ers barn* second cousins
kusk coachman [is. privat]; driver **-a** *itr* o. *tr* drive; *~ omkring* be travelling [about] **-bock** [coachman's &c] box, driver's seat
kuslig *a* dismal, gloomy, dreary; [hemsk] gruesome, uncanny; *känna sig ~ till mods* feel creepy, have a creepy sensation
kust coast; [havsstrand] shore; *vid ~en* on the coast; *äv.* [t. ex. bo, vistas] at the seaside **-artilleri** coast artillery **-batteri** coast battery **-befolkning** seaboard population **-bevakning** *abstr* coast-protection; *konkr* coast guard **-bevaknings|fartyg** coast guard vessel **-fartyg** coaster, coasting vessel **-flotta,** *~n* the Coast (*Engl.* Home) Fleet **-försvar** coast[al] defence **-klimat** coastal (littoral) climate **-klippa** cliff **-remsa** coast-line **-stad** coastal (seaside) town **-sträcka** stretch (piece) of coast[-line], littoral **-trakt** coastal region
kut||a = [*gå*] *krokig* **-ig** = *krokig* **-rygg** hump-back
1 kutter [duvo-] cooing *äv. bildl.*
2 kutter 1 *sjö.* cutter **2** ⊕ cutter[-block] **-spån** cutter shavings *pl*
kutting small keg
kuttra *itr* coo
kutym custom; [affärs-] custom of the trade
kuva *tr* subdue; [uppror] coerce; [känslor] repress; [betvinga] curb, check; *~d av (äv.)* daunted by

kuvert 1 envelope; *i särskilt ~* (*hand.*) under [a] separate cover **2** [bords-] cover; *Am.* place setting **-bröd** roll
kvacksalv||are quack[-doctor], charlatan **-ar|-medicin** quack-medicine **-eri** quackery, charlatanry
kvadda *itr* [om bil] crash
kvader ashlar, freestone
kvadr||ant quadrant **-at** square; [*två fot*] *i ~* . . square; *~en på* . . the square of . .; *tre* [*upphöjt*] *i ~* three squared (raised to the second power); [*egenkärleken*] *i ~* **F** . . raised to the nth power **-atisk** *a* **1** *geom.* square **2** *mat.* quadratic **-at|meter (-at|mil)** square metre (mile) **-at|rot,** *~en ur* the square root of
kval pain; [lidande] suffering; [pina] torment; [vånda] agony; *hungerns ~* (*pl*) the pangs of hunger; *i valet och ~et* in two minds [*om* [as to] whether] **-full** *a* agonizing, torturing; excruciating [*plågor* pains]
kvali||ficera I *tr* qualify [*för* for] **II** *rfl* qualify [o.s.] **-ficer|ad** *a* qualified [*till* for]; *-at brott* aggravated crime; *~ majoritet* a two-thirds majority **-ficering -fikation** qualification **-tativ** *a* qualitative **-tet** quality; is. *hand. äv.* sort, type, description; [märke] brand (line) [of goods]; [värde] value; *av prima ~* of [a] first-rate quality (&c) **-tets-** i *sms* high-standard, *äv.* high-quality(-grade) **-tets|märke** *hand.* [high-]standard mark (&c) **-tets|varor** *äv.* superior-quality goods
kvalm closeness, stiflingness **-ig** *a* suffocating, close, stifling
kvant||itativ *a* quantitative **-itativt** *adv* quantitatively; *äv.* from a (the) quantitative point of view **-itet** quantity; [mängd] *äv.* amount **-um** quantum
kvar *adv* **1** jfr *glömma* [*sig*], *stanna, vara* [*kvar*] **2** [igen, -lämnad, i behåll] left; [bevarad] preserved; *hur mycket blir det ~?* how much (what) is [there] (will [there] be) left [over]? *äv.* what is the remainder? *ha ~* (*äv.*) still have; *finnas ~* [återstå] remain intact; [om bok o. d.] be extant **-blivande** *a* permanent, remaining **-bliv|en** *a* left over ([-lämnad] behind); *-na biljetter* tickets remaining (left) over (unsold) **-dröjande** *a* lingering **-glömd** *a, ~a effekter* [rubrik] [railway] lost property *sg* **-hålla** *tr* keep; [fördröja] detain
kvarka *veter.* [nasal] catarrh
kvar||leva remnant; [från gången tid] relic, survival; *-levorna* (*äv.*) the remains [*efter* of]: *ngns -levor* a p.'s remains **-levande** *a* surviving; *de ~* the survivors; jfr *leva* [*kvar*] **-låtenskap,** *ngns ~* the property left by a p.; [litterär] remains *pl*
kvarn mill **-damm** mill-pond **-hjul** mill-wheel **-industri** flour-mill industry **-sten** mill-stone **-vinge** [wind]mill-sail **-ägare** flour-mill owner
kvar||sittare *skol.* kept-down [from last year's class], pupil who has not been moved up; *bli ~ i ettan* stay down in the first form **-stad** sequestration [*på* of]; *sjö.* embargo [*på* on]; [på tryckalster] impoundage; [tillfällig] suspension; *belägga med ~* sequestrate; embargo; impound **-stå** *itr* remain
kvart 1 quarter **2** [-s|timme] quarter of an hour; *en ~ i tre* a quarter to three; *en ~ över tre* a quarter past three **3** [på tärning] four, cater **4** *mus.* fourth **5** [format] quarto **6** *fäktn.* quart, carte **7** *med hatten på tre ~* with one's hat cocked on one side **-al** quarter [of a (the) year] **-als|skifte** turn of the quarter **-als|vis** *adv* by the quarter, quarterly **-er** [- -'] **1** block; [villa- o. d.] quarter **2** [inkvartering] quarters *pl; mil. äv.* billet **-ett** quartette **-ing,** *en ~* a small bottle
kvarts *min.* quartz
kvarts||final *sport.* quarter-final **-format,** *i ~* in quarto
kvartslampa quartz lamp
kvartssekel quarter of a century; *ett ~* (*äv.*) twenty-five years
kvartärtid *geol.* Quarternary Age
kvasi||bildning half-education **-elegant** *a* flashy **-filosof** sham-philosopher **-vetenskap** quasi-science
kvast [birch-]broom **-prick** *sjö.* broom-head
kvav I *a* close; [instängd] stuffy; [tryckande] oppressive (sultry) [*luft* air] **II** *s, gå i ~* founder, go down
kverulant querulous person, grumbler
kvick *a* **1** [snabb] quick; *äv.* rapid, swift; jfr *snabb;* ready (prompt) [*svar* answer] **2** *bildl.* witty; smart [*replik* retort]; [-tänkt] clever *äv. iron.* **-drag** *veter.* broken wind **-het 1** quickness &c; jfr *kvick 1* **2** wit; *en ~* a witticism, a joke **-huvud** wit, smart man **-na** *itr, ~ till* come to life again; [efter svimning] come round, *äv.* rally; *bildl.* chirp up **F -rot** *bot.* quick-grass **-silver** quicksilver; [i barometer] mercury **-t** *adv* quickly &c; *inte vidare ~ gjort* not a particularly smart (clever) thing to do **-tänkt I** *a* quick-(ready-)witted, clever **II** *adv* with ready wit; cleverly
kvida *itr* wail; [klaga] whine, whimper
kvig||a heifer **-kalv** cow-calf
kvillajabark Quillaia bark
kvinn||a woman; *~ns rösträtt* woman suffrage **-folk 1** *koll* womankind; [-or] women[folk[s] **F**] *pl* **2** [ett ~] woman **-lig** *a* **1** female [*kön* sex]; [*familjens*] *~a medlemmar* the feminine members of . .; *~ läkare* woman (lady) doctor **2** [~ av sig] womanly, feminine; [t. ex. klubb] women's (ladies', girls') [club]; *det evigt ~a* the eternal feminine **-lighet** womanliness, womanhood; [neds.] femininity, *äv.* womanishness; [veklighet] effeminacy
kvinno||bröst female breast **-emancipation** emancipation of women **-fängelse** women's prison **-gunst** favour of women **-hatare** woman-hater, misogynist **-hjärta,** *~t, ett ~* a woman's heart **-klinik** gyn[a]ecologic clinic **-kön,** *~et* the female sex; [-släktet] womankind **-linje** = *spinnsidan* **-läkare** women's-diseases specialist, gyn[a]ecologist **-rörelse** woman (women's-rights) movement **-rösträtt** women's suffrage **-sak** women's rights *pl* **-saks|kvinna** [woman-]suffragist; champion of women's rights **-sjukdom** woman's disease **-tjusare** lady-killer, woman-charmer **-tycke,** *ha ~* be a lady's man **-vis** *adv, på ~* womanfashion
kvint *mus.* fifth, quint **-essens** quintessence
kvissla pimple
kvist 1 twig, sprig; [is. avskuren] spray **2** [i virke] knot, knag **-a** *tr, ~* [*av*] top the twigs off **-fri** *a* without knots, clean **-hål** knot hole **-ig** *a* **1** twiggy, spriggy **2** [om trä] knotty, knaggy **3** *en ~ fråga* an awkward (intricate) question **-ning** pruning **-såg** pruning saw
kvitt *a* **1** *vara ~* be quits **2** *bli* (*göra sig*) *~ ngn* get rid of a p. **-a I** *tr* set off, countervail **II** *itr, det ~r mig lika* it is all one (makes no difference [whatever]) to me **-ens** receipt **-ens|häfte** book of receipt forms
kvitter chirping, twitter

kvitt||era *tr* receipt; acknowledge [*en summa* a sum]; [lämna kvitto på] give a receipt for; [*betalt*,] *~s* paid with thanks; *vilket härmed ~s* which is herewith duly acknowledged **-erad** *a* receipted [*räkning* account (bill)] **-o** receipt [*på* for]; [spårvägs o. d.] ticket
kvittra *itr* chirp, twitter, chirrup
kvot quotient; [friare] quota; ratio
kväde lay, poem, song
kväk||a *itr* croak **-ande** *s* o. *a* croaking
kväkare Quaker, Friend
kvälj||a *tr, det -er mig* I feel sick; it makes me sick (it turns my stomach) [*att tänka på* to think of] **-ande** *a* sickening, nauseating **-ning**, *få ~ar* have an attack of sickness (nausea), be turned sick [*av* by], be nauseated [*av* by]
kväll 1 evening; [mots. morgon] *äv.* night; jfr *afton; i ~* this evening, to-night; *i morgon ~* to-morrow evening; *på ~en, ~arna* in the evening (evenings) **2** = *-s|vard*
kvälla *itr* well [up]; [om toner o. d.] swell; [sippra] ooze
kvälls||arbete evening work **-fest** evening celebration (festival, ceremony) **-nyheter** late news **-stund** evening hour **-tidning** evening paper **-vard** supper; evening meal
kväsa *tr* take .. down; [ngns högmod o. d.] humble, take the wind out of; [undertrycka] suppress
kväv||a *tr* choke, suffocate, stifle; *äv.* smother; *bildl. äv.* quell, suppress; *.. så att man kan ~s* .. to suffocation; *~ .. i sin linda* (*bildl.*) nip .. in the bud **-ande** *a* choking [*känsla* sensation]; [luft] suffocating, stifling; *äv.* **F** choky **-e** *kem.* nitrogen **-e|haltig** *a* nitrogenous **-e|oxid** nitric oxide **-gas** nitrogen gas **-ning** suffocation, choking **-nings|död** death by suffocation
kyckling chicken; [nykläckt] *äv.* [young] chick
kyff||e hovel, hole **-ig** *a* poky
kyl||a I *s* cold [weather]; [-ighet] chilliness; *bildl.* coldness, coolness, chilliness **II** *tr* chill, cool down; ⊕ refrigerate; *~ kinderna* get one's cheeks frost-bitten **-anläggning** refrigerating plant **-are** [på bil] radiator, cooler **-d** *a* [öm-] frost-bitten(-nipped) **-hus** cold-storage warehouse; refrigerating plant **-ig** *a* chilly, cold *äv. bildl.; bildl. äv.* chill **-knöl** chilblain **-luft** cooling air **-mantel** cooling jacket **-ning** cooling **-rum** cold-storage room **-skada** frost-bite; [knöl] chilblain **-skåp** refrigerator, *Am.* ice-box; [för djupfrysning] deep freezer **-slagen** *a* **1** [uppvärmd] slightly warmed, tepid **2** [kylig] chilly **-system** cooling system **-vatten** cooling water **-vätska** anti-(non-)freezing mixture (solution)
kyndelsmässa Candelmass
kynne [natural] disposition; character; temperament
kypare waiter
kypert twill, twilled cloth
kyrk||a church; [sekts o. d.] chapel; *gå i ~n* go to (attend) church (&c) **-bok**, *-böckerna* the church (parish) register[s *pl*] **-bröllop** church wedding **-bänk** church seat (bench); [avbalkad] pew **-klocka** church (&c) bell; [tornur] church clock **-lig** *a* [fråga, konst o. d.] church; [högtidl.] ecclesiastical [*angelägenhet* affair]; [t. ex. intressen] churchly; [prästerlig] clerical; *~ begravning* Christian burial **-ligt** *adv* ecclesiastically; *~ intresserad* with churchly interests
kyrko||besök attendance at church (&c) **-besökare** church-goer(-attender) **-fader** Father of the Church; *-fäder* early (apostolic) fathers **-fientlig** *a* anti-church(-clerical) **-fullmäktig,** *~e* (*Engl. ung.*) the Church Commissioners **-furste** prince ecclesiastical **-gård** cemetery; [kring kyrka] *äv.* churchyard, graveyard **-handbok** service-book, prayer-book **-herde** *Engl. ung.* rector, parson; *äv.* vicar; *~n N.* [titel] Rev. (the reverend) N. **-herde|boställe** *Engl.* rectory, parsonage, vicarage **-historia** church (ecclesiastical) history **-konsert** (**-konst** **-kör**) church concert (art, choir) **-ledare** church leader **-musik** church (ecclesiastical) music **-möte** synod [of the Church]; *äv. Engl.* Church Assembly **-råd** [parochial] church council **-samfund** [church] communion, church **-staten** *hist.* the States *pl* of the Church, the Papal States *pl* **-stämma** parochial vestry **-år** ecclesiastical (church) year
kyrk||port church doorway (porch) **-råtta** church mouse **-sam** *a* regular in one's attendance[s *pl*] at church, church-going **-silver** church plate **-skriven** *a* registered **-torn** church tower, steeple **-vaktare** church-officer, beadle **-värd** churchwarden **-ängel** [chubby] cherub
kysk *a* chaste; [jungfrulig] virgin **-het** chastity; virginity **-hets|löfte** vow of chastity **-t** *adv, leva ~* lead a chaste life
kyss kiss **-a** *tr* kiss **-as** *dep* kiss [each other], exchange kisses **-täck** *a* kiss-inviting **-äkta** *a* kiss-proof
kåd||a resin **-ig** **-rik** *a* resinous
kåk ramshackle (tumble-down) [hut of a] house, shanty; *Am.* shack **-stad** shanty-built (shackly) town
kål 1 cabbage **2 F** *göra ~ på* make mince-meat (short work) of; *ta ~ på* do for; *äv.* **F** spi[f]flicate; [ta död på] **F** swat **-dolma** *kok.* stuffed cabbage **-huvud** cabbage-head **-rabbi** kohlrabi; turnip-cabbage **-rot** Swedish turnip, swede **-soppa** cabbage soup **-supare,** *de är lika goda ~* as for them there is six of one and half-a-dozen of the other (there isn't a pin to choose between them)
kånka *itr* **F**, *~ på* struggle along with
kåpa 1 gown, robe[s *pl*] ;[narr-] [jester's] cloak; [präst-] frock; [munk-] cowl **2** ⊕ cap, cope, cowl, mantle
kår *mil.* corps [*äv.* diplomatisk]; *allm. äv.* body; [förening] union
kår|e 1 breeze **2** *det gick kalla -ar utefter ryggen på mig* cold thrills went (I felt shudders) [all] up my back
kårmärke corps badge
kås||era *itr* chat (give an informal talk) [*över* [up]on] **-erande** *a, ~ föredrag* conversational (chatty, informal) lecture **-eri** causerie *fr.*, informal talk; [tidnings-] chatty (&c, light, topical) article; *äv.* column **-ör** causerie-(&c)-writer, gossip-writer; [tidnings-] *äv.* columnist
kåta [cone-shaped] hut, Laplander's tent
käbb||el bickering, wrangling, squabbling **-la** *itr* bicker, wrangle, squabble; *~ emot* oppose
käck *a* dashing [*yngling* youth]; [djärv] bold, intrepid; [tapper] brave, gallant, plucky; sporting; [vågsam] daring; [frejdig] spirited; [livad] sprightly **-het** dashingness &c; *äv.* dash; gallantry, intrepidity; daring, spirit, pluck **-t** *adv* dashingly &c; *det var ~ gjort av honom* it was sporting of him, it was a sporting thing of him to do; *med mössan ~ på sned* with one's cap jauntily on one side
käft jaws *pl; håll ~en!* shut up! *vara slängd i ~en* **F** be clever at jawing **-a** = *käbbla; ~ emot* answer back

kägel‖bana ninepin-(skittle-)alley **-formig** *a* conical, cone-shaped **-klot** skittle-ball **-spel** [-ning] skittle-playing
kägl|a **1** cone **2** [i spel] ninepin, skittle; *spela -or* play [at] skittles
käk‖ben jaw-bone, mandible **-e** jaw; *vetensk.* mandible **-skada** injury to the (one's) jaw
kälk‖backe toboggan[ing] slide **-borgare** Philistine, **F** bromide **-borgerlig** *a* philistine; **F** bromidic **-borgerlighet** bourgeois mentality **-e** sledge; *sport. vanl.* toboggan, bobsleigh; *åka ~* sledge; toboggan **-med[e]** sledge-runner **-åkning** tobogganing
källa spring, well; [flods o. *bildl.*] wellspring, source [*för* (*till*) of]; *ur säker ~* from a reliable source; on good authority
källar‖e **1** cellar; [jordvåning] basement **2** = *krog* **-glugg** cellar air-hole **-mästare** restaurant-keeper **-valv** cellar vault **-våning** basement[-stor[e]y]
käll‖beskattning taxation at the source, PAYE (pay as you earn) **-flöde** source-stream; *bildl.* spring of inspiration **-forskning** original research **-förteckning** [list of] books consulted, bibliography **-skrift** original text; *~er* (*äv.*) books consulted **-språng** fountain **-vatten** spring-water **-åder** vein of water
kält nagging **-a** *itr* nag[-nag], tease [*om* for]
kämp‖a **I** *itr* [slåss] fight [*om* for]; [strida] contend, struggle; *~ med svårigheter* labour under difficulties **II** *rfl*, *~ sig fram* struggle (fight one's way) [*till* to] **-a|gestalt** giant figure **-a|lek** tournament game **-a|lik** *a* champion-like; [-ahög] giant-like **-e** [stridande] combatant; [krigare] warrior; *allm.* fighter; [för-] champion [*för* of]
kän|d *a* **1** felt; *ett djupt -t tack* one's heartfelt thanks **2** [bekant] known; [väl-] well-known [fact]; [ryktbar] famous, noted; *ett -t ansikte* a well-known (familiar) face; *en* [*allmänt*] *~ sak* (*äv.*) a fact familiar to all, common knowledge; *vara ~ under namnet . .* go by the name of . .; *vara ~ för att vara* be known as being; *vara ~ för* [*sina utmärkta varor*] (*hand.*) be noted for . .; *vara illa ~* be of bad (evil) repute, have a bad reputation
käng‖a boot **-rem** **-snöre** boot-lace
känguru kangaroo
känn, *på ~* by instinct; *ha på ~ att* have an inkling (a feeling) that
känn‖a **I** *s*, *ge sig till ~* make o.s. (itself) known [*för* to]; *ge . . till ~* proclaim . ., make . . known; [missnöje] make . . felt **II** *tr* **1** [förnimma] feel [*sorg* sorrow; *smärta* pain]; [erfara] experience [a feeling of]; [märka] notice; *inte ~ ngn lust att* have no inclination to; *~ för ngn* (*äv.*) sympathize (have sympathy) with a p.; *~ tacksamhet* (*äv.*) be grateful **2** [beröra m. handen] feel **3** [*~ till*] know; *lära ~ ngn* get (learn) to know a p., make a p.'s acquaintance; *lära ~ varandra* become acquainted; *på sig själv -er man andra* one judges others by oneself **4** *~ a'v* (*efter*) feel; *få ~ av* be made to feel; *~ efter om dörren är låst* try the handle to see whether the door is shut; *~ igen* know; [ngn man sett förr] recognize; *~ igen sig* know one's way about (where one is); [*få*] *~ på'* [have to] experience, come in for; *~ på sig* have a feeling, feel instinctively (in one's bones); *~ till* know, be acquainted with; [veta av] *äv.* know of; [vara hemma i] be up to **III** *rfl* feel; *~ sig för* feel one's way [about], *äv.* make sure of one's ground; [sondera] *äv.* sound **-ande** *a* feeling; [t. ex. varelse] sentient **-are** connoisseur; [sakkunnig] expert (authority) [*av* (*på*) on (in)] **-|as** *dep* feel; be felt; *det -s trevligt att* (*äv.*) it is a pleasant feeling to; *det -s svårt att* (*äv.*) one feels it hard to; *hur -s det?* how do you feel (are you feeling)? what does it feel like [*att* to]? *~ vi'd* [tillstå] confess; acknowledge [*äv.* erkänna] **-bar** *a* to be felt [*för* by]; [förnimbar] perceptible (noticeable) [*för* to]; [svår] severe, serious; *ett ~t behov* a much-felt want, *äv.* a pressing need
känne‖dom [kunskap] knowledge [*om* of]; [bekantskap] acquaintance (familiarity) [*om* with]; [vetskap] *äv.* cognizance [*om* of]; notice; [underrättelse] information [*om* about (as to)]; *bringa till ngns ~* bring to a person's attention (notice); *få ~ om* (*äv.*) be informed about (as to); *äga ~ om* be aware of, know about; *med ~ om* knowing, with a knowledge of; *till allmänhetens ~* [*meddelas härmed*] for the information of the public . .; *det har kommit till min ~ att* I have been informed that **-märke** **-tecken** **1** *konkr* [distinctive] mark, token **2** [egenskap] characteristic, distinctive feature, attribute; *äv.* criterion [*på* of] **-teckna** *tr* characterize; [särskilja] distinguish; *äv.* be a characteristic feature of **-tecknande** *a* characteristic [*för* of]; *äv.* distinguishing, distinctive
känning **1** touch; *bevara ~en med* maintain (keep [in]) touch with **2** feeling, symptom; *äv.* touch; *ha ~[ar] av* feel after-effects from
känsel feeling; perception of touch **-förnimmelse** sensation of touch, tactual sensation **-nerv** *anat.* sensory (sentient) nerve **-organ** tactile organ **-sinne** **1** sense of touch, tactile sense **2** [för värme, köld, smärta] sense of feeling **-spröt** feeler, tentacle
känsl‖a feeling [*för ngn* towards a p.; *för ngt* for a th.]; [sinnlig] sensation [*av köld* of cold]; [uppfattning, intryck, sinne] sense [*för* of]; sentiment [*av aktning* of esteem]; [i hjärtat] emotion; *mänskliga -or* human emotions (sentiments); *ömma -or* tender feelings; *i ~n av* in the consciousness of, *äv.* feeling [*att* that] **-ig** *a* **1** sensitive [*för* to]; [mottaglig] susceptible [*för* to]; [om kroppsdel] sensible [(*äv.*) *för vänlighet* to kindness] **2** [-ofull] feeling, *äv.* sympathetic; [lättretlig] touchy [*för* as regards]; [ömtålig] delicate **3** = *rörande I* **-ighet** sensitiveness; sensitivity; sensibility; susceptibility; touchiness &c; delicacy
känslo‖betonad *a* emotionally tinged **-full** *a* **1** full of feeling, emotional **2** = *-sam* **-liv** emotional life; *~et* (*äv.*) the sentient life **-lös** *a* insensitive (insensible) [*för* to]; [själsligt] unfeeling [*för ngn* towards a p.]; *äv.* unemotional, destitute of feeling; [likgiltig] indifferent; [apatisk] impassive **-löshet** insensitiveness &c; insensibility; indifference **-människa** man (o. s. v.) of feeling (sentiment); *en ~* (*äv.*) an emotionalist **-sak** matter of sentiment **-sam** *a* sentimental; emotional; [alltför ~] mawkish **-skäl** sentimental reason **-tänkande** emotional thinking
käpp stick; [rotting] cane; *få smaka ~en* have a taste of the stick (cane) **-häst** cockhorse; *äv. bildl.* hobby-horse **-rapp** blow with a stick (&c)
kär *a* **1** dear [*för* to]; [älskad] beloved (cherished) [*för* by]; fond [*minne* memory]; *en ~ gäst* a cherished (welcome) guest; *en ~ plikt* a privilege; *K~a vän!* [i brev] Dear (My dear) John (o. s. v.)! *mina ~a*

my dear ones, those dear to me; *om livet är dig ~t* if you value your life; *det är mig ~t att kunna meddela, att* I am glad to inform you that **2** [förälskad] in love; *bli ~ i* fall in love with **-ande** plaintiff **-esta** sweetheart; [ngns] darling, beloved
käring old woman (hag) **-aktig** *a* old-womanish **-tand** *bot.* bird's-foot trefoil
kärkommen *a* welcome; jfr *kär 1*
kärl vessel; *biol. äv.* duct
kärlek love [*till ngn* for a p.; *till ngt* for (of) a th.]; [tillgivenhet] affection [*till* for]; [lidelse] passion; [hängivenhet] devotion [*för* to]; *av ~ till* out of one's love for; [*gifta sig*] *av ~* .. for love
kärleks||affär love-affair **-arbete** charity work **-brev** love-letter **-dryck** love-potion **-full** *a* loving, affectionate; [öm] tender **-förbindelse** love-affair **-förklaring** declaration (confession) of love **-historia 1** [berättelse] love-story **2** [-affär] love-affair **-krank** *a* lovesick **-kval** *pl* love-torments(-throes) **-lös** *a* **1** [hårdhjärtad] uncharitable **2** loveless (love-lacking) [*barndom* childhood] **-roman** love-story novel, romance **-scen** love-scene **-sorg** love-sorrow, disappointment in love **-upplevelse** love experience **-verk** act (deed) of love (charity) **-äventyr** amorous adventure
1 kärna *s* **I** [smör-] churn **II** *tr* churn
2 kärn||a 1 [nöt-] kernel **2** [frukt-] pip; [i russin, melon o. d.] seed; [plommon- o. d.] stone; *ta ut -orna ur* remove the pips (&c) from **3** [i säd] grain **4** *bildl.* kernel; nucleus; [det väsentliga] *äv.* core *äv.* ⊕; *~n av* [*hären*] the main body (nucleus) of ..; *sakens ~* the heart (gist) of the matter, *äv.* the root (very essence) of the matter **5** [i träd] heart **-forskning** nuclear research **-fri** *a* seedless, pipless, stoneless **-frisk** *a* healthy, sound to the core **-full** *a* *bildl.* vigorous; [mustig] racy, pithy **-fysik** nuclear physics **-fysiker** nuclear scientist **-hus** core **-karl** sterling fellow **-kemi** nuclear chemistry **-klyvning** nuclear fission
kärnmjölk buttermilk
kärn||projektil nuclear missile **-prov** nuclear test **-provförbud** nuclear test ban **-punkt,** *~en i* .. the principal point (the gist) of .. **-röta** [hos virke] heart-rot **-spjälkning** nuclear fission **-språk** pithy language **-stridsspets** nuclear warhead **-sund** = *-frisk* **-svensk** *a* thoroughly Swedish **-terapi** nuclear therapy **-timmer** sound (hearty) timber **-trupper** picked men **-vapen[förbud]** nuclear weapon [ban] **-vapen|krig** nuclear war[fare] **-[vapen]prov** nuclear [weapon] test **-virke** heartwood; duramen, spine
käromål plaintiff's case; lawsuit accusation (charge)
kärr marsh; [sumpmark] swamp, fen
kärr||a cart; [drag-, skott-] barrow **-hjul** cart-wheel
kärrhök, *blå ~* hen-harrier; *brun ~* marsh-harrier
kärrlass cart-load, barrowload
kärrmark marshy ground (soil)
kärv *a* harsh; [röst] *äv.* strident, rasping; [bitande] *äv. bildl.* acrid (pungent) [*humor* humour]; [sur, skarp] tart
kärv||a *tr* sheaf, sheave **-bindare** binder **-e** sheaf
kärvhet harshness &c; acridity, pungency
kärvänlig *a* fond, affectionate; [klandr.] soft-spoken, mealy-mouthed
kättar||bål heretic's pile, stake **-e** heretic
kätte pen, [loose] box
kätter||i heresy **-sk** *a* heretical
kätting chain[-cable] **-spel** chain windlass
kättja lustfulness, lewdness
1 käx [bakverk] biscuit, *Am.* cracker
2 käx [continual] teasing, [nag-]nagging, worrying **-a I** *itr* tease, [nag-]nag, worry **II** *rfl, ~ sig till ngt* get a th. by teasing (&c)
käx||ask biscuit-box; [fylld] box of biscuits **-låda** biscuit-tin
kö 1 [biljard-] cue **2** queue; [av bilar o. d.] *äv.* file, string, line; *bilda ~* form a queue; *ställa sig i ~n* take one's place in the queue, *äv.* queue up **3** *mil. sport.* rear **-bildning** queuing-up; *om det blir ~* if there is a queue; if a queue has formed
kök kitchen; [kokapparat] stove; [kokkonst] cuisine **-sa** kitchen-maid, cook
köks||avfall kitchen refuse, garbage **-dörr** *äv.* back door **-handduk** kitchen cloth **-hiss** service lift **-ingång** kitchen (back) entrance **-inredning** kitchen installation **-kniv** kitchen knife **-latin** dog (kitchen) Latin **-mästare** chef *fr.*, master (head) cook **-spis** kitchen range (grate) **-trappa** kitchen (back) stairs *pl* **-trädgård** kitchen (vegetable) garden **-väg,** [*gå*] *~en* .. through (by way of) the kitchen **-växt** kitchen-garden plant, vegetable
köl keel; *ligga med ~en i vädret* be bottom up; *sträcka ~en till* [*ett fartyg*] lay the keel of ..; *på rätt ~* (*bildl.*) straight, on the right track (tack)
köld 1 cold; cold weather; [*en*] *sträng ~* a piercing (keen, severe) frost; *vid tio graders ~* in ten degrees of frost (below freezing-point); jfr *grad 2* **2** *bildl.* coldness; [starkare] frigidity **-behandling** deep freeze treatment **-beständig** *a* anti-freezing [*olja* oil] **-förnimmelse** sensation of cold **-grad** degree of frost **-knäpp** cold snap **-period** cold period **-skada** injury from cold; [knöl] chilblain **-våg** *meteor.* cold wave
köl||fena, *~n* the fin of a (the) keel **-hala** *tr* *sjö.* careen, heave .. down
Köln Cologne
köl||rum bilge **-svin** kelson, keelson **-vatten** wake *äv. bildl.*; wash, track
kön sex **-lös** *a* sexless; [t. ex. fortplantning] asexual **-löshet** sexlessness **-s|akt** sexual act; coitus **-s|cell** sex-cell, gamete **-s|delar** genitals **-s|drift** sexual instinct (urge) **-s|liv** sexual life **-s|mogen** *a* sexually mature **-s|organ** sexual organ **-s|sjukdom** venereal disease **-s|umgänge** [sexual] intercourse
köp purchase; [fördelaktigt ~] bargain; **F** deal; *avsluta ett ~* effect a purchase; *fingerat ~* (*hand.*) pro-forma purchase; *på öppet ~* with the option of returning them (it), on a sale-or-return basis; *slippa undan för gott ~* get off cheap; *på ~et* into the bargain; *till på ~et* (*äv.*) in addition, what's more, to boot, .. at that; jfr *dessutom* **-a** *tr* buy (purchase) [*av* from]; *önskas ~* [annons] wanted [to buy]; *~ billigt* (*dyrt*) buy at a low (high) price; *~* [*karameller*] *för en krona* buy a shilling's worth of ..; *~ in* (*upp*) buy up; *~ upp sina pengar* spend all one's money [in buying things] **-are** buyer, purchaser; [på börs] taker[-in] **-e|anbud,** *~ på* bid (offer) to purchase (&c) **-e|brev** purchase-deed
Köpenhamn Copenhagen
köpenickiad confidence trick
köp||enskap trade, trading; *idka ~* do business **-e|skilling** purchase-sum(-price) **-ing** [small] market town **-kraft** purchasing power **-kurs** *börs. o. d.* buying-price ([för valutor] -rate) **-lust** inclination to buy **-man** business man, merchant; [handlande] tradesman **-manna|förbund** tradesmen's

association (union) **-slå** *itr* bargain [*om* for]; *bildl.* [med samvetet] compromise **-stark** *a* with [plenty of] money to spend, well-to-do **-tvång**, *utan* ~ with no obligation to purchase (compulsion to buy) **-värde** purchase value

1 kör [pers.] choir; [sång o. d.] chorus *äv. bildl.; i* ~ in chorus

2 kör, *i ett* ~ at a stretch, without ceasing; [tätt på varandra] in one stream

3 kör 1 jfr *-a 1;* ~*!* go ahead! [trafiksignal] go! *äv. gymn.* **2** ~ *för det!* right you are! yes, let's! ~ *till!* right ho! agreed! done!

köra I *tr* **1** drive; [föra i sin bil o. d.] run (take) .. [in one's car (&c)]; [motorcykel] ride; [forsla] convey, carry, take, cart; [maskin o. d.] run [*med bensin* on petrol] **2** [stöta, sticka] thrust (stick) [*ngt i* a th. into]; [skjuta] push; ~ *fingrarna gm håret* run one's fingers through one's hair **3** [en film] reel **4** ~ *bort* drive away; [avskeda] *äv.* dismiss, turn .. out, **F** send .. packing; ~ *ihjäl ngn* run into a p. and kill him; ~ *ihjäl sig* be killed in a driving-accident; ~ *in a)* [säd o. d.] cart (bring) in; [häst] break [in]; *b)* [ngn utifrån] send .. in; ~ *på* run into; [ngn] urge on; ~ *sönder* drive into .. and smash it; [vagn o. d.] have a break-down with; ~ *upp* [motor] run up; ~ *upp ngn ur sängen* make a p. get out of [his] bed; ~ *ur vägen* drive to one side; ~ *ut ngn* turn a p. out of the room; jfr ~ *bort;* ~ *över* [ngn] run over ..; [gata o. d.] cross **II** *itr* **1** drive; [åka] ride, go; [med bil] *äv.* motor; jfr *2 fara, åka* **2** [arbeta] work [*med dubbla skift* double shifts] **3** ~ *fast* get stuck; [förhandlingar o. d.] come to a deadlock; ~ *ihop* = *kollidera;* ~ *omkull* have a driving accident, have a fall [from one's bicycle]

kör||bana roadway, drive **-hastighet** speed **-karl** driver **-kort** driver's (chauffeur's, car-) licence **-kunnig** *a* who knows how to drive **-ning** driving &c; *en* ~ a drive **-riktning** driving-direction; [ss. skylt] *äv.* drive this way **-riktnings|visare** direction indicator

körsbär cherry **-s|blom** cherry-blossoms *pl* **-s|brännvin** kirschwasser *ty.* **-s|likör** cherry brandy **-s|träd** cherry[-tree]

kör||signal signal to start **-skicklighet** driving-ability, good driving **-skola** driving-(motoring-)school **-sla** carting-job

körsnär furrier; *äv.* fur-dealer

körsven driver

körsång choir-singing; [-komposition] chorus

körtel gland **-aktig** *a* glandular

kör||tid driving-time **-tur** drive

körvel *bot.* chervil

kör||visare [direction] indicator **-väg 1** carriage-road, roadway; [i park o. d.] drive **2** [t. ex. bussens] route

kött 1 flesh; [slaktat] meat; jfr *häst*~ o. d.; *fast (lös) i* ~*et (äv.)* firm-(loose-)fleshed **2** [frukt-] flesh, pulp **3** *mitt eget* ~ *och blod* my own flesh and blood **-affär** meat-shop **-bit** piece of meat **-bull|e** *kok., -ar* [Swedish] meat balls **-butik** = *-affär* **-ed** gross oath **-extrakt** extract of meat; *äv.* liebig **-fat** meat-dish **-färgad** *a* flesh-coloured **-färs** *kok.* forcemeat; [ss. rätt] Swedish meat loaf **-gryta** *bildl.* flesh-pot **-ig** *a* fleshy; [t. ex. smak] meaty; *läk.* carnose; [frukt] pulpy **-konserv,** ~*er* canned (tinned) meat *sg* (meats) **-kort** meat card **-korv** beef (veal, mutton, pork) sausage **-kupong** meat coupon **-kvarn** mincing-machine, meat-mincer **-lös** *a* fleshless; [dag o. d.] meatless **-mat** animal food **-pudding** *Engl. ung.* toad-in-the-hole **-ransonering** meat rationing **-rik** *a, en* ~ *diet* a diet consisting largely of meat **-rätt** meat course (dish) **-saft** meat juice, gravy **-skiva** slice of meat **-sky** essence of meat **-slamsa** scrap of flesh (meat) **-slig** *a* **1** *min* ~*e bror* my own (blood) brother **2** [sinnlig] fleshly, carnal **-soppa** meat broth, gravy soup **-spad 1** liquor in which meat has (had) been boiled **2** se *steksås* **-sår** flesh-wound **-varor** butcher's stock-in-trade *sg* **-yxa** butcher's axe, meat-chopper **-ätande** *a* flesh-eating, carnivorous **-ätare 1** [djur] flesh-eater, carnivore **2** [pers.] *vanl.* meat-eater

L

1 labb = *näve* o. *tass*

2 labb *zool.* skua, *Am.* jaeger

laber *a sjö.* light; gentle

labial *språkv. a* o. *s* labial **-isering** labialization

labil *a* unstable

labor||ation [a bit of] laboratory work **-ator** *univ.* demonstrator **-atorium** laboratory **-era** *itr* **1** work in a (the) laboratory, experimentalize **2** ~ *med* [friare] operate with

labyrint labyrinth *äv. bildl.;* maze **-isk** *a* labyrinthine; mazy

lack 1 [sealing-]wax **2** [fernissa] varnish, lacquer **-a I** *tr* seal .. [with sealing-wax]; ~ *igen* seal up **II** *itr, svetten* ~*r av honom* he is dripping with perspiration **-arbete** lacquer-[making]work **-era** *tr* lacquer, japan; [fernissa] varnish **-ering** lacquering, japanning; [bils o. d.] *äv.* paint **-färg** enamel [paint] **-läder** patent leather

lackmuspapper litmus-paper

lack||röd *a* vermilion **-skinn** patent-leather **-sko** patent-leather shoe **-stång** sealing-wax stick **-viol** gillyflower

lada barn

ladd||a *tr* load; *elektr.* charge *äv. bildl.;* ~ *om* re-load, re-charge; ~ *ur* se *ur*~ **-ad** *a* loaded; *elektr.* charged *äv. bildl.; bildl. äv.* primed [*med* with]; [bräddfull] brimming over [*med* with]; [*han är*] ~ *med energi* (*äv.*) .. a live wire **-ning 1** *abstr* loading &c **2** *konkr* load, charge **-stake** rifle cleaner, tamping stick

ladugård cow-house, cowshed, byre **-s|besättning** stock of cattle **-s|karl** cattleman, cowman; byreman **-s|piga** dairymaid

ladusvala swallow

1 lag [avkok] decoction; [spad] liquor; [socker-] syrup

2 lag 1 = *2 varv 1, 1 lager* **2** [sällskap] company; [krets] set, *äv.* circle; [gäng] gang;

gå ~et runt go the round; *låta .. gå ~et runt* pass .. round; *ha ett ord med i ~et* have a voice (a say) in the matter; *över ~* all along the line, all round **3** *sport.* team **4** *i lägsta ~et* too low if anything; *i minsta ~et* as small as it can be to do, rather small; *i senaste ~et* at the [very] last moment, only just in time; *vid det här ~et* by this time **5** *göra ngn till ~s* please a p., suit (satisfy) a p.

3 lag law; act; *~ och rätt* law and justice; *enligt ~[en]* by (according to) law; *läsa ~en för* (*bildl.*) lay down the law to, lecture; *i ~ förbjudet* prohibited by law (*Engl. äv.* Act of Parliament); *i ~ens hägn* under the protection of the law; *i ~ens namn* in the name of [the] law; *likhet inför ~en* equality before (in the eye of) the law; *upphäva en ~* repeal an act

1 laga *a* legal; *~ förfall* valid excuse; *vinna ~ kraft* acquire legal force (validity), *äv.* become legal; *i ~ ordning* according to the regulations (forms) prescribed by law; *i ~ tid* within the time prescribed [*eg. bet.* by law]; *vid ~ straff förbjudet* prohibited by law

2 laga I *tr* **1** [tillreda] prepare [*middagen* the dinner]; [sås o. d.] make; *~ mat* cook; *~ god mat* be an excellent cook; *~ maten* do the cooking; *~d mat* cooked food **2** [reparera] mend, fix; *äv.* repair; jfr *lappa* o. *stoppa 5* **II** *itr* [ombesörja] *~ [så] att* arrange (manage) things (matters) so that, see to it that; [*jag skall*] *~ att de träffas* .. arrange for them to meet; *~ att du inte kommer för sent* take care not to be late **III** *rfl*, *~ sig i ordning* get [o.s.] ready (prepare [o.s.]) [*till* for]; *~ sig i väg* start, get going (started); *~ dig i väg!* be off with you!

lagarbete team work

lag||beredning draft of a bill; *konkr* drafting committee **-bestämmelse** legal provision **-bok** statute-book, code of laws **-brott,** *ett ~* a breach (an infringement, a violation) of the law; *äv.* an offence **-brytare** law-breaker, violator of the law, offender **-bud** [legal] enactment **-bunden** *a* regulated by law; [utveckling o. d.] conformable to law **-bundenhet** conformity to law

1 lag|er 1 *hand.* [förråd] stock; [köpmans] *äv.* stock-in-trade; *ett välsorterat ~* (*äv.*) an excellent (rich) assortment; *sälja hela -ret* sell (clear) out the entire stock; *föra i ~* keep [a stock of]; *på ~* in stock, on hand; *lägga .. på ~* stock .., place .. in store **2** [varv] layer; *geol. o. bildl. äv.* stratum; *geol. äv.* bed; [avlagring] deposit; [av färg] *äv.* coat **3** *konkr* store-room, warehouse; jfr *-lokal*

2 lag|er *bot.* laurel[-tree]; *skörda -rar* reap (win) laurels; *vila på sina -rar* rest on one's laurels

lager||arbetare *hand.* warehouse-labourer **-artikel** *hand.* stock article **-biträde** *hand.* stockroom (warehouse) assistant

lagerbär bay berry **-s|blad** bay leaf

lager||chef stock-keeper **-förteckning** inventory **-förvaltare** warehouse (store-room) keeper

lager||krans wreath of laurel; *vinna ~en* win the laurel wreath **-kransa** *tr* crown .. with laurel

lager||källare *hand.* store-(storage-)cellar **-lokal -rum** *hand.* stock-(store-)room[s *pl*], storage, warehouse

lagerträd laurel-tree

lag||fara *tr* obtain legal ratification of **-faren** *a* legally ratified; [pers.] jurisprudent; skilled (versed) in law **-fart** legal ratification; *~ å fastighetsköp* registration of [property] conveyances; *det hindrar inte ~en!* **F** that needn't stand in the way! **-farts|bevis** certificate of registration of title **-förslag** bill

lagg *kok.* [flat] frying-pan; *äv.* griddle; *en ~ våfflor* a round of waffles

lagkunnig *a* versed in law; jurisprudent

lag|ledare *sport.* team-captain

lag||lig *a* lawful [*avkomma* issue]; [rättmätig] legitimate; rightful [*ägare* owner]; [-enlig] legal; *~a åtgärder* lawful means, legal measures **-lighet** lawfulness; legitimacy **-lydig** *a* law-abiding

laglöpning *sport.* team [flat-]race

laglös *a* lawless; [orättfärdig] wicked, iniquitous **-het** lawlessness &c; anarchy; iniquity

lagning mending &c, jfr *2 laga I 2*

lagom I *adv* just right (enough); [med måtta] moderately, in moderation; *alldeles ~* exactly right (enough); *~ stor* just large enough; *skryt ~!* **F** none of your boasting! *det var så ~ trevligt* it was anything but nice **II** *a* just right; [nog] enough; [tillräcklig] adequate, sufficient; [passande] fitting, appropriate, suitable; *är det här ~?* is this enough (about right)? *det var ~ åt honom* it served him right; *på ~ avstånd* at the (an) appropriate distance

lagparagraf paragraph (section) in (of) a (the) law

lagr||a I *tr* **1** *geol.* stratify; dispose .. in layers (strata) *äv. bildl.* **2** [lägga på lager] store, put by; [hemligt] *äv.* hoard **II** *rfl geol.* stratify; [om damm o. d.] settle [in layers] **-ad** *a* **1** stratified &c **2** stored &c; *väl ~* [well-]seasoned **-ing 1** stratifying &c; stratification **2** storing, storage

lag||rum = *-paragraf* **-samling** code of law **-skipning** administration (execution) of the law **-språk,** *på ~* in lawyers' (legal) language **-stadgad** *a* fixed (laid down, prescribed) by law; *äv.* legal **-stadgande** statute **-stiftande** *a*, *~ församling* legislative assembly (body) **-stiftare** law-maker, legislator **-stiftning** legislation **-stiftnings|åtgärd** legislative measure **-stiftnings|ärende** legislative matter **-stridig** *a* .. contrary to (at variance with) [the] law; [olaglig] illegal **-söka** *tr* sue **-tima** *a*, *~ riksdagen* the ordinary parliamentary session

lagtävlan *sport.* team competition

lagun lagoon

lag||vigd *a* lawfully wedded; *min ~a* **F** my spouse **-vrängare** perverter of the law; [om advokat] sharp practitioner **-ändring** amendment of the law **-överträdelse** transgression of (trespass against) the law; offence

lakan sheet **-s|lärft** [linen] sheeting

1 lake *zool.* burbot

2 lake = *salt~*

lakej [liveried] footman; lackey *äv. bildl.*; *bildl. äv.* toady **-själ** servile soul

lakonisk *a* laconic

lakrits liquorice **-pastill** *Engl. ung.* Pontefract (Pomfret) cake

lalla *itr* babble; [om gamla] mumble

lam 1 paralysed **2** *bildl.* lame, feeble

1 lama *zool.* llama [*äv.* tyg]

2 lama [munk] lama

lamell 1 *naturv.* lamella; *geol. äv.* scale, flake **2** ⊕ disc; *äv.* wafer, lamina; *elektr.* segment, bar **-artad** *a* lamellar, lamellate;

scaly, flaky; disc-like **-hus** *pl* block dwellings **-koppling** ⊕ laminated disc-clutch

lamhet 1 paralysis [*i* of (in)] **2** *bildl.* lameness &c

lamm lamb **-a** *itr* lamb **-kotlett** *vanl.* mutton chop **-kött** *kok.* lamb **-sadel** saddle of lamb **-skinn** [berett] lambskin **-stek** roast lamb

lamp‖a lamp; *elektr. äv.* bulb **-ett** bracket candlestick **-fot** lamp-foot(-stand) **-glas** [lamp-]chimney **-kupa** lamp-globe **-ljus** lamp light **-skärm** lamp-shade **-sot** lamp black

lam‖slagen *a* paralysed *äv. bildl.; ~ av fasa* (*äv.*) petrified with terror **-slå** *tr* paralyse

land 1 [rike] country; *i hela ~et* in the whole (throughout the) country; *det egna ~et* one's native country (soil) **2** [motsats 'vatten, hav'] land; *~ i sikte!* (*sjö.*) land in sight! land ahoy! *se hur ~et ligger* (*bildl.*) see how the land lies (the wind blows); *gå i ~* go ashore; *gå i ~ med* (*bildl.*) accomplish, manage, achieve; *på ~* on shore, ashore; *till ~s* by land; [*driva*] *inåt ~* . . landward[s]; *långt inåt ~et* far inland; [*krigsmakten*] *till ~s* . . on land **3** [motsats 'stad'] country; *på ~et* in the country; *resa ut till ~et* go into the country; *resa uppåt ~et* travel up country **4** [trädgårds-] plot; jfr *potatis~* o. d. **-a** *itr* land; *flyg. äv.* alight, come to ground **-a|mären,** *inom våra ~* within our borders **-avträdelse** cession of land (territory) **-backe,** *på ~n* ashore, on shore; *äv.* on dry land **-bris** land breeze **-fäste** [bros] land-abutment **-gräns** frontier **-gång** gangway[-plank] **-gångs|kläder** best clothes **-höjning** *geol.* land elevation **-kabel** *telegr.* land-line **-krabba F** land-lubber **-känning,** *få ~* have a landfall **-mil** geographical mile **-märke** *flyg.* ground mark **-ning** landing; *flyg. äv.* alighting **-nings|bana** runway **-nings|däck** *flyg.* landing-deck **-nings|märke** *flyg.* landing mark **-nings|plats** landing-place; *flyg. äv.* landing-(alighting-)ground **-nings|sträcka** *flyg.* landing run **-[nings]ställ** *flyg.* undercarriage, *Am.* landing gear **-område** territory **-permission** *sjö.* shore-leave **-remsa** strip of land

lands‖bygd country[side] **-del** part of the country; province **-fiskal** *ung.* district police superintendent and public prosecutor **-flicka** country girl **-flykt** exile **-flyktig** *a* exiled **-flykting** exile; *äv.* refugee **-förrädare** traitor to one's country **-förräderi** treason **-förrädisk** *a* treasonable, traitorous **-församling** country parish **-förvisa** *tr* banish [. . from the country], expatriate, exile **-förvisning** expatriation, banishment; [-flykt] exile **-hövding** governor [*i* of]

land‖sida, *från ~n* from the shore ([the] land) **-s|kamp** international match **-skap 1** [område] [geographical] province **2** *konst.* landscape, scenery **-skapsmålare** landscape-painter, landscapist **-s|kommun** rural district **-s|lag** *sport.* [inter]national team **-s|luft** country air **-s|man** fellow-countryman, compatriot; *vad är han för ~?* what country does he come from (does he belong to)? **-s|match** *sport.* international match **-s|mål** dialect **-s|omfattande** *a* nation-wide **-s|organisation,** *L~en* the Trade Union Federation (T.U.F.) **-s|ort,** *i ~en* in the provinces *pl* **-s|ortsbo** provincial **-s|ortsmässig** *a* provincial **-s|ortspress** provincial press **-s|plåga** [national] scourge; **F** nuisance **-s|sorg** national mourning

land‖stiga *itr* land **-stigning,** *göra en ~* make (effect) a landing **-stignings|trupper** landing-troops **-s|ting** county council **-s|tingsman** county councillor **-storm** *mil.* landsturm; *Engl. ung.* militia **-storms|man** landsturm man; militiaman **-strykare** tramp **-sträcka** tract of country **-ställe** = *gård 2* o. *sommar-* **-s|väg** highroad, main road; *allmän ~* public road (highway) **-s|vägsbro** road bridge **-s|vägsövergång** *järnv.* level crossing **-s|ända** part of the country, country district **-sätta** *tr* land, put . . on shore **-sättning** landing &c **-sättnings|trupper** landing-troops **-tunga** tongue (spit, jut) of land **-vind** *sjö.* land wind (breeze) **-vinning** accession of land; *bildl.* advance; [*vetenskapens*] *~ar* the new advances in . ., the new domains (territory *sg*) conquered (the ground *sg* gained) by . . **-väg,** *fara ~en* go by land

landå landau

lang‖a *tr* o. *itr* **1** pass [along] [. . from hand to hand]; **F** shove over **2 F** *~ sprit* carry on an illicit liquor(o. s. v.)-trade **-are** illicit-liquor seller, boot-legger

langett *sömn.* languet[te], point; *sy ~* do buttonhole-stitching

lans lance; *bryta en ~* break a lance (*äv.* enter the lists) [*för* on behalf of]

lansera *tr* launch, introduce; set up; [göra propaganda för] **F** boom

lansett lancet **-lik** *a* lanceolate

lant‖adel, *~n* the country nobility (gentry) **-arbetare** agricultural worker **-befolkning** country (rural) population **-bo** countryman o. s. v.; [bonde] peasant; jfr *landsorts-*

lantbruk agriculture, rural industry; jfr *jordbruk; ~s-* agricultural; jfr *jordbruks-* **-are** = *jordbrukare* **-s|elev** agricultural college student; [på gård] farm[ing]-pupil **-s|ministerium** Ministry of Agriculture **-s|maskiner** agricultural machinery *sg* **-s|produkt** agricultural (farm) product; *~er* (*äv.*) agricultural produce *sg* **-s|skola** farm school **-s|utställning** agricultural exhibition; [av boskap] cattle show

lantegendom landed (country) estate

lanterna lantern; *flyg. äv.* navigation light

lant‖folk country-people **-försvar,** *~et* [the] land defence **-gård** [manor] farm, estate **-handel** country shop **-handlare** country shopkeeper **-hushåll** country (farm-)household **-hushållning** agricultural economy **-junkare** country squire **-lig** *a* [behag, enkelhet] rural; country [*liv* life]; *neds.* rustic (countrified) [*sätt* manners *pl*], [mots. 'stadsaktig'] provincial **-ligt** *adv* rurally; in country fashion, country-fashion **-liv** country (rural) life **-lolla F** country wench **-luft** country air **-man** farmer **-mätare** [land-]surveyor **-vin** home-grown wine

lapa *tr* lap; *äv.* suck, lick up; *bildl.* [sol] drink in, imbibe

lapis lunar caustic, nitrate of silver **-lösning** *läk.* nitrate-of-silver solution

1 lapp Laplander, Lapp

2 lapp piece; [påsydd] patch; [friare] slip scrap; [remsa] strip; jfr *adress~, pris~* **-a** *tr* patch; [laga] *äv.* mend; *~ ihop* patch up

lapphund Lapland dog

lappkatalog card catalogue

Lapp‖land Lapland, Laplandia **l-ländsk** *a* Lapland . ., Laplandish **-marken** Lapland

lappri, *sådant ~* such trifles *pl*

lapp‖skomakare cobbler **-skräddare** botcher **-täcke** patchwork quilt **-verk,** *ett ~* a piece of patchwork

lapskojs *kok.* lobscouse, lob

lapsus lapse, slip; *äv.* solecism

larm 1 [buller] noise, din, row; jfr *oväsen stoj* **2** *mil.* alarm; *slå ~* sound the alarm

äv. bildl. **-a I** *tr* = *alarmera* **II** *itr* clamour [*över* about]; make a noise &c [*över* at (about)] **-ande** *a* clamouring, clamorous; noisy **-signal** alert
larv larva [*pl* larvae], *äv.* caterpillar
larva *itr* **F** tramp, trudge, trot
larvfots‖tank (-traktor) caterpillar tank (tractor)
larvig *a* **F** drivelling; [sinnessvag] dotty; silly
laryngal *a* o. *s* glottal
lasarett communal general hospital **-s|fartyg** hospital ship **-s|läkare** hospital surgeon
lask ⊕ scarf; [på handske o. *skom.*] rib **-a** *tr* scarf; rib
lass [waggon-]load [*hö* of hay]; *bildl. äv.* burden; [friare] cartload (&c) [*med* of]; *få dra det tyngsta ~et* (*bildl.*) have the lion's share [of the labour] **-a** *tr* load; *bildl.* drop [*för mycket på ngn* too much on to a p.]; *~ av'* unload; *~ på ngn* load a p. with
lasso lasso; *kasta ~* [throw the (one's)] lasso
1 last cargo, freight [*av* of]; [belastning] load; [börda] burden; *inta ~* take in (ship) a cargo; *lossa ~en* discharge one's (its) cargo; *stuva ~en* trim the hold; *med ~ av* [loaded] with (carrying) a cargo of; *falla ngn till ~* come upon a p.; *ligga ngn till ~* be a burden to a p.; *lägga ngn ngt till ~* lay a th. to a p.'s charge (**F** at a p.'s door); *låta ngt komma sig till ~* lay o.s. open to blame for a th., be guilty of a th.
2 last [synd] vice
1 lasta = *klandra*
2 last‖a *tr* load [*på* on to]; *sjö. äv.* ship: *jämnt ~d* (*äv.*) on even keel; *ett skepp kommer ~t* [lek] the mandarins **-ageplats** loading wharf
lastbar *a* vicious, depraved **-het** viciousness, depravity
last‖bil [motor] lorry (truck); *Am. äv.* freight car **-båt** cargo-ship(-vessel), freighter; jfr *-ångare* **-djur** beast of burden; *äv.* pack animal **-flak** platform body **-förmåga** load (carrying) capacity **-gammal** *a* .. stricken in years, age-stricken **-lucka** loading (cargo) hatch **-ning** loading, *äv.* lading **-nings|plats** *sjö.* loading wharf **-pråm** *sjö.* hoy, lump, barge **-rum** [cargo-(ship's)] hold **-vagn** lorry, motor truck **-ångare** cargo-steamer (-boat); *Am.* freighter
lat *a* lazy; [loj] indolent; [sysslolös] idle **-a** *rfl* be lazy (idle); *gå och ~ sig* be having a lazy time [of it]
latent *a* latent
later, *stora ~* high-and-mightiness *sg*, grand (self-important) airs
lat|hund 1 = *-mask* **2** lined paper, guide sheet
latin Latin **-are 1** Latin scholar, Latinist **2 F** *skol. ung.* classical-sider **-kunskap** knowledge of Latin **-linje** *skol.*, *gå ~n* be on the classical side **-sk** *a* Latin; *~a bokstäver* Roman letters **-skrivning** *skol.* Latin paper
latitud latitude
lat‖mansgöra, *ett ~* an idler's (**F** a soft) job **-mask F** lazy-bones
latrin latrine, privy
latsida, *ligga på ~n* be idle (lazy), take things easy, do nothing
latta lath; [i segel] batten
laudatur honours *pl*
laura F jay-walker
lav *bot.* lichen
lava *geol.* lava **-ström** lava-stream(-current)
lave [i bastu] bench, ledge
lavemang *läk.* enema [*pl* enemata] **-spruta** rectal syringe
lavendel *bot.* [common (true)] lavender
laver‖a *tr konst.* wash, *äv.* tint **-ing** *konkr* tinted (wash-)drawing
lavett *mil.* gun-carriage(-mounting)
lavin avalanche *äv. bildl.* **-artad** *a* avalanche-like **-artat** *adv* like a rolling snowball
lavoar wash-stand
lax *zool.* salmon; *en livad ~* **F** a lively spark
laxa *tr byggn.* dovetail; *äv.* scarf
laxer‖a *itr* take (have) an aperient **-medel** purgative; laxative; aperient
lax‖forell trout **-fångst** salmon fishing (*konkr* catch) **-färgad** *a* salmon-coloured **-stjärt** *snick.* dove-tail [joint], swallow-tail [joint] **-öring** salmon (sea) trout
le *itr* smile [*åt* at]; jfr *hån~*; *~ emot ngn* (*äv. bildl.*) smile upon a p.
1 led 1 [väg o. d.] way, track; [stig] path; jfr *trafik~*; [segel-] *sjö.* channel **2** *vända .. på andra ~en* turn .. the other way about
2 led 1 joint; [på finger, tå] *äv.* phalanx; *darra i alla ~er* tremble in every limb; *gå ur ~* get dislocated; *ur ~ är tiden* the time is out of joint **2** [länk] link *äv. bildl.*; [etapp] stage; [i ekvation] *äv.* term, side; *språkv.* o. *bildl.* element; *ingår som ett ~ i* (*bildl.*) forms a component (an integral) part of (an element in) **3** *mil.* rank *äv. bildl.*; [linje, rad] line, row; *de djupa ~en* (*bildl.*) the rank and file of the people, the masses; *i första ~et* in the front rank; *en man i (ur) ~et* a common soldier, a rank-and-filer **4** [släkt-] generation; degree; line; *i rätt nedstigande ~* in a direct line [*från* from]
3 led *a* **1** [trött] tired (weary, sick) [to death] [*på (vid, åt)* of]; **F** fed up [*på (vid, åt)* with] **2** = *ful* **3** [elak] **F** wicked, evil, odious
1 leda disgust; [vämjelse] loathing; [*få höra*] *ända till ~* .. till one is sick to death of it; .. ad nauseam *lat.*
2 leda I *tr* **1** lead; [väg-] guide; *fys., elektr.* conduct; *~ in* [vatten o. d.] lay .. on, put in **2** [vara -ande för] conduct; jfr *anföra 1*; [affärsföretag] manage, direct; [anfall] lead **3** *bildl.* [rikta o. d.] direct [*hans uppmärksamhet på* his attention [on] to]; *~ samtalet in på* turn the conversation on to; *~ sitt ursprung från* trace one's (its) origin from (back to); *äv.* originate (spring) from; *~ bort* lead away; [vatten, ånga] carry off; [ngns tankar] draw off, divert; *~ ngn in på rätt spår* put a p. on to the right track; *~ ordet (förhandlingarna)* be in the chair, preside **II** *itr* **1** [väg, dörr o. d.] lead, go, run, take one **2** (*bildl.*) *~ till* lead to [*döden* death]; *~ till ett resultat* bring about a result; [resultera i] result in **3** *sport.* lead
3 leda *anat.* **I** *tr* [böja] bend .. [at the joint] **II** *itr* articulate [*med* with]; *~ mot* be articulated to
ledamot member; [av lärt sällskap] fellow; jfr *medlem*
led‖ande *a* leading [*kretsar* circles]; [princip] *äv.* guiding, ruling; *fys.* conductive; *de ~ inom ..* the leaders of .., *äv.* those conducting (managing) ..; *~ artikel* se *-are 3*; *i ~ ställning* in a leading (prominent) position **-ar|begåvning** gift as a leader **-are 1** [pers.] leader; [väg-] guide, conductor; [affärs-] manager, director; *Am.* president; [chef] head, principal; [idrotts-] manager, organizer, controller **2** [sak] *fys.* conductor [*för* of] **3** [tidn.] leading article, leader; editorial **-ar|hund** [för blinda] guide dog, blind dog **-ar|skap** leadership; [för företag]

managership, directorship **-ar|ställning,** *befinna sig i* ~ be in a leading position
ledas *dep* be (feel) bored [*åt* by; *ihjäl* to death]
ledband, *gå i* ~ be in leading-strings *pl; gå i ngns* ~ (*äv.*) be led by the nose by a p., be tied to a p.'s apron strings
led||brosk *anat.* articular cartilage **-bruten** *a* stiff in the (one's) joints
ledfyr *sjö.* leading light; *bildl.* beacon
ledgång *anat.* joint, articulation **-s|reumatism** *läk.* [rheumatoid] arthritis
ledig *a* **1** [otvungen] easy [*sätt* manners *pl*]; [hållning, rörelse] free, *äv.* unhampered; jfr *vig, smidig;* [handstil] easy-flowing, free; *~a!* (*mil.*) [stand] at ease! **2** [fri] free; *äv.* at leisure; [sysslolös] idle, unoccupied; *bli* ~ [*från arbetet*] get (be let) off [work (duty)]; [få semester] get one's holiday; [om hembiträde] have her evening out (her free evening); *ge ngn ~t en timme* give a p. an hour off [work], let a p. off [work] for an hour; *göra sig* ~ [*på*] *en timme* take an hour off; *han har aldrig ~t* he never has any time off (any leisure, a moment to himself); *ta sig ~t några dagar* take a few days off [work], take a holiday for a few days; *på ~a stunder* in [one's] leisure (spare, **F** off-)moments (time) **3** [obesatt] unoccupied; [rum] vacant; [hyrbil] disengaged; [skylt på hyrbil] for hire; *finns det ngn plats* ~ *här?* is there a (any) seat to be had (any vacant seat) here? [*rummet*] *blir ~t* [*kl. 4*] .. is to be released (vacated) ..; *~a platser* [annons] vacant posts, vacancies; *äv.* wanted **-förklara** *tr* announce (advertise) .. as vacant **-het 1** [i rörelser] freedom, ease; [i uppträdande] easiness (ease) of manner **2** [ledig tid] free time, leisure; [från arbetet] time off [work (duty)]; [semester] holiday; *på sin* ~ (*äv.*) in one's off-time **-hets|kommittè,** *tillhöra ~n* **F** be a member of the leisured classes **-t** *adv* easily &c; *röra sig* ~ move freely &c, *äv.* move without constraint; *sitta* ~ [om plagg] fit comfortably
led||kapsel *anat.* capsule of a (the) joint, synovia capsule
led||motiv *mus.* leitmotif *ty.*, recurrent theme; *bildl.* leading (guiding) motive **-ning 1** [väg-] guidance; [-tråd] clue (lead) [*till* to]; [skötsel] direction, management; *fys.* conduction; *sport.* lead; *ta ~en av* take charge of; *med* ~ *av* [*detta material*] with the aid of .., using ..; with .. to guide you; *under* ~ *av* under the guidance (&c) of; *under hans* ~ (*äv.*) under his leadership **2** *konkr,* *~en* the managers (directors) *pl*, *äv.* the management **3** *elektr.* lead, line; *tel. äv.* circuit; [rör-] conduit, duct, pipe; se *äv. vatten~, kraft~* **-nings|brott** *tel.* line breakdown **-nings|förmåga** conductivity **-nings|-nät** *elektr.* network of mains, supply network **-nings|stolpe** pylon, telegraph pole **-nings|tråd** *elektr.* [conducting-]wire; *äv.* cable; [till lampa o. d.] flex
ledsag||a *tr* accompany, attend; [beskyddande] escort **-are** = *följeslagare*
leds||am *a* **1** [långtråkig] boring, *äv.* tiresome, tedious, dull **2** [förarglig] annoying; [sorglig] sad; *det var ~t!* how sad! I am so sorry! *en* ~ *historia* a sad story; jfr *tråkig* **-amhet,** *få ~er för* have annoyances on account of; *här vila inga ~er!* no tediousness here! **-en** *a* sorry [*för* (*över*) about]; [sorgsen] sad [*över* about]; [bedrövad] grieved [*för* (*över*) at (about)]; [förargad] annoyed (angry) [*för, över* at; *på* with]; *jag är mycket* ~ *över* [*vad som hänt*] I am very sorry about (I deeply regret, I am very much distressed about) ..; *var inte ~!* cheer up! **-na** *itr* grow (get) tired [*på* of]; *äv.* tire [*på* of]; *ha ~t på* [*ngn, ngt*] (*äv.*) have had enough of .., be fed up with .. **-nad** distress, sorrow, grief; *uppriktig* ~ sincere regret
led||stjärna loadstar, lodestar, guiding star **-stång** [staircase] hand-rail; banisters *pl* **-tråd** clue
leende I *a* **1** smiling; *vänligt* ~ with a kindly smile; *lev livet ~!* keep smiling! **2** [natur o. d.] smiling, *äv.* pleasing **II** *s* smile
legalisera *tr* legalize
legat 1 *jur.* legacy, bequest **2** [pers.] legate **-ion** legation; *~s-* to a (the) legation **-ions|-sekreterare** Secretary of Legation
legend legend **-arisk** *a* legendary
legering alloy
leg||io *a, deras antal är* ~ their number is legion **-ion** legion
legitim *a* legitimate **-ation** legitim[iz]ation; *mot* ~ *(äv.)* upon identification **-ations|-kort** identification card **-era I** *tr* legitimate, legitimize; *~d* legitimated &c; [apotekare] certifi[cat]ed; [läkare] fully qualified, authorized, registered **II** *rfl* establish one's legitimacy (identity); get o.s. recognized [*som* as]
lego||dräng *bildl.* hireling **-knekt** *mil.* mercenary [soldier]
leja *tr* engage, *äv.* hire; *sjö. äv.* charter
lejd, *få* ~ be granted a safe-conduct
lejdare 1 *gymn.* rope-ladder **2** *sjö.* ladder; jfr *fallrepstrappa*
lejon lion *äv. bildl.; en men ett* ~ **F** *äv.* one, but a host in himself (o. s. v.) **-gap** *bot.* snap dragon **-grop** lion's den **L~hjärta,** *Rikard* ~ Richard Coeur de Lion ([the] Lion-heart) **-inna** lioness **-klo,** *visa ~n* (*bildl.*) show [one's] mettle ([skicklighet] expertness, mastership) **-part,** ~ *en* the lion's share, *äv.* the major (principal) part **-unge** lion's cub
lek 1 game; [-ande] play, playing; [t. ex. katts m. råtta] toying; ~ *och idrott* games *pl; en* ~ *med döden* playing with death; *allt går som en* ~ *för honom* everything is like [child's] play (as easy as pie) to him; *ge sig med i ~en* let o.s. in for it, embark on it; *på* ~ in play; for fun (sport); *vara ur ~en* be out of the game (the running) **2** [kort-] pack [of cards] **3** [fiskars] spawning; [fåglars] pairing, mating **-a** *tr* o. *itr* **1** play [*en lek* [at] a game]; ~ *med* [fingra på] toy (dally) with; ~ *med faran* (*äv.*) treat danger lightly; ~ *med ngns känslor* trifle with a p.'s feelings; *inte att* ~ *med* not to be trifled with; *han är inte att* ~ *med* (*äv.*) he is not one to stand any nonsense; *vill du* ~ *med'?* will you join in [in the game]? **2** [om fiskar] spawn; [om fåglar] pair, mate
lekam||en body **-lig** *a* bodily; corporeal **-ligen** *adv* bodily &c; *äv.* in the body
lek||ande *adv,* ~ *lätt* just as if it were play **-boll** *bildl.* plaything, toy **-full** *a* playful *äv. bildl.; eg. äv.* full of fun **-kamrat** playmate, playfellow
lekman layman; [friare] outsider, amateur **-namässig** *a* lay .., amateur ..
lek||plats playground **-sak** toy **-saks|affär** toy-shop **-saks|hund** toy dog **-skola** nursery school; kindergarten *ty.* **-stuga** play-hut **-tid,** *under ~en* [fisks, fågels] at (during) spawning (&c) time (season); jfr *-a 2*
lektion lesson; *ta ~er för* [*ngn*] have lessons with (from) ..

lekt||or lector; *Engl. ung.* lecturer; *skol. äv.* senior assistant master; *.. är ~ i engelska* .. is one of the senior English masters [*vid* at] **-orat** lectorship; senior mastership **-yr** reading[-matter]; *äv.* literature
lekverk, *det är ett ~ för honom* it is child's play (a simple matter) for him
lem limb **-lästa** *tr* maim, mutilate, cripple
lemonad lemonade
len *a* **1** [mjuk] soft; [glatt] smooth **2** *bildl.* bland [*röst* voice]
leopard leopard **-hona** leopardess
ler clay; *bränna ~* bake clay; *hänga ihop som ~ och långhalm* stick together like David and Jonathan **-a** clay; [sandig] loam; [gyttja] mud **-duva** clay pigeon **-gods** clay (pottery) goods *pl;* earthenware **-golv** mud floor **-gök** toy ocarina **-ig** *a* clayey, loamy; [väg] muddy **-jord** clay[ey] soil **-kruka** crock, jar **-kärl** earthen[ware] vessel; *~* (*pl*) earthenware (crockery, pottery) *sg* **-pipa** clay pipe **-skärva** *arkeol.* potsherd **-välling,** *en enda ~* one mass of mud
leta **I** *itr* search (hunt, look) [*efter* for]; *~ efter ord* (*äv.*) be at a loss for words; *~ fram* (*reda på*) hunt out (up); *~ igenom* search (hunt) through; *~ upp* hunt up; *~ ut* pick out; *bildl.* find .. out **II** *rfl, ~ sig fram* find (make) one's way
lett Lett; Latvian **-isk** *a* Lettish; *geogr.* Latvian **-iska** **1** [språk] Lettish **2** [kvinna] Lettish woman (lady) **L~land** Latvia
leukoplast adhesive tape
lev||a **I** *itr* o. *tr* **1** live; [finnas] exist, be in existence; [vara vid liv] be alive; *~ ett strävsamt liv* lead a strenuous life; *man lär så länge man -er* live and learn; *-e konungen!* long live the King! *låta ngn veta att han -er* lead a p. a life [of it], give a p. what for; *~ enligt* [*sina ideal*] live up to ..; *~ i den tron, att* be under the impression that; *~ kvar* live on, survive; *äv.* be still in existence; *hur -er världen med dig?* how are you getting on? *~ me'd* [i stora världen] go [out] into society, **F** be in the swim; *~ om sitt liv* live one's life over again; *~ på* live by (on); [djur] feed on; *~ på stor fot* live in great style; *~ undan* [festa] live fast, **F** go the pace; *~ upp* [på nytt] revive; [om mod, hopp] rally **2** [om segel] shake, flap **II** *rfl, ~ sig in i* enter (penetrate) into [*ngns känslor* a p.'s feelings]; *~ sig in i en tanke* get used to an idea **-ande** *a* **1** living; animate [*väsen* being]; [*predik.*, om pers.] alive; [mots. 'död'] live [*djur* animal]; [livlig] vivid [*skildring* description]; *en ~ avbild av* [*sin far*] the very image of ..; *~ blommor* natural (real) flowers; [*han är*] *ett ~ exempel på* .. a living example of; *ett ~ intresse för* a living (live) interest in; *~ begraven* buried alive; *i ~ livet* in real (actual) life; *~ ljus* (*pl*) burning candles; *teckna efter ~ modell* draw from life; [*berätta*] *på ett ~ sätt* .. in an animated (vivid) way (fashion); *som föder ~ ungar* viviparous; *ingen nu ~* no one (man, person) now living (alive); *göra .. ~* [i skildr.] make .. lifelike **2** *bildl.* **F** mortal; *inte veta sig ngn ~[s] råd* be at one's wits' end **-e** = *hurra II* **-e|bröd** livelihood, living
lever liver
lever||ans **1** delivering, delivery; [tillhandahållande] furnishing (supplying) [*av* of] **2** *konkr* delivery, goods *pl* delivered; [sändning] consignment **-ans|avtal** delivery agreement **-ans|förmåga** output capacity **-ans|klar** *a* ready for delivery **-ans|tid** time (date) for (of) delivery **-ans|villkor** *pl* conditions (terms) of delivery, delivery terms **-antör** contractor; deliverer, supplier; [av livsmedel] purveyor **-era** *tr* deliver; supply, furnish, jfr *-ans; fritt ~t* c.i.f.
lever||fläck mole **-korv** *kok.* [calf's-]liver sausage
lev||erne **1** life; *hans liv och ~* his life (way of living) **2** = *bråk 2* **-e|rop** viva[t]; jfr *hurra-*
levertran cod-liver oil
levnad life **-s|bana** career [in life] **-s|beskrivning** biography **-s|förhållanden,** [*de fattigas*] *~* the conditions of living (life) of .. **-s|glad** *a* [high-]spirited, buoyant **-s|kostnader** cost *sg* of living **-s|kostnadsindex** cost-of-living index **-s|lopp,** *ngns ~* [the course of] a p.'s life **-s|standard** *ekon.* standard of living **-s|sätt** manner (way) of living (life) **-s|teckning** biography **-s|trött** *a* weary of life **-s|vanor** habits (ways) of life (living) **-s|villkor** conditions of life
levr|ad *a* coagulated, clotted; *-at blod* (*äv.*) gore
lexik||alisk *a* lexical **-on** dictionary
lian *bot.* liane, liana
liberal **I** *a* liberal **II** *s polit.* Liberal **-ism** Liberalism
libretto[författare] libretto[-writer]
licens [*skaffa sig* secure a] licence; *äv.* permit **-ansökan** application for a licence **-avgift** licence-fee **-innehavare** licensee
licentiat licentiate; *Engl. ung.* master of arts (M.A.) **-avhandling** licentiate[-examination] treatise **-examen** licentiate examination
1 lid|a *itr, tiden -er* time passes on; *ju längre det led* the more time wore on; *det -er mot slutet med honom* his day (life) is drawing towards an (its) end (close)
2 lid||a **I** *tr* suffer; [uthärda] endure; [förlust, skada] sustain, incur; *~ brist på* be short of; *~ skada* (*äv.*) be injured (damaged); take harm; [pers.] *äv.* be hurt; *~ skeppsbrott* be shipwrecked **II** *itr* suffer [*av* from]; [ha plågor] be in pain **-ande** **I** *s* suffering **II** *a* **1** suffering [*av* from]; *äv.* afflicted [*av* by] **2** *inte bli ~ på* not be the loser by (from), not be [any] the worse off for
lidelse passion **-fri** *a* dispassionate **-full** *a* passionate; *äv.* impassioned [*tal* speech] **-fullhet** passionateness; jfr *glöd 2*
lid|en *a, det är långt -et på året* the year is far advanced
lider shed
liderlig *a* profligate, lewd; *äv.* debauched **-het** profligacy, lewdness; debauchery
lie scythe **-man,** *~nen* the Man with the Scythe, the (Old) Reaper
lier||a *rfl* ally o.s. [*med* to (with)] **-ad** *a* allied
liga **1** league *äv. sport.;* [con]federation **2** [gäng] gang, set **-pojke** [young] hooligan
ligg||a *itr* **1** [om pers.] lie, be lying [down]; [befinna sig, vara] be [*i sängen* (*på sjukhus*) in bed (in hosiptal)]; *~ och läsa* lie reading; *~ och sova* be asleep (sleeping); *~ för döden* be dying; *~ i strid med* be at variance with; *~ i underhandlingar* be engaged in negotiations; *~ vid universitetet* be at college **2** [om sak o. *bildl.*] lie, be; [stad, väg o. d.] be [situated]; [stå] stand; *staden -er vackert* the town is finely situated; *huset -er vid* .. the house stands (is) at ..; *framför huset -er en* .. in front of the house there is a ..; *åt vilket håll -er* [*stationen*]? in which direction is ..? *det -er*

[*ngt hemlighetsfullt*] *över honom* there is .. about him; [*avgörandet*] *-er hos honom* .. lies (rests) with him; *det -er i sakens natur* it is in the nature of the case; *det -er i släkten* it runs in the family; ~ *stilla* remain stationary; ~ *till grund för* form the basis of **3** ~ *a'v sig* get out of practice (form); **F** *äv.* get rusty; ~ *bi* (*sjö.*) lie to; ~ *efter ngn* press a p.; *det -er inte för honom* it is not in his line; ~ *i'* (*bildl.*) stick to (at) it, *äv.* keep on [*och arbeta* working]; ~ *inne med* [beställningar o. d.] have .. on (in) hand; se *äv. 1 lager 1;* ~ *kvar över natten* stay the night; ~ *ne're* be at a standstill; *vinden -er på'* the wind is driving at us (o. s. v.); *hur -er saken till?* how does the matter stand? *så -er saken till* those are the actual facts; ~ *un'der* (*bildl.*) be inferior [*för ngn* to a p.]; *det -er ngt under* there is something underneath [it]; ~ *ö'ver* (*bildl.*) be superior **-ande** *a* lying; *äv.* reclining (recumbent) [*ställning* position]; *djupt* ~ [*ögon*] deep-set ..; *bli* ~ [bli kvar] be left [lying] **-are** *hand.* register; *bokf. äv.* ledger **-dags** bedtime **-hall** sleeping loggia **-höna** sitting-(brood-) hen **-plats** berth **-sjuk** *a, som en* ~ *höna* like a broody hen **-soffa** *ung.* bed-sofa **-stol** lounge-chair; deck-chair **-sår** *läk.* bedsore

1 lik I corpse; *äv.* [dead] body; *ett* ~ *i lasten* (*hand.*) dead weight **2** *typ.* omission, out

2 lik *sjö.* leech; [-tross] bolt-rope

3 lik *a* like; [*äv.* : ~*a varandra*] alike; [-nande] *äv.* similar to; ~*a barn leka bäst* like will to like, birds of a feather flock together; *vi äro alla* ~*a* [*inför lagen*] we are all equal ..; *han är sig alltid* ~ he is always the same; *du är dig inte* ~ [*i dag*] you are not looking yourself .. **-a I** *a* [i storlek, värde] equal [*med* to]; [likvärdig] equivalent [*med* to]; ~ *mot* ~ measure for measure; *ge* ~ *mot* ~ give tit for tat; *vara* ~ *med a)* [i styrka o. d.] be equal to, *äv.* equal; be the same as [plus minus nought]; *b)* [t. ex. originalet] be identical with; *två plus två är* ~ *med fyra* two and two makes (is) four **II** *adv* in the same way (manner) [*som* as]; equally [*god som* good as]; ~ *bra* just as good; [*klockorna*] *gå inte* ~ .. don't go alike (keep the same time); *i* ~ [*hög*] *grad* in an equal degree, equally; ~ *många som vanligt* [just] as many as usual, the usual number; *de äro* ~ *stora* they are [of] the same (are equal in) size **-a|berättigad** *a, vara* ~ [*med*] be granted (possess) equality of rights [with] **-a|dan** *a,* .. of the same sort (kind); [*de äro*] *precis* ~*a* .. exactly alike, .. just the same, .. all of a piece **-a|dant** *adv* the same [*med honom* with him] **-a|fullt** *adv* nevertheless, all the same **-a|ledes** *adv* likewise, similarly; ~*!* the same to you! **-a|lönsprincip** the principle of equal pay **-artad** *a* similar in character (nature) [*med* to], homogeneous **-a|sinnad** *a* like-minded; of the same way of thinking; *dina* ~*e* (*äv.*) **F** your kidney **-a|så** *adv* also; jfr *-a|ledes* **-a|väl** *adv* just as well [*som* as]

likbegängelse funeral [ceremony], obsequies *pl*

likbent *a geom.* isosceles

lik||besiktning post-mortem [examination] **-blek** *a* ghastly (deathly) pale, livid **-bränning** cremation **-bår** bier

lik||e equal; jfr *ge~; söka sin* ~ be without an equal, be unequalled; *en .. utan* ~ an unparalleled (unprecedented) .. **-formig** *a* uniform; homogeneous; *geom.* similar

lik||färd o. **-följe** funeral procession **-förgiftning** ptomaine poisoning

likgiltig *a* **1** indifferent [*för* to]; jfr *ointresserad;* [håglös] listless, apathetic; [oberörd] impassive **2** [sak] indifferent; [oviktig] unimportant, trivial; *det är mig alldeles* ~*t* it is [quite] the same (makes no difference) to me, I don't care (mind) a bit **-het 1** indifference [*för* to]; listlessness, apathy **2** [saks] unimportance, insignificance

likhet resemblance (similarity) [*med* to]; [fullkomlig] identity [*med* with]; ~ *inför lagen* equality before the law; *ha* [*en viss*] ~ *med* have (bear) .. resemblance to; *i* ~ *med* in conformity with; [liksom] like **-s|tecken** sign of equality

lik||kista coffin **-lukt** corpse-like smell (odour), smell of death

lik||mätigt *prep, sin plikt* ~ pursuant to one's duty **-na I** *itr* o. *tr* resemble (be like) [*ngn* a p.]; look like **II** *tr* [jämföra] compare [*vid* to] **-nande** *a* similar [to]; [*bolag*] *och* ~ .. and the like; *eller ngt* ~ *namn* (*äv.*) or some such name; *i* ~ *fall* (*äv.*) in cases of the sort (kind); *på* ~ *sätt* in a similar manner, similarly **-nelse** parable [*om* of]; *bildl.* simile, metaphor **-nämnig** *a, vara* ~*a* have a common denominator **-nöjd** *a* indifferent; jfr *-giltig* **-rikta** *tr elektr.* rectify; [friare] unidirect **-riktad** *a* unidirectional; one-line [policy] **-riktare** *elektr.* rectifier **-riktning** [friare] unidirection **-sidig** *a* equilateral

likskändare grave-robber

liksom I *konj* like; [ävensom] as well as; [~ om] as if **II** *adv* as if; [så att säga] as it were, so to say; *jag* ~ *kände* **F** I sort of felt

likstelhet *läk.* rigor mortis *lat.*

lik||ström *elektr.* direct (unidirectional) current **-ställa** = *jäm-* **ställd** *a* = *jäm-*

liksvepning burial cloth, cerements *pl*

liktorn corn; [svårare] bunion **-s|medel** corn cure

liktydig *a* synonymous [*med* with]; [friare] tantamount [*med* to]

lik||vagn hearse **-vaka** vigil

likvid I *s hand.* payment [*för* for (of)]; *äv.* [insänd ~] remittance **II** *a* liquid; [ställning] solvent; ~*a pengar* (*äv.*) ready money *sg,* cash *sg* **-ation** [*gå i* go into] liquidation; [bolags] *äv.* winding up **-dag** payment day **-era** *tr* liquidate *äv. polit.,* wind up; [skuld] *äv.* settle, discharge; [avskaffa] eliminate **-itet** *hand.* liquidity; [firmas] *äv.* solvency

likvinklig *a* equiangular

likväl *adv* nevertheless, notwithstanding

likvärdig *a* equivalent [*med* to]; [av samma värde] of equal value (importance) **-het** equivalence, equivalency

likör liqueur; .. *är inte min* ~ **F** .. is not my cup of tea

lila *a* o. *s* lilac

lilj||a *bot.* lily **-e|konvalje** lily of the valley **-e|växt** *bot.* lilywort

lill||a I *a* small; little **II** *s, -an (-en)* the little one, Baby; *det* ~ *jag äger* what little I possess **-e|bror** our (o. s. v.) baby brother **-e|putt** Lilliput[ian]; *äv.* dwarf, pygmy **-finger** little finger **-gammal** *a* precocious **-tå** little toe

lim glue **-färg** size-colour, distemper[-colour]; *äv.* glue paint, lime wash **-ma** *tr* glue; [papper o. d.] size; [mur] lime **-ning,** *gå upp i* ~*en* (*bildl.*) crumple all up

limpa ryemeal bread; *äv.* loaf

limpanna gluepot

lin [common] flax
lin||**a** rope; [smalare] cord; *sjö.* line; [stål-] wire; *löpa ~n ut* go the full length of one's tether (to the bitter end); *visa sig på styva ~n* (*bildl.*) make a display, show off **-bana** *järnv.* funicular railway; [med lastkorgar] aerial rope-way
lind *bot.* lime[-tree]; *Am.* linden, basswood
linda I *s* swaddling-clothes *pl; i sin ~* (*bildl.*) in its initial stage, in its infancy **II** *tr* **1** [barn] wrap .. in swaddling-clothes, swaddle **2** *läk.* bind up, bandage; *allm.* [vira] wind; *~ [armarna] om halsen på ngn* twine .. round a p.'s neck; *~ in* wrap up *äv. bildl.*
lindansare tight-rope walker, rope-dancer
lind||**ebarn** baby (infant) in arms, babe **-ning** *konkr* ⊕ winding
lindr||**a** *tr* [mildra] mitigate; *äv.* appease; [lugna] soothe, lull; [nöd] alleviate, relieve **-ig** *a* slight; [icke svår] light; [villkor] easy; [straff] lenient **-igt** *adv* slightly &c; *slippa ~ undan* escape (get off) lightly; *~ sagt* putting it mildly **-ing** mitigation; appeasement; alleviation; [lättnad] relief [*för* to (for)]
linear|**ritning** linear (geometrical) drawing
lin||**frö** flax-seed; *läk.* linseed **-garn** linen yarn
lingon lingonberry, red whortleberry; *inte värd ett ruttet ~* not worth a straw **-sylt** lingonberry (&c) jam
lin||**gul** *a* flaxen, flax-coloured **-hårig** *a* flaxen-haired
liniment *läk.* liniment, embrocation
linj||**al** rule[r] **-e** line; [buss- o. d.] *äv.* route; *i främsta ~n* in the front line; *den slanka ~n* the slender figure; *~ 2* Nr. 2 buses (trams) *pl; på ~* in line; *över hela ~n* (*bildl.*) all along the line **-e**|**domare** *sport.* linesman **-e**|**fel** *elektr.* line disturbance **-era** *tr, ~* [upp] rule; *~t papper* ruled (lined) paper **-e**|**regemente** regiment of the line, line regiment **-e**|**ren** *a konst.* pure in line **-e**|**skarp** *a* firmly outlined **-e**|**skepp** ship of the line, line-of-battle ship **-e**|**spel** line pattern **-e**|**trupper** line troops **-e**|**väljare** *tel.* series telephone set
linka *itr* limp, *äv.* hobble, walk with a limp
linne 1 [tyg] linen **2** [plagg] chemise **-kläder** linen *sg* **-lakan** linen sheet **-lump** linen rags *pl* **-lärft** flax linen **-skåp** linen-chest **-söm** [plain] needle-work **-tyg** linen texture **-varor** linen goods, linen-drapery *sg* **-väveri** linen weaving mill
linning band
linodling flax-growing
linoleum linoleum; *hand. äv.* lino **-snitt** linoleum cut[ting]
linolja linseed oil
linotyp linotype
1 lins *bot., kok.* lentil
2 lins *opt., anat.* lens
lin||**tott** head of flax; *bildl.* flaxen tuft of hair
lip, *ta till ~en* start crying, **F** turn on the waterworks **-a** *itr* cry, sob, **F** blubber **-sill F** cry-baby
lirka *itr* work [it]; [röra på] wriggle [*med* at]; *~ med ngn* (*äv.*) coax (wheedle) a p.
lisa relief; [tröst] comfort, solace; *en ren ~* a real mercy
lism||**a** *itr* fawn [*för* (*mot*) upon] **-ande** *a* fawning, bland, mealy-mouthed **-are** fawner; **F** bootlicker
1 list cunning, craft[iness], guile; [knep] artifice, stratagem
2 list [bård] border, edging; *byggn.* band, fillet; *trädg.* narrow bed (border)
1 lista *s* list (register) [*för* (*på, över*) of]
2 list||**a** *rfl, ~ sig till ngt* get hold of a th. by artifice (&c) **-ig** *a* cunning, artful, crafty; jfr *slug* **-ighet** cunningness &c
listverk beading, moulding
lit, *sätta [sin] ~ till* put (place) one's reliance on (trust in); pin one's faith on **-a** *itr, ~ på* have confidence in, trust [in]; [för- sig på] depend (rely) [up]on, trust to; *det kan du ~ på!* you may depend upon that!
litania litany
lit de parade, *ligga på ~* lie in state
Litau||**en** Lithuania **l-er l-isk** *a* Lithuanian
liten I *a* small, little; [ytterst ~] minute, tiny; [obetydlig] petty; *~ till växten* short in growth; *när jag var ~* when I was small (little, a little boy o. s. v.) **II** *s* [barn] baby, child; **F** kid, brat; *kom nu, ~!* come along now, little one! **-het** smallness &c; pettiness
liter litre **-butelj** litre (*Engl. ung.* quart) bottle **-mått** litre measure
litet I *pron* **1** [ngt] a little, some **2** [föga] little; *bra ~* but little [interest]; *~ roar barn* anything will amuse a child, little things please little minds; *~ av varje* a little of everything; *det vill inte säga ~!* that's saying a good deal! *.. om än aldrig så ~ ..* be it ever so little **II** *adv* little; *äv.* somewhat [*bättre* better]; [obetydligt] slightly; *~ för kallt* rather too cold; *~ var ha vi* pretty well every one of us has
litograf lithographer **-era** *tr* lithograph **-i** lithography; *konkr* lithograph[ic print]
litslina *sjö.* lacing
litter||**atur** literature **-atur**|**analys** literary analysis **-atur**|**förteckning** [list of] books consulted; bibliography **-atur**|**historia** history of literature **-atur**|**historiker** literary historian **-atur**|**kritiker** literary critic **-är** *a* literary; [pers.] *äv.* of a literary turn, **F** bookish; *~ äganderätt* copyright
liturgi liturgy
liv 1 life; [tillvaro] existence; *få ~* come to life; *få ~ i* get some life into; [i avsvimmad] bring .. round; *en kamp på ~ och död* a life-and-death struggle; *sådant är ~et!* such is life! *sätta ~et till* lose one's life; *ta ~et av ngn* take a p.'s life, *äv.* make away with a p.; *det tar ~et av honom* it will be the death of him; *i hela mitt ~* all my life [long]; *finnas i ~et* be still alive; *här i ~et* in this life; *komma ifrån ngt med ~et* get out of a th. alive, escape alive from a th., *äv.* survive; [berättelse] *ur levande ~et* .. from [real] life; *hålla ngn vid ~* keep a p. alive; *trött vid ~et* tired (sick) of [one's] life; *börja ett nytt ~* turn over a new leaf; become a reformed character; *gjuta nytt ~ i* revive **2** *bildl.* life, vitality; [kläm] spirit, mettle; [fart] go; *det var ~ och rörelse överallt* there was a bustling (busy) throng everywhere; *med ~ och lust* very heartily, heart and soul **F 3** [kropp] body; *hålla ngn från ~et* keep a p. at a distance (at arm's length) *äv. bildl.; komma ngn inpå ~et* come (get) to close quarters with a p.; get to know a p. intimately **4** *konkr* living being; thing; *inte ett ~* not a soul; jfr *katt* ex. **5** *försäkr., ett prima ~* a first-class life **6** [midja] waist; *smal om ~et* slender round (in) the waist, slender-waisted **-a** *tr* animate, enliven **-ad** *a* **1** = *hågad* **2** = *munter, upprymd* **-aktig** *a* lively; [-full] animated, active **-as** *dep* feel animated **-boj** *sjö.* life-buoy **-båt** *sjö.* lifeboat; [av gummi] dinghy, rubber boat **-bälte** lifebelt **-egen I** *a* .. in villenage (serfdom) **II** *s* villein, serf

-**egenskap** villenage, serfdom -**full** *a* full of life (animation), vivid, vivacious -**försäkra** **I** *tr*, ~ *ngn* insure a p.'s life **II** *rfl* insure one's life -**försäkring** life insurance -**försäkrings|brev** life-insurance policy -**garde** *mil.* life guard -**givande** *a* life-giving; vivifying, animating; *bildl. äv.* heartening -**hank** **F**, *klara ~en* save one's skin -**lig** *a* lively; [-full] animated, spirited; [~ och talför] vivacious; [rörlig] active; [vaken] alert [*ingenium* brain]; [levande] vivid [*fantasi* imagination]; *röna ~ efterfrågan* meet with a keen demand; *en ~ trafik* a busy traffic -**lighet** liveliness &c; animation; vivacity -**ligt** *adv* in a lively (an animated) manner; vividly &c; ~ *beklaga* [*att*] be exceedingly sorry (grieved) . ., regret very keenly . . -**lös** *a* lifeless; *eg. äv.* dead; *bildl. äv.* dull -**medikus** physician in ordinary [*hos* to] -**moder** *anat.* uterus, womb -**nära** **I** *tr* support, maintain **II** *rfl* support (maintain) o.s.

livré livery -**klädd** *a* liveried

liv||rem waist-strap(-belt) -**rädd** *a* terrified -**räddning** life-saving -**räddnings|båt** life-[saving] boat -**ränta** [life-]annuity

livs, *få ngt till* ~ have something to eat (some food); *bildl.* be treated to a th. -**andar**, *ngns* ~ a p.'s animal spirits -**behov** vital need -**bejakande** *a* positive, enjoying life -**bejakelse** positive attitude to life, enjoyment of life -**duglig** *a* fit to live -**elixir** elixir of life -**energi** vital energy -**erfarenhet** experience of life -**fara** danger (peril) to life [and limb]; *sväva i* ~ be in mortal danger (&c) -**farlig** *a* dangerous (perilous) to life; [sjukdom] fatal, mortal; ~ *spänning* (*elektr.*) live wire -**fientlig** *a*, ~ *inställning* negative attitude to life -**fråga** vital question -**främmande** *a* unrealistic -**föring** way of living, conduct of [one's] life -**förnödenheter** necessaries of life -**glädje** joy of life (living) -**gärning** life's work -**hållning** attitude to life -**ideal (-intresse)** ideal (chief interest) in life -**kraft** vital (life-)force, vitality -**kraftig** *a* vigorous, robust -**levande** *a* life-like, . . in person (the flesh) -**lust** zest for life -**lång** *a* lifelong -**längd** length (term) of life; [t. ex. batteris] life -**medel** *pl* provisions (foodstuffs); jfr *matvaror* -**medels|affär** provision-dealer's shop -**medels|förråd** food supply, stock of food -**medels|försörjning**, ~ *en* the food supply -**medels|kort** food card -**mod** zest for life, will to live -**nerv** *bildl.* vital nerve -**oduglig** *a* unfit to live -**rum** 'lebensraum' *ty.*, living-space -**sak** matter of vital importance (interest) -**syn** outlook on (view of) life -**tecken** sign of life; *inte ge ett ~ ifrån sig* (*äv.*) not be heard of

livstid, *i vår* ~ in our lifetime; *för ~en* for life, lifelong . . -**s|fånge** life-timer, **F** lifer -**s|fängelse** life imprisonment -**s|straff** life-long punishment

livstycke chemisette; [barns] body-garment

livs||uppgift task (mission) in life -**verk** life's (life-)work -**viktig** *a* of vital importance, vitally important -**vilja** will to live -**villkor** vital condition -**värde** ideal; value [in life] -**ångest** agony in face of life -**åskådning** conception (view) of life, outlook on life, philosophy

liv||tag *sport.* grapple; *ta* ~ grapple each other -**tjänare** body-servant -**vakt** body-guard

ljud sound (*äv.* : *~et*); *inte ge ett ~ ifrån sig a)* not say (utter) a single word; *b)* not make a [single] sound -**a** *itr* sound; [klinga] ring; *det ljöd en röst* there came the sound of a voice -**band** *radio.* sound track -**boj** sounding buoy -**dosa** [på grammofon] sound-box -**dämpare** silencer, muffler -**effekt** sound effect; acoustic power -**enlig** *a* phonetic -**film** sound (vocal) film -**form** phonetic form -**fri** *a* sound-proof -**förstärkare** *radio. o. d.* [sound] amplifier -**förändring** sound change -**historia** historical phonology -**isolerad** *a* sound-proof -**lag** sound (phonetic) law -**lig** a loud[-sounding]; *äv.* resounding -**lära** *fys.* acoustics *sg; språkv.* phonetics *sg;* [ljudsystem i ett språk] phonology -**lös** *a* soundless, noiseless -**målande** *a* onomatopoeic -**skridning** *språkv.* sound-shift; *vanl.* consonant shift -**skrift** phonetic transcription (notation) -**styrka** volume (loudness) of sound -**vallen** the sound barrier -**våg** sound wave -**växling** gradation

ljuga *itr* lie [*för* to]; tell lies (falsehoods, a lie); ~ *för ngn* tell a p. a lie (&c); ~ *i' ngn ngt* cram a p. with a th.; ~ *ihop* [*en historia*] make up . ., fabricate (concoct) . .

ljum *a* tepid, lukewarm *äv. bildl.;* [väder] warm; *bildl.* half-hearted -**het** tepidness &c

ljumsk||brock inguinal hernia -**e** groin

ljung heather, ling

ljung||a *itr* lighten; flash *äv. bildl.* -**ande** *a* flashing [*blick* look]; [protest o. d.] flaming -**eld** flash of lightning

ljunghed heatherclad moor (heath)

ljus **I** *s* **1** light (*äv.* : *~et*); ~ *och bränsle* lighting and heating; *nu gick det upp ett ~ för mig* now light has dawned upon me; *föra ngn bakom ~et* mystify (hoodwink) a p., take a p. in; *tända* (*släcka*) *~et* switch on (off) the light **2** [stearin- o. d.] candle; *bränna sitt ~ i båda ändar* (*bildl.*) burn one's candle at both ends **II** *a* light; *äv.* light-coloured; [t. ex. idé] brilliant; [färg, framtid] bright; [hy, hår] fair; [vokal] clear; *mitt på ~a dagen* (*vanl.*) in broad daylight; *i ~aste minne* [*bevarad*] . . in the brightest memory; *stå i ~an låga* be all ablaze; *~a ögonblick* lucid moments -**bad** light bath -**behandling** light-treatment -**bilder** slides -**blå** *a* light (pale) blue -**båge** *elektr.* electric (voltaic) arc -**dunkel** *konst.* chiaroscuro *it.* -**fenomen** light phenomenon -**glimt** gleam of light -**gård** **1** [kring solen] corona **2** *ark.* light court -**hav** sea of light -**huvud** *bildl.* bright fellow, clever-head -**hyllt** *a* light-(fair-)complexioned -**hårig** *a* fair -**knippe** light beam -**krona** chandelier -**kägla** cone of light[rays] -**källa** source of light -**känslig** *a* sensitive to light -**lockig** *a* light-(fair-)curled -**låga** candle-flame -**lätt** *a* light (fair)[-complexioned] -**manschett** candle-ring -**na** *itr* get (become) light; [dagas] *äv.* dawn; *bildl.* brighten [up], get (&c) brighter -**ning** **1** = *gryning* **2** *bildl.* brightening[-up], change for the better, improvement **3** [i skog] clearing, glade; [på himlen] break, rift -**punkt** luminous (*bildl.* bright) spot (point); *elektr.* focus -**reflex** reflected light -**reklam** illuminated [advertisement] sign; neon light (sign) -**röd** *a* light red, pink -**signal** light signal -**sken** shining (bright) light -**skygg** *a* dreading (afraid of) the light; *bildl. äv.* shady -**stake** candlestick -**stark** *a* [lampa] bright -**strimma** streak of light -**stråle** ray (beam) of light -**styrka** *elektr.* candle-power

ljust||er fishing-spear, fish-gig -**ra** *tr* spear

ljus|år *astron.* light-year

ljuta *itr*, ~ *döden* meet one's death

ljuv *a* sweet; dulcet [*ljud* sound]; [sömn, doft] delicious; *dela ~t och lett med ngn* share the ups and the downs with a p.

-**het** sweetness &c -**lig** *a* sweet &c, jfr *ljuv; ett ~t väder* delightful weather
lo lynx [*äv. pl*]
lobb *sport.* lob -**a** *itr* lob
1 lock [hår-] lock [of hair]; [naturlig] curl
2 lock lid; [löst] *äv.* cover; se *äv. fick~; det slog ~ för öronen på mig* I was deafened
3 lock, *med ~ eller pock* by fair means or foul, by hook or crook; *med ~ och pock* by goading[s] and cajoling[s] -**a** *tr* **1** call (*äv.: ~ på*); [om höna] *äv.* cluck [*på* to] **2** [förleda] entice (allure) [[*till*] *att* into ..-ing]; [draga .. till] attract; *~ ngn i fällan* decoy ([en]snare, [en]trap) a p.; *~ tårar ur ngns ögon* draw tears from a p.'s eyes; *~ fram (ut)* draw out -**ande** *a* enticing &c; [frestande] tempting, attractive -**bete** lure *äv. bildl.; äv.* bait -**else** enticement, allurement; attraction -**fågel** decoy bird
lockig *a* curly
lockmedel allurement
lockout lock-out
lockton call-note; *~er* (*bildl.*) siren strains
lod weight, plumb; *sjö.* [sounding] lead -**a** *tr* o. *itr* sound *äv. bildl.*
lodjur lynx [*äv. pl*]
lod||lina *sjö.* lead-(sounding-)line -**ning** sounding *äv. bildl.* -**rät** *a* plumb; vertical; [vinkel-] perpendicular
loft loft
logaritm logarithm -**tabell** table of logarithms
1 loge barn
2 loge 1 *teat.* box **2** [ordens-] lodge
log||ement barrack-room, ward[-room] -**era I** *itr* put up [*hos ngn* at a p.'s], *äv.* lodge **II** *tr* put .. up, lodge, accommodate
logg *sjö.* log; *sätta ut ~en* pay out the logline -**bok** *sjö.* log-book -**lina** log-line
logi accommodation, lodging; *konkr* lodging-house
log||ik logic -**isk** *a* logical
loj *a* indolent; [håglös] listless
lojal *a* loyal [*mot* to (towards)] -**itet** loyalty
lokal I *s* [mötes-] place [of meeting]; [kontors-] premises *pl;* [sal] hall; [rum] room **II** *a* local -**avdelning** local branch -**bana** *järnv.* local line -**bedöva** *tr* administer local (*äv.* regional) anæsthesia to -**färg** local colour *äv. bildl.* -**hyra** rent of premises (&c) -**isera** *tr* localize, locate, place; *vara väl ~d i* be thoroughly at home in *äv. bildl.* -**isering** loca[liza]tion -**itet** locality -**kännedom** local knowledge -**patriot** local patriot -**samtal** local call -**sinne,** *ha ~* have the sense of (for) locality -**tåg** local train; **F** local
lokomo||bil traction engine -**tiv** *järnv. vanl.* engine; locomotive -**tiv|förare** engine driver
lom diver
loma *itr* slouch (slink) [*i väg off*]
lomhörd *a* hard (dull) of hearing
londonbo Londoner; [infödd] **F** *äv.* cockney
longitud longitude
longör prolix (tedious) passage; [friare] dull period
lopp 1 *abstr sport. o. d.* running; [ett ~] run; [tävling] race; [rörelse, gång] course; *dött ~* (*sport.*) a dead heat; *ge fritt ~ åt* (*bildl.*) give free course (vent) to; *efter ~et av tre år* after the lapse of three years; *i det långa ~et* (*bildl.*) in the long run; *inom ~et av* within; *under dagens* (*samtalets*) *~* (*äv.*) during the day (conversation); *under tidernas ~* in the course of time **2** [gevärs-] bore
lopp||a flea -**bett** flea-bite
lord [titel] lord; *~ N.* Lord N.; *~en* his Lordship -**kansler,** *L~n* the Lord Chancellor
lornjett lorgnette
lort F muck, dirt, filth -**a** *tr, ~ ned* get .. all mucky (dirty &c) -**gris** little (dirty) pig -**ig** *a* mucky &c
loss *adv* loose; *äv.* off, away; [*kasta*] *loss!* (*äv.*) release! let go! *komma ~* get afloat -**a** *tr* **1** loose[n]; [knyta upp] untie, unfasten, undo **2** [skott] discharge, fire [off] **3** *sjö.* [last] unload; [varor] *äv.* discharge -**na** *itr* come loose (off, undone &c); *äv.* get loose; [om färg o. d.] loosen -**nings|-plats** place of discharge, quay; unloading wharf
lots pilot -**a** *tr* pilot *äv. bildl.; äv.* conduct -**plats** pilot station -**verk,** *~et* the Pilotage Service
lott 1 lot; [andel] share; [jord-] allotment; *det blev (föll på) hans ~ att* it fell to him (his lot) to; *dela ngns ~* share a p.'s fortunes; *draga (kasta) ~ om* draw (cast) lots for **2** = *-sedel*
1 lotta *ung.* [a] WAAC (Women's Auxiliary Aid Corps)
2 lott||a *itr,* se *lott 1* ex.; *~ bort* dispose of .. by lottery -**ad** *a* [*lyckligt* well] favoured (endowed); [ekonomiskt] circumstanced, situated, off -**dragning** drawing [of lots], lottery-drawing -**eri** lottery *äv. bildl.; vinna på ~* win in a lottery -**lös** *a* portionless; *bli ~* be left without [any] lot or share, be left out -**sedel** lottery-ticket
lotus lotus -**blomma** Egyptian lotus
1 lov *sjö.* [*göra en* make a] tack; *slå sina ~ar kring* hover (prowl) round; *ta ~en av ..* get the better of .., take the wind out of ..'s sails
2 lov 1 [beröm] praise; *Gud vare ~!* thank God! **2** [tillåtelse] permission, leave; *be* [*ngn*] *om ~* ask [a p.'s] leave; *får jag ~ att* se *2 få 1* ex.; *får det ~ att vara ..?* may I offer you (will you have) ..? **3** *få ~ att* [*göra*] = *måste* **4** [ferier] holidays *pl*
1 lova *itr sjö.* luff [the helm]
2 lov||a I *tr* = *-orda* **II** *tr* o. *itr* promise; [högtidligt] vow; *jo, det vill jag ~!* rather! I should say so! -**ande** *a* promising; [*pojken*] *är ~* .. gives promise; [sak] auspicious
lovart, *i (från) ~* to windward, from the windward side
lov||dag holiday[-day] -**lig** *a* permissible, allowable; [laglig] lawful; *~ tid* (*jakt.*) open time (season) -**ord** encomium, praise, eulogy -**orda** -**prisa** *tr* praise, commend; [starkare] eulogize -**sjunga** *tr* sing praises (&c) unto; sing the praise of -**sång** song of praise; [jubel-] paean -**tal** panegyric [*över* upon] -**värd** *a* commendable; [försök o. d.] laudable
lucka 1 [ugns- o. d.] door; [fönster-] shutter; *äv.* board; [skepps-] hatch **2** [tomrum] hole, aperture; [i skrift] lacuna; *bildl.* gap
luck||er *a* loose, *äv.* light, mellow -**ra** *tr* loosen, break up, mellow
ludd fluff, flue -**a** *itr* o. *rfl* cotton, rise with the nap -**ig** *a* fluffy
luden *a* hairy; *naturv.* hirsute
luff||a *itr* lumber, pad; [springa] run -**are** tramp; vagabond
lufsa *itr* go lumbering; walk clumsily
luft 1 *~ gardiner* pair of curtains **2** air; [friare] *äv.* atmosphere; *fria ~en* the open air; *det är dålig ~* it is stuffy; *få* [*litet*] *frisk ~* get a breath of air; *ge ~ åt* (*bildl.*) give [free] vent to, *äv.* vent [one's

indignation]; *behandla . . som ~* treat . . as a thing of nought, *äv.* cut . . dead; *det ligger i ~en (bildl.)* it is in the air; *spränga i ~en* blow up; *gripen ur ~en* utterly unfounded **-a I** *tr* air **II** *itr, ~ på sig* go out for a breath of air (an airing), take the air **-angrepp** *mil.* air attack, air-raid [*mot* on], blitz **-antenn** outdoor aerial (*Am.* antenna) **-ballong** [air-]balloon **-bana** aerial ropeway **-bevakning** *mil.* anti-aircraft control (patrol) **-blåsa** air-bubble **-bombardemang** aerial bombardment **-bro** air lift **-broms** air brake **-bur|en** *a, -na trupper (mil.)* airborne troops **-bössa** [leksak] pop-gun **-cirkulation** air circulation **-drag** air current **-fart** (*äv.: ~en*) [civil] aviation, air traffic (transportation) **-farts|-led** airway, air route **-farts|myndighet** civil aviation authority **-fartyg** aircraft [lika i pl] **-flotta** *mil.* air fleet **-friktion** air friction **-färd** air (aerial) trip **-försvar** air defence **-grop** *flyg.* air pocket **-ig** *a* airy; *bildl.* se *äv. eterisk* **-kondensator** air condenser **-konditionerad** *a* air-conditioned **-krig** war in the air, aerial warfare **-kyld** *a* air-cooled **-kylning** air-cooling **-lager** air stratum **-landsättning** *mil.* paratroop landing, landing of air-borne troops **-ledning** *elektr. spårv.* overhead (trolley-)wire **-massa** air-mass **-motstånd** *flyg.* drag; air (head) resistance **-ning** airing; ventilation **-ombyte** change of air **-paraply** air umbrella **-passage** air passage **-post** air mail **-pump** air-pump; *äv.* pneumatic pump **-renare** air cleaner (filter) **-resa** [i bilkrock] somersault **-ring** pneumatic tyre **-rum** air space **-räd** *mil.* air raid **-rör** *anat.* trachea, windpipe **-rörs|katarr** bronchitis **-sinnad** *a* air-minded **-sjuk** airsick **-sjuka** airsickness **-skepp** airship, dirigible **-skikt** layer of air **-skydd** civil air defence **-skyddsövning** air defence exercise **-slott** castle in the air (in Spain) **-spaning** air reconnaissance **-språng** = *krum-* **-spärr** balloon barrage **-streck** climate **-strid** air fight, aerial combat (battle) **-strids|krafter** air forces (strength *sg*) **-strupe** = *-rör* **-ström** air-current, current of air; *flyg.* airflow **-temperatur** air temperature **-tillförsel** air supply **-tom** *a, ~t rum* vacuum, void **-trafik** airway traffic, air service **-transport** air transportation **-trumma** ⊕ air-box **-trupper** paratroops, airborne troops **-tryck** air-pressure **-tät** *a* air-tight(-proof); *äv.* hermetical **-täthet** air density **-vap|en** air arm (force); *-net (Engl.)* [the] Royal Air Force (R.A.F.); (*Am.*) [the] [American] Army Air Force (A.A.F.) **-varning** air [raid] warning **-ventil** air valve **-våg** air-wave **-värdig** *a flyg.* airworthy **-värn** anti-aircraft artillery **-värns-** i *sms* anti-aircraft [*kanon* gun] **-växling** ventilation **-överskott** excess air

lugg 1 [hår-] fringe; *titta under ~* look covertly [*på* at] **2** [på tyg] nap; [på sammet] pile **-a** *tr, ~ ngn* pull a p.'s hair **-sliten** *a* threadbare, shabby *äv. bildl.*

lugn I *s* calm; [egenskap] *äv.* calmness; [stillhet] quiet; [ro] tranquillity; [sinnes-] composure; *i ~ och ro* in peace and quiet **II** *a* calm; quiet; tranquil; [mots. 'orolig'] *äv.* easy [*för* about]; *~t samvete* an easy conscience; *dö ~* die in peace; *hålla sig ~* keep quiet; *var bara ~* don't you bother; *var så ~!* you bet! **-a I** *tr* calm, quiet[en]; [farhågor o. d.] set . . at rest; *känna sig ~d* feel reassured **II** *rfl* calm o.s., calm down; *~ dig!* don't get excited, **F** take it easy! **-ande** *a* calming &c; [nyhet o. d.] reassuring; *läk.* sedative; *~ medel* sedative, tranquilliser **-t** *adv* calmly &c; *ta det ~* take it (things) easy; keep cool **-vatten** smooth water

lukrativ *a* lucrative, profitable

lukt smell; *äv.* odour; [behaglig] *äv.* scent, perfume **-a** *tr* o. *itr* smell [*på* at]; have a smell; *det ~r . . om dig* you smell of . . **-flaska** smelling-bottle **-fri -lös** *a* scentless &c **-organ** organ of smell **-påse** scent-bag **-salt** smelling-salts *pl,* sal volatile *lat.* **-sinne** sense of smell, olfactory sense; *ett fint ~ (äv.)* a keen smell (scent) **-viol** sweet (scented) violet **-ärt** sweet pea

lukullisk *a* sumptuous, luxurious

lumberjacka sports coat (jacket)

lummig *a* umbrageous, *äv.* spreading

lump rags *pl* **-bod** rag[-and-bone-]-shop

lumpen *a* paltry; [småaktig] petty, mean

lump‖or rags **-samlare** rag[-and-bone]man

lunch lunch[eon] **-a** *itr* take (have) [one's] lunch **-paus** lunch hour

lund grove; *äv.* copse

lung‖a lung **-blödning** h[a]emorrhage of the lungs **-blöt** *a* **F** sopping wet **-inflammation** pneumonia **-katarr** pulmonary catarrh, bronchitis **-kräfta** lung cancer; cancer of the lung **-mos** *kok.* hashed [calf's-] lights *pl,* tripe **-siktig** *a* consumptive **-sot** [pulmonary] consumption, phthisis **-säcks|inflammation** pleurisy **-tuberkulos** pulmonary tuberculosis

lunk, *i sakta ~* at a slow jog-trot **-a** *itr* jog-trot; jfr *luffa*

lunnefågel puffin

luns = *tölp* **-ig** *a* [plagg] ill-fitting, baggy; [pers.] clumsy, hulking

lunta [bok] tome, [big] volume

lupin lupine

lupp = *förstoringsglas*

1 lur horn, trumpet

2 lur 1 = *tupp~* **2** *ligga på ~* = *lura I; bildl.* be lurking; *stå på ~* stand in ambush **-a I** *itr* lie in wait [*på* for]; *bildl.* lurk **II** *tr* take . . in; cheat (swindle) [. . *på* . . in (over)]; *äv.* impose (put) upon, dupe; **F** lead . . up the garden [path]; [övertala] coax (wheedle, **F** jockey) [*ngn att göra* a p. into doing]; [överlista] get the better of; *mig ~r du inte!* (*äv.*) you don't (won't) catch me! *~ av* (*ifrån*) *ngn . .* wheedle (worm, coax) . . out of a p. **III** *rfl, låta ~ sig* [allow o.s. to] be taken in (cheated &c) **-ande** *a* jfr *lura;* sly [*blick* look] **-ifax** sly dog (fox) **-passa** *kortsp.* lie low

lurvig *a* rough; [hund] *äv.* shaggy

lus louse [*pl* lice] **-fattig** *a* **F** [as] poor as a church-mouse

lust 1 [håg] inclination (*äv.* mind) [*för* for]; [benägenhet] bent (disposition) [*för* for]; [smak] taste, liking, fancy; [åtrå] desire; *få ~ att* (*äv.*) take it into one's head to; *om du får ~* if you feel inclined; *ha ~ att a)* feel inclined (have a mind) to; **F** feel like [*läsa* reading]; *b)* [bry sig om] care to **2** [nöje] delight, pleasure; *med liv och ~* se *liv 2* ex.; *i nöd och ~* in weal and woe; [vid vigsel] for better for worse **-a** lust; *äv.* desire **-barhet** amusement **-betonad** *a, ~e känslor* feelings of pleasure **-eld** bonfire **-färd** pleasure-trip, excursion **-gas** *läk.* laughing-gas **-gård,** *Edens ~* the garden of Eden **-hus** summer-house **-ig** *a* **1** [roande] amusing, funny; *göra sig ~ över* poke fun at; *vad är det som är så ~t?* (*äv.*) what is the joke? **2** = *löjlig* **-ighet,** *säga en ~* make an amusing remark, *äv.* crack a joke **-jakt** [pleasure] yacht **-mord** sex (sad-

istic) murder **-resa** = *-färd* **-slott** royal out-of-town residence **-spel** comedy; i *sms* comedy-
1 lut [tvätt-] lye
2 lut, *stå (ligga) på ~* be a-tilt
1 luta *s mus.* lute
2 luta *tr kok.* [fisk] soak (steep) .. in lye
3 lut||a I *tr, itr* o. *rfl* lean, *äv.* incline; [slutta] slope, *äv.* slant, tilt; *~ sig ned* stoop; *~ sig ut* lean out **II** *itr bildl.* incline [*åt* towards]; *se vartåt det ~r* see which way things are tending; *ditåt ~r det!* **F** that is what it is coming to! **-ad** *a* leaning [*mot* against]; *äv.* inclined (sloping) [*inåt* inwards] **-ande I** *a* leaning; *äv.* inclined [*plan* plane]; [bokstäver] sloped, slanted; [hållning] *äv.* stooping; *~ stil* [a] slanting hand **II** *adv, gå ~* walk with a stoop
luter||an -[an]sk *a* Lutheran
lutfisk 'lutfisk'; [dried] stockfish
lutning inclination; [sluttning] slope
lutt||er *a* = *idel* **-ra** *tr* purge [*från* from], purify; *bildl. äv.* chasten **-ring** purging, purification
luv, *ligga i ~en på varandra* be at loggerheads [with each other]; *råka i ~en* fly at one another['s heads]
luva [woollen] cap
luxuös *a* luxurious, sumptuous
lya lair, hole, den *äv. bildl.*
lyck||a [känsla] happiness; [sällhet] bliss; [framgång] success; [öde] fortune; [tur] luck; *~ till!* good luck! *göra ~* se *-as; äv.* take the public, **F** catch on; *göra sin ~* make one's fortune; *göra stormande ~* make tremendous success; *ha ~ med sig* succeed, be successful; *pröva sin ~* try one's luck; *till all ~* by [great] good luck; *äv.* as good luck would have it -|**ad** *a* successful; *vara mycket ~* be a great success; [*uttalandet var*] *mindre -at* .. hardly a happy one -|**as** *itr dep* succeed (be successful) [*göra* in doing]; [gå bra] *äv.* be (prove, turn out) a success; [om pers.] *äv.* manage (contrive) [*åstadkomma* to achieve]; *det -ades inte alls* it proved an utter failure; *han -ades hitta* he managed to find **-lig** *a* happy; [gynnad av lycka] fortunate; [tursam] lucky; [framgångsrik] successful; *i ~aste fall* at best; *en ~ ost* a lucky beggar (dog); *~ resa!* [I wish you] a pleasant journey! bon voyage! **-ligen** *adv, ~ anländ* safely arrived **-liggöra** *tr* make (render) .. happy **-ligt** *adv* happily &c; *~ okunnig om* blissfully ignorant of; *leva ~* live happily, lead a happy life; *komma hem ~ och väl* get home safely (safe and sound) **-ligtvis** *adv* fortunately, luckily; *äv.* happily **-o|bringande** *a* .. bringing fortune (&c) in its train **-o|dag** lucky day **-o|känsla** sense of happiness **-o|sam** *a* prosperous; successful **-o|tal** lucky number **-salig** *a* [supremely] happy, blissful **-salighet** bliss, supreme happiness (felicity) **-sökare -sökerska** fortune hunter
lyckt *a, inom ~a dörrar* behind closed doors, in camera
lyck||träff lucky hit (shot), stroke of luck; *en ren ~* a mere chance (fluke) **-önska** *tr, ~ ngn till ngt* congratulate a p. on a th. **-önskan** congratulation
lyd||a I *tr* obey; [roder o. d.] answer [to]; [råd] *äv.* follow, take **II** *itr* **1** *~ under* be subject to; [tillhöra] belong to **2** run, read; *hur -er ..?* how does .. run? .., *löd svaret* .., was the reply; [*domen*] *-er på* .. is for; *aktier, som ~ på innehavaren* shares made out to the bearer **-ande** *a, en växel ~ på* .. a bill for .. **-else** wording, tenor **-ig** *a* obedient; [lättledd] docile; [snäll] good **-land** protectorate, tributary (subject) country **-nad** obedience [*för* (*mot*) to]; *äv.* loyalty
lyft||a I *tr* **1** lift; [höja] raise [*på hatten* one's hat] **2** draw [*sin lön* one's salary]; withdraw [*på ett konto* out of an account] **3** *bildl.* elevate **II** *itr* [om fågel] take wing (flight); *flyg.* rise, take off; [om dimma] lift **-arm** lever **-bro** bascule bridge **-kraft** lifting capacity; *flyg.* lift **-kran** [lifting-(hoisting-)]crane **-ning** *bildl.* elevation, uplift
lyhörd *a* **1** with a sensitive (keen) ear; keenly alive [*för* to] **2** [rum o. d.] inefficiently sound-proof[ed]
1 lykta = [*av*]*sluta*
2 lykt||a lantern; [gas-, bil- o. d.] lamp **-stolpe** lamp-post
lymf||a lymph **-kärl** lymphatic [vessel] **-körtel** lymphatic gland
lymmel blackguard; *äv.* villain, scoundrel **-aktig** *a* blackguardly; villainous
lynch||a *tr* lynch **-ning** lynching
lynn||e 1 [läggning] temperament; disposition, temper; jfr *humör;* [*livlig*] *till ~t* .. in temperament **2** [stämning] humour; *äv.* temper, mood; *vara vid* [*dåligt, gott*] *~* (*äv.*) be in .. spirits *pl* **-ig** *a* capricious
1 lyr|a, *fånga -or* catch balls
2 lyr||a lyre **-ik** lyric poetry; lyrics *pl* **-iker** lyric[al] poet, lyrist **-isk** *a* lyric[al]
lys||a I *itr* **1** shine; give (shed) light; [glänsa] gleam, glitter; [bländande] *äv.* glare; *det -er* [*i hans rum*] the light is on .. **2** *bildl.* shine [*av* with]; *~ av lycka* be lighted up with happiness; *~ inför andra* (*äv.*) show off before other people; *~ med* [*sina kunskaper*] (*äv.*) make a display of ..; *~ med sin frånvaro* be conspicuous by one's absence; *~ upp* light up **3** *det -er för dem* the banns are to be published for them **II** *tr* light [*upp* up] **-ande I** *a* **1** shining &c; [själv-] luminous; [klar] bright; [strålande] radiant **2** *bildl.* brilliant; splendid; dazzling [*framgång* success]; *ett ~ undantag* (*äv.*) a shining exception; *i ett ~ skick* in excellent order **II** *adv, det gick allt annat än ~* it was by no means a brilliant success **-boj** *sjö.* light buoy **-bomb** flash bomb **-e** light[ing] **-färg** luminous paint **-gas** lighting gas **-kraft** luminosity **-mask** glow-worm **-ning** banns *pl* **-nings|present** wedding-present
lysol lysol
lys||olja lamp oil **-rör** *elektr.* neon tube
lyssn||a *itr* listen [*efter* for; *på* to; *på radio* in to] **-ar|apparat** *flyg.* acoustic detecting apparatus, sound locator **-are** listener; *radio. äv.* listener-in **-ar|post** *mil.* listening-post
lysten *a* voluptuous; *~ efter* eager (greedy) for; [girig] covetous [*efter* of]
lyster lustre
lyst||mäte, *få sitt ~ på* have one's fill of **-nad** greediness &c
lystr||a *itr* pay attention; obey; *~ till* [*ett namn*] answer to .. **-ing** *mil., ~!* attention!
lyte defect; [missbildning] deformity; [moraliskt] vice
lytt *a* maimed, crippled
lyx luxury; sumptuousness; [överdåd] extravagance **-artikel** luxury **-band** *boktr.* de luxe *fr.* binding **-begär** craving for luxuries (luxury) **-bil** de luxe *fr.* car **-blankett** *telegr.* greetings telegram form **-liv** life of luxury **-skatt** luxury tax **-upplaga** edition de luxe *fr.*

låd‖a 1 box; [större] *äv.* case; [bords- o. d.] drawer **2** *kok.* dish cooked in a baking-dish, pie **-kamera** box camera
låg *a* low *äv. bildl.; bildl. äv.* base, mean; [*hysa*] *en ~ tanke om* . . a poor idea (opinion) of
låg‖a I *s* flame *äv. bildl.;* [starkare] blaze; *slå ut i -or* (*äv. bildl.*) burst into flame[s], blaze up; *stå i ljusan ~* be all ablaze **II** *itr* blaze; flame *äv. bildl.;* [glöda] glow (be all aglow) [*av* with] **-ande** *a* blazing; flaming; burning [*hat* hatred]
låg‖anfall *mil.* low bombing (flying attack) **-frekvens** low frequency **-halsad** *a* low-necked **-halt** *a, vara ~* walk with a slight hitch in one's gait **-het** lowness &c **-klackad** *a* low-heeled **-konjunktur** depression, recession, business slump **-kyrka -kyrklig** *a* Low Church **-land** lowland area, lowlands *pl* **-länt** *a* low-lying **-mäld** *a* low-voiced, soft; *bildl.* quiet, unobtrusive **-sint** *a* base, mean **-slätt** low[-level] plain **-spänning** low tension **-stad|ium** *skol., på -iet* at the beginning-stage **-t** *adv* low; *bildl.* basely, meanly; *~ räknat* at a low estimate **-tryck[s|område]** low (minimum) pressure [area] **-t|stående** *a* . . of low standing, inferior **-tysk[a]** Low German **-vatten** [*vid* at] low water
lån loan [*mot ränta* at interest]; [in-] borrowing; [ut-] lending, loaning; *få ngt till ~s* borrow a th., have a th. on loan **-a I** *tr* o. *itr* **1** borrow [*av* from]; *~ upp* borrow **2** lend [*åt* to]; *~ ut* lend out; *~ sitt namn åt* allow one's name to be used by **II** *rfl* lend o.s. [*till* to] **-bibliotek** lending library **-e|ansökan** application for a loan **-e|kassa** loans fund **-e|summa** [amount of a (the)] loan
lång *a* **1** [rum, tid] long; [väl ~] lengthy; [stor] great [*avstånd* distance]; *äv.* big [*steg* stride]; *det tar inte ~ tid att* it won't take [you] long (much time) to; [*tre gånger*] *så ~ tid* . . as long; *han blev ~ i ansiktet* his face fell; [*politik*] *på ~ sikt* long-term . . **2** [om pers.] tall [*för sin ålder* for his age] **-bent** *a* long-legged **-byxor** [long] trousers **-dans** long dance **-distans|flygplan** long-distance aeroplane **-distans|löpare** long-distance runner **-distans|projektil** long-range missile **-distans|raket (-distans|robot)** long-distance rocket (robot) **-dragen** *a bildl.* long-winded, protracted [discussion] **-finger** middle finger **-fingrad** *a* light-fingered **-fredag,** *L~[en]* Good Friday **-fristig** *a hand.* long-period(-term) . . **-färd** long trip (expedition) **-färds|segling** long-distance sailing **-grund** *a* [strand] shelving; [vatten] shoaling **-hårig** *a* long-haired
lån|givare lender, granter of a loan
lång‖livad *a* long-lived; *inte bli ~* not last long **-modig** *a* long-suffering, forbearing
lånegods borrowed (loaned) property
lång‖promenad, *göra en ~* go for a long walk (tramp) **-randig** *a bildl.* long-winded, tedious **-resa** long journey (*sjö.* voyage) **-rev** trotline, boulter
långsam *a* slow [*i* (*med*) in (at, over)]; [trög] *äv.* [om puls] sluggish; [senfärdig] tardy **-het** slowness &c **-t** *adv* slow[ly] &c; *det går ~* it is a slow business; *~ men säkert* slowly but surely
lång‖sida long side **-sides** *adv* alongside (*äv.: ~ med*) **-siktig** *a* long-term [policy] **-sikts-**long-term [*planering* planning] **-sint** *a* resentful **-skallig** *a* dolichocephalous **-skepp** *ark.* nave **-skjutande** *a* long-range . . **-sluttande** *a* [strand] shelving, gradually sloping **-smal** *a* long and narrow **-strumpa** stocking **-sträckt** *a* of some length, longish **-synt** *a* far-sighted **-sökt** *a* far-fetched; strained
lång‖t *adv* **1** [rum] far [*härifrån* from here]; *äv.* a long way [*dit* there]; *gå ~* walk (go) far *äv. bildl.; gå för ~* (*bildl. äv.*) carry things too far; *det här går för ~* this is too much of a good thing; *man kommer inte ~ med* [*fem kr.*] you can't get far with . .; *så ~* thus far; *bildl. äv.* up to that (this) point; *ha ~ efter* [*vatten*] have a long way to go for . .; *~ ifrån* far from; *det är ~ mellan gårdarna* the farms are few and far between; *~ inne i skogen* right (deep, well) in the forest **2** [tid] long [*efteråt* afterwards]; far [*inpå natten* into the night]; *~ senare* much later; *~ om länge* at long last **3** [grad] far [*bättre* better]; [mycket] *äv.* much, **F** a lot; *~ ifrån* [ingalunda] by no means **-t|gående** *a* considerable [*eftergifter* concessions]; far-reaching [*slutsatser* conclusions] **-tids|prognos** long-term forecast (prognosis) **-tradare** long-distance trading-vessel ([bil] lorry) **-tråkig** *a* very tedious &c **-tur** long expedition; jfr *-resa;* [till fots] long walk (tramp, hike) **-varig** *a* long, . . of long duration; [utdragen] protracted, lengthy; [vänskap] long-standing **-varighet** lengthiness, protractedness **-våg** *radio.* long wave **-väga I** *a* . . from a [long] distance; *en ~ resande* a traveller [who has come] from afar **II** *adv, ~ ifrån* from afar **-ärmad** *a* long-sleeved
lån‖ord loan-word **-tagare** borrower, loanee
1 lår [large] box; [pack-] case, chest
2 lår thigh **-ben** femur, thigh-bone
låring *sjö.* quarter
lås lock; [knäppe] clasp, snap, hasp; *bakom ~ och bom* under lock and key; jfr *blixt~* **-a I** *tr* lock; *~ in* lock . . up; *~ upp* unlock **II** *rfl* lock o.s. [*inne* in]; [om sak] get locked, jam; [fastna] get stuck **-anordning** locking arrangement (device) **-kolv** latch bolt **-smed** locksmith **-vred** lock-handle
låt 1 [ljud] sound; *bildl.* tune **2** [melodi] melody, tune; song
låt|a I *itr* sound [*som* like]; *det -er illa* that is bad news; *det -er som om* from what one hears it seems as if; jfr *tyckas* [*som om*] **II** *tr, ~ sitt liv* lay down one's life **III** *hjälpv.* **1** let; *äv.* allow . . (suffer . .) to; jfr *tillåta; ~ ngn vara* leave (let) a p. alone; *~* [*nyckeln*] *sitta i* leave . . in the lock; *det -er säga sig* it can (may) be said; *det -er höra sig!* that's something like! *~ ngt ligga* (*stå*) leave a th. alone (where it is) **2** [laga att] have [*ngn undersökas* a p. examined]; get [*göra ngt* a th. done]; *äv.* cause [*bygga ett hus* a house to be built] **3** [förmå] make [*ngn göra ngt* a p. do a th.]; *han lät* [*skräddaren*] *sy* [*en kostym*] he got . . to sew . .; *~ ngn förstå* give a p. to understand; *~ ngn vänta* keep a p. waiting **4** *~ bli* leave (let) alone; *låt vara att* even though, although; *låt så vara, men* granted that it is so, yet **IV** *rfl* allow (suffer) o.s. to (let o.s.) [*övertalas* be persuaded]; *det -er sig göra* it is possible, it can be done
låts‖a I *itr* pretend; *äv.* make pretence [*vara* of being]; *~ att* (*äv.*) make believe that; *~ som om det regnar* appear as if nothing were the matter (was up **F**); *~ inte om det!* don't let on about it! **II** *tr* pretend, feign, sham **-ad** *a* pretended &c; [falsk] sham, mock, make-believe **-as** *dep, skall det här ~ vara* . . is this supposed to be . .; se *-a; ~ vara likgiltig* (*äv.*) affect indifference

lä lee; *i* ~ to leeward; on the lee[ward] side; *ror i* ~! helm a-lee! *i* ~ *för* [*vinden*] sheltered from .., in the lee of ..
läck *a* leaky; *springa* ~ spring a leak **-a I** *s* leak, leakage **II** *itr* leak, *äv.* run out; *sjö. äv.* make water
läcker *a* dainty, delicious **-bit** dainty morsel; *äv.* tit-bit **-gom** gourmet **-het** daintiness, delicacy
läder leather; *en .. av* ~ (*äv.*) a leather .. **-artad** *a* leather-like, leathery **-beklädd** *a* leather-lined(-faced) **-fodral** leather case **-fåtölj** club chair **-hud** *anat.* leather-skin, cutis **-jacka** leather jacket **-lapp** = *fladdermus* **-plastik** embossed (raised) leatherwork **-portfölj** leather wrapper, portfolio, briefcase **-rem** leather strap (belt); ~*mar* strapping *sg* **-väska** leather bag
läg||**e** situation; position *äv. mus.; äv.* [*behålla sitt* keep its] place; [nivå] level; [belägenhet, *trädg.*] *äv.* site; [tillstånd] state, condition; jfr *affärs~;* ~*t inom* [*affärsvärlden*] (*äv.*) [the] conditions *pl* in ..; *i sakernas nuvarande* ~ as matters now stand **-enhet 1** [frakt o. d.] opportunity; *med första* ~ (*sjö.*) by the first ship (steamer) sailing **2** = *våning* **3** *efter råd och* ~ according to one's means
läger 1 bed **2** [tält- o. d.] camp *äv. bildl.; slå* ~ pitch [one's] camp, encamp; .. *ur olika* ~ (*bildl.*) .. belonging to various parties **-eld** camp-fire **-liv** camp life **-plats** camping[-]ground
lägervall, *ligga i* ~ be in a decadent state; *bildl. äv.* be stagnant
1 lägg *anat.* shank
2 lägg [pappers-] gathering
lägg||**a I** *tr* o. *itr* **1** put; [i vågrätt ställn.] *äv.* lay *äv. bildl.;* jfr *2 grund 1* ex.; [placera] place; [till sängs] put .. to bed; ~ *ägg* lay eggs **2** [med beton. part.] ~ *an* [sikta] level (aim) [*på* at]; ~ *an på* (*allm.*) aim at; *hon -er an på dig!* (*äv.*) **F** she is setting her cap at you! ~ *bi* (*sjö.*) heave (lay) to; ~ *bort* [upphöra med] drop, give up; ~ *fram* put out; jfr *fram~;* ~ *för ngn* [*mat*] help a p. to ..; ~ *ifrån sig* put (lay) .. down; ~ *in a*) = *konservera; b*) [ett gott ord] put in ..; ~ *ned* = *ned~;* [pengar] spend [*på* in (on)]; ~ *om a*) *läk.* lay a bandage round, *äv.* bind up; [sår] *äv.* dress; *b*) re-arrange, re-cast; [ändra] change, alter; ~ *om rodret* shift the helm; ~ *på* put on; ~ *på luren* hang up the receiver; ~ *till a*) [tillfoga] add [on]; *b*) *sjö.* put in [*vid* at]; ~ *under sig* subdue; ~ *upp* put .. up [*på* on]; *kok.* dish up; [stickning] cast on; [klänning o. d.] put (make) a tuck in; [fartyg] lay .. up; [börja med o. d.] start; [upphöra med] give up; *sport.* retire; ~ *ut* lay out [*äv.* pengar]; *sjö.* put off [*från* from] **II** *rfl* **1** lie down; [gå till sängs] go to bed **2** [om sak] settle [down]; [isbeläggas] freeze, get frozen over **3** *bildl.* abate, subside; [lugna sig] die down (away), lull off; [om svullnad] go down **4** ~ *sig i* interfere (meddle) [*ngt* in a th.]; *lägg dig inte i det här!* (*äv.*) keep clear of this! ~ *sig till med a*) grow [*skägg* a beard]; [glasögon] take to; *b*) [titel o. d.] adopt; *c*) set up [*bil* a car]; *d*) [tillägna sig] **F** appropriate; ~ *sig ut för ngn* take up a p.'s cause, [hos ngn] intercede for a p. [*hos* with] **-ning** *bildl.* disposition; [håg] bent, turn **-spel** puzzle
läglig *a* opportune, timely; *äv.* seasonable; [lämplig] convenient, suitable; *vid första* ~*a tillfälle* [*för er*] at your earliest convenience
lägra *rfl* encamp; [om dimma o. d.] settle
läg||**re I** *a* **1** lower **2** [i rang o. d.] inferior [*än* to] **II** *adv* lower **-st** *a* lowest; *gå på* ~*a växeln* [om bil] travel at the low gear; *i* ~*a laget* too low if anything; *som* ~ at its lowest; *till* ~*a möjliga pris* at the lowest possible price; at rock-bottom prices
läk||**a** *tr* o. *itr* heal [*igen* over (up)] *äv. bildl.;* [bota] cure **-ande** *a* healing **-ar**|**behandling** medical treatment **-ar**|**betyg** doctor's certificate **-are** doctor; *äv.* physician; *praktiserande* ~ medical practitioner; *tillkalla* ~ call in a doctor **-ar**|**hjälp,** *söka* ~ apply to a doctor **-ar**|**intyg** = *-ar*|*betyg* **-ar**|**kår,** ~*en* the medical profession **-ar**|**mottagning** a doctor's consultation **-ar**|**ordination** **-ar**|**-recept** a doctor's prescription **-ar**|**undersökning** medical examination **-ar**|**vetenskap,** ~[*en*] medical science **-ar**|**vård** medical attendance **-as** *itr dep* heal [up] **-e**|**medel** medicine; [drog] *äv.* drug; jfr *bote-* **-kött,** *ha gott* ~ have flesh that heals well (quickly)
läkt *byggn.* [tile-]lath
1 läktare *sjö.* lighter
2 läktare gallery; [utomhus] platform, stand
lämmel lemming
lämn||**a** *tr* **1** leave; [överge] *äv.* give up; ~ *ett ämne* change (drop) a subject **2** [fram-] hand [over]; *äv.* leave; *hand. äv.* render; [skänka] give; [hjälp] render; [vinst] yield; ~ *ifrån sig* (*ut*) hand over; ~ *igen* return, give back; ~ *kvar* leave [behind] **-ing** = *kvarleva*
lämp||**a I** *tr* **1** adapt, *äv.* suit, accommodate; [justera] adjust [vid alla: *efter* to] **2** *sjö.* trim **II** *rfl* **1** = *foga II* **2** = *vara -ad* (*-lig*) **-ad** *a* suited [*för* for]; jfr *-lig;* adapted [*efter* to] **-lig** *a* suitable, *äv.* fitting; [anmärkning] appropriate; [som duger] *äv.* fit; [antagbar] eligible; [lagom] adequate; [tillbörlig] due, proper; [läglig] opportune, *äv.* convenient **-ligen** *adv* suitably &c **-lighet** suitability; fitness [*till* for] **-or,** *med* ~ by suavity; *ta ngn med* ~ coax a p. into doing a th.
län province; *Engl. ung.* county
länd loin; [djurs] hind quarters *pl*
lända *itr,* ~ *ngn till a*) [varning] serve as .. to a p.; *b*) [heder] redound to a person's ..
länga [hus-] range [of buildings]; [ett hus] long (stretched-out) house
längd 1 length; [människas] height, *äv.* tallness, stature; *största* ~ (*sjö.*) length over all; *av* [*fem meters*] ~ of .. in length; *i hela sin* ~ full length **2** [tid] length; *i* ~*en a*) in [the course of] time; *b*) [till sist] in the end (long run); *äv.* ultimately **-axel** longitudinal axis **-hopp** long jumping ([ett ~] jump) **-hoppare** long-jumper **-löpning** *sport.* long-distance running(-race) **-mått** linear (long) measure **-riktning** longitudinal direction; *i* [*tygets*] ~ with the length of .. **-snitt** longitudinal section
länge *adv* long; *mycket* ~ [for] a very long time, **F** a goodish while; *hur* ~ *till?* how much longer? *både* ~ *och väl* no end of a time; *på* ~ for a long time, for ever so long; *inte på* ~ not for ages; *än så* ~ for the present (the time being); *så* ~ *som* as ([nek.] so) long as; *så* ~! what a [long] time! *så* ~ *jag minns* ever since my earliest recollection; *för* ~ *sedan* a long time (while) ago, long ago; **F** ages ago **-sedan** *adv* long (a long time, **F** ages) ago
längre I *a* **1** longer; [rum] *äv.* farther, further; *göra* ~ (*äv.*) lengthen **2** [högre] taller **3** [utan jämf.] long; [tal, paus] *äv.* longish, lengthy; .. of some length; *inte*

för ngn ~ *tid* not for any great length of time **II** *adv* [rum, tid] further, farther; [tid] *äv.* longer; *inte* ~ no longer; [*fortsätt*] *litet* ~ .. a little further ([tid] *äv.* more); *den finns inte* ~ it does not exist any longer; ~ *fram* further on; [senare] later on

längs *prep* along; [~ sidan av] alongside **-efter** *prep* along

längst I *a* longest; [människa] tallest; *i* ~*a laget* too long if anything; *i det* ~*a* as long as possible; [t. ex. hoppas] to the [very] last **II** *adv* farthest (furthest) [*bort* away]; ~ *nere* (*uppe*) *på* [*sidan*] at the [very] bottom (head, top) of ..

längt||**a** *itr* long [*efter* for]; jfr *tråna;* ~ *efter att ngn skall komma* (*äv.*) be looking forward to a p.'s coming; ~ *bort* long to get away; ~ *hem* long to go home, be homesick **-an** longing [*efter* for]; *förgås av* ~ be dying [with longing] **-ande** o. **-ansfull** *a* longing; [blick] *äv.* wistful

länk link *äv. bildl.* **-a** *tr* chain [*fast* up]; [foga] join (link .. on) [*till* to] *äv. bildl.;* [leda] *bildl. äv.* guide

läns *a* **1** *sjö., pumpa* ~ pump .. dry, drain; *ösa* ~ bail (bale) out **2** *bildl.* empty; jfr *pank* **-a I** *itr* run [before the wind]; ~ *undan* scud **II** *tr* **1** = [*pumpa*] *läns* **2** empty (drain) [*på* of]; **F** clear out; [förråd] *äv.* make a clean sweep of

läns||**fängelse (-lasarett)** county gaol (hospital) **-man** [i Finland] *ung.* district police superintendent **-styrelse** *Engl. ung.* County administration

länstol arm-chair, easy chair

läpp lip; *hänga* ~ (*bildl.*) hang one's lip; *falla ngn på* ~*en* be to a p.'s taste, suit a p. **-ja** *itr,* ~ *på* sip [at]; *bildl.* have a taste of **-rundning** lip-rounding **-smink** lip-rouge **-stift** lipstick

lär *hjälpv.* **1** *han* ~ *vara* he is said to be; *han* ~ *inte komma* they say he will not come **2** [torde] *jag* ~ *nog inte* I am not likely to

lär||**a I** *s* **1** doctrine; [tro] *äv.* faith **2** *gå i* ~ *hos* be apprenticed (an apprentice) to **II** *tr* **1** [~ andra] teach; [undervisa] *äv.* instruct [*ngn engelska* a p. in English]; ~ *ut* .. *till ngn* let a p. into .. **2** [~ sig] learn; [tillägna sig] *äv.* acquire **III** *rfl* learn [*att läsa* [how] to read]; ~ *sig* [*uppskatta*] grow (come) to .. **-aktig** *a* ready (willing) to learn; *äv.* quick at learning, docile; apt [*elev* pupil] **-aktighet** readiness to learn, docility **-ar-** i *sms* teaching-, teacher's &c **-are** teacher [*för* of (for); *i engelska* of (in) English]; [vid kurser o. d.] *äv.* instructor; [ss. yrke] *äv.* schoolmaster; *vår* ~ [*i biologi*] our [Biology] master **-arinna** [lady (&c)] teacher; schoolmistress **-ar**|**kår** staff of teachers **-ar**|**yrket** the teaching profession **-d I** *a* learned; [grundligt] erudite; [vetenskaplig] scholarly; *gå den* ~*a vägen* take up (go in for) an academic career **II** *s, en* ~ a learned (&c) man, a man of learning **-dom 1** learning; erudition; scholarship **2** = *läxa; dra* ~ *av* draw instruction (a lesson) from, *äv.* learn by **-doms**|**grad** *univ.* academic degree **-doms**|**-historia** history of learning **-doms**|**prov** test of (to show one's) scholarly erudition; examination

lärft linen; *holländsk* ~ brown holland

lärjunge pupil; [friare] disciple

lärk||**a** [sky]lark **-träd** larch[-tree]

lärling apprentice

läro||**anstalt** educational institution **-bok** text-book; *äv.* school-(class-)book **-dikt** didactic poem **-fader** master; *kyrkl.* father of the Church **-mästare** master **-rik** *a* instructive; *äv.* informing **-rum** *skol., på* ~*met* in the class-room **-sal** *univ.* lecture-room(-hall) **-sats** precept, thesis, doctrine **-spån,** *göra sina första* ~ make one's first tentative efforts, *äv.* serve one's apprenticeship **-stol** [professor's, professorial] chair **-säte** seat of learning, educational centre **-verk** school; [högre ~] secondary school; *äv.* high school; [privat ~, tekniskt **o. d.**] college

lärpengar, *få betala* ~ (*bildl.*) learn a th. to one's cost

läs||**a** *tr* o. *itr* **1** read [*rent* fluently; *för ngn* to a p.]; [studera] read [up] (study) [for an examination]; [genom-] peruse; ~ *en bön* say a prayer; *lära sig* ~ learn reading ([how] to read); ~ *lagen för* lay down the law to; ~ *på sin läxa* do (prepare) one's lesson, do (learn) one's homework; ~ *ut* [*en bok*] read to the end of .. **2** ~ *för ngn* take lessons from a p., be taught by a p.; *gå och* ~ [*för prästen*] be prepared for one's confirmation **3** ~ *engelska med* [*en klass*] take English in (with) .. **-apparat** [för mikrofilm] microfilm reader **-are 1** reader **2** *relig.* pietist **-art** reading, version **-bar** *a* readable

läse||**bok** reader; [is. nybörjar-] reading-book **-cirkel** reading-(book-)circle(-club)

läsegel *sjö.* studding sail

läse||**krets** circle of readers; [tidnings] *äv.* public, readers *pl* **-sal** reading room

läs||**hungrig** *a* eager to read **-huvud,** *ha gott* ~ have a good head for study[ing]

läsida lee-side; *på* ~*n* leeward

läsk||**a I** *tr* **1** [törst] quench; [svalka] cool; [uppfriska] refresh *äv. bildl.* **2** [torka] blot, dry .. with blotting-paper **II** *rfl* refresh o.s. **-are** blotter **-e**|**dryck** refreshing (cooling) drink, **F** thirst-quencher **-papper,** *ett* ~ a sheet of blotting-paper

läs||**kunnig** *a* .. able to read **-lig** *a* legible, readable **-ning** reading **-ordning** time-table, curriculum

läsp||**a** *itr* lisp **-ning** lisp[ing]

läst *skom.* last **-a** *tr,* ~ [*ut*] last

läs||**värd** *a* worth reading **-år** *skol.* school-year, session; *univ.* academic year

läte sound; [djurs] call, *äv.* cry

lätt I *a* **1** [mots. 'tung'] light; ~ *arbete* (*äv.*) soft job; *med* ~ *hand* lightly, gently; ~ *om hjärtat* light of heart **2** [obetydlig] slight [*förkylning* cold]; [svag] faint; *en* ~ *bris* a gentle breeze **3** [mots. 'svår'] easy; [enkel] simple; *ha* ~ *att* find it easy to; *han har* ~ *för* [*språk*] .. come easy to him; he has a talent for ..; *det är inte* ~ *att* it is not an easy thing to; *göra det* ~ *för* make things easy for **II** *adv* **1** light[ly]; *ta ngt* ~ make light of (be easy-going about) a th. **2** slightly; [ngt, litet] somewhat **3** easily; **F** easy; *äv.* readily [*att förstå* understood]; *sådant händer* ~ such things are apt (liable) to happen

lätt||**a I** *tr* lighten; [samvete, tryck] ease; [spänning] relieve; ~ *ankar* weigh anchor; ~ *sitt hjärta* unburden one's heart **II** *itr* **1** [ge -nad] give (afford) a (some) relief, be a relief **2** = *-na;* [om dimma] become less dense, lift **3** [spänning o. d.] ease **4** [stiga] lift; *flyg. äv.* rise, take off **-ad** *a bildl.* eased, relieved **-antändlig** *a* [highly] inflammable **-are I** lighter &c, jfr *lätt I;* [utan jämf.] light &c **II** more lightly &c, jfr *lätt II; äv.* easier [*sagt än gjort* said than done] **-ast I** lightest &c, jfr *lätt I* **II** most lightly &c, lightest &c, jfr *lätt II*

-beväpnad *a* lightly armed **-fattlig** *a* easily comprehensible (understood); *äv.* popular **-flugen** *a* easy to fly **-fotad** *a* light-(nimble-) footed **-fångad** *a* easily come by **-färdig** *a* frivolous; [starkare] .. of lax morals, wanton **-färdighet** frivolousness &c **-förklarlig** *a, av ~a skäl* for obvious reasons **-förtjänt** *a* easily acquired **-grogg,** *en ~* a weak whisky and soda **-hanterlig** *a* easy to handle; *bildl. äv.* easily manageable **-het 1** lightness &c **2** easiness; [enkelhet] *äv.* simplicity; [t. ex. att lära sig] ease; *med ~ (äv.)* easily

lätt||ing idler, lazy man **-ja** laziness; *äv.* idleness, indolence **-je|full** = *lat*

lätt||köpt *a bildl.* easy, easily won, cheap **-ledd** *a* easily guided (led); *äv.* tractable **-lurad** *a* easily taken in (duped &c) **-läst** *a* [handstil] legible; [bok] easy to read **-manövrerad** *a flyg.* manœuverable **-matros** light hand; ordinary seaman **-metall** light metal **-na** *itr* become (get, grow) lighter, decrease (go down) in weight; *bildl.* lighten, become brighter (lighter) **-nad** [lisa] relief [*för* for (to)]; jfr *ljusning 2* o. *lindring;* [i restriktioner o. d.] relaxing [*i* in (of)] **-retlig** *a* irritable, touchy **-rörd** *a bildl.* easily moved &c; [sinne] excitable; [hjärta] *äv.* emotional **-rörlig** *a* mobile **-sinne 1** [obetänksamhet] thoughtlessness, recklessness; [slarv] carelessness **2** = *-färdighet* **-sinnig** *a* **1** reckless &c; light-hearted; happy-go-lucky, easy-going; [beslut] rash **2** [-färdig] wanton, loose **-skött** *a* easy to handle (manage); easily worked **-smält** *a* **1** [easily] digestible, easy to digest **2** [*boken*] *är ~* .. makes easy (light) reading, jfr *-läst* **-stött** *a bildl.* touchy, ready to take offence **-såld** *a* readily saleable (marketable); *~a* [*varor*] (*äv.*) .. easy to sell **-sövd** *a, vara ~* be a light sleeper **-tillgänglig** *a* .. that can easily be got at; accessible, easy of access; [pers.] *äv.* responsive **-trogen** *a* credulous, jfr *-lurad* **-vikt** *sport.* light-weight class **-viktare** *sport.* light-weight [boxer] **-vindig** *a* **1** easily made, simple; [bekväm] handy **2** [vårdslös] happy-go-lucky, easy-going, *äv.* airy

läx||a I *s* lesson [*till* for], homework; *ge ngn en ~* give (set, *bildl.* teach) a p. a lesson; [*ha*] *i* (*till*) *~* .. as a lesson **II** *tr, ~ upp ngn* read a p. a lesson, lecture (rate) a p., take a p. to task **-fri** *a* [dag] .. for which there are no lessons to be prepared; .. without homework, **F** prep-free **-läsning** preparation (learning) of one's homework; **F** prep

löd||a *tr* solder; *~ fast* solder .. on [*vid* to] **-kolv** soldering-iron

lödd||er lather; [tvål-] *äv.* soap-suds *pl;* [fradga] *äv.* foam, froth **-ra** *itr* o. *rfl* lather **-rig** *a* lathery; [häst] foaming

löd||ig *a* standard [silver]; *bildl.* sterling **-ighet** [standard of] fineness; *bildl.* sterling character (quality) **-lampa** blow-torch, soldering lamp **-ning** soldering

löfte promise [*om* of]; [högtidl.] vow; *ta ~ av ngn* exact a promise from a p.; *bryta sitt ~* (*äv.*) break one's word; *hålla sitt ~* (*äv.*) **F** stick to one's promise; *mot ~ om* on the promise of **-s|brott** [a (one's)] breach of promise **-s|rik** = *lovande*

lögn lie; **F** [stor] whopper; *äv.* falsehood **-aktig** *a* lying; [historia o. d.] mendacious; [påstående] untruthful **-aktighet** untruthfulness, mendacity **-are** liar **-kampanj** campaign of lies

löja bleak, alburn

löj||e smile; [brett] grin; [munterhet] merriment; [åt-] ridicule **-e|väckande I** *a* ridiculous **II** *adv, verka ~* have (produce) a ridiculous (comic) effect **-lig** *a* ridiculous, ludicrous; [lustig] comic[al], funny; [orimlig] absurd; *göra en ~ figur* cut a ridiculous (*äv.* sorry) figure; *göra sig ~ över* make fun of **-lighet** ridiculousness &c; absurdity

löjtnant lieutenant [*i* (*vid*) in] **-s|hjärta** *bot.* bleeding-heart

lök 1 [blomster-] bulb **2** onion

lömsk *a* insidious [*förtal* slander]; [bedräglig] deceitful; [illistig] sly, wily, crafty; [baksiug] underhand [method]

lön 1 reward, recompense; [ersättning] compensation; *få sina gärningars ~* meet with one's deserts *pl* **2** [för arbete] wages *pl;* [ej kroppsarbetare] salary; **F** screw; *vid ~ fästes mindre vikt* salary no object **-a I** *tr* **1** reward, recompense; [vedergälla] requite; *~ ont med gott* return good for evil; *~ mödan* be worth while **2** = *av~* **II** *rfl* pay; [om företag] be profitable, yield [a] profit; *det ~r sig inte* it is no (won't be any) use; that isn't worth doing **-ande** *a* [företag] profitable; [arbete] remunerative; *ett ~ företag* a business proposition **-arbetare** wage-(salary-)earner **-e|aktion** drive for increased wages (salaries) **-e|anspråk** *pl* expectations as to salary; *svar med ~* reply stating salary expected **-e|avtal** wage contract **-e|fråga** question of [increased] wages (salaries) **-e|förhöjning** rise (*Am.* raise) [of salary (wages)] **-e|förmåner** wages, salary *sg* **-e|grad** salary grade; *Engl. ung.* civil-service division **-e|klass** wage (salary) **-e|villkor** *pl* terms as regards salary (wages) **-e|politik** wage policy **-e|reglering** salary-scale revision; wage-adjustment **-e|stopp** wage freeze **-e|tillägg** salary(&c)-increment **-e|villkor** terms as regards salary (wages) **-lös** *a* [gagnlös] useless, futile

lönn *bot.* maple[-tree]

lönn||brännare illicit distiller **-bränning** illicit [whisky (o. s. v.) distilling (distillation), boot-legging **-dom,** *i ~* secretly, clandestinely, in secret **-gång** secret (underground) passage **-krog (-krögare)** unlicensed gin-shop (gin-shop keeper) **-lig** = *hemlig* **-mord** assassination **-mörda** *tr* assassinate **-mördare** assassin

lön||sam *a* profitable, lucrative **-samhet** profitableness, lucrativeness **-t** *a, det är inte ~* [*att du försöker*] it is no good (use) [your trying] **-tagare** employee; [arbetare] wage-earner; [tjänsteman] salary-earner

löp||a *itr* o. *tr* **1** run; jfr *springa II 1; ~ till skogs* take to the woods; *låta* .. *~* let .. go **2** [sträcka sig] extend [*längs* along]; *äv.* run, go **3** [om rem o. d.] run, travel, go; [hastigt] *äv.* fly, dart **4** [om lån, ränta] run; [*lånet*] *-er med 6 % ränta* (*äv.*) .. bears (carries) an interest at 6 %; *~ ut* [om tid] expire **5** [om tik] be in heat **-ande** *a hand.* running [*räkning* account]; [kurs, ärende] current; [ärende] *äv.* regular, routine; *~ band* (⊕ o. *bildl.*) assembly line (belt); *tillverka på ~ band* mass-produce; *per ~ meter* per metre run; *~ utgifter* current (working) expenses **-are 1** runner **2** [i schack] bishop **-e** rennet **-eld,** *sprida sig som en ~* spread like wildfire **-grav** *mil.* sap, trench; jfr *skytte-* **-mage** rennet-bag **-meter** running metre **-ning 1** running; *en ~* a run; [kapp-] a race **2** *mus.* run, roulade **-sedel** placard, [news-]bill

lördag Saturday; jfr *fredag* **-s-** Saturday

lös *a* **1** loose; [rörlig] movable; [flyttbar] *äv.* portable [*kontakt* connection]; [reserv-] *äv.* spare [*delar* parts]; *~t och fast* movables and fixtures *pl*; *~a blommor* cut flowers; *i ~ vikt* (*hand.*) by weight **2** [ej tät] loose [*snö* snow]; [blyerts] soft; [flytande] running; *~ mage* relaxed (loose) bowels *pl* **3** [friare] false [*-tand* tooth]; blank [*skott* shot]; [häst] untethered, at large; [seder] loose, lax; [förbindelse] irregular; [misstanke o. d.] vague; *få gå ~* be at large; *~a pengar* small change; *ett ~t påstående* a casual statement; *~t prat* empty (idle) talk; *på ~a grunder* (*bildl.*) on flimsy grounds **4** *bli, komma ~* get loose; [om sak] *äv.* come off; *slå sig ~* take a day (o. s. v.) off; [bland vänner o. d.] let o.s. go **-a I** *tr* **1** se *-göra 1;* [ngn från löfte] release, set .. free **2** [lossa på] loose[n]; [knut o. d.] undo, unfasten, untie **3** [i vätska] dissolve **4** [utreda] solve [a problem] **5** [*~ ut*] redeem; jfr *in~*; [biljett o. d.] buy, pay for, take; *~ ut ngn ur* [*ett bolag*] buy (pay) a p. out of .. **II** *rfl* [i vätska] dissolve, be dissolvable **-aktig** *a* loose, dissolute **-ande** *a*, *~* [*medel*] laxative **-as** *itr dep* = *-a II* **-bar** *a* [dis]soluble **-blads-i** *sms* loose-leaf **-bröst** shirt front **-drivare** vagrant, vagabond **-driveri** vagrancy **-egendom** = *-öre*

lös||en 1 = *-e|penning* **2** *jur.* stamp-fee **3** *post., en med ~ belagd* .. a[n] .. stamped 'insufficiently prepaid' **4** password *äv. allm.; allm. äv.* watchword; *dagens ~* the order of the day **-e|penning** ransom

lös||fläta false plait **-giva** = *fri-* **-gom** artificial palate **-göra I** *tr* **1** [djur] set .. free, release; [hund] unleash, unchain **2** [sak] detach, unfasten, disengage; [ur nät, snara] extricate **3** *bildl.* = *fri-* **II** *rfl* set o.s. free, free (emancipate) o.s.; jfr *frigöra II* **-hår** false hair **-häst 1** loose (led) horse **2** *bildl.* [på bal] gentleman without lady; [friare] gentleman at large **-kokt** *a* lightly (soft-) boiled **-koppla** disconnect; [vagnar] uncouple **-krage** [loose] collar **-lig** *a* **1** [i vätska] soluble, dissolvable **2** [lös] loose; jfr *slapp* **-manschett** loose cuff **-mynt** *a* talkative, loquacious; jfr *skvalleraktig* **-ning 1** *abstr* solution [*på* of]; [gåtas o. d.] *äv.* key [*av* (*på*) to] **2** *konkr* solution **-nummer** single copy **-nummer|pris** price for a single copy **-peruk** false hair, wig, toupé *fr.* **-ryckt** *a* torn loose [*från* off (from)]; [ord o. d.] disconnected, detached [from its (o. s. v.) context]

löss [*pl* av *lus*] lice

lös||släppt *a* .. let loose (&c); [otyglad] unbridled [*fantasi* imagination]; [självsvåldig] licentious **-sula** foot sock, inner sole **-t** *adv* loosely &c; [lätt] lightly; [obestämt] vaguely; *sitta ~* [om plagg] fit [too] loose **-tagbar** *a* detachable **-tand** false tooth **-vikt**, *köpa i ~* buy loose **-öre** personal estate (property); *äv.* chattels *pl*

löv leaf **-as** *itr dep* leaf, leave, burst into leaf **-fällnings|tid** defoliation time **-groda** tree-frog **-jord** leaf-soil **-koja** [queen] stock, gillyflower **-rik** *a* leafy, .. full of leaves **-ruska** bough **-sal** arbour, bower **-skog** wood of foliiferous trees, foliage, leafy wood; *Am.* hardwood forest **-skrud** leafy vesture, foliage **-spricknings|tid** leafing-(budding-)time **-såg** fretsaw **-sångare** willow warbler **-träd** deciduous (foliiferous, *Am.* hardwood) tree **-verk** foliage, leafage

M

mad marsh-(bog-)meadow

madapolam *hand.* madapol[l]am

madam *åld.* woman

madonna Madonna (*äv.* : *-bild*)

madrass mattress **-era** *tr* pad; *äv.* quilt; *~d vägg* padded wall **-tyg** bed tick

magasin 1 [förrådshus] storehouse; *hand.* warehouse; [skjul] shed **2** [på eldvapen] magazine, ammunition box **3** [butik] shop; [konst- o. d.] repository **4** [tidskrift] magazine **-era** *tr* [förvara] store [up ..]; *hand.* warehouse **-ering** storing &c; *äv.* storage **-s|hyra** warehouse rent, storage

mag||blödning [[an] attack of] bleeding in the stomach; *läk.* gastric hæmorrhage **-e** [[yttre] kroppsdel] *allm.* stomach; [buk] belly; *anat. äv.* abdomen; **F** tummy; [[inre] organ] stomach; [liv] bowels *pl*; *ligga på ~n* lie on one's face; *min ~ tål inte ..* my digestion won't stand (*äv.* I can't take) ..; .. does not agree with me; *ha dålig ~* suffer from [a] bad digestion (from indigestion); *hård ~* constipation; *ha ont i ~n* have [a] stomach-ache

mag||er *a eg.* o. *bildl.* lean; [jord] *äv.* meagre, poor; [person, kroppsdel; *äv.* skörd] thin; [knotig] bony; [friare, *bildl.*] meagre; [klen] slender [(*äv.*) *kassa* funds *pl*]; [knapp] scanty; [dålig] poor; *~ som ett skelett* a mere skeleton; *~ ost* cheese poor in fat; *sju -ra år* (*bibl.*) seven lean years **-er|het** leanness &c **-er|lagd** *a* rather lean (&c)

mag||grop pit of the stomach **-gördel** belly-band; *läk.* abdominal support

mag||i magic **-iker** magician **-isk** *a* magic[al]

magist||er 1 [lärare] schoolmaster; *ja, ~n!* yes, Sir! **2** [*filosofie*] *~* Master of Arts [*förk.* M.A.]; *~ B.* Mr. B. **-er|examen**, [*ta*] *~* [pass the] Master-of-Arts examination **-rat** [body of] borough administrators *pl*

mag||katarr *läk.* catarrh of the stomach; *äv.* gastric catarrh **-knip (-kräfta)** pains *pl* (cancer) in the stomach **-mun** orifice of the stomach

magnat magnate; *äv.* grandee

magnesium magnesium **-blixt** *foto.* magnesium flare, flash light

magnet magnet *äv. bildl.*; *naturlig ~* (*äv.*) loadstone; i *sms* magnetic, magneto- **-apparat** magneto; ignition device **-isera** *tr* magnetize **-isering** magnetization **-isk** *a* magnetic[al] *äv. bildl.* **-ism** magnetism **-kompass** magnetic compass **-koppling** magneto-coupling **-mina** magnetic mine **-nål** magnetic needle **-ofon** tape recorder **-omkopplare** ignition switch **-pol** magnetic pole **-tändning** magneto ignition

magnifik *a* magnificent; *äv.* splendid

mag||plågor stomach-pains; *äv.* stomach-ache *sg* **-pumpa** *tr* empty ..'s stomach of its content; *bli ~d* have one's stomach pumped out **-pumpning** pumping-out of the stomach
magra *itr* become (grow) thin[ner], lose flesh; ~ [*två kilo*] lose .. in weight
mag||saft gastric juice **-sjuk** *a* suffering from stomach-disorder **-sjukdom** disease of the stomach **-sur** *a* **1** *eg.* suffering from acidity in the stomach **2** *bildl.* sour-tempered, sardonic **-syra 1** *eg.* acidity in the stomach **2** *bildl.* sourness of temper **-sår** *läk.* gastric ulcer **-säck** stomach **-åkomma** stomach complaint
mahogny mahogany
maj May; *första* ~ May Day **-blomma** May-Day flower **-drottning,** *~en* the May Queen
majestät Majesty; *Hans M~..* His Majesty, ..; *Ers M~* Your Majesty **-isk** *a* majestic[al]; [friare] stately **-s|förbrytare** person convicted (guilty) of treason
majolika majolica
majonnäs *kok.* mayonnaise [dressing]
major *allm.* major [*vid* in] **-itet** [*vara i* be in a] majority **-itets|beslut** majority resolution **-s|grad** major's rank, majorship **-ska** major's wife (widow)
majs maize, *Am.* corn; [rostad] pop-corn; *äv.* i *sms* corn **-ena** corn-flour **-flingor** corn-flakes **-kolv** corn-cob
maj|stång may-pole
mak, *i sakta* ~ at an easy pace; at one's ease
1 maka I *a* [t. ex. handskar] .. to match, .. that are fellows (a pair) **II** *s* wife; *poet. äv.* spouse; *hans äkta* ~ his [wedded] wife
2 maka I *tr* o. *itr* move; *äv.* shift; ~ *åt sig* make room [*för* for] **II** *rfl* move o.s.; ~ *sig undan* move (get) out of the way
makaber *a* macabre
makadam -beläggning road-metal, macadam **-isera** *tr* macadamize, metal
makalös *a* matchless; peerless; *äv.* incomparable **-t** *adv* peerlessly; incomparably; [ytterst] exceptionally, exceedingly
makaron||er (-i) *koll* macaroni
mak|e 1 [en av ett par] fellow (pair) [*till* to]; *~n till den här* [*handsken*] the other [glove] of this pair **2** [like] match; *~n till honom* [*finns inte*] his match .., the like of him ..; *jag har aldrig sett* (*hört*) [*på*] *~n!* I never saw (heard) the like (such a thing)! *äv.* I say, of all things! **3** [äkta ~] *allm.* husband; *poet. äv.* spouse; [om djur] mate; *äkta -ar* husband and wife; *-arna M.* Mr. and Mrs. M.
maklig *a* easy-going; [loj] indolent; [lat] lazy; [sävlig] leisurely; [bekväm] comfortable
makrill mackerel
makron *kok.* macaroon [biscuit]
makt *allm.* power; *äv.* might; [våld] force; [herravälde] dominion [*över* over]; [[laglig] myndighet] authority; *ingen* ~ [*kan förmå mig att* ..] no power on earth ..; *få* ~ *över* .. obtain power over ..; *äv.* make o.s. master of ..; *ha* ~ [*och myndighet*] *att* .. have power (authority) to ..; *ha ~en i sin hand* be in power; *med all* ~ with all one's might; *söka med all* ~ *att* .. try all one can to ..; *en högre* ~ superior force; *hand. äv.* an act of God, force majeure; *ha ordet i sin* ~ have words at one's command; *det står inte i min* ~ *att* .. it is beyond my power to ..; *komma till ~en* come into (attain) power; ~ *går före rätt* might precedes right **-balans** balance of power **-befogenhet** authority **-begär** [the] lust for power **-faktor** powerful factor **-fullkomlig** *a* despotic, dictatorial **-förskjutning** shifting of the balance of power **-havande** *a, de* ~ those in power **-lysten** *a* greedy for (ambitious to secure) power **-lös** *a* powerless; [oförmögen] impotent; [svag] weak; [matt] faint **-politik** power politics *pl* **-påliggande** *a* **1** [ansvarsfull] carrying responsibility; *äv.* responsible **2** [angelägen] urgent **-sfär** *polit.* sphere of influence **-spel** gamble for power **-språk** dictatorial language **-ställning** powerful (dominating) position **-övertagande** assumption of power
makul||atur waste paper, spoilage **-era** *tr eg.* reject (discard) .. as waste [paper]; [annullera] cancel; [förstöra] destroy, do away with; *~s!* cancelled!
1 mal [insekt] moth
2 mal [fisk] silure, sheat-fish
mala I *tr* grind [*till* into]; [säd] *äv.* mill; [kött] *äv.* mince; *ständigt* ~ *om samma sak* (*bildl.*) keep harping on the same string **II** *itr* [om tankar] keep on revolving
malaj 1 *eg.* Malay[an] **2** *mil. Engl.* C 3 man **-isk** *a* Malay
malakit malachite
malaria malaria
mal||boll mothball *äv. bildl.* **-hål** moth-hole
malis, *så påstår ~en* so malicious rumour has it
mall ⊕ mould; [modell] model, pattern
mallig *a* **F** cocky; stuck-up **-het** cockiness
malm *min.* ore; [bruten ~] rock **-berg** metalliferous rock **-fyndighet -fält** ore-deposit **-förande** *a* ore-bearing **-gruva** ore-mine **-halt** content of ore **-haltig** *a* .. containing ore **-klang** metallic ring **-letare (-letning)** ore-prospector (-prospecting) **-åder** metalliferous vein **-ångare** ore-carrying steamer
malning grinding &c
mal|placerad *a* misplaced, .. out of place; [anmärkning o. d.] ill-timed; [omotiverad] uncalled-for
mal||pulver anti-moth powder **-påse** mothex bag
malström maelstrom
malt malt **-dryck** malt liquor
malteser|kors Maltese cross
malt|extrakt malt extract
malva *bot.* mallow; [färg] *äv.* mauve
mal|äten *a* moth-eaten, mothy
malör mishap; [starkare] misfortune, calamity
malört *bot.* wormwood *äv. bildl.*; ~ *i glädjebägaren* (*bildl.*) a fly in the ointment
mamma *allm.* mother [*till* of], mam[m]a; jfr *2 mor;* **F** ma, [barnspråk] mummy
mammon mammon; [rikedom] riches *pl;* **F** pelf
mammut *zool.* o. *bildl.* mammoth
mamsell Miss
Man, [ön] ~ the Isle of Man; *invånare på* ~ Manxman
1 man [häst-] mane
2 man I *s* man [*pl* men]; [-s|person] male; [äkta ~] husband; *äv.* man; *varen män!* be (quit you like) men! [*en styrka*] *på fyrtio* ~ (*mil.*) .. of forty men; *det ska jag bli* ~ *för!* I'll undertake to see to that! *som en* ~ one and all, to a man; ~ *och* ~ *emellan* from one to another; *på tu* ~ *hand* by ourselves (o. s. v.); *per* ~ a (per) head, per man, each **II** *pron* one, you, we; jfr *gram; ibl.* [vilken som helst] anyone; [folk] people, **F** *äv.* folks; they; ~ *kan aldrig veta vad som* one (you) can never know what; ~ *kan aldrig veta!* one never knows! *när* ~ *talar till dig*

when people speak to you; ~ *påstår att* it is said that, they (people) say that; *har* ~ *[nånsin] hört på maken!* **F** did you ever [hear the like]! ~ *hurrade för honom* there were cheers for him; *äv.* they (we) cheered him; ~ *byggde en väg* a road was built
mana *tr* exhort; urge; [uppfordra] call upon; [egga] incite; [förehålla] admonish; [tillsäga] bid; ~ *fram* call forth; *allt ~r till* everything prompts to (calls for); *han ~r inte till efterföljd* he does not invite imitation; *känna sig ~d att* feel it one's duty to; *ett ~nde exempel* an inspiring example
manbar *a* pubescent; [yngling] *äv.* virile **-het** manhood, virility
man|byggnad manor-house
manchester|sammet *hand.* corduroy
mandarin 1 mandarin **2** [frukt] mandarin[e]
mandat *allm.* [uppdrag] commission, task; [fullmakt] warrant; [folkrättsl.] mandate [*över* over]; *få sitt ~ förnyat* [om riksdagsman] be returned again for one's constituency **-förlust,** *en ~ (två ~er)* the (a) loss of a seat (two seats) **-period** [period of a p.'s] mandate **-vinst,** *en ~* the (a) gain of a seat; jfr *-förlust*
mandel 1 se *tonsill* **2** [frukt] [*bränd* crisp] almond **-blom** almond blossoms *pl* **-blomma** *bot.* white meadow saxifrage **-formad** *a* almond-shaped **-kvarn** almond mincer **-massa** almond paste **-olja** almond oil **-tårta** baked almond pudding
mandolin *mus.* mandoline
man|dom se *-namod, -barhet, -lighet*
manege manège *fr.*
maner [sätt] manner; [stil] style; [klandrande] mannerism, affectation
manet *zool.* jelly-fish, sea-nettle
man||fall, *det blev starkt ~* there were a great many [men (o. s. v.)] killed ([vid provs avläggande] plucked) **-folk,** *ett ~* a man; *koll* men; *äv.* man-kind
mangan *kem.* manganese
mang||el mangle; *äv.* mangling-machine **-el|bod** mangle-house **-el|duk** mangling-sheet **-la** *tr* mangle; *äv.* do [the] mangling **-ling** mangling
mangold *bot.* [Swiss] chard, white-beet; mangold, mangel
mangran||n *a* full-muster; *äv.* . . in full force **-t** *adv* [infinna sig] to a man, in full force; jfr *fulltaligt; de stå ~ [bakom fordran]* they stand as one man . .
manhaftig *a* stout-hearted; [karlaktig] manly; [fruntimmer] mannish
mani mania (**F** craze) [*på* for]
manick F gadget
manifest 1 *allm.* manifesto **2** *sjö.* [ship's] manifest **-ation** manifestation **-era** *tr* manifest; [lägga i dagen] *äv.* display
manikyr manicure **-era** *tr* manicure; *äv.* do manicuring **-ist** manicurist
manilla||hampa (-tåg) Manilla hemp (rope)
maning exhortation, jfr *upp~;* [vädjan] appeal **-s|ord** word of exhortation
manipul||ation manipulation; *misstänkta ~er med* suspicious transactions ([fuffens] juggling[s]) with **-era** *tr* o. *itr* manipulate; ~ *med* (*äv.*) tamper with; [göra fuffens med] juggle (dodge) with
manisk *a* maniac[al]
manke withers *pl;* [hos oxe] *äv.* crop, neck; *lägga ~n till* (*bildl.*) put one's shoulder to the wheel
mank||emang [försummelse] failure; [fel o. d.] fault, break-down; *äv.* hitch **-era I** *itr* fail [to put in an appearance (turn up)] **II** *tr* fail [to keep an (one's) appointment with]; *äv.* let . . down
mankön, *~et* the male sex; *koll äv.* mankind
manlig *a* **1** [av mankön] male; *äv.* masculine **2** [som höves en man] manly, virile **-het** manliness, virility **-t** *adv* like a man, manfully
1 manna *tr sjö.*, ~ *reling!* man the bulwarks!
2 manna manna **-gryn** semolina
manna||kraft man's (manly) strength; *i sin fulla ~* in the full vigour of his manhood **-minne** [*i* in] living memory **-mod** manly courage, prowess **-mån,** *utan ~* without respect of persons **-ålder** age of manhood
mannekäng 1 [skyltdocka] dummy **2** [levande] mannequin; *äv.* model **-uppvisning** fashion parade
manometer *fys.* manometer; ⊕ pressure gauge
mansard|tak mansard roof
mansbörda man's load; *en [full] ~ (äv.)* as much as a man can carry
manschett [sleeve-(shirt-)]cuff; [skjort-] *äv.* wrist[band]; *fasta (lösa) ~er* attached (detachable) cuffs; *darra på ~en* (*bildl.*) shake (shiver) in one's shoes **-knapp** cuff-stud; [i par] cuff-link **-proletariat** black-coated (white-collared) proletariat
mans||dräkt man's (male) attire **-göra** [a] man's work (job) **-hög** *a* . . as tall as a man
manskap *mil.* men *pl;* [värvat] enlisted men *pl;* [servis] [gun-]personnel; *sjö.* [besättning] crew, *äv.* hands (sailors) *pl*
mans||kör male (men's) choir **-lem** *anat.* virile member, penis **-person** *vanl.* man
man||spillan loss of men; *stor ~* heavy losses (casualties) *pl* **-stark** *a* numerically strong; *infinna sig ~* muster strong **-s|tukt** [military] discipline **-s|ålder** generation
mantal assessment unit of land **-s|blankett** census-return form **-s|längd** register of population **-s|skrivning** registration [for census purposes] **-s|uppgift** census-registration statement
mant||el 1 [klädesplagg] cloak; [kunga- o. d. samt *bildl.*] mantle **2** ⊕ jacket; *hand.* [till aktie] certificate **-lad** *a* ⊕ jacketed
manufaktur||affär draper's shop; *Am.* dry-goods store **-varor** drapery (textile) goods
manuskript manuscript; *boktr. äv.* copy; *film.* script; *maskinskrivet ~* typescript
manöv||er *mil.* [o. friare, knep] manœuvre; [rörelse] *mil.* movement; *sjö. mil.* exercise, drill; [knep] *äv.* dodge, trick **-er|duglig** *a* manœuv[e]rable; *sjö. äv.* steerable **-er|däck** *sjö.* main deck **-er|fel** *flyg.* pilot's error **-er|förmåga** manœuvrability **-er|spak** *flyg.* control lever **-rera** *tr* o. *itr äv. bildl.* manœuvre; *sjö. äv.* steer; [friare, sköta] handle, manage, operate; [hantera] negotiate **-rerbar** *a* manœuv[e]rable; *lätt ~* easy to manœuvre (operate, handle)
mapp *hand.* file, folder
mara nightmare; [friare o. *bildl.*, plåga] bugbear; jfr *ragata*
marabu marabou
maraton||lopp *sport.* Marathon race **-löpare** marathon runner
mardröm nightmare dream; *bildl. äv.* nightmare
mareld sea-fire
margarin margarine
marginal *allm.* margin; *boktr. äv.* border; [börsuttryck] difference **-anteckning** marginal note
Mariebebådelse|dag, *~en* Lady (Annunciation) Day

marin I *s* **1** *sjö. mil.* navy; *~en* the Marine (Navy and Coast Artillery) **2** *konst.* marine **II** *a* marine
marinad *kok.* marinade, pickle
marin‖attaché naval attaché **-blå** *a* marine blue
marinera *tr kok.* [pickle .. with] marinade
marin‖flyg (-flygare) naval (Navy) air force (airman) **-kikare** marine binocular **-lotta** Wren **-läkare** naval medical officer **-målare** marine painter **-soldat** marine **-stab** naval staff
marionett marionette, puppet *äv. bildl.* **-regering** puppet government **-teater** puppet-show
1 mark [mynt] mark; [spel-] counter, marker, fish
2 mark [jordyta o. d.] ground *äv. bildl.; äv.* land; [åkerfält] field; *~en bränner under mina fötter* (*bildl.*) the place is getting too hot for me; *lämna ~en* [om flygare] take off; *på svensk ~* on Swedish soil; *arbeta ute i ~en* (*äv.*) do field work
markant I *a* [påfallande] striking, conspicuous; [märklig] remarkable **II** *adv* strikingly &c
markantenn *radio.* ground aerial (*Am.* antenna)
markatta *eg.* long-tailed monkey; [ful kvinna] scarecrow [of a woman]; jfr *ragata*
mark‖beskaffenhet nature of the ground **-dimma** ground fog
marker‖a *tr allm.* mark; [vid spel] *äv.* score; [visa] show; [ange] *skol.* o. d., *äv. mil.* indicate; [t. ex. sittplats] put something in (on) .. to mark it; *sport.* mark out; [betona] accentuate **-ad** *a allm.* o. *mil.* marked; [utpräglad] pronounced **-are** marker **-ing** marking &c
marketent‖eri canteen **-erska** [woman] canteen-keeper
1 markis sun-blind, awning
2 markis [adelstitel] *Engl.* marquess, marquis **-inna** *Engl.* marchioness
mark‖krig ground war **-köra** *itr flyg.* taxi **-lära** soil science **-mål** [vid bombning] ground target
marknad *hand. allm.* market; [mässa] fair; *skaffa ~ för* procure (secure) a market for; *i ~en* in (on) the market **-s|dag** fair-(market-)day **-s|plats** [torg-] market place; [-område] fair-ground **-s|pris** market price **-s|stånd** market stall (stand) **-s|torg** market square **-s|undersökning** market research **-s|värde** market value
mark‖organisation *flyg.* ground organisation **-personal** *flyg.* ground staff (personnel) **-sikt** ground visibility **-station** *flyg.* ground station **-stridskrafter** ground forces
Markus Mark; *~' evangelium* the Gospel according to St. Mark
mark‖väg field road ([mindre] path) **-ägare** ground-owner
markör *mil., sport.* marker, scorer
marmelad 1 [konfekt] pressed fruit conserve; [rysk o. d.] dessert-fruit **2** [apelsin- o. d.] marmalade **-burk** pot of marmalade
marmor marble; *en .. av ~* a marble .. **-block** block of marble **-bord** marble table **-era** *tr* [papper] marble; *äv.* vein; *bok med ~t snitt* marble-edged book **-kula** marble **-skiva** marble slab; *bord med ~* marble-topped table **-stod (-staty)** marble monument (statue)
marock‖an inhabitant of Morocco; *ibl.* Moroccan **-ansk** *a* Moroccan, of Morocco **M-o** Morocco
marod‖era *itr* maraud **-ör** marauder, exploiter

marokäng morocco [leather]
marritt nightmare [dream]
mars 1 [månad] March **2** *astron.* Mars
marsch I *adv mil. o. d.* march! *~ [med dig]!* **F** [be] off with you! **II** *s mil.* o. *allm.* march; *göra på stället ~* [*gymn.* o. d] mark time; *vanlig ~* march in step; i *sms* march[ing]-
marschall cresset
marsch‖era *itr mil.* o. *allm.* march; [skrida] pace; *det var bra ~t!* (*bildl.*) quick work, that! **-färdig** *a* .. ready to march **-kolonn** *mil.* column of route, march[ing] column **-kängor** marching-boots **-order,** *ha fått ~* be under marching-orders **-takt 1** *mil.* marching-step **2** *mus.* marching-time
marsipan marzipan
marskalk 1 *allm.* [platsanvisare] usher; *Am. äv.* floor-manager; *univ.* o. d. steward **2** [vid bröllop, i *Engl.*] *förste ~* best man; [en av de övriga] groomsman **3** *mil.* marshal
marsk|land marsh land
marsvin *zool.* guinea-pig
martall dwarfed (stunted) pine[-tree]
marter torments, tortures **-a** *tr* torment, torture
martialisk *a* martial
martin- i *sms* [-järn, -ugn o. d.] open-hearth
martyr martyr [*för* for (to)]; [offer] *äv.* victim **-död,** *lida ~en* suffer martyrdom **-ium** [period of] martyrdom; [friare] *ett sant ~* a veritable affliction **-skap** martyrdom
marvatten, *ligga i ~* be water-logged
marx‖ism Marx[ian]ism **-ist -istisk** *a* Marxian, Marxist
maräng meringue **-bakelse** meringue-cake **-sviss** meringue-shells and whipped cream
masa *itr* [gå och ~] idle, laze, take things easy; *äv.* saunter (**F** slope) [*bort* away]
1 mask *zool. allm.* worm; [i kött] maggot; [larv] grub; *vara full av ~[ar]* be teeming with worms &c
2 mask *allm.* o. *bildl.* mask; *bildl. äv.* [slöja] screen; [person med ~] masked person; *rycka ~en av* (*bildl.*) unmask
3 mask *kortsp.* finessing; [en ~] *äv.* finesse
1 maska *tr* o. *itr, ~ på* .. bait .. with worms
2 maska *itr kortsp.* finesse; *bildl.* [låtsas arbeta] make pretence of working; [sänka arbetstakten] slow down [o.'s] work; [undvika arbete] avoid work
3 maska I *s* mesh; [*tappa en* drop a] stitch **II** *tr, ~ upp en strumpa* mend a laddered stocking invisibly
masker‖a I *tr* mask; [klä ut] dress up [*till* for]; [friare o. *bildl.* is. *mil.*] mask, camouflage; [t. ex. avsikt] disguise; [dölja] hide; *~d person* (*äv.*) masquerader **II** *rfl* mask o.s.; [friare] dress o.s. up, disguise o.s. **-ad** [upptåg] masquerade; *äv.* mummery **-ad|bal** fancy-dress ball **-ad|dräkt** fancy-dress **-ing** masking &c; [mera *konkr*] mask, screen; is. *mil.* camouflage; *teat.* o. *bildl.* make-up **-ings|konst** *teat.* art of make-up **-ings|målning** camouflage paint
maskformig *a* vermiform; *äv.* worm-shaped
maskin *allm.* machine [*för (till)* for]; [-er, -eri] machinery; [skriv-] typewriter; [större] engine; mera *allm.* apparatus; *gjord (sydd) på ~* done (sewn, made) on a (by) machine; *äv.* machine-made; *skriva på ~* type[write]; *full (halv) ~ [framåt]! (sjö.)* full (half) speed [ahead]! **-arbetare** *allm.* mechanic, machinist **-driven** *a* power-driven **-ell** *a* mechanical; [kraft, utrustning] engine-; *äv.* .. in engines (machinery) **-eri** [[a] piece of] machinery *äv. bildl.; ~et* [på

fartyg] the engines *pl;* [på fabrik] the plant; *det hela är ett invecklat ~ (bildl.)* there are wheels within wheels in it **-fabrik** engine works *sg* o. *pl* **-fel** engine trouble **-gevär** machine-gun; jfr *kulspruta* **-gjord** *a* [t. ex. papper] machine-made; [t. ex. murbruk] mechanically worked **-hall** engine-house **-industri** engineering industry **-ingenjör** mechanical engineer **-ist** engine-(machine-) man; [på fartyg] engineer; i *sms* engineer's **-kraft** engine power **-lära** engineering **-mjölka** tr milk .. by machinery **-mässig** *a* machine-like; mechanical **-mästare** chief engineer **-olja** engine oil **-pistol** machine pistol **-rum** engine-room **-satt** *a boktr.* .. composed by monotype (linotype) **-skada** engine-damage (-trouble) **-skriva** *tr, låta ~* .. have .. typed (typewritten) **-skrivare -skriverska** typist, typewriter **-skrivning** typewriting, typing **-skrivnings|byrå** typewriting-office **-stopp** break-down **-stygn** sewing-machine stitch **-sydd** *a* machine-sewed(-sewn) **-så** *tr* sow .. by drill-sower **-sätta** *tr boktr.* compose .. by monotype (linotype) **-sättare** monotype-(linotype-) operator **-verkstad** engineering workshop; machine-shop

maskopi, *stå, vara i ~ med* be colluding (in collusion) with

maskot mascot

mask||ros *bot.* dandelion **-stungen** *a* worm-holed

maskulin *a* masculine; *äv.* male **-um 1** [ord] masculine [noun] **2** *gram.* [i in the] masculine [gender] **3 F** [karl] male

mask|äten *a* worm-eaten, wormed, wormy

maskör *teat.* make-up artist

masonit masonite

mass|a *allm.* **1** mass, volume; [stort oformligt stycke] lump; [mängd] mass ([large] quantity) [of ..]; *en ~ saker* lots (heaps) of things; *-or med folk* crowds (swarms) of people; *han pratar en ~ skräp* he talks a lot of nonsense; *ha en ~ besvär med att ..* have lots of trouble to ..; *i ~* [som ett helt] in the mass; *-orna* the masses **2** [grötlik ~] pulp *äv. i sms; kok.* paste; [deg-] dough; ⊕ composition; *bli till en fast ~* become a firm mass; *äv.* solidify

massage *läk.* massage

massak||er massacre **-rera** *tr* massacre; *svårt ~d i ansiktet* with his (o. s. v.) face badly knocked about (mauled)

mass|artikel mass-product(-article)

massa|ved pulp wood

mass||avrättning mass-execution **-demonstration** demonstration en masse *fr.*

massera *tr* massage; *äv.* treat .. with massage

mass||fabrikation large-scale (mass-)manufacture **-grav** common grave **-häktning** wholesale arrest[ing] **-instinkt** mob-instinct

massiv I *s geol.* massif; *äv.* massive **II** *a* bulky, solid; [ägande stor massa] massive

mass||korsband bulk [printed-matter] mail **-mord** wholesale slaughter, massacre; [av folkgrupp] genocide **-mördare** multi-murderer, mass murderer **-möte** mass meeting; *Am.* **F** rally **-produktion** mass production **-psykos** mass-psychosis **-tillverka** *tr* mass-produce **-tillverkning** large scale (mass-) production **-uppbåd** *mil.* levy in mass, mass-levy; [friare] mustering of people en masse *fr.* **-verkan** mass-effect **-vis** *adv* jfr *massa 1* ex.

mass||ör masseur **-ös** masseuse

mast *allm.* mast; [radio- o. d.] *äv.* pylon; [signal-] post **-fot** mast base **-fura** masting-pine **-hål** mast hole **-korg** top **-lik** *sjö.* fore leech

mastodont *eg.* o. *bildl.* mastodon

mast||topp mast-head **-träd** mast[ing]-tree

masturbation masturbation, self-pollution

mas|ugn blast-furnace

masur curly-grained (curled) birch[wood] **-björk 1** = *masur* **2** *bot.* curly birch

masurka *mus.* maz[o]urka

mat *allm.* food; [-varor] *äv.* eatables (provisions) *pl;* **F** grub; *en bit, ett mål ~* something to eat; *ett mål varm ~* one hot meal; *två rätter ~* a two-course meal; *~en väntar!* [the (your)] dinner is waiting! *~ och husrum* board and lodging; *vad får vi för ~ till middag?* what are we going to have for dinner? *före (efter) ~en* before (after) [having] a meal **-a** *tr eg.* o. *bildl.* feed; [kunskaper i ngn] stuff [*i* into] **-are** ⊕ feeder **-ar|anordning** feeding apparatus **-ar|ledning** *elektr.* feeder **-bestick** [[a] set of] eating implements *pl;* a knife, fork and spoon; *koll* cutlery, *Am.* flatware **-bit** [a] bite of food (something to eat) **-bord** dining-table **-bröd** plain bread

match *sport.* match; i *sms* match- **-boll** match-[deciding]ball

mat|dags, *det är ~* it is time for a meal

matemat||ik mathematics (*förk.* **F** maths) *pl* **-iker** mathematician **-ik|huvud,** *han har ett gott ~* he has a good head for mathematics **-ik|maskin** electronic computor **-isk** *a* mathematical

materi||a *filos.* matter; [ämne] *äv.* substance **-al** *allm.* material [*till* for]; [i bok o. d.] matter **-al|brist** shortage (lack) of material **-al|fel** material defect **-al|förvaltare** storekeeper **-alist** materialist **-alistisk** *a* materialistic **-al|provning (-al|samling)** testing (collection) of material **-e** se *-a* **-el** materials *pl; elektr.* equipment; *mil.* munitions *pl; rullande ~* rolling stock **-ell** *a* material; [tillgångar] tangible

mat||fett cooking fat **-frisk** *a* [hungrig] hungry; *vara ~ (äv.)* have a good appetite **-förgiftad** *a* poisoned by food **-förgiftning** [[a] case of] food poisoning **-förråd** supply of food **-gäst** table-guest; *Am.* o. **F** mealer **-hiss** dumb-waiter **-hållning,** *ha ~* provide meals [*för* for]

matiné *teat.* matinee

matjessill matjes herring

mat||jord vegetable soil (mould) **-korg** food-basket **-källare** food-cellar **-lag** *mil.* o. d. mess **-lagning** preparing (preparation) of food, cooking **-lukt** smell of food **-lust** appetite **-mor** mistress of a (the) household]; **F** missis **-ning** ⊕ feeding, feed supply **-nyttig** *a* edible; .. suitable as food **-olja** table-(salad-)oil **-ordning** dietary **-os** smell of food being cooked (of cooking) **-pinne** [kinesens] chopstick **-pollett** food-(dinner-) check **-rast** [vid marsch o. d.] halt for refreshment[s] **-rester** scraps of provisions (food); *äv.* food-leavings

matriarkat matriarchate, matriarchy

matrikel list (register) [of members]; [kårs] *äv.* calendar

matris ⊕ matrix, mould

mat|ro peace during (at) meal-times (meal)

matrona matron; *äv.* portly dame

matros able[-bodied] seaman; [allmännare] sailor; *~ i flottan* **F** blue-jacket; i *sms* sailor's **-jacka** blue-jacket **-kostym** sailor-suit **-krage** sailor-suit collar

mat||rum se *-sal* **-rätt** dish **-sal** dining-room **-salong** *sjö.* dining-saloon **-sedel** bill-of-fare, menu **-servering** se *-ställe;* [*kafé och*]

~ [skylt] refreshments *pl* **-sked** table-spoon **-smältning** digestion; *dålig* ~ [a] bad digestion; *äv.* indigestion **-smältnings|kanal** *anat.* alimentary canal **-strupe** *anat.* oesophagus, gullet **-ställe** eating-house, dining-rooms *pl* **-säck** [bag of] provisions; [kroppsarbetares o. d.] **F** grub, tommy; *rätta munnen efter ~en* cut one's coat according to one's cloth **-säcks|korg** provision-basket; [vid utfärd] *äv.* picnic-hamper

1 matt *a* [i schack] mate; *göra motståndaren* ~ [check]mate one's opponent

2 matt I *a* **1** [kraftlös o. d.] faint (feeble) [*av* from (with)]; [klen] weak; [slö, debatt o. d.] languid; ["slut"] exhausted (washed-out) [*efter* from the effects of]; [tal etc.] spiritless, tame, dull **2** [för ögat] dead, mat[t]; [glanslös] dull, lustreless; [dunkel] dim; *bli* ~ (*äv.*) get tarnished, tarnish **II** *adv* faintly &c; [belyst] dimly

1 matta carpet; [mindre] rug; [dörr- o. d.] mat; *hålla sig på ~n* (*bildl.*) keep in one's right place

2 matt||a *tr* weaken; [trötta] tire, weary; [förslappa] enervate

mattaffär rug and carpet dealer

mattas *itr dep* **1** *allm.* become (grow, get) weak[er] ([om ljussken] dim[mer], [om pers.] [more] tired; [om färg] faint[er]) **2** *börs.* [om aktier o. d.] weaken (fall off, droop) [*till* to]

mattbelagd *a* carpeted

matte F mistress

Matteus Matthew; jfr *Markus* ex.

matt||förgylla *tr* gild .. with a mat[t] surface **-grå** *a* (**-grön** *a*) mat (dull) grey (green) **-het** faintness, feebleness &c; *äv.* enervation

mat|tid feeding-(meal-)time

matt||ighet = *-het* **-polerad** *a* flat-polished **-sam** *a* **F** fatiguing; [besvärande] bothering, worrying; *äv.* tiresome **-skiva** *foto.* focussing screen **-slipa** *tr* deaden; *~t glas* ground glass

mat||tvång [på restaurang] [the] no-drinks-without-food system **-varor** provisions; *äv.* eatables; **F** victuals **-varu|affär** provision-shop **-varu|priser** food prices **-vrak F** gormandizer, glutton **-vrå** dining-recess **-äpple** cooking-apple

mauser|gevär Mauser rifle

mausoleum mausoleum

maxim maxim **-al** *a* maximum; *ibl.* maximal **-i-** i *sms* maximum [*hastighet* speed] **-i|pris** ceiling price **-um** maximum [*pl* maxima]

mecenat [munificent] patron; jfr *donator*

1 med [kälk-] runner; [gungstols-] rocker

2 med I *prep* **1** with; [t. ex. tala] to; *ibl. äv.* [*kämpa* ~ fight] against; [t. ex. mena illa ~ ngt] by; [*arbeta* work] at; [handla ~ vara] *äv.* in; [räkna] [up]on; *handla ~ ngn* deal with a p.; *handla* ~ [*ngt*] deal in ..; *stämma möte* ~ [*ngn*] arrange to meet ..; *vara granne* ~ [*ngn*] be neighbours with ..; *tala förnuft* ~ [*ngn*] talk sense to ..; *prata ~ med varandra* talk to each other **2** [anger medlet] with; *äv.* by; *ibl.* in; *~ luftpost* by air-mail; *~ tåg* by train; *säg det ~ blommor!* say it with flowers! *bekräfta ~ ed* confirm by oath; *försök ~ ..!* see what .. will do! **3** *~ tiden* (*åren*) in time; as time ([the) years) passed [on]; *~ en gång* at once; *~ sex månaders uppsägning* subject to six months' notice; *~ hatten i handen* holding his (o. s. v.) hat; *~ full fart* at full speed; *vara sysselsatt ~ ..* be engaged in ..; *räcker det ~ en?* will one do (be sufficient)? *herr M. ~ familj* Mr. M. and [his] family; *skinka ~ ägg* ham and eggs; *en säck ~ potatis* a sack of potatoes; *smörgås ~ tunga* tongue sandwich; *.. ~ världsrykte* .. of world-wide renown **4** [beträffande, med avseende på] in the case, as regards; *äv.* in regard to; *vad är meningen ~ det här?* what is the meaning of this? *det roliga ~ ..* the funny thing about ..; *det är nödvändigt ~ ..* it is essential to have ..; *så var det ~ det!* so much for that! *hur är det ~ ..?* what about ..? *det underliga ~ saken är* the strange thing about the matter is; *det är trevligt ~ radio* it is nice to have a radio; *vad har du för mening ~ att ..?* what is your idea in ..-ing? **5** [andra bet.] *det ena ~ det andra* one thing with another; *~ eller utan* with or without; *~ den boken* [*satte han en värdefull hjälp i våra händer*] by publishing that book [he ..]; *~ början kl. 10* commencing at ten o'clock **II** *adv* **1** = *också* **2** *får vi komma ~?* may we come along? *är han ~?* is he here (there)? *ha varit ~ om mycket* have been through a great deal; *vara ~ på ..* [samtycka] agree to ..

medalj medal [*för* for; *över* in commemoration (honour) of]; *~ för nit och redlighet, medborgerlig förtjänst* distinguished service medal; *tilldela ngn en ~* award a medal to a p. **-era** *tr* award .. a medal **-ong** medallion **-prägling** medal-casting **-utdelning** presentation of medals **-ör** *allm.* medallist

medan *konj* while; [just då] *äv.* as; *han läste, ~ han väntade* while waiting (as he waited) he read; *~ han telefonerade, fick han ..* while (just as he was) telephoning, he got ..; *~ .. pågår* during ..; *~ kriget varar* as long as the war lasts

med||ansvarig *a* jointly responsible [*med* with; *för* for] **-arbetare** *allm.* fellow-(co-) worker; [is. litterär o. d.] collaborator [*i* (*på*) in]; [i tidning] [staff-]journalist, contributor; *vår ~* our representative; *fast anställda ~* permanent staff *sg* **-arbetarskap** collaboration **-arvinge** joint (co-)heir (heiress)

medborgar||e citizen [*i* in (of)]; [i stad] *äv.* townsman; *upptaga ngn till svensk ~* admit a p. to Swedish citizenship (nationality) **-fest** civic reception **-hus** civic (community) hall **-kunskap** civics *pl* **-plikt** duty as a citizen; civic duty **-rätt** citizenship; *äv.* civic rights *pl; beröva ngn hans ~* deprive a p. of his franchise (civic rights) **-skap** citizenship

med||borgerlig *a* [rättighet] civil; [t. ex. fest o. d.; skyldighet] civic **-broder** companion; *relig.* brother

medbrottsl||ig *a,* accessory; *vara ~ i* be implicated in **-ing** accomplice; accessory

meddel||a I *tr* **1** [omtala] communicate [*ngn ngt* a th. to a p.], let .. know; [nyhet] acquaint .. with, inform (notify, *hand.* advise) .. of; *härmed ha vi äran ~, att* hereby we have the honour to inform you that; *härmed ~s, att* notice is hereby given that **2** [uppge] state; [anmäla, kungöra] announce **3** [lämna] give, furnish; *jur. äv.* pronounce **4** [bibringa], *~ undervisning* [*åt*] give tuition [to] **II** *rfl* communicate [*med* with]; *~ sig med varandra* [brevledes] correspond [with each other] **-ande** communication; [budskap] message; [brev] letter; [underrättelse] information; [skriftligt, kort] memorandum (*förk. hand.* memo); [uppgift] statement; [officellt] announcement; [anslag] notice; *lämna ett ~* [offentligt o. d.] make a statement; *få ~*

om be notified of **-sam** *a* communicative, .. ready to impart information
medel 1 [huvudbet.] means *äv. pl;* [om sak] medium; [transport-, uttrycks-] vehicle; [hjälp-] expedient; [verktyg o. *bildl.*] instrument; [bote-] remedy [*mot* for (against)]; jfr *läke~* o. d; *antiseptiskt ~* (*äv.*) antiseptic **2** [penning-] means *pl; av allmänna ~* at the public expense **3** i *sms* middle, intermediate; *sport. äv.* medium; [kvalitativt] middling; [genomsnitts-] average **-avstånd** mean (average) distance **-bar** *a* indirect **-engelska** Middle English **-god** *a hand.* .. of medium (middling, average) quality **-hastighet** average speed **M~-havet** the Mediterranean [Sea] **-höjd** mean (medium) height **-klass,** *~en* the middle classes *pl* **-linje** median [line] **-livslängd** average length of life **-längd,** *av (under, över) ~* of (below, above) medium length; *av ~* (*äv.*) middle-sized **-lös** *a* .. without [any] (.. destitute of) means ([pecuniary] resources) **-löshet** want (lack) of means (resources) **-måtta** average; *äv.* medium; [pers.] mediocrity **-måttig** *a* medium, average; [förklenande] middling; [måttlig] moderate **-proportional** *mat.* mean proportional **-punkt** [cirkels o. d.] centre [*av (för, till)* of] *äv. bildl.;* [friare] central point; *bildl. äv.* focus
medelst *prep* [genom] by; [genom förmedling av] through; *äv.* by means of
medel||stor *a* **-storlek,** *av ~* of medium (middle, average) size; *äv.* medium-sized **-tal** [the] average (*mat.* mean) [*av* of; *för* for]; *i ~* on an (the) average **-temperatur** mean temperature **-tid 1** [genomsnitts-] average time **2** *astron.* mean (solar) time **3** *~en* the Middle Ages *pl* **-tida** *a* medieval; *ibl.* Middle-Age **-väg** middle course **-värde** mean value **-ålder 1** [genomsnitts-] average age **2** *en man i (över) ~* a man in (beyond, past) middle life **-ålders** *a* middle-aged; *vara ~* (*äv.*) be in middle life
med||faren *a* se *tilltyga[d]; illa ~* [bil o. d.] .. that has been badly knocked about; [bok o. d. [*äv.* av kritiken]] .. that has been severely handled **-fånge** fellow-prisoner **-född** *a* inborn; *äv.* innate, inherent; is. *läk.* congenital; [friare] native; [*den talangen*] *är ~ hos honom* .. comes natural to him **-följa** *tr* o. *itr* = *följa* [*med*]; [vara förbunden med] be attendant [up]on; *äv.* follow in the wake of **-följande** *a* accompanying; [hos-] enclosed **-för|a** *tr* **1** *eg. bet.* take (bring) .. with one; [ha .. med sig] have (carry) .. with (*äv.* [på sig] on) one; [om tåg, fartyg o. d.] convey, take **2** [friare o. *bildl.*] bring .. in its train; *äv.* be accompanied by; [vinst o. d.] bring in; [förorsaka] occasion, cause; [vålla] bring about; [dra med sig] involve; *detta -de, att han blev* .. that led to his being ..
medgiv||a *tr* **1** [tillåta] grant, accord, admit, permit, allow; [samtycka till] consent to; *tiden -er inte, att jag* .. time does not allow (permit) me to .. **2** [erkänna] admit (confess) [*för (inför) ngn* to a p.]; *det medger jag gärna* I willingly admit that; *det måste medges, att* it must be admitted that **-ande 1** *eg.* granting &c [*av* of]; *äv.* consent; [tillstånd] permission; [bekräftelse] sanction; [eftergift] concession **2** *bildl.* admitting &c [*av* of]; *äv.* admission; [bekännelse] confession
med||gång prosperity, good fortune; *äv.* success; *i ~ och motgång* in prosperity and adversity **-görlig** *a* accommodating (complaisant) [*i* in; *mot* to]; *äv.* .. easy to come to terms with **-görlighet** accommodatingness, compliance **-havd** *a, de ~a smörgåsarna* the sandwiches one has [brought] with one **-hjälpare** assistant, associate **-håll** [bifall] approval; [understöd] support, **F** backing-up; [moraliskt] countenance; [gynnande] favour[ing]
medicin 1 medicine; *studera ~* (*äv.*) study to be a doctor **2** [läkemedel] medicine **-al|-styrelse,** [*Kungl.*] *M~n* the [Royal] Medical Board **-al|växt** medicinal herb; *äv.* simple **-are** medical student; **F** medical **-e,** *~ doktor* doctor of medicine; [*avlägga*] *~ kandidatexamen* .. the Bachelor of Medicine (M. B., B. M.) examination **-era** *itr* take medicine[s] **-man** medicine man **-sk** *a* medical; *~a fakulteten* the Faculty of Medicine **-skåp** medicine chest
medikament medicine **-skåp** medicine chest
medintress||ent co-partner **-erad** *a, vara ~ i* have a part-interest in
medit||ation meditation **-era** *itr* meditate (ponder) [*över* over (upon)]
medium 1 [tidsperiods mitt] the middle of; *äv.* mid **2** *språkv.* [the] middle voice **3** *mat.* mean **4** [förmedling o. spiritistiskt] medium
med||krigförande cobelligerent **-kämpe** comrade in arms; [friare] fellow-combatant **-kännande** *a* sympathetic **-känsla** sympathy [*för* for]
medl||a *itr* mediate; act as [a] mediator; [vid arbetskonflikt o. d.] arbitrate, negotiate; [mellan stridande] *äv.* intervene [*hos* with] **-are** mediator; [vid arbetstvist o. d.] conciliator, arbitrator
medlem *allm.* member; *icke ~* non-member; *som ~ av familjen* as one of the family; *vara ~ i (av)* [styrelse o. d.] serve (sit) on **-s|antal** [total] membership **-s|avgift** [member's] subscription, membership fee **-s|förteckning** list (roll) of [the] members **-skap** membership **-s|kort** membership card **-s|land (-s|stat)** member country (state)
medlid||ande compassion; [medömkan] pity; [deltagande] sympathy; [skonsamhet] mercy; *ha ~ med* (*äv.*) pity, take pity on; *~ med sig själv* (*äv.*) self-pity **-sam** *a* compassionate; [t. ex. leende] *äv.* pitying; *med en ~ blick* with a look full of pity
medling [mellan stridande] [inter]mediation; [skiljedom] arbitration; [för ngn] intercession **-s|förslag** proposed terms *pl* of settlement **-s|försök** attempted mediation
med||ljud consonant [sound] **-löpare** *polit.* fellow-traveller **-människa** fellow-creature (-being) **-passagerare** fellow-passenger **-redaktör** joint (co-)editor **-regent** joint (co-) regent **-resande,** *de ~* one's fellow-travellers **-ryckande** *a* inspiring, inspiriting, .. that (who) carries you (his listeners) along with him (&c) **-räkna** *tr* count in ..; *äv.* include [.. in one's calculation]; *omkostnaderna ~de* costs included, including the costs; *ej ~de* excluded **-sammansvuren** *s* fellow-conspirator, confederate **-skyldig** *a* accessory [*i* in] **-sols** *adv* with the sun, clockwise **-spelande** *a, de ~ (en ~)* those (one of those) taking part in the game (*teat.* play) **-spelare** *teat.* fellow-actor; *kortsp., äv. film.* partner **-sänd|a** *tr* se *skicka* [*med*]; *här -es* .. enclosed herewith .. **-sökande** rival (fellow-)applicant [*till* for] **-taga** *tr* se *taga* [*med*]; *bör ~s* [om uppgifter o. d.] ought to be given (included); *hundar få ej ~s* [anslag] dogs [are] not admitted **-tagen** *a* **1** *eg.* .. taken along **2** [uttröttad] .. tired out (done up)

[*av* with] **-tävlare** [fellow-]competitor [*om* *(till)* for]; *äv.* rival
medverk||a *itr* [om pers.] co-operate [*i (vid)* in]; [vid konsert o. d.] lend (give) one's assistance (services) [*vid* at]; [bidraga] contribute [*till* in]; [om sak] assist **-an** co-operation [*i (vid)* in; *till* towards]; [bistånd] assistance (support) [*vid* in (at)]; *under* [*benägen*] *~av* with the [kind[ly]] co-operation of **-ande** *a* co-operating &c; [bidragande] concomitant, contributory; *de ~* the performers
medvet||ande, *förlora (återfå) ~t* faint, lose (regain, recover) consciousness; *i ~ av (äv.)* conscious of; *vara vid fullt ~* be fully conscious **-en** *a* conscious [*av (om)* of]; *vara ~ om* [inse] be sensible (aware) of **-et** *adv* [*fullt* quite] consciously; [med vett och vilja] wittingly, knowingly **-s|lös** *a* unconscious, insensible **-s|löshet** unconsciousness
med||vind [*i* with a] fair (favourable) wind *äv. bildl.*; *flyg.* tail wind; *segla i ~* sail before (with) the wind; [om företag] be progressing favourably **-ömkan** commiseration, compassion; jfr *-lidande*
megafon megaphone
megära shrew, termagant, vixen
meja *tr* [gräs] mow *äv. bildl.* [*ned* down]; [säd, åker] cut, *bildl. äv.* reap
mejeri *allm.* dairy; *äv.* creamery **-butik** dairy-shop, creamery **-hantering** dairying, dairy-farming **-produkt** dairy-product **-st** dairyman
mejning mowing &c
mejram *bot.* sweet marjoram
mejs||el chisel **-la** *tr* chisel *äv. bildl.*; *eg. äv.* cut [.. with a chisel]; *ut'* (*eg.* o. *bildl.*) chisel out **-lad** *a eg.* o. *bildl.* chiselled; [anletsdrag o. d.] *äv.* clear-cut
mekan||ik **1** mechanics *pl* **2** = *-ism* **-iker** mechanician; [praktisk ~] mechanic; *sjö. mil.* artificer; *flyg.* ground engineer **-isera** *tr* mechanize **-isering** mechanizing; *äv.* mechanization **-isk** *a* mechanical; *en ~ verkstad* an engineering-works(-shop) **-ism** mechanism; [t. ex. urs] works *pl*
melankol||i melancholy; *läk. äv.* melancholia **-isk** *a* melancholy, .. of a melancholy turn (temperament); [landskap o. d.] gloomy
melass molasses
melerad *a* mixed; [tyg] pepper-and-salt
mellan *prep* [om två] between; [om flera] among; [mitt ibland] in the midst of; *ibl.* inter-; *~ kl. 10 och 12* between 10 and 12 o'clock; *~ åttio och nittio ..* some eighty or ninety ..; *bättre* [*förståelse*] *~ folken* a better international ..; *giftermål ~* [*kusiner*] inter-marriages of ..; *förhållandet ~* [*delägarna*] the mutual relations of ..; *samtal ~ fyra ögon* private interview, tête-à-tête *fr.*
mellan||akt interval; *Am.* intermission; **F** [paus] wait **M-amerika** Middle America **-däck** *sjö.* middle deck; *äv.* **F** 'tween-deck **M-europa (-europeisk** *a***)** Central Europe (European) **-fin** *a hand.* medium-quality .. **-foder** interlining **-folklig** *a* international **-form** intermediary (intermediate) form **-fot** *anat.* metatarsus **-fots|ben** metatarsal [bone] **-frekvens** *radio.* intermediate frequency **-gift,** *ge .. i ~* give .. as a balance (to square matters) **-gärde** *anat.* diaphragm; *äv.* midriff **-hand** **1** *anat.* metacarpus **2** *kortsp.* second (third) hand **3** *hand.* middleman; *äv.* intermediary agent; **F** go-between **-havande** [affär] account; [tvist] dispute, quarrel, difference; *~n* [ekonomiska] squarings-up **-instans** *jur.* intermediate court **-klass** middle-school form **-kommande** *a* intervening **-krigstid** between-war period **-landa** *itr flyg.* make an intermediate landing **-landning** intermediate landing, landing en route *fr.*; *flygning utan ~* non-stop flight **-liggande** *a* .. [situated] in between, interjacent; [i tid] .. in between, intervening **-lägg** insertion; ⊕ [i lager o. d.] spacer; diaphragm **-länk** intermediate link, interlink **-mål** snack [between meals] **-rum** in-between room; *allm.* space between; [om tid] interval; *med korta ~* at short intervals; *med blott två dagars ~* within two days of each other **-rätt** *kok.* intermediate course; *äv.* extra dish **-skola** middle school **-slag** **1** se *-sort* **2** *boktr.* blank (white) line; [mellan stycken] space[-line]; [mellan rader] interlinear space; *utan ~* solid **-sort** *is. hand.* medium (middling) sort (quality, type); *~er* (*äv.*) middlings **-spel** *teat. mus.* o. d. interlude, intermezzo **-stadium (-station)** intermediate stage (station) **-statlig** *a* [mellan suveräna stater] international; [mellan delstater] interstate **-stor[lek]** se *medel-* **-tak** inner roof **-termin** *skol.* o.d. vacation **-tid** interval; *äv.* interim; *under ~en* in the meantime **-ting,** *ett ~ mellan ..* something between .. **-vikt** **-viktare** *sport.* middle weight **-vokal** central vowel **-våg** *radio.* medium wave **-vägg** intermediate wall; [tunn] partition **-öra** *anat.* middle [compartment of the] ear
mellerst **I** *a* middle; [mellanliggande] intermediate; *geogr.* central, centre; *M~a Östern* the Middle East **II** *adv* in the middle
melod||i *allm.* melody; *äv.* tune; *gå på ~n ..* go to the tune of .. **-isk** o. **-iös** *a* melodious
melodram melodrama **-atisk** *a* melodramatic[al]
melon melon, *Am.* cantaloup[e] **-skiva** slice of melon &c
membran membrane, diaphragm
memo||arer memoirs **-randum** memorandum [*pl* memoranda; *förk.* memo]; *äv.* note **-rera** *tr* commit .. to memory, memorize
1 men *konj allm.* but; *äv.* only; [~ ändå] *äv.* yet, still; [satsledande, i bet. nu] now; *~kom för all del ihåg, att!* only, be sure and remember that! *~ så är han också* [*en rik man*] but then he is ..[, besides]; *jag tål inga ~!* I'll have no buts! *så många om och ~* such a lot of ifs and ans
2 men *s* disadvantage; [kroppsligt] disability; [skada] injury; *han lider ännu ~ av ..* he is still suffering from the effects of [his ..]; *utan ~ för* without detriment to
mena *tr* o. *itr* **1** [hålla före, tro] think; [anse] be of [the] opinion; [*hon är vacker inte sant?*] *jag ~r det!* .. that's my opinion! [starkare] .. I should think so (she is)! *vad ~r du* [*om saken*]? what is your opinion [about it]? **2** [åsyfta o. d.] *allm.* mean; [avse] intend; *det ~r du väl inte!* you don't mean that, surely! *vad ~r du med ..?* what do you mean (want) to say by ..? *äv.* what is your intention in ..-ing? *~* [*fullt*] *allvar med ..* be in [dead(ly)] earnest about ..; *det var inte så illa ~t* no offence was intended
menageri menagerie; wild-beast show
menande *a* [blick, leende o. d.] meaning, significant; *se ~ ut* give an understanding look
mened *jur.* [*begå* commit] perjury; false swearing (oath) **-are** perjurer, false swearer
menföre bad surface on the roads, seasonal break-up of communications (road surface)

menig *a* [en ~] *mil.* private; *flyg.* aircraftman; [vid flottan] seaman; *~e man* (*allm.*) the common people; *en ~* [*soldat*] (*Engl.*) a Tommy Atkins; *Am.* a Private Jones **-het** community; [församling] congregation
mening **1** [uppfattning o. d.] *allm.* opinion [*om* about (as to); *i* in]; [tanke, åsikt] idea (view) [*om* about]; [omdöme] judg[e]ment [*om* of]; *ha samma ~ som* . . be of the same opinion as . .; *jag har sagt min ~* I have given my opinion **2** [avsikt] intention; [syfte] purpose; *det var inte min ~ att* . . I had no intention of . . -ing; *vad är ~en* [*med det här*]? what is the idea [of this]? *i bästa ~* with the best intention[s *pl*] **3** [hos ord] sense; [betydelse] meaning; *detta ger ingen ~* this makes no sense; *i viss ~ äro vi* . . in a sense we are . . **4** [rimlighet] sense, reason; *det vore ingen ~ i att* . . there would be no sense in . . -ing; se *äv. idé* **5** *gram.* sentence; [kort] clause; [längre] period
menings‖frände, *hans ~r* those who share his opinion **-lös** *a* meaningless; [enfaldig] . . void of sense; [fånig] nonsensical; *äv.* senseless; [fåfäng] idle, useless; [*det vore*] *~t att* . . senseless to; *det är ~t att diskutera detta* there is no sense in discussing this; *hans ~a prat* the nonsense he talks; *livet har blivit ~t* life has lost all meaning **-skiljaktighet** difference (divergence) of opinion **-utbyte** exchange of opinions **-yttring** expression of opinion
menlig *a* injurious (prejudicial, detrimental) [*för* to] **-t** *adv* injuriously &c; *inverka ~ på* (*äv.*) prejudice
menlös *a* innocent, guileless, harmless; [klandrande] puerile; *M~a barns dag* Innocents' Day **-het** innocence; guilelessness
menstruation *läk.* menses *pl*, menstruation
mental *a* mental **-hygien** mental hygiene **-itet** mentality
mentol *läk.* menthol
menuett minuet
meny menu
mer[a] **I** *a* **1** [vid *a* el. *adv*] *allm.* more; *äv.* some more; [vid negation] any more; *allm. äv.* a greater amount of; [tid] a longer period of; *i ~ eller mindre grad* in a greater or less degree **2** [substant.] more; [*och,*] *vad ~ är* [and,] what is more, furthermore; *med ~a* (*m. m.*) etcetera (etc.); *det är icke ~ än* [*en mil dit*] there is no ([högst] not) more than . . (*äv.* as little as . .); *ingen ~ än han* no one besides (nobody but) him; *vem ~ än du?* who besides (else but) you? **II** *adv* **1** [vid *a* el. *adv*] *allm.* more; [ganska] rather; [ytterligare] further; [ngt] somewhat; [aldrig ~ o. d.] again; *~ eller mindre* more or less; *i ~ egentlig* (*allmän*) *bemärkelse* in a stricter (more general) sense; *det händer ~ sällan* it happens [rather] rarely; *~ . . än* . . (*äv.*) . . rather than . .; *tycka ~ om* . . like . . better; *~ älskad* more dearly loved **2** [i andra fall] *allm.* more; [snarare] rather; *han begriper sig inte ~ på* . . *än* . . he has no more idea of . . than . .; *det är inte ~ än rättvist* that is only fair; *det räcker ~ än väl* that is quite enough (will quite do); *han vet ~ än väl* he knows perfectly well
merarbete extra work
merceriserad *a* mercerized
merendels *adv* usually, generally
meridian meridian
mer|inkomst additional (extra) income
merit merit; [tjänste-] qualification [*för* for] **-era I** *tr* qualify (render qualified) [*för* for] **II** *rfl* qualify o.s. **-förteckning** schedule (list) of qualifications
merkantil *a* commercial; [intressen] *äv.* mercantile **-t** *adv* commercially &c
merkostnad additional (extra) cost
Merkurius Mercury
mer‖produktion (-utgift -värde) additional production (outlay, value)
1 mes *zool.* tomtit, titmouse
2 mes coward, faint-hearted fellow
3 mes [bär-] knapsack-carrier
mesallians, *göra en ~* contract a mésalliance *fr.*
mesan *sjö.* spanker, mizzen **-segel** mizzen topsail
mes|ost whey-cheese
Messias Messiah
mest I *a* **1** most (the most); *äv.* the greatest (largest) amount (number) of; [*vinna*] *~a anslutningen* . . [the] most support; *~a delen* [*användes*] most [**F** part] of it . . **2** [substant.] [the] most, [the] greatest amount; *det ~a* most, most things, jfr *~a delen; det allra ~a* by far the most (greatest) part; *äv.* the very most; *göra det ~a möjliga av* make the most [one] possible [can] of **II** *adv* **1** *eg.* most; *tycka ~ om* like best; *den som bjuder ~* [vid auktion] the highest bidder; *de ~ efterfrågade böckerna* the books most in (in the greatest) demand **2** [friare, för det ~a o.d.] for the most part; *äv.* mostly; [huvudsakligen] principally, mainly; [oftast o. d.] in most cases, generally; [så gott som] practically; *skolan är som skolor äro ~* the school is like schools in general **-a|dels** *adv* mostly; *äv.* for the most part; [i de flesta fallen, vanligen] in most cases, generally **-bjudande,** *den ~* the highest bidder
meta *itr* o. *tr* angle (fish) [for]; *~ upp* . . land ([friare] catch) . .
meta‖for metaphor **-fysik** metaphysics *sg*
metall metal; *en* . . *av ~* a metal . . **-arbetare** metal-worker **-arbete** [[a] specimen of] metal-work **-beslag** metal fitting **-duk** wire-gauze **-glans** metallic lustre; *äv.* bronzing **-haltig** *a* metalliferous; *äv.* metallic **-industri** metal industry **-isk** *a* metallic **-klang** metallic ring **-konstruktion** metal construction **-ografi** metallography **-oid** *kem.* metalloid, nonmetal **-skrot** scrap metal **-spån** [metal] shavings (chips) **-tråd** [metal] wire **-tråds|lampa** metal-filament lamp **-tråds|-nät** wire netting **-urgi** metallurgy **-varor** metal goods, metal-ware *sg*
metamorfos metamorphosis; *äv.* transformation
metangas methane gas
met‖are angler, [*äv.* [med fluga] fly-]fisherman **-don** fishing-tackle *sg* **-e** angling, fishing
meteor *eg.* o. *bildl.* meteor **-artad** *a* meteoric **-it** meteor[ol]ite, aerolite **-lik** *a* meteor-like **-olog** meteorologist **-ologi** meteorology
meter metre, meter; *två ~s* . . a[n] . . of two metres; *per löpande ~* per metre run; *loppet på 400 ~* (*m*) the four-hundred-metre race **-band** metre [measuring-]tape **-hög** *a* a (one) metre high **-mått** metre-measure **-skala** metric scale **-system** metric system **-vis** *adv* **1** by the metre **2 F** [*skriva*] *~* . . yards and yards
met‖krok fish-hook **-mask** angling-worm
metod *allm.* method; [sätt] way; [praxis] practice **-ik** methodics *sg* **-isk** *a* methodical **-ist** Methodist; *äv.* Wesleyan **-lära** methodology
metrev [fishing-]line

metr||ik metrics *sg* **-isk** a metric; [hörande till -iken] metrical
metronom metronome
metropol metropolis; *äv.* capital
metspö [fishing-]rod; *med ~* with rod and line
metvurst German sausage
metyl methyl **-alkohol** methylic alcohol
mexik||an[are] **-ansk** *a* Mexican **M-o** Mexico
mickel, *M~ räv* Reynard the Fox
middag 1 [tid] noon; *äv.* midday, middle-day; *god ~!* good afternoon! *[fram] mot ~en* towards midday; *på ~en* in the middle of the day **2** [måltid] dinner; [bjudning] dinner party; *~en är serverad* dinner is served; [friare] *äv.* the (your) dinner is ready; *intaga ~* have dinner; dine; *sova ~* have an after-dinner nap; *äta ~ kl.* 6 dine at six o'clock; *stanna till ~[en]* stay for dinner; *ha fisk till ~* have fish for dinner
middags||bjudning [invitation to a] dinner party **-bord** dinner table; *duka ~et* lay the table for dinner **-gäst** guest for dinner **-höjd** *eg.* se *-linje; bildl.* meridian **-klädd** *a* dressed for dinner **-klänning** dinner dress **-linje** meridian altitude **-tal** after-dinner speech **-tid,** *vid ~[en]* at (about) noon (dinner-time) **-upplaga** noon (midday) edition
mid||ja waist; *om ~n* round the waist **-je|-vidd** width at [the] waist **-natt** midnight **-natts|tid,** *vid ~* at midnight **-skepps** *adv* [a]midships **-sommar** midsummer **-sommar|afton** Midsummer Eve **-vinter** midwinter
mig *pron* **1** *allm.* me; [i vissa fall] *äv.* my (mine); *en vän till ~* a friend of mine; *vad vill du ~?* what do you want with me? **2** *rfl* myself; *kom hem till ~!* come round to my place! *när det gäller ~ själv* when I myself am concerned
migrän *läk.* migraine
mikrob microbe
mikro||film micro-film **-fon** microphone **-fotografi** microphotograph **-organism** micro-organism **-skop** microscope **-skopisk** *a* microscopic[al]
mil [Swedish] mile
mila = *kol~*
mild *a allm.* [t. ex. cigarr, luft, sätt, förebråelse] mild [*i* (*till*) in]; [om sak, t. ex. färg, svar] soft; [dämpad] mellow; [om pers. o. sak: ej sträng, t. ex. dom, omdöme] lenient, *äv.* light; [saktmodig] gentle; *~are seder* gentler manners; *~a makter!* Holy powers! *~e tid!* Good gracious! **-het** mildness &c; *äv.* leniency; [barmhärtighet] mercy; *visa ~ mot* show mercy towards **-ra** *tr* mitigate; [lätta på] alleviate; *äv.* relax; [för-] *äv.* soften [down]; [blidka] mollify; [dom, straff] *äv.* reduce
mili||s *mil.* militia **-tarism** militarism
militär I *s* **1** [krigsmakt] military force[s *pl*]; [hären] the Army **2** military man; soldier; *högre ~er* (*vanl.*) officers **II** *a* military **-allians** military alliance **-attaché** military attaché **-befälhavare** military (Army) commandant **-ekiperings|bolag,** *~et* the Army and Navy Stores *pl* **-flygplan** army plane **-gevär** army rifle **-isk** *a* military; [krigisk] martial; [soldatmässig] soldier-like **-ledning,** *~en* the Army High Command **-läkare** Army doctor **-makt** military power **-sjukhus** military (army) hospital **-tjänst** military service **-väg 1** military road **2** *gå ~en* take up a military career **-yrket** the military profession
miljard milliard; *Am.* billion
miljon million; *dessa tio ~er [pund]* these ten million . . **-affär** transaction involving millions [of kronor &c] **-brand** fire involving a loss of millions [of kronor &c] **-förlust** a loss of millions **-här** army of (numbering) a million men **-rullning** million-expenditure **-stad** city of (with) a million inhabitants **-tals** *adv* milllions of **-är** millionaire
miljö environment; *ibl.* milieu *fr.;* [omgivning] surroundings *pl* **-skada** maladjustment **-skadad** *a* maladjusted
mill||e, *pro ~* per mille **-igram** milligramme (*förk.* mg) **-imeter** millimetre (*förk.* mm)
mil||lopp *sport.* mile race **-s|lång** *a* [*~t följande* a pursuit] for miles **-sten** milestone *äv. bildl.* **-stolpe** mile-post *äv. bildl.; bildl. äv.* milestone **-s|vid** *a* mile-wide **-s|vitt** *adv, ~ omkring* for miles around **-tals** *adv* . . for miles
mim||ik play of features **-isk** *a* mimic
mimosa mimosa
1 min *pron fören.* my; *självst.* mine; *med ~a egna ögon* with these very eyes [of mine]; *i mitt och ~ familjs namn* on behalf of myself and [my] family; *de ~a* my people (folks **F**)
2 min [ansiktsuttryck] expression [of countenance]; [utseende] look; [uppsyn, sätt] air; *äv.* mien; *göra fula ~er* pull an ugly (make a wry) face; *vad gjorde han för ~?* what sort of mien did he put on? *hålla god ~* keep one's countenance; *hålla god ~ i elakt spel* to make the best of a bad business; *utan att ändra en ~* without moving a muscle
mina mine; *låta ~n springa* spring the mine
minaret minaret
minbomb [high] explosive bomb
mindervärd||eskomplex inferiority complex **-ig** *a* inferior **-ighet** inferiority **-ighets|-känsla** sense of inferiority
minderårig *a jur.* under age; minor; *allm.* under fifteen (eighteen) years of age; [ungdomlig] juvenile **-het** minority; *hans ~* [the fact of] his being under age
mindre I *a* **1** [vid verklig jämförelse] smaller [*till* in]; [kortare] shorter [*till* in]; [till antalet] fewer; [lägre] lower; *ibl. äv.* less, minor, lesser; *så mycket ~ skäl att . .* the less reason for . . -ing (to . .); *[göra ngt] på ~ än en timme . .* in less than (in under) an hour; *bli ~* grow smaller; jfr *äv. minskas* **2** [utan eg. jämförelse] *allm.* small [-sized]; [yngre] younger; [obetydlig] slight; *äv.* inconsiderable; [oviktig] unimportant; [måttlig, t. ex. kvantitet] moderate; *av ~ vikt* of little (small; *äv.* minor) importance; *i ~ skala* on a limited scale; *ingenting ~ än ett underverk* nothing short of a miracle **II** *pron* less; *äv.* a smaller amount (quantity) of; *jag har så mycket ~ att säga* I have all the less to say; *icke ~ än* not fewer (less) than; *man kan bli arg för ~* less would be enough to make one angry; *med ~ [än att] . . avskaffas* unless . . is done away with **III** *adv* less; *äv.* not very much; *mer eller ~* more or less; *på ett ~ fint sätt* in an indelicate fashion; *god och ~ god* good and indifferent; *~ väl underrättad* badly posted up; *~ välbetänkt* ill-advised; *så mycket ~ som* the less so as
Mindre Asien Asia Minor
mindretal minority
minera *itr* o. *tr* mine; *äv.* lay mines
mineral mineral **-bad** mineral bath **-förekomst** mineral deposit **-haltig** *a* . . contain-

ing mineral[s]; *äv.* mineral **-ogi** mineralogy **-olja** mineral oil **-riket** the mineral kingdom **-salt** mineral salt **-vatten** mineral water

min‖ering mining **-fara** danger (risk) from mines **-fartyg** mine-layer **-fält** mine-field

miniatyr [*i* in] miniature; i *sms* [.. in] miniature **-målare** miniaturist **-målning 1** miniature-painting **2** *konkr* miniature

minim‖al *a* exceedingly small; *äv.* infinitesimal; *av ~t värde* of minimum value **-i|lön** minimum wages *pl; vid en ~ av* .. at a salary of .. as a minimum **-i|pris** lowest price **-um** minimum [*pl* minima]

minist‖er *allm.* minister; [statsråd] *Engl.* secretary [of State]; [*Sir H.P.*,] *engelske ~n i Sverige* .., Her Britannic Majesty's Minister [accredited] to Sweden; [*Hr M. N.*] *svenske ~n i London* .., Minister of Sweden to the Court of St. James **-erium** ministry **-er|kris** *polit.* ministerial crisis **-er|post** ministerial ([vid utländskt hov] diplomatic) appointment **-er|råd** ministerial committee (council) **-är** *allm.* ministry; *äv.* cabinet; *bilda ~* form a ministry (cabinet)

mink mink

min‖kastare *mil.* mine thrower, trench-mortar **-kryssare** *sjö. mil.* cruiser-mine-layer

min|nas *tr dep* remember, recollect; recall .. to mind; *jag vill ~, att han har* I think (seem to remember) that he has; *jag -ns inte* I forget, I have forgotten; *om jag -ns rätt* if I remember right[ly]; *äv.* if my memory serves me; *nu -des han alltsammans* now it all came back to him; *längre tillbaka än jag kan ~* beyond my recollection

minne 1 *allm.* memory; *äv.* mind; *han har förlorat ~t* he has lost his memory; *bevara .. i ~t* keep .. in mind (remembrance); *ett upp och ett i ~!* one to put down and one to carry [over]! *återkalla .. i ~t* recall .. to mind (one's memory), recollect ..; *med detta i färskt ~* [*vill jag*] with this fresh in my memory ..; *lägga på ~t* se *minnas; draga sig* [*ngt*] *till ~s* remember (recollect) .. **2** [hågkomst, åminnelse] memory, remembrance; [erinran] recollection [*av* of]; [åminnelse] *äv.* [*till* in] commemoration [*av* of]; [-svärd händelse] memorable event; *.. blott ett ~* .. but a memory; *uppliva gamla ~n* revive old memories; *hans ~ skall leva* the memory of him will live; *till ~ av* in memory of; *vid ~t av* at the recollection of **3** [i uttryck] *med ngns goda ~* with a p.'s approval (sanction, consent) **4** *konkr* remembrance, souvenir, keepsake

minnes‖anteckning memorandum **-beta,** *en ~* something to remember [in sorrow &c] **-bild** memory picture **-god** *a* [vänskap] unforgetting **-gudstjänst** memorial service **-högtidlighet** commemoration ceremony **-lista** memorandum list **-märke,** *~* [*över ngn*] memorial [to (of) a p.], monument [to a p.'s memory (to the memory of a p.)] **-rik** *a* .. abounding in (stored with) memories, memorable **-sak,** *en ~* a matter of memory **-skrift** memorial publication **-slö** *a, vara ~* have a bad memory **-sten -stod** se *-märke* **-tal** memorial address **-teckning** biography [*över* of] **-utställning** memorial exhibition **-värd** *a* memorable [*för* to], *äv.* worth remembering

minoritet *allm.* minority; *befinna sig i ~* find o.s. (be left) in a minority

minröjning mine clearance

minsann I *itj* upon my word! well, I never! **II** *adv* to be sure; God knows; *jag ska ~ ge honom!* won't I just give it him! *det är ~ inte så illa!* it is not so bad, to be sure!

minsk‖a I *tr allm.* reduce [*med, till* by (to)]; *äv.* diminish, decrease, lessen; [förkorta] shorten; [ngns iver] *äv.* abate; [nedskära] cut down [*utgifterna* expenses]; *~ farten* slow down, decelerate **II** *itr* se *-as; det ~r på förrådet* the store is diminishing (decreasing, running low); *ha ~t .. i vikt* have decreased (gone down) .. in weight **-ad** *a* reduced (&c) [*med* by] **-as** *dep* grow (become, get) less, diminish, decrease; *äv.* be reduced [*i* in; *med* by]; [avtaga] abate, fall off; [sjunka] fall, sink; [i värde] depreciate **-ning** reduction, diminuation, decrease; [i värde] depreciation

min|spel play of features

min‖spränga *tr* blow up .. by [means of] mines **-spärr** *mil.* mine-blockade (-barrage)

minst I *a* smallest; *äv.* least; *det ~a a)* [ss. substant.] the least [thing]; *b)* [ss.adv.] the least [little bit **F**]; *ej bry sig det ~a om* **F** not care twopence (a rap) about; *inte ha det ~a att göra med* not have anything, however little, to do with; *inte ~a aning om* not the faintest (slightest) idea of; *i de ~a detaljer* to the [very] minutest particulars; *med ~a möjliga* with a minimum of; *inte på ~a vis* not in the least [degree] **II** *adv* least; *äv.* at least, the least; least of all; *där man allra ~ väntat det* where it had been least of all expected; *när man är som ~ förberedd* when one is least prepared; *~ sagt* to say the least [of it] **III** *pron* least

minsvep‖a *tr* sweep .. for mines **-are** mine-sweeper **-ning** mine-sweeping

minus I *s mat.* se *-tecken; äv.* minus; [friare bet.] minus quantity; [brist] deficit **II** *adv* minus; *plus ~ noll* plus minus nought; *~ 5 grader* 5 degrees Centigrade below zero **-grad** degree below freezing **-tecken** minus sign

minut 1 minute; *fem ~ers* [*paus*] five minutes (a five minutes') ..; *vilken ~ som helst* any minute; *en gång i ~en* once a minute; *på ~en* to the minute; *på (om) några ~er* in a few minutes; *i sista ~en* (*äv.*) in the nick of time **2** *hand., handla i ~* do (be engaged in) retail business **-handel** retail business **-handels|pris** retail price[s *pl*] **-handlare** [retail] shopkeeper, retailer

minutiös *a* meticulous, scrupulous; *i ~ ordning* **F** in apple-pie order

min|utläggning mine-laying

minut|visare long (minute-)hand

mirak‖el miracle **-ulös** *a* miraculous

mis‖antrop misanthropist **-erabel** *a* wretched, miserable; [ömklig] pitiable

miss *sport.* [*svår* bad] miss; [felslag] missed (**F** boss-)shot (hit, stroke) **-a I** *tr sport.* fail to hit (strike); *äv.* miss; [friare, om tåg o. d.] miss, lose **II** *itr* miss one's shot (aim, hit, stroke); *bildl. äv.* fail; [om sak] miss its mark

miss‖akta -aktning = *ringakta, ringaktning* **-anpassad** *a* maladjusted **-belåten** *a* displeased [*med* at (about)]; dissatisfied [*med* with] **-belåtenhet** displeasure, dissatisfaction **-bildad** *a* malformed; *äv.* misshapen **-bildning** malformation; *äv.* deformity **-bruk** misuse; [av alkohol, makt o. d.] abuse **-bruka** *tr* [felaktigt använda] misuse; abuse; [göra -bruk av] put .. to an improper use;

[ngns godhet o. d.] take undue advantage of; [Guds namn] take .. in vain **-dådare** malefactor; *äv.* evil-doer **-fall** *läk.* miscarriage; *få ~ (äv.)* miscarry **-firmelse** insult; *äv.* abuse **-foster** *eg.* o. *bildl.* abortion; *bildl. äv.* monstrosity **-förhållande** disproportion [*mellan* between]; [friare] anomaly, evil; [mellan pers.] se *-hällighet; stå i ~ till* be out of proportion to **-förstå** *tr* misunderstand; *som lätt kan ~s* [that is] liable to be misunderstood; *~dd (äv.)* unappreciated **-förstånd** misunderstanding; jfr *-tag* **-grepp** *bildl.* mistake, mistaken move; *äv.* blunder **-gynna** *tr* treat .. unfairly **-gärning** evil deed; [svagare] misdeed **-gärnings|man** evil-doer, malefactor **-hag** displeasure [*med* [*ngn*] with; *med* [*ngt*] at]; *äv.* dislike [*med* of] **-haga** *tr* displease, be displeasing; *det ~r mig* I dislike it **-haglig** *a* displeasing; *äv.* objectionable; [om pers., åtgärd] *äv.* undesirable **-handel** maltreatment [*av* (*mot*) of]; *jur.* assault [and battery]; *bli utsatt för ~* be assaulted **-handla** *tr* maltreat; *jur.* assault; *bildl.* handle .. roughly, treat .. badly; *bildl. äv.* [t. ex. ett språk] murder **-hugg,** *i ~* by mistake **-humör,** *vara i ~* be in a bad humour (out of temper) **-hushålla** *itr, ~ med* mismanage; be uneconomical with (in the use of) **-hällighet** discord, dissension; *~er (äv.)* quarrels, differences

mission 1 *allm.* mission; [kall] *äv.* vocation **2** *relig.* missions *pl; den inre (yttre) ~en* home (foreign) missions *pl* **-era** *itr relig.* missionize **-s|förbund,** *Svenska M~et* the Swedish Missionary Society **-s|föreståndare** mission-station superintendent **-s|hus** mission-hall; *äv.* chapel **-s|resa** missionary expedition **-s|station** missionary station; *äv.* mission **-s|verksamhet** missionary activity **-s|väsen** missionary system **-är** [*kvinnlig* woman] missionary

miss||klä[da] *tr allm.* be unbecoming to; [om plagg] *äv.* not suit; *blygsamhet -klär aldrig* modesty is never misbecoming **-klädande** **-klädsam** *a* unbecoming; [ej smickrande] unflattering; [vanprydande] disfiguring **-kredit** *bildl.* discredit; *råka i ~ hos ngn* fall into disrepute with a p., get into a p.'s bad books **-krediterande** *a* discreditable [*för* to] **-kund** = *förbarmande* **-kunda** *rfl bibl.* have mercy (compassion) [*över* upon] **-kundsam** *a* merciful; [medlidsam] compassionate, pitying **-känd** *a* misjudged; *äv.* underrated, unappreciated **-leda** *tr* mislead; jfr *vilse-* **-ljud** *eg.* o. *bildl.* jarring sound; *mus. äv.* discordant note

misslyck||ad *a* [som -ats] unsuccessful; [plan o. d.] abortive; *en ~ existens* one of life's failures; *vara ~* be a failure, have gone wrong **-ande** failure; *ett fullständigt ~ (äv.)* a complete fiasco (**F** wash-out) **-as** *itr dep* fail [*i (med)* in]; *äv.* be (prove, turn out) unsuccessful (a failure) [*i (med)* in]

miss||lynt I *a* ill-humoured; *göra ngn ~* put a p. out [of humour], make a p. cross **II** *adv* ill-humouredly, crossly **-minn|a** *rfl, om jag inte -er mig* if I remember rightly **-mod** down-heartedness, dejection (depression) [of spirit[s]]; [nedslagenhet] discouragement; *inge ngn ~ (äv.)* discourage a p. **-modig** *a* downhearted (dejected, depressed) [in spirit[s]] [*för (över)* at]; jfr *äv. nedslagen* **-nöjd** *a* [is. för tillfället] dissatisfied [*med* with]; [is. ss. lynnesdrag] discontented, displeased; *vara ~ med* [ogilla] disapprove of **-nöje** *allm.* dissatisfaction; t. ex. allmänt rådande] discontent; [väcka ngns] displeasure; [ogillande] disapproval [*med* of] **-pryda** *tr* disfigure, spoil the looks of **-riktad** *a* misdirected; misapplied; misguided

missroman sentimental novel

miss||räkna *rfl* make a mistake in one's calculation; [bedraga sig] reckon without one's host **-räkning 1** *eg.* miscalculation **2** *bildl.* disappointment [*för* for (to); *över* at]; [förtret] mortification **-sköta I** *tr* mismanage; [försumma] neglect **II** *rfl* neglect [to look after] o.s. **-stämning** [feeling (sense) of] discontent (discord, disharmony); depressed feeling; irritation **-sägning** slip of the tongue **-sämja** dissension, discord

miss||tag mistake [*om (på)* about (as to)]; [fel] error; [förbiseende] oversight, **F** slip, blunder; *begå ett svårt ~* make a bad mistake, commit a serious blunder; *av ~* by mistake; *med förbehåll för [eventuella] ~ (hand.)* [possible] errors excepted **-ta[ga]** *rfl* make a mistake; *äv.* be mistaken (wrong); *~ sig på (äv.)* misjudge, get a wrong idea of (about); *man kunde inte ~ sig på* there was no mistaking; *om jag inte ~r mig* if I am not mistaken **-tank|e** suspicion [*för (om)* about (as to); *mot* against; [*om*] *att* that]; [ond aning] misgiving; [förmodan] supposition; *fatta -ar beträffande* become (begin to be) suspicious of; *väcka -ar* arouse suspicion[s] [*hos ngn* in a p.'s mind] **-tolka** *tr* misinterpret, misconstrue **-tro I** *s* distrust [*till (mot)* of]; [starkare] disbelief [*till* in] **II** *tr* distrust, mistrust; *äv.* have no faith in; [tvivla på] doubt, discredit **-troende** = *-tro I; äv.* lack of confidence **-troende|votum** [*antaga* pass a] vote of censure [*mot* on] **-trogen** *a* distrustful (mistrustful) [*mot* of]; [skeptisk] incredulous **-trogenhet** distrustfulness &c; *äv.* incredulity **-trösta** *itr* despair [*om* of] **-tröstan** despair [*om* of] **-tycka** *itr* o. *tr, -tyck inte mina råd!* don't take it amiss (be offended) if I give you some advice! *om du inte -tycker (äv.)* if you don't mind **-tyda** *tr* misinterpret; *äv.* misconstrue

misstänk||a *tr allm.* suspect; *äv.* be suspicious of; [befara] apprehend **-lig|göra** *tr* cast (throw) suspicion upon, make suspect **-sam** *a* suspicious [*mot* of]; *äv.* .. full of suspicion; [ängslig] *äv.* shy [*mot* of] **-samhet** suspiciousness &c **-t** *a* [ss. pp. av -a] suspected [*för* of; *för att* .. of .. -ing]; *en ~ person* a suspect person; [uppsyn o. d.] suspicious; *för brott ~a* suspected persons, suspects; *som ~ för (äv.)* on suspicion of; *vara ~ för ngt (för att)* be under suspicion for a th. (.. -ing); *göra ngn ~* bring suspicion on a. p.

miss||unna *tr* [be]grudge; [avundas] envy **-unnsam** *a* grudging [*mot* towards]; [avundsam] envious [*mot* of] **-uppfatta** *tr* [-förstå] misunderstand, misconceive; [ngns avsikt] *äv.* mistake; [-tolka] misread, put a wrong interpretation on **-uppfattning** misunderstanding, misconception **-visande** *a* **1** *allm.* misleading **2** *sjö.* varying; [magnetisk] magnetic **-visning** *sjö.* declination; [kompassens] *äv.* variation **-växt** failure of the crop[s]; *äv.* [a] bad harvest **-öde** mishap, misadventure; *råka ut för ett ~* have a slight mishap

mist mist; [tjocka] fog

mista *tr* lose [one's ..]; *äv.* be deprived of

miste *adv* [fel, orätt] wrong; *ta ~* se *misstaga; gå ~ om* miss, fail to secure; *man kan inte ta ~ på vägen* you cannot miss your way

mistel *bot.* [European] mistletoe
mistlur *sjö.* fog-horn
misär destitution; [armod] penury
mitra mitre
1 mitt I *a* se *1 min* **II** *s, skilja mellan ~ och ditt* distinguish between [what is] mine and [what is] yours; *jag har gjort ~* I have done my part
2 mitt I *s* **1** [om rum] middle; *i (på) ~en* in the middle; *i deras ~* in their midst **2** [om tid] middle; *från ~en av maj* from mid-May **II** *adv* **1** *bryta ~ av* break right in two **2** *~ emellan* half-way between; *~ emot* straight (right, just) opposite; *~ fram* right in front; *~ framför* straight (right, just) in front of; *~ för ögonen på ngn* straight before a p.'s eyes; *~ för näsan på ngn* **F** under a p.'s very nose; *~ i* in the [very] middle (centre) of; *skratta ngn ~* [*upp*] *i ansiktet* laugh in a p.'s face; *~ i natten* in the dead of night; *~ ibland* in the midst of; *~ igenom* through the [very] centre (middle) of; [rakt igenom] right (straight) through; *~ inne i* right in the [very] centre (middle) of; [t. ex. landet] in the interior of; *~ itu* in two equal parts; *dela .. ~ itu* (*äv.*) halve ..; *~ på* in the middle of; *~ under a)* [rumsbet.] exactly (directly) under; *b)* [tidsbet.] during; *~ upp i* in the [very] middle of; *komma ~ upp i alltsammans* come right into the very midst of it; *~ uppe i* up in the middle of; *vara ~ uppe i (bildl.)* be right in the midst of; [*komma*] *~ ut i* into the [very] middle of, right out into; *~ ute i* out in the middle of, right out in; *~ över* exactly above (over); *bo ~ över gatan* live straight across the street **-bena,** *ha ~* have one's hair parted in the middle **-erst** *adv* in the [very] centre [*i* of] **-ersta** *a* most central **-figur** central (centre-)figure **-linje** median (medial, centre) line **-parti** central part, centre **-punkt** centre, center **-sjöss** *adv* in mid-sea **-skepp** [i kyrka] nave **-åt** *itj mil., ~!* front!
mix‖tra *itr* **F**, *~ med* potter (peddle) with **-tur** mixture
mjugg, *i ~* covertly; *skratta i ~* laugh up one's sleeve
mjuk *a* soft [*till* in] *äv. bildl.;* [friare, t. ex. färgton] softened, mellow; [konturer o. d. samt *bildl.*] gentle; [böjlig o. d.] limp; [smidig] lithe, limber; *äv.* graceful; *eg.* o. *bildl.* [smidig; eftergiven] pliable, pliant, flexible; [spak] meek; *~t bröd* soft bread; *bli ~* se *-na; göra .. ~* make .. soft, soften .. **-delar** *anat.* soft parts **-het** softness &c; *äv.* pliancy; flexibility; non-rigidity **-na** *itr* soften; become (get &c) soft[er] (&c); jfr *vekna* **-ost** cream cheese **-plast** non-rigid plastic
mjäkig *a* mawkish, milk-and-watery
1 mjäll *s* dandruff, scurf
2 mjäll *a* **1** transparently white **2** [kött o. d.] tender
mjält‖brand *veter.* anthrax **-e** *anat.* spleen **-hugg** [a] stitch [in one's side] **-sjuk** *a eg.* o. *bildl.* splenetic; *bildl. äv.* hypochondriac **-sjuka** *bildl.* spleen; *läk.* hypochondria[sis]
mjärde osier basket; [av ståltråd] wire cage
mjöd mead **-horn** mead-horn
mjöl *eg.* flour; [krossa .. till] *äv.* meal; *han har inte rent ~ i påsen* (*bildl.*) he is up to some mischief **-a** *tr* flour, sprinkle .. over (powder ..) with flour **-dagg** mildew, blight **-dryga** ergot **-ig** *a* floury, mealy
mjölk [*fet* (*mager*) rich (poor)] milk **-a I** *tr* milk; *bildl. äv.* [utsuga] pump .. dry **II** *itr eg.* give (yield) milk; *äv.* milk **-affär** se *-butik* **-bar** milk bar **-bil** milk-lorry **-bud** milkman, milkgirl **-butik** milkshop **-central** milkstore; *M~en* the Milk Distribution Centre **-choklad** milk chocolate **-droppe** drop of milk **-e 1** *bot.* rose bay **2** *zool.* milt, soft roe **-erska** milkmaid, girl milker **-flaska 1** [glas-] milk-bottle **2** [bleck-] milk can **-förande** *a* lactiferous **-hink** milk pail **-hushållning** dairy produce economy **-kanna 1** [bleck-] milk can **2** [porslin] milk jug (pot) **-ko** milch (milk[ing]-)cow; *äv.* milker **-mat** milk food **-ning** milking **-nings|maskin** milking-machine **-pall** milking-stool **-produktion** milk-production **-skorv** milk rash **-socker** milksugar, lactose **-syra** *kem.* lactic acid **-tand** milk-tooth; *äv.* shedding-tooth **-vit** *a* milky (milk-)white
mjöl‖lår flour-(meal-)bin **-nare** miller
mjölon *bot.* bearberry
mjöl‖rätt *kok.* farinaceous dish **-säck 1** [tom] flour-(meal-)sack **2** [fylld] sack of flour **-välling** barley-meal gruel
mnemoteknik mnemonics *sg*
mo sandy plain (heath)
moaré moiré *fr.; äv.* watered silk
moatjé *allm.* partner
mobb mob
mobiliser‖a *tr* o. *itr* [*mil.* o. friare] mobilize; [friare] *äv.* muster **-ing** mobilization
1 mocka I *tr* o. *itr lantbr.* clean out **II** *tr* **F** *~ gräl med* fasten a quarrel on
2 mocka 1 [kaffesort] mocha **2** [skinn] suède **-kopp** mocha cup, demitasse **-skor** suède shoes
mockasin mocassin
mocka|sked coffee-spoon
1 mod *allm.* fashion; *äv.* style, mode; *bestämma ~et* set (lead) [the] fashion; *följa ~et* conform to [the] fashion; *vara* (*komma*) *på ~et* be in the (come into) fashion; *äv.* be (become) fashionable, come into vogue; [*en präst*] *på ~et* a fashionable ..
2 mod 1 *allm.* courage; *äv.* gallantry; [moraliskt] fortitude; *hans ~ svek honom* his courage failed him; *hämta nytt ~* take fresh courage; *tappa ~et* be discouraged, lose courage (heart); *inge ngn nytt ~* inspire a p. with fresh courage; *ta ~ till sig* pick up one's courage **2** [sinnesstämning] spirits *pl; äv.* mood; *vara vid gott ~* be in good spirits, be of good cheer; *känna sig illa till ~s* feel uneasy; *bli bättre till ~s* recover one's spirits
modal *a språkv.* modal; *~t hjälpverb* auxiliary of mood
modd slush **-ig** *a* slushy
mode‖affär [model] dress shop; [hatt-] milliner's shop **-artik|el** fashionable article; *-lar* (*äv.*) fancy goods; *de nyaste -larna* the latest fashions [in dress] **-docka** *eg.* o. *bildl.* dressmaker's dummy; *bildl. äv.* [a] very dressy person **-hus** fashion house **-journal** fashion-magazine (paper) **-krönika** fashion notes *pl* (review) **-lejon** fashion-monger; [sprätt] dandy, fop
modell 1 [huvudbet.] *allm.* model; ⊕ o. *bildl. äv.* pattern; *hand.* style; *efter ~* [according] to pattern **2** *konst.* [person] model; [yrkesmässig] artist's model **-byggare (-bygge)** model aircraft constructor (construction) **-era** *tr* o. *itr* model [*efter* from; *i* in] **-erings|massa** plasticine **-flyg[-ning]** model aeronautics *pl* **-flygplan** model aeroplane &c **-klänning** pattern dress

moder mother; *äv.* maternal parent; *blivande mödrar* expectant mothers
moder||at *a* [måttfull] moderate; [skälig] reasonable, fair **-ation** moderation; *äv.* restraint
moderera *tr allm.* moderate; *äv.* check; [sina uttryck] tone down
moder|fartyg *sjö.* mother-ship, depot ship; [hangar-] aircraft carrier
mode|riktning fashion trend
moder||kaka placenta **-land** [the] mother country **-lig** *a* motherly; [t. ex. känslor] maternal **-lighet** motherliness &c; *äv.* maternity **-ligt** *adv* in motherly fashion, maternally **-liv** womb, matrix **-lös** *a* motherless
modern *a* [nutida] modern; [fullt ~] [quite] up-to-date; [nymodig] fashionable; *predik. äv.* in vogue **-isera** *tr* modernize **-isering** modernization **-ism** modernism **-istisk** *a* modernist **-itet** modernness; *äv.* modernity; *~er* innovations; *neds.* novelties **-t** *adv* modernly; [*högst*] ~ in the [latest] fashion; *äv.* [quite] up-to-date; ~ *inredd* fitted up with all modern requirements
moder||näring primary industry, principal trade **-planta** *bot.* mother plant **-s|bröst,** [*barnet*] *vid ~et* .. at its mother's breast **-s|bundenhet** mother fixation **-s|glädje** maternal (a mother's) joy **-s|instinkt** maternal (mother-)instinct **-skap** motherhood, maternity **-skaps|bidrag** maternity benefit **-skaps|penning** maternity allowance
moders||känsla the mother (sense of motherhood) [*hos henne* in her] **-kärlek** maternal (a mother's) love; [mera abstrakt] mother love **-mjölk,** *med ~en* with one's mother's milk; *äv.* from earliest infancy **-mål** mother tongue; *äv.* native language; [i skolan] Swedish (English o. s. v.)
moder|sugga mother-sow
mode||sak *abstr* [a] matter of fashion **-salong** dress salon; se *-affär* **-tecknare** fashion-plate designer (draughtsman) **-tidning** se *-journal*
modfälld *a* discouraged (downhearted) [*över* at]; *bli* ~ lose courage; jfr *missmodig*
modifi||era *tr* modify; [dämpa] tone down **-kation** modification
modig *a* **1** courageous; [tapper] brave, plucky; [käck] gallant; [djärv] bold; [oförskräckt] valiant; *vara* ~ [*av sig*] have [got] pluck; *det var ~t av dig att göra det* that was a plucky thing of you to do **2** *fälla sina ~a tårar* shed bitter tears, weep bitterly; *kosta sina ~a slantar* cost a precious lot of money
modist modiste *fr.;* dressmaker; [hatt-] milliner
mod||lös *a* dispirited; *äv.* spiritless **-löshet** dispiritedness; despondency **-stulen** *a* downhearted
modul ⊕ module
modul||ation modulation **-era** *tr* modulate
modus *språkv.* mood
mog||en *a allm.* ripe [*för* (*till*) for]; [friare o. *bildl.*] mature; [is. frukt] *äv.* mellow; *bildl. äv.* ready; [*uppnå*] ~ *ålder* .. maturity (man's estate); *efter -et övervägande* after careful consideration **-enhet** ripeness &c; *äv.* maturity **-enhets|examen** matriculation **-na** *itr eg.* o. *bildl.* ripen [*för* (*till*) for]; *eg. äv.* get ripe; *bildl.* mature, come to maturity; [t. ex. böld, komplott] *äv.* come to a head **-nad** *eg.* o. *bildl.* ripeness; *is. bildl.* maturity
mohair (mohär) mohair

moj **F** **1** [göra] business; jobs *pl* **2** [grejor] contraptions *pl* **3** [bråk] fuss, ado **4** [skräp] rubbish, trash
mojna *itr sjö.* fall [light], lull; ~ *av* fall dead, die down
mol *adv,* ~ *allena* (*ensam*) entirely (all) alone, all by o.s.
mol||a *itr* [småvärka] ache slightly; [friare] chafe; *det ~r i tänderna* my teeth are aching a little **-ande** *a* aching
molekyl molecule **-ar** *a* molecular
1 moll *mus., b-~* B minor; *gå i* ~ be [tuned] in the minor key
2 moll [tyg] mull; *äv.* light muslin
mollskinn moleskin
moll|ton *mus.* minor (*bildl.* elegiac) note
mollusk *zool.* mollusc, mollusk
moln *eg.* o. *bildl.* cloud; *ett ~ lade sig över hans panna* his brow overclouded **-bank** cloud-bank **-bas** cloud-base **-betäckt** *a* cloud-covered, overcast **-bildning** cloud formation **-fri** *a* cloudless, .. free from clouds; *bildl. äv.* unclouded **-höjd** height of cloud; cloud base; [*låg* low] ceiling **-ig** *a* cloudy; *äv.* clouded, overcast **-ighet** cloudiness **-skikt** cloud-layer **-stod** *bibl.* pillar of clouds **-täcke** cloud-cover
moloken *a* **F** dejected, .. cast down; down in the mouth
mol||tiga *itr* not utter a sound **-tyst** *a* absolutely silent, .. [as] quiet as a mouse
molybden *min.* molybdenum
moment **1** se *ögonblick;* [vändpunkt] turning-point **2** [beståndsdel] *naturv.* moment, element; [tids-] factor, component; [i en bevisföring] point; [fas] phase; *jur.* o. d. paragraph, article; *äv.* clause; *ett störande ~* a disturbing factor **-an** *a* momentary
monark monarch; *äv.* sovereign **-i** monarchy **-isk** *a* monarchic[al] **-ist** monarchist
mondän *a* fashionable; *äv.* society . .
mongol Mongol[ian] **M~iet** Mongolia **-isk** *a* Mongolian
mono||gam *a* monogamous **-gami** monogamy **-grafi** monograph [*över* on] **-gram** monogram **-kel** monocle, single eye-glass; *äv.* **F** quizzing-glass **-kromatisk** *a* monochromatic **-log** monologue, soliloquy **-man I** *s* monomaniac [*på* as regards]; *äv.* one-idea'd person **II** *a* monomaniac[al] **-mani** monomania **-plan** *flyg.* monoplane **-pol** monopoly; *ha ~ på* have [got] a monopoly on (for); *bildl.* have the sole right of **-polisera** *tr* monopolize *äv. bildl.* **-polisering** monopolization **-ton** *a* monotonous **-type** monotype
monster monster; *äv.* monstrosity
monsun monsoon
mont||age *film.* montage, screen-craft **-er** show-case **-era** *tr* **1** ⊕ o. d. put .. up, put .. in[to] position, rig; [t. ex. maskin] erect; [bildelar o. d.] assemble; [friare, anbringa] fix [*på* (*vid*) on ([on] to)], mount [*på* on] **2** [hatt o. d.] trim **-er|bar** *a* mountable **-ering** putting up; *äv.* erection, assemblage, installation; *konkr* trimmings *pl* **-erings|-band** assembly line **-erings|färdig** *a, ~t hus* prefab[ricated house] **-ör** electric[al] (engine) fitter; *äv.* erector
monument monument; *resa ett ~ över* erect (put up) a monument to **-al** *a* monumental; [friare] *äv.* grand
moped moped, **F** *äv.* power-bike
mopp [polish[ing]-]mop **-a** *tr* [go over .. with a] mop; *sjö.* swab
mops pug-dog, pug **-a** *rfl* **F** be uppish [*mot* to] **-ig** *a* = *näsvis*
1 mor [folk] Moor

2 mor mother; jfr *moder, mamma; bli* ~ become a mother; *~s dag* Mothering Sunday, Mother's Day
moral [ngns] morals *pl;* [-isk uppfattning] *äv.* morality; [sens-] moral; *mil.* morale **-begrepp** moral idea **-isera** *itr* moralize [*över* [up]on] **-isk** *a* moral; [etisk] ethical **-kaka** = *-predikan* **-lära** [etik] ethics *pl* **-predikan** homily; moral lecture **-predikant** *bildl.* sermonizer, moralizer
moras morass, swamp; [kärr] marsh
morbror [maternal] uncle, uncle on the (one's) mother's side
mord murder [*på* of]; *jur. äv.* homicide **-brand** *jur.* [[a] case of] arson; *anlägga* ~ commit arson **-brännare** incendiary, fire-raiser **-försök** attempted murder; [*ett*] ~ *mot ngn* an attempt on a p.'s life **-isk** *a* [avsikt, blick o. d.] murderous; *äv.* homicidal **-lysten** *a* blood-thirsty **-lystnad** blood-thirstiness **-redskap (-vapen)** deadly implement (weapon) **-ängel** destroying angel
mor|far [maternal] grandfather; jfr *-bror*
morfin morphia; *läk.* morphine **-injektion** morphine injection **-ist** morphinist **-missbruk** abuse of (overindulgence in [the use of]) morphia
morföräldrar, *mina* ~ my grandparents [on my mother's side], my maternal grandparents
morganatisk *a* morganatic
morgon 1 [mots. till afton, kväll] morning; *bildl. äv.* morn; [gryning] dawn; *god ~!* good morning[, Sir (o. s. v.)]! *äv.* how do you do? *om* (*på*) *~en* in the morning; *i dag på ~en* this morning; *tidigt följande* ~ early next morning ([on] the following morning); *på ~en* [*den 1 maj*] on the morning of . . **2** [-dag] *i* ~ to-morrow, tomorrow; *i* ~ [*för*] *åtta* (*fjorton*) *da*[*ga*]*r sedan* a week (fortnight) ago to-morrow; *i* ~ *bittida* to-morrow morning; *i* ~ *om åtta da*[*ga*]*r* (*om ett år*) to-morrow week (a year from to-morrow) **-bön** morning prayer; [i skola] *äv.* morning assembly **-dag** to-morrow; *bibl.* morrow **-gryning** dawn **-gåva** morning-gift **-kröken (-kulan -kvisten),** *på* ~ early in the morning **-rock** dressing-gown **-rodnad,** *~en* Aurora, the morning redness **-sol,** *rummet har* ~ the room has (gets) the morning sun **-stund,** ~ *har guld i mun*[d] the early bird catches the worm **-sömnig** *a* drowsy in the morning **-tidig** *a, vara* ~ [*av sig*] be up and about betimes [of a morning] **-tidning** morning paper
morian blackamoor, tawny Moor
morisk *a* Moorish, Moresque
morkull||a woodcock **-sträck** cock-road, roading of woodcocks
mormon Mormon
mormor [maternal] grandmother
morna *rfl* get o.s. awake, shake off [one's] sleep
morot carrot **-[s]färgad** *a* carrot-coloured, carroty
morr||a *itr* growl (snarl) [*åt* at] **-hår** *koll* [cat's] whiskers *pl* **-ning** growl, snarl
morse, *i* ~ (*i går* ~) this (yesterday) morning
morse||alfabet Morse alphabet **-signal[ering]** Morse flash[ing]
morsgris F milksop
morsk *a* [djärv] bold; [käck] dashing; **F** gamy; [ilsken] fierce; [nosig] cocky, stuck-up; [självmedveten] self-assured; *visa sig* ~ make the most of o.s. **-a** *rfl* take a bold line [*mot* towards]; **F** take on airs; ~ *upp dig!* pluck up heart! **-het** boldness; self-assurance; cockiness

mortel mortar **-stöt** pestle
morän *geol.* moraine
mos *allm.* [massa] pulp; *kok.* paste; jfr *äppel~*; mash; jfr *potatis~*; *göra* ~ *av* (*bildl.*) make mincemeat of **-a I** *tr* [reduce . . to] pulp; ~ *sönder* [potatis o. d.] mash **II** *rfl* go into a pulp (&c)
mosaik mosaic; *belägga, inlägga* . . *med* ~ (*äv.*) tesselate (incrust) . . **-arbete** mosaic work, tesselation **-golv** tesselated pavement **-inläggning** inlaying with mosaic; *äv.* incrustation (&c)
mosaisk *a* Mosaic; [kyrkogård o. d.] *äv.* Jewish
Mose|bok, *de fem -böckerna* the Pentateuch
mosig *a* **1** *eg.* pulpy **2 F** [berusad] fuddled
mosippa pasque-flower
moské mosque
moskit mosquito
Moskva Moscow
moss||a moss **-beklädd** *a* moss-covered (-grown) **-e** peat-moss, bog **-grön** *a* moss-green **-ig** *a* mossy **-ros** *bot.* moss-rose **-torv** bog-peat **-täcke** moss-cover
moster [maternal] aunt
mot *prep* **1** [rumsförh.] *allm.* towards; [åt visst håll] *äv.* in the direction of, in . .'s direction; [åt . . till] to; *han kom* ~ *mig* he came towards me (in my direction); *styra* [*kurs*] ~ (*sjö.*) steer [one's course] towards; *med ryggen* ~ *väggen* with one's back against the wall; [*sätta revolvern*] ~ *tinningen* . . to one's temple **2** [tidsförh.] towards; [nära] near, close to; *stanna till fram* ~ *jul* stay until near Christmas **3** [motsatsförh.] *allm.* against; [på, t. ex. angreppet ~ herr B.] [up]on; [från, t. ex. skydd ~] from; [~ + abstr. substant.] in opposition to, contrary to; *äv.* anti; ~ *all förmodan* contrary to all expectation; *hålla stånd* ~ *fienden* hold one's own against the enemy; *med eller* ~ [*ngns vilja*] in accordance with or in opposition to . .; *skydda sig* ~ *anfall* protect o.s. against (from) attack; *det strider* ~ it is against; it infringes; *begå våld* ~ [*ngn*] commit an act of violence against (on) . . **4** [i förhållande till] *allm.* to[wards]; [i vissa fall] *äv.* against; [t. ex. visa sin kärlek] for; *uppföra sig ovänligt* ~ *ngn* behave unkindly to[wards] a p.; *i sitt handlingssätt* ~ [*barnen*] in his treatment of (dealings with) . . **5** [avseende byte, vederlag o. d.] *allm.* for; *äv.* in exchange for, in return for; *hand. äv.* against; [under förutsättning av] subject to; ~ *borgen* on security; ~ *10 % provision* at (on the basis of) a 10 per cent commission; *göra* [*ngt*] ~ *att ngn gör* . . do . . in exchange for a p.'s . . -ing **6** [jämförelse o. d.] compared (in comparison) to (with); *äv.* against; *motsatsen* ~ *nu* the opposite to what it is now; *väga* . . ~ *varandra* weigh . . one against the other; [*blått är vackert*] ~ [*gult*] . . side by side with . .; ~ *bakgrunden av* in the light of **7** *sport.* o. d. [om motståndare] versus
mota *tr* **1** [fösa] drive (**F** [schasa] shoo) [*från* away from]; ~ *bort* drive off; ~ *ihop* [får o. d.] drive . . together **2** [hejda] bar (block) . .'s [further] advance (progress); [tvinga åt sidan] head off; [avvärja] ward off; ~ *Olle i grind* forestall one's enemy
mot||angrepp counter-attack **-anspråk** counter-claim **-arbeta** *tr* [ngn (ngt)] work against (counter to); [ngns planer] seek to thwart (restrain); [bekämpa] oppose **-bevis** proof to the contrary; *äv.* counter-evidence **-bju-**

dande *a* repugnant (revolting) [*för* to]; [avskräckande] disgusting **-bok** *hand.* [customer's] passbook; *bankv. äv.* bank-book; [för spritinköp] liquor-ration pass-book **-drag** [i schack o. friare] counter-move
motell motel
mot‖fordran *hand.* o. *jur.* counter-claim **-förslag** counter-proposal **-gift** antidote; *eg. äv.* counter-poison **-gång** [med *pl*] reverse, setback; [utan *pl*] adversity, misfortune **-hugg** counter-blow (-stroke); *få* ~ meet with opposition
motig *a allm.* adverse, contrary; [ogunstig] untoward, unpropitious; *det har varit* [*så*] *~t* things have been (gone) [so] contrary **-het** adverseness &c; *livets små ~er* life's little rubs
motion **1** [kroppsrörelse] *hämta* (*ta*) ~ get (take) exercise **2** *parl.* motion [*i* on; *om* for]; *väcka* ~ *om* propose a motion (*Engl.* introduce a bill, move) for **-era I** *tr* [häst o. d.] give .. exercise **II** *itr* take exercise **-s|gymnastik** gymnastic (physical) exercise **-s|hall** [på båt o. d.] gymnasium **-är** *parl.* mover [of a resolution], proposer [of a motion]
motiv **1** motive [*för* (*till*) for (of)]; [grund, skäl] reason; [orsak] cause [*för* (*till*) of]; *vad hade han för ~ till att* .. what was his motive for ..-ing **2** *konst., mus.* motif *fr.*; [till tavla] *äv.* subject; *mus. äv.* theme **-era** *tr* [vara skäl för] be the motive (cause) of; [berättiga till] warrant; [förklara] explain, give reasons for; *äv.* show cause for; *~ .. med självförsvar* adduce self-defence in justification of ..; *väl ~d* well grounded; *ett föga ~t ..* a[n] .. for which there is little justification **-ering** justification (explanation) [*för* of (for)]; [t. ex. för ståndpunkt] exposition of the reasons [*för* for]; [bevisföring] argumentation; *äv.* motivation; *med den ~en, att* on the plea that **-val** choice of theme &c
mot‖kandidat rival candidate [*till* to (for)]; *äv.* opponent **-lut,** *i* ~ on an ascent **-offensiv** *mil.* counter-offensive
motor motor *äv. bildl.*; *äv.* engine; *sätta ~n i gång* start the motor (engine); *stark* (*svag*) ~ high-(low-)powered engine **-bränsle** motor-fuel **-båt** motor-boat **-cykel** motor-cycle(-bicycle, **F** -bike) **-drift** motor propulsion (power) **-driven** *a* motor-driven **-drulle F** motor-(road-)hog **-fartyg** motor-ship (*förk.* M/S) **-fel** engine-trouble (-failure); jfr *-stopp* **-fordon** motor vehicle **-huv** engine hood (*flyg.* cowling); cowl **-isera** *tr* motorize; *~d* [*trupp*] (*äv.*) mechanized .. **-isk** *a läk.* motor[y] **-ism** motorism, motoring **-krångel** engine trouble **-mekaniker** engine mechanic **-olja** motor oil **-skada** engine-damage (*äv.* -trouble) **-släde** motor sleigh **-sport** motoring sport **-spruta** motor fire-engine **-stopp** engine-failure, breakdown **-styrka** engine power **-torpedbåt** motor torpedo-boat **-vagn** *järnv.* motor-coach (-bogie), auto-car; *spårv.* motor car **-väg** motor road **-översyn** engine overhaul
mot‖part opposite (counter-)party, opponent; [i äktenskap] partner **-pol** antipole *äv. bildl.* **-reformation** counter-reformation **-sats** contrast [*mot* (*till*) to], *äv.* opposite (antithesis) [*till* of]; [t. ex. bevisa ~en] [the] contrary; *log.* contradictory; *raka ~en* [*därtill*] the exact (very) opposite (reverse) [of that]; *i ~ till* contrary to; *stå i ~ till* be opposed to; *de äro varandras ~er* they are opposites of each other **-satt** *a* **1** *allm.* opposite; is. *bildl.* contrary; *äv.* opposing, conflicting; *på ~a sidan a)* on the opposite side [*av* of; *mot* to]; *b)* [i bok] on the page facing [this one]; *vara av ~ mening mot* be of a contrary opinion to; *i ~ fall* in the contrary case; [i annat fall] otherwise **2** *bot.*, *.. med ~a blad* oppositifolious .. **-se** *tr* [se fram emot] look forward to; [förutse] expect, look for; *~ende Edert svar* (*hand.*) looking forward to your reply **-sida** *eg.* o. *bildl.* opposite (other) side **-skäl** counter-reason; *skäl och ~* arguments for and against; [the] pros and cons **-sols** *adv* counter-(anti-)clockwise **-spelare** **1** opponent **2** *teat.* [stage-]partner; *äv.* supporter **-spänstig** *a* refractory; [uppstudsig] insubordinate; [styvsint] obstinate **-stridig** *a* conflicting **-strävig** *a* se *-spänstig* **-ström** counter-current **-stycke** *bildl.* counterpart [*till* to (of)]; ~ *härtill finns inte* this is quite unique; there is no parallell to this **-stå** *tr eg.* o. *bildl.* withstand, resist; [anfall] *äv* stand up against; [strapatser o. d.] stand **-stående** *a* opposite; *bot.* se *-satt 2*; *se ~ sida!* see page facing!
motstånd **1** resistance; *äv.* opposition; *flyg.* drag; *göra* [*våldsamt*] ~ *mot* offer [violent] resistance to; *uppge ~et* relinquish one's opposition; *mil. äv.* surrender **2** *elektr.* resistance-box, resistor **-are** adversary; *äv.* opponent ([friare] antagonist) [*mot* (*till*) of] **-s|kraft** power of resistance (resistibility) [*mot* to]; *äv.* resisting-power; [fysisk] stamina **-s|kraftig** *a* resistant; capable of resisting attack; [t. ex. **ekonomi**] *äv.* well-entrenched **-s|löst** *adv* without resistance **-s|rörelse** resistance movement **-s|styrka** resistance force
motsvar‖a *tr* [[överens]stämma med] correspond (answer) to; [vara likvärdig med] be equivalent to; [uppfylla] fulfil; [t. ex. tillförseln ~r behovet] satisfy, meet; [sitt ändamål] answer, serve; *resultatet ~r icke arbetet* the result is not in proportion to the work; [*vi hoppas*] ~ *Edert förtroende* .. justify your confidence; ~ *ngns förväntningar* come up to a p.'s expectations **-ande** *a allm.* corresponding; [jämgod, lik] equivalent (adequate, proportionate) [to ..]; *i ~ grad, på ~ sätt* correspondingly **-ighet** [överensstämmelse [i åsikter o. d.]] correspondence; *äv.* proportionateness; [full ~] equivalence; *äv.* counterpart (analogue) [*till* to (of)]; *närmaste ~ till* the closest equivalent to (of); *.. saknar ~ ..* has nothing corresponding to it
motsäg‖a **I** *tr allm.* contradict, oppose; *äv.* be contradictory to; [strida emot] conflict with **II** *rfl* contradict o.s. (itself); *äv.* be [self-]contradictory **-ande** *a* contradictory; [stridig] conflicting **-else** *allm.* contradiction; [brist på överensstämmelse] incompatibility [*i* in]; *utan ~* indisputably
motsätt‖a *rfl* [bekämpa] oppose, **F** set one's face against; *äv.* raise opposition to **-ning** opposition; [fientlighet] antagonism; [motsats] contrast; *stå i skarp ~ till* be in striking contrast to
mott *zool.* moth
mottag‖a *tr allm.* receive; [besökande] *äv.* see; [ej avvisa] accept; *alla bidrag ~s med tacksamhet!* all contributions gratefully received! *gästerna mottogos* the guests were welcomed; *vi ha -it* [*Edert brev*] (*hand.*) acknowledge receipt of ..; thank you for [your letter]; *-et av* (*hand.*) [å kvitto] received from **-ande** reception; is. *hand.* receipt **-ar|antenn** (**-ar|apparat**) *radio.* receiving-aerial (-apparatus) **-are** **1** [pers.] receiver; *sport.* striker-out; [*sjö.*, av

frakt) *äv.* consignee; [av post] adressee **2** [sak, radio o. d.] receiver **-lig** *a* susceptible [*för* to]; [känslig] sensitive [*för* to]; *vara ~ för* [t. ex. förkylningar] be liable to; [t. ex. skäl] amenable to; [nya idéer] open to **-lighet** susceptibility (sensitiveness) [*för* to] **-ning** *allm.* reception; [läkares o. akad. lärares] consultation; consulting hour[s *pl*]; [vid hovet] audience; *vid en ~ för* at a reception given to **-nings|bevis** *hand.* receipt; *post. äv.* post office (*förk.* P.O.) receipt **-nings|rum** [hos läkare] consulting-room **-nings|tid** time for receiving callers; [för läkare] consulting-hours *pl*

motto motto; [devis] legend

mot||tryck [⊕ o. friare] counter-pressure **-vallskäring F** [a] missis contrary **-veck** *sömn.* box pleat **-verka** *tr* [-arbeta] work against, run (go) counter to; *äv.* counteract, neutralize; [söka sätta stopp för] try to put a stop to; [hindra] obstruct **-verkan** counteraction **-vikt** counter-weight (counterbalance *äv. bildl.*) [*mot* to] **-vilja** dislike (distaste) [*mot* of (for)]; [starkare] antipathy (aversion) [*mot* for (to, against)]; *ha (hysa, känna) ~ mot* have (feel) a dislike (&c) to; *äv.* dislike, be averse to **-villig** *a* reluctant; [starkare] averse **-villighet** reluctance, averseness **-vind** [a] head (contrary *äv. bildl.*) wind; is. *bildl.* [an] adverse wind; *ha ~* have the wind against one; *segla i ~ a)* sail against the wind; *b) bildl.* be under the weather **-väga** *tr* [counter]balance **-värde** counter value **-värn** defence, resistance; *sätta sig till ~* make (offer) resistance **-åtgärd** countermeasure

mu *itj* moo!

mudd wristlet, loose cuff

mudd||er|pråm mud-lighter, dredger **-er|verk** dredger, dredging boat

muddlare *mål.* flat brush

muddra *tr* o. *itr sjö.* dredge

muff 1 [dams] muff **2** ⊕ coupling-box

mugg [liten] mug; [större] jug; [tenn o. d.] pot

Muhammed Mahomet, Mohammed **m~an** Mahometan **m~anism** Mohammedanism **m~ansk** *a* Mahometan

mula mule

mulatt mulatto [*pl* mulattoes]

mule muzzle; *äv.* snout

mul|en *a* overcast; *bildl. äv.* clouded; [molnig] cloudy; *bildl.* gloomy; *det är -et* the sky is overcast (heavy with clouds)

mull earth; top-soil; *äv.* mould; [stoft] dust *äv. bildl.*

mullbänk F quid (cud) of snuff, snuffquid

mullbär mulberry **-s|träd** black mulberry-tree

mull||er rumbling, rolling **-ra** *itr* rumble, roll; [gatutrafik o d.] boom, roar

mullvad *zool.* [common [European]] mole **-s|arbete** underground activity **-s|gång** mole-track(-run) **-s|hög** mole-hill **-s|päls** moleskin fur coat

mulna *itr* cloud over, become overcast; *bildl.* darken; *det ~r* the sky is clouding over

mul- och klövsjuka foot-and-mouth disease

multipelskleros *läk.* multiple sclerosis

multipli||cera *tr* multiply [*med* by] **-kand** multiplicand **-kation** multiplication

multna *itr eg.* o. *bildl.* moulder (rot) [away]; *eg. äv.* crumble to dust

mulåsna *zool.* mule; *äv.* hinny

mumi||e mummy **-fiera** *tr* mummify

mum||la *itr* o. *tr* mumble; [muttra] mutter, murmur **-mel** mumble, murmur

mumsa *itr* munch; *äv.* chump; [knapra] nibble

mun mouth; **F** [käft] jaw; *en ~[full]* [*luft*] a mouthful [of . .]; *ha mål i ~nen* have a tongue in one's head; *håll ~!* shut up! hold your tongue! *är i var mans ~* is common property; *tala i ~nen på varandra* talk all at once; *med en ~* with one voice; *med gapande ~* open-mouthed, gaping; *ur hand i ~* from hand to mouth; *ta bladet från ~nen* speak out one's mind **-art** dialect

mundering 1 [soldats] equipment articles *pl* **2** [hästs] trappings *pl*

mun||full se *mun* **-gip|a,** *dra ner -orna* lower (droop) the corners of one's mouth **-harmonika** mouth-organ **-huggas** *dep* wrangle, bicker; *äv.* bandy words **-håla** oral (mouth-) cavity

municipal|samhälle municipal community; *Engl. ung.* urban district

munk 1 monk; *äv.* [tiggar-] friar **2** *kok.* doughnut; *äv.* fritter **3** [likör] benedictine

munkavle muzzle (*äv. : sätta ~ på*)

munk||cell (-dräkt) monk's (monastic) cell (garb) **-kloster** monastery **-kåpa** monk's frock, cowl **-likör** benedictine **-löfte** monk's (monastic) vow **-orden** monastic order

munkorg muzzle (*äv. bildl.* o.: *förse . . med ~*)

munk||skrift black-letter writing **-väsen,** *~det* monachism

mun||lack wafer **-lag** bit **-lås** *bildl.* gag (muzzle) (*äv.: sätta ~ på*) **-läder,** *ha gott ~* have a glib tongue (the gift of the gab) **-s|bit** morsel; [*jag har inte*] *fått en ~ i mig . .* had a scrap to eat; *ta* [*ngt*] *i en ~* make one mouthful of . . **-skänk** butler; *äv.* cupbearer **-spel** mouth-organ **-stycke 1** [fast] mouthpiece; *mus. äv.* embouchure *fr.;* [på cigarrett] tip; ⊕ *äv.* nozzle, jet; [*cigarrett*] *med (utan) ~* tipped (plain) . . **2** [löst] holder, tube **-sår** sore on the lips

munter *a* merry; [uppsluppen] hilarious; [glad] cheerful, cheery, **F** chirpy; *en ~ stämning* [a spirit of] jollity (merriment); *ha det ~t* **F** have a jolly (gay) time [of it] **-gök F** jolly fellow **-het** merriness: *äv.* hilarity, gaiety

muntlig *a* [översättning] oral; [meddelande] verbal; *den ~a prövningen (univ.)* the viva voce examination (test), **F** the viva; *äv.* the oral [examination]; *en ~ överläggning* a personal conference **-en** *adv* orally; verbally

muntr||a *tr* cheer . . up, exhilarate **-ation** amusement, entertainment; *äv.* jollification

mun||vatten mouth-wash(-water), antiseptic gargle **-vig** *a* glib [with one's tongue]; voluble **-väder** empty (mere) words *pl; äv.* blather, balderdash **-öppning** mouth (oral) aperture

mur wall *äv. bildl.; omsluta . . med ~ar* wall in . . **-a** *tr* build [. . of masonry], mason, jfr *-are; ~* [*en brunn*] *med cement* wall . . with cement; *~ igen (till) a) eg.* wall up, block up . . with bricks; *b) bildl.* [ngns ögon] bung up **-ad** a walled &c; [grav o. d.] *äv.* bricked is. *bildl.* built (founded) [*på* [up]on]

murar||e bricklayer; [sten-] mason **-mästare** master bricklayer &c

mur||bruk *allm.* mortar **-bräcka** *hist.* o. *bildl.* battering-ram **-gröna** *bot.* ivy

murken *a* decayed; [starkare] rotten

murkla *bot.* o. *kok.* morel, moril

murkna *itr* decay, rot, get (become) rotten

mur|krön coping (crown, top) of a wall

murmel|djur *zool.* marmot; *sova som ett* ~ sleep like a dormouse
mur||ning bricklaying; masonry **-slev** [mason's] trowel
murvel **F** hack-journalist; penny-a-liner
mur||verk masonry; *äv.* brickwork; [-ade väggar] *äv.* walling **-yta** [wall-]surface
mus mouse [*pl* mice]
mus|a muse; *de nio -erna* the nine Muses
musch mouche *fr.*; beauty-spot **-plåster** court plaster
musei||byggnad museum [building[s *pl*]] **-föremål** museum specimen (exhibit) **-intendent** museum department keeper **-värde** museum value
musel|man Mussulman; *äv.* Moslem[ite]
museum museum
musicera *itr*, *vi* ~ [*litet*] we have (play) [some] music
musik **1** music; *sätta* (*komponera*) ~ *till* write (compose) [the] music for; *detta skall bli min* ~! (*bildl.*) that shall be the tune for me! **2** [-kår] band [*vid* of] **-affär** se *-handel* **-afton** musical evening **-akademi** academy of music **-alisk** *a allm.* musical; [pers.] music-loving, . . fond of (. . skilled at) music; *M~a akademien* the [Royal] Academy of Music **-alitet** feeling for music **-anförare** [musical] conductor **-ant** musician; [nedsättande] **F** music-player, fiddler **-begåvning**, *ha* ~ have musical gifts *pl* (a talent for music) **-direktör** director of music; *mil.* bandmaster **-er** [professional] musician; [*han ska*] *bli* ~ . . take up music [as a profession] **-estrad** *allm.* bandstand; [i konserthus] concert platform **-fest** festival of music **-film** musical film **-handel** music stores *pl* **-historia** musical (music-)history **-instrument** musical instrument **-kapell** orchestra, [music-]band **-kritiker** music-critic **-kår** band [of music], orchestra; *medlem av en* ~ bandsman **-lektion** music-lesson **-liv** music, musical life **-lära** theory of music **-lärare** music-teacher(-master) **-nummer** musical item **-program** music program[me] **-recensent** music reviewer **-soaré** musical soirée **-studier**, *bedriva* ~ study music **-stycke** piece of music **-verk** musical work, work of music **-öra** musical ear; [ett bra] *äv.* ear for music
muskat[ell] muscat[el]
musk|el muscle; *äv.* thews *pl*; *spänna -lerna* knit one's muscles; *utan -ler* muscleless; i *sms vanl.* muscular **-arbete** work of (done by) the muscles **-bristning** *läk.* muscle-rupture **-knippe** bundle of muscles **-spel** play of the muscles **-stark** *a* muscular[ly strong] **-sträckning** *läk.* spraining (straining) of a muscle **-styrka** muscular strength; *äv.* muscularity
muskot nutmeg **-blomma** [krydda] mace **-nöt** nutmeg
muskul||atur muscles *pl* **-ös** *a* muscular
muslin [tygsort] muslin
musselskal mussel-shell
musserande *a* sparkling
mussla *zool.* **1** [djur] bivalve, mussel, clam; [hjärt-] cockle **2** [skalet ensamt] [mussel-] shell; *äv.* conch
must [vintillv.] must; [i jorden] sap; *hand.* concentrated preparation [of . .]; *bildl.* [t. ex. ett språks] pith; [t. ex. koka ~en ur köttet] [the] goodness [*av* of; *ur* out of]; *arbetet suger ~en ur honom* the work takes (draws) the pith out of him
mustasch moustache; *ha ~er* wear a moustache
mustig *a* juicy *äv. bildl.*; *äv.* succulent; [t. ex. jord och kött] rich; *bildl.* [anekdot o. d.] racy; [svordom] salty
mut||a *tr* bribe [*med* with (by)]; ~ *ngn* corrupt a p.; **F** square a p.; *~d* (*polit.*) *äv.* corrupt **-försök** attempt to bribe a p. **-ning** bribery **-or** bribes; *ta* ~ receive (take) bribes [*av* from] **-system** bribing-system
mutter ⊕ [screw-]nut **-bricka** nut washer **-skruv** bolt with head nut
muttra *itr* o. *tr* mutter [*för sig själv* to o.s.]; *bildl.* grumble (**F** grouse) [*över* about (at)]
myck||en *a* much, a great deal of; [stor] *äv.* great, big; *det -na regnandet* the [great] amount of rain that has come down; *det -na talet om* all the talk about **-enhet** = *mängd, massa 1* **-et I** *pron* much; a great (good) deal of; *äv.* a great amount (quantity, **F** lot) of; [rikligt med] plenty of; ~ *folk* many people; *ha* ~ *att göra* have a great deal (a lot) to do; *för* ~ too much; *ganska* ~ a good deal (**F** quite a lot) [of]; *äv.* [med *pl*] a great many; *hur* ~? how much? *hälften så* ~ half as much; *utan att så* ~ *som* without so much as [*säga* saying]; *så* ~ *du vet det!* and now you know! *det var* ~ *det!* what a lot! **II** *adv* [framför adj. o. adv. i positiv] very [*stor* big; *långsamt* slowly]; [framför komp. o. verbala part.] much [*större* bigger; *använd* used]; [framför pred. adj. på *a*-] very much [*rädd* afraid; *lik* alike]; [synnerligen] most; [ytterst] exceedingly; [helt] quite; **F** a lot; [betydligt] considerably; [t. ex. imponerad av] deeply, greatly; [djupt] profoundly, deeply; *så* ~ *bättre* all the better; ~ *hellre* much (far) rather; ~ *lovande* highly promising; ~ *möjligt* very (quite) possible; ~ *riktigt* quite right; [*bilen*] *använder jag just inte* [*så*] ~ I don't make much ([so] very much) use of . .; *det gör inte* [*så*] ~ it doesn't matter [so] very much; *en gång för* ~ once too often; *hur* ~ *jag än tycker om honom* much as I like him; *jag undrar* [*så*] ~ I very much wonder (am very curious to know); *han röker inte* ~ (*äv.*) he is not much of a smoker
mygg *koll* midges *pl*; *sila* ~ *och svälja kameler* strain at a gnat and swallow a camel **-a** *zool.* midge; [knott] gnat; *allm.* mosquito **-bett** mosquito-bite **-nät** mosquito net **-vikt** *sport.* midget-weight
mylla I *s* mould; top-soil; *äv.* humus **II** *tr*, ~ *igen* fill in . . with earth (soil); ~ *ned* [*frön*] cover [up] . . with earth
myll||er **-ra** *itr* throng, swarm
myndig *a* **1** is. *jur.* . . of age; *bli* ~, *komma till* ~ *ålder* come of age, attain one's majority **2** [mäktig] powerful, commanding; [befallande] authoritative; [ton] domineering; [högdragen] superior **-förklara** *tr* declare . . [to be] of age **-het** **1** *jur.* full age, majority **2** powerfulness; *äv.* authority **3** [pers.] *~erna* the authorities **-hets|dag** coming-of-age day **-hets|person** administrative officer, magistrate
myndling ward **-skap** wardship
mynn||a *itr*, ~ [*ut*] debouch; [om flod o. d.] discharge its waters; [om trappa, väg o. d.] emerge, open out [*i* into]; *bildl.* issue [*i* in] **-ing** *allm.* mouth; [gatu- o. d.] *äv.* opening; [rörs o. d.] orifice; [på vapen] *äv.* muzzle
mynt **1** [-verk] mint; *Kungl. M~et* the Royal Mint **2** [-stycke] coin; *äv.* piece; [valuta] currency; [friare] cash; *utländskt* ~ foreign money[s *pl*]; *betala ngn med samma* ~ (*bildl.*) pay a p. back in his own coin; *slå* ~ *av* (*bildl.*) make capital [out] of

1 mynta *bot.* mint
2 mynt‖a *tr* coin; [eg. bet.] *äv.* work . . into coin; [prägla] stamp **-enhet** monetary unit **-fot** [monetary] standard [of coinage (currency)] **-kunskap** numismatics *pl* **-ning** coinage, mintage **-press** coining-press, minting-mill **-samling** collection of coins; *konkr äv.* numismatic collection **-sort** kind (species) of coins **-verk** se *mynt 1* **-väsen** monetary system
myr bog, swamp; *geol.* mire
myr|a ant; *flitig som en ~* [as] busy as a bee; *sätta -or i huvudet på ngn* mystify a p., set a p. puzzling
myriad myriad; *~er* countless multitudes [of . .]
myr|lejon ant lion
myr‖malm bog-ore **-mark** swamp[y ground]
myrra myrrh
myr‖slok ant bear **-stack** ant-hill(-heap) **-syra** formic acid
myrten [common [European]] myrtle **-krans** myrtle wreath
myrägg ant's egg; *pl* ants' eggs
mysa *itr (äv.: ~ belåtet)* smile contentedly [*mot* [up]on; *åt* [*ngt*] at]; *äv.* beam [*mot* upon]
mysk musk **-djur** musk-deer **-oxe** musk-ox **-ört** moschatel
myst‖eriespel mystery play **-erium** *allm.* mystery **-eriös** *a* mysterious **-icism** mysticism **-ifiera** *tr* mystify **-ifikation** mystification; [drift, skoj] *äv.* hoax **-ik** mysticism **-iker** mystic **-isk** *a relig.* mystic; [oförklarlig] mysterious, mystical
myt myth [*om* of] **-bildning** myth-making (-creating); creation of myth[s *pl*]
myteri mutiny; *göra ~* raise (stir up) a mutiny; *äv.* [make] mutiny
myt‖isk *a* mythical; *äv.* fabled, fabulous **-ologi** mythology **-ologisk** *a* mythological
1 må *itr* **1** [känna sig o. d.] feel; *äv.* get on, thrive; *hur ~r du?* how are you? [nutiden] how are you getting on (doing)? *jag ~r mycket bra* I am very well; *jag ~r inte bra* I don't feel (am not) quite well; *jag ~r illa av att röka* smoking doesn't suit me **2** [ss. imperat.] *~ så gott!* keep well! **3** [ha det bra] *nu ~r han!* now he's happy (in his element)!
2 må *hjälpv.* may; jfr *-tte;* [uppmaning] *allm.* let . .! [med neg.] must [not . .]; *jur.* o. d. may [not . .]; *man ~ besinna, att* it should be borne in mind that; *~ det sägas ifrån, att* let it be openly stated that; *~ så vara, att* may be that; *det ~ ni tro, var . .!* that was . ., I can tell you; *jag önskar, att han ~ lyckas* I wish him to (that he may) succeed; *det ~ vara hur det vill* be that as it may; *vem det än ~ vara* whoever it may be; *vad som än ~ hända* whatever may happen
må|bär[s|buske] alpine-currant [shrub]
måfå, *på ~* at random, haphazard; [i blindo] blindly; *en på ~ gjord . .* a random . .; *en gissning på ~* a haphazard guess
måg son-in-law
måhända *adv* maybe, perhaps
1 mål *jur.* o. d. *allm.* case; *äv.* cause; [administrativt ~] action; *förlora ~et* lose one's case
2 mål 1 [tal[förmåga]] speech, way of speaking; *har du inte ~ i munnen?* haven't you got a tongue in your head? **2** [munart] dialect; *äv.* tongue
3 mål [~ mat] meal
4 mål 1 *sport.* goal; [vid löpning] winning-post; [vid skjutning] mark; [vid bombning] objective, target; [i lekar] home; *vinna med fem ~ mot två* win by five goals to two **2** [friare, *bildl.*, t. ex. drömmares] goal; [resas ~] destination; *mil.* objective; [syfte] aim; *äv.* target; [~ i livet] object; *utan bestämt ~* with no definite aim; aimlessly; *sätta ~et högt* (*bildl.*) aim high
mål‖a I *tr allm.* paint [*efter* from; *med* with (in); *på* on]; *bildl.* jfr *skildra; ~ av'* paint a picture (portrait) of; *~ över'* give . . a coat of paint **II** *rfl* se *sminka II* **-ande** *a* painting &c; [t. ex. stil] graphic; *äv.* picturesque
målar‖e 1 [pers.] painter; *äv.* artist; [hantverksmässig] [house-]painter and decorator **2** *kortsp.* court-card **-färg** paint; *~er* (*konst.*) artist's colours **-gesäll** journeyman painter; *äv.* brush-hand **-inna** lady painter **-konst** art of painting, pictorial art **-mästare** house-painter employer **-pensel** paint-brush **-skola** school of painting **-verkstad** house-painter's workshop
mål|brott, *han är i ~et* his voice is just breaking
mål‖bur *sport.* goal [cage] **-domare** *sport.* referee
måler‖i painting **-isk** *a* picturesque
mål|före voice; *återfå ~t* recover one's power of speech
mål‖kast *sport.* goal throw **-kvot** *sport.* goal-average **-linje** *fotb.* goal-line; [vid löpning o. d.] winning-post
mållös *a* **1** speechless [*av* with]; [förstummad] tongue-tied; *göra ngn ~* strike a p. dumb, dumbfound a p. **2** *bildl.* aimless
målmedveten *a* purposeful; [pers.] *äv.* . . tenacious of purpose **-het** purposefulness; [ngns] *äv.* fixity of purpose
målning *allm.* painting; *äv.* house-painting; [färg] paint; se *äv. tavla 1*
mål‖område *flyg.* target area **-s,** *kasta till ~* throw at a target; *skjuta till ~* practise target-shooting **-skjutning** target-shooting **-skott** shot at goal
måls|man *jur.* next friend; [förmyndare] guardian; *skol.* person standing in loco parentis; [förkämpe] champion [*för* of]
mål‖snöre *sport.* tape **-stolpe** goal-post
måls|ägare *jur.* person aggrieved; injured party; party concerned; jfr *kärande*
mål‖sättning aim, objective **-tavla** target [board]
måltid meal; [kalasartad] feast **-s|dryck** table drink (beverage) **-s|rast** meal interval
målvakt *sport.* goal-keeper; **F** goalee
1 mån *s* [grad] degree; [mått] measure; [utsträckning] extent; *icke i minsta ~* not in the least; *i någon ~* to some extent, in some degree; *i den ~* [*som*] to the extent [that]; *äv.* so far as; *i viss ~* (*äv.*) in [some] measure; *i ~ av tillgång* as far as supplies admit
2 mån *a* [aktsam] careful [*om* of]; [noga] particular [*om* about]; [angelägen] anxious [*om* about (for)]; [ivrig] eager [*om att* to]
månad month; *förra ~en* last month; *var fjärde ~* every four months; *han kom hit en gång i ~en* he paid us a monthly visit **-s|avslut** *hand.* monthly [balancing of the] account **-s|biljett -s|kort** monthly (season) ticket **-s|lov** *skol.* **(-s|lön -s|pengar)** monthly holiday (salary, allowance *sg*) **-s|skifte** turn of the month **-s|slut,** *vid ~et* at the end of the month
månatlig *a* monthly
mån‖bana moon's orbit **-belyst** *a* moonlit
måndag Monday

mån||e 1 moon; *gubben i ~n* the man in the moon **2** = *flintskalle* **-farare** moon traveller **-farkost** moon ship **-färd** moon voyage **-förmörkelse** eclipse of the moon, lunar eclipse
mång||a *a* **1** *fören.* many; [starkare] a good (great) many; [talrika] numerous, a large number of; **F** lots (a lot) of; *lika ~* the same number of; *dubbelt så ~* twice as many; *så ~ brev!* what a lot of letters! *~ gånger* many times [*om* over]; *äv.* often; *sedan ~ år* for many years past **2** *självst.* many; [talrika] numerous; [~ människor] a large number (**F** a lot) of people; *vi voro inte ~* there were not many of us **-a|handa** *a* multifarious; *äv.* many kinds of **-armad** *a* many-armed; [ljusstake] multibranched **-dubbel** *a* multifold; [värde] doubled (repeated) many times over **-dubbelt** *adv* many times over; *en ~ överlägsen* [*fiende*] a vastly superior . . **-dubbla** *tr* double . . many times over; [friare] multiply **-en** *a* many a[n]; *på ~ god dag* for many a day **-fald 1** *mat.* multiple **2** *allm.* manifoldness, variety **-faldig** *a* manifold; *äv.* multifold; [skiftande] divers; *vid ~a* [*tillfällen*] on very numerous (frequent) . . **-faldigt (-falt)** se *-dubbelt* **-foting** polypod **-frestande** *a* versatile **-färgad** *a* se *brokig* **-gifte** polygamy **-hörning** polygon **-hövdad** *a* many-headed **-kunnig** *a* . . [possessed] of encyclopædic knowledge (great and varied learning)
mång||miljonär[ska] multimillionaire[ss] **-ordig** *a* verbose, wordy **-sidig** *a* many-sided; *geom. äv.* polygonal; *bildl. äv.* versatile; *~ erfarenhet* varied experience; *~ kunskap* extensive knowledge **-sidighet** many-sidedness &c; *äv.* versatility **-siffrig** *a* . . of many digits **-skiftande** *a* manysided, multifarious **-stämmig** *a* many-voiced **-syssleri** assumption of multiple duties **-tydig** *a* of (with) many meanings; admitting several interpretations; ambiguous; equivocal
mån|gård lunar halo (*äv.* corona)
mång|årig *a allm.* . . of many years' duration (standing); [växt] perennial
mån||klar *a* moon-bright **-ljus I** *s* se *-sken* **II** *a* moonlight, moonlit; *bildl.* **F** *iron.* brilliant
månne *adv* I wonder; do you think?
mån||projekt lunar project **-projektil** lunar (moon) missile **-raket** moon rocket **-resa** trip to the moon **-sken** moonlight **-skifte** change of the moon **-skott** moon shoot (shot) **-skära,** *~n* the crescent [moon] **-sond** [raket] lunar probe **-sten** moonstone **-stråle** moonbeam **-utforskning** lunar exploration **-varv** moon's revolution, lunation **-år** lunar year
mård marten **-skinn** marten's skin
mås gull
måste *hjälpv.* **1** must, have to; [är tvungen] is obliged to; *du ~* you must (have [got] to, will have to); *det ~* [*få otrevliga följder*] it cannot but . .; *om det ~ så vara* if there is no help for it; *sanningen ~ fram!* we must get at the truth! *det ~ mera till än så, för att* more is (will be) needed than that to **2** [naturnödvändighet] *han ~ vinna* he is bound to win
mått 1 *allm.* measure [*för* (*på*) for (of)]; *äv.* gauge; *abstr äv.* measurement[s *pl*]; *taga ~ till . . hos* [*en skräddare*] have o.s. measured for . . by . .; *efter ~* to measure; *sydd efter ~* (*äv.*) tailor-made **2** [friare o. *bildl.*, t. ex. i fullaste] measure; [storlek] *äv.* size, dimensions *pl;* proportions *pl;* [skala] scale; [mängd] amount; [grad] degree; *för att råga ~et* to fill the measure; *hålla ~et* be full measure; come up to [the] standard; *inte hålla ~et* be below the mark; *av stora ~* (*bildl.*) of fine (grand) proportions; *i rikligt ~* in ample (abundant) measure; *vidtaga ~ och steg* take measures (steps)
1 mått|a 1 [*hålla* observe; *med* in] moderation; *äv.* mean **2** *i dubbel -o* in a double sense
2 måtta *tr* o. *itr* aim [[one's] blows] [*mot* at]
mått|band measuring-tape, tape-measure
måtte *hjälpv.* **1** [önskan] may; *~ han gå!* I do hope he will leave! *det ~ inte ha* [*hänt dem ngt*] I [do] hope nothing has . .; *du ~ väl inte . .!* you won't . ., will you? **2** must; *du ~ ha övat dig* you must have been practising; *han ~ inte vara hemma* he cannot (does not seem to) be at home
mått||full *a* [hovsam] moderate; [behärskad] measured, restrained; [diskret] sober; [skälig] reasonable, fair **-fullhet** moderation; moderateness; restraint; sobriety, *äv.* modesty **-lig** *a* moderate; [t. ex. ansträngning] inconsiderable; [i mat o. dryck] temperate; [t. ex. pretentioner] modest; *det är inte ~t, vad han tar betalt* what he charges is inordinate (out of all proportion) **-lighet** moderation &c; temperance **-lös** = *omåttlig* **-s|adverb[ial]** *gram.* adverb[ial] of measure **-s|enhet** unit of measurement **-skala** scale of measurement **-stock** measure (is. *bildl.* gauge, standard) [*för* (*på*) of]; *bildl. äv.* criterion; *konkr äv.* measuring-rod **-system** measurement system
mäkl||a *tr* o. *itr* se *medla, köpslå* **-are** *hand.* broker; se *äv. fond-* **-ar|firma,** *~n P. och Q.* Messrs. P. & Q., Stockbrokers
1 mäkta *adv* se *väldigt, rysligt; äv.* **F** might[il]y
2 mäkt||a *itr* o. *tr, ~* [*göra*] [*ngt*] be capable of [doing] . ., be able to manage . . **-ig** *a* **1** *eg.* powerful; [känslobetonat] mighty; *äv.* potent **2** [väldig] tremendous, immense, huge; [storartad] majestic **3** [tung] heavy; [om mat] substantial, [fet] rich **-ighet** powerfulness &c
mängd multitude; [skara] crowd; a large (*bildl.* great) amount (quantity) [of . .]; [folk o. d.] a large number of; *en hel ~* a whole lot of; *i riklig ~* in ample (abundant) quantity, in abundance
människ|a 1 man (*äv.: ~n*); [mänsklig varelse] human being, mortal; [individ] person; [varelse] creature; *ingen ~* no one, nobody; *den moderna ~n* modern man **2** [i *pl*] *-or* men; [folk] people; *alla -or* (*vanl.*) everybody (everyone) *sg; -or emellan* between man and man
människo||anden the human mind **-ansikte,** *ett ~* a man's face, a human face **-apa** anthropoid ape **-barn** *eg.* human child; [människa] human being **-boning** human habitation (dwelling) **-föda** human food **-förakt** contempt of man[kind] **-gestalt,** *en ~* [*syntes*] the figure of a man . . **-hamn** [*ett odjur*] *i ~* . . in the disguise of a man **-hand,** *av ~* by the hand of man **-hatare** man-hater, misanthrope **-kropp** human body **-kännare** judge of men (human nature) **-kännedom** knowledge of men **-kärlek** love of mankind (humanity); [välgörenhet] philanthropy **-lik** *a* . . resembling a man (human being) **-liv,** *~et* human life; *förluster av ~* loss of life; *ett helt ~* a whole [human] lifetime **-makt,** *det står inte i ~ att* it is not in human power to **-massor** [*stora* great] crowds

[of people] **-natur,** ~*[en]* human nature **-offer** human sacrifice **-ras** human race **-skygg** *a* shy, timid **-släktet** mankind, the human race **-son,** *M~en* (*bibl.*) the Son of Man **-vän** philanthropist **-vänlig** *a* humane; *äv.* philanthropic[al] **-värde** human value **-värdig** *a* [bostad] .. fit for human habitation; [livsvillkor] .. worthy of a human being **-ätare** man-eater

mänsklig *a allm.* human; se *dödlig; som står i ~ makt* [that is] humanly possible; *mer än (inte) ~t* superhuman (inhuman) **-het** humanness; *~en* [all (the whole of)] mankind (humanity)

märg *zool.* marrow *äv. bildl.; vetensk.* medulla; *bot.* o. *bildl.* pith; *det gick mig genom ~ och ben* (*bildl.*) it pierced my very marrow; *som tränger genom ~ och ben* (*äv.*) marrow-piercing . .

märgel marl **-grav** marl-pit

märg‖full *a* full of marrow; *bildl. äv.* pithy **-lös** *a* marrowless; pithless **-pipa** marrow-bone

märk‖a *tr* **1** mark [*med* with; *med bläck* in ink]; *-t av sjukdom* marked by illness; *han är -t för livstiden* he is a marked man **2** [lägga -e till] notice, observe; [känna] feel, perceive; [t. ex. avsikt] see; *därav -er man* [*att* . .] you notice from that . .; *härvid är att ~* [*att* . .] in this connection it is to be noticed [that . .]; *märk mina ord!* mark my words! *märk väl* [*att* . .] [please] observe [that . .] **-as** *itr dep,* [*skillnaden*] *-es knappt* . . is hardly noticeable (to be noticed); *bland* [*de närvarande*] *-tes* among . . there were **-bar** *a* noticeable; *äv.* observable; [känn-] appreciable; [syn-] visible; *göra sig ~* [om tendens o. d.] manifest itself **-bart** *adv* noticeably &c **-bläck** marking-ink **-duk** sampler **-e 1** [ej avsiktligt] mark (*äv.* [efter tryck] impression); [spår] trace [*efter* of]; *gamla ~n slå aldrig fel* time-honoured signs can always be trusted; *om inte alla ~n slå fel* unless all the indications play us false **2** *bot.* [pistills] stigma **3** [bok-, sjö- o. d.] mark; *lägga ~ till* notice; *det hade jag inte lagt ~ till* it had not attracted my notice **4** [idrotts- o. d.] badge **5** [stämpel] mark **6** *hand.* [trade] mark, brand; [fabrikat] make **-es|dag** red-letter day **-es|man** man of mark **-es|år** memorable year **-garn** se *-tråd* **-lig** *a* notable; [beaktansvärd] noteworthy; [starkare] signal; *det är ~t nog* it is rather striking **-ning** marking **-tråd** *sömn.* marking-thread **-värdig** *a* remarkable; [underlig] curious, odd, strange; [förvånande] astonishing; surprising; *det ~a med* the remarkable thing about; *det var ~t!* how extraordinary (odd)! **-värdighet** remarkableness; singularity; *äv.* [mera *konkr*] marvel, wonder **-värdigt** *adv* remarkably; *~ nog* (*äv.*) oddly enough, strange to say

märl‖a [krampa] staple; cramp [iron] **-ing** marline **-spik** marline spike

märr mare; **F** screw [of a horse]

märs *sjö.* top **-rå** topsail yard **-segel** topsail

mäsk *brygg.* mash

mäss *abstr* mess; *konkr* mess-room; *sjö.* gun-room

mäss‖a I *s* **1** *hand.* fair **2** *relig.* [katolsk] mass; [protestantisk] service, mat[t]ins *pl* **II** *itr* o. *tr* say (sing) Mass (the Litany); [friare] chant; [läsa entonigt] drone **-bok** missal, mass-book **-hake** chasuble **-hall** exhibition hall

mässing brass **-s|beslag** brass mountings *pl* **-s|musik** brass-wind music **-s|orkester** brass band **-s|plåt** brass-plate; [bleck] brass-sheet, plate brass **-s|tråd** brass wire

mässling *läk.* (*äv.* : *~en*) [the] measles *pl*

mäss‖pojke cabin-boy **-rum** se *mäss* **-offer** Eucharist Sacrifice **-skjorta** surplice

mästar‖e 1 [hantverks-, förr] master; *övning gör ~n* practice makes perfect **2** [t. ex. bagar-] head [baker]; [lärare] master **3** [om Kristus] *~en* the Master; [inom en orden] master; *konst.* master; *sport.* champion; *en ~ i* [*ngt*] (*i att* . .) a past master (a champion) at . . (. . -ing . .) **-hand** [*med* with a] master's hand **-inna** *sport.* [lady] champion **-klass** masters' (*sport.* champion) class

mäster *s* **1** [titel] Master **2** [andra fall] [the] master (**F** boss) **-drag** masterly stroke **-katt,** *M~en i stövlar* Puss in Boots **-kock** master-cook **-kupp** master-stroke [of strategy] **-lig** *a allm.* masterly; **F** champion . .; [lysande] brilliant[ly executed] **-lots** senior pilot **-prov** journeyman's specimen production; [friare] masterpiece **-skap** mastership; [fulländning] perfection; [t. ex. uppnå ~ i] master's skill; *sport.* championship **-skott** master-shot **-skytt** crack marksman **-stycke -verk** masterpiece [*av* (*i*) of]; *äv.* master-stroke

mästra *tr* se *klandra; äv.* put . . to rights

mät, *taga* . . *i ~* (*jur.*) take . . under a distress, distrain . .

mät‖a I *tr* o. *itr* measure [*efter* (*med*) by]; [t. ex. nederbörd] *äv.* gauge; [beräkna] calculate; *~ ngn med blicken* size a p. up; *~* [*170 cm*] *som man går och står* stand . . in one's socks; *~ djupet av* (*bildl.*) fathom, plumb; *~ knappt* (*väl*) give a short (full) measure; *~ upp a) eg.* take the measure[ments] (size) of; *b)* measure out [*åt* for (to)] **II** *rfl* measure o.s. [*med* with (against); *i* in]; *kan ej ~ sig med* does not come up to (not match) **-are** ⊕ meter, gauge, indicator **-bar** *a* measurable **-glas** graduated glass **-instrument** measuring instrument **-ning** measuring &c; *äv.* measurement

mätress mistress; [neds.] *äv.* paramour

mät|sticka measuring-stick(-rod); [för vätska] dipstick

mätt *a* satisfied *äv. bildl.* [*av* with]; **F** full up; *bildl.* [*bibl.* o. d.] full [*av* of]; *äta sig ~* satisfy one's hunger; *är du ~?* have you had enough to eat? *det blir man aldrig ~ på* one can never have enough of that; *se sig ~ på* gaze one's fill at **-a** *tr* satisfy; *äv.* appease; [ha många munnar att ~] fill; *kem. elektr.* saturate **-ad** *a* satisfied &c; *kem.* o. *ekon.* saturated **-het -nad** [ngns] [state of] being satisfied; *äv.* repletion **-ning** *kem.* saturation

mö virgin; *gammal ~* old maid; [old] spinster

möbel piece of furniture; *koll* [suite (set) of] furniture *sg* **-affär** furniture-shop **-arkitekt** furniture designer **-fabrik** furniture workshop **-handlare** furniture dealer **-magasin** furniture warehouse; jfr *-affär* **-polityr** French polish (cream) **-snickare** cabinet-maker, joiner **-tyg** furniture fabric **-vagn** furniture van

möbl‖emang suite of furniture **-era** *tr* furnish; *~ om i* re-arrange the furniture in (of)

möda [arbete] labour; [släpgöra] drudgery; [besvär, jfr d. o.] trouble; *äv.* pains *pl; endast med ~* [*kunde han*] only by an effort . .; *lönar det ~n?* is it worth while (the trouble)?

möderne, *på ~t* on the (one's) mother's (the maternal) side; i *sms* jfr *fäderne-* **-arv** inheritance through one's mother
mödom virginity, maidenhood
mödosam *a* laborious, toilsome; [arbete] hard **-t** *adv* laboriously &c; *~ förvärvade [pengar]* hard-earned ..
mög||el mould; [på papper o. d.] mildew **-el|fläck** spot of mould, mildew-spot **-el|svamp** mould fungus **-la** *itr* go (get) mouldy &c **-lig** *a* mouldy, mildewy; *bildl.* [förlegad] musty, rusty
möjlig *a allm.* possible; [görlig] practicable, feasible; [tänkbar] conceivable, imaginable; *alla ~a skäl (sätt)* all sorts of reasons (ways); *äv.* every possible reason (way) *sg; det är ~t, att han* it is possible (conceivable) that he; *äv.* he may; *det är mycket ~t* [that is] very (quite) possible; *om ~t* if possible; *[jag tar] så litet [bagage] som ~t* .. no more .. than I am obliged to; *vårt bästa ~a* our utmost; *med minsta ~a [ansträngning]* with the minimum of ..; *så snart det är Eder ~t (äv.)* at your earliest convenience **-ast** *a, i ~e mån* to the utmost possible extent (&c) **-en** *adv* possibly; [kanhända] perhaps; *kan man ~ träffa?* is it possible, I wonder, to see? *har du ~?* do you happen to have? **-göra** *tr* make (render) .. possible; [underlätta] facilitate; *~ för ngn att* enable a p. to **-het** *allm.* possibility; [utsikt] chance; *äv.* opportunity; [utväg] means *pl; inom ~ens gräns* within the range of possibility; *ingen annan ~* no alternative **-tvis** = *-en*
mönja **I** *s* red [oxide of] lead **II** *tr* red-lead
mönst|er pattern [*till* for (of)] *äv. bildl.*; is. ⊕ design [*till* for (of)]; [friare o. *bildl.*] model [*av* of]; [urbild] prototype; [om pers.] paragon [*av* of]; *efter -ret av* on the pattern of; *ta ngn till ~* take a p. as one's pattern (model) **-gill** *a* model; [uppförande] exemplary **-gillt** *adv* in model fashion; exemplarily **-gård** model farm **-ritare** pattern designer
mönstr||a **I** *tr* **1** [samla] muster **2** [granska] look .. over, take stock of, view; *äv.* examine .. closely, scrutinize **3** *mil.* [pass .. in] review, inspect **II** *itr sjö.* pass muster; jfr [*ta*] *hyra* **-ad** *a* [om tyg] patterned **-ing** **1** mustering **2** critical examination, scrutiny **3** *mil.* muster, inspection
mör *a* [i smak] crisp; *äv.* crumbly; [om kött] tender; *vara ~ i munnen* (*bildl.*) be mealy-mouthed **-bulta** *tr bildl.* beat .. black and blue; *känna sig ~d* feel badly knocked about
mörd||a *tr* murder; [lönn-] assassinate; is. *bildl.* kill **-ande** **I** *a* murdering &c; [friare] murderous; [blick] withering; *bildl.* killing (crushing) [*kritik* criticism]; cut-throat [*konkurrens* competition] **II** *adv* murderously &c; *~ tråkigt* deadly dull **-are** murderer; *äv.* assassin
mör|deg *kok.* half (rough) puff paste
mörk *a allm.* dark [*till* in]; *bildl. äv.* black; [om färg, ton o. d.] deep; [ngt ~] darkish; *bildl.* [dunkel] obscure; [dyster] gloomy; *livets ~a sida* life's sombre side; *det ser ~t ut* things look bad **-blå** *a* dark (deep) blue **-|er** darkness; *bildl. äv.* obscurity; [mörk rymd] dark; *när -ret föll på* when darkness ([the] dark) came on; *till -rets inbrott* until dusk **-hyad** *a* dark-complexioned **-hårig** *a* dark-haired **-lägga** *tr mil.* o. *bildl.* black out; [sak] keep .. secret **-läggning** black-out **-na** *itr* get (grow, become) dark; *äv.* darken; [om blick] grow darker; [*utsikterna*] *ha ~t* .. have become less promising **-rum** *foto.* dark room **-rädd** *a* .. frightened (afraid) [of being left alone] in the dark **-röd** *a* dark red **-t** *adv* darkly; *bildl.* obscurely; *se ~ på [framtiden]* take a gloomy view of .. **-ögd** *a* dark-eyed
mörsare *mil.* mortar
mört roach; *äv.* dace; *pigg (kry) som en ~ (bildl.)* [as] fit as a fiddle
möss mouse [*pl* mice]
mössa cap; *ta av sig ~n för ngn* raise (take off) one's cap to a p.
mössfälla mouse trap
möss||kulle cap-crown, crown of a cap **-[s]kärm** cap-peak
möt||a **I** *tr* meet; [råka på [ngn]] come across; [välvilja o. d.] meet with, encounter; [röna] come in for, experience; [svårighet] face, confront; [framträda för] greet; [ngns öga] arise before; *sport.* encounter; *~ ngn i [trappan]* pass a p. on ..; *det -er intet hinder* there is no objection; *~ ngn på halva vägen* (*äv. bildl.*) meet a p. half way **II** *itr* [vid station o. d.] meet a p.; [uppkomma] arise, occur; [problem o. d.] present itself; [infinna sig] turn up; *jag -er med bil* I will come in (bring) a car to meet you; *~ upp'* assemble, muster up **-ande** *a* [t. ex. pers., fordon] .. that one meets; [kommande emot en] oncoming, coming the other way; [närmande sig] approaching; [varandra ~] .. that pass each other **-|as** *itr dep allm.* meet; encounter ([gå förbi varandra] pass) one another; *deras blickar -tes* their eyes met; jfr *-a*
möt||e **1** *allm.* meeting; [om tåg o. d.] *äv.* crossing, passing; [i tävling o. tillfälligt] encounter; [avtalat] appointment; *äv.* [is. älskandes] rendezvous *fr.; stämma ~ med ngn* arrange (make an appointment) to meet a p. **2** [sammankomst] meeting [*för* for]; [mera tillfälligt] assembly, gathering; [mass-] rally **-es,** *gå, komma ngn till ~* go to meet a p.
mötes||beslut resolution [passed at a meeting] **-deltagare** participant [in a meeting (conference)] **-förhandlingar** proceedings [at a meeting] **-ljus** [på bil] dipped head-light **-lokal** assembly-hall **-plats** place of meeting, meeting-place [*för* for]; [för två] rendezvous *fr.; järnv.* passing-place **-spår** *järnv.* converging-track **-tid** time (hour) appointed (fixed) for [the holding of] a meeting

N

nabb projection, stub; [på bilring] stud
nack||a *tr* [höns o. d.] wring the neck of, kill; [döda] *äv.* behead **-bena** parting at the back
nack||del disadvantage, drawback; [skada] detriment; *fördelar och ~ar* (*äv.*) the pros and cons **-dike** side ditch
nack||e back of the head, nape of the neck; *bryta ~n* [*av sig*] break one's neck **-hår** back-hair **-spegel** hand-mirror **-styv** *a* stiff-necked
nafs snap; [hugg] bite; *i ett ~* in a snap **-a** *itr* snap [*efter* at]; *~ åt sig* snap up, grab hold of; snatch ([make a] snap) [*efter* at]
nafta naphtha **-lin** naphthalene
nag|el nail; se *nit~; putsa -larna* cut (pare) one's nails; *en ~ i ögat på* an eye-sore (a thorn in the flesh) to; *tugga på -larna* bite one's nails **-band** nail-fold **-borste** nail-brush **-fara** *tr* scrutinize .. narrowly, criticize **-lack** nail-varnish **-put-sare** nail-file **-rot** root of a (the) nail **-sax** nail-scissors *pl*
nagg [bröd-] pricker **-a I** *tr* **1** prick **2** *~* [*i kanten*] notch **II** *itr* [gnata] nag [*på* at] **-ande** *a, ~ god* **F** jolly good; *liten men ~ god* a stunning little fellow ([sak] thing)
nagla *tr* nail (rivet) [*vid* to]
naiv *a* naive, simple; jfr *okonstlad;* unsophisticated [*idéer* notions]; **F** green **-itet** simplicity, naïveté *fr.*
najad naiad, water-nymph
nak|en *a* naked; *konst.* nude; bare [walls, fields, trees]; *bildl. äv.* plain; *-na fakta* bare (hard) facts; *kläda av sig ~* strip to the skin **-dansös** nude dancer **-het** nakedness &c; *konst.* nudity; [*stå avslöjad*] *i all sin ~* .. in all its (o. s. v.) baldness **-kultur** nudism
nakterhus *sjö.* binnacle[-pillar]
nalkas *dep* approach, draw near [to ..], come on [Christmas is coming on]; *slutet ~ (äv.)* it is the beginning of the end
nalle bruin; [leksak] teddy-bear
namn name [*på* of]; *han bär moderns ~* he goes by his mother's name; *ha ~ om sig att vara* be reputed to be; *hans goda ~ och rykte* his fair name and fame; *ha gott ~ om sig* be well spoken of; *skapa sig ett ~* create a name for o.s.; *i sanningens ~* for truth's sake; *till ~et* by (in) name; *blott till ~et* only nominally; *kalla var sak vid sitt rätta ~* (*äv.*) call a spade a spade; *.. vid ~ X ..* named X, .. of the name of X **-a** *tr* name **-anrop** *tel.* subscriber's name **-chiffer** monogram **-e** namesake **-förteck-ning** list of names **-förändring** change of name **-ge I** *tr* give names (a name) to, name **II** *rfl* give (state) one's name **-given** *a, en ~ person* a named person **-kunnig** *a* renowned, celebrated, famous **-lapp** label **-lös** *a* nameless *äv. bildl.; bildl. vanl.* unspeakable **-plåt** name-plate **-register** index of names **-s|dag** fête-day, name-day **-sedel** name-slip **-teckning** signature
nankin nankeen, nankin
napp 1 [tröst] teat, nipple **2** *fisk.* bite **-a** *tr* o. *itr* bite; [svagare] nibble *äv. bildl.* [*på* at]; *~ på* [t. ex. erbjudande] jump at; *~ åt sig* snatch, catch **-a|tag** tussle (set-to, grapple) *äv. bildl.; ta ett ~ med* have a tussle (brush, scratch) with
narciss *bot.* narcissus; [gul] common daffodil
narig *a* [hud] chapped, rough
narko||man drug addict **-s** *läk.* narcosis; *ge* [*ngn*] *~* administer an an[a]esthetic [to a p.] **-s|läkare** an[a]estheticist **-tika** *pl* narcotics, **F** drugs **-tika|missbruk** abuse of narcotics
narr fool; [hov-] *äv.* jester; *en beskedlig ~* a silly fool; *inbilsk ~* conceited fool, cox-comb; *en stor ~* an egregious ass; *jag var en ~ som* I was a fool to; *jag är ingen ~* (*äv.*) I won't be made a fool of; *göra ~ av ngn* make game of a p., poke fun at a p.; *göra sig till ~* make a fool (jackass) of o.s.; *spela ~* play the fool **-a** *tr* [bedraga] deceive, take [..] in; [lura] cheat, dupe; [på skoj] fool; [locka] beguile; *~ ngn att skratta* make a p. laugh [against his (o. s. v.) will] **-aktig** *a* ridiculous, foolish, silly; [fåfäng] vain **-aktighet** ridiculousness &c; folly **-as** *dep* tell fibs (a fib); jfr *ljuga* **-i,** *på ~* in jest, in (for) fun **-kåpa** jester's hood **-spel** foolery; buffoonery; *bildl.* farce, folly **-streck** foolery; [spratt] practical joke
narv [på läder] grain
narval *zool.* narwhale, *äv.* sea-unicorn
nasal I *a* nasal **II** *s* nasal [sound] **-era** *tr* nasalize **-ton** nasal twang
nasar||é Nazarene **N-et** Nazareth
nasse F piggy [wiggy], grunter
nat||a chickweed **-e** pondweed
nation nation *äv. univ.; ~ernas förbund* the League of Nations; *Förenta ~erna* the United Nations **-al|dag** national commemoration day **-al|dräkt** national costume **-al|ekonom** political economist **-al|ekonomi** political economy; economics *sg* **-al|ekono-misk** *a* of (relating to) political economy; *ett ~t intresse* a matter affecting the national economy **-al|epos** national epic **-al|flagga** national flag **-al|förlust** national loss **-al|förmögenhet** national wealth **-al|-församling,** *franska ~en* the French National Assembly **-al|hjälte** national hero **-al|inkomst** national income **-al|insamling** nation-wide subscription **-alism** nationalism **-alist** nationalist **-alitet** nationality **-alitets|-märke** nationality mark (sign) **-al|känsla** national feeling **-al|medvetande** national consciousness **-al|museum** national museum **-al|skald** national poet **-al|socialism** National Socialism; [Hitlers] *äv.* Nazism **-al|-socialist[isk** *a*] National Socialist; *äv.* Nazi **-al|sång** national anthem **-al|teater** national theatre **-ell** *a* national **-s|hus** *univ.* 'nation' clubhouse
nativitet nativity, birth-rate **-s|minskning** diminution in the birth-rate **-s|siffra** birth-rate figures *pl*
natr||ium *kem.* sodium **-on** natron
natt night; *en ~ i* [*juni*] one night in ..; *en kall ~* on a cold night; *god ~!* good night! *hela ~en* all night; *i ~ a)* [kommande] to-night, tonight; *b)* [föregående] last night; *~en till* [*söndagen*] the night before (preceding) ..; *äv.* [Saturday] night; *om* (*på*) *~en* at (by) night, in the night[s *pl*]; *varje ~* nightly; *sent på nätterna* late at nights; *under ~en* in the night; *stanna över ~en* stay the night [*på* at] **-anfall** night-attack **-arbete** night-work **-belysning** night-time illumination **-bris** night-breeze **-dräkt** night-dress (-apparel) **-duks|bord** bedside

table **-e|tid** *adv* at (in the) night **-fack** *bank.* night-safe **-fjäril** *zool.* moth **-flygning** night flying **-frost** night-frost **-gammal** *a,* ~ *is* ice of one night's frost **-gäst** guest for the night **-himmel** nocturnal (night) sky **-härbärge** lodging [for the night]; [plats] hostel **-iné F** night (midnight) performance **-klubb** night club **-kröken F,** *på* ~ in the small hours of the morning **-kvarter** quarters *pl* (accommodation) for the night, night-quarters *pl* **-kärl** chamber-vessel(-pot) **-lig** *a* nocturnal, night-; [varje natt] nightly; [under -en] in the night **-linne** night-dress, night-gown **-liv** night-life **-logi** = *-kvarter* **-läger** bed [for the night] **-mara** nightmare **-mössa** nightcap **-redaktör** night[-news] editor **-ro** night's rest **-rock** dressing-gown **-skift** night-shift **-skjorta** night-shirt **-skärra** nightjar **-sköterska** night-nurse **-stånden** *a* [dryck] flat **-sudd** night-carousing **-svart** *a* black as night, night-black *äv. bildl.* **-söl** staying (sitting) up late at nights **-sömn** night's sleep **-taxa** night-time charges *pl* **-tjänstgöring** night[-shift] duty **-tåg** night train **-uggla** night-owl *äv. bildl.* **-vak** [night-]vigils *pl,* night-watching; [friare] late hours *pl* **-vakt** night-watch[man] **-vard,** *~en* the Holy Communion, the Blessed Sacrament **-vards|gång** communion **-vards|vin** sacramental wine **-viol** butterfly orchis

natur nature; [skaplynne] *äv.* character; [lynne] disposition, temperament; [art] kind, sort, species; *~en tog ut sin rätt* nature claimed its due; *en vacker* ~ [på en plats] beautiful scenery; *vild* ~ wild country; *av ~en* by nature, *äv.* naturally, inherently; *av enskild* ~ of a private character (nature); *enligt ~ens ordning* in the order of nature, in the natural order of things; *det ligger i sakens* ~ it is a matter of course **-a,** *betalning in* ~ payment in kind (in commodities) **-a|förmåner** emoluments [paid] in kind, payment *sg* in kind **-alisera** *tr* naturalize **-alism** naturalism **-alistisk** *a* naturalistic; *konst.* Naturalist **-anlag** natural disposition **-barn** child of nature, unsophisticated person (o. s. v.) **-behov,** *förrätta ett* ~ relieve nature **-dyrkan** nature-worship **-ell** natural disposition **-enlig** *a* agreeable to (in conformity with) nature, *äv.* natural **-fenomen** natural phenomenon **-folk** primitive people **-forskare** naturalist; [ofta] scientist **-företeelse** natural phenomenon **-förhållanden** physical conditions **-gas** natural gas **-gudomlighet** nature deity (god) **-gummi** crude rubber **-gåv|a** natural gift (endowment, talent); *-or* (*äv.*) natural parts **-hinder** physical impediment (obstacle); *om ej* ~ *inträffa a)* wind and weather permitting; *b)* if not prevented by ice **-historia 1** *eg.* history of nature **2** natural history **-historisk** *a* of (pertaining to) natural history; *~t föremål* natural-history specimen; *~t museum* museum of natural history **-katastrof** natural catastrophe **-kraft** natural (elemental) force; *~erna* (*äv.*) the elements **-kunnighet** knowledge of nature; *skol.* nature study, biology **-känsla** feeling for nature **-lag** law of Nature, physical law **-lig** *a* natural; [ursprunglig] native; [medfödd] innate, *äv.* inherent; [okonstlad] unaffected, ingenuous; [naiv] unsophisticated; *dö en* ~ *död* die a natural death; *av ~a skäl* for self-evident reasons; *porträtt i* ~ *storlek* a life-size portrait; *det är helt ~t, att* it is a matter of course that; *såsom helt ~t var* as was but natural **-lighet** naturalness; unaffectedness &c; unsophistication **-ligtvis** *adv* of course, naturally; *~!* to be sure! certainly! **-liv** life of nature **-lyrik** lyrical nature poetry **-lära** natural science **-makt** element **-nödvändig** *a* physically necessary, inevitable **-nödvändighet** physical necessity; *med* ~ with absolute necessity **-park** nature-park, national park **-poesi** nature poetry **-produkt** natural product **-rike,** *~t* the natural kingdom **-sceneri** natural scenery **-skildring** description of [natural] scenery **-skydd** preservation of natural scenery **-skydds|område** nature reserve, *äv.* national park **-skön** *a* of great natural beauty; *en* ~ *plats* (*äv.*) a beauty-spot **-skönhet** beauty of nature, natural beauty; *berömd för sin* ~ noted for [the beauty of] its scenery **-stridig** *a* contrary (opposed) to nature; unnatural **-tillgång** natural asset (source of wealth); *~ar* (*äv.*) natural resources **-tillstånd** natural state; *i ~et* in the state of nature **-trogen** *a* true to life; life-like **-vetenskap** [natural] science **-vetenskaplig** *a* natural-science; scientific **vetenskapsman** naturalist; scientist **-vidrig** *a* unnatural **-väsen** elemental being **-älskare** nature lover

nautisk *a* nautical

nav ⊕ nave, hub, boss

navel navel **-sträng** *anat.* umbilical cord, navel-string

navig||ation navigation **-ations|hytt** chart-house **-ations|skola** navigation school **-atör** navigator **-era** *itr* o. *tr* navigate [*efter* (*med*) by] **-ering** navigation **-erings|instrument** navigational instrument[s *pl*]

naz||ism Nazism **-ist -istisk** *a* Nazi[st]

Neap||el Naples **n-olitansk** *a* Neapolitan

nebulosa nebula

necessär toilet set

ned *adv* down; [-åt] downwards; [-för trappan] downstairs; *upp och* ~ upside down; *uppifrån och* ~ from the top to the bottom; *längst* ~ *på sidan* at the bottom of the page

nedan I *s, månen är i* ~ the moon is waning **II** *adv* below; *se ~!* see below! *jämför ~!* compare what follows! **-för I** *prep* below **II** *adv* [down] below **-nämnd** *a* named below; *den ~e* the under-mentioned, the .. named below **-stående** *a* the .. given (stated) below, the following

ned||blodad *a* blood-stained **-blända** *tr* [bil] dip, dim **-bringa** *tr* [minska] bring down, reduce **-brunnen** *a* .. that has got (been) burnt down **-bruten** *a bildl.* broken down **-brytande** *a* [idéer o. d.] subversive, disorganizing **-bäddad** *a* [i graven] laid to rest **-böjd** *a* bent down, stooping **-dragen** *a* [gardin] drawn [down], lowered **-er|börd** [atmospheric] precipitation; fall of rain, snow and (or) hail; [ofta] rainfall **-er|börds|karta** rainfall-chart **-er|börds|mätare** rain-gauge **-er|del** lower part **-er|lag 1** defeat; [förkrossande] disaster; *lida* [*ett*] ~ (*äv.*) be defeated **2** *hand.* storage, storeroom

nederländ||are Netherlander **N-erna** the Netherlands **-sk** *a vanl.* Dutch (el. Belgic); *N~a Indien* Dutch East India

neder||parti lower (bottom) section **-st I** *a* lowest; *~a* (*äv.*) bottom; *~a våningen* (*äv.*) the ground floor **II** *adv* at the bottom [*i* of]; *allra* ~ farthest (&c) down [of all], at the very bottom; ~ *på sidan* se *ned* ex.

ned||fall [radioaktivt] fall[-]out **-fart** descent, way (going) down **-fläckad** *a* stained all over **-fällbar** *a* .. that lets (can be let) down; folding, collapsible, hinged **-färd** journey (way) down **-för I** *prep* down; *~ trappan* down-stairs **II** *adv* downwards **-förs|backe** [*en lång* a long] hill down, downhill [stretch]; *äv.* descent; *vi hade ~* it was downhill for us **-gjord** *a* destroyed; annihilated; [av kritiken] torn (pulled) to pieces **-gående** *a* [sol] setting; [dalande; *äv.* om pris o. d.] declining; *~ tåg* south-bound train **-gång 1** *abstr* descent; [solens] setting; going down; *bildl.* decline; [i temperatur o. d.] fall, drop; [minskning] decrease, reduction **2** *konkr* way (road, steps *pl*, stairs *pl*) down **-göra** *tr mil.* destroy; *bildl.* annihilate; [bok o. d.] pull (tear) .. to pieces; *~nde kritik* crushing (scathing) criticism **-hukad** *a* crouched, crouching **-hängande** *a* pendant, suspended; *äv.* downhanging; hanging down [*från* from] **-ifrån I** *prep* from down [*södern* south] **II** *adv* from below (underneath); [*tredje raden*] *~* (*äv.*) .. from the bottom **-isad** *a* iced up; *geol.* glaciated **-isning** *geol.* glaciation; *flyg.* icing, ice formation **-kalla** *tr* invoke [*ngt över* a th. on]; call down [*över* upon] **-kast** [sop-] dust-chute **-kippad** *a* [sko] [trodden] down at the heel **-klassa** *tr* degrade **-komma,** *itr, ~ med* [*en son*] be delivered of (give birth to) .. **-komst** delivery **-kyla** *tr* ⊕ chill, refrigerate **-kämpa** *tr* fight down; *mil.* [batteri] silence, neutralize **-lagd** *a* **1** jfr *-lägga;* [pengar] laid out, spent; [arbete] *äv.* expended **2** [affär] abandoned, discontinued; [gruva o.d.] closed down **-lusa** *tr* infest with lice **-lutad** *a, sitta* (*stå*) *~ över* sit (stand) bending down (stooping) over **-låta** *rfl* condescend [*till att* to] **-låtande** *a* condescending **-låtenhet** condescension **-lägga** *tr* lay down, place, deposit; [villebråd, fiende] kill; [upphöra med] give up, relinquish, discontinue; *~ en fabrik* close down a factory; *~ kapital* invest capital; *~ vapnen* lay down one's arms *äv. bildl.; ~ sin röst* abstain from voting; *~ mycken möda på* devote great pains (spend a great deal of trouble) on; *~ en tvist* (*pjäs*) withdraw a disputed case (a play) **-montera** *tr* unrig; *äv.* dismantle, dismount **-om** *prep* below **-prutning** lowering, reduction **-re** *a* lower; *i ~ våningen* in the bottom stor[e]y, on the bottom floor; jfr *botten*

nedrig *a* [skändlig] heinous, nefarious; [skamlig] infamous, shameful; [avskyvärd o. d.] abominable, **F** beastly; *en ~ osanning* a base (wicked, foul) lie; *han var ~ mot oss* he was horrid (beastly) [to us]; *en sådan ~ otur!* what rotten luck! **-het** = *gemenhet*

ned||rivande *a* disorganizing; negative **-rusta** *itr* reduce [its o. s. v.] armaments, disarm **-rustning** reduction in (of) armaments, disarmament **-rustnings|politik** disarmament policy **-rökt** *a* impregnated with smoke **-rösta** *tr* vote down **-sablad** *a* [av kritiken] pulled (torn) to pieces **-satt** *a* [pris; krafter] reduced, diminished; [sänkt] lowered; *~ arbetsförmåga* decreased (&c) capacity for work; *få ~ sedebetyg* incur the loss (forfeiture) of one's good-conduct mark **-skjuta** *tr* shoot down; [flygplan] *äv.* [bring] down **-skriva** *tr* write down *äv. hand.; bokf. äv.* depreciate **-skrivning** writing down; depreciation **-skrotning** scrapping **-skur|en** *a, starkt -na löner* greatly (drastically) reduced salaries **-skälld** *a* abused **-slag 1** [på skrivmaskin] [down-] stroke **2** *jakt.* o. *flyg.* alighting; *vid ~et* in taking ground **3** *sport.* landing, alighting, drop **4** [skotts] percussion, impact **-slagen** *a bildl.* downhearted, low-spirited, dejected **-slagenhet** downheartedness, low spirits *pl*, dejection **-slakta** *tr* slaughter [. . off] **-slå** *tr* **1** = *slå* [*ned*] **2** *bildl.*, jfr *-slagen; ~ ngns mod* dishearten (discourage) a p. **-slående** *a* disheartening, discouraging; disappointing **-smittad** *a, bli ~* become infected **-smord** *a* besmeared (smeared over) [*med* with]; [smutsig] dirty **-smutsad** *a* dirtied [all over], fouled **-snöad** *a* covered with snow; snowed over **-stiga** *itr* = *stiga* [*ned*]; *flyg.* alight; descend [*till* into]; se *äv. 2 led 4* **-stämd** *a* depressed; low-spirited, dejected **-stänkt** *a* splashed all over **-svärta** *tr bildl.* blacken the character of, defame **-sänka** *tr* immerse; jfr *sänka II* **-sänkning** immersion, submergence **-sätta** *tr* [sänka] reduce, put .. down; [hälsa] impair; [straff o. d.] *äv.* mitigate; [förklena] disparage, belittle, cry down **-sättande** *a* [förklenande] disparaging; *äv.* derogatory; [förödmjukande] humiliating **-sättning** reduction; jfr *pris~*; [mildring] mitigation **-till** *adv* down in the lower part (half) [*på* of]; at the bottom; [på sida] below **-tag** *radio.* down lead **-trampad** *a* trampled down **-tryckt** *a bildl.* weighed (borne) down [*av* with]; depressed [*av sorg* by sorrow] **-tyngd** *a bildl.* weighed (borne) down [*av* with] **-tysta** *tr* [reduce .. to] silence, hush .. up; [undertrycka] suppress, smother **-vikbar** *a* .. to turn down **-vikt** *a* [krage] turn-down **-votera** *tr* [förslag] vote down **-väg,** *på ~*[*en*] *från* on the (one's) way (journey) down [south] from **-värdera** *tr* depreciate; *bildl.* disparage, belittle **-värdering** depreciation **-åt I** *prep* down **II** *adv* downward[s]; *~ böj!* downward bend! **-åt|gående I** *s, vara i ~* be on the down grade (the downward trend) **II** *a* downward [-trending]; [börs o. d.] *äv.* downward, descending **-åt|riktad** *a* directed (fixed, turned) down[ward] **-ärvd** *a* passed on by heredity, hereditary

nefrit *min.* jade[-stone]

neg||ation negation; [ord] *äv.* negative **-ativ I** *s foto.* negative **II** *a* negative **-ativitet** negativity, negativeness **-ativt** *adv* negatively *äv. elektr.;* in a (the) negative sense

neger negro [*pl* -oes]; **F** nigger **-barn** negro child; *Am.* pickaninny **-befolkning** negro (*Am.* colored) population **-frågan** the negro problem **-komiker** negro (*Am.* colored, **F** nigger) clown **-kvarter** negro quarter **-musik** negro music **-sång** [religiös] negro spiritual **-sångare** negro minstrel (singer)

neglig||é dishabille, undress [garb] **-era** *tr* neglect, disregard; *~ ngn* leave a p. out of account

negr||ess negro woman, negress **-oid** *a* negroid

nej I *adv* o. *itj* no; *~ då* [*visst inte*]*!* oh no! not at all! nothing of the kind! *~, är det möjligt!* Oh, is it possible! *~, är det du?* Hallo, is that you? *rösta ~* vote against [a proposal]; *svara ~* reply in the negative **II** *s* no; *ibl.* nay; [avslag] *äv.* refusal; *få ~* be refused

nejd = *trakt*

nejlika pink, carnation; [krydda] clove

nejonöga lamprey

nej||rop cry (shout) of 'no' **-röst** 'no'-vote, vote in the negative

nek||a I *itr* [*fräckt* flatly] deny [[*till*] *att ha gjort* having done]; *jag vill inte ~ till att* I won't deny that; *du ~r väl inte?* you won't say 'no', I hope? *~ inför rätta* plead not guilty **II** *tr* refuse [*ngn ngt* a p. a th.]; *~ ngn sin hjälp* refuse to give a p. one's help (to help a p.); *han ~des tillträde* he was refused admittance **III** *rfl* deny o.s.; *han ~r sig ingenting* he never denies himself (stints himself of) anything; *jag kan inte ~ mig nöjet att* .. I cannot forgo the pleasure of .. -ing **-ande I** *s* denial; [vägran] refusal; *fälla någon mot hans ~* convict (&c) a p. in face (in spite) of his denial **II** *a* negative [*svar* answer]; *ett ~ ord* (*äv.*) a negative; *ett ~ svar* (*äv.*) a refusal (denial); *om svaret blir ~* if the answer (reply) is in the negative **III** *adv*, *svara ~* reply (answer) in the negative, give a negative reply (&c)

nekrolog obituary [notice], necrology

nektar nectar *äv. bildl.*

nemesis Nemesis

neon *kem.* neon **-ljus** neon arc (light) **-rör** neon tube **-skylt** neon sign

nepotism nepotism

ner = *ned* **-e** *adv* **1** down; *priset är ~ i* the price is down to; *längst ~ i* down at the very bottom of; *~ på* down on (at) **2** *bildl.* low; *ligga ~* [om verksamhet o. d.] be stopped, be at a standstill: *handeln ligger ~* trade is slack (dull) **3** [nedbruten] run (pulled) down; [till humöret] depressed, at a low ebb; jfr *nedslagen; känna sig ~* feel rather low (below par)

nerv nerve; *bot. äv.* vein; *bildl.* [drivkraft] *äv.* driving force; *ha starka ~er* have sound (strong) nerves; *det frestar på ~erna* it is a strain on the (one's) nerves; *han går mig på ~erna* he gets (is getting) on my nerves **-attack** nervous attack **-chock** nerve-shock **-droppar** nerve-drops, sedative *sg* **-feber** = *tyfoid-* **-ig** *a bot.* veined, nerved, nervate[d] **-kittlande** *a* nerve-tickling **-klen** = *-sjuk* **-knippe** *anat.* nerve-bundle; *bildl.* bundle of nerves **-knyte F** bundle of nerves **-krig** *polit.* war of nerves; *äv.* cold war **-lidande** nervous complaint **-lugnande** *a* soothing; *~ medel* sedative **-läkare** nerve specialist, neurologist **-ositet** nervousness; [oro] uneasiness **-påfrestande** *a* nerve-racking; that is trying to (a strain on) the nerves **-retning (-ryckning** *läk.* **-sammanbrott)** nervous impulse (paroxysm, breakdown) **-sjuk** *a* neurotic; *äv.* neuropathic **-sjukdom** nervous disease, neurosis **-skakning** *läk.* fit (attack) of nervous spasms **-slitande** *a* nerve-racking **-specialist** = *-läkare* **-spänning** strain on the (one's) nerves **-stillande** *a* nerve-soothing; *~ medel* sedative **-svag** *a* weak-nerved; neurasthenic, neurotic **-system** nervous system **-tråd** nerve fibre **-värk** neuralgia **-ös** *a* nervous; [för tillfället] agitated, flurried, excited; [orolig] uneasy; [*~* av sig] highstrung, *äv.* nervy (jumpy) **F**; *var inte ~!* don't get excited (flurried)! don't let your nerves get the better of you!

nes||a ignominy, shame, dishonour, disgrace **-lig** *a* ignominious; [skamlig] shameful, disgraceful; [skändlig] infamous

nestor doyen; **F** grand old man

netto I *adv* net [cash] **II** *s*, *i ~* [in] net profit **-avkastning (-behållning)** net yield (return) **-pris (-vikt -vinst)** net price (weight, profit)

neur||algi *läk.* neuralgia **-algisk** *a* neuralgic **-asteni** neurasthenia **-asteniker** neurasthenic [patient] **-os** *läk.* neurosis [*pl* neuroses] **-otisk** *a* neurotic

neutr||al *a* **1** neutral **2** *gram.* neuter **-alisera** *tr* neutralize *äv. bildl.*; *bildl. äv.* counteract **-alitet** neutrality **-alitets|brott**, *begå ett ~* [*mot ett land*] commit a breach of [a country's] neutrality **-alitets|politik** policy of neutrality **-alitets|vakt** neutrality watch and ward; *konkr* neutrality protection force[s *pl*] **-on** neutron **-um** neuter; *i ~* in the neuter

ni *pron* you; *~ själv* [you] yourself

nia [siffra] nine; *ruter ~*[*n*] the nine of diamonds

nick nod **-a** *itr* **1** nod [*åt* to]; *~ bifall* nod assent; *~ till* drop off [to sleep] **2** *sport.* head

nickel nickel **-gruva (-legering -malm)** nickel mine (alloy, ore)

nickning, *en ~* a nod of the (one's) head

nid||ing miscreant, brutish villain **-ings|dåd** dastardly (nefarious) deed; [åverkan] outrage **-skrift** libellous pamphlet, lampoon **-skrivare** lampooner, scurrilous pamphleteer **-visa** rhymed (rhyming) lampoon

nig||a *itr* curts[e]y [*djupt* low; *för* to]; *äv.* drop [a p.] a curts[e]y **-ning** curts[e]y[ing]

nihil||ism nihilism **-ist** nihilist **-istisk** *a* nihilistic

nikotin nicotine **-fri** *a* nicotine-free, denicoti[ni]zed **-förgiftad** *a* nicotine-poisoned **-förgiftning** nicotine-poisoning; *äv.* nicotinism **-halt** nicotine content

nikt lycopodium powder, lycopode

Nil||deltat the Nile-delta **-en** the [River] Nile

nimbus nimbus *äv. bildl.*

nio nine; jfr *fem*[-] **-faldig** *a* ninefold **-nde** ninth **-sidig** nonagon **-svansad** *a*, *den ~e katten* the cat-o'-nine-tails

nipper trinkets; [dyrbarare] jewels, jewelry *sg* **-dosa (-skrin)** jewelry-box (-case) **-tippa F** pert young damsel (thing), conceited (silly) wench

nisch niche; *äv.* recess, alcove

1 nit [lott] blank [ticket]; *få en ~* draw a blank

2 nit zeal; [brinnande] *äv.* ardour, fervour; [flit] diligence, application; *för ~ och redlighet* for zealous application and upright conduct

3 nit ⊕ rivet, nail **-a** *tr* rivet [*vid* [on] to; *igen* up]; [dubb o. d.] clinch, clench; *~ fast* rivet .. firmly **-huvud** rivet head

nitisk *a* zealous; ardent, fervent; [flitig] diligent

nit||maskin riveting machine **-nagel** rivet **-ning** riveting, nailing

nitr||at *kem.* nitrate **-o|glycerin** *kem.* nitroglycerin[e]

nitt||io ninety; jfr *femtio*[-] **-ionde** ninetieth **-io|tal,** *på ~et* in the nineties **-io|åring** *äv.* nonagenarian **-on** nineteen **-onde** nineteenth **-on|hundratal,** *på ~et* in the twentieth century

nitvinst blank-number prize

nitälskan zeal; [månhet] [eager] concern (solicitude) [*för* for]

niv||ellera *tr* level; *bildl. vanl.* level up (down), equalize, reduce .. to one (a uniform) level **-ellering** levelling &c **-å** level *äv. bildl.*; *bildl. äv.* standard; *hålla sig i ~ med* keep on a level with [*andra länder* other countries]; keep abreast of [*utvecklingen* progress] **-å|karta** contour map **-å|kurva** contour **-å|skillnad** difference of level

njugg *a* parsimonious (niggardly, stingy) [*med, på* with (of)]; [på ord o. d.] sparing (chary) [*på* of] **-het** parsimoniousness &c

njur||blödning renal h[a]emorrhage **-bäcken** *anat.* renal pelvis **-e** kidney **-formig** *a* kidney-shaped **-lidande** affection of the kidneys, kidney trouble **-sten** *läk.* stone in the kidneys; renal calculus **-talg** suet

njut|a I *tr* enjoy [[*av*] *livet* life]; jfr *åt~;*

~ *av* enjoy, delight in, [starkare] revel in **II** *itr* enjoy o.s., have a good time; [starkare] revel; *låta ögat* ~ *av* feast one's eyes upon **-bar** *a* enjoyable; [ätlig] eatable, edible; [smaklig] palatable **-ning** enjoyment; *äv.* pleasure, delight; feast (treat) [*för ögat* to the eye] **-nings|begär** craving for enjoyment (pleasure) **-nings|lysten** *a* enjoyment(&c)-seeking, pleasure-loving **-nings|lystnad** love of enjoyment **-nings|-medel** luxury; [stimulerande medel] stimulant, intoxicant **-nings|rik** *a* full of enjoyment, enjoyable, delicious

nobel = *ädel*

nobelpris Nobel Prize **-tagare** Nobel Prize winner

nobless nobility; ~*en* **F** the upper ten [thousand]

nock 1 *byggn.* ridge-pole(-piece) **2** *sjö.* end, pole **-spel** *sjö.* winch

nod *radio.* nodal point

nog *adv* **1** [tillräckligt] enough, sufficiently; *vara sig själv* ~ be sufficient unto o.s., be self-sufficing; *han har fått* ~ (*äv. bildl.*) he has had enough (his fill, all he wants); *mer än* ~ enough and to spare; *nu kan det vara* ~! that'll do! enough of that now! *och inte* ~ *med det* (*äv.*) and that is not all; [*hans beteende*] *kan inte* ~ *fördömas* . . cannot be too severely censured **2** [tämligen] fairly [*stor* big]; rather; *bra* ~ *mycket* rather a lot of; *förklarligt* ~ as was only natural; *tydligt* ~ manifestly (obviously) enough; *underligt* ~ strange to say (tell) **3** [sannolikt] probably, very likely; [säkerligen] no doubt, doubtless; [visserligen] I (you) [must] admit; to be sure; it is true; [förmodar jag] I expect (dare say, *Am.* guess); *ni förstår mig* ~ you will understand me[, no doubt (I am (feel) sure)]; *du vet* ~ *att* you probably know that; *det är* ~ *sant, men* that is, I admit (it may be granted), true but; that is true enough but; *han är* ~ *sjuk* I dare say he is ill; [*brevet*] *kommer* ~ . . will come all right, never fear! *jag hinner* ~ *med tåget* I shall catch the train right enough; *det tror jag* ~ I can quite (well) believe it; *jag vet* ~ [*att han*] I am well aware . . **-a I** *a* jfr *-grann* careful; [överdrivet] precise; [-räknad] scrupulous, *äv.* punctilious; [kinkig] particular; [petig] meticulous; [fordrande] exacting; *vara* ~ *med att* [*passa tiden*] (*äv.*) make a point of . . -ing; *vara* ~ *med ngt* be very exact (particular) about a th.; *det är inte så* ~ *med det!* it doesn't matter [so] very much about that! **II** *adv* precisely, exactly; *äv.* accurately; [omsorgsfullt] carefully; [strängt] strictly [*bevarad hemlighet* preserved secret]; [ingående] closely, minutely; *se* ~ *till att* be [very] careful that; *se* ~ *på slanten* be careful of one's money; ~ *taget* strictly [speaking] **-grann** *a* [omsorgsfull] careful &c, jfr *-a I;* [precis] accurate, exact; [detaljerad] minute; [*i*] ~ *marsch* [at] the goose-step **-grannhet** carefulness &c; accuracy, exactitude, precision; *bristande* ~ inexactness, inaccuracy **-räknad** *a* particular, scrupulous, punctilious; [granntyckt] *äv.* fastidious, dainty **-samt** *adv,* [*det är*] ~ *bekant* . . a [perfectly] well-known fact; *som han* ~ *fick veta* (*äv.*) as he learnt to his cost

nojs = *skämt* **-a** = *skoja 2, skämta*

noll I *räkn.* nought, naught; [på termometer o. *vetensk.*] zero; *sport. äv.* none; [i tennis] love; *fyra komma* ~ *åtta* four point nought eight; *sex,* ~, *två, sju* (*tel.*) six, o[h], two, seven; [*värdet*] *är lika med* ~ (*ekon.*) . . is equal to nil (zero) **II** *a, av* ~ *och intet värde* of no value what[so]ever, quite worthless **-a** nought, naught; cipher; *en* ~ [pers.] a nobody, a nonentity **-e** *kortsp.* nullo **-gradig** *a* freezing, at freezing temperature **-korrektur** *boktr.* reader's proof, pull **-[l]läge** [på bil] neutral [position] **-punkt** freezing point, zero; *stå på* ~*en* be at zero *äv. bildl.; absoluta* ~*en* absolute zero

nomad nomad **-folk** nomad people **-isk** *a* nomad[ic] **-liv** nomadic ([friare] migratory) life

nom‖en *språkv.* noun **-enklatur** nomenclature **-inativ** nominative **-inell** *a* nominal; ~*t värde* (*äv.*) face value **-inera** *tr* nominate

nonaggression[s|pakt] non-aggression [pact]

nonchal‖ans nonchalance, offhandedness; [försumlighet] negligence **-ant I** *a* nonchalant; negligent; *äv.* off-hand; [ringaktande] slighting **II** *adv* negligently &c **-era** *tr* pay no attention to, neglect

non‖figurativ *a* non-figurative **-intervention** non-intervention

nonsens nonsense, rubbish, bosh

nopp *koll* burls (knots) *pl* **-a I** *s* burl, knot **II** *tr* **1** ⊕ burl **2** [om fåglar] pluck, preen; [ögonbryn] pluck **-ig** *a* burly, knotty

nord I *s* north; *N~en* the Scandinavian countries *pl*, Scandinavia **II** *adv* north [*om* of] **N~amerika** North America **-an 1** *adv* from the north **II** = *-anvind* **-anvind** north wind **-bo** inhabitant of the North, northerner **N~england** Northern (the North of) England **N~europa** Northern Europe **-isk** *a* northern; [rasbiol. o. om nordiska länder] Nordic; ~*a rådet* the Nordic Council; ~*a språk* Scandinavian languages **N~kap** the North Cape **-lig** *a* [från, mot norr] north[erly] [wind, current]; [i norr] northern; ~*are* further (more to the) north; ~ *bredd* north latitude; *det blåser* ~ *vind* the wind is in (blowing from) the north **-ost I** *s* **1** the northeast **2** [vind] northeast wind, *äv.* northeaster **II** *adv* northeast [*om* of] **-ostlig** *a* northeast[ern], jfr *-lig* **-pol,** ~*en* the north pole **-polsfärd** *äv.* arctic expedition **N~sjön** the North Sea **-sluttning** north slope **-stjärne|orden** the Order of the Pole Star **-tysk** *a* North-German **-vart** *adv* northward[s] **-väst I** *s* **1** the northwest **2** [vind] northwest wind, *äv.* northwester **II** *adv* northwest [*om* of] **-västlig** *a* northwest[ern] &c, jfr *-lig* **-västra** *a* northwest[ern] **-östra** *a* northeast[ern]

Norge Norway

norm standard [*för* of; for a p.]; [måttstock] *äv.* norm; [regel] rule; [mönster] model [*för* for]; *gälla som* ~ serve as a standard

normal *a* normal; *äv.* standard; *under* ~*a förhållanden* (*äv.*) normally; [*han är*] *inte fullt* ~ . . not quite right in his head **-arbetsdag** normal hours *pl* of work **-isera** *tr* normalize; standardize **-ljus** standard candle **-mått** standard [measure] **-pris** normal (standard) price **-prosa** ordinary (plain) prose **-spårig** *a* [järnväg] standard-gauge **-vikt** regular weight

normand Norman **N~iet** Normandy **-isk** *a* Norman; *N~a öarna* the Channel Islands

norm‖era *tr* standardize, reduce . . (make . . conformable) to a norm (&c) **-givande** *a* normative, standard-forming; *vara* ~ *för* (*äv.*) be a rule (form a standard) for

norn|a Norn; *-orna* (*äv.*) the Fatal (Weird) Sisters, the Fates, the Destinies
norr I *s* the north (North); *rätt i* ~ due north; *mot* ~ to the north **II** *adv* [to the] north [*om* of] **-a** *a* the north [*sidan* side]; the northern [*delarna av* parts of]; ~ *Sverige* Northern Sweden, *äv.* the North of Sweden; ~ *Skåne* North Skåne **-gående** *a* [tåg] northbound **-ifrån** *adv* from the north **-ländsk** *a* Norrland **-länning** Norrlander **-man** Norwegian **-rum** room facing north **-sken** aurora borealis; ~ *et* (*äv.*) the northern lights *pl* **-streck** [på kompass] north compass-point **-ut** *adv* northward[s], towards [the] north; in (to) the north
nors smelt; *jag vill vara skapt som en* ~ *om* **F** I'll be blowed if
norsk *a* Norwegian; *äv.* Norway [*sill* herring]; *hist.* Norse **-a 1** [språk] Norwegian; *hist.* Norse **2** [kvinna] Norwegian woman **-född** *a* born of Norwegian parents
nos *zool.* [om fisk, kräldjur] snout; [om häst] muzzle; *allm.* nose; *blek om ~en* **F** white about the gills, blue; *vill du ha på ~en?* shall I give it you? **-a** *itr* smell, scent; ~ *på* sniff (smell) at; ~ *i allting* pry (poke one's nose) into everything **-grimma** muzzle **-hjul** *flyg.* nose wheel **-hörning** rhinoceros **-ig** = *näsvis* **-kon** nose cone **-ring** nose-ring; cattle-leader **-ställ** *flyg.* nose gear
1 not *fisk.* [haul-(drag-)]seine; *dra* ~ fish with a seine
2 not 1 note, *äv.* annotation; [nedtill på sidan] footnote **2** *polit.* [diplomatic] note; *äv.* memorandum **3** *mus.* note; *~er* [-häfte] music *sg;* [*spela*] *efter ~er* . . from the music (score); *han var med på ~erna* [förstod] he caught on; [godkände] he fell in with the idea **-a** bill, *äv.* account; jfr *räkning 3;* [förteckning] list [*på* of]; *enligt bifogad* ~ (*hand.*) as per account enclosed **-abel** *a* . . of note **-abilitet** notability
notari||atavdelning trust department **-e** [vid domsaga] *ung.* district judge's assessor; *allm.* clerk **-us publicus** *lat.* notary public
not||bok music-book **-era** *tr* note (*äv.* take) down, make a note of; [bemärka] note; [bokföra] *äv.* enter, book; *börs.* quote [*i, till* at] **-ering** noting (&c) down; entry; *börs.* quotation **-hylla** music-stand **-is 1** [i tidning] news-item; paragraph; [tillkännagivande] announcement; [meddelande] notice **2** *ta* ~ *om* take notice of, pay attention to **-is|byrå** news agency **-is|jägare** item-reporter **-orisk** *a* notorious **-papper** music-paper **-ställ** music-rack **-tecken 1** music[al] sign **2** *boktr.* reference mark, asterisk
notvarp seine-sweep; *bildl.* **F** rout, crush
not||vändare page-turner; [mekanisk] page-turning device **-växling** *polit.* exchange of [diplomatic] notes
novell short story **-ett** novelette **-samling** collection of short stories
november November; jfr *april*
novis novice; [friare] se *nybörjare*
nu I *adv* now; [vid det här laget] by now (this time); jfr [*för*] *närvarande* o. *-förtiden; den* ~ *gällande* [*räntan*] the present (existing) . .; *från och med* ~ from now onwards; ~ *kommer han!* here he is! ~ *ljuger du!* that's a lie! *om vi* ~ now if we; ~ *då* now that **II** *s,* *~et* the present [time]; *i detta* ~ at this moment
nubb tack **-a** *tr* tack [*vid* on to]; ~ *fast* tack on, fasten . . down with tacks **-e F** dram **-sten** paving-stone
nuck||a frump **-ig** *a* frumpish
nu||förtiden *adv* nowadays, *äv.* to-day **-mera** *adv* now[adays]
numer||isk *a* numerical **-iskt** *adv* numerically; *en* ~ *överlägsen* . . a[n] . . superior in numbers **-us** number **-är I** *s* number; *äv.* [numerical] strength **II** *a* = *-isk*
numismatik numismatics *sg*
nummer number; [exemplar] copy; [tidn.-upplaga] issue; [storlek] size; [på program] item; *göra ett stort* ~ *av* make a great feature (fuss) of **-byrå** *tel.* information desk **-följd -ordning** numerical order **-plåt** [på bil o. d.] number-plate, registration plate **-skiva** *tel.* dial **-skylt** number plate
numrer||a *tr* number [off . .]; *~d plats* reserved seat **-ing** numbering, numeration
nunn||a nun; *bli* ~ (*äv.*) take the veil **-e|kloster** nunnery, convent **-e|orden** order (community) of nuns, *äv.* sisterhood **-e|ört** hollow-root
nuntie [påvlig] nuncio
nutid, *~en* [the] present (modern) times *pl;* *~ens* [*människor*] present-day . ., . . of the present day (age) **-a** *a* present-day; *äv.* modern [*bekvämligheter* conveniences] **-s|dikt** modern poetry **-s|orientering** orientation in the modern world **-s|ungdom** modern youth
nutria nutria
nuvarande *a* present; [rådande] existing; [priser] ruling; *den* ~ [*regeringen*] the . . now in office; *i sakens* ~ *läge* at this stage [of the affair]; *i* ~ *stund* at the present moment
ny I *a* new [*för* to]; [~ o. ovanlig] novel [*erfarenhet* experience]; [förnyad] fresh [*försök* attempt]; [färsk] recent [*böcker* books]; [annan] [an]other; [ytterligare] additional (extra) [*börda* burden]; further [facts]; *en* ~ *Daniel* another Daniel; *få* ~ *fart* receive a fresh impetus; *den ~a given* the New Deal; *det ~a modet* (*äv.*) the New Look; *~tt stycke* (*boktr.*) new paragraph; *N~a tiden* the Modern Age; *det ~a i* the novelty in (of) **II** *s meteor.,* [*i morgon*] *ha vi* ~ . . it will be new moon; jfr *-måne* **-anlagd** *a* newly-built (&c) **-anläggning** *konkr* new plant
nyans shade, nuance; [anstrykning] tinge; [*vara känslig för*] *~er* . . gradations [of shade] **-era** *tr* shade off; [musik, röst] modulate; [stil] vary; *~d* shaded off &c; [t. ex. intellekt] diversified
ny||anskaffning, *~ar* (*hand.*) additions to stock, new acquisitions; *äv.* renewals **-are** *a* newer &c; more modern; *i* ~ *tid* in modern (recent) times *pl* **-ast** *a* newest; most modern (&c); [senaste] latest **-bakad** *a* **1** fresh from the oven, new-made(-baked) **2** *bildl.* **F** new-fledged **-bildning** new (*äv.* recent) formation; *konkr* o. *läk.* new growth **-bliven** *a* new[ly created (made)], jfr *-utnämnd* **-byggare** settler, colonist **-byggd** *a* new[ly built] **-bygge 1** [koloni] settlement **2** house under construction **-byggnad** new building[s *pl*] **-börjare** beginner, novice, *äv.* tyro (tiro), new hand
nyck whim; *äv.* fancy, caprice; *en ödets* ~ a freak of Nature
nyckel key; *bildl.* clue; *~n till framgång* the keynote to success; *vrida om ~n* turn the key **-ax** key-bit **-ben** *anat.* collar-bone, clavicle **-blomster** orchis **-hål** keyhole **-industri** key industry **-knippa** bunch of keys **-ord** key word; [t. ordfläta *vanl.*] clue **-piga** *zool.* ladybird **-roman** roman à clef *fr.* **-ställning** key position **ämne** ⊕ key-blank
nyckfull *a* capricious; [pers.] *äv.* whimsical;

[väderlek o. d.] fickle; [ostadig] fitful; [bisarr] freakish **-het** capriciousness &c; whimsicality
ny||danare reorganizer, refashioner, regenerator; [*vetensk.* o. d.] breaker of new ground, pioneer **-daning** reorganization, regeneration; re-fashioning **-emission** *börs.* issue of new shares (&c) **-fallen** *a* [snö] new-(fresh-)fallen **-fiken** *a* curious [*på* about, as to]; [alltför ~] inquisitive, *äv.* prying; [ivrig] eager (anxious) [*att få veta* to know] **-fikenhet** curiosity; inquisitiveness &c; *väcka ngns* ~ excite a p.'s curiosity; *äv.* set a p.'s ears tingling **-filolog** modern language scholar **-född** *a* newborn **-förvärv,** *ett* ~ a new (recent) acquisition **-förvärvad** *a* new[ly]-acquired (&c) **-gift** *a* newly-married(-wedded); *de* ~*a* the newly-married couple **-grundad** *a* newly founded **-het 1** novelty; something new; *förlora* ~*ens behag* become stale **2** [ny sak] novelty; [*införa en*] ~ ..innovation; [nytt drag] new feature; *hand.* [*veckans* this week's] new line **3** [underrättelse] news *sg; en viktig* ~ an important piece of news; *inga* ~*er är goda* ~*er* no news is good news **-hets|byrå** news agency **-hets|förmedling** news service **-hets|krämare** newsmonger **-hets|sida** news page **-hets|utsändning** *radio.* news transmission (bulletin), *Am.* newscast **-inflyttad** *a, vara* ~ have just (recently) moved (&c) **-inkom|men** *a* .. that has just come in; *-na* .. [i annons] fresh stock (consignment) of .. just to hand **-inredd** *a* newly fitted up **-inrättad** *a* newly established **-kläckt** *a* newly-hatched **-komling** newcomer, new (fresh) arrival
nykt||er *a* **1** sober; [måttlig] temperate **2** *bildl.* sober[-minded]; [balanserad] level-headed; [stil] prosaic **-erhet** sobriety (soberness, temperance) *äv. bildl.* **-erhets|arbete** work to promote sobriety, temperance work **-erhets|förening** temperance league **-erhets|hotell** temperance hotel **-erhets|kafé** coffee tavern **-erhets|rörelse** temperance movement **-erist** teetotaller **-ra** *itr,* ~ *till* become sober [again], sober up; *bildl.* sober down
ny||kyrklig *a* low-Church **-kärnad** *a* new[ly]-churned; *äv.* fresh from the dairy **-ligen** *a* recently; lately; [på sista tiden] latterly, of late; *helt* ~ quite recently
nylon nylon **-skjorta** nylon shirt **-strumpor** nylon stockings ([mäns] socks)
nymf nymph
ny||mil new [Swedish] mile **-modig** *a* new-fashioned, modern; [klandrande] new-fangled [*idéer* notions] **-modighet** new-fashionedness &c; *en* ~ newfangled notion (thing) **-mål|ad** *a* fresh-painted; *-at!* Wet Paint! **-måne** new moon
nynna *tr* o. *itr* hum
ny||odling 1 *abstr* reclaiming [of land] **2** *konkr* reclaimed land; [i skogsmark] clearing **-omvänd** *a* newly converted; *en* ~ a new convert **-ordna** *tr* reorganize, reform **-ordning** reorganization, new (re-)arrangement; ~*en* (*polit.*) the New Order
nyp pinch **-|a I** *tr* o. *itr* pinch, nip; *det -er i skinnet* there is a nip in the air **II** *s* pinch [of ..]; *en* ~ *frisk luft* a breath (mouthful) of fresh air; *med en* ~ *salt* (*bildl.*) with a grain of salt
nyplatonism neo-Platonism
nypon hip **-blomma** dog-rose [flower] **-buske** dog-(briar-)rose [shrub] **-soppa** [rose-]hip soup
ny||potatis *koll* new potatoes *pl* **-pressad** *a* new[ly]-pressed ([byxor] *äv.* -creased) **-rakad** *a* fresh-shaved **-rekrytera** *tr mil.* reinforce the ranks of **-reparerad** *a* newly-repaired **-rik** *a* new-rich; *de* ~*a* the new rich **-romantik** neo-romanticism **-rostad** *a* fresh-roasted [coffee] **-röjning** clearing for cultivation; *konkr* reclaimed plot of land
nys, *få* ~ *om* get wind (scent) of, hear rumours of
nysa *itr* sneeze
ny||silver electroplate, argentan **-skapad** *a* new[ly]-created **-skapande** *a* regenerating; creative, recreating **-skapare** creator of new ideas (values &c); *arméns* ~ the creator of the new army **-skapelse** new creation **-slagen** *a* new-mown [hay]
nysning sneezing; *en* ~ a sneeze
nyspråklig *a* modern language [*linje* side]
nyss *adv* just [now]; *äv.* a moment ago; *alldeles* ~ [*hemkommen*] only just .. **-nämnd** *a* just mentioned (&c)
nyst||a *tr* wind; [garn *absol.*] *äv.* make .. up into balls (a ball) **-an** ball
ny||stavning new (reformed) spelling (&c) **-struken** *a* newly-ironed
nyst||fot reel **-vinda** reel; hasp, spindle
ny||sydd *a* new-made **-teckna** *tr,* ~ *aktier i* subscribe for new shares in
nyter *a* cheery, bright
nytryck reprint
nytt 1 *någonting* ~ something new; *på* ~ anew; once more; *börja på* ~ begin (start) afresh ([all] over again) **2** = *nyhet*
nytt||a I *s* **1** use, good; jfr *gagn;* [fördel] advantage, benefit; [vinst] profit; ~*n med det* [*vore*] the usefulness (advantage, *äv.* good) of it ..; *dra* ~ *av* benefit (profit) by, avail o.s. of; *göra* ~ do some good, be of some use; ~ *och nöje* profit and pleasure; *till stor* ~ of great service; *till ingen* ~ of no use (avail) **2** [-ighet] utility; *äv.* usefulness &c, jfr *-ig* **II** *tr* = *gagna* **-ig** *a* useful [*för* to]; *äv.* of use (service) [*för* to]; good [*för* for]; [hälsosam] wholesome [*mat* food]; [lönande] profitable [*läsning* reading]; *det blir* ~*t för honom* it will do him good **-ighet** *ekon.* utility **-ighets|artikel** utility (utilitarian) article **-ja** = *använda* **-jande|rätt** *jur.* usufruct; *ha* ~ *till* have the use and enjoyment of **-o|last** payload **-o|moral** utilitarian morality **-o|synpunkt,** *ur* ~ from a utilitarian point of view
ny||tvättad *a* just washed **-upptäckt I** *a* rediscovered **II** *s* rediscovery **-utkommen** *a* [bok] .. that has just appeared **-utnämnd** *a* newly-appointed **-val** new election **-vald** *a* newly-elected
nyår new year **-s|afton,** ~[*en*] New Year's Eve **-s|dag,** ~[*en*] New Year's Day
1 nå *itj* well! [ju] why! [se där] ah! ~ *då så!* Oh, in that case! ~ ~ *!* (*äv.*) come, come!
2 nå I *tr* reach *äv. bildl.; äv.* get (come) to, arrive at; [upp-] attain; ~ *sitt syfte* attain (gain, achieve) one's end (purpose); *han* ~*ddes av* [*underrättelsen*] [the news] reached (caught up with) him **II** *itr* reach, attain; [*han*] ~*r mig till axeln* .. comes up to my shoulder; ~ *upp till* reach, come up to
nåd 1 grace; [förskoning] mercy; [ynnest] favour; *i* ~*ens år 1947* in the year of grace 1947; *begära* ~ sue for pardon; [tigga om ~] beg for mercy; *finna* ~ *inför ngn* find favour with a p.; *få* ~ be pardoned; [om dödsdömd] be reprieved; *låta* ~ *gå före rätt* temper justice with mercy; *av* ~ out of mercy; *ge sig på* ~ *och onåd* make an unconditional surrender; *leva på* ~*er hos ngn* live on a p.'s charity; *ta ngn till* ~*er*

igen take a p. back into favour **2** [titel] Grace; *Ers ~* (*äv.*) my Lord, your Lordship (Ladyship) **-e,** *Gud ~ mig!* God have mercy upon me! **-e|ansökan** petition for pardon **-e|gåva** gift of grace; [friare] bounty **-e|hjon** dependant **-e|medel** means *sg* o. *pl* of grace **-er** se *nåd 1* **-e|stöt** coup de grâce *fr.* **-e|tid** time of grace, respite **-e|ve-dermäle** mark of favour **-ig** *a* gracious; merciful; *Gud vare oss ~!* God be merciful to us (have mercy upon us)! *vår ~a vilja* Our Royal Pleasure **-år** year of grace
någ|on *pron* [en viss] some; [subst.] somebody, someone; [~ alls, ~ som helst] any; [subst.] anybody, anyone; jfr *gram.* o. *några;* [e t t föremål] a; [en enda] one, a single; *jag hade inte ~ paraply med mig* I didn't bring an umbrella; *~ skönhet är hon inte* she is no beauty; *i -ot av dessa hus* in one of these houses; *är ~ av er* [*villig att* . .]? is [any]one of you . .? *om ~ söker mig* if anyone ([den som väntas] someone) calls; *~ annan* somebody (&c) else, another [person]; *~ annanstans* somewhere (anywhere) else, in some (any) other place; *~ som helst* any, some (any) sort of; *inte ~ som helst* [*lust*] no . . whatever; *på -ot sätt* somehow (in some way) or other, *nek.* in any way **-dera** *pron* **1** *självst.* one or other [of them] **2** *fören.* one . . or the other **-sin** *adv* ever, [at] any time; *aldrig ~* never **-stans -städes** *adv* somewhere; [*inte* not] anywhere **-ting** *pron* something; anything; jfr *något* o. *gram.*
någorlunda *adv* tolerably, fairly; pretty [*bra* well]; *på ~ kort tid* in a reasonably short time
någ‖ot I *pron* some[thing], any[thing]; jfr *någon* o. *gram.; äv.* a little [*av* of]; *~* [*som jag aldrig glömmer*] a thing . .; *inte ~* [betonat] not a [single] thing; *~ helt annat* quite another thing **II** *adv* somewhat; *äv.* rather, a little, a trifle, a bit; *~ mindre än* rather less than; *~ senare* a little later; *jo ~!* **F** rather! I should think so! **-otsånär** *adv* anything like [*vackert* fine]; pretty [*fullständig* complete] **-ra** some, any; jfr *någon* o. *gram.;* [subst.] some (any) people; [*~ få*] a few [people (o. s. v.)]; *~ och femtio* fifty odd; *~ dagar senare* a few days later
nål needle; [knapp-, hår-] pin; *sitta som på ~ar* be on pins and needles **-a** *itr, ~ fast ngt* pin a th. on [*på* to] **-brev** packet of needles **-dyna** pincushion **-formig** *a* needle-shaped **-pengar** pin-money *sg* **-rasp** *radio.* needle scratch **-spets** needle-(pin-)point **-stygn** stitch [with a needle] **-styng** [stick] prick with a needle; *bildl.* pin-prick **-s|öga** needle's eye **-ventil** needle valve
nåt ⊕ seam **-la** *tr* stitch, sew
nåväl *adv* well
näbb bill; *zool. äv.* nib; [is. rovfågels] beak; [*försvara sig*] *med ~ar och klor* . . tooth and nail **-djur** duckbill **-gädda 1** *zool.* garfish **2** = *näspärla* **-ig** *a bildl.* pert, saucy, cheeky **-mus** *zool.* shrew
Näck‖en the Neck, Neckan **n-ros** water-lily
näktergal nightingale
nämligen *adv* **1** [vid uppräkn.] namely; that is to say; [i skrift *ibl.*] viz. **2** [*blott en man,*] *~ X* . . and that is X.; *det var ~* . . it was, in fact, . .; *han är ~* for he is; *saken är ~ den, att* the fact (case), you see, is that
nämn‖a *tr* call; [be-] name; [om-] mention [*för* to]; tell; [säga] say **-are** *mat.* denominator **-d I** *a* said, above-mentioned; *~a person* (*äv.*) the person referred to; *ingen ~ och ingen glömd* all included **II** *s* board, committee **-de|man** *ung.* juryman **-värd** *a* . . worth mentioning; noteworthy; *äv.* . . to speak of; *ingen ~ skillnad* no appreciable difference; *i ~ grad* materially
nännas *dep* have the heart to
näpen *a* engaging; is. *Am.* cute; *äv.* sweet (dear) little [*flicka* girl]
näps‖a *tr* [banna] rebuke; [straffa] chastise, punish **-t** rebuke; chastisement
när I *adv* **1** jfr *nära, nästan; från ~ och fjärran* from far and near; [*ej vilja*] *göra en mask för ~* . . do anybody any harm; *det gick hans ära för ~* it hurt his pride; *så ~* almost, [very] nearly; *så ~ som på* except for, but for; *inte på långt ~* not by a long way **2** when, at what time; *~ som helst* at any time (minute, moment); whenever you like; *~* . . *än* whenever **II** *konj* when; [medan] while; [just som] as; *~ han kom hem* . . on getting home he . .
1 nära I *a* near; close (intimate) [friend] **II** *adv* near, close to, near by; *bildl.* closely, intimately; [*julen*] *är ~* . . is approaching (at hand); *vara ~ att* be on the point of [*säga* saying]
2 när‖a *tr* nourish, feed; [fantasi o. d.] *äv.* foster; se *äv. hysa; ett länge -t hopp* a long cherished hope **-ande** *a* nourishing
när‖apå *adv* pretty near[ly]; jfr *nästan* **-belägen** *a* [situated (&c)] near (close) by; *äv.* adjacent, neighbouring **-besläktad** *a* closely akin (related) **-bild** *film.* close-up [picture] **-gången** *a* intrusive, obtrusive; [taktlös] indiscreet; [nyfiken] inquisitive **-het** *abstr* nearness, proximity; [grannskap] neighbourhood, vicinity; *i ~en av* (*äv.*) near [to]; *här i ~en* near (round about) here
närig *a* saving; ['om sig'] thrifty; [snål] near, greedy **-het** thriftiness &c
näring 1 [föda] nourishment *äv. bildl.; eg. äv.* nutriment, food; *bildl. äv.* fuel [*åt* to]; *ge ~ åt* give (afford) nourishment to, *bildl. äv.* add fuel to, stimulate **2** industry; *handel och ~ar* commerce and industry *sg* **-s|behov** nutritional requirement **-s|fysiologi** nutritional physiology **-s|fång** = *yrke* **-s|gren** branch of business (industry) **-s|liv** commercial and industrial life **-s|värde** alimentary (nutritive) value **-s|ämne** food substance (stuff)
när‖kamp *sport.* in-fighting **-liggande** [i rum] = *-belägen; bildl.* kindred; *ett mera ~* [*intresse*] a more immediate . .
närm‖a I *tr* bring (draw) . . near[er] **II** *rfl* approach, draw near[er] [to . .]; *slutet ~de sig* it was drawing near the end; *som ~r sig* [*vansinne*] verging on . . **-ande** *s* approach, advance; renewal of friendly relations **-are I** *a* **1** nearer, closer; [väg] shorter **2** *~ detaljer* further particulars **II** *adv* nearer, closer, more closely; [t. ex. beskriva ngt] in greater detail; *ta ~ reda på* find out more about; [*jag har*] *tänkt ~ på* [*saken*] . . thought . . over **III** *prep* nearer [to], closer to; [nästan] nearly, close [up]on **-ast I** *a* nearest *äv. bildl.;* [omedelbar] immediate; [vän o. d.] closest, most intimate; [*~ i ordningen*] next; *de ~e släktingarna* the next of kin; *inom de ~e dagarna* within the next few days; *var och en är sig själv ~* everyone thinks of his own interests; *mina ~e* those nearest [and dearest] to me, my home-people; *i det ~e* almost, [very] nearly; *äv.* practically [speaking]; *inom den ~e* [*fram*]*tiden* in the immediate future **II** *adv* nearest (closest) [to]; *bildl.* most closely (intimately); immediately; next; [främst] in the first place (in-

stance); *ha ~ i sikte* have primarily in view **III** *prep* nearest (next) [to] **-elsevis** *adv, inte ~..* not.. by far
när||slut|a *tr* enclose; *enligt -na specifikationer* according to the attached (enclosed) specifications **-spaning** short distance reconnaissance **-strid** *mil.* close-up engagement (&c); hand-to-hand fighting **-stående** *a* **1** standing near (close by) **2** *bildl.* = *besläktad; regeringen ~ personer* persons in close touch with the Government **-synt** *a* near-(short-)sighted **-synthet** near-(short-) sightedness; *vetensk.* myopia **-vara** *itr* be present [*vid* at]; *~ vid* (*äv.*) attend **-varande** *a* present [*vid* at]; *de ~* those present; *för ~* for the present (time being), at present **-varo** presence; [vid sammanträde o. d.] attendance
näs isthmus, neck of land; jfr *udde*
näs||a nose; *räcka lång ~ åt* cock a snook at; *stå där med lång ~* be left pulling a long face; *ha fin ~ för* (*äv.*) have a keen scent (a flair) for; *det gick min ~ förbi* it didn't come my way; *gå dit ~n pekar* follow one's nose; *sätta ~n i vädret* cock one's nose [in the air], be stuck-up; *tala i ~n* talk through the nose, have a nasal twang; *draga ngn vid ~n* (*bildl.*) lead a p. by the nose, take in a p. **-ben** nasal bone **-blod** [*få, ha* have an attack of] nose-bleeding **-borre** nostril **-bränna** rebuke, set-down **-duk** [pocket-]handkerchief [-**håla** nasal cavity **-pärla** saucy (pert) girl, minx **-rot (-rygg)** root (ridge) of the nose
näss||elfeber *läk.* [the] nettle-rash, urticaria **-el|kål** *kok.* nettle-soup **-la** *bot.* nettle
näst I *a* = *-a II* **II** *adv* next [*efter, intill* to]; *den ~ bästa* the second (next) best; *den ~ sista* the last but one **-a I** *s* neighbour **II** *a* next; [påföljande] the next (following) [*dag* day]; *~ gång* next time; [påföljande gång] the next time; *~ sommar* next summer
nästan *adv* almost; [ej långt ifrån] nearly; [starkare] all but [*död* dead]; *~ aldrig (ingen)* hardly ever (anybody); *jag tycker ~ att* I rather (almost) think that; *~ gratis* for next to nothing
näste nest; *bildl. äv.* den
näst||föregående *a* the .. immediately preceding
nästipp tip of the nose
nästkommande *a* [*juni* in June] next; *under ~ år* during the coming year
näsvis *a* impertinent, cheeky; *äv.* pert, saucy **-het** impertinence, cheekiness &c
nät net; [spindels] *äv.* web; [-verk] network; [telefon- o. d.] *äv.* system **-antenn** *radio.* main's aerial **-belastning** line load **-spänning** line voltage **-hinna** *anat.* retina
nätt I *a* **1** pretty; [fin och ~] dainty; [prydlig] neat, dapper; *en ~ summa* a tidy (nice little) sum **2** = *2 knapp* **II** *adv* = *knappt 1; ~ och jämnt* barely, only just
nät||tröja netted [under-]vest **-verk** network; *äv.* netting
näve fist; [ss. mått] fistful (handful) [of..]; *slå ~n i bordet* bring one's fist down [on the table]
näver birch-bark
nävrätt fist-(club-)law
nöd distress, *äv.* trouble; [brist] need, want; [trångmål] straits *pl; ~en har ingen lag* necessity knows no law; *lida ~* suffer want (need); *det går ingen ~ på honom!* he's safe enough (well enough off)! *med knapp ~* narrowly; *i ~en prövas vännen* a friend in need is a friend indeed; *i ~ens stund* in time (the hour) of need; *vara av ~en* be necessary (needed) **-ankare** sheet-anchor **-broms** emergency brake; *dra i ~en* (*äv.*) pull the communication cord **-dop** private baptism **-fall,** *i ~* in case of need (necessity), in an emergency; [friare] if necessary **-falls|utväg -falls|åtgärd** expedient for the time being, makeshift **-flagg** flag of distress **-ga** = *tvinga* **-hamn** port of refuge **-hjälps|arbete** distress (unemployment-relief) work **-hopp** *flyg.* emergency drop **-ig** = *-vändig* **-landa** *itr* be forced down, make a[n] .., se *följ.* **-landning** emergency (forced) landing **-lidande** *a* distressed; [utarmad] destitute, needy **-ljus** *flyg.* distress light **-läge** distress, *äv.* embarrassment; *i sitt ~* [*sökte han*] (*äv.*) in his extremity .. **-lögn** white lie **-mynt** emergency coin **-rop** cry (call) of distress (*äv.* for help) **-saka** = *tvinga* **-signal** distress signal; *sjö.* SOS signal **-ställd** *a* distressed; *en ~ vän* a friend in distress **-torft,** *livets ~* the bare necessities *pl* of life **-torftig** *a* scanty, meagre, barely adequate **-tvungen** *a* enforced, compulsory **-tvång** [compulsory] necessity; [tvång] compulsion **-utrustning** *flyg.* emergency equipment **-vuxen** *a* dwarfed, stunted **-vändig** *a* necessary; [oundgänglig] essential **-vändig|göra** *tr* necessitate, make (render) .. necessary **-vändighet** [*tvingande* urgent] necessity; *med ~* se *-vändigt* **-vändighets|artikel** necessary [article], essential commodity **-vändigt** *adv* necessarily, of necessity; absolutely; *måste ~ förorsaka* is (are) bound to cause; *han ville ~* [*komma*] he would (must needs) .., he insisted upon ..-ing **-värn** self-defence **-år** famine year
nöj||a *rfl* be satisfied (content); content o.s.; *låta sig ~* [*med* ..] be (*äv.* rest) content [with ..] **-aktig** *a* satisfactory **-d** *a* satisfied; [för-] content[ed]; [belåten] pleased **-e** pleasure; [starkare] delight, joy; [förströelse] amusement, entertainment; [tidsfördriv] pastime, diversion; *offentliga ~n* public amusements; *ett utsökt ~* a real treat; *finna ~ i, ha ~ av* derive pleasure from; *mycket ~!* have a good time! *det skall bli mig ett ~ att* (*äv.*) I shall be delighted to; *det skulle bereda mig ett stort ~ att* it would afford me great pleasure to; *jag har ~t att* [*meddela*] I have the pleasure of ..-ing; *det är oss ett sant ~ att* .. we have great pleasure in ..-ing; *vi stå alltid med ~ till er tjänst* we shall be glad (pleased) to be of service to you at any time **-es|etablissemang** pleasure palace **-es|flygning** joy-ride **-es|fält** pleasure ground **-es|lysten** *a* fond of amusement, pleasure-seeking **-es|resa** pleasure trip **-es|skatt** entertainments tax
1 nöt *bot.* nut
2 nöt *bildl.* **F** ass, blockhead; *bära sig åt som ett ~* make an ass of o.s.
nöt||a I *tr* wear; [gnida] rub; *~ hål på* .. wear .. through; *~ av* wear off; *~ ut* wear out **II** *itr, tål att ~ på* is one to wear [well], will stand [hard] wear **-as** *itr dep* get worn (rubbed)
nötboskap [neat] cattle *pl*
nötbrun *a* nut-brown, hazel
nöthår cowhair **-s|filt** cowhair felt
nötknäppare [pair of] nutcrackers *pl*
nötkreatur *pl* cattle; *tio ~* ten head of cattle
nötkärna kernel of a nut
nötkött beef
nötning wear [is. *bildl.* and tear], use
nöt||skal nutshell; *bildl.* [om båt] *äv.* cockleshell **-skrika** jay
nött *a* worn [*i* at]; [om plagg] *äv.* the worse for wear; *bildl.* se *ut~*

O

o *itj* Oh!
o- [nekande prefix] *vanl.* un-
oakt||at I *prep* notwithstanding, in spite of; jfr *trots II; detta* ~ for all that, all the same **II** *konj* [al]though **-sam** *a* careless [*med* about] **-samhet** carelessness, negligence
oanad *a* unsuspected; unimagined, undreamt of
oan||fäktbar *a* unassailable; [obestridlig] incontestable, indisputable **-genäm** *a* unpleasant, disagreeable **-griplig** *a* unassailable *äv. bildl.;* [vittne] *äv.* unimpeachable **-mäld** *a* unannounced **-märkt** *a, låta ngt passera* ~ let a th. pass without comment **-senlig** *a* insignificant, inconsiderable; [t. ex. lön] meagre, modest; [yttre] plain; [ringa] humble **-senlighet** insignificance; inconsiderableness &c **-ständig** *a* indecent [*uppförande* behaviour], shocking; [opassande] improper; [slipprig] obscene; *det är* ~*t!* it's disgraceful! **-ständighet** indecency, impropriety; [i ord] indecent remark; obscenity **-stötlig** *a* inoffensive **-svarig** *a* not responsible **-taglig** *a* . . that cannot be accepted, *äv.* unacceptable **-tastad** *a* unassailed; *äv.* unmolested; [okränkt] inviolate **-tastlig** *a* unassailable, inviolable; *jur.* unimpeachable **-träffbar** *a* not available; *äv.* untraceable **-tändbar** *a* non-inflammable **-vänd** *a* unused, unemployed; [plagg] unworn; [kapital] idle, dormant **-vändbar** *a* useless, of no use; unfit for use; inapplicable [*på* to]
oaptitlig *a* unappetizing *äv. bildl.*, unpalatable, unsavoury; [otäck] disgusting, nasty
o||art bad habit; vice **-artig** *a* discourteous, impolite, uncivil, rude **-artighet** impoliteness, incivility, rudeness; *en* ~ a discourtesy **-artikulerad** *a* inarticulate
oas oasis [*pl* oases]
oav||bruten *a* uninterrupted; unbroken [*tystnad* silence]; non-stop [*flygning* flight]; *i* ~ *följd* in unbroken succession; continuous, unceasing; [oupphörlig] incessant, continual **-gjord** *a* undecided; unsettled; [spel, strid] drawn; *matchen blev* ~ the game ended in a draw (tie); *lämna en fråga* ~ *(äv.)* leave a question open (pending) **-hängig** *a* independent **-hängighet** independence **-kortad** *a* unabridged, uncurtailed **-låtlig** *a* incessant, unceasing, continuous; [vaksamhet] unremitting; [ihärdig] constant **-lönad** *a* unpaid; unsalaried **-sett** *prep* irrespective of, apart from; ~ *hur (om) äv.* no matter how (whether) **-siktlig** *a* unintentional **-slutad** *a* unfinished; jfr *ofullständig* **-sättlig** *a* irremovable **-vislig** *a* unrejectable; imperative [*plikt* duty] **-vänd** *a* undiverted, unremitting **-vänt** *adv* unremittingly; *iakttaga* . . ~ watch . . intently
o||balanserad *a* unbalanced, ill-balanced **-banad** *a* untrodden; unbeaten [*stig* track]; pathless
obarmhärtig *a* unmerciful, uncharitable; merciless; [starkare] ruthless [*mot* towards (to)] **-het** mercilessness &c
obdu||cent post-mortem dissector **-cera** *tr* make a post-mortem [examination] of **-cering -ktion** post-mortem [examination], autopsy
obe||aktad *a* unnoticed; *lämna* . . ~ leave . . unheeded; take no notice of; [förbise] overlook **-arbetad** *a* rough; raw; unwrought **-bodd** *a* uninhabited; unoccupied; [hus] untenanted **-boelig** *a* uninhabitable **-byggd** *a* unoccupied with houses; [tomt] unbuilt upon; ~*a trakter* undeveloped areas (regions, districts)
obedd *a* unasked, unsolicited
obe||fintlig *a* non-existent; . . that does not exist **-fintlighet** non-existence; absence **-fläckad** *a* immaculate; [namn, rykte] unsullied, unblemished; *äv.* stainless, spotless **-fogad** *a* unjustified (uncalled for) [*anmärkning* remark] **-fäst** *a mil.* unfortified; [stad] *äv.* open **-gagna|d** *a* unused, unemployed; [om plagg] new, unworn; [reserv-] spare; *lämna ett tillfälle* **-t** let an opportunity slip **-griplig** *a* incomprehensible, unintelligible; [ofattlig] inconceivable **-griplighet** incomprehensibility &c **-gränsad** *a* unlimited; unbounded [*förtroende* confidence]; boundless; jfr *gränslös* **-gåvad** *a* unintelligent, stupid **-hag** discomfort, uneasiness; [omak] inconvenience; [förtret] trouble; *känna* ~ feel ill at ease (uncomfortable); *få* ~ *av* have trouble from **-haglig** *a* disagreeable, unpleasant [*för* to; *mot* towards (to)]; awkard [situation] **-hindrad** *a* unimpeded; unhampered; free **-hindrat** *adv* unimpededly, freely; [flytande] fluently **-härskad** *a* uncontrolled, unrestrained; lacking self-control **-hörig** *a* unauthorized [*att* to]; *jur.* not competent; ~*a äga ej tillträde* no admittance [except on business]; [på privat område] *äv.* trespassers will be prosecuted **-hövlig** *a* unnecessary; not required **-kant** *a* unknown [*för* to]; unacquainted [*med* with]; [okunnig] ignorant [*med* of]; *det torde ej vara Eder* ~, *att* you will be aware that; *en* ~ *(äv.)* a stranger; *två* ~*a (mat.)* two unknowns **-kantskap** unacquaintance [*med* with]; [okunnighet] ignorance [*med* of] **-kräftad** *a* unconfirmed; unverified **-kväm** *a* uncomfortable; [oläglig] inconvenient [*för* to] **-kymrad** *a* unconcerned [*om (för)* about (as to)]; heedless (careless) [*om* about]; *vara* ~ *om (äv.)* not worry about **-levad** *a* unmannerly, ill-mannered
obelisk obelisk
obe||lönad *a* unrewarded; unrequited **-medlad** *a* without private means **-mängd** *a* unmixed [*med* with] **-märkt I** *a* unobserved, unnoticed; [plats, vrå] *äv.* obscure; [ringa] humble **II** *adv* in obscurity **-märkthet** humbleness; humble position; [*leva i* live in] obscurity **-nägen** *a* disinclined [*för* for]; averse [*för* to]; unwilling **-nägenhet** disinclination; unwillingness; reluctance **-nämnd** *a* [tal] indenominate **-prövad** *a* untried; [pers.] *äv.* inexperienced **-roende I** *s* independence **II** *a* independent [*av* of] **III** *adv,* ~ *av* independent[ly] of **-räknad** *a* not included; [oförutsedd] unforeseen **-räknelig** *a* incalculable; [nyckfull] capricious, fickle **-räknelighet** incalculability; capriciousness &c **-rättigad** *a* unentitled [*till* to]; unjustified, unwarranted **-rörd** *a* untouched; impassive, unconcerned; [likgiltig] indifferent **-rördhet** unconcern, indifference [*av* to] **-satt** *a* unoccupied; [ledig] vacant **-segrad** *a* unconquered; *sport.*

unbeaten, undefeated **-skrivlig** *a* indescribable (inexpressible) [*lidanden* sufferings] **-skuren** *a* unabridged [*upplaga* edition]; unrestricted **-slutsam** *a* irresolute; undecided [*om* about]; *vara* ~ (*äv.*) waver, hesitate **-slutsamhet** irresolution, indecision; [tveksamhet] hesitation **-slöjad** *a* unveiled; [ohöljd] undisguised **-smittad** *a* undefiled, untainted **-sticklig** *a* incorruptible **-straffad** *a* unpunished **-stridd** *a* uncontested, undisputed; [herravälde] unchallenged **-stridlig** *a* incontestable, indisputable; [oförneklig] undeniable **-stridligen** *adv* indisputably; unquestionably **-styrkt** *a* unverified; [avskrift] unattested; jfr *äv.* *-kräftad* **-stånd** insolvency; *komma på* ~ become insolvent **-ställbar** *a* undeliverable [*brev* letter] **-stämbar** *a* indeterminable; [känsla] indefinable **-stämd** *a* undecided; jfr *-slutsam;* [oviss] uncertain; [antal, tid o. d.] indefinite; [intryck, känsla] vague; *~a artikeln* the indefinite article **-ständig** *a* inconstant; [ombytlig] changeable; [ovaraktig] transient; [t. ex. lyckan] fickle **-svarad** *a* unanswered; [kärlek] *äv.* unrequited **-svärad** *a* untroubled (unhampered) [*av* by]; [otvungen] unconstrained, [free and] easy **-talbar** *a* [lustighet, komik] priceless **-tald** *a* unpaid; unsettled **-tingad** *a* unconditional; absolute [*frihet* freedom]; [förtroende, lydnad] implicit **-tingat** *adv* unquestionably **-tonad** *a* unstressed **-tvinglig** *a* jfr *oövervinnelig, oemotståndlig* **-tydlig** *a* insignificant; inconsiderable (trifling) [*belopp* sum of money]; slight [*skillnad* difference] **-tydlighet** insignificance; triviality [med *pl*]; *en ren* ~ a mere trifle **-tydligt** *adv* slightly [*skadad* injured]; a little [*bättre* better] **-täckt** *a* [huvud] uncovered, bare **-tänksam** *a* thoughtless; [mot andra] inconsiderate; [oklok] ill-advised, imprudent; [överilad] rash **-vaka|d** *a* **1** [t. ex. bil] unattended **2** [testamente] unproved **3** [friare] unguarded; *ett -t ögonblick* an unguarded moment **-vandrad** *a* unfamiliar [*i* with]; unversed [*i* in] **-veklig** *a* inexorable, implacable; [stränghet] *äv.* relentless; [logik] inflexible **-visad** *a* unproved **-vittnad** *a* [avskrift, testamente] unattested **-väpnad** *a* unarmed; [öga] naked

o||bildad *a* uneducated; [ohyfsad] rude, illbred **-bildbar** *a* uneducable **-billig** *a* [oskälig] unreasonable; [orättvis] unfair, unjust

objekt object **-iv I** *s fys.* objective; *opt.* lens **II** *a* objective [*i* in]; [saklig] factual; [fördomsfri] unbiassed **-ivism** objectivism **-ivitet** objectivity; *äv.* detachment

o||bjuden *a* uninvited; [obedd] unasked; ~ *gäst* (*äv.*) gate-crasher **F** **-blandad** *a* unmixed, unmingled; [lycka] *äv.* unalloyed

oblat wafer

o||blekt *a* unbleached **-bli|d** *a* unpropitious, unfavourable; [*se ngt*] *med ~a ögon* . . with disapproval; *ett -tt öde* an adverse fate **-blidkelig** *a* [oförsonlig] unappeasable [*hat* hatred]; [obeveklig] inexorable, implacable; relentless

obligat||ion *börs.* bond [*på* for]; [bolags-, järnvägs- o. s. v.] debenture; *stats~* state bond; *försvars~* war bond **-ions|innehavare** bondholder, debenture-holder **-ions|lån** bond loan **-ions|rätt** *jur., ~en* the law of legal obligations **-orisk** a [t. ex. skolgång] compulsory; [oumbärlig] indispensable

o||blodig *a* bloodless [*seger* victory]; unbloody [*offer* sacrifice] **-blyg** *a* unblushing, unabashed, unashamed; [fordringar, priser] immodest, shameless

oboe *mus.* oboe, hautboy

o||borstad *a* unbrushed; [smutsig] dirty; ohyfsad] rough-mannered; rude **-botfärdig** *a* impenitent, unrepentant; *de ~as förhinder* the excuses of the unwilling **-botlig** *a* incurable; [skada] irreparable; [oförbätterlig] incorrigible **-botligt** *adv,* ~ *sjuka* incurables **-brottslig** *a* unswerving [*trohet* loyalty]; [tystnad, neutralitet] strict **-brukad** *a* [jord] untilled, uncultivated; jfr *-begagnad* **-brukbar** *a* useless, unfit for use **-brut|en** *a* unbroken; [mark] *äv.* virgin; [brev] unopened; [krafter] *äv.* unimpaired; *med -na kropps- och själskrafter* in full physical and mental vigour **-brännbar** *a* incombustible

obs. I *förk.* N.B. [*lat.* = *nota bene*] **II** *itj* Mark! Note!

obscen *a* obscene

observ||ation [*vara under* be under] observation **-ations|ballong** observation balloon **-ations|förmåga** power of observation **-ations|post** *mil.* observation post **-ator** [vid observatorium] astronomer **-atorium** observatory **-atör** observer **-era** *tr* observe, notice; [iakttaga] *äv.* watch; *ej* ~ (*äv.*) not be aware of

ob||skyr *a* obscure; [tvetydig] dubious, shady **-stetrik** *läk.* obstetrics *sg* **-stinat** *a* obstinate, stubborn **-struktion** obstruction [*mot* to]

o||bunden *a* [bok] unbound; *fri och* ~ unfettered; *i* ~ *form* in prose **-bygd** undeveloped (unexploited, wild) country **-bäddad** *a* unmade **-bändig** *a* intractable; [egensinnig] headstrong; [oregerlig] unruly; [okuvlig] uncurbed [*styrka* strength] **-böjlig** *a* inflexible; *gram.* indeclinable; [sträng] rigid; [principfast] uncompromising **-bönhörlig** *a* inexorable, implacable

ocean ocean; *bildl. äv.* sea **-fart** transoceanic trade **-ångare** ocean liner

ocensurerad *a* uncensored

och *konj* and [förkortas ej]; *ligga* (*sitta, stå*) ~. . (*inf.*) lie (&c) . . -ing; *han satt* ~ *läste en bok* he was (sat) reading a book; *han går* ~ *inbillar sig, att* . . he is imagining that . .; *två* ~ *två* by twos; ~ *så vidare* (*o. s. v.*) and so on; etc.; ~ *dylikt* (*o. d.*) and the like

ociviliserad *a* uncivilized

ock *adv* se *också*

ocker [*bedriva* practise] usury; [utpressning] exportion; i *sms* usurious; extortionate [*ränta* rate of interest] **-pris** exorbitant price

1 ockra *s min.* ochre

2 ockra *itr,* ~ *på ngns godhet* trade upon a person's tender heart **-re** usurer

också *adv* also (. . too); *eller* ~ or else; *om* ~ even though; . . *och det gjorde* [beton.] *han* ~. . and so he did; . . *och det gjorde han* [beton.] ~ and so did he; *men så är han* ~ *fransman* but then he is a Frenchman

ockult *a* occult **-ism** occultism

ockup||ation *mil.* occupation **-ations|armé** army of occupation **-ations|makt (-ations|-myndigheter)** occupying power (authority *sg*) **-ations|trupper** occupation troops **-era** *tr mil.* occupy

odalisk odalisque

odaterad *a* undated

ode ode

o||deciderad *a* undecided, wavering **-definierbar** *a* indefinable; subtle [charm] **-delad** *a* *äv. bildl.* undivided [*uppmärksamhet* attention]; [hel] whole; [allmän] universal;

[nöje] unalloyed, unqualified **-delbar** *a* indivisible **-demokratisk** *a* undemocratic **-diplomatisk** *a* undiplomatic **-disciplinerad** *a* undisciplined **-disputabel** *a* indisputable
odjur monster [*till karl* of a man]; beast
odl‖a *tr* cultivate *äv. bildl.;* [jorden] *äv.* till; [grönsaker, blommor] grow; ~ *sin själ* improve one's mind; *~d smak* (*äv.*) refined taste **-are** cultivator, grower; [kaffe-, tobaks-] planter [of coffee (tobacco)] **-ing** cultivation; culture is. *bildl.;* jfr *bi~* o. d.; [kaffe-, tobaks-] plantation **-ingsbar** *a* cultivable; [jord] arable
odon bog whortleberry (bilberry)
odontolog odontologist **-i** odontology **-ie** *a,* ~ *studerande* student of dental surgery **-isk** *a* odontological
o‖drickbar *a* undrinkable **-dryg** *a* [föda, bränsle] uneconomical; . . that does not last well **-dräglig** *a* unbearable, intolerable; [tråkig] boring; *en ~ människa* (*äv.*) an awful bore **-duglig** *a* [person] incompetent (inefficient, unfit) [*till* for]; incapable [*till* of]; [sak] useless, of no use; jfr *oanvändbar* **-dugling** good-for-nothing **-dygd** mischief; [elakhet] naughtiness; *göra ~* do mischief; *ha ~ för sig* be up to some mischief **-dygdig** *a* naughty, mischievous **-dygdspåse,** *din ~!* you little mischief (imp)!
odyss‖é Odyssey **O-eus** Ulysses
o‖dåga good-for-nothing [fellow] **-dödlig** *a* immortal; imperishable [*ära* glory] **-dödlig|göra** *tr* immortalize **-dödlighet** immortality **-döpt** *a* unchristened
odör [bad (nasty)] smell
odört hemlock
oefter‖givlig *a* [skyldighet, plikt] irremissible; [oavvislig] imperative [*plikt* duty]; absolute **-härmlig** *a* inimitable **-rättlig** *a* [oförbätterlig] incorrigible; [oresonlig] unreasonable
o‖egennytta disinterestedness; *äv.* altruism **-egennyttig** *a* disinterested; *äv.* altruistic **-egentlig** *a* improper; *~t bråk* (*mat.*) improper fraction; [figurlig] figurative [*betydelse* sense] **-egentlighet** impropriety; *~er* [i bokföring, förvaltning] irregularities; [försnillning] embezzlement *sg* **-ekonomisk** *a* uneconomic[al]; [slösaktig] *äv.* unthrifty, wasteful **-elastisk** *a* inelastic **-eldad** *a* unheated
oemot‖sagd *a* uncontradicted; [opåtald] unchallenged **-ståndlig** *a* irresistible; [överväldigande] overpowering **-säglig** *a* indisputable; incontestable **-taglig** *a* not susceptible [*för* to]; [för smitta, propaganda] *äv.* immune (impervious) [*för* to]; proof [*för* against]; *~ för väta* waterproof **-taglighet** insusceptibility; *äv.* immunity
oengelsk *a* un-English
oen‖hetlig *a* heterogeneous **-ig** *a* disunited; jfr *äv. oense* **-ighet** dissension, disagreement, discord **-se** *a, vara ~ med* disagree (fall out, quarrel) with; *äv.* be at variance with
oer‖faren *a* inexperienced [*i* in]; [omogen] callow, **F** green **-farenhet** inexperience [*i* in (of)] **-hörd** *a* unheard of (-of); [exempellös] unprecedented, unparalleled; [ofantlig] tremendous, enormous **-sättlig** *a* irreplaceable; irreparable [*skada* damage]; irretrievable [*förlust* loss]; *han är ~* (*äv.*) his place cannot be filled
o‖estetisk *a* unæsthetic[al] **-fantlig** *a* immense, enormous, tremendous; [jättestor] huge; [vidsträckt] vast **-fantligt** *adv* immensely &c; **F** awfully **-farlig** *a* involving no danger (risk); safe; harmless; [oskadlig] innocuous **-fattbar -fattlig** *a* incomprehensible (inconceivable) [*för* to]; *det är mig ~t att (varför)* . . I can't understand that (why) . . **-felbar** *a* infallible; [osviklig] *äv.* unerring **-felbarhet** infallibility
offensiv I *s* [*på ~en* on the] offensive **II** *a* offensive, aggressive **-anda** aggressive spirit
offentlig *a* public; *i det ~a livet* in public life; *den ~a sektorn* (*ekon.*) the public (government) sector; *~t uppträdande* appearance in public; *en ~ hemlighet* an open secret **-göra** *tr* announce; [utgiva i tryck] publish **-het** publicity; *inför ~en* before the public **-hets|princip** principle of public access to official records **-t** *adv* publicly, in public
offer sacrifice; [i krig, olyckshändelse] victim; [-gåva] oblation, offering; *falla ~ för* . . fall a victim (prey) to . .; *i sms* sacrificial, . . of sacrifice
offerera *tr hand.* offer, quote
offer‖gåva -gärd offering; *äv.* sacrifice **-lamm** *bildl.* innocent victim **-mod** spirit of sacrifice **-präst** sacrificial priest
offert *hand.* offer [*på* of (for)]; [leveransanbud] tender [*på* for]; [prisuppgift] quotation [*på* for]
offer‖vilja spirit of self-sacrifice **-villig** *a* self-sacrificing
officer *mil.* officer [*i* in; *vid* of] **-s|aspirant** probationary officer **-s|fullmakt** [officer's] commission **-s|kår** corps of officers **-s|mäss** [officers'] mess; *sjö. äv.* ward-room
offici‖ant *relig.* celebrant, officiant **-ell** *a* official **-era** *itr* officiate **-ös** *a* semi-official
offra I *tr* sacrifice, immolate; [djur] *äv.* offer [up]; [upp-] sacrifice, *äv.* give up [*sin frihet* one's freedom]; *~ tid (pengar) på* spend (waste) time (money) on; *~ sitt liv för* give one's life for **II** *rfl* sacrifice o. s. [*för* for]
offside *sport.* off-side
offset offset **-press** offset printing press **-tryck** offset printing
o‖fin *a* ungentlemanlike (unladylike), vulgar; [grov] coarse; **F** caddish **-finkänslig** *a* indelicate, untactful **-fjädrad** *a* [fågelunge] unfledged, callow **-fodrad** *a* unlined **-fog** mischief; *göra ~* do (play, make, be up to) mischief **-formlig** *a* formless, shapeless **-fosterländsk** *a* unpatriotic **-framkomlig** *a* [väg] impassable; impracticable *äv. bildl.* **-frankerad** *a* unstamped **-fred** [osämja] dissension, discord; [krig] war **-freda** *tr* molest **-fri** *a* unfree; [bunden] fettered **-frid** se *-fred* **-frivillig** *a* involuntary; [oavsiktlig] unintentional
ofrukt‖bar *a* barren *äv. bildl.,* infertile; [plan, arbete] unproductive; *bildl. äv.* sterile **-barhet** barrenness, infertility **-sam** *a* barren, sterile
ofrånkomlig *a* inescapable; [oundviklig] inevitable, unavoidable
ofrälse I *s* commoner **II** *a* [oadlig] untitled; *de ~ stånden* the commoner estates
ofta *adv* often; [upprepade gånger] frequently; *så ofta [jag hör]* whenever . .; *det händer ~* it often (frequently) happens; *~st* in most cases, most often; *allt som ~st* every now and then
oftalm‖iatrik *läk.* ophthalmiatrics *sg* **-olog** ophthalmologist **-ologi** ophthalmology
ofull‖bordad *a* unfinished; incomplete **-gången** *a* abortive; jfr *äv. omogen* **-komlig** *a* imperfect **-komlighet** imperfection; *~er* (*äv.*) shortcomings **-ständig** *a* incomplete; [bristfällig] defective; [otillräcklig] insufficient **-ändad** *a* se *-bordad*

o||**fyndig** *a geol.* non-metalliferous **-färd** calamity; [fördärv] ruin; *bringa ~ över . .* bring down calamity (ruin) upon . . **-färdig** = *lytt* **-färds|år** year[s *pl*] of distress **-född** *a* unborn

oför||arglig *a* harmless, inoffensive **-behållsam** *a* frank, open; unreserved **-beredd** *a* unprepared; [oväntad] unexpected **-blommerad** *a* unreserved; [rakt på sak] blunt **-bränn[e]lig** *a bildl.* inexhaustible; unquenchable **-bätterlig** *a* incorrigible; [inbiten] inveterate, confirmed **-delaktig** *a* unfavourable; unprofitable [*affär* transaction]; *i en ~ dager* in an unflattering light **-dragsam** *a* intolerant [*mot* towards (to)] **-dragsamhet** intolerance **-dröjlig** *a* immediate **-dröjligen** *adv* without delay, immediately, promptly **-därvad** *a* unspoiled; [smak, yngling] uncorrupted, undepraved **-enlig** *a* inconsistent (incompatible) [*med* with]; irreconcilable [*fakta* facts; *åsikter* opinions]

oföretagsam *a* unenterprising **-het** lack of enterprise (initiative)

oför||falskad *a* genuine, pure **-färad** *a* fearless, undaunted, dauntless; jfr *-skräckt* **-glömlig** *a* unforgetable [*för* to]; never-to-be-forgotten **-griplig** *a* indefeasible [*rättigheter* rights]; *enligt min ~a mening* (*ung.*) to my mind, in my opinion **-gänglig** *a* imperishable (everlasting) [*ära* glory]; [odödlig] immortal **-gätlig** = *-glömlig* **-happandes** *adv* accidentally, by chance; [oväntat] unexpectedly **-hindrad** *a* unprevented [*att göra* from doing]; *vara ~ att . .* be free (at liberty) to . . **-klarlig** *a* inexplicable, unexplainable; *av någon ~ anledning* for some unaccountable reason; *det är mig ~t hur* (*varför*) it beats me how (why) **-kortad** *a* se *oavkortad* **-liknelig** *a* incomparable; [makalös] unrivalled, matchless; [enastående] unique **-låtlig** *a* inexcusable, unpardonable, unforgivable **-minskad** *a* undiminished [*hastighet* speed]; unabated [*energi* energy] **-modad** *a* unexpected; [oförutsedd] unforeseen **-modat** *adv, helt ~t* quite unexpectedly **-måga** incapacity [*till* for]; inability [*att hjälpa* to help]; incompetence **-månlig** *a* se *-delaktig* **-märkt I** *a* stealthy, furtive **II** *adv* [i smyg] stealthily &c; *avlägsna sig ~* depart unobserved (unnoticed) **-mögen** *a* incapable [*till* of; *att* of . . -ing]; unable [*att hjälpa* to help]; *~ till arbete* unfit for work **-neklig** *a* undeniable **-nuftig** *a* unreasonable, irrational; foolish **-nöjsam** *a* hard to please **-nöjsamhet** discontent[edness] **-rätt** wrong, injury; *begå en ~ mot . .* do [an] injury to . . **-rätta|d** *a, återvända med -t ärende* return unsuccessful ([tomhänt] empty-handed) **-siktig** *a* imprudent, incautious; [vårdslös] careless **-siktighet** imprudence &c **-skräckt** *a* undaunted, fearless, intrepid; [käck] **F** plucky **-skräckthet** undauntedness, intrepidity **-skylld** *a* undeserved **-skämd** *a* insolent, impudent; [fräck] audacious; [näsvis] saucy; *en ~ gynnare* (*äv.*) a cool customer (fish) **-skämdhet** [a piece of] insolence (impudence); *en ~* (*äv.*) an impertinence, **F** a cheek **-sonlig** *a* implacable [*hat* hatred], unforgiving **-sonlighet** implacability **-stådd** *a* misunderstood; [ej uppskattad] unappreciated **-stående I** *a* unsympathetic; [känslolös] callous; [ej uppskattande] inappreciative; *ställa sig ~ till . .* take up an unsympathetic attitude towards . . **II** *adv, stirra ~ på . .* stare blankly at . . **-stånd** lack of judg[e]ment (common sense); imprudence **-ståndig** *a* unwise, imprudent, foolish; [omdömeslös] injudicious; [icke tillrådlig] unadvisable **-ställd** *a* undisguised, unfeigned; unaffected [*glädje* joy]; [uppriktig] sincere **-störbar** *a* indestructible, undestroyable **-svagad** *a* unimpaired [*hälsa* health]; unabated [*intresse* interest] **-svarlig** *a* indefensible, unwarrantable **-säkrad** *a* uninsured **-sökt** *a* untried **-tjänt I** *a* undeserved **II** *adv* undeservedly **-truten** **-tröttad** *a* indefatigable; unwearied, untiring **-täckt** *a* unveiled, undisguised; *i ~a ordalag* in plain words **-tövad** *a* prompt, immediate **-utsedd** *a* unforeseen; [oväntad] unexpected, unlooked-for **-vanskad** *a* undepraved; jfr *-därvad* **-villad** *a* not led astray [*av* by]; [omdöme] unbiassed **-vitlig** *a* unimpeachable, irreproachable; *ett ~t leverne* (*äv.*) a blameless life **-vållad** *a* unprovoked **-vägen** *a* daring, bold; [våghalsig] reckless; *en ~ sälle* a dare-devil **-ytterlig** *a* inalienable; indefeasible [*rättighet* right] **-änderlig** *a* invariable, unvarying, constant; [bestående] permanent **-ändra|d** *a* unchanged, unaltered unmodified; *i -t skick* in its original form.

o||**gemytlig** *a* unattractive; forbidding [*sätt* manner]; [glädjelös] cheerless **-generad** *a* free and easy, unconstrained; [väl obesvärad] off-hand[ed], jaunty, **F** casual; [fräck] cool **-generat** *adv* unconstrainedly; *tala ~* speak frankly (off-handedly)

ogenom||skinlig *a* untransparent; *äv.* opaque **-släpplig** *a* impervious **-tränglig** *a* [skog, mörker, mysterium] impenetrable [*för* to]; *~ för ljus* (*vatten*) impervious to light (water)

o||**gift** *a* unmarried, single; *~ kvinna* (*jur.*) spinster; *en ~ faster* a maiden aunt; *som ~* before her (o.s.v.) marriage **-gilla** *tr* disapprove of; object to; [ej tycka om] dislike; [skarpt ~] deprecate; *jur.* disallow, overrule **-gillande I** *s* disapproval, disapprobation **II** *a* disapproving, deprecating **-giltig** *a* invalid, void; *förklara ~* (*äv.*) cancel, annul, invalidate **-giltighet** invalidity **-gin** *a* disobliging (uncommodating) [*mot* towards] **-grannlaga** *a* untactful, indelicate; [utan hänsyn] inconsiderate **-graverad** *a jur.* unencumbered; [orörd] intact **-gripbar** *a* intangible; elusive **-grumlad** *a* unpolluted; [lycka] unclouded, untroubled **-grundad** *a* unfounded, ungrounded; unjustified **-gräs** weed (*koll* weeds *pl*); *rensa bort ~* (*äv.*) weed **-gudaktig** *a* ungodly, impious, wicked **-gudaktighet** ungodliness, impiety **-gynnsam** *a* unfavourable [*för* for (to)], unpropitious **-gärna** *adv* unwillingly; [motsträvigt] grudgingly, reluctantly; *jag gör det ~* I am reluctant to do it; *jag skulle ~* [*göra det*] I should be sorry to [have to] . . **-gärning** misdeed **-gärningsman** malefactor, evil-doer **-gästvänlig** *a* inhospitable **-gästvänlighet** inhospitality **-görlig** *a* not feasible; impracticable; impossible **-hanterlig** *a* [otymplig] unwieldy, unhandy; [oregerlig] unmanageable **-harmonisk** *a* unharmonious **-hederlig** *a* dishonest **-hejdad** *a* unrestrained, uncontrolled; *av ~ vana* by force of habit **-hjälplig** *a* hopeless; jfr *oförbätterlig;* [förlust] irretrievable **-hjälpligt** *adv* hopelessly; irretrievably [*förlorad* lost] **-hjälpsam** *a* unhelpful [*mot* to]

ohm *fys.* ohm

ohoj *itj, skepp ~!* ship ahoy!

o||**hyfsad** *a* [till det yttre] untidy, unkempt; **F** scruffy; [uppträdande] ill-mannered; uncivil, rude; [ekvation] unreduced **-hygglig** *a* horrible, awful, ghastly; [sår, skrik, buller] *äv.* hideous; [brott] *äv.* atrocious; [syn, intryck] *äv.* horrid, appalling **-hygienisk** *a* insanitary **-hyra** vermin *koll* **-hyvlad** *a* unplaned, rough **-hågad** *a* disinclined [*för* for]; unwilling [*för att* to] **-hållbar** *a* unsolid *äv. bildl.*; [resonemang, ståndpunkt] untenable **-hägn,** *göra* ~ *på*.. do damage to..; *äv.* trespass on.. **-hälsa** bad health; [sjukdom] illness **-hälsosam** *a* [klimat] unhealthy; [föda] unwholesome; bad for one's health **-hämmad** *a* unchecked; jfr *ohejdad* **-hämmat** *adv* unrestrainedly, without restraint **-hämnad** *a* unavenged **-hängd** *a bildl.* impudent, **F** cheeky, saucy **-höljd** *a* se *oförställd* **-hörbar** *a* inaudible **-hörd** *a* unheard; *jur.* untried **-igenkännlig** *a* unrecognizable **-igenkännlighet,** *till* ~ [*förändrad*] ..past recognition **-inbunden** *a* unbound **-inskränkt** *a* unlimited, unrestricted; [härskare] absolute **-intaglig** *a* impregnable **-intecknad** *a* unencumbered **-intressant** *a* uninteresting; dull **-intresserad** *a* uninterested [*av* (*för*) in]; *vara* ~ *av* not be interested in **-invigd** *a* uninitiated [*i* in[to]]; *den* ~*e* (*äv.*) an outsider

oj *itj* [Oh,] dear me!

o||just *a* incorrect, unfair **-jämförlig** *a* incomparable **-jämförligt** *adv* incomparably; without (beyond) comparison; ~ *mycket bättre* much better by far **-jämn** *a* uneven [*tal* number, *humör* temper]; [yta] *äv.* rough; [i storlek, längd] unequal; [klimat, lynne] unequable; [oregelbunden] irregular [*puls* pulse]; *en* ~ *strid* a losing battle **-jämnhet** unevenness; inequality **-jävig** *a* [bevis, vittnesmål] unchallengeable; [opartisk] unbias[s]ed; *två* ~*a vittnen* two disinterested (credible) witnesses

ok yoke; [slaveri] *äv.* bondage; *bringa under* ~*et* put to the yoke

o||kammad *a* uncombed **-kamratlig** *a* disloyal **-klanderlig** *a* irreproachable; [t. ex. engelska] faultless; [moraliskt] blameless **-klar** *a* **1** *eg.* obscure, dim; [grumlig] turbid, muddy; [suddig] blurred [*konturer* outlines] **2** *bildl.* unclear, unlucid; [oredig] muddled, confused; [dunkel] obscure [*betydelse* meaning] **3** *sjö.* foul **-klok** *a* unwise, imprudent, injudicious; [dåraktig] foolish; [om sak] *äv.* unadvisable **-klädd** *a* undressed; [naken] without any clothes, naked; [möbel] unupholstered **-knäppt** *a* unbuttoned; [knapp] undone **-kokt** *a* unboiled; [rå] raw **-konstlad** *a* unaffected, artless; [oförställd] ingenuous; [naiv] unsophisticated **-kontrollerad** *a* unchecked **-kontrollerbar** *a* uncontrollable **-kristlig** *a* ungodly; **F** awful, tremendous **-kritisk** *a* uncritical **-kryddad** *a* unseasoned **-kränkbar** *a* inviolable **-krönt** *a* uncrowned

oktant octant

oktav **1** *mus.* octave **2** [bokformat] octavo

oktober October

oktroj charter; [friare] licence

okultiverad *a* uneducated, uncivilized, unrefined

okulär *a* ocular **-besiktning** ocular inspection

o||kunnig *a* ignorant [*om* of]; ~ *om* (*om att*) *äv.* unaware of ([of the fact] that) **-kunnighet** ignorance; *sväva i* ~ *om*.. be in the dark about.. **-kuvlig** *a* indomitable; *äv.* irrepressible (unquenchable) [*energi* energy] **-kvald** *a, i* ~ *besittning* in undisputed possession **-kvinnlig** *a* unwomanly **-kväda** *tr* abuse **-kvädin[g]sord** abusive word; ~ (*pl*) abusive (opprobrious) language *sg* **-kynne** mischief, naughtiness; *på* [*rent*] ~ out of [pure] mischief **-kynnig** *a* naughty, mischievous; [självsvåldig] wanton **-kysk** *a* unchaste **-kyskhet** unchastity **-känd** *a* unknown [*för* to]; unfamiliar [*vägar* roads]; *av* ~ *anledning* for some unknown reason; [föga känd] obscure **-känslig** *a* insensible (insusceptible) [*för* to]; not sensitive [*för* to]; [känslolös] unfeeling **-laddad** *a* unloaded, uncharged

olag, [*råka*] *i* ~ [get] out of order (gear)

olag||a **-lig** *a* unlawful, illegal; [jakttid] close [season]

o||lat [hos djur] vice; ~*er* bad (vicious) habits **-lidlig** *a* insufferable, unbearable, intolerable **-lik** *a* unlike, different to..; *vara* ~*a varandra* (*äv.*) differ from one another **-lika** **I** *a* different; [växlande] various; [till storlek] unequal; *vara av* ~ *mening* be of different opinions; *av* ~ *slag* of different (various) kinds; *smaken är* ~ tastes *pl* differ **II** *adv* differently; ~ *stora* unequal in size; ~ *långa* of differing (unequal) length **-likartad** *a* heterogeneous, disparate **-likformig** *a* diversiform; *äv.* irregular; ~*a* differing in shape **-likformighet** irregularity of form **-likhet** unlikeness, dissimilarity; [i antal, ålder] disparity [*i* of]; [skillnad] difference; diversity [*i åsikter* of opinion *sg*]; *i* ~ *mot honom*.. unlike him.. **-liksidig** *a* with unequal sides; *en* ~ *triangel* a scalene triangle **-linjerad** *a* unruled

oliv olive **-olja** olive oil

olj||a **I** *s* oil; *gjuta* ~ *på elden* add fuel to the fire; *gjuta* ~ *på vågorna* pour oil on troubled waters; *måla i* ~ paint in oil[s] **II** *tr* oil, grease **-e|avtappning** oil drain **-e|behållare** oil container ([större] reservoir) **-e|berget** the Mount of Olives **-e|bolag** oil company **-e|brunn** oil well **-e|duk** *hand.* oilcloth; *sjö.* oilskin **-e|eldad** *a* oil-heated **-eldning** oil-heating **-e|fat** oil drum **-e|filter** oil filter (strainer) **-e|fält** oilfield **-e|färg** oil paint **-e|förbrukning** oil consumption **-e|förråd** oil supply **-e|hus** ⊕ oil-reservoir (-vessel) **-e|härdad** *a* oil-tempered **-e|kakor** oilcake *sg* **-e|kanna** oil-can **-e|kläder** oilskin clothes; *sjö. äv.* oilskins **-e|kopp** oiler **-e|kran** oil cock **-e|källa** oil well **-e|lampa** oil lamp **-e|ledning** [i motor] oil feeder (pipe); [från oljekälla] [oil] pipeline **-e|manometer** oil pressure gauge **-e|målning** oil painting **-e|mätare** oil gauge **-e|pump** oil pump **-e|raffinaderi** oil refinery **-e|rock** oilskin coat **-e|rör** oil pipe **-e|tank** oil tank **-e|termometer** oil temperature gauge **-e|tillförsel** oil feed **-e|tratt** oil funnel **-e|tryck** oil pressure; [tavla] oleograph [print] **-e|utsläpp** [the] dumping [of] waste oil **-e|växt** oil-yielding (oleiferous) plant **-ig** *a* oily; *bildl. äv.* unctuous

oljud noise, din; *föra* ~ make a noise

ollon acorn **-borre** cockchafer

o||logisk *a* illogical **-lovandes** *adv* without leave (permission); *äv.* against orders **-lovlig** *a* forbidden; [ärende, jakt] unlawful; [otillåten; i smyg] illicit; ~ *frånvaro* absence without leave **-lust** [obenägenhet] disinclination (unwillingness, reluctance) [*för* for; *för att* to]; [obehag] [feeling of] discomfort (uneasiness) [*över* at] **-lust|betonad** *a* uncomfortable **-lustig** *a* uncomfortable, ill at ease; [börs] languid, dull

olyck||a **1** [varaktigare] misfortune, bad (ill) luck; [bedrövelse] unhappiness; [motgång] adversity; [elände] misery; *råka i* ~ get into trouble **2** [missöde] mishap; [olyckshändelse] accident; [starkare] disaster, calamity; *en* ~ *kommer sällan ensam* misfortunes never come singly; *ingen* ~ *skedd* no harm done; *till all* ~.. as ill-luck would have it, . .; *till råga på ~n* to make matters worse **-lig** *a* **1** unfortunate; unlucky [*ögonblick* moment]; unsuccessful [*försök* attempt] **2** [person, liv, äktenskap] unhappy; [djupt ~] miserable, wretched **-ligtvis** *adv* unfortunately, unhappily **-salig** *a* [most] unhappy; fatal, disastrous **-s|bringande** *a* fatal [*för* to]; disastrous **-s|bud** bad news *sg* **-s|bådande** *a* ominous, portentous, evilboding **-s|dag** unlucky day **-s|fall** accident; casualty; emergency **-s|falls|försäkring** accident insurance **-s|händelse** accident; *råka ut för en ~* meet with an accident **-s|kamrat** companion in misfortune **-s|plats,** *~en* the scene of the accident **-s|profet** prophet of evil, croaker **-s|tillfälle,** *vid ~t* at the [time of the] accident **-s|öde** unlucky fate

olyd||ig *a* disobedient [*mot* to] **-nad** disobedience

olymp||iad Olympiad **-isk** *a, de ~a spelen* the Olympic Games

o||låt noise; clamour; jfr *oljud* **-lägenhet** inconvenience; [besvär] trouble **-läglig** *a* inopportune; [illa vald] ill-timed; *om det inte är ~t för er* if it is not inconvenient (awkward) to you **-läklig** *a* unhealable **-lämplig** *a* unsuitable, inappropriate, unfitting; [oläglig] inconvenient; [otillbörlig] improper; [för yrke, befattning] unfit [*för* for] **-lämplighet** unsuitability, inappropriateness &c; impropriety **-ländig** *a* rough, rugged **-läraktig** *a* unteachable **-lärd** *a* unlearned; *äv.* unlettered **-läslig** *a* [handstil] illegible; [bok] unreadable **-lönsam** *a* unprofitable **-löslig** *a* [i vätska] indissoluble; *bildl.* insoluble, unsolvable

om **I** *prep* **1** [rum] *~ hörnet* round the corner; *~ halsen* about (around) one's neck; *norr ~* [to the] north of; *jag är smutsig ~ händerna* my hands are dirty; *tvätta sig ~ händerna* wash one's hands; *ta ngn ~ livet* seize a p. by the waist; *lätt ~ hjärtat* light at (of) heart; *blanda ~ varandra* mix **2** [tid] in [*en timme* an hour]; *~ dagen (morgonen, vintern)* in the day[-time] (morning, winter); *~ kvällen* in the evening; *~ natten* at (*äv.* by) night; *äv.* during the night; *~ måndag* on (next) Monday; *till ~ måndag* by Monday; *~ måndagarna* on Mondays; *~ julen* at Christmas; *fyra gånger ~ året* four times a year; *i dag ~ en vecka* this day week; *året ~* throughout the year, all the year round **3** *bildl.* [tala ~, handla ~] about, of; [beträffande] as to; *föreläsa ~* lecture on; *sagan ~* the story of; *slaget ~ Britannien* the Battle of Britain; *ett förslag ~ att* a proposal for . . -ing; *angelägen ~* eager for; *fråga ngn ~ vägen* ask a p. the way **II** *adv* **1** [omkring, tillbaka] round; [förbi] past; *gå ~* [på gatan] overtake, *äv.* pass [by]; *det går snart ~* it'll soon pass over; *sköta ~* attend to, be busy with; *sköta ~ ngn* look after a p.; *vända ~* turn back **2** *~ igen* over again, once again (more); *~ och ~ igen* over and over again, repeatedly; *många gånger ~* many times over; *måla ~* re-paint; *skriva ~* re-write; jfr *resp. verb* **III** *konj* **1** [villkorl.] if; *~ inte* unless, if not; *~ så är* in that case; *~ också* even if (though); *som ~* as though; *~ han ej hade funnits* but for him **2** [fråg.] if, whether **3** [önskan] if

o||mak trouble, bother **-maka** *a* **1** *en ~ handske* an odd glove; *skorna är ~* the shoes are not a pair (don't match) **2** *bildl.* ill-matched(-assorted) **-manlig** *a* unmanly, effeminate

om||arbeta *tr* remodel; [bok, pjäs] revise; adapt [*för filmen* for the film] **-bedd** requested, asked, called upon **-besörja** *t* attend (see) to, effect **-bilda** *tr* transforn (convert) [*till* into]; reconstruct [*en mi nistär* a ministry] **-bonad** *a* warm and cosy snug **-bord** *adv* on board; *~ på båten* o board the steamer; *gå ~* (*äv.*) embark; [p flygplan] emplane; *fritt ~* (*hand.*) free o board (fob) **-bord|varande** *a, de ~* thos on board **-borra** *tr* [cylinder] rebore **-brut|e** *a, -et korrektur* page proof **-bryta** *tr boktr* make up [into pages], distribute **-brytar** *elektr.* switch **-bud** representative, deputy *hand. äv.* agent; *genom ~* (*äv.*) by prox **-budsman** solicitor, [friare] representativ **-bunden** *a* tied up **-byggnad** reconstruction [*huset*] *är under ~* . . is being re-built **-byt** change [*av kläder* of clothes]; [varor] ex change; [omväxling] variety **-bytlig** changeable, variable; [nyckfull] inconstan fickle **-daning** remoulding; transformation reform **-debatterad** *a, en ~ fråga* a burnin (much-debated) question

omdöme [good (sound)] judg[e]ment; [urskill ning] discernment, discrimination; [me ning] opinion; *bilda* [*sig*] *ett ~* form judgment (an opinion) **-s|förmåga** [powe of] judgment **-s|gill** *a* sound in judgment judicious **-s|lös** *a* undiscerning, lacking i judgment; injudicious

omedelbar *a* immediate; [spontan] spontane ous; [naturlig] natural **-het** spontaneity naturalness **-t** *adv* immediately &c; *äv.* di rectly; [t. ex. avresa] at a moment's notice [genast] at once, straight off

omed||görlig *a* intractable, unaccommodat ing; unyielding, intransigent; uncooperativ **-görlighet** intractability, unyieldingness, in transigence **-veten** *a* unconscious [*om* o

omelett omelet[te]

omen omen, augury

om||famna *tr* **-famning** embrace, hug **-fatt** *tr* **1** [med händerna] clasp, grasp; [omsluta enclose, encircle **2** [innefatta] comprise, *äv* include; *priset ~r även* . . the price also in cludes . . **3** *bildl.* [religion, mening] embrace *~ . . med vördnad* hold . . in great esteen **-fattande** *a* extensive; comprehensive; [ut bredd] widespread; [i stor skala] larg scale [*reformer* reforms] **-fattning** extent range, compass, scope; *i hela dess ~* to th whole of its extent; [i stor skala] on a larg scale; *av stor ~* (*äv.*) of large proportion *pl* **-flyttning** transposition; inversion **-forma** *tr* transform; *elektr.* convert **-formare** *elektr.* converter, transformer **-fång** ex tent *äv. bildl.;* [storlek] size, bulk, dimen sions *pl;* [rösts] range; *till ~et* in siz (scope) **-fångs|rik** *a* extensive; voluminous [skrymmande] bulky **-gestalta** *tr* re-model transform [*ngns liv* a p.'s life] **-gift** *a* re married **-giva** *tr* surround; [~ på alla sidor enclose, encircle **-givning** surroundings *pl* [miljö] *äv.* environment, those around on (&c); *Oxford och dess ~ar* Oxford an its environs **-gående** **I** *a* immediate, b return **II** *adv* by return [of post] **-gång** **1** round; *äv.* turn, spell; *boxn.* bout *kortsp. äv.* rubber **2** [uppsättning] set [*klä der* of clothes; *verktyg* of tools] **-gärda** *t* fence . . [round (*bildl. äv.* about)] **-hulda** *t* cherish, foster; [person] *äv.* pet **-händerta[ga]** *tr* take charge of; [arrestera] tak in charge; *bli väl -händertagen* be take good care (charge) of, be well cared fo **-hölja** *tr* envelop, *äv.* enshroud; wra round **-hölje** envelope, cover, wrapping

omigen *adv* again, once more

omild *a* ungenial [*klimat* climate]; ungentl

(harsh) [*behandling* treatment]; [kritik o. d.] *äv.* severe
omintetgöra *tr* frustrate, thwart
omiss||känn[e]lig *a* unmistakable; [påtaglig] palpable **-tänksam** *a* unsuspecting, trustful
omistlig *a* inalienable [*rättighet* right]; *~a värden* things (possessions) too precious to lose; [oumbärlig] indispensable
om||justera *tr* readjust **-kasta** *tr elektr.* reverse **-kastare** *elektr.* change-over switch **-kastning** [i väderlek] change; veering, shifting; [politik, åsikter] reversal *äv. elektr.*; [av ordningen] inversion **-klädning** changing [of clothes]; [av möbel] re-covering **-klädningsrum** changing-room **-kom|ma** *itr* die, be killed; [förgås] perish; *de -na* the victims **-koppla** *tr* ⊕ switch [over] **-kopplare** ⊕ switch [gear] **-koppling** ⊕ switching; changing over **-kostnad,** *~er* costs, expenses; *äv.* outlay (expenditure) *sg* **-krets** circumference; *geom. äv.* periphery; *inom en ~ av* [*tio mil*] within the radius of . ., for . . round
om||kring *adv* o. *prep* round; *runt ~* [all] around; *~ 50* about fifty; *~ 100 pund* some hundred pounds; *~ kl. 7* at about seven; *gå ~ i staden* walk about the town; *när allt kommer ~* after all; all things considered; *vida ~* far and wide **-kull** *adv* [*slå* knock] down (over) **-kväde** refrain, burden **-körning** overtaking **-lagd** *a* [fabriksdrift] re-organized **-lasta** *tr* tranship; [på nytt] re-load **-ljud** *språkv.* umlaut *ty.*, mutation **-lopp 1** circulation [*blod-* of the blood]; *vara i ~* circulate; *ett rykte är i ~* there is a rumour abroad **2** *astron.* revolution **-lopps|bana** orbit **-lopps|tid** [period of] revolution **-läggning** [drift] re-arrangement, re-organization; [skatt] revision; change over [*från* from] **-möblering** refurnishing; [av ministär] re-shuffling **-nejd** se *-givning*
omnibus [omni]bus; se *buss*
omnämn||a *tr* mention [*för* to] **-ande** *s* mention
o||modern *a* unmodern; [friare] out of date; [ej på modet] unfashionable; *bli ~* go out of fashion **-mogen** *a* unripe *äv. bildl.*; *bildl. äv.* immature; [oerfaren] **F** green **-mogenhet** *bildl.* immaturity **-moralisk** *a* immoral
omorganis||ation reorganization **-era** *tr* reorganize
o||mornad *a* sleepy, half awake, drowsy **-motiverad** *a* unwarranted; unfounded; [opåkallad] uncalled-for [*anmärkning* remark]
om||placera *tr* re-arrange; [pengar] re-invest; [ämbetsman] transfer **-plantera** *tr* replant, transplant **-pröva** *tr* reconsider **-prövning** [*efter* on] reconsideration **-redigera** *tr* [bok o. d.] revise; [film] re-edit **-ringa** *tr* surround; *mil. äv.* encircle **-råde 1** *eg.* territory; [mindre] district, area; [trakt] region **2** *bildl.* province [*arkeologiens* of arch[a]eology], department; [verksamhets-] sphere [of activity], field (range) [of action] **-röstning** vote, voting; *äv. Engl. parl.* division; *anställa ~ om..* put . . to the vote; [sluten] ballot **-se** *tr* see to **-sider** *adv, sent ~* at [long] last, at length **-skaka** *tr* shake up; *~s väl!* to be well shaken! **-skapa** *tr* transform **-skola** *tr* re-educate, readjust **-skolning** re-education, readjustment **-skriv|a** *tr* **1** = *skriva* [*om*] **2** *geom.* circumscribe **3** *bildl.* paraphrase; *mycket -en* much-discussed **-skrivande** *a* periphrastic [*verb* verb] **-skrivning 1** rewriting; [*fonetisk* phonetic] transcription **2** *geom.* circumscribing **3** periphrasis, paraphrase, circumlocution **-skära** *tr* circumcise **-skärelse** circumcision **-slag 1** [bok-] cover, jacket, wrapper; [för grammofonskiva] sleeve **2** *läk.* compress; *våtvärmande ~* fomenting bandage (compress) **3** [förändring] change [*i vädret* in the weather]; [i stämning] *äv.* reversal **-slags|bild** cover (jacket) design **-slags|papper** wrapping-paper; *äv.* brown paper **-slut** *hand.* second balancing-up **-sluta** *tr* clasp; [inne-] enclose; [omge] surround; *bildl.* embrace **-sorg** care; [möda] trouble, pains *pl*; [känsla] solicitude; [bekymmer] anxiety; *nedlägga ~ på* devote trouble (pains) to, bestow care (pains) upon **-sorgsfull** *a* careful; [grundlig] thorough (painstaking) [*i sitt arbete* in o.'s work]; [i klädsel] neat; [i detalj utarbetad] elaborate [*utförande* workmanship] **-spunnen** *a, ~ ledningstråd* wound thread **-spänna** *tr bildl.* cover, range (stretch) over; [omfatta] embrace [*många områden* many subjects] **-stridd** *a* contested, disputed; *den ~a punkten* the point at issue **-strålad** *a* haloed [*av ljus* (*ära*) with light (honour)] **-stuva** *tr, ~ lasten* shift the stowage **-stående** *a, på ~ sida* overleaf **-ständighet 1** circumstance; [faktum] fact; *den ~en att han bor här* [the fact of] his living here; *efter ~erna* according to circumstances; *allteftersom ~erna det medgiva* as circumstances may permit; *han befinner sig efter ~erna väl* he is well considering [the circumstances]; *genom ~ernas makt* by [the] force of circumstances; *under dessa ~er* (*äv.*) this being so (the case); *i knappa ~er* in reduced circumstances; *närmare ~er* [further] particulars, details **2** [särbet.] *~er* formalities; *göra ~er vid* make difficulties about; *utan vidare ~er* without [further] ceremony ([any] more ado) *sg* **-ständlig** *a* circumstantial, detailed; [person] ceremonious **-stöpa** *tr* re-cast [*planer* plans] **-störta** *tr* overthrow, upset; *äv.* subvert [*samhället* society] **-störtande** *a* subversive **-störtning** [politisk, social] upheaval, subversion; revolution **-svep** roundabout way[s *pl*]; *göra ~* beat about the bush; *utan ~* straight out; candidly **-svängning** se *-kastning* **-svärma** *tr* flock (swarm) around **-sägning** repetition **-sätta** *tr* **1** [förvandla] convert (*äv.* transform) [*i* into]; *~ . . i handling* (*praktiken*) put . . into action (practice) **2** [varor] sell, turn over; *~ . . i pengar* turn . . into cash (ready money); [*aktierna*] *-sattes till* . . . . changed hands at . . **3** [växel o. d.] renew, prolong **-sättning 1** *hand.* turnover, sale **2** [av lån] renewal, prolongation **3** *allm.* conversion **4** *boktr.* re-composition **-sättnings|skatt** purchase (sales) tax **-tala** *tr* tell; jfr *-nämna, tala* [*om*]; *~s som . .* be spoken of as . . **-tanke** solicitude; *äv.* = *-tänksamhet* **-tryck** *boktr.* re-printing; *ett ~* a reprint **-tvistad** *a* disputed; *en ~ fråga* a matter of dispute (controversy); [*punkt* point] at issue **-tyckt** *a* popular, liked; *illa ~* disliked, unpopular **-tänksam** *a* considerate (thoughtful) [*om* for, of]; jfr *hänsynsfull*; [förutseende] provident **-tänksamhet** considerateness &c **-töckna** *tr* darken; [om sprit o. d.] befog; **F** fuddle; *~d* [*hjärna*] (*äv.*) muddled . .
o||musikalisk *a* unmusical **-mutlig** *a* incorruptible, unbribable; [friare] uncompromising, stern **-mutlighet** incorruptibility &c; uncompromisingness &c
om||val re-election **-vald** *a* re-elected; [till parl.] *äv.* returned **-vandla** *tr* transform, convert **-vandling** conversion, transformation

-vittna *itr* testify **-vittna|d** *a* .. testified to; *ett -t faktum* a certified fact **-vårdnad** care **-väg** roundabout (circuitous) way (route) *äv. bild.* jfr *krok-; en lång* ~ (*äv.*) a long way round; *ta en* ~ make a detour; *på* ~*ar* (*bildl.*) in a roundabout (an indirect) way, *äv.* by roundabout means **-välja** *tr* re-elect **-välvning** revolution **-vänd** *a* **1** turned [upside down]; jfr *bak-, upp och ned-;* [motsatt] reverse, *äv.* opposite; *vetensk.* inverse [proportion]; *i* ~ *ordning* (*äv.*) in inverted (the reverse[d]) order; inversely; *han var som en* ~ *hand* (*bildl.*) he had turned round completely **2** *relig.* converted; *en* ~ a convert **-vända** **I** *tr relig.* convert **II** *rfl* be converted **-vändelse** conversion **-vänt** *adv* inversely; *och* ~ and vice versa, and conversely **-värdera** *tr* re-value **-värdering** re-valuation **-värld,** ~*en* the world around us (o. s. v.) **-växla** = *växla* [*om*] **-växlande** **I** *a* alternating; *äv.* alternate; varying [*lycka* fortune]; [ej enformig] varied, full of variety **II** *adv* alternatingly &c; by turns **-växling** alternation; variation, variety; [förändring] change; *för* ~*s skull* for the sake of variety, *äv.* for a change

o||myndig *a* under (not of) age **-myndighet[s|tillstånd]** minority **-måttlig** *a* immoderate; excessive [drinker]; [beröm o. d.] exaggerated; [krav, pris] *äv.* exorbitant; [fåfänga] inordinate **-måttlighet** immoderation; excess[iveness]; exorbitance **-mänsklig** *a* inhuman; *äv.* barbarous **-mänsklighet** inhumanity **-märklig** *a* imperceptible; [osynlig] indiscernible **-mätlig** *a* immeasurable, boundless; jfr *ofantlig* **-mättlig** *a* insatiable **-möblerad** *a* unfurnished **-möjlig** *a* impossible; jfr *-görlig; det är* ~*t att detta är sant* it cannot possibly be true **-möjliggöra** *tr* make (render) .. impossible **-möjlighet** impossibility **-möjligt** *adv, han kan* ~ .. he cannot possibly .. **-naturlig** *a* unnatural; [konstlad] affected

ond *a* **1** evil [*ande* spirit]; [dålig] bad [*dröm* dream; *samvete* conscience]; malicious [*tungor* tongues]; [syndig] wicked; ~*a aningar* misgivings; *väcka* ~ *blod* create ill-feeling; ~*a människor* bad (evil, wicked) people **2** [vred] angry (cross) [*på* with; *över* at; *över att* that]; *äv.* vexed, provoked **3** [kroppsl.] sore; *det* ~*a stället* the sore place **-göra** *rfl* take offence [*över* at]; ~ *sig över att* (*äv.*) take it amiss that **-o,** *av* ~ of evil; *fräls oss ifrån* ~*!* deliver us from evil! *med godo eller* ~ with fair means or foul **-sint** se *arg-* **-ska** evil; malignity, spite; [tidens] wickedness; se *äv. elakhet, illvilja* **-ske|full** *a* malignant, spiteful; wicked

onduler||a *tr* wave **-ing** waving; *en* ~ a wave

oneklig *a* undeniable; jfr *obestridlig* **-en** *adv* undeniably, without doubt, unquestionably

onjutbar *a* unenjoyable; [mat] unpalatable

onkel uncle

onormal *a* abnormal

onsdag Wednesday; jfr *fredag*

ont **1** evil; [skada] harm; [plåga] pain; [*jag har intet*] ~ [*gjort*] .. no wrong (harm); *ha* ~ *i sinnet* be brewing mischief; ~ *skall med* ~ *fördrivas* like cures like; *det gör mig* ~ *att* [*höra*] I am sorry (grieved) to ..; *det gör mig* ~ *om honom* I am sorry for him; *gör det* ~*? a)* [värker det?] have you got any pains? *b)* does it hurt [you]? *det gör* ~ *i ögonen* [*på mig*] it hurts my eyes; *ha* ~ be in pain, suffer; *ha* ~ *i benet* have a pain in one's leg; have a bad leg; *jag ser intet* ~ *i det* I don't see any wrong (harm) in that; *slita* ~ suffer hardships, have a rough time [of it]; *vålla mycket* ~ cause great mischief (harm) **2** *ha* ~ *om* be short of; *ha* ~ *om tid* be pressed for time; *ha* ~ *om pengar* be hard up for money; *det börjar bli* ~ *om* [*smör*] .. is running short

o||numrerad *a* unnumbered **-nyanserad** *a* unshaded; [friare] undifferentiated **-nykter** *a* = *berusad* **-nyttig** *a* useless, of no use; *predik.* no good

onyx *min.* onyx

onåd disgrace; [misshag] displeasure; *falla i* ~ (*äv.*) get into ..'s bad books **-ig** *a* ungracious **-igt** *adv* ungraciously; with [a] bad grace; *upptaga ngt* ~ take a th. amiss

o||nämnbar *a* unmentionable **-nämnd** *a* unnamed &c; jfr *nämnd I; äv.* nameless; [författare] anonymous **-nödan,** *i* ~ unnecessarily **-nödig** *a* unnecessary; *äv.* needless, useless **-ombedd** *a* unasked, uninvited **-omkullrunklig** *a* impregnable [*sanning* truth] **-omtvistlig** *a* indisputable **-ordentlig** = *slarvig* **-ordnad** *a* disordered; [förhållanden] unsettled; *äv.* confused **-ordning** [state of] disorder; jfr *oreda; bringa i* ~ throw (&c) .. into disorder (confusion), put .. out of order, derange, *äv.* make a mess of **-organisk** *a* inorganic

opal opal **-skimrande** *a* opalescent

o||partisk *a* impartial, unbiassed, unprejudiced **-passande** *a* improper, *äv.* unseemly; [anstötlig] objectionable; jfr *olämplig* o. *oanständig* **-passlig** *a* indisposed, **F** out of sorts

opera opera; [-hus] opera-house **-sångare** opera singer

oper||ation operation *äv. mil.; hand. äv.* transaction; i *sms läk.* operating-, operation **-ations|bas** operation base **-ations|bord** operating table **-ations|chock** operational shock **-ations|sal** operating theatre **-ativ** *a* operative **-era** **I** *itr* **1** *allm.* o. *mil.* operate **2** *läk.* operate, perform (carry out) an operation **II** *tr läk.* operate [up]on; *bli* ~*d* be operated [up]on

operett musical [comedy], light opera

opersonlig *a* impersonal

opinion opinion; *den allmänna* ~*en* public opinion **-s|bildning** the creation of public opinion **-s|möte** *ung.* public meeting **-s|undersökning** opinion poll **-s|yttring** expression of opinion; *äv.* demonstration, manifestation

opium opium **-droppar** laudanum drops **-håla** opium den **-rökare** opium smoker

o||placerad *a sport.* unplaced **-plockad** *a, ha en gås* ~ have a crow to pluck **-poetisk** *a* unpoetical, prosaic **-politisk** *a* unpolitical; [oklok] impolitic

oppo||nent opponent **-nera** **I** *itr* oppose (object) [*mot* to] **II** *rfl* make (raise) objections [*mot* to]; ~ *sig emot* (*äv.*) object to, oppose, take exception to

opportun||ist opportunist, time-server **-istisk** *a* opportunistic **-itets|skäl,** *av* ~ for reasons of expediency

opposition opposition **-ell** **-s|lysten** *a* oppositional [*mot* towards] **-s|parti** opposition party

o||praktisk *a* unpractical **-prioriterad** *a hand.* unsecured **-proportionerlig** *a* disproportionate, out of [all] proportion **-prövad** *a* **1** untried; inexperienced **2** [icke utprövad] unpractised; untested **-psykologisk** *a* unpsychological

optik optics *sg* **-er** optician

optim||ism optimism **-ist** optimist **-istisk** *a* optimistic

option *hand.* option
opublicerad *a* unpublished. inedited
opus work; production; *mus. äv.* opus, composition
o|påkallad *a* uncalled-for; jfr *omotiverad* **-litlig** *a* unreliable; not to be depended upon; *äv.* untrustworthy; [sak] *äv.* unsafe **-litlighet** unreliability; undependability **-räknad** *a* unexpected; *en ~ lycka* (*äv.*) a godsend **-talt** *a* unnoticed, without a protest
or *zool.* mite
o|raffinerad *a* unrefined **-rakad** *a* unshaved
orakel oracle **-svar** oracular saying, oracle
orang|e orange **-e|färgad** *a* orange-coloured **-eri** hothouse, green-house
orangutang orang-utan
oransonerad *a* unrationed
oratorium oratorio
ord word; [fack-] *äv.* term; *~ för ~* word for word; *använda fula ~* use bad language; *ge ~ åt ..* put .. into words; *inte ett sant ~* not a word of truth; *ge sitt ~ [på att ..]* pledge one's word [that ..]; *innan man visste ~et av* before you could say Jack Robinson; *begära (få) ~et* ask for (get) permission to speak; *få ~et* [i riksdag] *äv.* get the floor; *.. har ~et* is speaking; *ha ~et i sin makt* never be at a loss for words; *lämna ~et åt ngn* call upon a p. to speak; *ha ett ~ med i laget* have a say in the matter; *förstå att lägga sina ~* know how to express o.s.; *i ~ och handling* in word and deed; *från ~ till handling* from words to deeds; *tala ett ~ med* have a word with; *med ett ~* [*sagt*] in one word; *med andra ~* in other words; *du kan tro mig på mitt ~* you may take my word for it; *rida på ~* catch at words; quibble; *ta ngn på ~en* take a p. at his word; *ta till ~a* begin (rise) to speak; *ta tillbaka sitt ~* go back on one's word; *stå vid sitt ~* stick to one's word **-a** *itr* talk **-a|grann** *a* literal; *äv.* word for word **-a|lag** *pl* words, terms; *i tydliga ~* (*äv.*) explicitly, in so many words **-a|lydelse** wording, *äv.* text **-bildning** word-formation **-blind** *a* word-blind **-bok** dictionary **-byte** dispute, altercation
orden order; *få en ~* have an order conferred [up]on one **-s|band** ribbon [of an order] **-s|broder** brother of an order **-s|förläning** award of an order **-s|kapitel** chapter [of an (the) order] **-s|mästare** master of an order (the Order) **-s|sällskap** order **-s|tecken 1**=*orden* **2** order badge
ordentlig *a* [omsorgsfull] careful ([noga] accurate) [*med* about, as to]; *äv.* methodical; [välartad] orderly, well-behaved [young man]; [snygg] tidy, neat; [noga] punctual, regular; [välskött] well-kept (-managed); [riktig] proper [*måltid* meal]; [duktig] thorough (sound) [*uppsträckning* rating]; ['rejäl'] good-sized [*skiva* slice]; *ett ~t mål mat* (*äv.*) a square meal **-het** carefulness &c; order[liness] **-t** *adv* in a careful (&c) manner; thoroughly &c; properly [*gjort* done]
order order [*om* for] *äv. hand.*; *hand. äv.* commission [*på* for]; [förhållnings- *pl*] instructions *pl*; *mil. äv.* command; *lyda ~* obey orders; *ge ~ om* (*mil.*) *äv.* order; *på ~ av* by order of **-bok** *hand.* order-book **-givning** issuing (issue) of orders
ord|fläta cross-word; *en ~* a cross-word puzzle **-flöde** flow of words **-följd** word order **-förande** president; [vid sammanträde] chairman [*vid* at, of]; *sitta som ~* preside, be in the chair **-förandeskap** presidency; chairmanship; *under ~ av ..* with .. in the chair **-förråd** vocabulary, stock of words **-förteckning** word-list; glossary **-hållig** *a* true (faithful) to one's word
ordin|arie *a* ordinary; [tåg, tur] regular; [tjänst] permanent; [fast anställd] .. on the permanent staff; [professor] *vanl.* full **-ation** *läk.* prescription **-era** *tr läk.* prescribe; *äv.* advise **-är** *a* ordinary; *hand. äv.* common, average
ord|karg *a* chary of words; taciturn **-klass** part of speech **-klyveri** word-splitting **-knapp** = *-karg* **-lek** pun, quibble **-lista** word-list, list of words, vocabulary; [av specialord] glossary
ordn|a I *tr* arrange; fix; [bringa *-ing* i] put .. in[to] order, *äv.* adjust; [*~ i rad*] range; [sortera] sort; [affärer] *äv.* settle; [reglera] *äv.* regulate, order; [städa] tidy up; jfr *an-*; *~ upp'* settle **II** *rfl* arrange itself; *det ~r sig nog* things will arrange themselves; it will come right **-ad** *a* arranged &c; settled (regular) [*arbete* work]; *i ~e förhållanden* in well-ordered circumstances **-ing 1** order; jfr *ordentlighet*; [metod] method, plan, system; *hålla ~ på* keep .. in order; *för ~ens skull* for form's sake; *i ~* in order; [färdig] ready; *göra i ~* get .. ready; *göra sig i ~* get ready; *alldeles i sin ~* quite all right (as it should be); *allt är i sin ~* (*äv.*) **F** everything is O. K.; *kalla till ~en* call to order **2** [följd] course, order; [tur] turn; *i tur och ~* in turn; *den andra i ~en* the second **-ings|följd** order, succession, sequence **-ings|makt,** *~en* the police **-ings|man** *skol.* monitor, prefect **-ings|människa** man (o. s. v.) of method **-ings|nummer** number **-ings|sinne** sense of order **-ings|stadga** regulations *pl* **-ings|tal** *gram.* ordinal [number]
ordonnans *mil.* orderly
ord|rik *a* copious; [pers.] verbose, wordy **-ryttare** quibbler [on words] **-skatt** vocabulary **-språk** proverb; *bli till ett ~* become proverbial **O-språks|boken** [the Book of] Proverbs **-strid** wrangling; *en ~* a wrangle **-stäv** saying, old saw **-svall** = *-flöde* **-val** choice of words **-växling** altercation
o|reda disorder; [förvirring] [state of] confusion; [röra] muddle, jumble, mess; *bringa ~ i ..* throw .. into disorder (confusion); *ställa till ~* cause confusion **-redig** *a* confused; [trasslig] entangled, muddled; [virrig] muddle-headed; *han blev ~* (*äv.*) his mind began to wander **-redlig** *a* dishonest; jfr *oärlig* **-regelbunden** *a* irregular, anomalous **-regelbundenhet** irregularity, anomaly **-regerlig** *a* unmanageable; *bli ~* (*äv.*) get out of hand **-reglad** *a* unlocked **-reglementerad** *a* unrationed [foodstuffs] **-ren** *a* unclean, not clean; jfr *smutsig*; [sedligt] unchaste; *mus.* o. d. impure, false **-rena** *tr* pollute; jfr *för~* **-renhet** impurity **-renlig** *a* uncleanly; jfr *smutsig*
orera *itr* speechify
o|reserverad *a* unreserved **-resonlig** *a* unreasonable; se *äv. oskälig*
organ organ [*för* of]; *bildl. äv.* institution, medium; [redskap] instrument **-isation** organization **-isations|förmåga** organizing skill **-isations|tvång** [the principle of the] closed shop **-isatorisk** *a* organizing **-isatör** organizer **-isera** *tr* organize **-isk** *a* organic **-ism** organism; [ngns] *äv.* system
organist organist
orgel organ **-läktare** organ-loft **-musik** organ music **-pipa** organ-pipe

orgie orgy, revel; *~r (äv.)* debauches, excesses
orient, *O~en* the Orient, the East **-al** Oriental **-alisk** *a* oriental, eastern
orienter||a I *itr sport.* go path-finding (cross-country running) **II** *rfl* take (get) one's bearings, find one's position; *vara ~d på* [en plats] know [the ins and outs of] .. **-ande** *a* introductory (explanatory) [*översikt* survey] **-ing** orientation; [sport] cross-country running; [på karta] map reading; [i litter.] introduction; *äv.* guidance, information **-ings|flygning** cross-country flight **-ings|förmåga** sense of locality **-ings|kurs** orientation course **-ings|löpare** cross-country runner
origin||al original; [pers.] eccentric [person] **-al|förpackning,** *i ~* as packed by the producer (&c) **-alitet** originality; eccentricity **-al|språk** original language **-al|upplaga** first edition **-ell** *a* original; *bildl.* eccentric, odd, queer
o||riktig *a* incorrect, erroneous, wrong **-rimlig** *a* absurd, preposterous; [obillig] unreasonable **-rimlighet** preposterousness &c; absurdity **-rimmad** *a* unrhymed; *äv.* blank [verse]
orka *tr* o. *itr.* = *förmå 1; jag ~r inte* (*äv.*) it is too much for me; *jag ~r inte mer* I cannot do (manage) any more; [inte längre] I cannot go on any longer, *äv.* I am quite done up (finished); [äta mer] I have had enough
orkan hurricane
orkeslös *a* infirm **-het** infirmity
orkester orchestra; [musikkår, äv. dans-] *vanl.* band **-anförare** = *dirigent* **-musik** orchestral music
orkidé orchid
orm snake; [*bibl.* o. större] serpent; *nära en ~ vid sin barm* nourish a viper in one's bosom **-biten** *a* snake-bitten **-bunke** *bot.* fern, bracken **-gift** snake-poison **-lik** *a* serpentine **-serum** anti-venom **-skinn** snake-skin; [avkastat] slough **-slå** blind-worm **-tjusare** snake-charmer **-vråk** buzzard
ornament ornament **-al** *a* ornamental, decorative
ornat robes *pl* of office; *i full ~* in full attire
ornitolog ornithologist
oro 1 [state of] agitation; [spirit of] unrest; restlessness; [sinnes-] uneasiness &c; jfr *orolig;* [ängslan] anxiety, concern; *känna ~* feel restless; *vålla ~* cause alarm **2** [i ur] balance[-wheel] **-a I** *tr* [störa] disturb; *äv.* bother, trouble; [skrämma] alarm **II** *rfl* worry [*för, över* about]; jfr *orolig* **-ande** *a* disturbing **-lig** *a* **1** agitated, disturbed; troubled [*tider* times]; [utan ro] restless **2** [bekymrad] concerned; [ängslig] anxious, worried, uneasy; *vara ~ över* (*äv.*) worry about; *var inte ~ för det!* (*äv.*) never fear! don't worry! **-lighet,** *~er* disturbances, riots **-s|moln** storm cloud **-s|moment** disturbing factor **-stiftare** disturber; agitator **-väckande** *a* alarming, disquieting
orr||e 1 black grouse **2** = *örfil* **-höna** grey-hen **-spel** black-cock's crooning **-tupp** black-cock
orsak cause [*till* of], reason [*till* for]; jfr *anledning, skäl; av denna ~* for that reason; on that account; *ingen ~!* don't mention it! **-a** *tr* cause, give cause (rise) to; *äv.* occasion, bring on **-s|sammanhang** *filos.* causal connection
1 ort *gruv.* adit
2 ort place; *äv.* locality; [trakt] district; *~ens* [*myndigheter*] the local . .; *på högre ~* in higher quarters *pl; på ~ och ställe* on the spot **-namn** place-name
orto||dox *a* orthodox **-doxi** orthodoxy **-grafi** orthography **-grafisk** *a* orthographic[al]
orts||befolkning local population **-bestämning** position finding **-pressen** the local press
o||rubba|d jfr *orubblig; sitta i -t bo* remain in sole possession **-rubblig** *a* immovable *äv. bildl.; bildl.* unshakeable; imperturbable [*lugn* calm]; [fast] firm, steadfast; [obeveklig] inflexible **-rygglig** *a* irrevocable; [tro] *äv.* unswerving **-råd,** *ana ~* take alarm, **F** smell a rat; *utan att ana ~* unsuspecting; *ta sig det ~et före att* take it into one's head to **-rädd** *a* fearless, intrepid; [frispråkig] outspoken **-räddhet** intrepidity **-räknelig** *a* innumerable, countless
orätt I *a* o. *s* wrong; *göra ~* do wrong; *göra ngn ~* wrong a p., do a p. an unjustice; *ha ~* be [in the] wrong; *med rätt eller ~* rightfully or wrongfully **II** *adv* wrongly, wrong; jfr *galet; min klocka går ~* my watch is wrong **-fången** *a* ill-gotten **-färdig** *a* unrighteous, unjust, iniquitous **-färdighet** unrighteousness, iniquity **-mätig** *a* [olaglig] unlawful, illegitimate; *äv.* wrongful, unjust **-rådig** *a* unrighteous, iniquitous **-vis** *a* unjust [*mot* to[wards]]; unfair [*mot* to] **-visa** injustice; [oförrätt] wrong
o||röjd *a* unbroken [*mark* ground] **-rörd** *a* **1** untouched; intact **2** [orubbad] not moved, unmoved **-rörlig** *a* immovable; [*stå* stand] motionless; [anletsdrag] immobile; [fast] stationary, fixed
os [smoky] smell **-a** *itr* smell; *det ~r* there is a smell of smoke
o||sagd *a* unsaid; *det låter jag vara osagt* I [shall (will)] say nothing about that, I am not prepared to say that **-saklig** *a* biassed **-salig** *a, som en ~ ande* like a lost soul **-saltad** *a* fresh [*smör* butter] **-sammanhängande** *a* disconnected, disjointed; [virrig] incoherent, rambling **-sams** = *-ense* **-sann** *a* untrue, false **-sannfärdig** *a* untruthful &c; jfr *sannfärdig* **-sanning** = *lögn; tala ~* tell a lie **-sannolik** *a* improbable, unlikely; *det är ~t, att han . .* he is unlikely to . .
oscillera *itr* oscillate
o||sed bad habit (custom) **-sedd** *a* unseen, without being seen **-sedlig** *a* immoral, indecent; [starkare] obscene **-sedvanlig** = *-vanlig* **-sinnlig** *a* immaterial; spiritual **-självisk** *a* unselfish, selfless **-självständig** *a* dependent on others; lacking in originality **-skad[a]d** *a* unhurt, unharmed, uninjured; [pers.] *äv.* safe and sound; [sak] *äv.* undamaged **-skadlig** *a* harmless, innocent, inoffensive; innocuous [*medicin* remedy] **-skadlig|göra** *tr* render .. harmless (&c); *äv.* neutralize; [kanon o. d.] put .. out of action **-skarp** *a* blurred **-skattbar** *a* priceless, inestimable, invaluable **-skick 1** misbehaviour, bad manners *pl* **2** *det är ett ~* it is a nuisance **-skicklig** *a* unskilful; *äv.* awkward **-skicklighet** unskilfulness; lack of skill **-skiftad** *a* undivided **-skiljaktig** **-skiljbar** *a* inseparable **-skodd** *a* unshod; [häst] not shoed **-skolad** *a* unskilled, untrained **-skriv|en** *a* unwritten [*lag* law]; blank [*sida* page]; [*han är*] *ett -et blad* .. an unknown quantity **-skrymtad** *a* unfeigned, sincere
oskuld 1 *abstr* innocence; [jungfrulig] virginity **2** *konkr, en ~* an innocent; a virgin **-s|full** *a* innocent; guileless, pure

o||skummad *a,* ~ *mjölk* whole milk **-skyldig** *a* innocent; guiltless (not guilty) [*till* of]; [ej stötande] inoffensive (harmless) [*skämt* joke] **-skälig** *a* **1** [djur] dumb; *~t djur* (*äv.*) brute **2** unreasonable; [pris] excessive, exorbitant **-skära** *tr* [befläcka] pollute; [vanhelga] desecrate **-slagbar** *a sport.* [pers.] undefeatable; [rekord] unbeatable **-slipad** *a* not sharpened (ground); unpolished *äv. bildl.* **-släcklig** *a* inextinguishable; unquenchable *äv. bildl.* **-släckt** *a* unslaked [*kalk* lime] **-smaklig** *a* unsavoury; distasteful (disgusting) *äv. bildl.* **-sminkad** *a bildl.* unvarnished (plain) [*sanning* truth]; *en ~ sanning* (*äv.*) a home-truth **-smyckad** *a* unadorned, plain **-smält** *a* undigested *äv. bildl.* **-smältbar** *a* indigestible; *kem.* infusible **-snuten** *a, en ~ unge* (*bildl.*) an unlicked brat **-snygg** *a* uncleanly, dirty; jfr *snuskig* **-sockrad** *a* unsweetened **-solidarisk** *a* disloyal **-spard** *a, ha all möda ~* spare no pains; *med ~ möda* without sparing any pains

oss *pron* us; *rfl* ourselves; *~ alla* all of us

1 ost [väderstreck] East; jfr *nord*

2 ost cheese; *få betalt för gammal ~* get paid out; *en lycklig ~* (*bildl.*) a lucky dog

ostadig *a* unsteady, unstable; [väder] unsettled *äv. börs.*; changeable **-het** unsteadiness &c

ostan *s* [the (an)] east wind

ostbit piece of cheese

ostentativ *a* ostentatious

Ostind||ien the East Indies *pl* **o-isk** *a* East Indian; *~t porslin* old china

ost||kaka curd cake **-kant** [a piece of] cheese rind **-kupa** [glass] cheese cover (bell)

ostlig *a* east[erly]; jfr *nordlig*

ostraff||ad *a* unpunished **-at** *adv* with impunity

ostron oyster **-bank** oyster-bed(-bank) **-fångst** oyster-catch[ing]

ostruk|en *a* **1** [kläder] unironed **2** *mus., -na oktaven* the unaccented (small, tenor) octave

ostvassla whey

o||styckad *a* undivided **-styrig** *a* unruly, rowdy; [lekfull] frisky **-städad** *a* untidy **-stämd** *a mus.* . . out of tune

ostämne casein[e]

o||stämplad *a* unstamped; [frimärke] unfranked **-störd** *a* undisturbed; [lycka, vila] unbroken **-sund** *a* unwholesome, unhealthy; *bildl.* morbid **-sviklig** *a* unerring, unfailing; [botemedel] infallible **-svur|en** *a, -et är bäst* better not swear to it **-symmetrisk** *a* unsymmetrical, asymmetrical **-sympatisk** *a* unattractive; [som man ej trivs med] uncongenial, unsympathetic **-synlig** *a* invisible; *göra sig ~* **F** make o.s. scarce **-syrad** *a* unleavened **-sårbar** *a* invulnerable **-säk|er** *a* uncertain [*om, på* of]; not sure; [väderlek] unsettled; [blick, hand] unsteady; shaky; insecure [*grund* foundation]; [existens] precarious; [röst] faltering; *-ra fordringar* (*äv.*) bad debts; *göra ~* render unsafe; infest **-säkerhet** uncertainty, insecurity; unsteadiness &c **-säljbar** *a* unsaleable, unmarketable **-sällskaplig** *a* unsociable, uncompanionable **-sämja** = *-enighet* **-sänkbar** *a* unsinkable **-sökt I** *a* unsought [for]; [spontan] spontaneous, natural **II** *adv* naturally, spontaneously

o||tack ingratitude **-tacksam** *a* ungrateful [*mot* to]; [uppgift] *äv.* thankless **-tacksamhet** ingratitude **-tadlig** *a* blameless, irreproachable **-takt,** *i ~* out of time (step) **-talig** *a* innumerable, countless; *~a gånger* times without number **-tid,** *i ~* at the wrong moment (juncture); *i tid och ~* in season and out of season **-tidig** *a* abusive, impertinent **-tidighet** impertinence; *~er* abusive (impertinent) remarks **-tids|enlig** *a* . . out of fashion; outmoded; jfr *omodern*

otill||börlig *a* undue; jfr *opassande* **-fredsställande** *a* unsatisfactory, inadequate; *äv.* not as it should be **-fredsställd** *a* unsatisfied; jfr *missnöjd* **-förlitlig** *a* unreliable, undependable, not to be relied upon **-gänglig** *a* inaccessible; **F** *äv.* un-get-at-able; jfr *reserverad;* [okänslig] insusceptible [*för* to] **-[l]åten** *a* unpermitted; *~ hastighet* illegal speed **-[l]åtlig** *a* inadmissible; [olaglig] illicit, unlawful **-räcklig** *a* insufficient, inadequate; jfr *2 knapp* **-räknelig** *a* [morally] irresponsible

oting = *otyg*

otium otium *lat.*

o||tjänlig *a* unserviceable; unsuitable [weather]; *~ till föda* unfit for food **-tjänst,** *göra ngn en ~* do a p. a bad turn **-tjänstaktig** *a* disobliging **-trevlig** *a* disagreeable, unpleasant; [besvärlig] awkward

otro want of faith; *relig.* disbelief **-gen** *a* **1** [trolös] unfaithful, [t. ex. vän] *äv.* faithless **2** disbelieving, unbelieving; [tvivlande] incredulous, sceptical **-het** unfaithfulness, infidelity **-lig** *a* incredible, unbelievable; jfr *häpnadsväckande; ~t men sant* strange but true; *det gränsar till det ~a* it is wellnigh unbelievable

o||trygg *a* unsafe, insecure **-tränad** *a* untrained; [för tillfället] . . out of practice **-tröstlig** *a* inconsolable [*över* for]; disconsolate [*över* at]

ott||a, *stiga upp i ~n* get up (rise) with the lark **-e|fågel** early bird (riser) **-e|sång** matins *pl; kat.* early mass

ottoman ottoman

o||tukt fornication, lewdness **-tur** bad luck; *vilken ~!* what [a stroke of] bad luck! *ha ~* be unlucky [*i kortspel* at cards] **-tvetydig** *a* unmistakable; [uttalande] unambiguous, unequivocal **-tvivelaktig** *a* indubitable, undoubted **-tvivelaktigt** *adv* doubtless, undoubtedly; no doubt **-tvungen** *a* un[re]strained; free and easy [*sätt* manners *pl*]; jfr *naturlig* o. *ledig* **-tvungenhet** ease, freedom from constraint **-tydlig** *a* indistinct; [svävande] vague; jfr *oklar* **-tyg** abomination; [svagare] nuisance **-tyglad** *a* unrestrained [*vrede* anger]; [fantasi, begär] unbridled, uncurbed **-tymplig** *a* ungainly, lumbering, clumsy **-tålig** *a* impatient [*över* at; *att få ngt* for a th.]; *äv.* eager, anxious **-tålighet** impatience **-täck** *a* nasty, horrid; [för ögat] ugly; [avskyvärd] abominable, beastly **-tämd** *a* untamed **-tänjbar** *a* unstretchable; [metall] unmalleable **-tänkbar** *a* inconceivable, unimaginable; *äv.* preposterous **-tät** *a* not [water-] tight; [båt] leaky **-törstig** *a, dricka sig ~* drink one's fill [*på* of]

o||umbärlig *a* indispensable **-undgänglig** *a* necessary; [åtgärd] unavoidable; jfr *-umbärlig* **-undviklig** *a* inevitable, unavoidable **-uppfostrad** *a* ill-bred; badly brought up **-uppgjord** *a* unsettled **-upphinnelig** *a* unattainable; jfr *överlägsen* **-upphörlig** *a* incessant; unceasing; [ständig] continuous, perpetual **-upplöslig** *a* indissoluble **-uppmärksam** *a* inattentive, unobservant **-uppmärksamhet** inattentiveness, inattention; [förbiseende] inadvertence **-uppnåelig** *a* unattainable **-uppriktig** *a* insincere **-ursäktlig** *a* inexcusable **-utforskad** *a* unexplored **-utförbar** *a* impracticable, unfeasible; [plan] unrealizable **-utgrundlig** *a* unfathomable; [svårtolkad] inscrutable;

[gåtfull] enigmatic **-uthärdlig** *a* insufferable, unbearable, intolerable **-utplånlig** *a* ineffaceable; [fläck, skam] indelible **-utrannsaklig** = *-utgrundlig; äv.* inscrutable, impenetrable **-utredd** *a bildl.* not cleared up; *äv.* open [question] **-utrotlig** *a* ineradicable; [ogräs] inextirpable
outsider *sport.* outsider
out‖sinlig *a* inexhaustible **-slitlig** *a* that will not wear out; hard-wearing **-spädd** *a* undiluted **-säglig** *a* unspeakable; jfr *obeskrivlig* **-talad** *a* unpronounced, unspoken; tacit [*gillande* approval] **-tröttlig** *a* indefatigable, inexhaustible; *äv.* [nit] unremitting, untiring **-tömlig** *a* inexhaustible **-vecklad** *a* undeveloped *äv. bildl.*
oval I *a* oval **II** *s* oval
1 ovan *adv* above; *som* ~ as above
2 ovan *a* unaccustomed [*vid* to]; [anblick o. d.] unfamiliar; jfr *oövad, oerfaren* o. *van* **-a 1** want of practice; unfamiliarity **2** [olat] bad habit
ovan‖för I *prep* above **II** *adv* above, higher (farther) up **-ifrån** *adv* from above
ovanlig *a* unusual, uncommon; [förstärkande] exceptional; *det är inte ~t att han* . . it is not an uncommon thing for him to . . **-het** unusualness &c; *för ~ens skull* for novelty's sake, for once **-t** *adv* unusually, **F** uncommonly; exceptionally
ovan‖läder vamp, top-leather **-nämnd** *a* above-mentioned **-på I** *prep* [up]on, on the top of **II** *adv* on the top; *känna sig* ~ feel superior
ovansklig *a* everlasting; imperishable [*ära* glory]
ovanstående *a* o. *s* the above; *av ~ framgår att* from what precedes it will be seen that
o‖varaktig *a* not durable (lasting) **-varsam** *a* careless; jfr *vårdslös*
ovation ovation, acclamation **-s|artad** *a, ~e applåder* a regular ovation of applause
oveder‖häftig *a* unreliable; [ansvarslös] irresponsible; [prat] *äv.* idle **-säglig** *a* incontrovertible, incontestable, undeniable
overall overall
o‖verklig *a* unreal &c; [diktad] fictitious **-verksam** *a* inactive; passive; [sysslolös] idle; [utan verkan] inefficient **-verksamhet** inactivity; inaction; idleness **-vetande** *a* = *okunnig; mig* ~ without my knowledge **-vetenskaplig** *a* unscientific **-vett** abuse; jfr *bannor; överösa ngn med* ~ heap abuse upon a p. **-vettig** *a* abusive **-vidkommande** *a* irrelevant **-vig** *a* heavy, clumsy, unwieldy **-viktig** *a* unimportant, insignificant; immaterial **-vilja** aversion [*mot* to]; *äv.* spite, animosity; [harm] indignation [*mot* with] **-villig** *a* unwilling, reluctant **-villkorlig** *a* unconditional [*kapitulation* surrender]; unqualified [*lydnad* obedience] **-villkorligen** *adv* absolutely, positively; ~ *vilja komma* absolutely insist on coming; *han måste ~ bli* he is bound to be **-viss** *a* uncertain [*om* as to]; [tveksam] doubtful (dubious) [*om* about, of]; [obestämd] indefinite, vague; jfr *osäker* **-visshet** uncertainty; *hålla ngn i* ~ keep a p. in suspense **-vårdad** *a* neglected; [utseende] untidy; [språk] careless **-väder** storm, *äv.* tempest; *det blir* ~ we are in for a storm **-väders|centrum** centre of [atmospheric] depression, storm-centre **-väders|moln** storm-cloud *is. bildl.* **-väld** impartiality **-väldig** *a* impartial; unbias[s]ed **-välkommen** *a* unwelcome; *äv.* undesirable **-vän** enemy **-vänlig** *a* unkind [*mot* to]; *äv.* unfriendly **-vänlighet** unkindness &c; *en* ~ an unkind act **-vänskap** enmity **-väntad** *a* unexpected **-väntat** *adv* unexpectedly; *helt ~* (*äv.*) quite as a surprise **-värderlig** *a* invaluable **-värdig** *a* unworthy [of . .]; [skamlig] shameful; *det är dig ~t* it is beneath you **-värdighet** unworthiness **-världslig** *a* unworldly **-världslighet** otherworldliness **-väsen** noise, din; jfr *bråk 2* **-väsentlig** *a* immaterial, unessential **-väsentlighet,** *~er* unessentials
ox‖bringa brisket of beef **-e** ox [*pl* oxen]
oxel *bot.* [white] beam-tree
oxeltand molar [tooth], grinder
oxfilé fillet of beef
oxid oxide **-era** *tr* o. *itr* oxidize
ox‖kött beef **-stek** joint (sirloin) of beef; *en ~* (*äv.*) a [piece of] roast beef **-svans|-soppa** ox-tail soup **-vagn** ox wag[g]on **-öga** *byggn.* bull's eye
ozon ozone **-haltig** *a* ozonic
o‖återkallelig *a* irrevocable **-återkalleligen** *adv* irrevocably, *äv.* past recall **-åtkomlig** *a* inaccessible; jfr *-tillgänglig; ~ för ngn* beyond a p.'s reach **-åtspord a,** *honom ~* without his knowledge (being consulted) **-ädel** *a* ignoble, mean, low; [metall] base **-äkta I** *a* **1** false, not genuine; [dokument] spurious; [pärlor] sham **2** *~ barn* illegitimate child, bastard **II** *adv, ~ sammansatta verb* separable [compound] verbs **-ändlig** *a* endless, interminable; [friare] infinite *äv. vetensk.*; *en ~ tid* (*äv.*) no end of a time; *i det ~a* ad infinitum, *äv.* for ever and ever **-ändlighet** endlessness; infinity; *~en a)* [i tid] infinity; *b)* [i rum] infinite space; [*stanna*] *i* [*all*] ~ . . [for] an interminable [length of] time, . . [for] no end of a time **-ändligt** *adv* endlessly; infinitely &c; jfr *ofantligt; ~ liten* (*äv.*) infinitesimal **-ärlig** *a* dishonest; [-uppriktig] insincere **-ärlighet** dishonesty **-ätbar** **-ätlig** *a* inedible, uneatable, not fit to be eaten **-även** *a, inte ~* not bad (amiss) [*som* as]; *inte så ~* **F** not half bad **-öm** *a* insensitive **-övad** *a* unpractised &c; jfr *öva;* [otränad] untrained, *äv.* raw [*rekryter* recruits]; [tillfälligt] out of practice **-överkomlig** *a* insuperable, insurmountable; [pris] beyond a p.'s means **-överlagd** *a* unpremeditated; jfr *obetänksam* **-överskådlig** *a* **1** [framställn.] not perspicuous **2** [räckvidd o. d.] boundless, vast; incalculable [*följder* consequences] **-överstiglig** *a* insurmountable; *bildl. äv.* insuperable **-översättlig** *a* untranslatable **-överträffad** *a* unsurpassed **-överträfflig** *a* unsurpassable; consummate (perfect) [*skicklighet* skill] **-övervinn[e]lig** *a* invincible, unconquerable; [svårighet] insuperable; *~t hinder* (*äv.*) superior force; force majeure *fr.*

P

p p; *sätta ~ för* put a stop (an end) to
pace, *få ~ av* be paced by
pacif||icera *tr* pacify **-icering** pacification **-ism** pacifism **-ist -istisk** *a* pacifist
1 pack mob, rabble; jfr *pöbel; ett riktigt ~* a bad lot, a pack of scoundrels
2 pack, *pick och ~* traps (belongings) *pl; ge sig av med allt sitt pick och ~* clear out bag and baggage
pack||a I *tr* o. *itr* pack; [proppa] cram; [fylla till trängsel] crowd; [*stå*] *som ~de sillar* [be] packed like sardines; *~ ihop* . . pack . . together; *~ in* (*ned*) [*i en låda*] pack up [in a box]; *~ om* repack; *~ upp* unpack **II** *rfl* **1** [om snö o. d.] pack; *de ~de* [*ihop*] *sig i bilarna* they packed (crowded) into the cars **2** *~ sig av* (*i väg*) bundle (pack, make) off; *~ dig i väg!* clear (get) out [of here]! be gone! **-are -arbetare** packer **-djur** pack-animal **-duk** pack[ing]-cloth **-e** pack[age]; [bunt] bundle; [paket] parcel **-hus** packing-warehouse **-häst** pack-horse **-is** pack-ice **-korg** hamper **-lakan** packing-sheet **-låda -lår** [packing-]case **-ning 1** [-ande] packing &c, jfr *-a* **2** *konkr* [buren] pack; [bagage] luggage, *Am.* o. *mil.* baggage; *med full ~* (*mil.*) in full marching kit (order) **3** ⊕ packing; gasket **-nål** pack[ing]-needle **-rem** [packing-]strap **-sadel** pack-saddle **-vagn** *mil.* baggage-waggon **-åsna** sumpter-mule
padda toad
padd||el paddle **-el|kanot** [paddle-]canoe **-el|-åra** double paddle **-la** *tr* o. *itr* paddle
paff I *a, bli ~* be overwhelmed (nonplussed, struck all of a heap) **II** *itj* bang! pop!
page page [boy]
pagin||a page **-era** *tr* o. *itr* page, paginate **-ering** pagination
pagod pagoda
paj pie; jfr *äppel~*
pajas clown, buffoon; *spela ~* play the clown (droll) **-konster -upptåg** clown's tricks, buffoonery *sg*
paket parcel, packet; [större o. *Am.*] package; *slå in ett ~* wrap up a parcel; *slå in . . i ~* make . . into a parcel; *skicka . . som ~* send . . by parcel-post **-befordran** carriage of parcels **-bil (-cykel)** [parcels] delivery car (bicycle) **-era** *tr* packet **-expedition** parcels office **-hylla** luggage-rack **-hållare** [på cykel] carrier **-inlämning** [parcels] receiving office **-post** parcel-post **-utlämning** [parcels] delivery office
pakt treaty, covenant, pact; *ingå ~* make a treaty &c **-system** system of treaties (pacts) **-um 1** se *pakt* **2** [äktenskapsförord] marriage settlement
palatal *a* o. *s* palatal **-isera** *tr* palatalize
palats palace **-lik[nande]** *a* palatial **-revolution** court revolution, coup d'état *fr.*
palaver palaver; discussion
paleo||graf palaeographer **-grafi** palaeography **-litisk** *a* palaeolithic **-log** palaeologist **-ntolog** palaeontologist **-ntologi** palaeontology
Palestina Palestine
palett palette, pallet **-kniv** palette-knife
paletå overcoat
palimpsest palimpsest
palissad palisade, fencing
paljett spangle, paillette *fr.*
pall stool; *gruv.* stope
palliativ [lindringsmedel] palliative
pallra *rfl, ~ sig av* (*i väg*) jog (trot) off (along)
palm palm **-artad** *a* palmaceous **-blad** palm-leaf **-kvist** palm-branch **-lund** palm-grove **-olja** palm-oil **-söndag[en]** Palm Sunday
palp palp, feeler **-era** *tr* palpate
palsternacka parsnip
palt *ung.* black pudding
palt||a *tr, ~ på sig* . . wrap o.s. up in . . **-or,** *i ~* in rags
pamflett pamphlet; [smädeskrift] libel **-ist** pamphleteer, libeller
pamp 1 [huggvärja] rapier, sword **2** [kaxe] swell, bigwig, great gun, big noise
pampas pampas *pl*
pampig *a* magnificent, grand, **F** swell
pampusch overshoe, snowboot
pan- [all-] i *sms* pan- [*amerikansk* American; *germanism* Germanism; *slavistisk* Slav[on]ic]
Panama Panama **p~hatt** panama [hat] **-kanalen** the Panama Canal
panegyr||ik panegyric **-isk** *a* panegyrical
panel wainscot, panelling **-a** *tr* wainscot, panel **-fält** panel **-höna F** wallflower **-ning** wainscot[t]ing, panel-work
panera *tr kok.* dress with egg and bread-crumbs
pang *itj* bang! crack! pop! *~, där gick skottet* bang went the gun
pan||ik panic; *gripas av ~* be seized with a panic **-ik|artad** *a* panic, panicky **-ik|stämning** atmosphere (feeling) of panic **-isk** *a* panic [*förskräckelse* fear]
pank *a* **F** penniless, broke
pankreas[körtel] pancreas
pankromatisk *a* panchromatic
1 panna 1 [stek-] pan **2** [ång-] boiler; [värme-] furnace **3** [tak-, tegel-] [pan]tile
2 pann||a 1 *eg.* forehead, brow; *rynka ~n* knit one's brow[s *pl*]; *med rynkad ~* frowning; *skjuta sig en kula för ~n* blow out one's brains **2** [fräckhet, 'mage'] *ha ~ att* . . have the cheek (face) to . . **-ben** frontal bone
pann|besiktning boiler inspection
pann|biff *ung.* rissole
pann||bindel fillet, frontlet **-hår** se *-lugg*
pannkak||a pancake; *det blev ~ av det* it fell flat [as a pancake] **-s|smet** batter
pann||lugg forelock; [nedkammad] fringe **-rem** [på betsel] front-band
pann||rensning boiler cleaning **-rum** boiler-room; furnace room; *sjö.* stokehold
pann|smycke diadem
pann|sten [boiler] scale
pannå panel
panoptikon wax-works *pl* [show]
panorama panorama; *ett storslaget ~* a grand view
pansar 1 armour *äv. bildl.* **2** [på djur] carapace **-beklädnad** armour plating **-bil** armoured car **-båt** armoured vessel, ironclad **-division** armoured division **-däck** armoured deck **-förband** armoured unit **-klädd** *a* armoured, armour-plated **-kryssare** [armoured] cruiser **-näve** bazooka **-plåt** armour-plate **-skepp** se *-båt* **-skjorta** coat of mail **-torn** armoured turret **-trupper** armoured troops **-tåg** armoured train **-vagn**

se -*bil* **-vapen** anti-tank weapon **-värns|-kanon** anti-tank gun
pansra *tr* armour; *den ~de näven* the mailed fist
pant *allm.* pledge; jfr *inteckning, säkerhet 2;* [i lek] forfeit; *behålla som ~* keep as a pledge; *ge ~* [i lek] pay a forfeit; *inneha (lämna, ta) som ~* hold (put, take) in pledge; *låta en ~ förfalla* forfeit a pledge; *lösa in en ~* redeem a pledge; *sätta sin heder (sitt huvud) i ~ på* pledge one's honour (head) on
pantalonger *åld.* el. *skämts.* pant[aloon]s
pant||bank pawnshop, pawnbroker's [shop]; *på ~en* at the pawnbroker's (**F** my uncle's) **-brev** mortgage deed
pante||ism pantheism **-ist** pantheist **-istisk** *a* pantheistic[al]
panteon [minnestempel] pantheon
panter panther
pant||förskriva *tr* pledge, mortgage **-innehavare** pledgee, mortgagee **-kvitto** pawn-ticket **-lek** game of forfeits **-lånare** pawnbroker **-låne|inrättning -kontor** se *pantbank*
pantomim pantomime, dumb-show **-isk** *a* pantomimic
pant||rätt lien **-sedel** se -*kvitto* **-sätta** *tr* [i pantbank] pawn [*sin klocka* one's watch]; *allm.* [put in] pledge, give as [a] security
papegoja parrot
papiljott curling-pin; *lägga upp håret på ~er* put one's hair on curling-pins (in curlers)
papill papilla [*pl* papillae]
pap||ism papism **-ist** papist **-isteri** papistry **-istisk** *a* papistic[al]
papjemaché papier-mâché *fr.*
papp pasteboard; [kartong] cardboard; *äv.* i *sms*
pappa father [*till* of]; pa[pa]; **F** dad[dy]
papp|ask cardboard box; carton
pappenheimare, *känna sina ~* know one's customers
papper 1 paper; *ett ~* (*vanl.*) a piece of paper; *sätta* [*sina tankar*] *på ~et* commit [one's thoughts] to paper; [*bara*] *på ~et* [only] on paper (in theory) **2** [dokument, handling] document; *gamla ~* ancient documents; *ha ~ på att . .* have documentary evidence that . .; *ha klara ~* have the requisite documents in order; *bildl.* be quite all right; *lägga ~en på bordet* put one's cards on the table **3** [legitimations-] [identification] papers; [kreditiv] credentials **4** [värde-] bond; securities *pl;* stock *koll sg*
pappers||ark sheet of paper **-avfall** waste paper **-bal** bale of paper **-blad** leaf [of paper] **-blomma** artificial flower **-bruk -fabrik** paper mill **-fabrikant** paper manufacturer **-handel 1** [butik] stationer's [shop] **2** [i stort] paper trade **-hållare** paper file **-industri** paper industry **-klämma** paper clip **-kniv** paper knife **-korg** waste-[paper-] basket **-krig** paper war **-kvarn** paper mill **-lapp** scrap of paper **-lykta** Chinese lantern **-massa** [paper] pulp **-meriter** paper qualifications **-näsduk** paper handkerchief **-pengar** paper money (currency) *sg* **-påse** paper-bag **-remsa** slip of paper **-rulle** [sc]roll of paper **-sax** paper scissors *pl* **-servett** paper napkin **-skräp** waste paper **-snöre** paper string **-strut** paper-bag **-stämpel** water-mark **-säck** paper sack **-tapet** se *tapet* **-tillverkning** paper manufacture (making) **-tunn** *a* thin as paper **-tuss** paper ball (pellet) **-varor** *allm.* paper goods; [skrivmat.] stationery *sg* **-ved** pulp wood **-värde** paper value
papp||kartong cardboard (pasteboard) box **-skiva** piece of cardboard &c

paprika paprika, red pepper
papyrus papyrus **-forskning** papyrology **-rulle** papyrus [*pl* papyri]
par 1 [samhörande, maka] *vanl.* pair; *ett ~ byxor* (*handskar, ögon*) a pair of trousers (gloves, eyes); *ett äkta* (*nygift*) *~* a married (newly-married) couple; *gå i ~* walk in couples; *~ om ~* in pairs (couples), two and two; *två ~ fasaner* [om vilt] two brace of pheasants; *ett ~* (*spann*) *oxar* a team of oxen; [i tärningsspel] doublets *pl* **2** *ett ~* [*tre*] [några] a couple of, a . . or two, a few; *om ett ~ dagar* in a few (a couple of) days, in a day or two; *ett ~ gånger* a couple of times, once or twice; *skriv ett ~ ord* drop me a line or two; *ett ~ tusen pund* a few thousand pounds; *han är ett ~ och femtio* he is fifty odd
para I *tr eg.*, *~* [*ihop*] pair [off], couple, [is. om fåglar] mate; *bildl.* unite (couple) [*lärdom med skarpsinne* learning with penetration] **II** *rfl*, *~ sig* pair, couple, copulate
parabel 1 [liknelse] parable **2** *mat.* parabola
parad 1 [[trupp]mönstring] parade; *ligga på ~* lie in state; *tåga i ~* se -*era* **2** [klädsel] full dress [uniform] **3** *fäktn. boxn.* parry **-dag** parade day **-dräkt** se *parad 2* **-dörr** entrance door **-era** *itr* parade; *~ genom gatorna* parade the streets **-häst** parade horse
paradigm paradigm
paradis paradise; *i ~et* in Paradise; *ett ~ på jorden* a heaven on earth; *~ets lustgård* the garden of Eden **-dräkt,** *i ~* in nature's garb **-fågel** bird of paradise **-isk** *a* paradisiac[al], heavenly **-äpple** paradise apple
parad||klädd *a* in full uniform **-marsch** parade march **-nummer** stunt, show-piece
paradox paradox **-al** *a* paradoxical
parad||plats parade ground **-rum** state apartment **-säng** bed of state **-uniform** se *parad 2*
paraffin paraffin **-olja** mineral oil; *Am.* paraffin oil
parafras -era *tr* paraphrase
paragraf paragraph; [i lag] clause; [tecknet §] section **-ryttare** stickler for clauses and paragraphs
parallell *s* o. *a* parallel; *dra upp en ~ mellan . .* draw a parallel between . . **-avdelning -klass** parallel class **-ogram** parallelogram
paraly||sera *tr* paralyse **-si** paralysis **-tiker -tisk** *a* paralytic
parant *a* chic, stylish
para|nöt Brazil-nut
paraply umbrella; *spänna upp* (*fälla ihop*) *~et* put up (let down) the umbrella **-antenn** *radio.* umbrella aerial (*Am.* antenna) **-fodral** umbrella case **-ställ** umbrella stand
parasit parasite; [pers.] *äv.* sponger; jfr *snyltgäst* **-era** *itr* live as a parasite, sponge [*på* on] **-liv (-växt)** parasitic life (plant)
parasoll sunshade, parasol
parat *a* ready; jfr *redo*
paratyfus paratyphoid [fever]
paravan paravane
par|bladig *a bot.* pinnate
parcell [jordlott] site, allotment, plot
pardon quarter; *be om (ge) ~ (mil.)* ask for (give) quarter; *det ges ingen ~* there is no help for it; *utan ~* without mercy
parent||es parenthesis [*pl* parentheses]; [klammer] bracket; *sätta inom ~* put in brackets; *inom ~ sagt* by the way, incidentally **-etisk** *a* parenthetic[al]

parera *tr* parry, fend off
parforce|jakt [rävjakt] hunt[ing]
parfym scent, perfume **-affär** perfumer's [shop], perfumery **-era** *tr* scent **-flaska** scent-bottle **-varor** perfumery *sg*
par|hästar *bildl.* good companions; *köra med* ~ drive in a carriage and pair
pari par; *till* (*under, över*) ~ at (below, above) par
paria pariah *äv. bildl.; bildl. äv.* outcast
parikurs par of exchange
Paris Paris **p~are** Parisian **p~isk** *a* Parisian **-mod** Paris fashion
parisk *a* Parian [*marmor* marble]
pari‖tet parity; *i ~ med* on a par with **-värde** par value
park park; [i namn ibl.] gardens *pl* [Kensington Gardens]
parker‖a *tr* o. *itr* park; *fel ~d* parked on the wrong side of a (the) street **-ing** parking; *~ tillåten* parking allowed; *~ förbjuden* no parking **-ings|ljus** parking light **-ings|plats (-ings|skylt)** parking place (sign) **-ings|vakt** car-park attendant
parkett 1 *teat.* stalls *pl; främre* (*bakre*) ~ orchestra (pit) stalls; *på ~* in the stalls **2** [golv] parquet[ry floor], inlaid floor **-belägga -era** *tr* parquet **-golv** se *parkett 2* **-plats (-publik)** seat (audience) in the stalls
park‖tant woman in charge of children in a park; nanny; »park auntie» **-vakt** park-keeper
parlament Parliament; *sitta* (*komma in*) *i ~et* be a member of (go into) Parliament; *~et har ferier* Parliament is in recess **-ariker** parliamentarian **-arisk** *a* parliamentary **-arism** parliamentarism **-era** *itr* parley [*med* with] **-erande -ering** parley **-s|beslut** act of Parliament **-s|byggnad,** *~en* (*Engl.*) the Houses of Parliament, [i andra länder] the parliament building **-s|ledamot -s|medlem** member of Parliament, M.P. **-s|sammanträde -s|session** sitting of Parliament **-s|upplösning** dissolution of Parliament **-s|val** [allmänt] general election, [fyllnads-] by-election **-är** peace negotiator **-är|flagga** flag of truce
parlör[lexikon] phrase-book
Parnass[en] Parnassus
parning -s|lek pairing, mating, copulation **-s|tid** pairing-time, rut
parod‖i parody [*på* on] **-iera** *tr* parody **-i|författare** parodist **-isk** *a* parodic[al]
paroll *mil.* parole; [parti-] slogan, watchword; jfr *lösen 4*
paroxysm paroxysm
parsäng double bed
part 1 [del] share **2** *jur.*, ~ [*i målet*] party **3** *sjö.* [kardel] strand
parterr *trädg.* o. *teat.* parterre; *teat. äv.* ground floor **-brottning** ground wrestling
parti 1 [del] part, section; [av bok] passage; *vackra* [*landskaps*]*~er* fine views **2** [varu-] lot, parcel; *i ~ och minut* [by] wholesale and [by] retail; *i stora ~er* in bulk **3** *polit.* o. d. party; *skriva in sig i* (*ansluta sig till*) *ett ~* join a party; *ta ~* side (take sides) [*för* with]; *ta sitt ~* make up o.'s mind **4** [spel-] game [a game of bridge (tennis)] **5** [gifte] match; *göra ett gott ~* make a good match **-affär** wholesale business **-anda (-beslut)** party spirit (decision) **-beteckning** denomination
particip participle
parti‖dag party conference (is. *Am.* convention) **-disciplin** party discipline **-ell** *a* partial **-fana** party colours *pl* **-färg** party (political) colour **-grupp** faction **-gängare** partisan **-handel** se *-affär* **-hänsyn** *pl* party considerations **-kamrat** fellow partisan
partikel particle
parti‖kongress party convention **-ledare** party leader **-ledning** lead ([pers.] leaders *pl*) of a (the) party **-lös** *s* o. *a* independent, neutral **-medlem** party member **-möte (-organ)** party meeting (organ) **-politik** party politics *pl* **-press** party press **-pris** *hand.* wholesale price **-program** party program[-me], [is. *Am.*] platform **-san** partisan
partisk *a* partial; biassed, prejudiced **-het** partiality; bias
parti‖sekreterare secretary general **-split -strid[er]** party strife *sg* **-ställning** position (strength) of the parties **-tagande** siding [*för* with]
partitiv *a* o. *s* partitive
partitrohet party loyalty
partitur *mus.* score
parti‖vis *adv* [om varor] wholesale, in lots **-vän** fellow partisan, political friend **-väsen** partyism, party system
partner partner
partout *adv* absolutely, at all costs
parvel little boy, youngster
parveny upstart, parvenu
par‖vis *adv* in pairs (couples) **-åkning** [på skridskor] pair-skating
pascha pasha
pasma skein
pass 1 [bergs-] pass, defile **2** [res-] passport; *utställa ~ åt ..* issue a passport to .. **3** [*jakt.*, polis-] beat; *ha ~* be on the beat; *stå på ~* be on guard (on the lookout) **4** *kortsp.* pass **5** *göra* (*vara*) *alla till ~* satisfy (suit) everybody; *komma väl till ~* come in handy; *vid ~* [*ett dussin*] about [a dozen]; *hur ~ mycket?* about how much? *han var inte så ~ nära, att jag kunde se honom* he was not near enough for me to see him; *så ~ mycket kan jag tala om för dig* I can tell you this much
passa I *tr* **1** [av-] fit; adapt (suit) [*efter* to] **2** [stå på pass, invänta] wait (look out) for; [försåtligt] waylay ..; *~ tiden* be punctual **3** [sköta] mind [the shop]; tend [a sick person]; look after [children] **4** [om kläder o. d.] fit; *hatten ~r mig precis* the hat fits me exactly; ['klä', vara lämplig för] suit; *blått ~r henne* blue suits her; *betala mig när det ~r er* pay me when it suits you **5** [anstå] become [a young lady], be becoming [for a young lady] **6** *fotb.* pass *äv. itr* **II** *itr* **1** [vara avpassad] fit; *mössan ~r* the cap fits; [*gardinerna*] *~ till möbeln* . . go well with the furniture **2** [vara lämplig] [be] suit[ed]; *han ~de inte för ett sådant liv* he was not suited for such a life; *torsdagen ~r bra* Thursday will suit me well; *~ i sammanhanget* suit (fit) the context; *hon ~r till sköterska* she is fit to be a nurse, she will make a good nurse; *det ~r inte här* that is out of place here **3** *~ på tillfället* take (avail o.s. of) the opportunity **4** *kortsp.* pass **III** *rfl, ~ sig* **1** [akta sig] look out [*för* for] **2** [enl. god ton] be becoming [*för* for]; jfr *~ I 5; det ~r sig inte* it is not done (not good form) **3** [vara lämplig] be convenient; *när det ~r sig* when convenient **IV** [med beton. part.] *~ av* se *av~; ~ ihop* (*tr*) fit [together]; *itr* fit [in]; *det ~r bra ihop med mina planer* it fits in well with my plans; *de ~ bra ihop* they are well matched; *~ in* (*tr* o. *itr*) fit [*en tapp i ett hål* a peg into a hole], *detta ord ~r in på honom* this word applies (is applicable) to him; *~ på* look out; *~ på, när han är*

borta take the opportunity while he is away; ~ *upp* wait [*på* on; *vid bordet* at table]; *pass upp!* look out (sharp)!
passabel *a* passable, tolerable
passad|vind trade-wind
passage passage; [under gata, väg] subway; *hindra ~n* obstruct (block) the passage; *lämna fri ~* leave the way free
passagerar||antal number of passengers **-avgift** fare **-båt -fartyg** passenger ship **-e** passenger **-lista** list of passengers **-trafik** passenger traffic **-trappa** *flyg.* passenger platform
passande *a* [lämplig] suitable [name, opportunity]; fit [a land fit for heroes]; suited [*för en plats* for a post]; appropriate [answer]; convenient [time and place]; [korrekt] proper; *det ~* (*subst adj*) decorum, good form, proper behaviour; *allm.* the proper thing; *reglerna för det ~* the rules of decorum
passare [a pair of] compasses *pl;* [mindre] dividers *pl*
pass||avgift (-byrå) passport fee (office)
passer||a I *tr* **1** [gå förbi, över] pass; *låta* [*sitt liv*] ~ *revy* pass [o.'s life] in review **2** *kok.* strain **II** *itr* pass; *låta ngt ~* let a th. pass; [hända] happen, take place **-ad** *a* **1** passed [*stadium* stage] **2** *kok.* strained [*soppa* soup] **3** [vissnad] faded (withered, passé *fr.*) [*skönhet* beauty] **-kort -sedel** [free] pass, permit
passform [om kläder] fit
passfoto passport photo
passgång [hästs] amble **-are** ambler
passion passion [*för* for] **-erad** *a* passionate, impassioned **-s|blomma** passion flower **-s|historien** the Story of the Passion **-s|spel** Passion-play **-s|vecka[n]** Passion Week, Holy Week
passiv *a* passive [*motstånd* resistance]; *förhålla sig ~* remain passive; ~ *delägare* sleeping partner; ~ *form* se *-um* **-a** *pl* [skulder] liabilities **-itet** passivity **-um** the passive [voice]
passkontroll passport control
passlig *a* convenient, suitable
pass||ning 1 [tillsyn] tending; [vård] nursing **2** *fotb.* pass **-opp F** attendant, page [boy]
passus passage
pass||tvång passport restrictions *pl* **-visering** [vid gräns] examination of passports **-visum** visa
pasta paste
pastej [större] pie; [mindre] patty; *~er* (*koll*) *äv.* pastry *sg* **-deg** pastry
pastell pastel, [coloured] crayon **-färg** pasted colour **-krita** [coloured] crayon **-målare** pastel[l]ist **-målning** pastel (&c) drawing
pastill lozenge, pastil[le]
pastisch pastiche *fr.*
pastor *vanl.* curate; [frikyrklig] minister, *äv.* pastor; jfr *-s|adjunkt, präst;* ~ *N.* [the] Rev. N.; *vice ~* curate-in-charge **-al** *s* o. *a* pastoral **-at 1** [socken] parish **2** [*få ett*] ~ [obtain a] living (benefice) **-s|adjunkt** curate **-s|expedition** registry (parish) office **-ska** curate's wife; *~n N.* Mrs. N. **-s|ämbete** curacy
pastöriser||a pasteurize **-ing** pasteurization
patent patent; *bevilja* (*erhålla, söka*) ~ grant (obtain, apply for) a patent; *taga ~ på* take out a patent for **-ansökan** application for a patent **-avgift** patent fee; [till uppfinnaren] royalty **-brev** letters *pl* patent **-byrå** patent agency; jfr *-verket* **-era** *tr* [protect by] patent **-innehavare** patentee **-lås** patent (Yale) lock **-medicin** patent medicine **-nyckel** patent (Yale) key **-register** patent register **-rätt** patent rights *pl* **-skydd** protection of patent[s *pl*] **-skyddad** *a* patented **-verket** the Patent Office
pater father **-noster** [fadervår] Paternoster *lat.* **-noster|verk** chain-pump, bucket-chain
patetisk *a* [rörande] pathetic; [högtravande] high-flown
pati||ens [*lägga ~* play [at]] patience **-ent** patient
patin||a patina, gloss **-era** *tr* overlay with patina
patolog pathologist **-i** pathology **-isk** *a* pathological
patos pathos
patrask rabble
patriark patriarch **-alisk** *a* patriarchal **-at** patriarchate
patric||ier -isk *a* patrician
patriot patriot **-isk** *a* patriotic **-ism** patriotism
1 patron 1 [godsägare] [country] squire **2** [chef] master, **F** boss
2 patron 1 *mil.* cartridge; *lös* (*skarp*) ~ blank (ball) cartridge **2** ⊕ [modell] mould **-bälte -gördel** cartridge-belt **-hylsa** cartridge-case **-utkastare** ejector **-väska** cartridge-box
patrull patrol; *stöta på ~* meet with opposition **-båt** guard-boat **-chef** patrol leader **-era** *tr* o. *itr* patrol [*på gatorna* the streets] **-ering** patrol[ling] **-flygning** patrol flying **-ledare** se *-chef* **-tjänst** patrol duty
patt *a* [schack] stalemate
paulun tester-bed, four-poster
Paulus Paul; *aposteln ~* St. Paul
paus pause, stop; *teat.* interval; *Am.* intermission; *mus.* rest **-era** *itr* [make a] pause
paviljong pavilion; [lusthus] summer-house
pax *itj* [i lek] pax; ~ *för den* bags I [that]
pedagog schoolmaster, teacher; educationalist **-ik[en]** pedagogy, pedagogics *sg* **-isk** *a* pedagogic[al]; *i ~t avseende* educationally
pedal pedal; [på cykel] *äv.* tread crank **-gummi** pedal-rubber
pedant pedant **-eri** pedantry **-isk** *a* pedantic
pedell [universitetsvaktmästare] beadle; proctor's man (**F** bulldog); [rättsbetjänt] apparitor
pediatrik[en] p[a]ediatrics *sg* **-er** children's doctor, p[a]ediatrist
pedikyr pedicure
pegamoid pegamoid
pegas Pegasus; *bestiga ~en* mount Pegasus
pegel water level gauge
pejl||a *tr* **1** [bestämma läget] take the bearings of **2** [loda] sound [*djupet* the depth] *äv. bildl.* **-apparat** direction finder **-ing 1** bearing; direction finding; *taga en ~* take a bearing **2** sounding **-kompass** bearing compass **-skiva** bearing plate **-station** bearing station
pek||a *itr* point [*på, mot,* at (to)]; ~ *finger åt* point o.'s finger at; *gå dit näsan ~r* follow o.'s nose; *hon får allt hon ~r på* she gets all she sets her eyes on; *allt ~r åt det hållet* everything tends in that direction; ~ *ut* (*tr*) point out **-finger** forefinger, index
pekin[g]eser pekinese [dog]
pekoral [*ett* a masterpiece of] drivel
pekpinne pointer
pekuni||er F se *pengar* **-är** *a* pecuniary (financial) [*hjälp* assistance]
pelare pillar; column; *en samhällets* [*stötte*]~ a pillar of society
pelargon[ia] pelargonium
pelar||gång colonnade; [framför port] portico; [kring klostergård] cloister **-hall** pillared hall **-helgon** stylite **-huvud** capital

-**rad** row of pillars, colonnade -**sal** pillared hall
pelerin cape, pelerine
pelikan pelican
pen [på hammare] peen, tup
penater *pl* Penates; *flytta sina* ~ move o.'s Lares and Penates
pendang counterpart, companion
pend‖el pendulum -**el|rörelse** oscillation, swing[ing] -**el|trafik** pendulum traffic -**el|-ur** pendulum-clock -**la** *itr* pendulate, oscillate, swing -**ling** se *-el|rörelse* -**yl** mantelpiece clock; jfr *-el|ur*
penetrera *tr* penetrate
peng F se *penning* -**ar** money *sg;* **F** brass, dough, rhino; ~ *eller livet* your money or your life; *jämna* ~ the exact sum; *i reda (kontanta)* ~ in cash, in ready money; *[för]tjäna (göra sig)* ~ *på* make (earn) money by; *ge ngn [växel]~ tillbaka* give a p. his change; *ha* ~ *på sig* have money about (on) one; *skaffa* ~ raise money; *sätta in (ta ut)* ~ *på en bank* deposit money at (draw money from) a bank; *det kan ej fås för* ~ *[eller goda ord]* it is not to be had for [love or] money; *hur mycket gör det i svenska* ~? how much is that in Swedish money? *ha gott om* ~ have plenty of money, be well off; *ha ont om* ~ be short of money (hard up); *gifta sig till* ~ marry money
penibel *a* painful (awkward) [situation]
penicillin penicillin
penna *allm.* pen; [blyerts-] pencil; [stål-] nib; *fatta ~n* take up the (one's) pen; *leva av sin* ~ live by o.'s pen; *en flytande (ledig)* ~ a fluent pen
pennalism bullying
penn‖ask pen[cil]-box(-case) -**drag** stroke of the pen -**fejd** literary controversy, polemic -**fodral** se *-ask* -**formerare** pencil-sharpener -**fäktare** scribbler
penning 1 [mynt] piece of money, coin **2** *koll, ~ar* money *sg;* jfr *pengar* -**affär** money transaction -**angelägenheter** money affairs (matters) -**automat** penny-in-the-slot machine -**begär** greed for money, avarice -**behov** [be in constant] need of money; [a p.'s] pecuniary requirements *pl* -**bekymmer** money (financial) worries *pl* -**brist** lack (scarcity) of money -**böter** fine *sg* -**dryg** *a* purse-proud -**fråga** financial (monetary) question (matter); a question of money -**förlust** pecuniary loss -**förlägenhet** pecuniary embarrassment; *vara i* ~ *(äv.)* be hard up -**försändelse** se *remissa* -**insamling** collection of money, subscription; *äv.* drive -**knipa** se *-förlägenhet* -**kär** *a* greedy for money -**lotteri** State lottery -**marknad** money market -**medel** *pl* funds, means -**omsättning** circulation of money -**placering** investment -**pung** purse -**summa** sum of money -**tillgång** supply of money -**understöd** pecuniary aid; [statligt] subvention, subsidy -**välde** plutocracy -**värde** monetary value, [the] value of money -**väsen** monetary system; finances *pl*
penn‖klubben the Pen Club -**kniv** penknife, pocket knife -**krig** se *-fejd* -**skaft** penholder -**spets** point of a pen (pencil, nib) -**stift** lead -**stump** pencil stump -**teckning** pencil drawing -**torkare** pen-wiper -**vässare** pencil sharpener
penny [eng. mynt] penny [*pl* pence; *-slantar* pennies]
pensé *bot.* pansy; [*försjunken*] *i sina ~er* **F** lost in thought
pensel brush -**drag** stroke of the brush, touch -**föring** touch -**skaft** brush-handle
pension 1 [ålders-] pension; *avgå med* ~ be pensioned off, retire on a pension **2** [skola] boarding-school; *sätta . . i* ~ send . . to a boarding-school -**at** boarding-house -**era** *tr* pension off; *~d* pensioned [off], retired -**ering** pensioning [off], retirement
pensions‖anstalt pension institution (establishment) -**avdrag** -**avgift** pension contribution -**berättigad** *a* entitled to a pension, pensionable -**flicka** boarding-school girl -**försäkring** pension insurance -**inrättning** -**kassa** pension fund -**mässig** *a* pensionable -**rätt** right to a pension -**styrelse** Pensions Board -**tagare** se *pensionär 1* -**väsen** pension system -**ålder** pensionable age
pensionär 1 [som åtnjuter pension] pensionary, pensioner **2** [i pensionat] boarder
pensla *tr* paint [*sig i halsen* o.'s throat]; *~de ögonbryn* pencilled eyebrows
pensum task, lesson
penta‖gram pentagram -**meter** pentameter
penteri pantry
peppar pepper; *spansk* ~ Cayenne [pepper]; ~, ~! touch wood! *dra dit ~n växer!* go to Jericho (to the devil)! -**buske** pepper-shrub (plant) -**kaka** gingerbread -**korn** peppercorn -**mynta** peppermint -**rot** horse-radish -**rots|kött** boiled beef
peppr‖a *tr* (*äv.:* ~ *på*) pepper *äv. bildl.* -**ad** *a* peppery [*rätt* dish; *svar* answer] -**ig** *a* peppery
pepsin pepsin
p[e]r *prep allm.* per; [vid samfärdsmedel oftast] by; ~ *kontant* [per] cash; ~ *person* per head (person); *2 shilling* ~ *styck* 2 shillings a (per) piece; ~ *timme* by the hour; ~ *järnväg (flyg, post)* by rail[way] (air, post)
Per Peter; ~ *och Pål* Tom, Dick, and Harry
perenn *a* perennial [*växt* plant]
perfekt I *a* perfect **II** *gram.*, ~[*um*] the perfect [tense]; ~ *particip* past participle
perfid *a* perfidious -**itet** perfidy
perforer‖a *tr* perforate -**ator** paper punch -**ing** perforation
pergament parchment, vellum -**band** parchment (vellum) binding -**handskrift** vellum manuscript -**papper** paper parchment -**rulle** [sc]roll of parchment
pergola pergola
peri‖feri periphery; circumference; *i stadens* ~ on the outskirts of the town -**ferisk** *a* peripheric[al] -**fras** periphrasis [*pl* -phrases]
period period -**icitet** periodicity -**isk** *a* periodic[al] -**supare** periodical drinker -**vis** *adv* periodically
peri‖skop periscope -**styl** peristyle
perku‖ssion *läk.* percussion -**tera** *tr* percuss
perman‖ens permanence -**ent** *a* permanent -**enta** *tr* [hår] give a permanent wave; ~ *sig* have a perm; *~d väg* tarmac[adam] road -**entning** -**ent|ondulering** perm[anent wave]
permission leave [of absence]; [för längre tid] furlough; *ha* ~ be on (have) leave &c; ~ *för sjukdom* sick-leave -**s|ansökan** application for leave &c -**s|förbud** suspension of leave -**s|sedel** *ung.* certificate of leave; pass
permitt‖ent soldier on leave -**era** *tr* grant leave
perniciös *a läk.* pernicious [*anemi* an[a]emia]
perpendik‖el *mat.* -**ulär** *a* perpendicular
perpetuum mobile perpetual motion
perplex *a* perplexed, mystified
perrong platform -**biljett** platform ticket
persed|el 1 [sak] thing, article; *-lar (mil.)* accoutrements, kit *sg* **2 F** [person] fellow

-**granskning** *mil.* kit inspection -**vård** *mil.* care of kit
pers‖er Persian -**ian** astrakhan [*päls* coat] **P-ien** Persia -**ienn** Venetian blind
persika peach
persilja parsley; *prata* ~ talk nonsense
persisk *a* Persian; *P~a viken* the Persian Gulf -**a 1** [språk] Persian **2** [kvinna] Persian woman (lady)
person *allm.* person; [i *pl* ofta] people [old people]; [i skådespel, roman samt i bet. -lighet, betydande ~] character, personage; *-erna (teat.) äv.* dramatis personae, the cast *sg; [kungen] i egen [hög]* ~ [the King] in person (himself); *i tredje ~ plural* in the third person plural; *enskild* ~ private person; *ibl.* individual; *offentlig* ~ public character; *kunglig* ~ royal personage; *min ringa* ~ my humble self; *utan anseende till* ~ without respect of persons
personal staff; personnel; employees *pl* -**chef** staff manager, director of personnel -**förändring** change in the staff -**ier** *pl* biographical facts -**notiser** [i tidn.] births, deaths, and marriages -**union** personal union
person‖befordran conveyance of passengers; passenger service -**bil** [private] car -**dyrkan** personality cult -**fråga** question of [the right] person -**förteckning** list of persons; *teat.* se *person* -**galleri** [Shakespeare's] characters *pl* -**historia** personal history -**ifiera** personify; typify; impersonate; *den ~de ondskan* the personification of evil; jfr *förkroppsliga* -**ifiering** -**ifikation** personification; embodiment [*av allt gott* of all that is good] -**kort** identity card -**kännedom** knowledge of persons
personlig *a* personal; ~*t* [på brev] private; *göra ~ bekantskap med ngn* make a p.'s personal acquaintance; ~ *frihet* individual liberty; *jag för min ~a del* I for my part -**en** *adv* personally, in person; ~ *ansvarig för* personally responsible for; *inställa sig* ~ appear in person -**het 1** [person] personage, person; *en framstående* ~ an eminent personage; *en historisk* ~ a[n] historical person **2** [människans väsen] personality; ~*er* [personliga anspelningar] personalities; *gå (komma) in på ~er* become personal -**hets|klyvning** duality of personality
person‖namn personal name -**trafik** passenger traffic -**tåg** passenger train -**vagn** [passenger-]carriage (*Am.* car)
perspektiv perspective; [*framtids*]~ (*äv.*) prospect -**isk** *a* perspective [*ritning* drawing]
Peru Peru **p~an** *s* **p~ansk** *a* Peruvian
peruk wig; [skämts. för hår] hair -**makare** wigmaker; [barberare] barber, hair-dresser -**stock 1** *eg.* wig-block **2** [stofil] [old] fogey
pervers *a* perverse; sexually abnormal -**itet** perversity; sexual abnormality
pessim‖ism pessimism -**ist** pessimist -**istisk** *a* pessimistic
pest plague, pestilence; *hata .. som ~en* hate .. like sin; *sky .. som ~en* shun .. like the plague; *sprida sig som ~en* spread like the plague -**artad** *a* pestilential -**böld** *eg.* plague-boil; *bildl.* plague-spot -**härd** plague-spot -**sjukdom** pestilential disease -**smittad** *a* infected with the plague
pet se *-göra* -**a** *tr* o. *itr* pick, poke; ~ *hål i (på)* poke a hole in; ~ *naglarna* pick (clean) o.'s nails; ~ [*sig i*] *näsan (tänderna)* pick o.'s nose (teeth); ~ *i maten* peck at o.'s food; ~ *på allting* finger (touch) everything; ~ *ut ögonen på ngn* se *sticka* [*ut*]
Peters‖kyrkan St. Peter's Basilica **p-pennin** Peter['s]-penny
pet‖göra finicky job -**ig** *a* **1** crampe [*handstil* hand] **2** finical (finicking) [*arbet* work; *person* person]; *pers. äv.* meticulous pedantic -**ig|het** finicalness &c
petit [stil] brevier -**ess** trifle
petition -**era** *itr* petition [*om* for] -**är** peti tioner
pet‖moj F number dial -**noga** *a* se *-ig 2*
petrifi‖era *tr* petrify -**kat** petrifaction, fossi
petroleum petroleum; mineral oil -**fat** petro leum cask -**fält** petroleum field -**lampa** oi lamp
Petrus, *aposteln* ~ St. Peter
Pfalz the Palatinate **p~greve** Count Palatin **p~isk** Palatine
pian‖ino upright piano -**issimo** *adv* pianissi mo -**ist** pianist
piano 1 *s* piano; *spela* ~ play the pianc *klinka (hamra) på ~t* strum [on] the pian **2** *adv* piano; *ta det ~!* **F** gently! -**ackom panjemang** accompaniment on the pian -**klink** strum[ming] on the piano -**l** pianola -**lektion** piano lesson -**numme** piece of music for the piano -**spel** piano playing -**stol** music-stool -**stämman** th piano part -**stämmare** piano-tuner
pick se *2 pack*
picka *tr* o *itr* [om fågel] peck [*hål i* a hol in; *i, på* at]; [om klockan] tick; [om hjär tat] flutter; jfr *klappa 2*
pickel|huva spiked helmet
pickels pickles *pl*
pick|hågad *a* keen [*på* on]
picknick picnic (*äv. : göra en* ~)
pickola[flöjt] piccolo
pickolo page boy, buttons; *Am.* bell-hop
piedestal [*sätta .. på* set .. on a] pedestal
piet‖et piety (reverence [*för* for] -**ets|full** full of piety (&c) -**ets|lös** *a* irreveren -**ets|löshet** want of piety, irreverence -**isr** pietism -**ist** pietist -**istisk** *a* pietistic[al]
piff ['krydda'] relish; *sätta ~ på maten* giv a relish to the food; ['stil'] chic, style *det är ~ på henne* she has chic; ['fart' go; *det är ingen ~ på honom* there is n go in him -**a** *tr,* ~ *upp* smarten up [*sin kläder* o.'s clothes] -**ig** *a* chic, smart
piga maid
pigg I *s allm.* spike; [tagg] quill **II** *a* **1** [rask, livlig] brisk [*melodi* tune]; [kvick käck] spirited [*svar* reply]; [munter sprightly; ['vaken'] bright [*pojke* boy] alert, wide awake, smart **2** [kry] fit [*som en mört* as a fiddle]; *han är ~ för sina å* he is brisk for his years **3** ~ *på* keen or -**a** *itr,* ~ *upp* [*sig*] cheer (liven, brighten) up ~ *på' sig* come round -**na** *itr,* ~ *till* se -*c* [*upp, på*] -**svin** porcupine -**svins|tagg** quil -**var** turbot
pig‖kammare maid's room -**lock F** accordior
pigment pigment
pig‖syssla servant's job -**tjusare** masher
pik 1 *mil.* pike; jfr *äv. pigg I* **2** [bergstopp peak **3** *sjö.* peak [*på gaffel* of a gaff] **4** [stickord] gibe (dig) [*åt* at]; [vink] broad hint -**a** *tr* **1** taunt [*för* with], gibe at **2** *sjö.* peak
pik‖ant *a* piquant; spicy [*historia* story]; jfr *piffig* -**anteri** piquancy -**é 1** [tygsort] piqué **2** [spel] piquet; *spela* ~ play at piquet -**e** [polis~ o. *mil.*] picket -**ör** *jakt.* whipper-ir
1 pil [träd] willow; jfr *vide*
2 pil [vapen] arrow; [till bössa] bolt; [i spel] dart; [vägvisare] finger-post; *med ~ och båge* with a bow and arrow; *Amors ~ar* Cupid's shafts; *snabb som en* ~ swift as an arrow -**a** *itr,* ~ *i väg* dart off (along)

pilaster pilaster
pil||båge bow **-bössa** cross-bow
pilgrim pilgrim **-s|falk** peregrine falcon **-s|färd** [*göra en* go on a] pilgrimage **-s|stav** pilgrim's staff
pilk *fisk.* bob **-a** *tr* o. *itr* bob [*torsk* for cod-fish]
pilkoger quiver
pilla *tr* o. *itr* preen (plume) [*fjädrarna* one's feathers]; fiddle [*med ett snöre* with a piece of string]; jfr *peta, knåpa*
piller pill; *ett beskt* ~ [*att svälja*] a bitter pill [to swallow] **-ask -burk** pill-box **-tril-lare F** piller
pilot pilot **-hytt** [pilot's] cockpit, control cabin
pil||regn -skur rain of arrows **-skytt** archer, bowman **-snabb** *a* swift as an arrow
pilsner Pilsener beer
pilspets arrow-head
pimpla *tr* o. *itr* **1 F** [supa] (*äv.:* ~ *i sig*) tipple **2** *fisk.* bob [for]
pim[p]sten pumice[-stone]
pin F [förstärkande] *på* ~ *kiv* out of sheer devilry; ~ *livat* [*vara* be] great fun, rip-ping; [*ha* have] a jolly good time
pin||a I *s* pain, torment, torture; [själskval] agony; *låt oss göra* ~*n kort* let us get it over; *för själ* (*död*) *och* ~*!* for heaven's sake! **II** *tr* torment, torture; *bildl.* worry [*livet ur ngn* a p. to death]; ~ *ihjäl ngn* torture a p. to death; ~ *i sig* [mat] force down; ~*d av samvetskval* stung with re-morse; *hans ansikte hade ett* ~*t uttryck* his face had a pained expression **III** *rfl,* ~ *sig in* [om snö, vind o. d.] work in **-ande** *a* bitter (piercing) [*blåst* wind]; racking [*huvudvärk* headache] **-as** *dep* suffer [pain], be in anguish (on the rack)
pinal F thing, article; jfr *grejor*
pinbänk rack
pincené pince-nez, eye-glasses *pl*
pincett tweezers *pl*
pinfärsk *a* quite fresh
pingla I *s* bell **II** *itr* tinkle, jingle; ~ *på'* [i telefon] give a ring **-nde** *s* tinkle, jingle
pingpong ping-pong, table tennis
pingst Whitsun[tide]; *annandag* ~ Whit Monday **-afton** Whitsun Eve **-dag[en]** Whit Sunday **-helg[en]** Whitsuntide **-lilja** white narcissus **-rörelse** Pentecostal revival **-vec-ka[n]** Whitsun week **-vän** Pentecostalist
pingvin penguin
pinje [stone-]pine
pinlig *a* se *pinsam;* ~*t förhör* examination by torture
pinn||a *tr* peg [*fast vid* to] **-|e** [*trä-* wooden; *tält-* tent] peg; [ved-] stick; [höns-] perch; [steg-] rung; *stel* (*styv*) *som en* ~ [as] stiff as a poker; *ben smala som -ar* legs as thin as sticks; *samhällsstegens högsta -ar* the highest rungs on the social ladder; *rör på -arna!* **F** stir your stumps! **-hål** peghole **-soffa** *ung.* [rib-backed] settle **-stol** *ung.* Windsor chair
pinoredskap instrument of torture
pinsam *a* painful; awkward [*paus* pause; *situation* situation]; scrupulous [*noggrann-het* carefulness]; jfr *plågsam*
pion peony
pionjär 1 pioneer **2** *mil.* [ingenjörssoldat] sapper **-arbete** pioneer work **-kår** se *ingen-jörstrupperna*
pionröd *a* [as] red as a peony
1 pip peep, cheep; [råttas] squeak; [fågels] chirp; [gnäll] whining, whimpering
2 pip 1 spout [*på kanna* of a pot] **2** *bot.* tube

1 pipa *s* **1** [tobaks-] pipe; *röka* ~ smoke a pipe **2** [att blåsa i] pipe; [vissel-] whistle; *dansa efter ngns* ~ dance to a p.'s piping; *det blev annat ljud i* ~*n* he (o. s. v.) changed his (o. s. v.) tune; *gå åt* ~*n* **F** go all wrong **3** [rör] pipe, tube; [skorstens-] flue; [ångbåts] funnel; [gevärs-] barrel
2 pip||a *itr* [särsk. om fåglar] pipe, chirp; [om barn, råttor] squeak; [gnälla] whine, whimper; [om vinden] whine, whistle; *det* ~*er i bröstet på honom* there is a wheeze in his chest **-ande** *s* piping &c **-are** *zool.* plover
pipett pipette
pip||huvud pipe-bowl **-hylla** pipe-rack
pipig *a* **1** squeaky [*röst* voice]; [gnällig] whining, whimpering **2** [ihålig, porös] por-ous
pip||krage ruff **-lera** pipe-clay **-lärka** titlark **-olja** [tobacco] juice
pippi 1 dicky-bird **2 F** *få* ~ go dotty; *ha* ~ *på* be crazy about
pip||rensare pipe-clean[s]er **-rök** tobacco-smoke **-rökare** pipe-smoker **-sill F** cry-baby, whiner **-skaft** pipe-stem **-skägg** pointed beard, imperial **-tobak** pipe tobacco
pir pier, mole
pirat pirate
pirog 1 [kanot] pirogue **2** *kok.* Russian pasty
piruett -era *itr* pirouette
pirum *a* **F** tipsy, boozed
pisk whipping; jfr *stryk* **-a I** *s* **1** whip; *klatscha med* (*svänga*) ~*n* crack o.'s whip; *låta .. smaka* ~*n* apply the whip to .. **2** [hår-] pigtail **II** *tr* o. *itr* whip; jfr *prygla;* beat [*mattor, kläder* carpets, clothes]; *regnet* ~*r mot rutorna* the rain is beating against the panes; *vara* ~*d* [tvingad] [*till*] *att* be forced to; ~ *på* beat, whip; ~ *upp* se *klå 1* **-balkong** balcony for beating [clothes] **-rapp** lash, cut with the whip **-skaft** whip handle **-slag -smäll** crack of the whip **-snärt** lash
piss||a *itr* **F** piss **-oar** pissoir; [public] lavatory
pistill pistil
pistol pistol; *utmana .. på* [*duell med*] ~ challenge .. to a duel with pistols **-håll,** *inom* ~ within pistol shot **-hölster** holster **-kolv** pistol butt **-mynning** pistol muzzle **-skott** pistol shot **-skytt,** *en god* ~ a good shot with a pistol
pistong piston
pitprops *koll* pitprops *pl*
pittoresk *a* picturesque
piv|å (-ot) ⊕ pivot
pjask 1 rubbish, **F** tripe; [dålig dryck] slip-slop, wash **2** = **-er** milksop **-ig** *a* sloppy
pjatt F puppy, Teddy-boy; [klädsnobb] fob
pjoll||er -ra *itr* babble; drivel; twaddle; jfr *joll|er, -ra, pjosk, -a* **-rig** silly, twaddling; namby-pamby
pjosk 1 [klemande] coddling, pampering **2** se *pjunk* **-a** *itr,* ~ *med* coddle, pamper; [göra affär av] make a fuss about **-er** milksop **-ig** *a* effeminate, soft **-ighet** se *pjosk*
pjunk [klemighet] effeminacy, softness; [känslosamhet] sentimentality; [klagolåt] whining **-ig** *a* soft; maudlin; whining; mawkish
pjäs 1 *mil.* piece **2** [artikel, möbel o. d.] piece, article **3** [schack] man **4** *teat.* play
pjäxa ski-boot
placer||a I *tr allm.* place; [förlägga] locate, station; [bereda sittplats åt] seat [*sina gäs-ter* one's guests]; ~ *sina pengar fördel-*

aktigt invest one's money to advantage; *~ en beställning hos en firma* place an order with a firm **II** *rfl, ~ sig a)* [sätta sig] seat o.s.; *b) sport.* [särsk. om hästar] be placed; [allmännare] be among the prize-winners **-ing** placing; seating; [om hus, väg o. d.] siting; [om pengar] investment; jfr *äv. placera II b)* **-ings|kort** place card

pladask *adv, falla ~ i vattnet* fall flop (headlong) into the water

pladd||er babble, prattle, chatter **-er|aktig** *a* garrulous, prattling **-er|sjuka** garrulousness, garrulity, loquacity **-ra** *itr* babble (prattle, chatter) [*som en papegoja* like a parrot]

plafondmålning plafond-painting; *konkr* painted ceiling, plafond

plage [badstrand] beach

plagg garment, article of dress

plagi||at plagiarism **-ator** plagiarist **-era** *tr* o. *itr* plagiarize **-ering** plagiarism

1 plakat [affisch] placard, poster; [kungörelse] proclamation

2 plakat *a* **F** *(äv.: ~ full)* dead drunk

plakett plaquette

plan I *a* plane, level **II** s **A** [ett ~] **1** [~ yta] plane; [nivå] level; *i (på) samma ~ som* on a level with; *på ett högt ~* on a high level (plane); *sluttande ~* inclined plane; *på det sluttande ~et (bildl.)* on the downward path **2** [flyg-] plane **B** [en ~] **1** se *gräs~, gårds~, tennis~, fotbolls~ m. fl.* **2** *allm.* plan (scheme) [*för, på, till* for, of]; *äv.* schedule; [eg. ~skiss] blueprint; [intrig, komplott] plot; *göra upp (smida) en ~* form (lay, make) a plan (scheme); concoct (forge) a plot; *vad har du för ~er?* what are your plans? *ha (hysa) ~er mot (på)* have designs on; *det ingår ej i mina ~er* it does not enter into my plans (calculations) **-enlig** according to plan; jfr *-mässig* **-era I** *tr* [jämna] level **II** *tr* o. *itr* [-lägga] plan, design **-erande -ering 1** levelling **2** planning

planet 1 planet **2 F** *mitt i ~en* in one's very face **-arisk** *a* planetary **-system** planetary system

plan||film cut film **-geometri** plane geometry **-hushållning** planned economy, economic planning **-imetri** planimetry **-imetrisk** *a* planimetric[al]

plank 1 *koll, ~* [*och bräder*] deals [and boards] *pl* **2** [stängsel] paling, fence; [kring bygge o d.] hoarding **-a I** *s* plank; [furu-] deal; jfr *golv~* **II** *tr, ~ av* se *avbalka*

plan|karta plan; map

plank||golv boarded floor

plan|korsning level crossing

plank|strykare house painter; [föraktl.] dauber

plankton *zool.* plankton

plan||lägga *tr* se *-era II; -lagt mord* premeditated murder **-läggning** se *-ering 2* **-lös** *a* planless; desultory [*läsning* reading]; [utan mål] aimless; [utan metod] unmethodical **-löshet** want of plan, aimlessness &c **-mässig** *a* methodical, systematical, according to plan **-mässighet** method[icalness] **-ritning** [ground-]plan; blueprint; [läroämne] plan-drawing, designing

plansch plate, illustration **-verk** illustrated work

plan||slipa *tr* ⊕ grind . . level **-sten** slab

plant||a plant; [ur frö] *äv.* seedling; *bildl.* [telning] sapling; *sätta (dra upp, ansa) ~or* set (raise, nurse) plants **-age** plantation **-age|ägare** planter **-era** *tr* o. *itr* plant; [i rabatt] *äv.* bed out [*blommor* flowers]; [med skog] afforest; *~ om* transplant; *~ ut* plant out **-ering 1** *konkr* plantation; *äv.* park, garden **2** *abstr* [-erande] planting **-skola** nursery [*för* of, for] *äv. bildl.*

plask splash **-a** *itr* splash; *~ omkring* splash about; *vågorna ~ mot stranden* the waves lap the shore

plasma plasma

plast plastic **-band** plastic tape **-båt** plastic boat **-duk** plastic cloth **-fabrik** plastics plant **-icitet** plasticity **-ik 1** [- -'] plastic art **2** [*dans och* dancing and] deportment **-isk** *a* **1** plastic [*kirurgi* surgery] **2** [graciös] graceful **-rör** plastic tube **-slang** plastic tubing

platan plane-tree

platina platinum **-blond** *a* platinum blonde

Plato[n] Plato **p~niker** Platonist **p~nisk** *a* Platonic [*kärlek* love]

plats 1 [ort, ställe, bestämd (anvisad) ~] place; locality; ['ort och ställe'] spot; [skåde-] scene; *en ~ i solen* a place in the sun; *allt på sin ~* everything in its place; *byta ~* se *byta; icke på sin ~* [opassande] out of place, inappropriate; *vackra ~er* lovely spots, beauty-spots; *han var den förste på ~en* he was the first on the spot; *tidningarna (doktorn) på ~en (äv.)* the local newspapers (doctor); *på ~en för mordet* on the scene of the murder **2** [sitt-; mandat] seat; *ta ~* take a (one's) seat; *var god tag ~!* please be seated (sit down)! *beställa ~ till* [*Hamlet-föreställningen*] book a seat (seats) for . .; *~en är upptagen* this seat is engaged; *en ~ i Överhuset* a seat in the House of Lords **3** [utrymme, tillräcklig ~] room; [fri ~ mellan t. ex. hus] space; [husrum] accommodation; *gott om ~* plenty of room; *ta för stor ~* take up too much room; *lämna (bereda) ~ åt* make room for; *kofferten får nätt och jämnt ~* there is just room for the trunk; *en öppen (inhägnad) ~* an open (enclosed) space; *hotellet har ~ för 100 gäster* the hotel has accommodation for 100 guests **4** [anställning] place (situation, post) [*som* as]; [ställning] position [*i samhället* in society]; *få fast ~* get a permanent situation; *ha ~ hos . .* be in the employment of . .; *hävda sin ~* hold one's own; *se sig om efter ~* look about for a place (a job); *söka* [*en ledig*] *~* apply for a [vacant] situation; *lediga ~er* [tidningsrubrik] situations vacant; *utan ~* unemployed, without a place

plats||ansökan application [for a situation] **-biljett** reserved seat, reservation **-byrå -förmedling[sbyrå]** [statlig] Labour Exchange; [vid univ. o. d.] appointments board; registry office [for servants]; [privat] employment agency **-ombud** local agent **-ombyte** change of situation **-sökande** *s* applicant [for a. situation]; [annonsrubrik] situations wanted

platt I *a* **1** flat [*tak* roof; *näsa* nose; *som en pannkaka* as a pancake] **2** [banal] commonplace; *~ uttryck* platitude **II** *adv* flat; *pjäsen föll ~ till marken* the play fell flat; [förstärkande] *~ intet* nothing at all; *~ omöjligt* absolutely (utterly) impossible

platt||a I *s allm.* plate; [sten-] slab; [kakel-] tile; [grammofon-] record **II** *tr* flatter [*till* out]; *~ till (bildl.)* squash **-fisk** flatfish **-form** platform **-forms|biljett** platform ticket **-fot** flat-foot **-fotad** *a* flatfoot[ed] **-hatt F** Teddy-boy **-het 1** [utan *pl*] flatness **2** [med *pl; äv -ityd*] platitude, commonplace **-näst** *a* flat-nosed **-[t]yska** Low German

platå table-land, plateau
plausibel *a* plausible
pleb‖ej *s* **-ejisk** *a* plebeian **-sen F** the populace
plejaderna the Pleiades
plenum *parl.* plenary meeting
pleonas‖m pleonasm **-tisk** *a* pleonastic[al]
pleti se *kreti*
pli smartness, [military] bearing; *sätta ~ på* lick into shape
pligg peg **-a** *tr* o. *itr* peg [*fast* down]
1 plikt 1 [skyldighet] duty [*mot* to, towards]; *göra sin ~* do one's **duty 2** [böter] fine; jfr *böter, vite*
2 plikt *sjö.* foresheets *pl*
plikt‖a *tr* o. *itr* pay a fine [*för* for]; *han fick ~ 5 kronor* he was fined 5 kronor; *han fick ~ med livet för sin dumdristighet* he had to pay for his rashness with his life **-bud** moral obligation **-enligt** *adv* conformably to duty; [vederbörligen] duly **-fälla** se *bötfälla* **-förgäten** *a* forgetful of one's duty, undutiful **-förgätenhet -försummelse** neglect of duty **-ig** *a* [in duty] bound, obliged; *ni är ~ att* it is your duty to **-kollision** conflict of duties **-känsla** sense of duty **-människa** scrupulous person **-skyldig** *a* dutiful **-skyldig[as]t** *adv* dutifully, as in duty bound; [vederbörligen] duly **-trogen** *a* dutiful, faithful **-tro[gen]het** dutifulness, faithfulness **-uppfyllelse** fulfilment of one's duty
plimsoll[märke] *sjö.* Plimsoll's mark (line)
plint 1 *ark.* plinth **2** *gymn.* [box] horse
plira *itr* blink [*med ögonen* one's eyes; *mot* at]
pliss‖é pleating **-era** *tr* pleat **-ering** se *-é*
plister *bot.* dead-nettle
plock odds and ends *pl*, gleanings *pl;* se *äv. knåpgöra; för att ta ett ~ ur högen* to make a selection at random **-a** *tr* o. *itr* pick (gather) [*blommor* flowers; *bär* berries; *frukt* fruit]; glean [*ax* ears]; pluck [*en fågel* a fowl]; [*ligga och*] *~ på täcket* pluck at the quilt; *gå och ~* [pyssla] peddle about; *~ av* (*ned*) [*äpplen*] gather (take down) . .; *~ bort* (*av*) pick off; *~ fram* take out, produce; *~ ihop* gather, collect; *~ upp* pick up; *~ ut* pick out **-ning** picking &c
plog plough; *köra ~en* [follow the] plough; *spänna hästen för ~en* put the horse before the plough; *lägga . . under ~en* make . . arable **-a** [*en väg*] clear [a road] of snow **-bill** ploughshare **-fåra** furrow **-järn -kniv** coulter **-land** plough-land
plomb 1 *tandl.* filling, stopping **2** [blysigill] lead[en seal] **-era** *tr* **1** *tandl.* fill, stop **2** [försegla] seal up, lead **-ering 1** filling, stopping **2** sealing
plommon plum **-kärna** plum-stone **-träd** plum-tree **-stop F** bowler [hat], *Am.* derby
plott‖er [strunt] trifles *pl* **-ra** *itr*, *~ bort sin tid* fritter (trifle) away one's time [*på* on]
plugg 1 [propp] plug, stopper **2** [-läsning] grinding **-a I** *tr*, *~ igen* [sätta plugg i] plug [up] **II** *itr* o. *tr* [-läsa] study hard; *~ på en examen* cram for an examination; *~* [*på*] *sina läxor* grind away at o.'s lessons; *~ i ngn latin* (*~ latin med ngn*) grind (cram) a p. in Latin **-häst** grinder **-ning** cramming &c
plump I *s* blot **II** *a* coarse **-a** *itr* o. *tr* [*~ ned*] blot; *sätta en ~ i protokollet* (*bildl.*) make a blunder **-het** [-t sätt] coarseness; *~er* [-a skämt] coarse jokes **-papper** blotting-paper
plumpudding plum-pudding
plums *s* o. *itj* plump, plop **-a** *itr* plump (fall plop) [*i vattnet* into the water]; *gå och ~a i vattnet* splash in the water
plund‖ra *tr* o. *itr* plunder (pillage, sack) [*en stad* a town]; *~ ngn på ngt* rob a p. of a th.; *~ ngn in på bara kroppen* strip a p. to the skin **-rare** plunderer &c **-ring** plundering, pillage, sack **-rings|tåg** plundering expedition, raid
plunta flask
plural[is] [*stå i* be in] the plural **-bildning** formation of the plural **-ändelse** plural ending
pluringar *pl* se *pengar F*
plurret F, *ramla i ~* fall into the water
plus I *adv* plus; *2 ~ 3 är 5* two plus (and) three make five; *~ minus noll* plus minus nought; *~ 2°* two degrees above zero **II** *s* [-tecken] plus; [överskott] surplus; [fördel] advantage; [tillägg] addition; [*stå*] *på ~*[*sidan*] [be] on the credit [side] **-fours** plus-fours *pl* **-grad** degree above freezing-point **-konto** credit account; *på ~t* (*bildl.*) on the credit side **-kvamperfektum** the pluperfect [tense]
plussig *a* bloated
plustecken plus sign
pluta *itr*, *~* [*med munnen*] pout
plutokrat plutocrat **-i** plutocracy **-isk** *a* plutocratic
pluton *mil.* platoon **-chef** platoon commander
plym plume
plysch plush
plywood plywood
plåg‖a I *s* [pina] pain, torment; [-oris] plague, nuisance; *häftiga* (*olidliga*) *-or* violent (insufferable) pains; *myggen är en sannskyldig ~* the mosquitoes are a regular plague; *han är en ~ för sig själv och andra* he is a nuisance to himself and everybody else **II** *tr* pain, torment; jfr *pina II;* [oroa, besvära] worry, pester; [reta[s med]] tease; *det ~ar mig att se* it hurts me to see; *se ~d ut* look pained; *~s av tandvärk* be tormented by toothache; *~ ngn med frågor* worry (pester) a p. with questions **-as** *dep* [lida] suffer **-o|ande** tormentor **-o|läger** couch of pain **-o|ris** scourge, plague, pest **-sam** *a* painful
plån 1 [skriv-] tablet **2** [tändsticks-] rough (striking) surface **-a** *tr*, *~ ut* se *ut~* **-bok** pocket-book, wallet
plåst‖er plaster; *lägga ~ på ett sår* (*eg.*) apply a plaster to a wound; *bildl.* heal a sore **-er|lapp** piece of plaster **-ra** *tr* o. *itr*, *~ om'* plaster; *~ med* doctor
plåt 1 *koll* sheet-metal; jfr *bleck~* **2** [en ~, t. ex. dörr-, fotografi-] plate **-beklädnad** plate covering **-burk** tin, can **-kamin** [sheet-]iron stove **-rör** sheet-metal tube **-sax** plate shears *pl* **-skiva** plate [sheet] **-slagare** [bleckslagare] tinsmith; *skeppsb.* plater **-slageri** se *bleckslageri* **-tak** tin-roof, plated roof
pläd [res-] rug; [skotsk] plaid
plädera *itr* plead [*för* for]
pläg‖a 1 *itr* se *bruka I* **2** *tr* se *för~; ~ umgänge* se *umgås* **-sed** custom
plätera *tr* plate
plätt 1 [fläck] spot **2** *kok.* small pancake
plöja *tr* o. *itr* plough *äv. bildl.* [*oceanen* the ocean; *genom en bok* through a book] **-are** ploughman **-ning** ploughing
plös tongue [of a shoe]
plötslig *a* sudden, abrupt **-en -t** *adv* suddenly, all of a sudden **-het** suddenness
P. M. se *promemoria*
pneumatisk *a* pneumatic

pock se *3 lock* **-a** *itr,* ~ *på* [importunately] insist [up]on, clamour for **-ande I** *a* importunate **II** *s* importunity
pocker se *2 fan*
podager podagra; jfr *gikt*
podium platform
poem poem
poesi poetry; *~ens språk* the language of poetry **-album** poetry album **-lös** *a* unpoetical, prosaic
poet poet **-ik** poetics *sg* **-isk** *a* poetic[al] [*frihet* license] **-issa** poetess, woman poet
pogrom pogrom
pointer [hundras] pointer
pojk||aktig *a* boyish **-aktighet** boyishness **-bok** book for boys **-byting** urchin, youngster **-e** boy, lad; jfr *gosse* **-lymmel -rackare -slyngel** [young] rascal, scamp **-spoling** stripling, hobbledehoy **-streck** boy's trick, prank **-valp -vask[er]** se *-spoling* **-år** se *goss-*
pokal [särskilt pris-] cup; [äldre] goblet
poker poker **-ansikte** poker face
pokulera *itr* carouse
pol pole
polack Pole
polar||forskare polar (Arctic) explorer **-forskning** polar (Arctic) exploration **-hav** polar sea **-is** polar ice
polar||isation *fys.* polarization **-isator** polarizer **-isera** *tr* o. *itr* polarize **-itet** polarity
polar||natt polar night **-räv** ice-fox **-trakt** polar region **-varg** polar wolf
pol||cirkel polar circle; *norra* (*södra*) *~n* the Arctic (Antarctic) circle
polem||ik polemic[s *pl*], controversy **-iker** polemic, controversialist **-isera** *itr* polemize **-isk** *a* polemic[al], controversial
Polen Poland
poler||a *tr* o. *itr* polish *äv. bildl.; blank~* (*äv.*) burnish **-medel** abrasive, polish **-pulver** polishing powder **-vax** polishing wax
polhöjd altitude of the pole, latitude
poliklinik policlinic, out-patients' department
polio *läk.* polio[myelitis]; se *barnförlamning*
1 polis [försäkringsbrev] policy
2 polis 1 [som institution o. *koll*] police; *anmäla för ~en* report to the police; *~en har anhållit honom* the police have arrested him; *efterspanad av ~en* wanted by the police; *ridande* ~ mounted police **2** [-man] policeman, [police] officer, constable; *kvinnlig* ~ policewoman **-anmälan** police report **-bevakning** [*stå under* be placed under] police supervision **-bil** police car, squad car; **F** Black Maria **-bricka** policeman's badge **-båt** police launch **-chef** [i städer o. grevskap] Chief Constable; [i London] Chief Commissioner [of the Metropolitan police] **-domare (-domstol)** police magistrate (court) **-eskort** police escort **-förbud** prohibition by the police **-förhör** police-court examination **-förordning** police regulation **-förvar,** *i* ~ in custody **-hund** police dog **-hus[et]** police headquarters *pl* **-kammare** police office **-kedja** police cordon **-kommissarie** inspector **-konstapel** se *2 polis 2* **-kontor** police station **-kund** jail-bird **-kår -makt** police force **-myndigheterna** the police authorities **-mästare** se *-chef*
polisonger whiskers
polis||patrull police patrol **-piket** police picket **-rapport** police report **-sak** police-court case **-stat** police state **-station** police station **-tjänsteman** police official **-undersökning** police investigation **-uppbåd** police rally **-utredning** se *-undersökning* **-vakt** police guard **-väsen** police [system] **-ärenden** police matters

polit||ik 1 *allm.* politics *pl; syssla med ~[en]* be engaged in politics; *prata* ~ talk politics **2** [-isk linje, beräkning, 'taktik'] policy; *dålig* ~ [oklokt] bad policy **-iker** politician **-isera** *itr* se *kannstöpa* **-isk** *a* political
politruk political commissar
polityr polish *äv. bildl.*
polka polka **-gris** peppermint rock **-hår** page-boy cut
pollare *sjö.* bollard
pollen *bot.* pollen **-korn** pollen-grain
pollett check; *äv.* ticket; [gas-] disk **-era** *tr* o. *itr* [inom Engl.] label; [vid resa utomlands] register; [*låta*] ~ *bagaget* have o.'s luggage registered **-ering** [luggage] registration **-erings|gods** register[ed] luggage; *Am.* check baggage **-erings|märke** luggage ticket; *Am.* baggage check
pollination pollination
polo polo **-spel** polo game
polonäs [dans] polonaise
polsk *a* Polish **-a 1** [språk] Polish **2** [kvinna] Polish woman (lady)
polstjärna pole[-]star; *~n* (*äv.*) the North Star
poly||gam *a* polygamous **-gami** polygamy **-gamist** polygamist **-glott** polyglot **-histor** polyhistor **-krom** *a* polychrome **P-nesien** Polynesia **-nesier -nesisk** *a* Polynesian **-nom** polynomial
polyp 1 *zool.* polyp **2** *läk.* polyp|us [*pl* -i]
poly||teism polytheism **-teist** polytheist **-teknisk** *a* polytechnic
pomad||a -era *tr* pomade
pomerans Seville orange **-skal** [bitter] orange-peel
Pommer||n Pomerania **p-sk** *a* Pomeranian
pomolog pomologist **-i** pomology
pomp [*och ståt*] pomp [and circumstance]
pompej||ansk *a* Pompeian **P-i** Pompeii
pompös *a* pompous
pondus authority; [eftertryck] emphasis
ponera *itr* o. *tr* suppose
ponny pony
ponton pontoon; [på hydroplan] float **-bro** pontoon bridge
pop [rysk präst] pope
poplin [tyg] poplin
poppel poplar
populari||sera *tr* popularize **-sering** popularization **-tet** popularity **-tets|jägare** popularity hunter
popul||as se *pöbel* **-är** *a* popular [*bland* with] **-ärvetenskap** popular science
por pore
porfyr porphyry
porla *itr* ripple, murmur
pormask blackhead
pornograf||i pornography **-isk** *a* pornographic
pors bog-myrtle, sweet-gale
porslins||affär china shop **-blomma** wax-flower **-bod** china shop **-fabrik** china (porcelain) factory **-fat (-figur -kopp)** china dish (figure, cup) **-lera** china clay, kaolin **-målare (-målning)** china painter (painting) **-servis** set of china **-varor** china ware *sg*
port I [till hus] door; [till gård, stad o. s. v.] gate; *köra .. på ~en* turn .. out [of doors]; *stå i ~en* stand in the doorway (gateway) **2** *Höga P~en* [förr om turkiska regeringen] the Sublime Porte
portabel *a* portable
portal portal, porch
portativ *a* portable [*skrivmaskin* typewriter]
porter stout; [svagare] porter
portfölj portfolio, brief-case; *minister utan* ~ minister without portfolio
port||förbjuda *tr* **1** *mil.* confine .. to barracks **2** forbid .. [to enter] the house (the

country) **-förbud 1** confinement to barracks **2** *ha ~* be forbidden [to enter] the house (the country) **-gång** doorway, gateway
portier [biljettförsäljare] [booking-]clerk; [hotell-] hall-porter **-loge** reception desk
portik portico
portion *allm.* portion; [vid bordet] helping; *mil.* [pr dag] rations *pl; en ~ skinka till* a second helping of ham; *en god ~ tur* a great deal of good luck; *en viss ~ sanning* a certain amount of truth; *i små ~er* in small doses **-era** *tr, ~ ut* portion out
portiär [förhänge] curtain, portière *fr.*
port‖klapp knocker **-klocka** doorbell
portmonnä purse
portnyckel latch-key
porto [*enkelt* single; *dubbelt* double] postage; *vad blir ~t?* how much is the postage? **-fri** *a* post-free **-kostnader** postal charges
porträtt portrait; *ett bra ~* [som liknar originalet] a good likeness **-era** *tr* portray **-ering** portrayal **-galleri** portrait gallery **-lik** *a* like [the original] **-likhet** likeness **-målare -målarinna** portrait painter **-måleri** portrait painting
Portug‖al Portugal **p-is** Portuguese; *~erna* the Portuguese **p-isisk** *a* Portuguese **p-isiska 1** [språk] Portuguese **2** [kvinna] Portuguese woman (lady)
portvakt porter, door-(gate-)keeper, janitor **-s|stuga** porter's lodge
portvin port [wine]
portör botanical tin, vasculum
porös *a* porous; [svamplik] spongy
pos‖e pose, attitude; *inta en ~* adopt a pose, strike an attitude **-era** *itr* pose [*som* as]; se *äv. pose* ex.
position position; *inta sin ~* take [up] one's stand **-s|artilleri** heavy field artillery **-s|bestämning** determination of position
1 positiv *a* o. *s* positive
2 positiv *mus.* barrel-organ **-halare -spelare** organ-grinder
positiv‖ism positivism **-ist** positivist
positiv|visa street-ballad
positron positive electron
possessionat landed proprietor
possessiv *a* possessive [*pronomen* pronoun]
post 1 [brev-, paket-] post; *Am.* mail; *avgående* (*inkommande*) *~* outward (inward) mail; *när kommer ~en?* when is the post due? *skicka med ~[en]* send by post (mail); *med dagens* (*morgonens*) *~* by today's (the morning) post **2** [-anstalt] post office; *lägga ett brev på ~en* take a letter to the post [office], post a letter **3** [vakt-] sentry, sentinel **4** [-ställe; plats, ämbete] post; *stå kvar* (*stupa*) *på sin ~* remain (fall) at o.'s post; *stå på ~* be on guard, stand sentinel; *en viktig ~ i samhället* an important post (position) in society **5** *hand. a*) [i räkenskaper o. d.] entry, item, charge; [småportion] instalment; *b*) [varuparti] lot, parcel **6** se *dörr~, fönster~, vatten~* **-a I** *tr* post; *Am.* mail **II** *itr* se *-era II* **-abonnemang** subscription [by post] **-adress** postal address **-al** *a* postal
postament pedestal, socle
post‖anstalt post office **-anvisning** money order (M.O.); [för lägre belopp upp till fem pund] postal order (P.O.); *skicka .. i ~* send .. by M.O. (P.O.) **-anvisnings|-blankett** money-(postal-)order form **-assistent** chief [postal] clerk **-avgift** postage **-befordran** conveyance of mail[s *pl*], postal delivery **-box** private [post-office] box **-bud** postman **-buss** post-(mail-)bus **-båt** mail-(packet-)boat
post|datera *tr* [efter-] post-date
post‖diligens mail-coach **-distrikt** postal district
postera I *tr, ~* [*ut*] station, post **II** *itr* be on guard, be stationed
poste restante poste restante
postering picket
post‖expedition [branch] post office **-expeditör** postal clerk **-fack** se *-box* **-flyg** air mail **-förande** *a* mail-carrying **-förbindelse** postal communication **-föreståndare** chief [postal] clerk **-förskott,** *mot ~* cash on delivery (C.O.D.) **-förskotts|försändelse** C.O.D.-parcel **-försändelse** postal matter; *~rna* the mails **-giro** postal cheque service **-giro|blankett** postal cheque form **-giro|-konto** postal cheque account **-giro|nummer** postal cheque number **-gång** postal service **-hus** general post office **-iljon** [förr] postillion; [nu] mail-guard; [brevbärare] postman
postilla book of sermons
post‖kontor post office **-kort** [finländsk term för *brevkort*] postcard **-kupé** mail-coach **-lucka** post-office counter **-låda** se *brev-* **-mästare** postmaster **-o,** *fatta ~* take one's stand, post o.s. **-paket** post[al] parcel; jfr *paket; sända som ~* send by parcel post **-papper** note-paper **-porto** se *porto* **-[remiss]växel** cashier's cheque, [banker's] draft
post|skriptum postscript (P.S.)
post‖sparbank post-office savings-bank **-station** [sub-]post office **-stämpel** postmark; *~ns datum* date of stamp **-säck** mail-bag **-taxa** postage rates *pl* **-tidning** gazette **-tjänsteman** post-office clerk; [högre] post-office executive **-tåg** mail train
postul‖at postulate **-era** *tr* postulate
postum *a* posthumous [*arbete* work]
post‖utbärning -utdelning delivery **-vagn** mail van (coach) **-verket** the Post Office **-väsen** postal service **-väska** se *-säck*
potatis [*en ~* a] potato; *koll* potatoes *pl; färsk* (*kokt, stekt, oskalad*) *~* new (boiled, fried, unpeeled) potatoes; *sätta* (*ta upp*) *~* set (lift) potatoes **-blast** haulm [of potatoes] **-knöl** tuber **-kräfta** se *-sjuka* **-källare** potato cellar **-land** potato field (lot, patch) **-mjöl** potato flour **-mos** mashed potatoes *pl* **-näsa** pugnose **-odling 1** [-odlande] potato growing **2** se *-land* **-puré** se *-mos* **-sallad** potato salad **-sjuka** potato disease (blight) **-skal 1** [på potatisen] skin, jacket **2** [avskalat] peelings *pl* **-skörd** potato crop **-stånd** potato plant **-säck** potato sack **-upptagning** potato lifting **-åker** se *-land*
poten‖s 1 *mat.* o. *bildl.* power, potential **2** [manbarhet] virility, potency **-t** *a* virile, potent **-tat** potentate **-tiell** *a* potential
potpurri potpourri; *mus. äv.* medley
pott *spel.* pool, kitty **-a** se *nattkärl* **-aska** potash
poäng point; *vinna* (*få*) *~* get (make) a point (points), score; *vinna på ~* win on points; *spela låg ~* play for low points; *fatta* (*gå miste om*) *~en* [*i en historia*] catch (miss) the point [of a story] **-besegra** *tr* outpoint **-seger** victory on points **-ställning -summa -tal** score **-tera** *tr* emphasize
pracka *itr, ~ på' ngn ngt* fob (palm) a th. off on a p.
Prag Prague
prakt splendour; [storslagenhet] magnificence, grandeur **-band** ornamental (choice, de luxe) binding **-exemplar** fine (splendid) specimen **-full** *a* splendid, magnificent, gorgeous **-fullhet** se *prakt* **-gemak** state apartment

prakt‖ik practice; [erfarenhet] *äv.* experience; *i ~en* in practice; *omsätta* (*tillämpa*) *i ~en* put into practice; *sakna ~* lack [practical] experience; *ha stor ~* [om t. ex. läkare] have a large practice **-ikant** probationer, trainee **-isera** *tr* o. *itr* practise; *~nde läkare* general practitioner (G.P.) **-isk** *a allm.* practical [*förstånd* mind; *husmor* housewife; *lösning* solution]; [lätthanterlig] handy [*verktyg* tool]; [prosaisk] matter-of-fact; *i det ~a livet* in practical life **-iskt** *adv* **1** [på ett -iskt sätt] in a practical way, practically **2** *~ taget* practically, to all intents and purposes; *~ tillämplig* applicable in practice
prakt‖karl fine (splendid, capital) fellow **-lysten** *a* fond of splendour (display) **-möbel** magnificent piece of furniture **-upplaga** de luxe edition **-verk** magnificent work; jfr *-upplaga* **-älskande** se *-lysten*
pralin chocolate cream
prass‖el rustle, rustling **-la** *itr* (*äv.: ~ i, ~ med*) rustle **-lande** se *prassel*
prat [samspråk] talk, chat; [strunt-] nonsense, rubbish; [skvaller] talk, gossip; *löst* (*tomt*) *~* idle talk; *vi ha haft nog med ~* we've had enough talk; [*åh*] *~!* nonsense! [what] rubbish! *vad är det för ~?* what's all that rubbish? *bli utsatt* (*föremål*) *för ~* be exposed to gossip
prat‖a *itr* o. *tr* talk [*med* to, with; *om* about, of]; chat; *~ affärer* (*fack*) talk business (shop); [*vad*] *du ~r!* nonsense! fiddlesticks! rubbish! *~ strunt* (*persilja, i nattmössan, i vädret*) talk nonsense (rubbish); *bry dig inte om vad som ~s* don't care what people say; *~ omkull ngn* talk a p. down; *~ på'* talk away; *låt oss ~s vid om saken* let us talk it over **-ig** *a* se *-sam* **-kvarn** **-makare** **-makerska** chatter-box **-sam** *a* talkative, loquacious, garrulous **-samhet** talkativeness, loquacity, garrulity **-sjuk** *a* se *-sam* **-sjuka** se *-samhet* **-stund,** *få sig en ~* have a chat
praxis practice; custom, usage; *bryta mot vedertagen* (*hävdvunnen*) *~* depart from [long-]established practice; *det är ~ att . .* it is the custom to . .
prebende living, benefice
precedens|fall precedent
precis I *a* precise; exact; [punktlig] punctual; *~a beloppet* the exact amount **II** *adv* precisely; exactly; *inte ~* not exactly; *~ lika bra* every bit as good; *~ som förut* just as before; *~ kl. 1* at one o'clock sharp; *komma ~* [*på minuten*] be punctual [to the minute] **-era** *tr* define; *närmare ~t* expressed more exactly **-ion** precision; exactitude **-ions|bombning** precision bombing **-ions|instrument** precision instrument **-ions|mätning** accurate measuring **-ions|våg** delicate balance
predestin‖ation predestination **-era** *tr* predestinate
predika *tr* o. *itr* preach [*för* to; *om, över* on]; *~ moral* (*äv.*) preachify
predikament predicament
predik‖an sermon [*om* on]; *hålla en ~* deliver a sermon **-ant** **-are** preacher; *Salomos P-are* (*bibl.*) Ecclesiastes
predikat predicate **-iv** **-s|fyllnad** predicat[iv]e complement
prediko‖samling book of sermons **-text** text **-ton** sermonizing (canting) tone
predikstol pulpit; *på ~en* in the pulpit; *bestiga ~en* mount (enter) the pulpit
pre‖disponera *tr* predispose [*för* to] **-disposition** predisposition [*för* to]
prefect prefect **-ur** prefecture
preferens preference **-aktie** preference share
prefix prefix
pregnan‖s pregnancy **-t** *a* pregnant
pre|historisk *a* prehistoric[al]
prej‖a *tr* **1** *sjö.* hail [*ett fartyg* a ship] **2** [uppskörta] overcharge; [lura] cheat [*ngn på ngt* a p. of a th.] **-eri** overcharge; cheating, extortion **-håll,** *inom ~* within hail **-ning 1** *sjö.* hailing **2** se *-eri*
prejudikat precedent; *utan ~* without precedent, unprecedented
prekär *a* precarious [*situation* situation]
prelat prelate
preliminär *a* preliminary **-er** *pl* preliminaries
prelud‖iera *itr* o. *tr* **-ium** prelude
premi‖e 1 [försäkrings- o. d.] premium; [export- o. d.] bounty **2** se *-um* **-e|kvitto** receipt for premium **-e|lån** lottery-loan **-e|obligation** premium bond **-era** *tr* award a prize to; *~d boskap* prize cattle **-ering** awarding of prizes **-e|återbäring** return of premium
premiss premise
premium prize
premiär *teat. film.* first-night **-dag** **-kväll,** *på ~en* on the first night **-minister** prime minister, premier
prenumer‖ant subscriber [*på* for]; *äv.* regular reader of a paper **-ation** subscription [*på* for (to)] **-ations|avgift** subscription fee **-era** *itr* subscribe [*på* for (to)]; *~ på en tidning* (*vanl.*) take [in] a paper
prepar‖at preparation; *mikroskopiskt ~* slide **-ation** preparation **-ator** preparator **-era** *tr* o. *rfl* prepare [*för, till* for]
preposition preposition **-s|uttryck** prepositional phrase
prerogativ prerogative
presbyterian **-sk** *a* Presbyterian
presenning tarpaulin
presens the present [tense]; *~ particip* the present participle
present present, gift; jfr *gåva; han fick slipsen i ~* he had the tie given him as a present **-a** *tr* se *förära* **-abel** *a* presentable **-ation** introduction; presentation [*för* to]; jfr *-era* **-bok** gift-book **-era I** *tr* [föreställa] introduce [*för* to]; [mer ceremoniöst, t. ex. vid hovet] present *äv. i övr. bet.; får jag ~ . .?* allow me to introduce . .; *~ en räkning* [*till betalning*] present a bill [for payment]; se *äv. förära* **II** *rfl* introduce o.s. **-kort** gift voucher
preses president, chairman
president *allm.* president; [domstols-] Chief Justice **-kandidat** candidate for the presidency **-skap** **-tid** presidency; administration **-val** presidential election **-värdighet** (**-ämbete**) dignity (office) as president
presid‖era *itr* preside [*vid* at, over] **-ium** presidency, chairmanship; *sköta -iet* preside, take the chair
preskri‖bera *tr* cancel by the statute of limitations; prescribe; *Am.* outlaw; *~d fordran* superannuated claim **-bering** **-ptions|tid** limitation
press 1 *konkr* ⊕ press; [*för* frukt] *äv.* squeezer; jfr *brev~, tryck~, växt~* o. s. v. **2** [tidningar] *~en* the press; *~ens frihet* [the] liberty (freedom) of the press **3** [[på-]tryck[ning]] pressure; *gå i ~* go to press; *ligga i ~* be in the press; *en hård ~* [påfrestning] a hard strain; *utöva ~* [[på-]tryck[ning]] *på* put pressure [up]on **-a I** *tr* press [*blommor* flowers; *druvor* grapes; *kläder* clothes]; squeeze [*en citron* a lemon; *saft ur . .* juice from . .]; *~ ngn*

[*till*] *att göra ngt* press a p. to do a th.; ~ *ihop* compress; ~ *in* squeeze in; ~ *ned* force down [*priserna* [the] prices] **II** *rfl* press o.s.; squeeze [o.s.]; ~ *sig fram* press forward **-ande** *a* oppressive [*värme* heat] **-attaché** press attaché **-buller** hullabaloo in the papers **-byrå** press bureau, news agency **-debatt** debate in the press **-fotograf** press photographer **-frihet** se *press 2* **-järn** flat-iron **-jäst** press-yeast **-kampanj** press campaign **-kommentar** newspaper comments *pl* **-konferens** press conference **-lägga** *tr* send .. to [the] press **-läktare** press gallery **-man** pressman **-ning** press[ing], squeezing; jfr *-a* **-ombud** representative of the press; press agent **-organ** press organ **-[s]ylta** brawn **-tvång** restrictions *pl* on the press **-veck** crease **-översikt** press review

prestanda [motors o.d.] performance *sg*

prest||ation performance; [*en riktig* quite an] achievement **-ations|förmåga** efficiency, capacity; [motors] *äv.* performance **-era** *tr* perform [*ett arbete* a piece of work]; accomplish; [förete] produce, adduce; jfr *åstadkomma, uppvisa*

prestige prestige **-fråga** question of prestige **-förlust** loss of prestige

presumtiv *a,* ~ *arvinge* heir presumptive

preten||dent pretender [*på, till* to] **-dera** *itr,* ~ *på* pretend to **-tion** pretension [*på* to] **-tiös** *a* pretentious

preti||osa *pl* valuables **-ös** *a* affected

preuss||are Prussian **P-en** Prussia **-eri** Prussian drill (discipline) **-isk** *a* Prussian

preventiv *a* preventive **-medel** prevent[at]ive; [mot konception] contraceptive

prick 1 dot, speck; [på måltavla] mark, bull's eye; [märke, 'kråka' vid kollationering] tick; *sätta ~en över i* (*bildl.*) add the finishing touch; *som en liten ~ vid horisonten* like a mere dot (speck) on the horizon; *skjuta* (*träffa*) ~ hit the mark *äv. bildl.;* [*precis*] *på ~en, till punkt och ~a* exactly, to a tee (T); *kl. 8* ~ (~ *8*) **F** at eight sharp **2** *sport.* penalty point **3** *sjö.* buoy; perch **4 F** *en hygglig* ~ a decent fellow; *en konstig* ~ a queer customer **-a** *tr* **1** [sätta -ar på] dot; [träffa 'prick'] hit; ~ *av* (*för*) tick (mark) off; ~ *in* [t. ex. på en karta] dot in **2** [offentligt brännmärka] denounce **3** *sjö.,* ~ *ut* buoy [*en farled* a fairway]; se *äv. ut~* **-fri** *a sport.* without penalty points; jfr *oklanderlig* **-ig** *a* dotted **-ning 1** dotting &c **2** [förkastelsedom] denunciation **3** *sjö.* buoyage **-skytt** *mil.* sniper **-säker** se *träff-*

prim *fäktn.* prime **-a** *a* first-rate, prime, choice[st] **-a|donna** primadonna; [på talscenen] leading lady **-as** *kyrkl.* primate **-faktor** *mat.* aliquot part

primitiv *a* primitive **-itet** primitiveness

prim||tal prime number **-ula** primula; jfr *gullviva* **-us** top boy **-us|kök** spirit-stove **-är** *a* primary; first-hand [*material* material] **-ör** primeur *fr.;* early fruit

princip principle; *av* ~ on principle; *ha för* ~ *att* .. make it a principle to ..; *i* ~ in principle; *en man med ~er* a man of principle **-al** principal, employer **-beslut** decision in principle **-fast** *a* strong-principled; [a man] of principle **-fråga** question of principle **-iell** *a* [väsentlig] fundamental; ~ *motståndare till* .. opponent on principle to .. **-iellt** *adv* on (as a matter of) principle **-lös** *a* unprincipled **-löshet** lack of principle **-människa** person (man) of principle **-ryttare** doctrinaire **-uttalande** declaration of principle

prins prince; *må som en* ~ [*i en bagarbod*] be as happy as a prince **-essa** princess **-gemål** Prince Consort **-korv** small sausage **-regent** Prince Regent

prior prior **-inna** prioress **-itet** priority **-itets|lån** preferential loan **-itets|rätt** priority [rights *pl*]

1 pris 1 [kostnad] price [*på, för* of]; [begärt ~] charge; *vad är ~et* (*ert* ~) *på* ..? what is the price of (your charge for) ..? *är det lägsta* (*sista*) *~et?* is this your lowest figure? *gällande* (*gängse*) *~er* current (ruling) prices; *höga* (*låga*) *~er* high (low) prices; *höja* (*sänka*) *ett* ~ raise (lower) a price; *driva upp ~et* force up the price; *~erna stiga* (*sjunka*) prices are rising (falling); *för gott* (*billigt*) ~ at a moderate price; *inte för något* ~ [*i världen*] not at any price; *stå högt i* ~ command a high price; *slå av på ~et* reduce the price; *till ett* ~ *av* at the rate (price) of; *till nedsatta ~er* at reduced prices, at a reduction; *till varje* ~ (*till vad* ~ *som helst*) at any cost (price) **2** [belöning] prize; *få första* ~ be awarded the first prize; *sätta ett* ~ *på ngns huvud* put a premium [up]on a p.'s head **3** [lov, beröm] praise; *Gud vare* ~, ~ *ske Gud* glory to God

2 pris 1 *sjö.* prize, *ta* .. *som* ~ make a prize of ..; *ge* .. *till* ~ *åt* se *-giva* **2** *en* ~ *snus* a pinch of snuff

prisa *tr* praise; *Am.* laud; ~ *ngn lycklig* call a p. happy; ~ *sig lycklig* se *skatta* [*sig*]; *~d vare Gud* se *1 pris 3*

pris||belöna *tr* award a prize to **-belönt** *a* [ofta] prize [*dikt* poem] **-besättning** *sjö.* prize-crew **-bildning** formation of prices **-billig** *a* cheap, inexpensive **-boxare** prize-boxer **-domare** judge; *sport.* umpire **-domstol** *sjö.* prize-court **-fall** fall of price[s] **-fråga** question of price **-[för]höjning** rise in price[s] **-förändring** change of prices **-giv|a** *tr* abandon (expose) [*åt* to]; *-en åt* (*äv.*) at the mercy of **-index** price index **-katalog** price list **-klass** price range **-kontroll** price regulation **-kurant** price list **-lapp** [price] ticket **-läge** level of prices; *i vilket ~?* round about what price?

prisma prism; [i ljuskrona] drop **-tisk** *a* prismatic **-kikare** prism binocular

pris||nedsättning reduction of price[s], price cut **-nivå** price level **-notering** quotation **-nämnd** jury **-ocker** profiteering **-pengar** *sjö.* prize money *sg* **-politik** price policy **-reglering** regulation of prices; price control

prisse F se *prick 4*

pris||skillnad difference in price **-skjutning** shooting competition **-stegring** se *-[för]höjning* **-stopp** price stop, ceilings *pl* on prices **-sätta** *tr* fix the price[s] of .. **-tagare** prize winner **-tävlan -tävling** prize competition **-uppgift** statement (quotation) of price[s] **-utdelning** distribution of prizes **-värd** *a* [beröm-] praiseworthy **-växling** price fluctuation

privat I *a* private; *jag för min ~a del* I for my part; *i det ~a* in private life; *den ~a sektorn* (*ekon.*) the private sector **II** *adv* privately, in private; *läsa* ~ *med* .. give .. private lessons, coach .. **-angelägenhet** personal matter **-anställd** person in private employment **-bil (-bostad -egendom)** private car (house, property) **-elev** private pupil **-företag** private enterprise **-företagare** person engaged in private enterprise **-im** *adv* se *privat II* **-ist** private study candidate **-klinik** nursing home **-lektion**

private lesson **-liv[et]** [*i* in] private life **-lärare -lärarinna** tutor, private teacher **-man -person** private person **-plan** *flyg.* personal plane, lightplane **-rätt** civil law **-sekreterare (-undervisning)** private secretary (instruction, tuition) **-ägo,** *i* ~ in private possession
privilegi‖e|brev charter **-era** *tr* privilege **-um** privilege; *uteslutande* ~ monopoly [*på* of]
pro *lat. prep* pro; ~ *forma* pro forma, for form's sake; ~ *primo* (*secundo*) first[ly] (second[ly])
prober‖a *tr* try; [om metaller] test, assay **-nål** touch-needle **-sten** touchstone
problem problem; *lösa* (*uppställa*) *ett* ~ solve (frame) a problem **-atisk** *a* problematic[al] **-barn** problem child **-drama** problem play **-lösning** solution of a problem **-ställning** problem [framing]
procedur procedure; process **-fråga** matter (question) of procedure
procent 1 [per hundra] per cent; *till* 7 ~ at 7 per cent; 3-~*sobligationer* 3 per cents **2** [-tal] percentage; *en stor* ~ *av* . . a large percentage of . .; *betala* ~ pay a percentage **-a** *itr* practise usury **-are** usurer **-ar|ränta** usurious interest **-eri** usury **-halt** percentage **-ig** *a, ett 5-~t lån* a five per cent loan **-räkning** interest calculation **-sats -tal** percentage **-uell** *a* percental
process 1 *jur.* lawsuit, action; *börja* (*öppna*) ~ *med* (*mot*) . . bring an action against . .; *föra* (*ligga i*) ~ *med* . . carry on a lawsuit against . ., be at law with . .; *förlora* (*vinna*) *en* ~ lose (win) a case; *göra* ~*en kort med* make short work of **2** [förfarande, förlopp] process; procedure **-a** *itr* se [*föra*] *process* **-ande** *s* litigation
procession procession; [festtåg] pageant; *gå i* ~ [march in] procession
process‖lysten *a* litigious **-makare** litigious person **-rätt** law of legal proceedings
produc‖ent producer **-ent|förening** cooperative society **-era I** *tr* o. *itr* produce **II** *rfl,* ~ *sig* appear before the public
produkt product; [litterär el. konstnärlig] *äv.* work; *-er (koll) äv.* [*jordbruks-* agricultural; *trädgårds-* garden] produce *sg* **-ion** production; [tillverkningsmängd] output; *årets litterära* ~ the literary output (production) of the year **-ions|förmåga** productivity, production capacity **-ions|-kostnad** cost of production **-ions|livet** industrial life **-ions|medel** means *sg* o. *pl* of production **-ions|siffra (-ions|värde)** production figure (value) **-ions|ökning** increased production **-iv** *a* productive **-ivitet** productivity
profan *a* profane; [världslig] secular **-era** *tr* profane **-ering** profanation
profession profession; trade; jfr *yrke; till* ~*en* by profession (trade) **-ell I** *a* professional **II** *s* pro[fessional]
profess‖or professor [*i engelska* of English]; ~ *emeritus* emeritus professor **-ors|installation** inauguration of a professor **-orska** professor's wife; ~*n N.* Mrs. N. **-ors|kompetens** qualifications *pl* for a professorship **-ur** professorship (chair) [*i grekiska* of Greek]
profet prophet; *de större* (*mindre*) ~*erna* the major (minor) prophets; *ingen är* ~ *i sitt fädernesland* no prophet is accepted in his own country **-era** *tr* o. *itr* prophesy; [förutsäga] predict **-ia** prophecy **-isk** *a* prophetic[al] [*gåva* power] **-issa** prophetess
proffs F *sport.* pro [*pl* pros]
profil profile *äv.* ⊕ **-era** *tr* profile **-ritning** profile drawing
profit profit; *med* ~ at a profit **-begär** greed of profit **-era** *itr* profit (benefit) [*på* by] **-hunger** = *-begär* **-jägare** profiteer
proforma|sak [*endast en* a mere] matter of form
profyl‖aktisk *a läk.* prophylactic **-ax** prophylaxis
prognos prognosis; *meteor.* forecast; *ställa en* ~ make a prognosis
program program[me]; [meddelande om kurser o. d.] announcement; *polit. äv.* platform; *göra upp ett* ~ draw up a program; *stå på* ~*met* be in the program **-chef** program controller **-dikt** program poem **-enlig(t)** *a* (*adv*) according to [the] program **-förklaring** declaration of [one's] program **-ledare** *radio.* speaker, announcer **-nummer -punkt** item on the program **-råd** *radio.* program[me] advisers *pl* **-tal** program speech
progressiv *a* progressive [*beskattning* taxation]
projekt project, plan; jfr *plan II B 2* **-erad** *a* planned (proposed) [*järnväg* railway] **-il** missile, projectile **-il|bana** trajectory [of a missile] **-ion** projection **-ions|apparat** [film] projector **-ions|lampa** projector lamp **-ions|ritning** projection drawing **-ions|-skärm** projection screen **-makare** projector; schemer
projic[i]era *tr* project
proklam‖ation proclamation **-era** *tr* proclaim
prokur‖a *hand.* procuration; *teckna per* ~ sign per pro (by procuration) **-ator** procurator **-ist** confidential clerk
proletariat proletariat[e]; ~*ets diktatur* the dictatorship of the proletariat
proletär *s* o. *a* proletarian **-diktare (-liv)** proletarian author (life)
prolog prologue
prolong‖ation prolongation **-era** *tr* prolong
promemoria memorandum [*över* on]; P.M.
promenad 1 [spatsertur] walk; [kort] stroll; [åk-, ridtur] ride; *göra* (*ta sig*) *en* ~ go out for (take) a walk (stroll); *ta ngn med på en* ~ take a person out for a walk **2** se *-plats* **-dräkt** costume **-däck (-konsert)** promenade deck (concert) **-käpp** walking-stick **-plats** walk, promenade **-sko** walking-shoe **-väder,** *fint* ~ nice weather for a walk
promener‖a *itr* walk; *gå ut och* ~ go [out] for a walk **-ande,** *de* ~ the walkers
promille per mille
promiskuitet promiscuity
promo‖tion graduation; *Am äv.* commencement **-vera** *tr* confer a [doctor's (an honorary)] degree on . .; ~*s* (*äv.*) graduate
prompt I *a* prompt, immediate; quick [*svar* reply] **II** *adv* **1** [genast] promptly, immediately **2** [ovillkorligen] absolutely
pronomen pronoun
propag‖anda propaganda *äv.* i *sms; göra* (*bedriva*) ~ *för* . . make (conduct a) propaganda for . . **-anda|syfte,** *i* ~ for propaganda purposes *pl* **-anda|vapen** propaganda weapon **-era I** *itr* propagandize [*för* for] **II** *tr* propagate [*en idé* an idea]
propedeutisk *a* propaedeutic, preparatory
propeller propeller, screw; [flygplans] *äv.* (*Engl.*) air-screw **-axel (-blad)** propeller-(screw-)shaft (blade) **-driven** *a* propeller-driven **-skada** propeller (&c) damage (trouble)
proper *a* tidy, neat
proponera *tr* propose [*en skål* a toast]
proportion proportion; *stå i* [*omvänd, riktig*] ~ *till* be in [inverse, due] propor-

tion to; *står ej alls i ~ till* is out of all proportion to **-al** *mat.* proportional **-ell** *a* [*direkt* (*omvänt*) directly (inversely)] proportional; *~t valsystem* proportional representation **-erlig** *a* [*väl-* well-]proportioned **-s|vis** *adv* in proportion, proportionately
proposition 1 [lagförslag] Government bill; *framlägga ~* present a bill **2** *mat. log.* proposition
propp *allm.* stopper; [trä-] plug; [mjuk] wad; [blod-] clot; *elektr.* fuse; *en ~ har gått* [*sönder*] a fuse has gone **-a** *tr, ~.. full* cram.., stuff..; *~ igen* (*till*) stop (plug) [up]; *~ i sig..* stuff (gorge) o.s. with.. **-dosa** *elektr.* fuse box **-full** chockfull [*med* of] **-kontakt** *elektr.* plug contact **-säkring** *elektr.* plug fuse
proprie|borgen personal security
props se *pitprops*
propsa *tr, ~ sig till* get.. by importunity; jfr *pocka*
prorektor vice-principal &c; jfr *rektor*
prosa prose; *på ~* in prose; *en ~ns mästare* a master of prose **-dikt** prose poem **-författare** prose writer **-isk** *a* prosaic; unimaginative [*människa* person] **-stil** prose style
proselyt proselyte, convert
proseminarium proseminar
prosit *itj* prosit! good luck!
proskriber||a *tr* proscribe **-ing** proscription
prosodi prosody
prospekt prospectus
prost [rural] dean **-gård** deanery **-inna** dean's wife; *~n N.* Mrs. N.
prostitu||erad *s* o. *a* prostitute **-tion** prostitution
prost|mage F pot-belly
proteg||é protegé[e] *fr.* **-era** *tr* favour, patronize
protekt||ion protection; patronage **-ionism[en]** protectionism **-ionist** o. **-ionistisk** *a* protectionist **-orat** protectorate
protein protein
protes *läk.* prosthesis; [lem] prosthetic (artificial) limb
protest protest; *inlägga* (*avge*) *~ mot ..* make (enter) a protest against ..; *under ~er* under protest *sg* **-ant** Protestant **-antisk** *a* Protestant **-antism[en]** Protestantism **-era** *tr* o. *itr* protest [*en växel* a bill of exchange; *mot* against]; *jag ~r* (*det ~r jag mot*) *äv.* I object **-möte** protest rally (meeting) **-skrivelse** (**-storm**) letter (storm) of protest
protokoll *vanl.* minutes *pl* [*över* of]; *dipl.* protocol; [*jur.* o. officiellt] report of the proceedings; [vid kortsp.] score card; *föra* (*sköta, sitta vid*) *~et* take (keep) the minutes; *justera ~et* verify the minutes; *sätta upp ~ över* draw up a report of **-föra** record, take down **-förare** secretary; clerk; recorder **-justering** verification of the minutes **-s|utdrag** extract from the minutes
proton proton
proto||plasma protoplasm **-typ** prototype
prov 1 [försök, prövning] test, trial; experiment; [examens-] examination; paper; *anställa ~ med ngn* (*ngt*) try (test) a p. (a th.), give a p. (a th.) a trial; *avlägga ett ~* pass an examination; *bestå ~et* stand the test; *sätta .. på ~* put .. to the test (trial); *underkasta ngn ett svårt ~* submit a p. to a severe test; *på ~* on trial, on probation; [om varor till påseende] on approval; *ett svårt* [*skriftligt*] *~* a difficult paper **2** [bevis] proof; *ge ~ på stor sinnesnärvaro* give a proof of great presence of mind **3** [varu-] sample; *~ utan värde* sample of no value; [exempel, -bit] specimen [*på hans stil* of his handwriting] **-a** *tr* o. *itr* test, try; [om kläder] try on **-bit** sample, specimen **-bok** *hand.* sample book **-docka** dummy
proveniens [ursprungsort] provenance
prov||flygare test pilot (flier) **-flygning** test flight **-färd** trial (test) run **-föreläsning** specimen lecture **-glas** test glass **-häfte** specimen copy
proviant provisions *pl,* victuals *pl* **-era I** *itr* victual, take in stores **II** *tr* provision (victual) [*ett fartyg* a ship] **-ering** victualling, provisioning **-fartyg** victualling ship **-förråd -lager** stock (supply) of provisions
provins province; i *sms* provincial [*dialekt* dialect] **-ialism** provincialism **-ial|läkare** *ung.* county medical officer **-iell** *a* provincial
provision [*mot* on] commission **-s|konto** commission account
provisor *ung.* dispenser **-isk** *a* provisional, temporary **-ium** temporary (provisional) arrangement (expedient), makeshift
prov||kandidat trainee, teaching probationer **-karta -kollektion** sample (specimen) collection [*på* of] **-kort** [photographer's] proof **-köra** try (test) [*en bil* a car] **-körning** se *-färd* **-lektion** specimen lesson **-ning** test[-ing], trial; [av kläder] trying on **-nings|-anstalt** research (testing) laboratory **-nummer** se *-häfte*
provo||cera *tr* provoke, excite **-kation** provocation **-katorisk** *a* provocative **-katör** challenger; provoker; *polit.* agent provocateur
prov||predikan probationary sermon **-ryttare** commercial traveller, *Am.* drummer **-räkning** arithmetic test (paper) **-rör** test tube **-sida** *typ.* specimen page **-skjutning** trial shooting **-skrivning** written examination, paper **-smaka** *tr* taste **-sändning** trial consignment **-tur** trial (test) run **-år** year of probation; [lärares] training year
prudentlig *a* prim, pedantically correct
prunk magnificence, pomp; jfr *prål* **-a** *itr* be resplendent; [lysa] sparkle, glitter; make a display [*med* of] **-ande** *a* gaudy, gorgeous, resplendent, showy
prut 1 [köpslående] haggle, bargaining **2** [svårigheter, invändningar] *med mycket ~* with a great deal of fuss (trouble); *utan ~* without demur **-a** *tr* o. *itr* **1** [om köpare] haggle [*på priset* about the price]; [ackordera] bargain [*med* with]; *~ ned priset* beat down the price; *få ~ en shilling på en vara* get a shilling knocked off an article; *~ på ngt* try to get a th. cheaper **2** [om säljare] knock off [a dollar]; reduce the price; *han ~r ej* (*låter ej ~ med sig*) he is not willing to bargain **3** *bildl.*, *~* [*av*] *på sina fordringar* (*åsikter*) moderate o.'s demands (views) **-mån** margin for haggling
pryd *a* prudish
pryda *allm.* adorn; [dekorera] decorate; [försköna] embellish
pryd||eri -het prudery, prudishness
pryd||lig *a* neat [*hem* home; *handstil* handwriting]; trim, smart, spruce **-lighet** neatness &c **-nad** *allm.* ornament; *abstr.* adornment; decoration; embellishment; [*han är*] *en ~ för* [*sitt yrke* (*land*)] [he is] an ornament (a credit) to [his profession (country)] **-nads-** i *sms* ornamental [*växt* plant], decorative **-nads|artiklar -nads|föremål -nads|saker** ornaments **-no,** *en gentleman i sin ~* the very ideal of a gentleman; *en kvinna i sin ~* a pearl among women

pryg||el caning, flogging, thrashing; *få* ~ get a caning (&c) **-la** *tr* cane, flog, thrash
pryl awl, pricker
prål ostentation, parade, display, [empty] show; [bjäfs, grannlåt] finery **-a** *itr* glitter, blaze; jfr *prunka;* ~ *med* make a parade (a show) of [*sina kunskaper* one's knowledge *sg*] **-ande -ig** *a* gaudy, showy, garish, flaunting **-ighet** gaudiness &c
pråm [hamn-] lighter; [flod-] barge **-förare -skeppare** lighterman; **F** bargee
prång [narrow] passage, alley, gap
prångla *tr,* ~ *ut* utter [*falskt mynt* false coin]
präg||el stamp, impress; mark; *bära snillets* ~ bear the stamp (impress) of genius; *ge sin* ~ *åt ngt, sätta* (*trycka*) *sin* ~ *på ngt* leave one's mark (impress) on a th., give a th. its distinctive character **-la** *tr* strike [*en medalj* a medal]; mint (coin) [*pengar* money; *ett nytt ord* a new word]; stamp *äv. bildl.;* [friare] imprint (impress) [*i minnet* on the memory]; [känneteckna] characterize **-ling** [av mynt, ord] coinage
präktig *a* [utmärkt, förträfflig] excellent; fine; capital [*karl* fellow]; [ståtlig, praktfull] splendid, magnificent, sumptuous
pränt, *på* ~ in text-hand **-a** *tr* o. *itr* write in text-hand; [med tryckbokstäver] print; ~ *i' ngn . .* se *in*~
prärie prairie **-eld (-hund -varg)** prairie fire (dog, wolf)
präst [protestantisk, is. eng. statskyrko-] clergyman, **F** parson; [katolsk el. icke-kristen] priest; [skotsk el. frikyrklig] minister; *bli* ~ become a clergyman (&c), take holy orders; *gå och läsa för* ~*en* prepare for confirmation **-betyg** extract from the parish register **-erlig** *a* clerical [*stånd* order]; sacerdotal [*värdighet* dignity] **-erskap** clergy; priesthood **-fru** clergyman's (&c) wife **-gård** parsonage; rectory; vicarage; [skotsk o. frikyrkl.] manse **-inna** priestess **-kappa** clergyman's gown **-krage 1** *eg.* [clerical] collar **2** *bot.* ox-eye daisy, marguerite **-man** se *präst* **-rock** clerical coat **-seminarium** seminary **-viga** *tr* ordain **-vigning** ordination **-välde** hierarchy **-ämbete** ministry **-änka** clergyman's widow
pröv||a I *tr* o. *itr* **1** [försöka, prova, fresta] try; [~ efter en viss norm, testa] test; [undersöka, förhöra] examine; [övertänka] consider; ~ *sina krafter på . .* (~ *på' . .*) try o.'s hand at . .; ~ *ngns förstånd* (*färgsinne*) test a p.'s intellect (sense of colour); ~[*s*] *i alla ämnen* be examined in all subjects; ~ *en ansökan* consider an application; *i nöden* ~*s vännen* a friend in need is a friend indeed; ~ *in* pass an entrance examination; *få* ~ *på svårigheter* experience (suffer) hardships **2** [anse, finna] deem (judge) [*nödigt att . .* it necessary to . .] **II** *rfl,* ~ *sig själv* examine o.s.; ~ *sig fram* proceed experimentally **-ad** *a* [*hårt* sorely] tried **-ande** *a* trying [*tid* time; *för humöret* to the temper]; [granskande] scrutinizing [*blick* look] **-ning 1** [granskning, undersökning, förhör] examination; *underkasta ngt* ~ submit a th. to examination; *upptaga ett mål till* ~ (*jur.*) try a case; *ta under* ~ take under consideration **2** [hemsökelse] trial, affliction; *livets* ~*ar* the trials of life **-nings|-nämnd** [för beskattning] commissioners *pl* of income tax; *allm.* commission **-o|sten** touchstone **-o|tid** probation; time of trial
psalm [i -boken] hymn; [i psaltaren] psalm; *Davids* ~*er* the [Book of] Psalms **-bok** hymn-book **-diktare** composer of hymns **-diktning** composition of hymns **-sång** hymn-singing **-vers** verse of a hymn
psaltaren the Psalter
pseudonym pseudonym, pen-name
pst *itj* come here!
psyk||e psyche, mind, mentality **-iater** psychiatrist **-iatri** psychiatry **-iatriker** psychiatrist **-isk** *a* **1** [själslig] psychical [*forskning* research] **2** [spiritistisk] psychic
psyko||analys psycho-analysis **-analysera** *tr* psycho-analyse **-analytiker** psycho-analyst **-analytisk** *a* psycho-analytic **-log** psychologist **-logi** psychology **-logisk** *a* psychological **-pat** psychopath **-patiker** psychopathist, alienist **-patisk** *a* psychopathic
psyk||os psychosis **-o|terapi** psychotherapy
ptro *itj* whoa!
pubertet puberty **-s|ålder** age of puberty
public||era *tr* publish **-erande -ering** publishing, publication **-ist** publicist **-ist|förening** press association **-itet** publicity
publik I *s* [åhörare] audience; [antal närvarande] attendance; [salong] house; *ta* ~*en med storm* bring down the house **II** *a* public **-an** *bibl.* publican **-ation** publication **-favorit** favourite with the public **-framgång** success with the public **-rekord** record attendance **-succé** = *-framgång* **-um** the public
puck [ishockeytrissa] puck
puck||el 1 hump, hunch **2 F** se *smörj* **-el|-rygg** hunch-back **-el|ryggig** *a* hunch-backed **-la** *tr* (*äv. :* ~ *på*) se *klå 1*
pudding pudding
pudel poodle; ~*ns kärna* the gist (core) of the matter
puder powder **-ask -dosa** powder-box **-socker** icing sugar **-vippa** powder-puff
pudra *tr* [*rfl*] powder [o.s.]
pueril *a* puerile **-itet** puerility
puff 1 [svag knall] pop *äv. itj* **2** push; jfr *knuff; en* ~ *i sidan* a dig in the ribs **3** [av rök, ånga o. d.] puff **4** [på ärm] puff **5** [reklam] puff **6** [möbel] box ottoman **-a I** *tr* [knuffa] push; jfr *knuffa* **II** *itr* **1** [knalla] pop **2** [göra reklam] ~ *för . .* puff . . **-ärm** puffed sleeve
puk||a kettle-drum; *med -or och trumpeter* with drums beating and trumpets sounding **-slagare** kettle-drummer
pulka Lapland sleigh
pull *itj,* ~ ~*!* chick, chick! **-a 1** [smeknamn] duckie, chickabiddy **2** [i spel] pool
pullman|vagn Pullman [car]
pullover pullover
pulpa pulp
pulpet desk
puls pulse; (*o*)*jämn* ~ a(n ir)regular pulse; *känna ngn på* ~*en* feel a p.'s pulse
pulsa *itr* plod [*i snön* through the snow]
puls||era *itr* pulsate, throb **-erande -ering** pulsation **-slag,** *med varje* ~ at every beat of the pulse **-åder** artery; *stora* ~*n* the aorta
pultron poltroon, coward
pulv||er powder **-er|form,** *i* ~ pulverous, in powder [form] **-[e]risera** *tr* pulverize **-[e]risering** pulverization
puma puma
pump pump
1 pumpa 1 [gurkväxt] vegetable marrow; [jättepumpa] pumpkin **2** [kaffe-] coffee-percolator
2 pump||a *tr* o. *itr* [*äv.* = utfråga] pump; ~ [*upp*] *cykeln* (*ringarna*) pump [up] (inflate) the tyres; ~ *vatten ur en brunn* pump (draw) water from a well; ~ *. . läns*

pump . . dry **-hjärta** lower pump box **-hus** pump body (shed) **-kanna** **-kolv** piston; [i tryckpump] plunger **-ning** pumping
pumps [*ett par* a pair of] pumps
pump‖spel windlass **-station** pumping station **-stång** pump-handle **-verk** pumping plant
pund 1 [eng. myntenhet o. sedel = 20 shillings] pound; *5 ~* 5 pounds (*förk.* £ 5); [guld-] sovereign **2** [eng. vikt = 425 g] pound (*förk.* lb.) **3** *bibl.* talent; *gräva ned sitt ~* hide o.'s talent [in the earth] **-kurs** pound rate **-sedel** pound note
pung 1 [penning-] purse; *lossa på ~en* loosen the purse-strings **2** [tobaks- o. d.; *~ hos ~djuren*] pouch **3** [testikel-] scrotum, purse **-a** *tr, ~ ut* [*med*] . . fork (shell) out . ., **F** cough up . . **-djur** marsupial **-råtta** opossum **-slå** *tr* fleece, skin; *~ ngn på 10 kronor* take 10 kronor off a p.
punisk *a* Punic; *~a krigen* the Punic wars
punkt *allm.* point; [skiljetecknet] full stop, period; [prick] dot *äv. mus.; ~er och streck* dots and dashes [t. ex. i Morsealfabetet]; *~ och slut!* (*och därmed ~!*) and there's an end of it! *förhandlingarna ha nått en död ~* negotiations have come to a dead-lock; *den springande ~en* the main point; *en öm ~* a sore point; *sätta ~ för . .* put a stop to . .; *det står på ungefär samma ~* things are about the same; *till en viss ~* up to a certain point; *till ~ och pricka* to the letter; jfr *prick 1; tala till ~* have one's say **-era** *tr* o. *itr* **1** [om gummiring o. *läk.*] puncture **2** [pricka] dot; *konst.* stipple; *~d linje* (*not*) dotted line (note) **-ering 1** [om gummiring o. *läk.*] puncture; *jag fick ~* I had a puncture **2** *konst.* stipple **-lig** *a* punctual [*på minuten* to the minute] **-lighet** punctuality **-um** se *punkt* [*och slut*]
puns (-a) se *stans*(*a*)
punsch [Swedish] punch **-bål** punch-bowl
pupill 1 [i ögat] pupil **2** [myndling] pupil, ward
pupp‖a chrysalis [*pl* chrysalides], pupa **-hölje** **-skal** cocoon **-stadium** pupal stage
pur *a* pure; *bildl. äv.* sheer [*nyfikenhet* curiosity]
puré purée *fr.*
purg‖ativ purgative, laxative **-era** *tr* purge
pur‖ism purism **-ist** purist **-istisk** *a* puristic **-itan** Puritan **-itanism** Puritanism **-itansk** *a* Puritan, puritanic[al]
purjo[lök] leek
purken *a* **F** sulky, grumpy
purpra *tr* purple **-s** *dep* purple
purpur purple **-färga** *tr* dye . . purple **-färgad** *a* purple[-coloured] **-snäcka** murex
purra *tr* call, rouse
1 puss [pöl] puddle, pool
2 puss [kyss] kiss; *åld.* buss **-a(s)** se *kyssa*(*s*)
pussel[spel] puzzle
pussig *a* bloated, puffy
pust 1 [fläkt] puff, breath **2** [bälg] [*en* a pair of] bellows *pl*
1 pusta I *itr* o. *tr* [blåsa [ut]] puff; [flåsa] pant; *~ och stånka* puff and blow (pant); *~* [*ut*] *rök* puff smoke; *~ på elden* blow the fire **II** *itr* [hämta andan] breathe; *~ ut* recover o.'s breath; *låta hästen ~* breathe the horse
2 pusta, *~n* the Hungarian steppe
1 puta pad; jfr *kudde*
2 puta *itr, ~ ut med munnen* pout
1 puts trick; jfr *spratt*
2 puts 1 [rappning] plaster; [grov-] rough-cast **2** [polityr] polish **-a** *tr* o. *itr* **1** [rappa] plaster; [grov-] rough-cast **2** clean [*fönstren* the windows; *skor* shoes]; polish [*bordssilvret* the plate]; trim [*en häck* a hedge; *sina mustascher* one's moustache *sg; naglarna* one's nails]; *~ ett ljus* snuff a candle; *~ näsan* blow (wipe) o.'s nose; *~ upp* brush up; *~t och fint* neat and tidy
putslustig *a* droll
puts‖medel polish; cleanser **-ning 1** plastering **2** cleaning; polishing; trimming; jfr *-a* **-pulver** polishing-powder
putsväck *adv* se *väck*
putte F little chap **-fnask[er] F** shrimp; [barnunge] brat
putten F, *gå i ~* come to nought, fizzle out
puttra *itr* **1** [småkoka] sing, simmer **2** se *muttra*
pygmé pygmy
pyjamas [*en* a pair of] pyjamas *pl*
pynt [grannlåt] finery **-a I** *tr* (o. *itr*) [pryda] decorate; [göra fin] smarten up; *~d och fin* smartened up **II** *rfl* dress o.s. up, make o.s. smart
pyra *itr* smoulder
pyramid pyramid; [i biljard] pyramids *pl* **-al** *a* **F** enormous **-formig** *a* pyramidal
pyre, *ett litet ~* a tiny mite [of a child]
Pyren‖éerna the Pyrenees **p-eisk** *a* Pyrenean; *~a halvön* the Peninsula
pyrola wintergreen
pyro‖man pyromaniac, incendiary **-mani** pyromania **-teknik** pyrotechnics *sg*
pyrrus‖seger Pyrrhic victory
pys little boy, brat
pyssla *itr* busy o.s. [*med* about]; *gå omkring i huset och ~* busy o.s. about the house; *~ om . .* nurse . .
pyssling manikin; elf
pyton[orm] python
pyts bucket **-spruta** fire-extinguisher
pytt *itj* bah! pooh! **-ipanna** *ung.* bubble-and-squeak **-san** *itj* se *pytt*
på I [betonat] *adv* on; *behålla hatten ~* keep one's hat on; *~ med rocken!* on with your coat! *är gasen ~?* is the gas on? *kör ~!* drive on (ahead)! **II** *konj, ~ det att* in order that; *~ det att inte* lest **III** *prep* **A** [i prep.-attribut, som ofta kunna ersättas av genitiv] of; *ett bevis ~ vänskap* a proof of friendship; *ett bidrag ~ 10 pund* a contribution of £ 10; *kaptenen ~ fartyget* the captain of the ship; *en man ~ 40 år* a man of forty; *en skara ~ 100 personer* a crowd of a hundred people; *slutet ~ historien* the end of the story **B** [i fast förening med verb och adjektiv] se t. ex. *förbereda, kasta, lita, peka, tröttna, tänka; avundsjuk, pigg, säker;* [i vissa fall motsvaras verb + *~* av enkelt verb] se t. ex. *lyfta ~* [*hatten*], *rycka ~* [*axlarna*], *skaka ~* [*huvudet*], *smaka ~;* även i fråga om andra stående fraser hänvisas till frasens huvudord, se t. ex. *~ allvar, ~ bekostnad,* [*till*] *svar ~, ~* [*detta*] *sätt, ~ villkor;* jfr *äv. C 3* **C** [*Anm.* I fallen *A* o. *B* ovan har *~* ingen utpräglad betydelse. Nedan exemplifieras fall där *~* har en mera preciserad betydelse] **1** [rumsförhållanden] *a)* [betecknar underlag, stöd o. d.] on; [riktning: *upp* (*ut, ned*) *~* ofta] on to (onto); *~ balkongen* on the balcony; *~ busstaket* on the top of the bus; *ligga* (*falla ned*) *~ golvet* lie on (fall on to) the floor; *~ kartan* on the map; *~ sid. 6* on page 6; *~ höger sida* on the right hand side; *ligga ~ sidan* (*ryggen*) lie on one's side (back); *~ svarta tavlan* on the blackboard; *~ vägen* (*stigen*) on the road (path); *har du en kniv ~ dig?* have you got a knife on you?

han har inga kläder ~ sig he has no clothes on; *b)* [betecknar punkt, lokal, ort] at; [riktning = *till*] to; *mötas ~ en punkt* meet at a point; *vara (bli bjuden) ~ bal (bröllop)* be at (be invited to) a dance (a wedding); *bo ~ hotell* stay at a hotel; *bo ~ Kungsgatan n:r 6* live at No. 6 King's Street; *äta middag ~ restaurang* dine at a restaurant; *~ havet* at sea; *vara (gå) ~ konsert (bio, teatern)* be at (go to) a concert (the pictures, the theatre); c) [inom ett område; inuti] in; [riktning: *ut (ned) ~*] into; *stå (rusa ut) ~ gatan* stand in (rush out into) the street; *~ fältet (åkern)* in the field [men: *~ slagfältet* on the battle-field]; *~ gården* in the [court-]yard; *~ himlen* in the sky; *vistas (resa ut) ~ landet* stay in (go out into) the country; [*uppe*] *~ mitt rum* in my room; *hon har hål ~ strumpan* she has a hole in her stocking; *~ [salu]torget* in the market-place; *vara (stiga) ~ tåget* be in (*Am.* on) (get into) the train; *~ en ö* in ([om små öar] on) an island; *kasta .. ~ elden* throw .. into the fire **2** [tidsförhållanden] *a)* on; *~ måndag* on Monday; *~ morgonen den 6 november* on the morning of the 6th of November; jfr *2 c; resa ~ semester* go on [a] holiday (one's holidays); *b)* [tidpunkt] at; *~ utsatt tid* at the fixed time; *~ samma gång* at the same time; c) [inom en tidsrymd] in; *~ 1700-talet* in the 18th century; *~ 30-talet* in the thirties; *~ våren 1880* in the spring of 1880; *~ Elisabets tid* in the days of Queen Elizabeth; *~ den tiden* in those days (at that time); *~ morgonen (eftermiddagen, natten)* in the morning (afternoon, night); jfr *2 a; ~ mindre än 5 minuter* in less than five minutes; *~ ett ögonblick* in a moment; *d)* [tidslängd] for; *hyra ett rum ~ en månad* take a room for a month; *resa bort ~ fjorton dar* go away for a fortnight; *jag har inte sett honom ~ en evighet* I have not seen him for ages **3** [andra förhållanden] *~ ett främmande tungomål* in a foreign language; *~ franska* in French; *~ det bestämdaste* most decidedly; *~ bästa sätt* in the best way; *klockan går ~ tio* it is close on ten o'clock; *resa ~ tåg* travel by train; *~ begäran* by request; *~ egen bekostnad* at one's own expense; *en ~ hundra* one in a hundred; *tretton ~ dussinet* thirteen to a dozen; *brev ~ brev* letter after letter; *boken är ~ hundra sidor* the book runs to a hundred pages; *~ tal om ..* speaking of ..; *~ öret* to a penny

på||bjuda *tr* order, ordain; impose [*skatter* taxes; *straff* a penalty]; command [*tystnad* silence]; [föreskriva] enact, prescribe **-brå** inheritance; *ha gott (dåligt) ~* be of good (no particular) family **-bröd,** *som ~* in addition **-bud** [*utfärda ett* issue a] decree **-byggnad** superstructure **-börda** *tr* charge [*ngn ngt* a p. with a th.] **-börja** se *börja* **-driva** *tr* press (urge) on; force **-drivare** goader[-on], pusher **-dyvla** se *-börda* **-fallande** *a* striking (remarkable) [*likhet* likeness] **-flugen** *a* obtrusive, pushing **-fordra** *itr, om så ~s* if required **-frestande** *a* taxing, trying **-frestning** strain, stress **-fund** se *-hitt* **-fylla** *tr* refill; *~ bränsle* refuel **-fyllning** [re]filling, refuelling; jfr *-tår*

påfågel peacock **-s|höna** peahen

på||följande se *följande* **-följd** consequence; (*jur.*) *vid ~ av ..* on pain of ..; *vid laga ~* under penalty of law **-föra,** *~ ngn ngt* [*i räkning*] debit a p. with a th. **-gå** *itr* be going on; [fortsätta] continue, be in progress; *medan måltiden -gick som bäst* in the middle of the meal **-gående** *a, under* [*nu*] *~ krig* during the present war; *under ~ krig* [= i krigstid] in time of war; *under ~ förhandlingar* while negotiations are (were) going on **-hitt** [*fyndigt* ingenious] device; [nyck] whim; [idé] idea; [ren dikt, lögn] invention; *inget dumt ~* not a bad idea; *ett ~ av tidningarna* an invention of the newspapers **-hittig** *a* ingenious **-hittighet** ingenuity **-hälsning,** *göra en ~ hos ..* pay a visit to .. **-häng** encumbrance; [om pers.] *äv.* hanger-on

påk cudgel; *rör på ~arna!* stir your stumps!

på||kalla *tr* call for [*drastiska åtgärder* drastic measures]; *då behovet så ~r* in case of need **-kallad** *a* called for; essential **-klädd** *a* dressed **-klädning** dressing **-kommande** *a* occurring; *hastigt ~ illamående* a sudden indisposition (nausea) **-kostande** *a* trying (hard) [*arbete* work]; painful **-känning** strain, stress **-körd** *a* run into, knocked down **-körning** collision

påla *tr* o. *itr* pile; pale

på||laga tax, duty, impost **-landsvind** sea-wind

påll||bro pile-bridge **-byggnad** pile-building, lake-dwelling **-e** [under byggnad, bro o. s. v.] pile; [stör, stake] pale, pole, stake; *en ~ i köttet* a thorn in the flesh

pålitlig *a* reliable, trustworthy **-het** reliability, trustworthiness

pålkran pile-driver

pålle F gee-gee

pålning piling

pålstek bowline [knot]

pålverk pilework

på||lägg 1 [på smörgås] meat (cheese o. s. v.) for sandwiches **2** [på hyra o. d.] increase **-lägga** *tr* **1** *eg.* se *lägga* [*på*] **2** *bildl.* lay (impose) [*ngn en skatt* a tax on a p.]

påmin||na I *tr* (o. *itr*) remind [*ngn om ngt* a p. of a th.]; *du -ner* [*mig*] *om din far* you remind me of your father; *~ ngn* [*om*] *att han måste ..* remind a p. that he must ..; *tröttheten gjorde sig ~d* fatigue made itself felt (claimed its due) **II** *rfl, ~ sig* remember, recollect; jfr *minnas* **-nelse** reminder [*om* of]; [påpekande] remark

på||mönstra *tr* o. *itr* sign on **-mönstring** signing on **-nyttföda** *tr* regenerate **-nyttfödd** *a* regenerate[d] **-nyttfödelse** regeneration **-passad** *a* watched **-passlig** vigilant, watchful; [uppmärksam] attentive **-passlighet** vigilance, watchfulness; attentiveness **-peka** *tr* point out [*för* to]; *jag ber att få ~ ..* I should like to point out ..; *det förtjänar ~s, att ..* it should be observed that .. **-pekande** observation **-pälsad** *a* [*väl* well] wrapped up **-ringning** call **-räkna** *tr* count [up]on

påse bag [[*med*] *konfekt* of sweet[meat]s]; [under ögonen] pouch; *ha rent mjöl i ~n* have nothing to hide

på||seende, *vid närmare (flyktigt, första) ~* on closer (a cursory, the first) inspection; *sända varor till ~* send goods on approval (for inspection); *vara till ~* be on view **-segla** *tr* run into **-segling** collision

påsig *a* baggy

påsk[en] Easter; *annandag ~* Easter Monday; *glad ~!* happy Easter! *i (under) ~[en]* at Easter; *i ~as* last Easter **-afton** [*på* on] Easter Eve **-a|lammet** the Paschal Lamb **-dag[en]** Easter Sunday **-ferie[r]** Easter holidays *pl* **-helgen -högtiden** the Easter festival

påskina, *låta ~* give to understand; [antyda] hint, intimate; [låtsas] pretend

påsk||lilja daffodil **-lov** Easter vacation (recess)
på||skrift [underskrift] signature; [utanskrift] address; [på växel] endorsement **-skriv|a** se *skriva* [*på*]; *få -et* get a reprimand, come in for a snub **-skruva** *tr* screw on; *~d bajonett* fixed bayonet
påsk||tid Easter-tide; *vid ~en* at Easter **-vecka** Easter week
på||skynda *tr* hasten [*sin avresa* one's departure]; quicken [*sina steg* one's steps]; expedite [*saken* the matter]; hurry [*arbetet* the work]
påskägg Easter egg[s]
pås||sjuka [the] mumps *pl*
på||stig|a *tr* se *stiga* [*på*]; *han är nyss -en* he has just got on **-stignings|plats** stop[ping-place] **-stridig** *a* headstrong, stubborn, obstinate; opinionated **-struken** *a* [rusig] fuddled, tipsy, merry **-strykning** *mål.* application **-stå I** tr [*~* bestämt, förfäkta] assert, maintain; [säga, förklara] say, state, declare; *jag ~r fortfarande, att* I still maintain that; *jag vågar ~* I venture to say (maintain); *det vill jag inte ~* I won't say that; *man ~r* (*det ~s*), *att* it is said that; *efter* (*enligt*) *vad man ~r* according to what people say; *som det ofta har ~tts* as has often been maintained **II** *rfl,* *~ sig* [föregiva] pretend [*vara sjuk* to be ill]; *han -stod sig inte ha hört* he declared that he had not heard **-stående** statement; assertion; *bevisa sitt ~* (*sina ~n*) make out (prove) one's case; *ett obevisat ~* a mere allegation **-ståendesats** affirmative sentence **-stötning** [vink] hint, intimation
pås|vante mitten
påta *itr,* *~ i jorden* dig in the soil
påtag||a *rfl,* *~ sig* take on [*ett arbete* a piece of work]; assume [*ansvaret för* the responsibility for] **-lig** *a* obvious, manifest **-ligen** *adv* obviously
på||tala *tr* remark [up]on, criticize **-teckning** se *-skrift* **-tryckning** pressure; *utöva ~ på..* bring pressure to bear [up]on.. **-träffa** se *träffa* [*på*] **-trängande** *a* [efterhängsen] obtrusive, importunate; urgent [*behov* necessity] **-tvinga** *tr* force [*ngn ngt* a th. upon a p.] **-tår** another cup, another few drops **-tänkt** *a* contemplated, intended; projected
påve pope; *tvista om ~ns skägg* split hairs **-bulla** papal bull **-döme** **-makt** papacy **-mössa** tiara
påver *a* poor; *ha det ~t* be poorly off
påverk||a *tr* influence, affect; *låta sig ~s av..* be influenced (swayed) by..; *~d av starka drycker* under the influence of liquor **-an** **-ning** influence; *röna ~ av..* be influenced by.. **-bar** *a* [*lätt* easily] influenced

påvestol, *~en* the Papal Chair
på||visa *tr* point out; [bevisa] demonstrate; detect [the existence of] **-visbar** *a* demonstrable; noticeable
påv||isk *a* papistic[al] **-lig** *a* papal
påyrka *tr* insist upon, claim
påök||a *tr* increase **-ning** increase; *få ~* get a rise [*på lönen* in one's salary]
päls 1 [på djur] fur, coat **2** [plagg] fur coat; [dam-] *äv.* fur cloak; *ge ngn på ~en* [= piska upp] give a p. a hiding, dust a p.'s jacket [for him]; *få på ~en* [= bli uppläxad] get a scolding **-a** *tr,* *~ på..* wrap.. up **-brämad** *a* furred **-bärande** *a* furred [*djur* animal] **-djur** furred animal **-fodrad** fur-lined **-handel** *konkr* [affär, butik] furriery, furrier's [shop]; [grosshandel] fur-trade **-handlare** furrier **-jägare** trapper **-kappa** se *päls 2* **-krage** fur collar; fur cape **-mössa** fur cap **-varor** furs **-verk** furs *pl*
pär [medl. av eng. högadeln] peer
pärl||a I *s* pearl; [av glas, trä o. s. v., att träda på snören; svett-] bead; [klenod] gem; *äkta* (*oäkta*) *~* real (artificial) pearl; *en ~ bland kvinnor* a pearl (jewel) among women; *kasta -or för svin* cast pearls before swine; *må som en ~ i guld* live in clover **II** *itr* sparkle, bubble, effervesce **-band** string of beads (pearls) **-bank** pearl-oyster bank **-besatt** *a* studded with pearls **-broderi** pearl embroidery
pärlemor mother-of-pearl *äv. i sms* [*-knapp* button] **-glans** **-skimmer** pearly lustre
pärl||fiskare pearl-fisher **-fiske** pearl-fishery **-formig** *a* pearl-shaped **-garn** embroidery silk **-gryn** pearl barley **-halsband** pearl necklace **-hyacint** grape hyacinth **-höna** guinea-hen **-mussla** pearl oyster **-socker** granulated sugar **-stickad** *a* pearl-embroidered **-stickeri** pearl-embroidery; *bildl.* finicking job, intricate task **-vit** *a* pearly, pearl-white
pärm cover
päron pear **-blom** pear blossom **-formig** *a* pear-shaped **-träd** pear tree
pärs [*en svår* a trying] ordeal
pärt||a **-bloss** fir-torch **-korg** chip basket **-tak** shingled roof
pöbel mob, populace **-aktig** *a* mobbish, vulgar **-hop** se *pöbel* **-upplopp** riot **-välde** mob rule
1 pöl [kudde] bolster
2 pöl [vatten-] pool, puddle
pölsa *kok.* hashed brains (lungs &c)
pörte [Finlander's] cot
pös||a *itr* swell; [om deg] rise; *~ över* [*brädden*] swell over [the brim]; *~* [*över*] *av högfärd* swell (be swollen) with pride **-ande** **-ig** *a* swelling; rising [*deg* dough]; [uppblåst, skrytsam] strutting, pompous **-munk** *kok.* puffed fritter

R

rabalder disorder, tumult; [oväsen] noise, uproar; [upplopp] riot; [uppträde] row; [bråk] fuss
rabarber rhubarb
1 rabatt flower-bed; [kant-] border
2 rabatt *hand.* discount; [nedsättn.] reduction; [avdrag] deduction; *lämna 5 % ~* allow a discount of 5 per cent; *sälja med ~* sell at a discount (at reduced prices) **-biljett** cheap ticket **-era** *tr* discount, reduce; allow a discount of.. **-kort** season ticket
rabbin rabbi
rabbla *itr* babble, prattle, rabble; *~ upp* rattle off [*böner* prayers]
rabi‖at *a* exasperated, furious; **F** savage **-es** rabies, hydrophobia
rabulist red-hot agitator, revolutionist
racer racer **-båt (-vagn)** racing boat (car)
1 racka cur, mongrel
2 racka *itr, ~ ned på* run down, fly out at
rackar‖e rascal; [skurk] scoundrel; [skälm] rogue **-tyg** [*ha ~ för sig* be up to some] mischief; [starkare] devilry; *äta ngt ~* eat some beastly stuff; *på rent ~* out of pure mischief **-unge** mischievous [young] imp, young rascal
racket racket; [bordtennis-] bat
rad 1 row; *två i ~* two in a row **2** *teat.* tier; *första ~en* (*Engl.*) the dress circle; *andra ~en* the upper circle; *tredje ~en* the gallery **3** string (file, train) [*av bilar* of cars]; series [*av händelser* (*olyckor*) of events (misfortunes)]; *tre gånger i ~* three times running **4** [i skrift] line; *skriv ett par ~er till mig* drop me a line; *~ för ~* line by line **-a** *tr, ~ upp* display, exhibit; [uppräkna] enumerate; [ordna] range
radar radar (Radio Detection and Ranging) **-eko** radar echo **-fyr** radar beacon **-skärm** radar screen **-utrustning** radar equipment
radband rosary
rader‖a *tr* **1** rub out, erase; [med kniv] scratch out **2** [etsa] etch **-are** etcher **-bläck** erasing ink **-gummi** india-rubber, eraser **-ing 1** rubbing out, erasure **2** etching, engraving **-kniv** eraser **-nål** etching needle **-vatten** erasing water
radhus terrace-house, row-house
radi‖e radius **-era** *tr* [radio] broadcast
radikal *a* o. *s.* radical; [genomgripande] *äv.* sweeping **-ism** radicalism **-medel** radical (drastic) remedy
radio radio, wireless; *höra i ~n* hear on the wireless; *höra på ~* listen in; *per ~* by wireless; *vad är det i ~ i kväll?* what's on the air to-night? **-affär** radio store **-aktiv** *a* radioactive [*avfall* fall[-]out; *stoft* dust] **-aktivitet** radioactivity **-amatör** radio amateur **-antenn** aerial; *Am.* antenna [*pl.* -as] **-apparat** radio [apparatus (set)]; wireless [set] **-bil** radio car **-bolag,** *Engelska ~et* the British Broadcasting Corporation (the B.B.C.) **-bord** radio table **-fyr** radio[-range] beacon **-förbindelse** wireless communication **-föredrag** radio talk **-grammofon** radiogrammophone **-isotop** radio isotope **-kompass** radio compass **-konsert** radio concert **-kontakt** radio communication; contact by radio **-lektion** radio lesson **-licens** radio licence **-log** radiologist **-lur** ear phone **-lyssnare** listener[-in] **-manuskript** script **-mast** pylon **-meddelande** radio message **-mottagare** wireless receiver ([receiving] set) **-nät** radio network **-orkester** studio (*Engl.* B.B.C.) orchestra **-pejlapparat** *flyg.* direction finder **-pejling** *flyg.* direction finding **-pjäs** radio play **-polis** radio police **-program** radio (broadcasting) program[me] **-reporter** [radio] commentator **-rör** valve; *Am.* tube **-samtal** radio conversation **-signal** radio signal **-station** radio (broadcasting) station; [på båt, flyg] *äv.* wireless station **-styrd** *a* radio-controlled (-guided) **-styrning** radio control **-störningar** atmospherics **-sändare** wireless transmitter **-tal** broadcast [speech] **-teknik** radio engineering **-telefoni** radio telephony, RT **-telegrafi** wireless (radio) telegraphy, WT **-telegrafist** wireless (radio) operator **-telegram** radio[tele]gram **-teleskop** radio telescope **-terapi** radiotherapy **-tjänst** radio service; jfr *-bolag* **-utrustning** wireless equipment **-utsändning** radio (broadcasting) transmission; *kvällens ~* tonight's broadcasts *pl* **-våg** radio wave
radium radium **-behandling** radium treatment, Curie therapy **-strålning** irradiation
rad‖papper line[d] paper **-rätt** *adv, skriva ~* write straight **-så** *tr* drill **-såmaskin** grain (ridge) drill **-vis** *adv* in rows
raffin‖ad refined sugar **-aderi** refinery **-emang** refinement; exquisiteness; ingenuity **-era** *tr* refine **-erad** *a* refined; [elegant] elegant; [medvetet] studied; [utsökt] exquisite **-ering** refining
rafflande *a* thrilling, nerve-racking; *~ bok* thriller
rafs‖a *tr, ~ ihop* scramble (huddle) together; [brev] scribble off **-ig** *a* [slarvig] slapdash
ragata vixen, shrew
ragg goat's hair; [friare] shag **-ig** *a* shaggy; [grov] rough, coarse **-socka** thick skiing sock
ragla *itr* stagger, reel; [vackla] totter, sway
ragu ragout; stew; *~ på..* stewed..
raja raja[h]
rak *a* **1** straight [*linje* line; *hår* hair]; *gå ~a vägen* go straight on; *~a vägen till fördärvet* headlong to destruction **2** [upprätt] erect, upright **3** *~a motsatsen* exactly the reverse; *~ ordföljd* normal word-order; *på ~ arm* [lyfta hold] at arm's length; *bildl.* off-hand, straight off
1 raka I *s* rake **II** *tr* o. *itr* rake; *~ i elden* poke the fire
2 rak‖a I *itr, ~ i väg* dash (dart, tear) off; *~ omkull* topple over **II** *tr* o. *rfl* shave; *låta ~ sig* get shaved (a shave) **-apparat** safety razor; [elektr.] electric shaver (razor) **-bett -blad** razor-blade **-borste** shaving-brush **-don** shaving-things
raket rocket **-apparat** rocket apparatus **-bana** rocket trajectory **-bas** rocket base **-bomb** rocket bomb; **F** doodle-bug **-drift** rocket (jet) propulsion **-driven** *a* rocket-propelled **-[flyg]plan** rocket[-propelled] [aero]plane (aircraft) **-hylsa** rocket case **-motor** rocket engine **-projekt** rocket project **-projektil** rocket missile **-signal** rocket signal **-skott** rocket shoot (shot) **-tekniker** rocket technician **-vetenskap** rocket science

rakhyvel safety razor
rakit||is *läk.* rickets, rachitis **-isk** *a* rickety, rachitical
rak||kniv razor **-kräm** shaving cream
rak||lång *a* [*ligga* lie] full length; [framstupa] prostrate **-na** *itr* become (get) straight, straighten; [om hår] get out of curl
rakning shaving; *en ~ (äv.)* a shave
rakryggad *a* straight-backed, erect; *bildl.* upright, erect; [omutlig] incorruptible
rak||salong barber's shop **-spegel** shaving-glass **-strigel** razor-strop **-sudd** shaving-brush
rakt *adv* **1** straight, right, direct; *gå ~ fram* go straight on; *~ norrut* due north; *gå ~ på sak* go straight to the point; *som går ~ på sak* straightforward; *~ i ansiktet* straight to a p.'s face **2** [alldeles] absolutely, quite; [riktigt] downright [*olycklig* miserable]; [totalt] clean [*från vettet* off o.'s head]; *det gör ~ ingenting* it does not matter in the least; *till ~ ingen nytta* of no earthly use
rak||tvål shaving soap (stick) **-vatten** shaving water, hot water for shaving; *äv.* after-shave lotion
ralj||ant *a* bantering, rallying; [retsam] teasing **-era** *itr* banter, rally; *~ med* jeer at, tease **-eri** raillery, banter, persiflage
rall||a trolley **-are** navvy
rally [motor] rally
1 ram frame; *bildl.* frame-work; *typ.* chase; *sätta i glas och ~* frame; *utom ~en för (bildl.)* outside the scope of
2 ram *a* plain, pure, sheer; *på ~a allvaret* in deadly earnest; *rena ~a sanningen* the plain (simple) truth, *äv.* plain truth; *rena ~a vansinnet* downright folly
3 ram [björntass] paw; *suga på ~arna (bildl.)* live on one's humps; fall back on one's own resources
ramantenn loop aerial, aerial frame
ramaskri [protest] outcry; *höja ett ~ mot* raise an outcry against
ramla *itr* fall down, tumble; [rasa] crumble; [störta samman] break down, collapse, crash; *~ av hästen* fall off one's horse; *mina illusioner ~de* my illusions were shattered
ramm o. **-a** *tr sjö.* ram; *allm.* hit, strike
rammel = *buller* **-buljong F** a thrashing
ramp *teat.* foot-lights *pl* **-feber** stage-fright **-ljus** foot-lights *pl; bildl.* spotlight, lime-light
ramponera *tr* damage, batter; [förstöra] demolish; [ett skepp] disable
rampris, *till ~* at a real bargain; **F** dirt cheap, for a song
ramsa list, string; [osammanhängande] rigmarole
ram||svart *a* jet-(raven-)black **-såg** frame saw **-verk** framework
rand 1 edge, verge, brink; *vid gravens ~* at the brink (verge) of the grave **2** [brädd] brim **3** [strimma] streak; [på tyg] stripe **-a** *tr* **1** [kanta] border, edge **2** [göra strimmig] streak, stripe **-anmärkning** marginal note; [friare] remark **-as** *dep* dawn, appear; *när dagen ~* at daybreak **-bebyggelse** ribbon development **-ig** *a* striped **-sko** welted shoe **-stat** border state
rang rank; [anseende] standing; *företräde i ~* precedence; *ha ~ framför* take rank (precedence) of (above); *ha samma ~ som* rank with; *stå över (under) i ~* rank above (below); *en första ~ens . .* a first-rate (-class) . .
ranger||a *tr* **1** range, rank **2** [tåg] marshal, shunt **-bangård** marshalling (shunting) yard
ranglig *a* ramshackle, rickety, tottering
rang||lista (-ordning) list (order) of precedence **-plats** rank; *inta en ~* hold a distinguished place **-skala** scale of rank hierarchy; *den sociala ~n (äv.)* the social ladder **-skillnad** difference in rank
rank *a* **1** *sjö.* crank[y], tender **2** [smärt] slim, lank **-a 1** bine, creeper **2** *rida ~* ride [a-]cock-horse
rannsak||a *tr* try, examine; *~ sig själv* search one's heart; *~ hjärtan och njurar* search men's hearts **-ning** examination, inquiry; searching; [förhör] trial [*med* of]; *anställa ~* institute an inquiry; *utan laga dom och ~* without due trial and judgment **-nings|domare** examiner **-nings|fånge** prisoner upon (committed for) trial **-nings|-fängelse -nings|häkte** custody
ranson ration; *sjö.* allowance **-era** *tr* portion out, ration; *~de livsmedel* rationed food-stuffs **-ering** rationing **-erings|kort** ration card
ranunkel buttercup
rap||a *itr* belch; *läk.* eructate **-ning** belch, eructation
1 rapp *a* quick, brisk, prompt; [i fingrarna] nimble; *~ i vändningarna* expeditious
2 rapp [slag] rap, blow; [snärt] lash
3 rapp, *i ~et* at once, instantly
1 rappa *tr, ~ till* slap
2 rappa *tr* plaster, rough-cast
rappakalja F stuff and nonsense; [mat] nasty stuff
rapp||höna -höns partridge
rappning plastering; *konkr* plaster, rough cast
rapport report, account; *avlägga ~ om* report on, give (make) a report of **-era I** *tr* report, make a report of **II** *rfl, ~ sig sjuk* report o.s. ill **-karl** messenger, orderly, runner **-ställe** reporting centre **-tjänst** dispatch service **-ör** reporter
raps rape **-olja** rape (colza) oil
rapsod||i rhapsody **-isk** *a* rhapsodic[al]
raptus fit, mood
rar *a* [sällsynt] rare, uncommon; [snäll] dear, nice **-ing** darling **-itet** rarity; [märkvärdighet] curiosity
1 ras race; [djur] breed, stock
2 ras 1 [av jord] landslide; [skred] [earth-] slip; [byggnad] collapse **2** [lek] romp[ing], frolic[king]
ras||a *itr* **1** *~ ned* fall down; collapse; [ge vika] give way **2** [leka] frisk, frolic, gambol **3** [av vrede] be furious, fume, storm; [få utbrott] rave; [storm, epidemi o. *bildl.*] rage; *~ av vrede (äv.)* be mad with rage; *~ ut a)* spend one's fury; *b)* [stadga sig] sober down **-ande I** *a* raging, violent; furious [*på* with]; *bliva ~* fly into a rage; *göra ~* enrage, infuriate **II** *adv* awfully, furiously; *~ hungrig* ravenously hungry
ras||biologi race (racial) biology **-blandning** mixture of races (breeds), miscegenation; [korsning] cross[breed]ing **-diskriminering** racial discrimination **-djur** thorough-bred, blood-animal **-drag** racial characteristic
rasera *tr* demolish, dismantle; raze, level to (with) the ground
raseri rage, fury, frenzy; passion; *råka i ~* fly into a rage (passion) **-anfall** fit of rage; *få ett ~* fly into a rage
rasering demolition, dismantling
ras||frände racial kinsman **-fördom** racial prejudice **-hat** racial hatred **-hygien** racial hygiene **-häst** thoroughbred
rask *a* **1** brisk, quick, speedy, swift; [ofördröjlig] prompt, expeditious; [händig]

dexterous, nimble; [käck] brave, resolute; *~a tag!* pull hard! *i ~ takt* at a brisk pace **2** [frisk] well, healthy; vigorous **-a** *itr, ~ på* hurry [up], make haste
ras||kamp racial struggle **-krig** racial war
raskt *adv* briskly, promptly; *handla ~* take prompt action
rasolikhet racial difference
rasp rasp[-file], grater, grating-iron **-a I** *tr* rasp [*av* off] **II** *itr* grate, scratch; *~ ihop* scribble (scrawl) [*ett brev* a letter]
ras||problem racial problem **-ren** *a* of pure breed, thoroughbred
rass||el -la *itr* rattle, clatter; [av vapen] *äv.* clank
rast [uppehåll] rest, pause, stop; *mil.* halt; [vila] rest, repose; *skol.* break, recess; *ge varken ~ eller ro* give no peace; *han hade varken ~ eller ro* he was never at rest **-a** rest, pause, stop; *mil.* halt
raster ⊕ screen; lattice
rast||lös *a* restless; [outtröttlig] unremitting, assiduous; [orolig] agitated, fidgety **-löshet** restlessness; [flit] assiduity; [oro] fidgetiness **-ställe** halt[ing place]
rat *hand.* rate; [delbetalning] instalment; *avbetala i ~er* pay by instalments
rata *tr* reject; *bildl. äv.* make light of
ratifi||cera *tr* ratify **-cering -kation** ratification
ration||alisera *tr* rationalize **-alisering** rationalization **-alism** rationalism **-ell** *a* rational; *~t jordbruk (äv.)* scientific farming
ratt [steering-]wheel **-fylleri** drunken driving
ravin ravine
razzia raid, razzia; [polis-] *äv.* round-up
rea|bombplan jet bomber
reag||ens reagent **-ens|glas** test-tube **-ens|-papper** test-paper **-era** *itr* react [*för* to; *mot* against; *på* on]; *~ mot (äv.)* [raise a] protest against; *hur ~r han inför ..?* what is his reaction to ..?
rea|jaktplan jet fighter
reaktion reaction; *fys.* repercussion **-s|drift** jet propulsion **-s|drive|n** *a, -t flygplan* jet-propelled aeroplane &c; jet plane **-s|flyg-plan** jet plane **-s|förmåga** reactivity **-s|mo-tor** jet engine **-är** *a* o. *s* reactionary
reaktor reactor
real||encyklopedi encyclop[a]edia **-examen** *skol.* middle school examination; *Engl. ung.* G.C.E. 'O' level (General Certificate of Education, Ordinary level) **-ia** *pl* facts, realities **-isation** realization; *hand.* sale, selling off **-isera I** *tr* **1** [förverkliga] realize **2** *hand.* sell off **II** *itr* clear [out] stock **-iser|bar** *a* realizable; *hand. äv.* saleable **-ism** realism, naturalism **-ist** realist, naturalist; *skol.* modern side pupil **-istisk** *a* realistic, naturalistic; [nykter] matter-of fact **-iter** *adv* in fact (reality) **-itet** [*i ~en* in] reality **-linje** modern side **-läroverk** school on modern lines; modern school **-lön** real wages *pl* **-politik** practical politics *pl* **-skola** *ung.* middle school **-säkerhet** security on real estate **-värde** real (actual) value
rea||motor jet engine **-plan** jet plane ([trafik-plan] airliner)
reassur||ans reinsurance **-era** *tr* reinsure
rea||trafik jet traffic **-åldern** the Jet Age
rebell rebel, insurgent **-isk** *a* rebellious, insurgent
rebus rebus, [pictorial] puzzle
recen||sent reviewer, literary critic **-sera** *tr* review **-sion** review **-sions|exemplar** reviewer's copy
recentior *univ.* freshman

recept recipe; *läk.* [doctor's] prescription **-iv** *a* receptive
recett benefit **-föreställning** benefit performance
recidiv recurrence, relapse
reciprocitet reciprocity
recit||ation recitation, recital; reading **-atris -atör** reciter **-era** *tr* o. *itr* recite, read
red|a I *s* **1** [ordning] order; *bringa ~ i ..* bring order into ..; *hålla ~ på ..* keep .. in order; [veta om] keep count of ..; [redighet] method; *~ i arbetet* method in one's work **2** *få ~ på* find out, get to know, ascertain, learn; *göra ~ för* explain; give an account of; *ha ~ på* know (be aware) of; *ha bra ~ på sig* be well informed; *ta ~ på ngt* find out about a th. **II** *a, i ~ pengar* in ready money, in hard cash **III** *tr* **1** [hår] comb **2** [begrepp] clarify, elucidate **3** [bädd o. d.] make, prepare **4** *~ upp* put .. straight; clear up; *~ ut* unravel; explain, elucidate **IV** *rfl* **1** [om sak] *det -er sig nog* things will come out (clear up) all right **2** [om person] get on, do [*bra* well]; [själv] help o.s.; *han -er sig nog* he'll manage all right; *~ sig bäst man kan* make shift as best one can; *~ sig slätt* cut a poor figure
redak||tion 1 [personal] editorial staff; [lokal] editor's office; *Till ~en av* To the Editor of; *~ens anmärkning* editor's remark **2** *abstr* editorship; [avfattning] wording **-tionell** *a* editorial **-tions|kommitté** editorial (publications) committee **-tions|-sekreterare** subeditor **-tris** editress **-tör** editor; *vara ~ i ..* be on the staff of ..
redan *adv* already; as early as; *~ hösten 1946* as early as the autumn of 1946; *~ för en vecka sedan* as much as a week ago; *~ i morgon* by to-morrow; *~ dessförinnan* even before that; *~ samma afton* that very night; *~ följande dag* the very next day; *~ då* even then; *~ som barn* while still a child; *~ länge* [for] ever so long; *~ tidigare* even earlier; *~ tanken på ..* the mere thought of ..; *av ~ angivna skäl* for reasons stated before
redare ship-owner
redbar *a* honest, upright; just, fair; *~a avsikter* honest intentions **-het** honesty, uprightness; fairness, integrity
1 redd *a* thick [*soppa* soup]
2 redd road[stead], roads *pl; Am.* anchorage basin
rede nest
rederi ship-owners *pl* **-bolag** shipping company
redig *a* clear; lucid; [tydlig] explicit; [ej yrande] sensible, in one's right senses, lucid; *inte vara ~ (äv.)* be delirious
redigera *tr* edit; [avfatta] draft, word
redighet clearness, lucidity
rediskontera *tr hand.* re-discount
redlig = *redbar* **-t** *adv* honestly, loyally; *~ bemöda sig* make honest efforts
redlös *a* helpless; *sjö.* disabled **-t** *adv* helplessly; *~ berusad* hopelessly drunk
redo *a* ready, prepared; *var (alltid) ~* be (ever) prepared **-bogen** *a* ready, willing **-göra** *itr, ~ för* account for, [give a] report on; [beskriva] give an account of, describe, relate; *närmare ~ för* give details of; *~ för innehållet* sum up the contents **-görelse** account, statement, report; *~ för innehållet* summary [of the contents] **-visa** *tr* render an account [*för* of] **-visning** statement of accounts; *begära ~ av ngn* call a p. to account **-visnings|skyldig** *a, vara ~ för* be under the obligation to ren-

der an account of **-visnings|skyldighet** responsibility, obligation to render accounts
redskap instrument; [verktyg] implement, tool [alla *äv. bildl.*]; [gymnastik-] apparatus **-s|bod -s|lider** tool-shed
redu||cera *tr* reduce; bring (cut) down [*utgifterna* expenses] **-cer|bar** *a* reducible **-ktion** reduction **-ktions|tabell** commutation table
redupli||cera *tr* double, reduplicate **-kation** reduplication
redutt *mil.* redoubt
reell *a* **1** real [*värde* value]; genuine **2** = *rejäl*
refer||at account, report **-endum** plebiscite, referendum **-ens** reference; *uppgiva ~er* give (furnish) references **-ens|bibliotek** reference library **-ent** reporter **-era I** *tr* report, give an account of **II** *itr, ~ till* refer to; *~nde till tidigare korrespondens angående..* referring to previous correspondence on the subject of..
reffla se *räffla*
reflekt||ant [sökande] applicant; [spekulant] intending buyer (customer) **-era I** *tr* reflect, cast back **II** *itr* reflect [*över* [up]on]; *~ på* [överväga] consider; [begrunda] meditate upon, contemplate; *jag ~r inte på..* I don't care for..; *~ på* [*en plats (att köpa)*] think of applying for..(of buying..); *noga ~ över en sak* carefully consider (weigh) a matter **-or** *fys.* reflector
reflex reflex **-ion** reflection, reflexion; *~erna göra sig själva* comment is superfluous **-ions|förmåga** reflecting power **-iv** *a* reflexive **-rörelse** reflex action
reform [*grundlig* radical] reform; innovation **-ation** reformation **-ator** reformer **-atorisk** *a* reformatory **-era** *tr* reform **-ert** *a, den ~a kyrkan* the Reformed Church; *de ~a* the Reformed; *en ~* a Reformist (Calvinist) **-fiende** anti-reformer **-iver** reforming zeal **-rörelse** reform movement **-vänlig** *a* favourably inclined towards reforms **-åtgärd** reform measure
refräng refrain, burden
refug[e] refuge, island
refuser||a *tr* refuse, reject **-ing** rejection
regal *a* regal, royal **-ier** regalia, ensigns of royalty
regatta regatta; boat-race
1 regel [på dörr] bolt
2 reg|el [*absolut* hard-and-fast] rule; *undantaget bekräftar ~n* the exception proves the rule; *uppställa en ~* lay down a rule; *ingen ~ utan undantag* no rule without an exception; *emot -lerna* against the rules; *enligt -lerna* according to rule (the rules); *göra det till en ~* make it a rule; *i ~* as a rule, generally **-bunden** *a* regular; [ordnad] settled **-bundenhet** regularity **-lös** *a* without rules; irregular **-rätt** *a* regular; according to rule (the rules); [riktig] correct
regement||e 1 regiment **2** *abstr* government, rule; *ett strängt ~* a rigid rule **-s|chef** regimental commander **-s|kamrat** regimental comrade **-s|kvartermästare** quartermaster [major] **-s|läkare** army surgeon **-s|pastor** field chaplain **-s|stab** regimental staff
regener||ation regeneration **-ator** regenerator **-era** *tr* regenerate
regent ruler, sovereign; [ställföreträdande] regent; *prinsen-~en* the Prince Regent **-längd** table of monarchs **-skap** regency
regera I *itr* [om regering] govern; [kung] rule; [vara kung] reign; *medan han ~de* during his reign **II** *tr* rule, govern
regering [av ministrar] government; [kunglig] reign, rule; *~en* the Government; *tillträda ~en* accede to the throne; *tillhöra ~en (äv.)* be in office **-s|ansvar** responsibility of government **-s|beslut** cabinet decision **-s|bildning** formation of the government (cabinet) **-s|bänk,** *~en* the ministerial bench **-s|chef** head of the government, Prime Minister **-s|fientlig** *a* anti-government [press] **-s|form 1** form of government **2** *~en* the Constitution **-s|kretsar** government (ministerial) circles **-s|kris** government (cabinet) crisis **-s|organ** ministerial organ **-s|parti** government party **-s|politik** government policy **-s|skifte** change of government **-s|tid** reign **-s|trogen** *a* loyal to the government **-s|trupper** government troops **-s|år** year of reign
reg||i administration; *teat.* stage management; production; *film.* o. *Am.* direction **-im** regime; *ny ~* new administration **-im|-förändring** change of administration (government)
region region, sphere; *i högre ~er* in upper regions **-s|planering** regional planning
regiss||era *tr* produce; [film] direct **-ör** producer; *film.* o. *Am.* director
regist||er register, record, roll; [i bok] index **-er|kort** index card **-er|ton** register ton **-rator** registrar, actuary **-rera** *tr* register, record, enter **-rering** registration **-rerings|-apparat** recorder **-rerings|avgift** registration fee **-rerings|bevis** certificate of registration **-rerings|märke** registration mark **-rerings|verk** registration office
regla *tr* bolt, lock; *~ upp* unbolt, unlock
reglage control
reglement||arisk *a* in conformity with regulations, regular **-e** regulations *pl,* order, rule **-era** *tr* regulate; *~de livsmedel* rationed foodstuffs **-s|enlig (-s|vidrig)** *a* according (contrary) to regulations
regler||a *tr* regulate; [avpassa] adjust; [fastställa] fix [*priser* prices]; [uppgöra] settle [*sina skulder* one's debts] **-bar** *a* adjustable **-ing 1** regulation; adjustment; [av skuld o. d.] settlement; [t. ex. av priser] control **2** *läk.* menstruation **-ings|damm** regulating weir (dam)
regn rain; [skur] shower; *stritt ~* downpour [of rain]; *det ser ut att bli ~* it looks like rain **-a** *itr* rain; *det ~r* it is raining; *det ~r småsten* it is raining cats and dogs; *det ~r in* the rain comes through; *låtsa som om det ~r* take no notice **-by** squall of rain **-båge** rainbow **-bågs|hinna** iris **-diger** *a* rain-laden, heavy with rain **-droppe** raindrop **-fattig** *a* dry, rainless **-ig** *a* rainy, wet **-kappa** raincoat, mackintosh, waterproof **-krage** waterproof cape **-moln** rain-cloud **-mätare (-område)** rain gauge (area) **-rock** = *-kappa* **-skur** heavy shower [of rain], rainfall **-tid** rainy season **-vatten** rain-water **-väd|er** rainy weather; *i -ret* in the rain
regul||adetri rule of three **-ator** regulator **-jär** *a* regular
rehabiliter||a *tr* rehabilitate **-ing** rehabilitation
reine claude greengage [plum]
reinkarn||ation reincarnation **-era** *tr* o. *itr* reincarnate
rejäl *a* [pålitlig] honest, trustworthy; *ett ~t mål mat* a substantial meal; *~t arbete* solid work
rekapitulera *tr* recapitulate
reklam advertising, publicity; advertisement; *göra ~ för* advertise, **F** puff, boom; *göra ~ för sig själv* blow one's own trumpet **-affisch** advertising bill **-agent** publicity

manager **-annons** puffing advertisement **-artikel** special-line article **-ation** complaint, claim; *post.* inquiry [*av brev* as to a missing letter] **-avdelning** publicity department **-broschyr** leaflet **-byrå** advertising agency **-chef** advertising manager **-era** *tr* complain, claim; *post.* inquire about **-häfte** booklet **-kampanj** advertising campaign **-kostnader** advertising expenses **-ljus** neon light **-plakat** poster **-pris** special-offer price **-syfte,** *i* ~ for advertising purposes **-tecknare** publicity artist **-trick** advertising trick

rekognoscer||a *tr* o. *itr* reconnoitre; *mil. äv.* scout **-ing** [*våldsam* fighting (forced)] reconnaissance

rekommend||ation 1 recommendation; introduction **2** *post.* registration **-ations|brev** letter of introduction **-era I** *tr* **1** recommend; *som kan ~s* recommendable **2** *post.* register; *i ~t brev* by registered letter; *Rek*[*ommenderas*] [på brev] Reg[istered] **II** *rfl* take leave

re||konstruera *tr* reconstruct **-konstruktion** reconstruction **-konvalescens** convalescence **-konvalescent** convalescent

rekord record; *inneha* ~ hold the record; *slå ~*[*et*] break (beat) the record; *sätta ~* make a (set up a new) record **-artad** *a* unparalleled; record [*fart* speed] **-flygning** record flight **-innehavare** record holder **-siffra** record figure **-tid** record time

rekre||ation recreation, rest **-ations|ort** health resort **-ations|resa** recreation trip **-era I** *tr* recreate **II** *rfl* seek (get) recreation

rekryt recruit; conscript **-era** *tr* recruit; enlist; ~ *trupper* raise troops **-ering** recruiting **-utbildning** drilling of recruits

rektang||el rectangle **-ulär** *a* rectangular

rektor headmaster, principal; [college] *äv.* provost, warden; [univ.] rector; principal; president; *Engl. ung.* Vice Chancellor **-at** headmastership &c

rekviem requiem

rekvi||rera *tr* **1** *hand.* order **2** *mil.* requisition **-sita** *pl* requisites; *film. teat.* stage properties **-sition 1** *hand.* order **2** *mil.* requisition **-sitör** *teat.* assistant stage manager

rekyl -era *itr* rebound, recoil

relat||era *tr* relate, give an account of **-ion 1** [redogörelse] relation, account, version **2** [förbindelse] relation, connection; *stå i ~ till* be related to **-iv I** *a* relative *äv. gram.;* comparative [*välstånd* comfort]; *allting är ~t* everything is relative **II** *s* relative **-ivitet** relativity **-ivitets|teori** theory of relativity **-iv|sats** relative clause **-ivt** *adv* comparatively

releg||ation expulsion **-era** *tr* expel, *univ.* send down

relief relief; *ge ~ åt* enhance, set off; throw into relief; *i ~* in relief, *äv.* raised **-karta** relief (embossed) map

religion religion; [friare] faith, belief; [skolämne] Scripture **-s|fientlig** *a* anti-religious **-s|filosofi** philosophy of religion **-s|frihet** religious liberty (tolerance) **-s|förföljelse** religious persecution **-s|historia** history of (*vetensk.* comparative) religion **-s|krig** religious war **-s|lära** religious doctrine; [ämne] divinity, theology **-s|samfund** religious community **-s|stiftare** founder of a religion **-s|tvång** religious compulsion (intolerance) **-s|undervisning** religious instruction **-s|utövning** religious worship; *fri ~* liberty of worship **-s|vetenskap** science of religion; divinity, theology

religi||ositet religiousness; piety **-ös** *a* religious; sacred [*bruk* custom]; [troende] pious, devout

relik relic **-skrin** shrine

relikt survival; vestige

reling gunwale, rail

relä *fys.* relay **-a** *tr* o. *itr.* [re]transmit **-koppling** relay connection **-station** relay (transmitting) station **-sändare** intermediate transmitter

rem strap; [smal] thong; [driv-, svång-] belt

remb[o]urs *hand.* reimbursement

remdrift belt-drive (-driving)

remi *a* [schack] draw; *spelet är ~* the game is drawn

reminiscens reminiscence

remiss submission [of bill to committee] **-a** *hand.* remittance **-debatt** debate on the Address (Estimates)

remittera *tr* **1** refer (send) [a bill to committee] **2** *hand.* remit; [återsända] return

remmare 1 [dryckeskärl] rummer, hockglass **2** [i farled] perch, stick

remna = *rämna*

remont remount [horse] **-depå** remounting-depot

remplacera *tr* replace

remsa strip; slip [of paper]; [lapp] shred

remskiva ⊕ [belt] pulley

1 ren [åker-] headland; [landsvägs-] roadside

2 ren [djur] reindeer [*pl* lika]

3 ren *a* clean; [vårdad] tidy; *bildl.* pure [*guld* gold; *motiv* motives]; [äkta] genuine, pure; [enbar] sheer, pure, mere; *en ~ bagatell* a mere trifle; *~ behållning* net profit (proceeds *pl*); *~a dumheten* (*galenskapen*) sheer stupidity (madness); *~ förlust* dead loss; *göra ~t hus* make a clean sweep [of everything]; *en ~ idiot* a downright fool; *~a lögnen* a downright (damned) lie; *en ~ njutning* a pure (genuine) pleasure; *av ~ nyfikenhet* by mere curiosity; *en ~ omöjlighet* an utter impossibility; *~t samvete* a clean (clear) conscience; *~a sanningen* [the] plain truth; *en ~ slump* a mere chance; *~t spel* fair play; *~t språk* pure language; *bildl.* plain speaking; *en ~ tillfällighet* a mere accident; *~t uttal* correct pronunciation **-a** *tr* **1** clean, defecate; [metall, vätska] purify; [socker] refine **2** *bildl.* cleanse, purge; purify

ren||avel reindeer breeding **-bete** reindeer pasture

rendera *tr* bring in, yield

rendevu appointment; *vanl.* rendezvous *fr.*

renegat renegade; [avfälling] apostate

renett rennet

ren||göra *tr* clean; [sår] cleanse **-göring** cleaning, cleansing, scouring **-görings|medel** cleaning agent, detergent **-het** cleanness, cleanliness; *bildl.* purity, innocence **-hjärtad** *a* pure of heart **-hållning** refuse collecting; [av gator] cleaning, scavenging **-hållnings|verk** sanitary (scavenging) department **-hårig** *a* **F** honest; reliable **-ing 1** purification, purgation **2** *läk.* menstruation **-ings|verk** purifying plant

ren||kött reindeer meat **-lav** reindeer lichen

ren||levnad pure life, chastity **-lig** *a* cleanly **-lighet** cleanliness **-lärig** *a* orthodox **-lärighet** orthodoxy **-odla** *tr* cultivate; *~d egoism* the purest egotism

renommé reputation, renown; character; *par ~* by reputation

renons *a kortsp.* not able to follow suit; *vara ~ i hjärter* have no hearts; *vara ~ på* be void of, lack

renover||a *tr* renovate **-ing** renovation

renrakad *a* **F** broke, penniless

ren|sa *tr* clear, purge, purify; [ogräs] weed; [bär, grönsaker] pick; [fisk] skin; [tömma] gut; [fågel] draw; [magen] purge; ~ *luften* (*bildl.*) clear the air; ~ *bort* clear away, remove; ~ *från fiender* mop up **-skrapa** *tr* scrape .. clean; ~*d* se *renrakad* **-skriva** *tr* make a fair copy of **-skriverska** copyist
renskötsel reindeer breeding
rensning clearing &c; *bildl.* purification; *polit.* [ut-] purge
renstek roast reindeer
rent *adv* **1** cleanly &c **2** *läsa* ~ read fluently; *sjunga* ~ keep in tune; *tala* ~ talk properly **3** ~ *omöjlig* quite impossible; ~ *av* simply, downright; ~ *ut* plainly, outright; *tala* ~ *ut* speak one's mind; *jag säger dig* ~ *ut* I tell you frankly (in plain terms); *jag sade honom* ~ *ut* (*äv.*) I told him in so many words; ~ *ut sagt* not to mince matters, to be plain
ren||tryck clean proof **-två I** *tr bildl.* whitewash **II** *rfl* exculpate (rehabilitate) o.s.
renässans Renaissance, Renascence; *uppleva en* ~ experience a revival **-tiden** the Age of the Renaissance
reorganis||ation reorganization **-era** *tr* reorganize
rep rope; [smalare] cord; [för hängning] halter
repa I *s* scratch **II** *tr* **1** scratch; [lin] ripple **2** ~ *av* pull (tear, pick) off; ~ *upp* unravel; [vad man stickat] undo one's knitting **3** ~ *mod* take heart **III** *rfl* recover, come round
repar||ation repair[ing]; *under* ~ under repair, being repaired; *gatan är under* ~ the street is up **-ations|arbeten** repairs **-ations|kostnader** cost *sg* of repairs, repair charges **-ations|verkstad** repair shop **-atör** repairer, mender **-era** *tr* repair, mend; *Am.* fix; *taket behöver* ~*s* the roof wants repairing; *maskinen behöver* ~*s* (*äv.*) the engine is out of repair; *som inte kan* ~*s* (*äv.*) past repair
repartisera *itr* go shares [in paying]
repatrier||a *tr* repatriate **-ing** repatriation
repertoar repertory, repertoire *fr.*
repet||era *tr* repeat; *skol.* revise; *teat.* rehearse **-er|gevär** **-er|ur** repeater **-ition** repetition; revision; rehearsal **-itions|kurs** refresher course
replik rejoinder, retort, repartee; *teat.* line, speech; [sista ord] catchword, cue **-era** *itr* reply, retort **-skifte** exchange of words
replipunkt *mil.* rallying point
report||age reportage, reporting **-er** reporter
represent||ant representative; deputy, delegate; *hand.* [resande] traveller **-ant|huset** the House of Representatives **-antskap** representation **-ation** representation **-ations|-kostnader** representation expenses **-ations|-skyldighet** representation duties *pl* **-ativ** *a* representative [*för* of] **-era I** *tr* represent; stand for **II** *itr* entertain
repressalier reprisals; *utöva* ~ *mot* take retaliatory measures (reprisals) against
repris 1 bout, turn **2** *mus.* repeat, *radio.* repeat [transmission] **3** *teat.* revival
reprod||ucera *tr* reproduce; copy **-uktion** reproduction; *konkr.* äv. copy; *skol.* free rendering [of text (something read)]
rep||slagare rope-maker **-slageri** rope-yard **-stege** rope-ladder **-stump** rope's end
reptil reptile
republik republic **-an** **-ansk** *a* republican
reputerlig *a* reputable, respectable
1 res|a I *s* **1** journey; [*abstr, i sms* o. *pl*] travel; [kortare] trip; [turist-] *äv.* tour; [sjö-] voyage; [över-] passage, crossing; *hur mycket kostar* ~*n?* what is the fare? *fri* ~ travelling expenses paid; *lycklig* ~*!* pleasant journey! *bege sig på* ~ set out on a journey; *företaga en* ~ undertake a journey; *vara på* ~ be [out] travelling; *vara ständigt på* ~ be constantly on the move; *på* ~*n* when travelling; on one's trip **2** *första* ~*n stöld* first conviction for theft **II** *itr,* go (travel) [*till lands* by land; *till sjöss* by water; *på tåg* by train; *med flyg* by air]; [av-] leave, depart [*till* for]; ~ *i affärer* travel on business; ~ *första klass* travel first class; *han har -t hem* he has left for home; ~ *kortaste vägen* take the shortest route; ~ *bort* go away; ~ *igenom* pass through; ~ *in till staden* run up to town; ~ *tillbaka* go back [*över Harwich* by Harwich]; ~ *ut till landet* leave for the country; ~ *utomlands* go abroad; ~ *vidare* proceed [on one's journey]; ~ *över Atlanten* cross the Atlantic
2 res|a I *tr* raise [*huvudet* one's head; *invändningar* objections]; erect [*ett minnesmärke* a monument]; set up [*ett krav* a claim; *en stege* a ladder]; ~ *mast* mast; ~ *ett tält* pitch a tent; ~ *talan* (*jur.*) lodge a complaint **II** *rfl* rise, get up; recover; ~ *sig på bakbenen* rear; *håret -te sig på hans huvud* his hair stood on end
res||ande I *a* [kring-] itinerant; *ett* ~ *teatersällskap* a touring company; *han är ständigt på* ~ *fot* he is always travelling [about] (on the move) **II** *s* traveller, passenger; visitor; *rum för* ~ lodgings *pl* **-ande|bok** hotel register; visitors' book **-dräkt** touring suit; [dams] travelling suit **-e|berättelse** travel report **-e|beskrivning** travel book **-e|bidrag** travelling allowance **-e|byrå** tourists' (travelling) agency, touring office, travel bureau **-e|check** travellers' cheque
reseda mignonette
res||effekter luggage (*Am.* baggage) *sg*; *förvaring av* ~ cloak (*Am.* check) room **-e|-grammofon** portable gramophone **-e|handbok** guide[-book] **-e|kostnader** travelling expenses **-e|kreditiv** [traveller's] letter of credit **-enär** traveller, passenger **-e|radio** portable radio (set)
reserv reserve; *i* ~ in reserve (store) **-ankare** emergency anchor **-arbete** unemployment relief work **-at** **-ation** reservation, reserve **-batteri** spare battery **-befäl** officers *pl* on the reserve **-del** spare part **-däck** spare tyre **-era I** *tr* reserve; keep .. in reserve; spare **II** *rfl* enter (make) a reservation [*mot* to]; *äv.* guard o.s. against **-erad** *a* reserved [*plats* seat]; [pers.] *äv.* reticent, aloof **-fond** reserve fund **-hjul** spare wheel
reservoar reservoir; [vatten- o. d.] tank, cistern **-penna** fountain pen
reserv||officer officer in the reserve[s *pl*] **-portion** emergency (iron) ration **-ring** spare tyre **-tank** reserve (emergency) tank **-utgång** emergency exit
res||eskildring travel book; [föredrag] talk on o.'s trip to .. **-e|skrivmaskin** portable typewriter **-e|stipendium** travelling scholarship (grant) **-e|tillstånd** travel permit **-feber** travel fever; *ha* ~ be excited about travelling (a journey) **-filt** travelling rug **-färdig** *a* ready to start **-gods** luggage; *Am.* baggage **-gods|expedition** luggage registration office **-gods|försäkring** luggage insurance **-gods|-förvaring** left luggage office; cloak (*Am.* check) room
resid||ens residence **-era** *itr* reside

resign||ation resignation **-era** *itr* resign [*inför* to] **-erad** *a* resigned
res||kamrat fellow-traveller, travelling companion; *vara ~er* (*äv.*) travel together **-kassa** money for travelling **-klädd** *a* dressed for a journey **-koffert** trunk **-lektyr** light reading
reslig *a* tall
reslust love of travel[s *pl*]
resning 1 raising; erection [*av en staty* of a statue] **2** [hållning] stature, carriage; *han har ingen ~* there is nothing elevated about him **3** [uppror] rising, revolt, rebellion **4** *jur.* review, new trial
resol||ut *a* resolute, determined, prompt **-ution** resolution; *kunglig ~* order in council **-vera** *tr* decree
reson reason; *ta ~* listen to reason, be reasonable; come round; *tala ~ med* reason (argue) with
resonans resonance **-botten** sound-board
reson||emang reasoning, argument[ation]; discussion **-emangs|parti** marriage of convenience **-era** *itr* reason, argue; discuss, talk over; *~ bort* explain away; *~nde* [bibliografi] annotated **-lig** *a* reasonable, sensible
respass *bildl.* dismissal; *få ~* be dismissed, get sacked; *ge ngn ~* give a p. the sack
respekt respect; [aktning] esteem, regard; *ha ~ med sig* inspire (command) respect; *med all ~ för* with all due deference to; *sätta sig i ~* make o.s. respected **-abel** *a* respectable, honourable **-abilitet** respectability **-era** *tr* respect; have respect (regard) for; esteem **-full** *a* respectful **-ingivande** *a* awe-inspiring **-ive** *adv* respectively **-lös** *a* disrespectful **-löshet** disrespect, lack of respect
respengar travelling cash *sg*
respirat||ion respiration **-or** breather apparatus
respit respite; *tio dagars ~* ten days of grace **-tid** respite, term of grace
res||plan travelling plan, itinerary **-pläd** travelling rug
respondent respondent, defendant
res||rutt route **-sällskap 1** *abstr* company on a journey; *vi få ~* we [are] travel[ling] together **2** *konkr* touring party; jfr *-kamrat*
rest 1 remainder; rest; [kvarleva] remnant; [lämning] relic; *komma på ~* get in arrears; *~en* [det övriga] the rest (remainder), what is left; [de andra] the others; *~er* leavings, oddments **2** *för ~en* besides, moreover; [trots det] for all that
restaur||ang restaurant **-ang|vagn** dining-car, restaurant car, diner **-ation 1** restaurant, refreshment room **2** *konst.* restoration **-atris** caterer **-atör** restaurant keeper **-era** *tr* restore
rest||bit [small] bit, end **-era** *itr* remain, be left; [skatt, skuld] be in arrears **-erande** *a* remaining; outstanding [*skuld* debt]; *~ skatter* arrears of taxes; *det ~* the arrears *pl;* the balance
restituera *tr* restore; pay back
rest||lager stock of left-overs **-längd** list of tax-payers in arrears **-lös** *a* exhaustive, final, definitive **-par** odd pair **-parti** remainder
restriktion restriction
restuppbörd collection of taxes in arrears
result||ant *fys.* resultant **-at** result; [verkan] effect; [följd] consequence; [utgång] outcome, issue; [slut-] upshot; *utan ~* to no purpose; of no avail; *~et blev därefter* the result was as might be expected **-at|-lös** *a* ineffective, futile **-era** *itr* result [*i* in]; *det ~de i att* the result was that
resum||é summary, recapitulation; précis *fr.* **-era** *tr* sum up, summarize
resurs resource, resort; *~er* (*äv.*) means; *sista ~en* the last resort
res||van *a* accustomed (used) to travelling **-vana** experience of travelling **-väska** travelling bag, gladstone
resår [elastic] spring **-band** elastic [ribbon] **-madrass** spring-mattress
ret||a *tr* **1** *läk.* irritate [*huden* the skin]; stimulate [*aptiten* the appetite] **2** [egga] excite [*ngns nyfikenhet* a p.'s curiosity]; *~ ngns begär* kindle a p.'s desires **3** [förarga] provoke, vex, annoy, fret; *~[s med]* tease, chaff **-ande** *a* irritating, exciting; provoking **-bar** *a* irritable, excitable **-else** irritation **-hosta** hacking cough
retirera *itr* retreat; retire
ret||lig *a* irritable; [grinig] fretful; [lätt-] touchy; [argsint] irascible **-lighet** irritability; fretfulness &c **-ning** irritation; excitation; *psyk.* stimulus
retor||ik rhetoric **-isk** *a* rhetorical
retort retort **-flaska** spherical flask
retro||aktiv *a* retroactive **-spektiv** *a* retrospective
reträtt retreat; *slå till ~* sound the retreat; *ta till ~en* retreat **-linje (-plats)** line (post) of retreat
retsam *a* provoking, annoying, vexatious; [på skämt] teasing, mocking
retur return; *tur och ~* both ways; *andra klass tur och ~* second class return; *vara på ~* be declining (on the wane) **-biljett** return (*Am.* round-trip) [ticket] **-gods** returns, goods returned **-nera** *tr* return, send back **-porto** reply postage
retuscher||a *tr* retouch, touch up **-ing** retouching, touching up
reumat||isk *a* rheumatic **-ism** rheumatism
1 rev *fisk.* fishing-line
2 rev [sand-] bank; [klipp-] reef
3 rev *sjö.* reef
1 reva *tr* o. *itr* [take in a] reef; shorten sail
2 reva [ranka] tendril, runner
3 reva [i tyg o. d.] rift, tear, rent; [spricka] crack
revansch revenge; *ta ~* take one's revenge, revenge o.s. **-era** *rfl* **se** *föreg.* **-lysten** *a* eager for revenge **-parti** return game (match)
revben rib **-s|spjäll** spare rib[s *pl*]
revelj [*blåsa* beat the] reveille
reverens reverence
revers note [of hand]; **F** IOU (I owe you) **-al** promissory note
revidera *tr* revise; [räkensk.] audit
revir ranger's district
revis||ion revision, revisal; [av räkensk.] audit **-ions|berättelse** auditor's report **-or** *hand.* accountant; [i förening] auditor
revolt revolt, insurrection **-era** *itr* revolt **-ledare** leader of a revolt
revolution revolution **-era** *tr* revolutionize **-s|anda** spirit of revolution **-s|rörelse** revolutionary movement **-är** revolutionary
revolver revolver **-bandit** gangster
revorm *läk.* ringworm
revy review; *teat.* revue, show; *passera ~* file (march) past
revär facing
Rhen the Rhine **-vin** Rhine wine, hock
ria kiln
ribb||a lath, spar **-stol** gymnasium ribs *pl*
ricinolja castor oil
rid||a *tr* o. *itr* ride [on horseback]; *~ för ankare* ride at anchor; *~ i galopp (skritt, trav)* gallop (pace, trot); *~ i sporrsträck* ride post-haste; *~ på ord* quibble, split

hairs; ~ *in en häst* break in a horse; ~ *ut stormen* weather [out] the storm **-ande** *a* riding; ~ *polis* mounted police **-bana** riding-ground **-byxor** [riding-]breeches

riddar‖dikt chivalric poetry **-e 1** knight [*av* of]; *vandrande* ~ knight-errant; *bli* ~ be knighted **2** (*kok.*) *fattiga* ~ bread fritters **-hus,** *R~et* the House of the Nobility **-rustning** knight's armour **-slag** accolade; *få ~et* be dubbed a knight **-sporre** *bot.* larkspur **-tiden** the age of chivalry **-väsen** chivalry

ridder‖lig *a* chivalrous, *litt.* chivalric; *bildl.* gallant, courteous **-lighet** chivalry, gallantry **-skap,** *~et och adeln* the Nobility **-s|man** chevalier, knight

rid‖dräkt riding costume (habit) **-häst** saddle-horse, riding-horse; mount **-knekt** groom **-konst** horsemanship **-lärare** riding-master **-piska** [riding-]whip, crop **-skola** riding-school **-spö** horsewhip, riding crop **-stövel** riding-boot **-tur** ride **-väg** bridle path

ridå curtain

rigg rig[ging], tackling **-a** *tr* rig [out]; ~ *av* unrig; ~ *upp* (*bildl.*) deck, trim

rigorös *a* rigorous

rik *a* **1** rich [*på* in]; ~ *fantasi* vivid imagination; ~ *på minnen* full of memories; *i ~t mått* abundantly **2** [förmögen] *äv.* wealthy, well-off; *de ~a* the rich; *bli* ~ get rich, make money **3** [-lig] ample [*förråd* supply]; *~t urval* choice assortment **4** [fruktbar] fertile

rike kingdom; [större] empire; [friare] realm; *det tusenåriga ~t* the millennium; *tillkomme ditt* ~ Thy kingdom come

rik‖edom richness [*på* in]; [välstånd] wealth; riches *pl;* [friare] abundance [*på* of] **-e|man** rich man **-haltig** *a* rich, plentiful **-lig** *a* rich, ample, plentiful; abundant; ~ *mängd* abundance

rikoschett ricochet, rebounding shot **-era** *itr* ricochet, rebound

riks‖angelägenhet national affair **-arkiv** Public Record Office, State Archives *pl* **-bank** national bank, Bank of England o.s.v. **-bekant** *a* famous; [i dål. bet.] notorious **-bibliotek** National Library **-dag** Parliament; [utomengelsk] *ibl.* diet **-dags|beslut** resolution of Parliament **-dags|debatt** parliamentary debate **-dags|grupp,** *den* [*socialdemokratiska*] *~en* members *pl* of the [Socialist] party [in Parliament] **-dags|hus** House[s] of Parliament; Parliament House **-dags|man** member of Parliament (M.P.) **-dags|mandat** seat in Parliament **-dags|parti** party [represented in Parliament] **-dags|upplösning** dissolution of Parliament **-dags|val** general election, election to Parliament **-föreståndare** regent **-förrädare** traitor **-förräderi** high treason **-gräns** frontier (boundary) of a (the) country **-gäld** public (national) debt **-kansler** Lord High Chancellor; [i Tyskland] Reich Chancellor **-olycka** national disaster **-omfattande** *a* nation-wide **-planering** national planning **-råd** [pers.] councillor **-rätt** *ung.* court of impeachment **-samtal** *tel.* trunk call **-språk** standard language **-telefon[linje]** trunk (toll) line **-vapen** national coat of arms **-viktig** *a* .. of a national importance **-äpple** orb

1 rikta *tr* [göra rik] enrich

2 rikta *tr* direct; address [*en anmärkning till* a remark to]; aim [*ett slag mot* a blow against]; [eldvapen] level [*mot* at]; ~ *en anklagelse mot* make an accusation against; ~ *en fråga till* put a question to; ~ *en uppmaning till ngn att* request a p. to; ~ *uppmärksamheten på* draw attention to

riktig *a* right, correct; [verklig] real, true; [behörig] proper; *det ~a* the right thing; *en* ~ *vän* a true (real) friend; *en* ~ *snobb* a regular snob; *en* ~ *skurk* a veritable scoundrel; *han är inte* ~ he is not quite right in his head **-het** rightness; [lämplighet] propriety; [noggrannhet] accuracy; [överensstämmelse med sanning o. god ton] correctness; *avskriftens* ~ *intygas* we hereby certify that this is a true (correct) copy; *det äger sin* ~ [*att*] it is a fact [that]; *medge ~en i* admit the justice of **-t** *adv* **1** right[ly]; *mycket* ~ quite right; sure enough **2** [alldeles o.d.] quite, perfectly, completely; ~ *bra* very well; *det är* ~ *synd* it is really a pity; *jag vet inte* ~ I don't exactly know; *inte* ~ *övertygad* not fully convinced; *inte* ~ *nöjd* not altogether pleased; *jag mår inte* ~ *bra* I'm not feeling quite well; *och ganska* (*mycket*) ~ .. and sure enough ..

rikt‖karl pivot-man **-linje** *lantm.* guide-line; *mil.* line of aim; *bildl.* direction, guiding principle, term of reference; *ge ~r* (*äv.*) outline **-ning 1** direction, course; *i* ~ *mot* in the direction of **2** *bildl.* tendency [*mot* towards]; course, line; *ge samtalet en annan* ~ direct the conversation into a different channel; *i den ~en* to that effect; *i samma* ~ on similar lines **-pris** fixed price **-punkt** *mil.* point of aim **-övning** aiming drill

rim rhyme; *utan* ~ *och reson* without rhyme or reason

rimfrost hoar-frost, rime

rimlexikon rhyming dictionary

rimlig *a* reasonable [*pris* price]; [sannolik] likely, probable, plausible; [måttlig] moderate [*anspråk* (*pl*) demands]; *inte mer än ~t* no more than reasonable (fair); *det finns intet ~t skäl att* there is no earthly reason why **-het** reasonableness &c; *inom ~ens gränser* within the limits of reason **-t|vis** *adv* reasonably, justly

rimma I *itr* rhyme [*på* with]; *det ~r illa med* (*bildl.*) it doesn't tally with **II** *tr* rhyme, turn into verse

rimsalta *tr* salt [. . lightly]

rimsmidare poetaster, rhymester

ring 1 ring; [yttre bil-, cykel-] tire (tyre); [inre] tube **2** [krets] circle, ring; *bot.* o. *zool.* collar; [kring solen] corona; [kring månen] halo **3** *skol.* one of the four top classes in a secondary school

1 ringa I *a* **1** small, little; slight [*ansträngning* effort]; *ett* ~ *bevis på* a small proof (token) of; *av* ~ *värde* of small value; ~ *efterfrågan på* little demand for; *i* ~ *grad* to a small extent; ~ *tröst* poor consolation; *ytterst* ~ infinitesimal **2** [obetydlig] inconsiderable (insignificant) [*vinst* profit] **3** [enkel] humble (lowly) [*härkomst* origin]; *min* ~ *person* (*mening*) my humble self (opinion) **4** ~ *likhet* distant likeness; *på* ~ *avstånd* at a short distance **II** *adv* = *2 föga II*

2 ring|a *itr* ring; ~ *på dörrklockan* ring (press, pull) the [door-]bell; *det -er* there is a ring; ~ *av* ring off; ~ *på sköterskan* ring for the nurse; ~ *upp ngn i telefon* give a p. a ring; call a p. up on the [telephone

ringakt‖a *tr* despise; look down upon; [starkare] contemn, disdain **-ande** *a* contemptuous, disdainful; [nedsättande] disparaging, depreciatory, slighting **-ning** contempt (disdain) [*för* for (of)]; *visa* ~ *för* hold in contempt

1 ringare bell-ringer

2 ring||are I *a* smaller &c; *i ~ grad* in a lesser degree; [underlägsen] inferior [*än* to]; *ingen ~ än* no less a person than **II** *adv* less **-ast I** *a* least &c; *inte det ~e tvivel* not the slightest [shadow of a] doubt; *inte den ~e utsikt* not an earthly chance; *utan ~e anledning* without the least (slightest) provocation **II** *adv* least; *inte det ~e* not [in] the least, not at all
ring||blomma marigold **-dans** round dance **-duva** wood-pigeon **-|el** ring; [lock] curl; *-lar av rök* (*äv.*) wreaths of smoke **-finger** ring-finger **-formig** *a* ringshaped, annular
ringhet smallness, insignificance; [socialt] humbleness, lowliness; [ringare värde] inferiority
ring||klocka bell **-knapp** bell push (button)
ringla I *tr*, *~* [*upp*] coil **II** *itr* [om flod, väg o. d.] wind; [om rök] curl **III** *rfl* coil, wind
ringledning bell-wiring; *elektrisk ~* electric bell[s *pl*]
ring||lek se *-dans* **-maskar** annulata **-mur** town wall **-muskel** sphincter **-märka** *tr* ring
ring||ning ring[ing] **-signal** bell signal
rinn||a *itr* run [*av* off]; [strömma] flow, stream; [droppa] trickle, drip; [om blodet] course, circulate; *tårarna runno nedför hennes kinder* tears were flowing down her cheeks; *sinnet rann på honom* he lost his temper; *~ upp* [om flod] have its rise; *~ över* flow over **-ande** *a* running
ripa grouse; [snö-] ptarmigan
rips rep
1 ris [papper] ream [of paper]
2 ris [säd] rice
3 ris 1 [kvistar] sticks (twigs) *pl;* brushwood **2** [till straff] rod, birch; *få smaka ~et* get a taste of the birch; *ge ~* whip, birch **-a 1** *tr* se *aga II* **2** [ärter o. d.] stick **-bastu** birching
ris||fält rice-field **-gryn** *koll* rice; *ett ~* a grain of rice **-gryns|gröt** rice-porridge **-gryns|pudding** rice pudding
risig *a* scrubby [*mark* ground]
risk risk; *löpa en ~* (*~en att..*) run a risk (the risk of.. -ing); *med ~ att bli* on the peril of being; *på egen ~* at one's own risk; *ta ~er* take chances; *utan ~* safely
riska lacteous agaric
risk||abel *a* risky, dangerous **-era** *tr* risk, run the risk of, venture, hazard, jeopardize **-fri** *a* safe **-moment** risk
ris||knippa fag[g]ot **-koja** hut of twigs **-kvast** birch-broom **-kvist** stick, twig
rismjöl rice flour
risp ravellings *pl;* waste silk
rispa I *s* scratch; [i tyg] rent, rip **II** *tr* scratch; [riva sönder] tear (slit) open; *~ upp* rip (tear) up; pick out [*trådarna* the threads] **III** *rfl* **1** scratch o.s. **2** [om tyg] fray
1 rista *tr* carve; [runor] cut; *~ in* engrave
2 rista *tr* o. *itr* shake [*på huvudet* one's head]
rit rite
rit||a *tr* draw [*figurer* figures]; *~ av* make a sketch of **-are** draughtsman, designer **-bestick** drawing set **-block** sketch block **-bord (-bräde)** drawing-table (-board) **-lärare** drawing-master **-ning** drawing; [till byggn.] *äv.* design, sketch **-papper** drawing-paper
ritsa *tr* scratch
rit||sal (-skola) art room (school) **-stift 1** [penna] drawing pen[cil]; [kol] charcoal **2** [hållare] crayon-holder
ritt ride, riding-tour

ritual ritual **-mord** ritual murder
riva I *tr* **1** [klösa] scratch **2** *~ i stycken* tear to pieces; *~ hål i* tear a hole in; *~ upp* crack, split; *~ upp en armé* rout an army; *~ upp såret på nytt* make the wound bleed afresh **3** [döda] tear (kill) [*en ko* a cow] **4** [ett hus] pull down, demolish **5** [med rivjärn] grate **II** *rfl* scratch o.s.; *~ sig i huvudet* scratch one's head
rival rival **-isera** *itr* be rivals [*om* in (for)]; *~ med* (*äv.*) compete with **-itet** rivalry, competition
riv||ande *a* *bildl.* tearing [*fart* pace]; [energisk] enterprising (pushing) [*fruntimmer* woman] **-e|bröd** grated bread-crumbs *pl* **-en** *a* grated [*ost* cheese] **-järn** grater, rasp; *bildl.* shrew, vixen **-ning** [av hus] demolition, pulling down
1 ro 1 [vila] rest, repose; [stillhet] quiet; [ostördhet] tranquillity; [frid] peace; *få ~* have (be left in) peace; *jag får aldrig ~ för honom* he gives me no peace; *jag ger mig ingen ~ förrän..* I will not rest until..; *i lugn och ~* in peace and quiet; *slå sig till ~* make o.s. comfortable; [slå sig ner i lugn] settle down; [från verksamhet] retire; *bildl.* sit with one's arms folded; *taga det med ~* take it (things) easy **2** *för ~[s] skull* for fun; *inte för ~ skull* not for nothing
2 ro *tr* o. *itr* row, scull; pull; *han ~r bra* he is a good oarsman; *~ duktigt* (*på*) pull hard (away); *fara ut och ~* go out rowing; *~ hit med..!* **F** fetch (hand) over..! *vä~tt!* (*sjö.*) easy all!
roa I *tr* amuse; [underhålla] entertain; *boken ~de mig mycket* the book afforded me much amusement; *vara ~d av* like (be fond of) [*att dansa* dancing]; enjoy [*att segla* sailing]; *inte vara ~d av* not care for **II** *rfl* amuse (enjoy) o.s.; *hon bara ~r sig* (*äv.*) she lives only for pleasure
robot robot **-bas (-bomb -raket -vapen)** robot base (bomb, rocket, weapon)
robust *a* robust; [grov] rough
rock coat, jacket; *för kort i ~en* not up to the job
rocka ray
rock||ad [schack] castling **-era** *itr* castle
rock||ficka coat pocket **-hängare** coat suspender **-skört** coat-tail **-uppslag** lapel **-vaktmästare** cloak-room attendant
rodd row[ing]; *sport. äv.* boating **-ar|bänk** seat **-are** rower, oarsman; boatman **-ar|lag** crew **-båt** row[ing]-boat **-klubb** rowing-(boating-)club **-sport** boating **-tur** row, pull **-tävling** boat-race
rod|er helm *äv. bildl.;* rudder; [på flygplan] control surface; *lyda ~* answer the helm; *sitta vid -ret* be at the helm **-blad** rudder blade **-inrättning** rudder gear **-maskin** *sjö* steering gear; *flyg.* servo unit **-skada** damage to the rudder &c **-spel** steering gear **-stock** rudder stock
rodn||a *itr* turn red; flush; [av blygsel] blush [*av* for; *över* at] **-ad** redness; [av blygsel] blush; [plötslig] flush
rododendron rhododendron
roff||a *tr* o. *itr* [röva] rob; *~ åt sig* grab **-eri** robbery
ro||fylld *a* peaceful, tranquil **-givande** *a* soothing
rojal||ism royalism **-ist -istisk** *a* royalist
rokoko rococo
rolig *a* [roande] amusing; [underhållande] entertaining (interesting [*bok* book]); [lustig] funny; [glad] merry [*kväll* evening]; *ha ~t* enjoy o.s., have a good time; **F**

have great fun; *det är ~t att* .. it is great fun to ..; *det var ~t att råkas* I am very pleased to have met you; *det var ~t att höra* I am glad to hear [it]; *så ~t att ni kunde komma* I'm so glad you could come; *o så ~t!* how nice! what fun! **-het,** *säga ~er* make jokes, be witty **-hets|minister** amusement maker; the life and soul of the party
roll part, character; *spela Hamlets ~* act the part of Hamlet; *spela en stor ~* (*bildl.*) play an important part; *det spelar ingen ~* it doesn't matter; it makes no difference; *spela en ömklig ~* cut a very poor figure; *han har spelat ut sin ~* he is played out; *det blev ombytta ~er* the tables were turned **-fördelning** cast of the characters **-innehavare** actor of a part **-skapelse** character creation
rolös *a* restless
Rom Rome
1 rom [fisk-] spawn, hard roe; *lägga ~* spawn
2 rom [sprit] rum
roman novel **-diktning** fiction **-författare** writer of novels, novelist **-hjälte (-hjältinna)** hero (heroine) of (in) a novel
romanist Romanist, Romance philologist
roman‖litteratur fiction **-läsning** novel-reading
romans romance; *mus.* romanza
romansk *a* [kultur] Romanic; [språk] *äv.* Romance; [arkitektur] Romanesque
romant‖ik romance; *litt.* Romanticism **-iker** Romanticist; *bildl.* romantic **-isera** *tr* make romantic, romance **-isk** *a* romantic; [känslosam] emotional
romar‖e Roman **-inna** Roman matron (lady) **-väldet** the Roman Empire
romb rhomb[us] **-oid** rhomboid
romersk *a* Roman [*rätt* law] **-katolsk** *a* Roman Catholic
rond round; [vaktposts] beat
rop 1 cry [*av* of; *på* for]; [högt] shout [*på* for]; [skrik] scream, yell; *koll* clamour **2** [på auktion] bid **3** *i ~et* fashionable, in vogue; *vara i ~et* be all the cry **-a** *tr* o. *itr* cry, call out; [starkare] shout, scream, yell; *~ på a)* [ngt] call for [*hjälp* help]; *b)* [ngn] call [out to]; *c)* [vid auktion] bid on; *~ till* cry out [*av smärta* with pain]; *~ upp* call over [*namn* names] **-are** *sjö.* speaking-trumpet, megaphone
ror‖gängare helmsman, steersman **-kult** tiller **-kätting** rudder chain **-s|man** se *-gängare*
1 ros rose; *ingen ~ utan törnen* no rose without a thorn; *dansa på ~or* lie on a bed of roses
2 ros *läk.* erysipelas
3 ros praise; *~ och ris* praise and blame
rosa *tr* praise, commend
rosafärgad *a* rose-coloured, rosy *äv. bildl.*
rosen‖blad rose-leaf **-buske** rose-bush **-gård** rosary **-kindad** *a* with rosy cheeks **-knopp** rose-bud **-krans** garland of roses **-olja** oil of roses **-rasande** *a* **F** furious, raging, mad **-röd** *a* rosy; *i -rött* with rose-coloured spectacles **-trä** rosewood
rosett bow, rosette
ros‖ig *a* rosy **-marin** rosemary
rossl‖a *itr* rattle **-ing** [*döds-* death] rattle
1 rost 1 [på järn] rust, corrosion; *angripen av ~* corroded by rust **2** [på säd] brand, blight
2 rost [galler] grate
1 rosta *itr* rust, get rusty; *gammal kärlek ~r aldrig* old love never fades
2 rosta *tr* roast [*kaffe* coffee]; [bröd] toast; *~t bröd* [*med smör*] [buttered] toast
rostbeständig *a* rustproof, rust-resistant
rostbiff roast beef
rost‖bildning formation of rust **-brun** *a* rusty brown **-fläck** spot of rust; [på tyg] iron-mould **-fri** *a* stainless (non-corroding) [*stål* steel] **-ig** *a* rusty
1 rostning [järns] rusting
2 rostning *kok.* roasting; toasting
rostskydd anti-corrosive
rot root [*på, till* of]; *språkv.* base; *dra ~en ur* (*mat.*) extract the root of; *ha sin ~ i* originate from; *slå ~* strike (take) root *äv. bildl.*; *gå till ~en med* go to the bottom of; *rycka upp med ~en* tear up .. by the roots; *bildl.* uproot, wipe out **-a I** *itr* **1** root **2** [böka] poke about; *~ fram* dig up; *~ i* rummage [*en kappsäck* the contents of a suitcase] **II** *rfl* strike (take) root
rotation rotation; revolution **-s-** i *sms* [of] rotation, rota[to]ry **-s|axel** axis of rotation **-s|hastighet** rotational velocity, speed of rotation **-s|press** rotary press
rot‖bildning radication, formation of roots **-blad** radical leaf **-blöta F** soaker, drench[er] **-borste** fibre brush
rote *mil.* file; *gymn.* squad
roter‖a *itr* rotate, revolve **-ande** *a* rota[to]ry, revolving
rot‖fast *a* rooted; *bildl.* ingrained **-frukt** root **-fyllning** *tandl.* root-filling **-fästa** *rfl* se *-a II* **-knöl** tuber, bulb **-lös** *a* rootless **-löshet** rootlessness **-märke** *mat.* radical sign **-saker** roots **-skott** ground-shoot, sucker **-stock** root-stock, rhizome
rotting rattan [cane] **-stol** cane-bottomed chair
rottråd fibre of a root
rotvälska lingo, mixed language
roué roué *fr.*
rov 1 prey; *vara ett ~ för* be a prey to; *bildl. äv.* be preyed upon by; *gå ut på ~* be on the prowl *äv. bildl.*; *inte akta för ~ att göra ngt* think nothing of doing (not disdain to do) a thing **2** [byte] booty, **spoil[s *pl*], plunder**
rova turnip
rov‖djur beast of prey **-drift** predatory cultivation; exploitation **-fågel** bird of prey **-girig** *a* rapacious, ravenous; predatory **-girighet** rapacity
rovolja rape (colza) oil
rov‖riddare robber-knight **-stekel** hymenopter[on]
rubb, *~ och stubb* lock, stock, and barrel; *sälja ~ och stubb* clear out the entire stock
rubb‖a *tr* **1** dislocate, disarrange; upset [*planer* plans]; [flytta] move **2** [ändra] alter; shake [*ett beslut* a resolution] **-ad** *a* [tokig] distracted; crazy **-ning 1** dislocation, disarrangement **2** [ändring] alteration, change **3** [störning] disturbance; *mentala ~ar* mental ailments
rubel rouble
rubin ruby
rubr‖icera 1 *tr* give a heading to, head; [i tidning] *äv.* headline **2** [beteckna] characterize **-ik** heading, title; [tidnings-] headline **-ik|stil** titling; [tidnings-] **F** headlinese
rucka *tr* regulate, adjust; *~ på ngns vanor* alter a p.'s habits
1 ruckel [kyffe] hovel, ramshackle house
2 ruck‖el [utsvävning] debauchery, revelry **-la** *itr* revel, lead a dissolute life **-lare** reveller; debauchee
1 rucklig *a* [fallfärdig] ramshackle, dilapidated
2 rucklig *a* [utsvävande] dissolute
ruckning adjustment, regulation

ruda crucian carp
rudiment rudiment **-är** *a* rudimentary
rudis *a* **F** ignorant; *vara ~ på* completely lack
ruelse remorse, compunction
1 ruff *sjö.* deck-house, poop
2 ruff *sport.* rough play **-a** *itr* play a rough game
ruffad *a* decked [*båt* boat]; *~ motorbåt* (*äv.*) motor-launch
ruffig *a sport.* rough
rufs‖a *tr ~ till* ruffle **-ig** *a* tousled (dishevelled) [*hår* hair]
rugg matted hair; [på matta o. d.] pile, nap **-a I** *tr* [matta o. d.] burr, roughen, nap **II** *itr* [om fågel] moult **-ig** *a* matted, rough; [väder] rough; *känna sig ~* feel seedy **-ning** [fågels] moult **-nings|tid** moulting time
ruin ruin; *bildl. äv.* wreck; *en ~ av sitt forna jag* a mere wreck of one's former self; *på ~ens brant* on the brink (verge) of ruin; *detta blev hans ~* this led to his ruin **-era I** *tr* ruin, bring .. to ruin; *bildl. äv.* wreck **II** *rfl* go bankrupt, break one's back **-erad** *a* ruined, bankrupt, **F** broke **-erande** *a* ruinous **-hög** heap of ruins **-stad** ruined city (town)
rul‖ad roll[ed fillet] **-ett** roulette *fr.*
ruljangs se *omsättning; sköta* [*hela*] *~en* run the [whole] show
rull‖a I *s* roll, list; *införa i -orna* (*mil.*) enrol **II** *itr* roll; *låta pengarna ~* squander money; *~ ihop sig* coil, roll up; *~ ned gardinerna* let (pull) down the blinds; *~ upp* uncoil; [gardin] pull up **III** *tr* roll; [rep] coil **IV** *rfl* roll [over]; *~ sig i stoftet* throw o.s. down in the dust
rullager ⊕ roller bearing[s *p'*]
rull‖ande *a, ~ materiel* rolling stock **-bana** *flyg.* landing ground, taxi strip **-e** roll; [tåg-] coil; [spole-] bobbin **-bord** roller table **-film** roll film **-gardin** [spring-] blind **-ning** roll[ing] **-skridsko** roller-skate **-sten** boulder **-stol** wheel-chair, Bath-chair **-sylta** collared brawn **-trappa** escalator **-tårta** Swiss roll
rulta I *itr* waddle; [barn] toddle **II** *s* podgy woman; [barn] toddler
1 rum 1 room; [rymd] space; *bereda ~ för* make room for; *300 få ~ i salen* the hall will hold 300; *ta stort ~* be bulky; *ett lufttomt ~* a vacuum **2** [plats] place, room **3** *i ~met* (*filos.*) in space; *i första ~met* in the first place; *sätta i första ~met* place .. first; *äga ~* take place; *intet ~ för tvivel* no place (room) for doubt **4** [bonings-] room; *pl äv.* lodgings; *~ åt gatan* (*gården*) front (back) room; *har ni något ~ ledigt?* do you have a room vacant? *ett ~ med en säng* (*dubbelbädd*) a single (double) room; *ta ~ på hotell* put up at a hotel **5** *sjö.* hold
2 rum *a, i ~ sjö* in the open sea
rumba rumba
ruml‖a *itr* revel, carouse **-are** reveller, carouser
rumpa buttocks *pl*, behind, posterior
rums‖adverb adverb of place **-antenn** indoor aerial (*Am.* antenna) **-arrest** house arrest; *mil.* open arrest **-brist** shortage of accommodation; housing shortage **-kamrat** roommate; *vara ~er* share the same room **-ren** *a, vara ~* [om hund] have clean habits, be house-trained **-temperatur** room temperature
rumstera *itr* rummage about
rums‖van se *-ren* **-värme** room temperature
Rumän‖ien R[o]umania **r-ier r-[i]sk** *a* R[o]umanian

run‖a rune, runic character **-alfabet** runic alphabet
rund I *s* round, circle **II** *a* round, circular; [knubbig] chubby, plump; *en ~ summa* a round (lump) sum; *i runt tal* in round figures; *ge med ~ hand* give generously **-a** *tr* **1** round [*av* off] **2** *sjö.* double; *flyg.* circuit **-blick** panorama **-båge** semicircular (Norman, Roman) arch **-bågs|fönster** round-arched window **-bågs|stil** Norman (Roman) style **-el** circle; [plats] circus; [blom-] round garden-bed **-fråga** [inquiry by] questionnaire **-hult** *sjö.* spar **-hänt** *a* liberal, generous **-järn** ⊕ round bar-iron **-kindad** *a* with round cheeks, chubby **-lig** *a* ample, abundant; [frikostig] liberal; *en ~ summa* a good round sum; *ta sig ~ tid* allow o.s. ample time; *det tar sin ~a tid* it will take a long time **-munnar** *zool.* cyclostomata **-målning** *bildl.* all-round picture **-ning** rounding; [båge] curve **-radiera** *tr* broadcast, transmit **-radio** radio, broadcasting, wireless **-radio|station** broadcasting station **-resa** circular tour, round **-rese|biljett** circular [tour] ticket **-skrivelse** circular [letter] **-såg** ⊕ circular saw **-tur** [i stad] sightseeing tour **-vandring** tour; *göra en ~ i staden* make a tour of the town **-virke** round timber **-ögd** *a* round-eyed
runforskning a (the) study of runes
runga *itr* resound, reverberate; *ett ~nde leve* a ringing cheer; *ett ~nde skratt* a roar of laughter
runinskrift runic inscription
runka *tr* o. *itr* rock, wag; [skaka] shake [*på huvudet* one's head]
run‖kunskap runology **-ristare** runer **-skrift** runic inscription **-sten** runic stone
runt I *adv* round; *~om*[*kring*] round about; *det går ~ för mig* my head is swimming; I feel giddy; *han lovar ~* he promises wonders **II** *prep, ~* [*om*] around; *jorden ~* all over the world; *året ~* all the year round
runtecken runic character
rupie rupee
rus intoxication *äv. bildl.*; inebriation; [state of] drunkenness; *få* (*ta*) *sig ett ~* get drunk; *sova ~et av sig* sleep off the effects of drink; *under ~ets inverkan* under the influence of drink (liquor)
rusa *itr* rush, dash; [vilt] tear, dart, fly; [motor] race; *~ mot sitt fördärv* run headlong to destruction; *~ nedför trapporna* tear down the stairs; *~ på* go for, fly at; *~ på dörren* rush (make a dash) for the door; *~ upp* start up; *~ upp ur sängen* spring out of bed; *blodet ~de upp i ansiktet på honom* the blood rushed to his face
rus‖dryck strong drink, intoxicant, liquor **-drycks|förbud** [total] prohibition **-ig** *a* = *berusad, drucken*
rusk bad (damp, drizzly) weather; *i regn och ~* (*ung.*) in rain and storm
1 ruska tuft, wisp; [träd-] lopped branch, bunch of twigs
2 ruska I *tr* shake; *~ ngn kraftigt* (*äv.*) give a p. a good shaking; *~ liv i* shake some life into **II** *itr, ~ i* (*på*) shake [*huvudet* one's head]; *~ upp* rouse; *~ upp sig* rouse o.s., stir o.s. up
ruskig *a* [väder] disagreeable; wet and chilly (stormy); [bostad] dismal, wretched; [illa beryktad] disreputable [*individ* person]; *en ~ historia* a nasty affair; *känna sig ~* feel out of sorts (**F** seedy)
ruskning shake, shaking
ruskprick *sjö.* broom-beacon(-perch)

ruskväder = *rusk*
rusning rush; run; [av motor] racing
russin raisin **-kaka** plum cake **-kärna** raisin-seed
rust‖a I *tr* arm; [fartyg, soldater] equip; jfr *ut~; ~ i ordning* get ready **II** *itr* prepare (make preparations) [*till* for]; [om stat] arm; *~ upp* rearm **III** *rfl* prepare o.s. (get ready, make preparations) [*till* for]; [väpna sig] arm o.s. **-ad** *a* prepared, well equipped; [väpnad] armed **-ibus** noisy child, romp **-kammare** armoury **-ning 1** *abstr* armament[s *pl*], war preparations *pl* **2** *konkr* armour **-nings|begränsning** reduction of armaments, arm[ament]s limitation **-nings|industri** arm[ament]s industry **-nings|program** [re]armament program[me]
ruta I *s* square; [i mönster] check, chequer; [fönster-] [window-]pane **II** *tr* checker, chequer; *~t papper* squared paper
ruter 1 *kortsp.* diamonds; jfr *hjärter* **2** *det är ingen ~ i honom* there is no go (nerve, pluck) (*äv.* **F** he has got no guts) in him
rutig *a* checkered, chequered
rutin routine, [professional] skill, experience **-arbete** routine job **-erad** *a* experienced, skilled, practised; *vara ~ (äv.)* be an old hand at it **-mässig** *a* routine, jog-trot **-mässigt** *adv* by routine
rutpapper squared paper
rutsch speed **-a** *itr* slide, glide **-bana** switch-back; [vid badstrand] water-chute
rutt route
rutt‖en *a* rotten, foul; [vatten] putrid; [tänder] decayed; *bildl. äv.* corrupt **-enhet** rottenness &c; putrescence; *bildl. äv.* corruption **-na** *itr* rot; [om vätska] become putrid; [om kropp] decay
ruva *itr* sit [on eggs], brood; *~ på (bildl.)* brood on (over)
rya rug
ryck 1 jerk, pull, tug **2** [anfall] fit, spell; [tid] spell; *ett ~* for a time (little while) **3** *stå ~en* stand the strain; take it
ryck‖a I *tr* jerk, pull, pluck; [våldsamt] snatch; *~ ngn i håret (skägget)* pull a p. by the hair (beard); *döden -te bort honom* he was carried off by death; *~ lös* wrench off; *~ med sig* carry (sweep) away; *~ till sig* grab, snatch, seize; *~ upp a)* pull up [*ogräs* weed], eradicate; *b)* [ruska upp] rouse (stir) . . up; *~ upp sig* pull o.s. together **II** *itr, det -te i hans mun* his mouth twitched; *~ ngn in på livet* press hard upon a p.; *~ närmare* approach; *~ på axlarna* shrug one's shoulders; *~ till ngns undsättning* hasten to a p.'s rescue; *~ an (fram)* advance; *~ fram med sanningen* come out with the truth; *~ in a)* [inskjuta] insert [*i* in]; *b)* [i militärtjänst] turn in; *c)* [i ett land] invade; *~ in i ngns ställe* take a p.'s place; *~ till* give a jerk (start), wince; *~ ut* [hår] pull out; [tand] extract; *mil.* strike camp, march out; *~ ut i fält* take the field **-ig** *a* jerky **-ning** pull, jerk; [nervös] twitch; *konvulsiviska ~ar* convulsions, spasms **-vis** *adv* by [fits and] starts
rygg back; *ha ~en fri* secure (cover) the retreat; *bildl.* be on the safe side; *hålla ngn om ~en* back (support) a p.; *kröka ~[en]* stoop down, *bildl.* cringe; *vända ~en mot* sit (stand o. s. v.) with one's back to; *vända ngn ~en (bildl.)* turn one's back [up]on a p.; *så snart jag vände ~en till* as soon as my back was turned; *bakom ngns ~* behind a p.'s back; *falla . . i ~en* attack . . from the rear; *sända kalla kårar längs ~en* send cold shivers down one's spine **-a I** *tr* **1** [häst] back **2** [svika] shirk (revoke) [*ett löfte* a promise] **II** *itr* [om häst] back; *~ tillbaka (bildl.)* recoil (shrink back) [*för* at, from]; *inte ~ tillbaka för några ansträngningar* shun no efforts **-fena** dorsal fin **-flygning** inverted flying **-kota** vertebra **-märg** spinal marrow (cord) **-rad** spine; *bildl.* backbone **-rads|djur** vertebrate **-rads|lös** *a* invertebrate; *bildl.* without backbone (**F** guts *pl*) **-sim** back-stroke **-skott** *läk.* lumbago **-stöd** [support for the] back; *bildl.* backing, support **-säck** knapsack, haversack **-ås** ridge of a house **-ås|stuga** log-cabin
ryk|a *itr* **1** smoke; reek; [pyra] smoulder; [ånga] steam, fume; *det -er in* the chimney is smoking **2** *~ ihop* fly at each other; *~ på'* attack
rykt currying, grooming; *språkets ~ och ans* the cultivation of the language **-a** *tr* curry, groom
ryktbar *a* famous, renowned; celebrated; *en ~ person (äv.)* a celebrity **-het** fame, renown; [nedsätt.] notoriety; [person] celebrity
ryktborste grooming-brush, curry-comb
rykte 1 reputation, repute, character, name; [ära] fame, renown; *ens goda namn och ~* one's reputation; one's fair name and fame; *bättre än sitt ~* better than one's reputation; *ha ~ om sig att vara* be reputed (said) to be, pass for **2** [prat] rumour, report; [skvaller] gossip; *blott ett ~* mere rumour; *lösa ~n* vague reports (rumours); *enligt ett gängse ~* according to a common report; *det går ett ~ att* the report goes (a report is current, it is rumoured) that **-s|flora** crop of rumours **-s|smidare** spreader of reports, newsmonger **-s|vis** *adv* by common report, by hearsay
rymd 1 space; *bildl.* region, sphere; *i ~en* in the atmosphere (air); *i högre ~er* in the upper regions; *i den yttre ~en* in outer space **2** [mått] capacity **-dräkt** space-suit **-farare** space navigator (travel[l]er), astronaut **-fartyg (-fordon)** space ship (vehicle) **-flygning** space flight **-forskare** space scientist **-forskning** space research **-färd** space flight (voyage) **-geometri** geometry of space **-kammare** space chamber **-man** space[-]man **-mått** cubic measure **-navigering** space navigation **-plan** space plane **-program** space program[me] **-projekt** space project **-projektil** space missile **-raket** space rocket **-resenär** space travel[l]er, astronaut **-skepp** space ship **-skott** space shot **-sond** [raket] space probe **-station** space station **-strålning** space radiation **-teknik** space technology **-utforskning** space exploration (investigation) **-vetenskap** space science (technology) **-ålder,** *~n* the Space Age
rymlig *a* spacious, roomy; [båt o. d.] capacious; [vid] large, ample; *ett ~t samvete* an elastic conscience
rymling runaway; *mil.* deserter
rym‖ma I *itr* run away; [om fånge] escape; *mil.* desert; [om kvinna] elope; *~ fältet* quit the field **II** *tr* [innehålla] contain, hold; [ha plats för] take, accommodate, seat **-mare** se *-ling* **-mas** *dep, där ryms inte många* there is not room for many **-ning** escape; *mil.* desertion **-nings|försök** attempt to escape (run away)
rynk‖a I *s* **1** wrinkle, pucker **2** [på kläder] crease, fold; *sömn.* gather **II** *tr* **1** *~ pannan* frown; knit (pucker) one's brows; *~ på näsan åt* turn up one's nose at **2** *sömn.* gather **III** *rfl* pucker; fall into

creases **-fri** *a* free from wrinkles **-ig** *a* wrinkled, furrowed
rysa *itr* shiver (shake, tremble) [*av* with]; shudder [*av fasa* with terror]; *blotta tanken kommer mig att ~* I shudder at the mere thought
rysch ruche, frill
rysk *a* Russian **-a 1** [språk] Russian **2** [kvinna] Russian lady (woman) **-fientlig** *a* anti-Russian **-japansk** *a* Russo-Japanese **-vänlig** *a* pro-Russian
ryslig *a* dreadful, terrible, **F** awful; [att se på] hideous **-het,** *~er* horrors; [begångna] atrocities **-t** *adv* dreadfully &c; *~ gärna* with great pleasure; *det är ~ snällt av dig* it is most awfully kind of you
rysning shiver, shudder
ryss Russian
ryssja bow-(purse-)net
Ryssland Russia
ryt||a *itr* roar; [om pers.] *äv.* shout (bawl, yell) [*åt* at]; [storm] howl **-ande** roar[ing] &c
rytm rhythm **-ik** rhythmics *pl* **-isk** *a* rhythmical
rytt||are rider, horseman **-arinna** horse woman, lady rider **-ar|staty** equestrian statue **-mästare** cavalry captain
1 rå *a* **1** [ej kokt] raw [*kött* meat]; fresh [*frukt* fruit] **2** [obearbetad] crude [*malm* ore]; raw [*hudar* skins] **3** [väder] wet and chilly, bleak **4** *bildl.* coarse (crude, rude) [*seder* manners]; [grym] brutal; *~tt språk* foul language; *den ~a styrkan* brute force
2 rå *sjö.* yard
3 rå boundary, border
4 rå [skogs-] fairy, sprite
5 rå [bakverk] se *1 rån*
6 rå *itr* **1** [förmå] have the power (strength) to; *han ~r inte med det* it is too much for him, he cannot manage (cope with) it; *människan spår, men Gud ~r* Man proposes, God disposes **2** *inte ~ för* have no control of [*dröjsmålet* the delay]; *jag ~r inte för det* I cannot help it; *jag ~r inte för att* (*äv.*) it is not my fault that **3** *~ om* possess; *han ~r om båten* he owns (is the owner of) the boat; *~ om ngn* enjoy a p.'s company **4** *~ på* be stronger than, get the upper hand of; *jag ~r inte på dem* I cannot manage them
råbarkad *a* coarse, crude, boorish
råbock roe-buck
råd 1 advice; [av jurist o. d.] counsel; *ett gott ~* a piece of good advice; *ge goda (dåliga) ~* give good (bad) advice *sg*; *nu voro goda ~ dyra* now good advice was at a premium; *lyda ngns ~* take (follow, listen to) a p.'s advice; *fråga ngn till ~s* ask a p.'s advice, consult a p.; *bistå ngn med ~ och dåd* assist a p. with one's advice and help **2** [församling] council **3** [person] councillor **4** [utväg] means *sg* o. *pl*, expedient; *det är väl ingen annan ~* there is no other alternative; *det blir väl ngn ~* something is sure to turn up; *finna på ~* find an expedient (a way out); make shift; *veta ~* know what to do **5** [tillgång] means *sg* o. *pl*, resource; *jag har (inte) ~ till det* I can(not) afford it; *efter ~ och lägenhet* according to one's circumstances (means)
råd||a I *tr* advise, counsel, give .. advice; *om jag får ~ dig* if you will take my advice; *vad -er du mig till?* what would you advise me to do? *jag -er dig att inte* I warn you not to; *jag -er varken till eller från* I cannot advise you either way **II** *itr* **1** [härska] rule, be master; *om jag finge ~* if I had anything to say [in the matter]; *~ över* have control of **2** [vara -ande] [be] prevail[ing], predominate, rule; *det -er* [*intet tvivel*] there is [no doubt]; *det -er ett gott förhållande mellan dem* they are on good terms with each other **3** *~ bot på* [find a] remedy [for], set right **-ande** *a* prevailing [*förhållanden* conditions]; [gängse] prevalent (current) [*priser* prices]; *nu ~* actual, present; *bli ~* prevail
rådbråka *tr* **1** break .. upon the wheel; *känna sig alldeles ~d* feel stiff in every joint **2** [språk] mangle, torture; *~ engelskan* speak broken English
råd||fråga *tr* consult, confer with; ask a p.'s advice; *~ sin advokat* take legal advice **-givande** *a* consulting, consultative, advisory **-givare** adviser, counsellor **-givnings|byrå** advice bureau **-göra** *itr*, *~ med* consult (confer) with; *~ om* discuss **-hus** town hall, *Am.* city hall **-hus|rätt** the magistrates' court **-ig** *a* resolute; [i fara] good in an emergency **-ighet** resolution, presence of mind
rådjur roe[-deer] **-s|stek** [joint of] venison
råd||lig *a* advisable, expedient; [klok] wise, prudent, opportune; *icke ~t* unadvisable **-lös** *a* irresolute; [tillfälligt] perplexed, puzzled, at a loss; *bättre brödlös än ~* better breadless than headless **-löshet** irresolution, perplexity **-man** *ung.* alderman **-pläga** *itr* deliberate [*om* upon] **-plägning** consultation, conference **-rum** breathing-space; [frist] respite **-s|församling** council **s|herre** councillor **-s|kammare** council chamber **-slag** consultation, conference **-slut** decree **-slå** consult, confer **-s|republik** Soviet republic **-s|rysk** *a* Soviet **-sturätt** municipal court **-vill** *a* perplexed, puzzled, bewildered; irresolute [*angående* as to]; *aldrig ~* never at a loss **-villhet** perplexity, bewilderment; hesitation; irresolution
råg rye
råg||a I *tr* heap [*en tallrik* a plate]; [friare] fill up, overfill; *för att ~ måttet* to crown all **II** *s*, *till ~ på allt* on the top of everything else **-|ad** *a* full [to overflowing], brimful; *en ~ tesked* a heaped teaspoonful; *måttet är -at (bildl.)* this is the last straw, the cup is full
råg||ax ear of rye **-bröd** rye-bread, brown bread
råge full (good) measure
råg||fält rye-field **-mjöl** rye-flour **-skyl** rye-stook **-skörd** rye-crops *pl*
rågummi crude rubber
rågång boundary; line of demarcation *äv. bildl.*; [i skog] boundary clearing
råhet rawness; [ofinhet] coarseness, crudity; [våld] brutality
råk crack; rift
1 råka *zool.* rook
2 råka I *tr* **1** [möta] meet; come across, encounter; *~ på* come upon (across) **2** *~ målet* hit the mark **II** *itr* **1** happen (chance) [*vara* to be]; *~ falla* (*äv.*) meet with a fall **2** *~ i fara* incur danger; *bildl.* be endangered; *~ i förlägenhet* be embarrassed; [ekonomiskt] get into difficulties; *~ i förtvivlan* fall (sink) into despair; *~ i gräl* fall out, get into dispute; *~ i handgemäng* come to blows; *~ i händerna på* fall into the hands of; *~ i nöd (olycka, onåd)* fall into misery (misfortune, disgrace); *~ i raseri* be (get) infuriated, fly into a passion (rage); *~ i skuld* run into debt **3** *~ fast* get caught; *~ in i* get into, be involved in; *~ illa ut* get into trouble (**F** a hole); *~ ut för* come in for [*ovett* a scolding]; be caught by [*en storm* a

storm]; meet with [*en olyckshändelse* an accident]
råkall *a* cold, wet and chilly
råkas *dep* meet [one another]; *när ~ vi igen?* when shall I see you again?
råkopia proof [copy]
råkost uncooked vegetarian food; raw vegetables *pl* **-ätare** vegetarian, fruitarian
råma *itr* low, bellow, moo
råmaterial raw material[s *pl*]
råmjölk beestings *pl*
råmärke boundary-mark(-stone); landmark; *inom lagens ~n* within the [pales of the] law
1 rån [bakverk] waffle, wafer
2 rån violent robbery; hold-up; *~ på öppen landsväg* highway robbery **-a** *tr* rob **-are** robber **-försök** attempted robbery **-mord** robbery and murder
rånock *sjö.* yard-arm
rå‖olja crude oil **-produkt** raw product
råsegel square sail
rå‖siden raw silk, shantung **-socker** unrefined sugar **-sprit** crude alcohol **-tobak** raw tobacco
rått *adv* coarsely &c; in a brutal manner
rått‖a rat; [mus] mouse [*pl* mice] **-fälla** rat-trap **-gift** rat-poison **-hund** Scotch terrier **-hål** rat hole **-krig** war on rats **-svans** rat's tail; [fläta] pigtail **-unge** young rat **-utrotningsmedel** rat destroyer **-äten** *a* gnawed by rats
rå‖vara raw material **-varubrist** lack of raw material[s] **-ämne** raw material
räck *gymn.* [horizontal] bar
räck|a I *s* row, range; [i tiden] series, succession [*av händelser* of events] **II** *tr* hand (pass) [*tallriken* one's plate]; [överlämna] present; *~ ngn handen* hold out one's hand to a p.; *~ varandra handen* shake hands; *~ en hjälpande hand* extend a helping hand; *vill du ~ mig sockret?* may I trouble you for the sugar? **III** *itr* **1** [nå] reach; [sträcka sig] extend (stretch) [*från .. till* from .. to]; *han -er mig inte till hakan* he does not come up to my chin; *jag -er inte dit* it is beyond my reach; *dra så långt vägen -er!* go to blazes! *~ upp till* reach; *~ ut tungan* put out one's tongue **2** [vara nog] *~* [*till*] be enough (sufficient), suffice; *det -er (äv.)* that will do; *det -er inte långt (ingen vart)* that won't go far, it's not half enough; *inte ~ till (äv.)* fall short; *få pengarna att ~ till* make both ends meet, make the money go a long way; *maten -er en vecka* there is enough food for a week **3** [dröja] last; *det -te en god stund (inte länge) förrän* it was some time (not long) before; *det -er inte länge* it will not take long
räck‖e rail[ing], barrier; [trapp-] banisters *pl* **-håll** reach, range; *inom (utom) ngns ~* within (beyond) a p.'s reach **-vidd** reach, range, scope; [följd] consequence
räd raid *(äv. : göra en ~ i);* [flyg-] *äv.* blitz *ty.*
rädas *dep* dread
rädd *a* [*mycket* very much] afraid [*för* of]; [skrämd] frightened, alarmed, scared; [till naturen] timid, fearful, timorous; [bekymrad] anxious [*för* about]; *vara ~ för* [*en kris*] *(äv.)* fear [a crisis]; *gå och vara ~ för sitt liv* go about in fear of one's life; *vara ~ om* be careful with, be chary of; take care of
rädd‖a I *tr* save; [ur fara] rescue (deliver) [*från att* from ..-ing; *ur* out of]; *inte stå till att ~* be past help (recovery); *en ~nde ängel* an angel sent by Heaven **II** *rfl* save o.s. **-are** saver, deliverer
räddhåga fear, timidity
räddning rescue; delivery; salvation **-s|ankare** spare anchor; *bildl.* sheet-anchor **-s|apparat** life-saving apparatus **-s|bragd** rescue [feat] **-s|båt** rescue launch, life-boat **-s|löst** *adv* hopelessly, beyond hope (recovery); irretrievably [*förlorad* lost] **-s|manskap** rescue party **-s|medalj** life-saving medal **-s|planka** *bildl.* last resort
rädisa radish
rädsla fear, dread
räffla I *s* groove, flute, furrow; [i skjutvapen] rifle **II** *tr* groove; rifle
räfs‖a I *s* rake **II** *tr* o. *itr* rake **-pinne** tooth of a rake
räfst inquisition, inquiry; [straff] chastisement; *hålla skarp ~ med* severely call .. to account; castigate
räjong sphere, department; [räckvidd] range
räka prawn; [tång-] shrimp
räkel, *lång ~* lanky lubber, great lout
räkenskap account; *föra ~er* keep accounts; *granska ~erna* scrutinize (audit) the accounts; *avfordra ngn ~ för* call a p. to account, bring a p. to book; *avlägga ~ för* render (give) an account of, account for; *avsluta en ~* balance (settle) an account **-s|bok** account-book **-s|dag** *äv. bildl.* day of reckoning **-s|skyldig** *a* liable to render accounts **-s|år** financial year
räkna *tr* o. *itr* **1** count [*efter, över* over]; [be-] reckon, calculate; *~ ngn bland* count (class, number) a p. among; *~ ngn för* consider a p., regard a p. as; *~ ngn ngt till förtjänst (last)* give a p. the credit (blame) for a th.; *~ sig till godo* put down to one's credit; *~ med* count (reckon) upon; [ta med i beräkningen] allow for, reckon with; *~ på att ngn skall göra ngt* count upon a p. to do a th.; *högt ~t* at the outside; *lågt ~t* at a low estimate; *noga ~t* to be exact; *~t från och med i dag* counting (as) from to-day; *hans dagar äro ~de* his days are numbered; *~ fel (bildl.)* be mistaken (out) **2** *mat.* do arithmetic; cipher; *~ ett tal* do a sum **3** [uppgå till] number, contain; *staden ~r 100 000 invånare* the town contains a population of 100 000 **4** *~ av* deduct, subtract; *~ efter* count over; *~ efter vad det blir* see what it makes; *~ ihop* count (sum) up; [tal] add up; *~ upp* enumerate; [pengar] count out; *~ ut* [utfundera] think out; [förstå] make out; *mat.* work out
räkne‖bok [textbook of] arithmetic **-exempel** arithmetical example, sum **-fel** miscalculation, error of (in) calculation **-maskin** calculating machine **-mästare** arithmetician **-ord** numeral **-skiva** computer **-sticka** slide-rule **-sätt** method of calculation; *de fyra enkla ~en* the four [simple] rules of arithmetic **-tabell** calculation table **-tal** sum **-uppgift** arithmetical problem
räkning 1 *mat.* arithmetic, ciphering; *han är skicklig i ~* he is quick at figures **2** *hålla ngn ~ för* credit a p. for; *hålla ~ på (över)* keep an account of; *tappa bort ~en* lose count; *för egen ~* on one's own account; for one's own use; *för ngns ~* on behalf of a p.; *ett streck i ~en för* a disappointment to; *ta ngt med i ~en* take a th. into account; *lämna ur ~en* leave .. out of account **3** *hand.* account, reckoning; *konkr* bill, *Am. äv.* check; *löpande ~* running account; *göra upp ~en* settle one's account; *skriva ngt på ngns ~* put a th. down to a p.'s account; *skriva ut en ~* write out a bill, make out an account; *enligt förut lämnad ~* as per account

rendered; *ingå i ~en* be included in the bill; *föra upp på ~* put down to account; *omkostnaderna komma på hans ~* expenses are at his charge; *får jag be om ~en* [will you give me] the bill (*Am.* check), please; *vad stiger ~en till?* how much does the bill come to? *ta på ~* run up a bill; [varor] buy (take) . . on credit
räksallad shrimp salad
räls rail **-buss** rail-bus
rämna I *s* cleft, fissure, split; [i klippa] crevice; [i mur] crack; [i tyg] rent, slit **II** *itr* rend, split; crack
ränk‖er intrigues, machinations, plots, schemes; *smida ~ mot* intrigue (plot, scheme) against **-full** *a* intriguing, plotting, scheming; artful **-smidare** intriguer, schemer, plotter, machinator
1 ränna groove, furrow; [tak-] gutter; [farled] channel
2 ränn‖a I *itr* run; *~ i väg* (*äv.*) dash off; *~ omkring* gad about **II** *tr* run, plunge; *~ huvudet i väggen* knock (run) one's head against the wall **-ande** running; *här har varit ett förskräckligt ~ hela dagen* there have been an awful lot of people coming and going the whole day
ränn‖il runnel, rill **-ing** warp **-snara** noose
rännsten gutter, curb **-s|unge** street-boy, urchin, gutter-snipe
ränsel knapsack, kitbag
ränt‖a I *s* interest; [inkomst] revenue; *~ på ~* compound interest; *upplupen ~* interest accrued; *inbringa ~* bear (yield) interest; *mot hög (låg) ~* at a high (low) interest; *årlig ~* annuity; *ge 6 % ~* give (yield) 6 per cent; *lånet löper med 5 % ~* the loan runs at 5 per cent interest; *leva på sina -or* live on the interest of one's money; *ha .. i -or* have .. in private income; *det ska jag betala dig med ~!* I'll pay you back with interest! **II** *rfl* bring (yield) interest **-abel** *a* profitable; [rikt givande] lucrative, remunerative **-e|beräkning** calculation of interest **-e|bärande** *a* bearing interest **-e|fot** rate of interest **-e|fri** *a* free of interest **-e|frihet** exemption from interest **-e|förlust** loss of interest **-e|inkomst** interest on loans and securities **-e|räkning** interest account **-e|sats** rate of interest
rät *a* right [*vinkel* angle]; straight [*linje* line] **-a I** *s* right side, face **II** *tr* o. *itr*, *~ [på]* straighten, make .. straight; *~ på (upp) sig* draw (pull) o.s. up **-linjig** *a* rectilinear; [om pers.] straight-laced **-sida** = *-a I; få en ~ på saken* put the matter straight
1 rätt dish; [del av måltid] course; *dagens ~* today's special; *en middag med fem ~er* a five-course dinner
2 rätt I *s* **1** *få ~ på* find **2** *få ~* gain (carry) the point; prove right, turn out to be right; *ge ngn ~* declare a p. to be right; *du ger mig säkert ~ i att* I think you will agree that; *däri har du ~* you are right there; *du har alldeles ~* you are quite right; [*och*] *det gör du ~ i* and [you are] quite right too **3** [rättighet] right [*till* to (of)]; privilege; [rättvisa] justice; *lag och ~* law and justice; *förbehålla sig ~ till* reserve to o.s. the right to; *ge ngn ~ till* entitle a p. to; *ha ~ till att* have a (the) right to; *mer än han har ~ till* more than his due; *ta ut sin ~* claim one's due; *låta nåd gå för ~* temper justice with mercy; *vara i sin goda ~* be perfectly within one's right; *med full ~* (*äv.*) with good reason; *med ~ eller orätt* right or wrong; *komma till sin ~* (*bildl.*) appear to advantage, do o.s. justice; come into one's own **4** [lag] law; *den romerska ~en* Roman law **5** [domstol] court [of justice]; *inför högre ~* before a higher (superior) court; *inställa sig inför ~en* appear before the court **II** *a* [riktig] right; [sann] true; [felfri] correct; [lämplig] proper; [*det var*] *~!* that's it! good! *göra det som är ~* do the right (proper) thing; *det är ~ åt dig!* it serves you right! *det är inte mer än ~ och billigt* it is only fair; *det ~a* what is right; *det enda ~a* the proper (right) thing; *träffa det ~a* find the right mean[s]; *~e mannen* the very (right) man; *nämna en sak vid dess ~a namn* call a spade a spade; *~a ordet* the proper word; *i ordets ~a bemärkelse* in the proper sense of the word; *~a orsaken* the real cause; *på sin ~a plats* in its (o. s. v.) proper place; *i ~an tid* at the right moment; *i ~a ögonblicket* at the psychological moment; *den ~e ägaren* the rightful owner **III** *adv* **1** [rakt] right; straight; *~ fram* straight on; *~ och slätt* quite simply; *~ upp i ansiktet* straight to one's face **2** *~ som det var* all at once; suddenly, all of a sudden **3** [riktigt] right; *allt står inte ~ till här* everything is not all right here; *om jag minns ~* if I remember rightly; *eller ~are sagt* or rather **4** [tämligen] quite; fairly, **F** pretty; *~ bra* (*äv.*) not too bad
rätta I *s* **1** *med ~* rightly, justly, deservedly; *och det med ~* and right[ful]ly so; *finna sig till ~* find one's way; [trivas] feel at home; *hjälpa ngn till ~* lend a p. a hand, set a p. right; *komma till ~* [hittas] be found, turn up; [reda sig] manage, get along; *komma till ~ med* manage, handle; [pers.] *äv.* bring .. round; *ställa till ~* arrange, order; set (put) right; *gå till ~ med* expostulate with **2** *draga* (*ställa*) *ngn inför ~* take (enter) proceedings (bring an action) against a p., bring a p. to justice (before the court); *stå inför ~* be (stand) at the bar, be brought to trial **II** *tr* **1** correct [*fel* mistakes]; *~ till* (*äv.*) set . . right **2** [avpassa] accommodate; *~ på* (*äv.*) adjust [*sin slips* one's tie] **III** *rfl* **1** [ändra sig] correct o.s. **2** *~ sig efter a)* [om pers.] accommodate (adjust) o.s. to [*omständigheterna* circumstances]; conform to [*bestämmelserna* the regulations]; observe [*föreskrifter* prescriptions]; obey [*befallning*[*ar*] orders]; follow [*modet* the fashion]; comply with [*ngns önskningar* a p.'s wishes]; *ha ngt att ~ sig efter* have a th. to go by; *b)* [om sak] agree with, conform to
rättare *lantbr.* farm foreman
rättegång action, [law]suit; legal proceedings *pl;* [rannsakning] trial; *börja ~ mot* bring an action against, sue; *föra en ~ mot* carry on a suit against; *vinna ~en* win one's case **-s|biträde** counsel **-s|förhandlingar** proceedings of the court; *öppna ~na* open the court **-s|handling** judicial act; *~ar* [dokument] written proceedings **-s|kostnader** law expenses; [utdömda] costs **-s|sal** court-room
rätt‖eligen *adv* by rights, rightly, justly **-else** correction, [i bok] emendation; [ss. rubrik] Errata **-e|snöre** rule, guide; guidance; guiding principle; *ta .. till ~* (*äv.*) be guided by . . **-fram** *a* straightforward; [öppenhjärtig] outspoken, frank; [uppriktig] candid **-framhet** straightforwardness &c; candour
rättfärdig *a* just, righteous; *sova den ~es sömn* sleep the sleep of the just **-a I** *tr*

[pers.] vindicate, exculpate; clear .. of a charge; [sak] justify, warrant **II** *rfl* clear (vindicate, exculpate) o.s.; exonerate o.s. [*från en anklagelse* from a charge]; *~ sig inför ngn* justify o.s. to a p. **-göra** *tr* justify, vindicate **-görelse** justification [*genom tron* by faith] **-het** justice, righteousness; *uppfylla all[an] ~* fulfil all righteousness
rätt‖haveri cavilling, dogmaticalness **-ighet** right; jfr *2 rätt I 3;* privilege; [befogenhet] authority; *ha ~ till* be entitled to
rättika black (turnip) radish
rättmätig *a* rightful, lawful, legitimate; fair [*begäran* demand]; *ha ~a anspråk på* have just (legitimate) claims to; *~ innehavare* holder in due course; *en ~ sak* a good (rightful) cause
rättning *mil.* alignment, dressing; *~ höger!* right-dress!
rättrogen *a* orthodox **-het** orthodoxy
rättrådig *a* just; [redbar] honest, upright **-het** uprightness; justice; honesty
rätts‖anspråk legal claim (demand); *göra sina ~ gällande* put one's legal claims forward **-begrepp** idea (concept[ion]) of justice; *stridande mot alla ~* contrary to all ideas (notions) of right and justice **-fall** legal case **-fråga** legal question **-förfarande** judicial procedure **-förhållanden** [i stat] judicial system *sg* (institutions) **-gill** **-giltig** *a, vara ~* [om pers.] be a competent witness; [om sak] be valid in (before the) law **-handling** judicial act **-historia** history of law
rätt‖sinnad *a* right-minded, upright **-s|innehavare** assignee; claimant **-sinnig** *a* honest **-skaffenhet** uprightness, honesty, integrity **-skaffens** *a* upright, righteous, honest **-s|kemi** chemical jurisprudence, forensic chemistry **-s|kemisk** *a* chemico-forensic
rättskrivning spelling, orthography **-s|fel** spelling mistake
rätts‖kränkning violation of justice (law) **-kunskap** legal knowledge **-känsla** sense of justice **-lig** *a* juridical; [domstols-] judicial; [laglig] legal [*grund* basis]; *medför ~ påföljd* will be legally prosecuted; *~t skydd* protection of the law **-lära** jurisprudence **-lärd** *a* jurisprudent, learned in law **-lös** *a* lawless; without legal rights; *förklarad ~* outlawed **-löshet** lawlessness, anarchy **-medicin** forensic medicine **-medicinsk** *a* medico-forensic **-medvetande** legal conscience; se *-känsla* **-ordning** legal (judicial) system **-sal** court **-samhälle** law-respecting society **-skipning** = *lag-* **-säkerhet** legal security
rätt‖stavning [correct] spelling, orthography **-s|tillstånd** legal state; *det osäkra ~et (äv.)* the uncertainty of law and order **-s|tjänare** court officer **-s|uppfattning** view of law and justice **-s|vetenskap** jurisprudence **-s|vidrig** *a* contrary to law, illegal **-s|väsen** judicial system
rättvis *a* just [*sak* cause; *dom* sentence]; impartial [*domare* judge]; well-deserved [*straff* punishment]; fair [*fordran* demand]; *det är inte mer än ~t* it is only fair (just); *pröva ~t att* deem (judge it) fair to **-a 1** justice, fairness; *göra ~ åt* do justice to; *låta ~n ha sin gång* let justice be done; *skipa ~* do (dispense) justice; *i ~ns namn (bildl.)* in the name of [all] fairness **2** *falla (överlämna) i ~ns händer* fall (deliver) into the hands of the law **-ande** *a* [klocka] correct; true [*kurs* course] **-ligen** *adv* in justice (fairness)
rättänkande *a* right-minded, fair-minded, unbias[s]ed

rätvinklig *a* rectangular; ⊕ square
räv fox; *ha en ~ bakom örat* be a sly fox, be up to some trick; *surt, sa ~en om rönnbären* sour grapes, said the fox **-aktig** *a* fox-like, foxy; *bildl.* cunning, sly **-farm** fox farm **-gryt** = *-lya* **-hane** he-(dog-)fox **-hona** she-fox, vixen **-jakt** fox-hunt[ing] **-lya** fox-burrow, fox's den **-rumpa** *bot.* fox-tail **-sax** fox-trap **-skinn** fox-skin **-spel** fox and geese **-svans** fox-brush **-unge** fox-cub
rö reed
röd *a* red; [hög-] purple, scarlet; *bli ~* go red, flush; *bli ~ av vrede* flush with anger; *~ i ansiktet* flushed; *R~a armén* the Red Army; *R~a korset* the Red Cross; *~a hund (läk.)* roseola; *äv.* German measles; *se rött* see red; *den ~a tråden* the main theme [of the book]
röd‖akorsflagga (-akorssyster) Red Cross flag (nurse) **-aktig** *a* reddish **-bena** redshank **-beta** beet-root **-blommig** *a* rosy [*kind* cheek]; [friskt] ruddy **-blond** *a* sandy **-blå** *a* purple **-bok** copper beach **-brun** *a* russet, auburn **-brusig** *a* red-faced **-färg** red ochre **-glödga** *tr* make red-hot **-gul** *a* orange-coloured **-hake** robin **-hårig** *a* red-haired **-kantad** *a* red-bordered; *~e ögon* red-rimmed eyes **-kindad** *a* red-(rosy-)cheeked **-klöver** common purple trefoil, red clover **-krita** red crayon **-kål** red cabbage **-luva,** *lilla R~n* Little Red Riding Hood **-lätt** *a* ruddy, pinkish **-lök** onion **-måla** *tr* paint .. red **-näst** *a* red-nosed **-ockra** red ochre, earth red **-penna** red chalk pencil **-prickig** *a* mottled red **-randig** *a* red-striped **-rutig** *a* red-chequered **-skinn** redskin, Red Indian **-skäggig** *a* red-bearded **-sot** dysentery **-spotta** plaice **-sprit** methylated spirit **-sprängd** *a* bloodshot [*ögon* eyes] **-stjärt** redstart **-vin** red wine **-vingetrast** redwing **-ögd** *a* red-eyed
1 röja I *tr* [förråda] betray; [avslöja] expose [*sin okunnighet* one's ignorance]; [yppa] disclose, reveal **II** *rfl* betray (expose, reveal) o.s., give o.s. away
2 röj‖a *tr* o. *itr* clear [*mark* land]; *~ väg för* clear a path for, *bildl.* pave the way for; *~ ngn ur vägen* make away with a p.; *~ hinder ur vägen* remove obstacles; *~ undan* get rid of; *~ upp* tidy up **-ning** clearance; is. *konkr* clearing
rök smoke; [ånga] steam, fume[s *pl*]; *gå upp i ~* be consumed by fire; *bildl.* end in smoke, come to nothing; *ingen ~ utan eld* no smoke without a fire **-|a I** *itr* smoke; *-er ni? (äv.)* are you a smoker? *gör det något om jag -er?* do you mind my smoking? **II** *tr* smoke [cigars; *skinka* ham]; bloat [*sill* herring]; [desinficera] fumigate **-are** smoker; *kupé för icke ~* non-smoker **-bar** *a* smokeable **-bomb** smoke-bomb; *Am.* smoke-screen bomb **-bord** smoker's table **-don** smoking-tackle *sg* **-else** incense **-else|kar** censer, incensory **-eri** smoke-house **-fri** *a* free from smoke, smokeless **-fylld** *a* smoke-filled **-fång** chimney-hood **-färgad** *a* dun, smoke-coloured **-förgiftad** *a* poisoned by smoke **-huv** chimney-jack, cowl **-hål** vent-hole for smoke **-ig** *a* smoky, filled with smoke **-kupé** smoking-compartment, smoker **-lukt** smell of smoke **-moln** cloud of smoke **-ning** smoking; *~ förbjuden* no smoking [allowed] **-pelare** column of smoke **-puff** puff of smoke **-ridå** smoke-screen **-ring** wreath of smoke, smoke ring **-rock** smoking-jacket **-rum** [på båt] smoking-saloon **-skrift** sky-writing **-strimma** wisp (streak) of smoke **-svamp** puffball

rökt *a* smoked; ~ *sidfläsk* bacon; ~ *sill* kippered (red) herring, bloater; ~ *skinka* (*äv.*) cured ham
rökverk F smokes (smokables) *pl*
rölleka milfoil, yarrow
rön experience; [försök] experiment; [iakttagelse] observation **-a** *tr* experience [*motgång* a set-back]; meet with [*otacksamhet* ingratitude]; ~ *livlig efterfrågan* be in great demand; ~ *inflytande av* be influenced by; ~ *starkt intryck av* be deeply impressed by; ~ *samma öde* suffer the same fate
rönn mountain-ash, rowan-tree **-bär** rowan [-berry]; jfr *räv*
röntga *tr* X-ray
röntgen||apparat X-ray apparatus **-avdelning** radiotherapy (X-ray) department **-behandling** X-ray treatment, radiotherapy **-bestrålning** X-raying **-bild** radiograph, X-ray photograph **-diagnostik** radio-diagnosis **-fotografera** *tr* X-ray **-fotografi** radiograph, X-ray photograph **-genomlysning** radioscopy **-olog** radiologist **-stråle X-ray -terapi** radiotherapy **-undersökning** X-ray examination
rör 1 tube; [lednings-] pipe **2** *radio.* tube, valve; *fem~smottagare* five-valve receiver **3** *bot.* reed, cane; *spanskt* ~ Spanish reed
rör||a I *s* muddle, jumble; [virrvarr] confusion; *en enda* ~ an absolute mix-up (jumble) **II** *tr* o. *itr* **1** move (*äv.* : ~ *på sig*); stir [*en fot* a foot; *i gröten* the porridge]; [vid-] touch; ~ *i elden* poke in the fire; *inte* ~ *ett finger* not lift (stir) a finger; ~ *ihop* mix . . up, jumble . . together; *han -de ihop alltsammans* he made a muddle of the whole thing; ~ *om i brasan* stir (rake) up the fire; ~ *upp* stir up [*damm* dust]; ~ *upp himmel och jord* move heaven and earth **2** [angå] concern, affect; *det rör dig inte* it is none of your business **3** *bildl.*, ~ *till tårar* move to tears; *inte* ~ . . *det minsta* not affect . . in the least **III** *rfl* move, stir; *inte* ~ *sig ur fläcken* not budge from the spot; *inte en fläkt rör sig* there is not a breath of wind stirring; ~ *sig med mycket pengar* have a lot of money at one's disposal; *det rör sig om stora summor* large sums are involved; *vad rör det sig om?* what is it [all] about? **-ande I** *a* moving, touching, pathetic **II** *prep* concerning, regarding; as regards; with reference to [*detta förslag* this proposal] **-arbetare** plumber **-d** *a* moved, touched; *rört smör* creamed butter
rördrom bittern
rörelse 1 movement; *i* ~ on the move; [om maskin] in motion, *äv.* running; *hela stan är i* ~ the whole town is astir; *sätta . . i* ~ set . . working (running), start . .; *sätta fantasin i* ~ excite (stimulate) the imagination; *sätta sig i* ~ begin to move, start **2** [verksamhet] activity; [häftig ~] agitation, commotion, stir **3** *hand.* commerce, traffic; [affär] affair, business, concern; *släppa ut i ~n* put . . into circulation, issue **4** [själs-] emotion **-energi** energy of motion **-frihet** freedom of movement **-förlust** lost motion **-förmåga** faculty (power) of motion **-kapital** working capital **-riktning** direction of movement (motion)
rörformig *a* tubular
rörig *a* confused, jumbly
rörledning pipe-line, piping, conduit
rörlig *a* **1** [ej fast] movable, loose **2** [om pers., livlig] alert, brisk; [verksam] active, busy; [snabb] agile, nimble; *~t förband* (*mil.*) mobile unit; *ett ~t liv* an active life; *en ~ tunga* a glib (voluble) tongue **3** *~t kapital* floating capital **-het** mobility; movableness; agility, nimbleness; [psykisk] alertness, activity
rör||läggare plumber **-läggning** plumbing **-mottagare** *radio.* valve receiver (set) **-socker** cane sugar
rös[e] cairn, heap of stones
röst 1 voice; *ha* ~ have a [good] voice; *med hög* (*låg*) ~ in a loud (low) voice; *höja* (*sänka*) *~en* raise (lower) one's voice; *det ligger inte för min* ~ (*bildl.*) it is not in my line; *folkets* ~ popular opinion **2** *polit.* vote; *avge sin* ~ give one's vote [*för* for]; *äv.* go to the poll; *nedlägga sin* ~ abstain from voting; *bli vald med allas ~er* (*äv.*) be unanimously elected **-a** *itr* vote [*för, på* for]; [invälja med slutna sedlar] ballot; ~ *för att* propose (suggest) that; ~ *om ngt* put a th. to the vote; ~ *ja* (*nej*) vote for (against) **-ande** *s* voter **-antal,** *det högsta ~et* the majority [of votes] **-berättigad** *a* entitled to vote; *vara* ~ have a vote; *en* ~ a qualified elector **-läge** pitch [of the voice], register **-längd** register of electors (voters) **-ning** voting, vote; ballot **-omfång** compass of voice **-räkning** counting of votes **-rätt** right to vote; suffrage, franchise; *allmän* ~ universal suffrage; *kvinnlig* ~ women's suffrage; *fråntaga ngn hans* ~ disfranchise a p. **-rätts|reform** franchise reform **-sedel** voting (ballot) paper, vote **-siffra** total of votes **-värvning** canvassing **-övervikt** majority
röt||a I *s* rot, decay; [ben-] erosion **II** *tr* rot **-månad,** *~en* the dog-days *pl* **-månadshistoria** tall tale **-ägg** rotten (addle[d]) egg; *bildl.* failure, bad egg, black sheep
röva I *tr* rob [*ngt från ngn* a p. of a th.] **II** *itr* loot, plunder
rövar||band robber-gang **-e** robber, highwayman **-historia** *bildl.* cock-and-bull story, yarn **-händer,** *falla* (*råka*) *i* ~ fall among thieves **-hövding** robber chief **-kula** robber's den **-liv,** *föra ett* ~ make a terrible noise **-näste** haunt of robbers **-pris F,** *för* ~ dirt cheap, for an old song **-roman** *bildl.* **F** [shilling] shocker
röveri robbery, brigandage, plundering

S

sabbat Sabbath; *fira ~[en]* observe (keep) the Sabbath **-s|afton** Sabbath-eve **-s|brott** breach of the Sabbath, Sabbath-breaking **-s|dag** Sabbath[-day] **-s|vila** Sabbath rest
sabel sabre **-balja** scabbard, sabre sheath **-formig** *a* sabre-shaped; *bot.* ensiform **-fäste** sabre-handle **-hugg** sabre-cut **-skrammel** *eg. bet.* clank (clash) of swords; *bildl.* swaggering, sword-rattling
sabla I *tr*, ~ *ned* (*bildl.*) crush, smash **II** *a* **F** cursed (damned, blasted) [*idiot* fool]

sabot‖age [*föröva* commit] sabotage **-era** *tr* sabotage [*ett arbete* a work]
sachs‖are Saxon **S-en** Saxony **-isk** *a* Saxon
sacka *itr*, ~ *efter* lag (drop) behind, straggle; ~ *akter över* (*sjö.*) drop astern, sag to leeward
sackarin saccharine
sadel 1 saddle [*äv.* på cykel o. d.]; *sitta fast* (*säkert*) *i* ~*n* sit one's horse well; *känna sig säker i* ~*n* feel safe in the saddle; *stiga i* ~*n* mount one's horse; *bli kastad ur* ~*n* be thrown off; *utan* ~ bareback **2** *slakt.* saddle **3** [på fiol] nut **-bom** saddle-bow **-bruten** *a* saddle-galled **-fast** *a*, *vara* ~ sit firm in the saddle **-gjord** saddle-girth, belly-band **-kammare** harness-room **-knapp** pommel [of a saddle] **-makare** saddler, harness-maker
sad‖ism sadism **-ist** sadist **-istisk** *a* sadistic
sadla I *tr* saddle, put the saddle on; ~ *av* unsaddle **II** *itr*, ~ *om* (*bildl.*) change one's opinion, tack about; **F** turn one's coat; [byta yrke] change one's profession
saffian saffian, morocco
saffran saffron
safir sapphire **-blå** *a* sapphire [blue] **-ring** sapphire ring
saft *allm.* juice; [beredd med socker] [fruit-] syrup; [kött-] gravy; [must] must **-a I** *tr* make juice &c out of **II** *rfl* make sap, run to juice **-butelj -flaska** bottle of juice &c **-ig** *a allm.* juicy *äv. bildl.*; [mogen] mellow; [om kött] juicy; *bildl.* highly (full-) flavoured (spicy) [*skildring* description] **-kräm** *eg.* fruit-juice thickened with potato-flour; *äv.* fruit cream **-lös** *a* juiceless, dry **-ning** juice (syrup)-making **-soppa (-sås)** fruit soup (sauce)
sag|a *allm.* fairy-tale; [nordisk] saga; *berätta -or* tell fairy tales (fancy stories); *hans* ~ *är all* he's finished and done for
sag|d *a* said; *det är för mycket -t* that is saying too much; *nog -t* suffice it to say; *rättare -t* to put it more exactly; *lättare -t än gjort* sooner said than done; *det är inte -t* it is not so certain; [ss. svar] *äv.* not necessarily; *som -t var* as I said before; *bra -t!* well put! *äv.* hear, hear! *oss emellan -t* between us
sag‖en, *det bär syn för* ~ it looks like it **-es|man** informant; *äv.* authority
sago‖berättare story-teller **-bok** story-book, fairy-tale book **-djur** fabulous animal **-figur** character out of a fairy-tale
sagogryn [pearl-]sago *sg*
sago‖kung legendary king **-land** wonderland, fairy-land **-lik** *a* fabulous; *en* ~ *tur* [a] fantastic [piece of] luck; *det låter* ~*t* it sounds fantastic **-prins (-prinsessa)** fairy [-tale] prince (princess) **-slott** fairy castle **-spel** fairy play
sak 1 *konkr* thing; [föremål] *äv.* object, article; [resgods] luggage (*Am.* baggage); ~*er* [tillhörigheter] belongings; *en sällsynt* ~ *(äv.)* a curio[sity] **2** *abstr* o. *bildl.* thing; [uppgift] task; [angelägenhet] matter, affair, business; [omständighet] circumstance; [fråga] question; *bara för den goda* ~*en* all for the good of the cause; *det är min* ~ it is (that's) my business; *det är inte min sak att . .* it is not for me to . .; *det är vår* ~ *att . .* it is up to us to . .; *förstå sin* ~ know one's business (**F** job); *göra sin* ~ *bra* do one's work (task) well; *sköt du din* ~*!* mind your own business! ~*en är den, att . .* the fact is that . .; *det är en annan* ~ that is quite a different matter; *det är en* ~ *för sig* that is a matter apart; *det är hela* ~*en* there is nothing more in it; ~*en i fråga* the matter in question; ~ *samma!* [i utrop] no matter! *det är* ~ *samma för mig* it is all the same to me; *ännu en* ~ another thing; *så förhåller sig* ~*en* that's the fact, that is how matters stand; *hans* ~ *står illa till* matters (things) look bad for him; *den* ~*en står ej att ändra* it cannot be helped; *jag tar* ~*en kallt* the matter (it) leaves me cold; *han har rätt i* ~*[en]* he is right in the main (essential); *det är inte så farligt med den* ~*en* it is not so bad after all; *gå rakt på* ~ go straight to the point, not beat about the bush, not mince matters; *vara säker på sin* ~ be sure of one's point; *till* ~*en!* [come] to the point! *hålla sig till* ~*en* keep (stick) to the point; *icke hörande till* ~*en* irrelevant; *vi återkomma till* ~*en* we shall return to that subject; *vad är att göra vid (åt) den* ~*en?* what is to be done in the matter? *rysliga* ~*er* horrible things; *det var snygga* ~*er!* that's a nice thing to hear! **3** *jur.* cause; *göra* ~ *av ngt* take a th. to court; *söka* ~ *med* try to pick a quarrel with; *åtaga sig ngns* ~ take up (espouse) a p.'s cause **-er** *a* guilty [*till* of]; jfr *skyldig* **-förare** lawyer, solicitor; [rättsligt biträde] *äv.* counsel **-förhållande** fact; ~*n* (*äv.*) state of affairs, circumstances of the case **-kunnig** *a* expert; *äv.* competent [*kännedom* knowledge]; *en* ~ an expert (a specialist) [på in]; *tillkalla* ~*a* call in expert advice **-kunnig|utlåtande** expert report (opinion); ~*n* (*äv.*) statements (verdicts) of the experts **-kunskap** [practical] knowledge of the subject; competence; *uttala sig med* ~ express o.s. with authority **-lig** *a* [verklig] real (material) [*skäl* reasons]; [nykter] matter-of-fact [*redogörelse* account]; [objektiv] objective, unbias[s]ed; [sak] founded on facts; [hörande till ~en] pertinent [*anmärkning* remark] **-lighet** objectivity; pertinence **-läge** se *-förhållande* **-löst** *adv* with impunity; [lätt] easily
sakn‖a *tr* **1** *allm.* lack; [vara utan] be without; [vara blottad på] be [de]void of [*känslor* feelings]; *jag* ~*r . .* I haven't got . .; *jag* ~*r ord för att uttrycka . .* I have no words (words fail me) to express . .; *han* ~*r sinne för humor* he has no sense of humour **2** [märka förlust el. frånvaro av] miss; *äv.* not find; [starkare] feel the loss of; ~*r du* [*ngt*]? do you miss . .? [har du förlorat] have you lost . .? **-ad I** *a* missed; [felande, borta] missing **II** *s* **1** [brist] lack (want) [*på* of]; [frånvaro] absence [*av* of]; *i* ~ *av* in want of [*underrättelser* information *sg*] **2** [känsla] regret; ~*en efter honom är stor* his loss is deeply felt; *känna* ~ *efter . .* miss . . **-|as** *itr dep* [fattas] be lacking; [böra finnas] be wanting; [vara önskvärd] be desired; [*fyra män*] *-ades . .* were reported lost (missing)
sakr‖al *a* sacral **-ament** sacrament **-amentskad** *a* **F** damned, blasted
sak‖register subject (general) index **-rik** *a* . . full of facts; *en* ~ *diskussion* (*äv.*) a weighty discussion
sakristia sacristy, vestry
sakskäl practical (positive) reason
sakt‖a I *a* [svag, lätt] low [*mumlande* murmur]; [steg, ljud o. d.] soft; gentle [*bris* breeze]; [långsam] slow; *vid* ~ *eld* over a slow fire **II** *adv* [låg, tyst] low; [milt] softly, gently; [långsamt] slowly; ~*!* (*sjö.*) easy ahead! ~ *framåt!* ~ *i backarna!* gently! steady! take it easy! *klockan går för* ~ the watch is slow; *tala* ~ speak in a

low voice; ~ *men säkert* slowly but steadily (surely) **III** *tr* o. *itr* [dämpa] muffle, hush; [göra långsammare] slacken; ~ *farten* (*äv.*) slow down **IV** *rfl* [minska] decrease, abate; [gå långsammare] slacken one's speed **-mod** *allm.* meekness; [mildhet] gentleness, mildness **-modig** *a allm.* meek [-spirited]; [mild] gentle, mild; *saliga äro de ~a* (*bibl.*) blessed are the meek
sal hall; [på sjukhus] [*allmän* public] ward
salamander *zool.* salamander
saldo balance [*mig till godo* due to me]
salicylsyra salicylic acid
salig *a* **1** *relig.* blessed **2** [om avliden] ~ *kungen* the late [lamented] king; ~ *i åminnelse* of blessed memory; *var och en blir ~ på sin fason* (*sitt sätt*) everybody is happy in his own way **-en** *adv,* ~ *avsomnad* dead and gone to glory **-görande** *a* saving; *den allena ~ tron* the only saving faith **-het** blessedness; [lycka] bliss
saliv saliva **-avsöndring** salivary secretion
sallad [*laga en* dress a] salad
sallat *bot.* lettuce **-s|huvud** head of lettuce
salmiak sal-ammoniac
salning *sjö.* cross-trees *pl*
Salomo Solomon **s~nisk** *a* Solomonic
salong saloon; [privat] drawing-room, parlour; [teater-] auditorium; *~en* [publiken] the audience **-s|gevär** saloon rifle **-s|hjälte** carpet-knight **-s|lejon** society lion **-s|mässig** *a* .. fit for the drawing-room; [*om* pers.] polite; [*icke* not] presentable **-s|plats** *sjö.* cabin (saloon) ticket **-s|vagn** drawing-room (Pullman) car
salpeter saltpetre; *kem.* nitrate of potassium **-halt** nitrosity **-syra** nitric acid
salsbord dining-room table
salt I *s* salt; *lägga .. i* ~ salt .. down, pickle .. **II** *a* salt **-ad** *a* salted, pickled **-grop (-gruva)** salt-(brine-)pit (mine) **-gurka** pickled cucumber **-halt** salinity, salt-content **-haltig** *a* briny, salty; *kem.* saliferous **-kar** salt-cellar **-lake** brine, pickle
saltomortal [*göra en* turn a] somersault
salt||sjö 1 salt lake **2** *~n* the sea **-sjö|fisk** sea-fish, salt-water fish **-sleke** salt-lick, lickstone **-smak** salty taste **-stod** pillar of salt **-stänk** salt spray **-syra** *kem.* hydrochloric acid **-vatten** salt-water, brine
salu, *till* ~ on (for) sale **-bjuda** *tr offer* .. for sale **-hall** market-hall, bazaar **-stånd** stall, stand, booth
salut salute **-era** *tr* o. *itr* salute
salu||torg market place **-värde** market value
1 salva *mil.* volley, round of cannon; salvo
2 salv||a salve, ointment, unguent **-else** unction, pathos **-elsefull** *a* unctuous; *äv.* oily; **F** soapy
samarbet||a *itr* collaborate; [samverka] *äv.* co-operate **-e** collaboration; *äv.* co-operation, joint work **-s|man** collaborator **-s|-organ** coordination agency **-s|politik** policy of cooperation **-s|villig** *a* cooperative
samarit Samaritan **-kurs** ambulance (Red Cross) course
sam||band connection; *stå i ~ med ..* be connected with ..; *sätta .. i ~ med* connect (combine, associate) .. with **-beskattning** joint assessment **-fund** association, corporation; [lärt] academy, [learned] society; *relig.* communion, congregation **-fälld** *a* joint [*ansvar* responsibility]; *äv.* common [*egendom* property]; [förenad] combined, united **-färdsel** intercourse, communications *pl;* traffic **-färds|medel** means *sg* o. *pl* of communication; [spårvagn o. d.] means *sg* o. *pl* (methods *pl*) of transport **-förstånd** concert, concord; agreement; [enighet] unity, unison; *komma till* ~ come to an understanding **-gymnasium** mixed (co-educational) gymnasium
samhälle 1 society, community; *en ~ts pelare* (*bildl.*) a pillar of society; *ställning i ~t* social standing **2** [stad, by] community; [kommun, i Sverige] commune, *Engl.* municipality **-elig** *a* social; *äv.* civil (civic) [*rättigheter* rights]
samhälls||anda public (social) spirit **-bevarande** *a* conservative **-fientlig** *a* anti-social, asocial **-form** form of society **-förbättrare** social reformer **-förhållanden** social conditions **-klass** class [of society] **-kunskap** civics *pl* **-lager** stratum (*pl* strata) of society; social stratum **-liv** social life **-lära** sociology **-maskineri** social organization **-medlem** member of a (the) community **-omstörtning** overthrow of the social order; revolution **-ordning** social order **-problem** social problem **-reform** social reform **-satir** social satire **-skick** social order (*äv.* conditions *pl*) **-skildring** description of society **-struktur** structure of society **-ställning** social position, position in society **-syn** social outlook
samexistens *polit.* coexistence
samhör||ande -ig *a* .. associated together; [inbördes] *äv.* mutually connected, related **-ighet** mutual connexion, solidarity
sam||klang accord, harmony; *i ~ med* in keeping with **-kväm** party, gathering **-känsla** community spirit **-könad** *a* androgynous, hermaphrodite
saml||a I *tr* collect [*pengar* money]; *äv.* gather [*fakta* facts]; [lagra] store up; [plocka] pick; [församla] assemble, congregate; [~ på hög] accumulate, heap up; ~ *sina krafter* collect one's strength [*till* for]; ~ *sina tankar* collect one's thoughts, **F** pull o.s. together **II** *rfl* collect (gather) [together]; [hopas] accumulate; *bildl.* collect o.s., **F** pull o.s. together **-ad** *a* collected; *~e skrifter* collected (complete) works [*av* by]; *hålla tankarna ~e* keep one's thoughts together; *i ~ trupp* in a body
samlag coition
saml||are *allm.* collector **-ar|mani** collecting mania **-as** *dep* **1** [om pers.] meet (come together) [*i* in]; [i en hop] flock together, congregate **2** *allm.* gather together **-ing 1** *abstr* collection, meeting; *mil. äv.* rallying **2** *konkr* collection; [av pers.] meeting, crowd; *ibl.* group; *en utvald ~* a choice collection, *iron.* a caboodle **-ings|ministär** coalition ministry **-ings|plats** meeting-place; *sport. o. d.* meet **-ings|punkt** rallying point **-ings|pärm** file **-ings|regering** coalition government **-ings|rum** assembly-room; common-room
samliv life in common, cohabitation; [äktenskapligt] married (wedded) life
samma I *a* [the] same [*som* as (*ibl.* that)]; [liknande] similar [*som* to]; *en och ~* one and the same; [*redan*] ~ *dag* that very [same] day; *på ~ gång* at the same time; *på ~ sätt* in like manner, similarly; *av ~ sort* (*storlek, ålder*) .. of a kind (a size, an age) **II** *pron, den samme* the same; jfr *densamme, detsamma* **-ledes** *adv* likewise, in the same manner (way)
sam|malen *a* coarse [*mjöl* meal]
samma|lunda = *-ledes*
samman *adv* together; jfr *ihop, tillsammans* **-binda** *tr* join; *äv.* connect **-biten** *a, med ~ energi* with relentless energy **-blanda** *tr* se *blanda* [*ihop*]; [förväxla] confuse **-blandning** *bildl.* confusion **-brott** collapse, break-

down **-drabba** *itr* se *drabba* [*samman*] **-drabbning 1** *mil.* encounter, engagement **2** *bildl.* clash, conflict **-drag** summary, abstract, synopsis; [översikt] survey **-draga I** *tr* **1** [samla] assemble; *mil.* rally, concentrate **2** contract [*muskler* muscles]; *vetensk.* constrict; *läk.* astringe **3** [förkorta] abridge **II** *rfl* contract; *som kan ~ sig* contractible **-dragande** *a* contracting; *läk.* astringent **-dragning 1** concentration [*av trupper* of troops] **2** contraction (constriction) [of muscles] **3** [förkortning] abridgement **-falla** *itr* [-träffa] coincide [*med* with] **-fallande** *a* coincident, congruent **-fatta** *tr* sum up, recapitulate **-fattning** abstract, summing up **-flyta** *itr* flow together; [om färger o. d.] run together; *bildl.* merge into each other **-flöde** confluence, junction **-foga** *tr* join [together]; se *äv. hop-; bildl.* unite, combine **-fogning** joining together; *konkr* joint **-föra** *tr* bring .. together; [förena] combine, unite **-gadda** *rfl* conspire together [*mot* against] **-hang** connection, relation; [i text] context; [följdriktighet] coherence; *brist på ~* incoherence; *fatta ~et* grasp the connection; *i ~ med* in connection with; *utan ~ med ..* independent of .. **-hållning** harmony, unison, unity; solidarity **-hänga** *itr* hang together; *bildl. äv.* be connected (united) [*med* with]; jfr *hänga* [*ihop*] **-hängande** *a* coherent [*tal* speech]; [utan avbrott] continuous **-kalla** *tr* [kalla tillsammans] call .. together; *~ ett möte* appoint a meeting [to be held]; *~ parlamentet* summon parliament [to meet] **-komst** gathering, meeting, conference; [av två pers.] interview **-koppla** *tr* se *koppla* [*ihop*] **-lagd** *a* entire, total; *deras ~a inkomster* their combined income[s] **-lagt** *adv* in all; jfr *inalles* **-pressa** *tr* compress **-satt** *a* compound [*ord* word]; [invecklad] complicated [*natur* nature]; [av olika delar] composite [*blomma* flower]; ⊕ *äv.* built up; *~ av* composed of; *vara ~ av (äv.)* consist of **-slagning** *bildl.* throwing together; *äv.* amalgamation (fusion) [*av två bolag* of two companies] **-sluta** *rfl bildl.* join [*i* in]; unite **-slutning** union, combination **-slå** *tr* put .. together; *bildl.* throw (turn) .. into one, unite **-smälta I** *tr* fuse, melt .. together; *bildl.* amalgamate **II** *itr* melt down; *bildl. äv.* coalesce; [t. ex. om färger] blend **-smältning** fusion, melting &c; [av färger] blending; *bildl.* merging, coalescence **-snöra I** *tr, mitt hjärta -snördes vid denna tanke* (*bildl.*) this thought wrung my heart **II** *rfl* compress; [om strupe] be constricted **-ställa** *tr* put (place) .. together; [t. ex. tankar, idéer] associate, combine; [två saker] compare; [gruppera] assort, class together **-ställning** placing together &c; *äv.* combination [*av fakta* of facts]; [för jämförelse] collation, comparison **-störta** *itr allm.* break down, collapse; [om byggnad] *äv.* fall in **-stötning** collision; *mil.* encounter; *bildl.* clash, conflict; [-fallande] coincidence **-svetsa** *tr* weld .. together **-svuren** *s* conspirator, plotter **-svärja** *rfl* conspire (form a plot) [*mot* against] **-svärjning** conspiracy, plot **-sätta** *tr* join, put .. together; *äv.* combine, compound; [av flera delar] compose (arrange) [*en matsedel* a menu] **-sättning** putting together, composition: [blandning] mixture; *mat.* o. *konkr* combination; *vetensk.* synthesis; *språkv.* compound **-sättnings|led** element **-träda** *itr* meet, assemble **-träde** [committee] meeting; jfr *-komst;* [om parlament el. domstol] session **-träffa** *itr* meet; [om omständigheter] coincide; [händelsevis] *~ med ..* run across .. **-träffande I** *a* concurrent, coincident **II** *s eg.* [möte] meeting; *bildl.* conjunction; [*ett egendomligt* a remarkable] coincidence **-trängd** *a* compressed (condensed) [*stil* style]; *äv.* concentrated **-vuxen** *a* grown together, consolidated, coalescent; *bildl. äv.* grown into each other **-väva** *tr* weave together, interweave **-växning** coalescence, accretion

sammel||surium omnium gatherum, medley, conglomeration, jumble **-verk** compilation

sammet velvet **-s|band** velvet ribbon **-s|byxor** velvet trousers **-s|len** *a* .. as [soft as] velvet; *äv.* velvety **-s|rock** velvet coat

samnordisk *a* internordic; inter-Scandinavian

samojed Samoyed

samordn||a *tr* co-ordinate **-ad** *a* co-ordinate

samovar samovar

sam||regent co-regent **-råd** consultation, conference; *i ~ med* in consultation with **-råda** *itr* consult, confer **-röre** collusion; underhand dealings *pl*

sams *a, bli ~* se *-as; åter bli ~* (*äv.*) make it up, be reconciled; *vara ~* be friends; *vara ~ med ..* be on good terms with .. **-as** *dep* agree [*med* with]; get on well together

sam||skola mixed (co-educational) school **-spel** ensemble; *teat. äv.* playing together; *ett ~ av* (*bildl.*) a [harmonious] combination of **-spelt** *a, vara ~a* play well together **-språk** conversation, colloquy; **F** [förtroligt] chat **-språka** *itr* converse; **F** have a chat [together] **-stämmig** *a* unanimous **-stämmighet** harmony, consonance; [enighet] agreement, unanimity

samt I *adv, ~ och synnerligen* each and all [of them]; *jämt och ~* always; incessantly, constantly **II** *konj* and [also], [together] with

samtal conversation; **F** [småprat] chat, talk; [lärt] discourse; [underhandling] conference; *får jag be om ett kort ~?* could you give me five minutes? *~ mellan fyra ögon* private interview, tête-à-tête; *bryta ~et* (*tel.*) interrupt the telephone conversation **-a** *itr* converse [*om* about]; talk [*om* about (of)]; [småprata] chat; [överlägga] confer [*med* with] **-s|form,** *i ~* in dialogue form **-s|språk** se *talspråk* **-s|ton,** *i ~* in conversational tone **-s|ämne** subject for (of) conversation; topic; *.. utgör allmänna ~t i staden ..* is the talk of the town

samtid, *~en* the age in which we live; our own times; *äv.* the present generation **-a** *a* o. *s* contemporary **-ig** *a* contemporaneous; [sammanfallande] coincident; [*~t* inträffande] simultaneous **-ig|het** simultaneousness; synchronism **-igt** *adv* at the same time [*med mig* as I]

samtlig *a, ~a* all ..; *äv.* .. all together, one and all; *~a kostnader* the total expenses **-en** *adv* all

samtrafik transfer (inter-company) traffic; *gå i ~ med* run in connection with

samtyck||a *itr* agree ([give one's] consent) [*till* [*att*] to]; *leende ~* smile assent; *den som tiger han -er* silence gives consent **-e** consent, assent; [gillande] *ibl.* approbation; [tillåtelse] permission; *med ditt ~* by (with) your leave (consent)

samum simoom, simoon

sam||varo being (time) together; *vår ~ i somras* the time we spent together last summer; *tack för angenäm ~* I have enjoyed your company very much **-verka**

itr co-operate; *bildl.* combine (conspire) [*till att* to]; [bidraga] contribute [*till att* towards] **-verkan** co-operation; concurrence [*av omsändigheter* of circumstances]
samvet‖e conscience; *~t slog honom* his conscience pricked him; *på heder och ~* on one's word of honour; *gott ~* a good conscience **-s|agg** *pl* pangs (stings, pricks) of conscience; compunction *sg; plågad av ~* (*äv.*) conscience-stricken **-s|betänkligheter** conscientious scruples (doubts) **-s|fråga** delicate (indiscreet) question **-s|förebråelse** remorse; *äv.* self-reproach; *göra sig ~r* reproach o.s. **-s|grann** *a* conscientious; [ängsligt] scrupulous; [petig] meticulous **-s|grannhet** conscientiousness **-s|kval** = *-s|agg* **-s|lös** *a* without [a] conscience, unscrupulous; [om pers.] *äv.* remorseless; [starkare] *äv.* infamous, corrupt **-s|ro** clear conscience **-s|sak** matter of conscience **-s|äktenskap** *ung.* free union **-s|öm** *a* overscrupulous; *en ~ (mil.)* a conscientious objector
samvälde, *det brittiska ~t* the British Commonwealth of Nations
sanatori‖e|vistelse (-e|vård) stay (treatment) at a sanatorium **-um** sanatorium
sand sand; jfr *grus; rinna ut i ~en (bildl.)* come to nothing **-a** *tr* sand; [grusa] *äv.* gravel
sandal sandal; *iklädd ~er* sandalled
sand‖bakelse *ung.* shortbread **-bank** sandbank **-botten** sand[y] bottom (soil)
sandelträ sandal wood
sand‖grop sand-pit **-gång** gravel-walk **-hög** heap (mound) of sand **-ig** *a* sandy **-jord** sandy earth (soil) **-korn** grain of sand **-låda** sandbox **-ning** sanding **-papper** sandpaper **-rev[el]** shoal [of sand]; bar of sand **-sten** sandstone **-storm** sand-storm **-strand** sand[y] beach **-såll** sand screener **-säck** sandbag **-tag** gravel-(sand-)pit **-öken** sandy desert
sanera *tr* reconstruct, reorganize; [ett slumkvarter] clear
sang *kortsp.* no trump
sangvin‖iker sanguine person; *bildl. äv.* optimist **-isk** *a* sanguine, optimistic, hopeful
sanitets‖gods sanitary ware **-teknik** sanitary technology **-väsen** public sanitary regulations *pl*
sanitär *a* sanitary
sank I *s, borra . . i ~* sink . . , scuttle . . **II** *a* low[-lying]; [vattensjuk] moist
sankt *a* saint; *S~e Per* St. Peter
sanktbernhardshund St. Bernard [dog]
sanktion sanction **-era** *tr* sanction, approve of
san|n *a* true [*mot* to]; [sanningsenlig] truthful; [verklig] real; [uppriktig] sincere; *en ~ kristen* a true Christian; *en ~ njutning* a real pleasure; *en ~ vän* a true (sincere) friend; *så -t jag lever* as sure as I live; *det var -t . .* by the way, . . **-a,** *~ mina ord!* you will see! **-dröm,** *han har ~mar* he has dreams that come true **-erligen** *adv* indeed; truly; [högre stil] verily; *det är ~ inte för tidigt* it is certainly not too soon **-färdig** *a* truthful, veracious **-färdighet** truthfulness, veracity **-ing** truth; [-färdighet] veracity; [verklighet] reality, fact; *äv.* verity; *den osminkade ~en* the plain (naked) truth; *det är ~* it is the truth; *tala ~* speak the truth; *~en att säga* to tell the truth; *säga ngn bittra ~ar* tell a p. some home truths; *komma ~en närmare* be nearer the point; *i ~* se *-erligen; hålla sig till ~en* stick to the truth
sannings‖enlig = *sannfärdig* **-enlighet** veracity; *äv.* truth[fulness] **-halt** veracity **-kärlek** love of truth, veracity **-sökare** seeker after truth **-vittne** witness to the truth **-älskande** *a* veracious, truth-loving
sannolik *a* probable, likely; [antaglig] plausible [*förklaring* explanation]; *det är ~t att han kommer* he is likely to come **-het** probability (likelihood) [*för att* that]; [rimlighet] plausibility; *efter (med) all ~* in all probability **-hets|beräkning** theory of probabilities
sann‖saga true story **-skyldig** *a* true, veritable **-spådd** *a, bli, vara ~* be proved a true prophet
1 sans = *sang*
2 sans senses *pl;* jfr *medvetande* **-ad** *a* sober [*omdöme* judgment]; [måttfull] moderate; [klok] sensible; [försiktig] prudent, cautious **-lös** *a* senseless, unconscious
sant *adv allm.* truly, sincerely; *tala ~* tell (speak) the truth
sard‖ell sardelle, anchovy **-in** sardine
sardonisk *a* sardonic [*leende* smile]
sarg *sjö.* ⊕ border, edging; [ram] frame
sarga *tr* lacerate; [fläka upp] gash
sark‖asm *abstr* sarcasm, causticity; *konkr* sarcastic remark; *äv.* gibe **-astisk** *a* sarcastic[al], caustic
sarkofag sarcophag|us [*pl* -i]
sarkom sarcoma
sarv rudd
sat‖an Satan, Lucifer; *ett ~s oväsen* a (the) devil (deuce) of a row **-anisk** *a* satanic[al]; devilish **-e** devil, demon; *stackars ~* poor devil
satellit satellite **-skott** satellite shot **-stad (-stat)** satellite town (country)
satin = *satäng*
satir satire [*över* upon] **-iker** cynic, satirist **-isk** *a* satiric[al]
satkäring bitch, vixen
sats 1 *mat., log.* proposition; *gram. vanl.* sentence; *filos.* thesis, theme **2** *mera konkr, mus.* movement; [dosis] dose; *kok.* batch; [uppsättning] set **3** *sport.* [*ta* take a] run; take off **4** *boktr.* type **-a** *tr* stake [*på* on]; *~ på fel häst* back the wrong horse **-accent** sentence stress **-analys** sentence analysis **-bindning** compound sentence **-byggnad** sentence structure **-del** part of [a] sentence **-fogning (-förkortning)** complex (contracted) sentence **-lära** syntax **-sammanhang** context
satt *a* broad-(thick-)set; *äv.* square-built
sat‖tyg devil[t]ry **-unge** imp
satyr satyr
satäng satin; [foder] satinet
sav sap *äv. bildl.* **-a** *itr* be in sap
savann savanna
sax [[a] pair of] scissors ([större] shears) *pl* **-a** *tr, ~ . . ur en tidning* cut . . out of a paper
sax‖are Saxon **-isk** *a* Saxon; jfr *sachs-*
saxofon saxophone
scen scene; [i teater] stage **-anvisning** stage direction **-arium** scenario **-bild** stage (scenic) picture; *äv.* scene **-eri** scenery **-förändring** change of scenery **-instruktör** producer **-konst** dramatic art **-vana** stage experience
sch *itj* chut! [tyst[be quiet!
schablon stencil[-plate]; *gjut.* modelling-board; [friare] pattern, model **-mässig** *a* made to pattern; [föraktl.] stereotyped
schabrak shabrack, housings *pl*
schack [*spela* play at] chess; *~! check! ~ och matt!* check mate! *hålla . . i ~* keep . . in check **-a** *tr* o. *itr* check **-bräde** chessboard **-drag** move [at chess]
schackel *sjö.* shackle

schack‖matt *a* checkmate *(äv. : göra . . ~); bildl. äv.* worn out, exhausted **-mästare** chess master **-parti** game of chess **-pjäs** chessman **-turnering** chess tournament
schackra *itr* chaffer, higgle, truck; *äv.* traffic [*med* in]; [om ngt] *äv.* bargain [*med* with]
schack‖ruta square of a chess-board **-spel** chess; *konkr* chess-board and [set of] men
schagg worsted shag
schagräng shagreen
schah shah [*av Persien* of Persia]
schakal jackal
schakt 1 ⊕ o. *gruv.* shaft, pit; [uppfordrings-] drawing-shaft **2** *bildl.* depth[s *pl*] **-a** *tr* excavate; ~ *bort (undan)* cut away, remove **-ning** excavation
schal shawl
schamponer‖a *tr* [give . . a] shampoo **-ings|-pulver** shampoo powder
schapp‖a *itr* **F** decamp; [smita] slink **-en, F** *ta till* ~ bolt, pack off; make o.s. scarce
scharlakan scarlet **-s|feber** *läk.* scarlet fever, scarlatina **-s|röd** *a* scarlet
schas *itj* scat! shoo! get out! be off [with you]!
schatter‖a *tr* shadow [out]; *äv.* shade (tone) off **-ing** shadowing, gradation [of colours]; *konkr* shade, tone
schatull casket; [skriv-] writing-case
schavott scaffold; [skampåle] pillory
schejk sheik[h]
schellack shellac
schema *allm.* schedule; *filos., vetensk.* outline, scheme; *skol.* time-table **-tisera** *tr* schematize **-tisk** *a* schematic; *en ~ ritning (äv.)* a sketch in outline
schimpans chimpanzee
schism [söndring] schism; [oenighet] division
schizofreni schizophrenia
schlager topical (catchy) song, hit **-sångare** pop singer
schnauzer schnauzer
Schweiz Switzerland **s~are** Swiss **s~er|ost** Swiss cheese, gruyère **s~isk** *a* Swiss, Helvetian **s~iska** Swiss woman (lady)
schvung verve
schäfer[hund] Alsatian wolf-hound; *Am.* German shepherd
schäslong lounge, couch
scout [boy] scout **-flicka** girl guide **-förbund** scout association **-ledare** scout-master, scouter **-läger** scout camp, jamboree **-löfte** scout vow **-rörelse** scout movement
se I *tr* o. *itr* **1** see; [titta] look; [uppfatta] perceive; [få ~] *äv.* catch sight of; [beskåda] look at, regard; [åse] *äv.* witness; *~ en skymt av . .* catch a glimpse of . .; *~r ni, du* you see (know); **F** don't you know; *väl (illa) ~dd* popular (unpopular); *få (låt) ~!* let us (me) see! *få ~ om . .* we will see if . .; *vi få väl se* that remains to be seen; *~ där!* look there! behold! *~ där är han!* why, there he is! *~här, hit!* look here! *~ inte dit!* don't look that way! *~ så!* now then! *~ så där [ja]!* well I never! [gillande] that's the way! **2** [med obeton. part.] *därav ~r jag att* from this I understand that; *~ efter a)* [om bortgående] gaze after; *b)* [söka] look for; *~ på* look at; [noggrant] watch; *ej ~ på besväret* not mind trouble; *jag ~r på dig att . .* I can see by your looks that . .; *~ till höger! (mil.)* eyes right! *~ åt ett annat håll* look away; *~ . . över axeln* look down upon . . **3** [med beton. part.] *~ tiden an* bide one's time, wait [and see]; *~ bort från = bort~* [*från*]; *~ efter* [undersöka] [look and] see [*om* if]; *jag skall ~ efter* I will look for it; *~ efter i . .* look in . .; [slå upp] look up in; *~ efter barnen* look after (take care of) the children; *~ igenom* [genomse] look over; [flyktigt] run through; *~ ned på* look down upon; *~ på* look on; *~ på hur jag gör [det]* watch how I do it; *~r man [bara] på!* just look! why [, did you ever]! *jag har inte ~tt till honom* I have seen nothing of him; *~ till att* see to it that; *~ till att du inte . .* mind you don't . .; *~ upp!* look sharp! *~ upp för* look out for, mind; *~ upp med . .!* be on your guard against . .! *~ ut* [synas] seem, look; *hon ~r bra ut* she is good-looking; *det ~r bra ut* that looks well; *~ ut som . .* look like . .; *hur ~r den ut?* what does it look like? *så du ~r ut!* what a sight you are! *det ~r så ut* it looks like it; *det ~r ut att bli regn* it looks like rain **II** *rfl, ~ sig om* look round [*efter* for]; [i världen] see the world
seans seance
sebra zebra
sed custom; [enskilds] habit; jfr *bruk 2; ~er* [moral] morals; *~er och bruk* manners and customs; *ta ~en dit man kommer* when in Rome do as the Romans do
sedan I *adv* **1** then; [efteråt] afterwards; [senare] later; *och så ful ~!* and so ugly too! **2** *för [ett år] ~* [a year] ago **II** *prep* since [*dess* then]; *allt ~ dess [var han . .]* ever since that time [he has been], ever after that [he was]; [*de ha bott där*] *~ ett år tillbaka* . . for a year; *~ urminnes tider* from time out of mind **III** *konj* since [*han kom* he came]; [efter det att] after; *~ han läst detta [gick han]* after reading (having read) that, . . ; *först ~ han gått märkte vi* not till (only after) he had gone did we notice
sede‖betyg *skol.* [*få sänkt* forfeit one's good] conduct mark **-fördärv** corruption; *äv.* immorality **-komedi** comedy of manners
sed|el [bank-] bank-note, *Am.* bill; *i -lar* in notes (bills) **-bunt** roll of bank-notes **-förfalskare** note-forger **-tryckeri** note-printing press
sede‖lära moral philosophy, ethics *pl* **-lärande** *a, en ~ berättelse* a story with a moral [to it]
sedermera *adv* se *sedan I 1*
sed‖esam *a* modest, decent; [tillgjort ~] prudish **-es|lös** *a* immoral, unprincipled **-ig** *a* gentle (staid) [*häst* horse]
sediment sediment **-är** *a* sedimentary
sed‖lig *a* moral; *filos.* ethical; *föra en strängt ~ vandel* lead a strictly virtuous life; *i ~t hänseende* morally, from a moral point of view **-lighet** morality; decency **-lighets|-brott** [våldtäkt] indecent assault **-lighets-polis** vice squad **-vanlig** *a* customary, usual **-vänja** [bruk] usage, custom; [personlig] habit
seg *a* **1** tough *äv. bildl.;* [kött] *äv.* leathery; *is. bildl.* tenacious; jfr *envis; ~t motstånd* tough (stubborn) resistance **2** [om vätska] ropy; [limaktig] viscous, gluey
segel 1 [*hissa* set] sail; *reva ~* take in sail; *sätta till alla ~* crowd sail; *segla för fulla ~* go with all sails set **2** *bot.* wing **-bar** *a* navigable, sailable **-båt** sailing-boat **-duk** sailcloth, canvas **-fartyg** sailing-ship, sailer **-flygare** glider (sailplane) pilot **-flyg[ning]** gliding, sailflying, soaring **-flygplan** glider, sailplane **-flygtävling** gliding (soaring) competition **-garn** [sail-maker's] twine, packthread **-jakt** sailing yacht **-klar** *a*

ready to sail **-led** fairway, channel **-makare (-makeri)** sail-maker (-making) **-ränna** channel **-sport** yachting **-sällskap** yacht-club **-tur** sailing-trip(-tour) **-yta** sail-area

seger victory [*över* over; *vid* of (at)]; *ibl.* triumph; [erövring] conquest; *avgå med ~n* come off victorious; *vinna ~* win a victory; *en lätt ~* (*sport.*) a walk-over **-byte** spoil[s *pl*] of victory, booty **-gudinna** goddess of victory **-herre** victor, conqueror **-huva** caul **-krönt** *a* crowned with victory **-rik** *a* victorious, triumphant **-rop** cry (shout) of victory **-rus** intoxication of victory **-stolt** *a* triumphant **-tecken** trophy, token of victory **-tåg** victorious progress (course) **-viss** *a* sure (certain) of victory **-yra** ecstasy of victory

seghet toughness &c; is. *bildl.* tenacity

segl‖a *itr* o. *tr* sail; *äv.* make sail [*till* for]; *~ från .. till ..* pass (proceed) from .. to ..; *~ i kvav* founder, go down; *~ omkull* capsize; *~ på grund* run aground; *~ på havet* sail the sea **-are 1** [båt] sailer, sailing-vessel **2** [pers.] sailor; [kapp-] yachtsman **-ats 1** se *segeltur* **2** [överfart] crossing, voyage **-ing** navigation, sailing; *sport. äv.* yachting; [i småbåtar] boating

seg|livad *a* tough, tenacious [of life]; **F** die-hard; *en ~ tvist* a long-lived quarrel

segment segment

segna *itr* sink down, collapse

segr‖a *itr* win (gain) the victory, be victorious; [i tävl.] *äv.* carry off the prize; *bildl.* prevail; [i omröstning] be carried; *~ eller dö!* [let us] do or die! *~ över* se *be~; sport. äv.* beat **-ande** *a* victorious, winning; [åsikt] predominant; *gå ~ ur striden* emerge victorious from the battle **-are** victor, conqueror; [i tävling] winner **-ar|-klass** [the] winner's class

seg|sliten *a* tough; *en ~ fråga* (*bildl.*) a difficult question; *en ~ debatt* a lengthy debate

seismograf seismograph

sejdel tankard; [ss. mått] *ung.* pint, mug

sejour sojourn

sejsing *sjö.* lanyard, seizing

sekel century; *ibl. äv.* age **-dag** centennial anniversary, centenary **-gammal** century-(age-)old; [hundraårig] centenary **-jubileum** centenary **-skifte,** *vid ~t* at the turn of the century **-slut** end (turn) of the century

sekond 1 *sjö.* second-in-command, mate **2** *fäktn.* seconde **3** [vid boxning] second

sekret I *a* secret **II** *s fysiol.* secretion

sekret‖ariat secretariat[e] **-erare** secretary **-erarskap** secretaryship **-ess** [*under* in] secrecy **-ion** *fysiol.* secretion **-är** writing-desk, secretaire *fr.*

sekt sect; *Engl.* [religious] denomination, non-conformist body **-erist** sectarian, nonconformist, dissenter **-ion 1** [avdelning] section **2** [snitt] cut; *läk.* resection **-ions|-möte** *univ. ung.* Faculty meeting **-or** sector **-väsen** sectarianism

sekularisera *tr* secularize

sekund second; [*jag kommer*] *på ~en!* just a second! **F** half a tick! **-a** *a* second-rate, second best; *~ växel* (*hand.*) second of exchange **-ant -era** *tr* second **-meter** *pl* meters per second **-visare** second-hand **-är** *a* secondary **-är|verkan** secondary action

sel‖a *tr*, *~* [*på*] harness; *~ av* unharness **-bruten** *a* galled **-don -e** harness

selek‖tiv *a* selective **-tivitet** selectivity

selkammare harness-room

selleri *bot. kok.* celery

semafor -era *itr* o. *tr* semaphore

semester holiday[s *pl*]; [ferier] vacation; *ha ~* have one's holiday[s *pl*], be on holiday **-firare** holiday maker; *Am.* vacationist **-lag** holidays with pay act **-månad** holiday month **-resa** holiday trip **-rätt** right to holidays

semi‖final semi-final **-kolon** semicolon

seminar‖ieuppsats seminar essay **-ie|övning** *univ.* seminar **-ium** training-college(-school); *Am.* normal school; *univ.* seminar

semin‖ation semination **-befruktning** artificial insemination

semit Semite **-isk** *a* Semitic

semla [plain] bun

1 sen *adv, nå, än ~ då?* what of it? *nå, än ~* [*om jag gjorde det*]? what if I did?

2 sen *a* **1** late; *på grund av den ~a årstiden* on account of the lateness of the season; *vara ~* be late; *han var inte ~ att ..* he lost no time ([långsam] was not long) in ..-ing; *det börjar bli ~t* it is getting late **2** [långsam] slow; tardy

sena sinew; *anat.* tendon

senap mustard **-s|deg** mustard-paste **-s|gas** mustard gas **-s|korn** grain of mustard

sen‖are I *a* **1** later; [senfärdigare] tardier; [kommande] future; [följande] subsequent; [mots. förra] latter; *de*[*n*] *~* the latter; *det blir en ~ fråga* that will be a matter for later consideration; *i en ~ tid* in later times; *på ~ tid*[*er*] of later years, latterly **2** [långsammare] slower **II** *adv* later [on] [*på året* in the year]; [*hundra år* a hundred years] afterwards; [framdeles] subsequently; *förr eller ~* sooner or later **-ast I** *a* latest; [sist förfluten] last; [nyligen timad] recent; *de ~e händelserna* recent events; *i ~e laget* at the last moment; *på ~e tid*[*en*] lately **II** *adv* **1** [i tid] latest, [i följd] last; [*jag såg honom*] *~ i morse (i måndags)* .. only this morning (last Monday) **2** [ej senare än] at the latest; *~ om fredag* by Friday at the latest

senat senate **-or** senator

sendrag [the] cramp

sen‖färdig *a* slow; tardy **-född** *a* late-born **-gångare** *zool.* sloth **-höst** late autumn (*Am.* fall)

senig *a* sinewy; tendinous; [muskulös] muscular, brawny; [om kött] tough, stringy

senil *a* senile **-itet** senility

senior I *a* elder, senior **II** *s* senior member

sen‖komling late-comer **-latin** late Latin

sensation sensation **-ell** *a* sensational, thrilling **-s|lysten** *a* greedy for sensation **-s|makare** sensationalist **-s|tidning** yellow paper

sensibel *a* sensitive

sensmoral, *~en är ..* the moral is ..

sensommar late summer

sensträckning strain of a tendon

sensu‖alitet sensuality **-ell** *a* sensual, sensuous

sent *adv* late; *bättre ~ än aldrig* better late than never; *för ~* too late; *.. som ~ skall glömmas* .. that will not soon be forgotten; *komma för ~* be late; *till ~ på* [*natten*] till late into ..

sent‖ens sentence **-era** *tr* [uppskatta] appreciate; [värdera] value

sentimental *a* sentimental, soft; [gråtmild] maudlin **-itet** sentimentality

separat I *a* separate; special; [fristående] detached **II** *adv* separately; *~* [*sända vi*] *(hand.)* under separate cover .. **III** *s* se *-tryck* **-fred** separate peace **-ion** separation **-ist -istisk** *a* separatist **-or** ⊕ separator **-tryck** offprint

separera *tr* o. *itr* separate

september September; jfr *april*

septisk *a* septic
seraf seraph **-imer|orden** the Order of the Seraphim **-isk** *a* seraphic[al]
seralj seraglio
serb Serb **S~ien** Serbia **-isk** *a* Serbian
serenad serenade (*äv.* : *hålla* ~ [*för*])
sergeant sergeant
serie 1 series; [följd] succession, suite; [om värdepapper] issue; *i* ~ (*äv.*) serially **2** *mat.* progression **3** *sport.* competition **-biljett** season ticket **-fabrikation** series fabrication **-kopplad** *a* ⊕ coupled (connected) in series **-koppling** series-coupling(connection) **-teckning** comic strip **-tillverkning** serial manufacture
serpentin serpentine; [pappersremsor] [paper] streamers
serum *läk.* serum
serv‖a *itr* **-e** serve
server‖a *tr* o. *itr* serve; [passa upp vid bordet] wait at table; ~ *ngn* [*soppa*] help a p. to ..; *middagen är ~d!* dinner is served (ready)! **-ing 1** service; *sköta ~en vid bordet* do the waiting **2** = *matställe* **-ings|bord** sideboard **-ings|rum** pantry
servett napkin; *ta emot .. med varma ~er* (*bildl.*) give .. a warm reception **-ring** napkin-ring
servil *a* servile; [krypande] cringing **-itet** servility; [fjäsk] cringing
serv‖is 1 service, set **2** *mil.* gun-detachment, [the] crew of a gun **-is|avgift** charge for service **-is|ledning** ⊕ feeder **-itris** waitress; [på ångbåt] stewardess
ses *dep* see each other, meet
sesam, ~ *öppna dig!* open sesame!
session session; *parl. äv.* sitting **-s|dag** [domstols] court-day **-s|tid** session; time of sitting; [domstols] term
sevärd *a* worth seeing; *äv.* notable, remarkable **-het** sight; place of interest; *äv.* monument; [om pers.] **F** lion
sex six; jfr *fem*[-] **-a 1** [siffra] six **2** [måltid] light supper **-hörning** hexagon **-pipig** *a* six-barrelled **-rums|våning** six-room apartment (flat) **-tant** sextant **-tett** sextet[te] **-ti[o]** sixty **-tionde** sixtieth **-ti[o]åring** sexagenarian **-ton** sixteen **-tonde** sixteenth
sexu‖al|hunger sexual urge **-al|hygien** sexual hygiene **-alitet** sexuality **-al|moral (-al|-mord)** sexual morality (murder) **-ell** *a* sexual
sfinx sphinx **-artad** *a* sphinx-like
sfär sphere; *bildl. äv.* province **-isk** *a* spheric[al]
shantung shantung, tussore
sherry sherry
shoppa *itr* go shopping
shunt|ledning *elektr.* shunt-wire
si *adv*, ~ *och så* rather so so
sia *itr* o. *tr* prophesy, predict
siames -isk *a* Siamese
siar‖e seer, prophet **-gåva** second sight
sibilant *språkv.* sibilant
Sibir‖ien Siberia **s-isk** *a* Siberian
sibylla sibyl
sicili‖an -ansk *a* Sicilian **S-en** Sicily
sicksack zigzag
sid‖a 1 side; [på djur; *äv. mil.* o. *byggn.*] flank; *geom.* face; [i bok] page; *sedd från ~n* seen side-face; *med händerna i ~n* with arms akimbo; *betrakta .. från alla -or* look at .. all round; *på ~n om mig* by my side; *på båda -or* on either side; ~ *vid* ~ side by side; *åt ~n* to the (one) side; *äv.* aside; [*flytta* move] out of the way (away); jfr *äv. undan;* [*anfalla* ..] *från ~n* .. in (on) the flank **2** *bildl.* side, part; aspect; [synpunkt] point of view; *han har sina goda -or* he has his good points; *saken har två -or* there are two sides to the matter; *denna ~ av saken* this aspect of the matter; *från regeringens ~* from (on the part of) the Government; *från hans ~* (*bildl.*) on (for) his part; from his point of view; *på ~n av ämnet* beside the purpose; *vara, stå på ngns ~* side (take sides) with a p.; *vi ha honom på vår ~* he is with us; *vid ~n av* beside, next to; *å ena* (*andra*) *~n* on one (the other) hand; *jag å min ~* I for my part; as far as I am concerned; *lämna .. å -o* leave .. on one side (out of consideration) **-antal** number of pages
siden silk **-band** silk ribbon **-blus** silk blouse **-foder** silk-lining **-klänning** silk dress (frock) **-sko** satin shoe **-svans** *zool.* waxwing **-tyg** silk material
sid‖fläsk bacon **-led,** *i* ~ sideways, lateral[ly]
sido‖arvinge collateral heir **-blick** sidelong look (glance); *kasta en ~ på ..* (*äv. bildl.*) look askance at .. **-byggnad** annex, wing **-dörr (-fönster)** side door (window) **-gata** side-(by-)street **-gång** side-passage; [i kyrka] side aisle **-ingång** side entrance **-linje** [släktled] collateral line (branch); *broder på ~n* natural brother **-skepp** lateral aisle **-spår** *allm.* side-track; *järnv.* siding
sid‖roder *flyg.* rudder **-vagn** [på motorcykel] side-car **-vind** cross wind **-vördnad** irreverence, disrespect
sierska seeress, prophetess
siffer‖granskare controller of accounts, checking-clerk **-karl** calculator **-kolumn** column of figures **-mässig** *a* numer[ic]al
siffra figure; *konkr äv.* numeral [character]
-siffrig, *tre~* .. of three digits
sifon siphon
sig *pron* oneself; him-, her-, it|self; themselves; *han säger ~ ha sett* he says he has seen; *tvätta ~ om händerna* wash one's hands; [*han är häftig*] *av ~* .. by nature; *det är en sak för ~* that's another story; *var för ~* one by one; *i och för ~* in itself; *han hade sin bror med ~* he had taken his brother [along] with him; *ha pengar på ~* have some money about one; *av ~ själv*[*t*] by itself (&c)
sigill seal; *sätta sitt ~ under* (*på*) .. set one's seal to .., seal .. **-[l]ack** sealing wax **-ring** signet-ring
signal signal; *ge ~ till ..* give the signal for .. **-apparat** signalling-apparatus **-ement** description **-era** *tr* o. *itr* signal; *itr äv.* make signals **-flagga** signal-flag **-horn** [på bil] [signal] horn **-ist** *mil.* signaller **-ljus** Very light **-pistol** signal (Very) pistol **-station (-system)** signal station (system)
sign‖atur *allm.* signature; [författares] *äv.* pen-name **-atär|makt** signatory power **-era** *tr* sign, mark; [underteckna] [under]sign
sik *zool.* gwyniad
1 sikt 1 *hand.* sight, presentation; *på kort* (*lång*) ~ at short (long) sight **2** *sjö., flyg.* [*dålig* poor; *ingen* zero] visibility
2 sikt [redskap] sieve; [durkslag] strainer
1 sikta I *itr* [take] aim [*på* (*mot*) at]; *äv.* point (take sight) [*på* (*mot*) at]; ~ *högre* (*bildl.*) have higher aims **II** *tr sjö.* sight
2 sikta *tr* sift, pass .. through a sieve; *~t mjöl* bolted flour
siktanordning aiming device
siktduk bolting cloth, cleaner
sikt‖e 1 [synhåll] sight, view; *få ~ på ..* (.. *i ~*) get sight of ..; *sjö.* sight ..; *i ~* (*bildl.*) in prospect; *ha ön i ~* be in sight of the island; *med ~ på ..* aiming at ..;

ur ~ out of sight; *förlora ur* ~ lose sight of **2** [på skjutvapen] [breech-]sight **-linje** line of aim **-punkt** point of aim (sight) **-skåra** sighting-notch, peep **-tratta** **-växel** sight draft

sil strainer; [bleck-] colander **-a I** *tr* strain, pass .. through a strainer, percolate **II** *itr* filter; [sippra] trickle **-duk** filtering-(straining-)cloth, screen[cloth]

sil[h]uett silhouette

silke silk: *av* ~ (*äv.*) silken; *mjuk som* ~ silky **-s|apa** marmoset **-s|garn** silk yarn **-s|len** *a* as soft as silk; silky **-s|mask** silk-worm **-s|näsduk** silk handkerchief **-s|odling** sericulture **-s|papper** tissue-(silk-)paper **-s|strumpa** silk stocking **-s|trikå** milanese **-s|tråd** silk thread **-s|vant|e**, *ta i* .. *med -ar* treat .. gently, be gentle with ..

sill herring; *inlagd* ~ pickled herring; *som packade* ~*ar* packed together like sardines in a tin **-ben** herring-bone **-bit** piece of herring **-burk** tin of herrings **-fiske** herring-fishing **-grissla** guillemot **-sallad** salmagundi **-stim** shoal of herring **-trut** lesser black-backed gull **-tunna** herring-barrel (-keg)

silo silo

silver silver **-beslag** silver-mount[ing] **-bricka** silver tray **-bröllop** silver wedding **-bägare** silver cup **-fat** silver dish (plate) **-förande** *a* argentiferous **-gruva** silver-mine **-medalj** silver medal **-mynt (-märke)** silver coin (badge) **-pil** white willow **-plåt** silver plate **-poppel** white poplar **-räv** silver fox **-sak** silver article; ~*er (koll)* silver-ware *sg* **-sked** silver spoon **-smed** silversmith **-vit** *a* silvery [*lockar* locks]

sim||bad (-bassäng) swimming-bath (-pond, -pool) **-byxor** bathing-trunks **-dräkt** bathing-costume **-dyna** [av kork] cork pillow **-fena** *zool.* fin **-fot** *zool.* webbed foot; [för dykare] frogman's foot **-fågel** *zool.* web-footed bird, swimmer **-gördel** swimming-girdle, life-belt **-hall** swimming-hall **-hud** *zool.* web; *försedd med* ~ webbed

similidiamant paste diamond

sim||kostym se *baddräkt* **-kunnig** *a* .. able to swim **-lärare** swimming master **-ma** *itr* swim; *bildl. äv.* be bathed [*i* in]; [flyta, ~ omkring] float [on the water] **-mare** **-merska** swimmer **-mig** *a* well thickened [*sås* sauce]; [blick] hazy **-ning** swimming

simpa bull-head

simpel *a* **1** [enkel] simple; plain [*mat* food]; common [*soldat* soldier]; [lätt] easy **2** [tarvlig] common, vulgar; [föraktlig] low, base; [om kläder] mean; *en* ~ *handling* a mean (low) act **-het** shabbiness; *äv.* vulgarity **-t** *adv* **1** *helt* ~ simply **2** low, mean[ly], shabbily; *så* ~*!* how mean (shabby)!

sim||stadion swimming stadium **-sätt** [*fritt* free] stroke **-tag** stroke **-tur** swim **-tävling** swimming competition (meet)

simul||ant simulator; [om sjuk] sham patient **-era** *tr* o. *itr* simulate, sham **-ering** simulation

1 sin *pron* one's; his; her, hers; its; their, theirs; se *gram.*; *bli* ~ *egen* be[come] independent (one's own master); *i sitt och* ~*a vänners* [*intresse*] in his own .. and that of his friends; ~ *nästa* one's neighbour; *de* ~*a* his (&c) relations (people), his (&c) own family; *i* ~*om tid* in due [course of] time; *på* ~*a ställen* in [some] places

2 sin, *stå, vara i* ~ be dry **-a** *itr* dry; *källan har* ~*t* the spring has dried up; ~ *ut* peter out

sinekur sinecure

1 singel [grus] shingle

2 singel 1 [tennis] single **2** *kortsp.* singleton

singla I *tr* toss .. [up]; ~ *slant om* .. toss up for .. **II** *itr* spin

singular[is] singular; *stå i* ~ be in the singular

1 sinka = *fördröja*

2 sinka *tr*, ~ [*ihop*] rivet; *bildl.* patch up

sinn||ad *a* [*andligt* spiritually] minded; *äv.* [*illa* evil] disposed; [*vänligt* amiably] inclined **-e 1** sense; *de fem* ~*na* the five senses; *från sina* ~*n* out of one's senses (mind); *vid sina* ~*n*[*s fulla bruk*] in one's right mind, **F** all there **2** [själsligt] soul, heart; [-lag] mind, temper, nature; [håg, tycke] inclination, taste; *ett häftigt* ~ a hasty temper; *ett vaket* ~ an alert mind; *ett ödmjukt* ~ a humble spirit; ~*t rann på honom* (*äv.*) he lost his temper; *ha* ~ *för humor* have a sense of humour; *ha* ~ *för musik* have a taste (turn) for music; *han har fått i sitt* ~ *att* he has got it into his head to; *ha i* ~*t* contemplate; *ha ont i* ~*t* have some wicked design (purpose) on hand; *i sitt stilla* ~ in one's own mind, inwardly; *sätta sig i* ~*t* set one's mind [*på att lyckas* [up]on succeeding]; make up one's mind [*att* to]; *till* ~*s* in mind; *det gick honom djupt till* ~*s* he felt it deeply; *ung till* ~*t* of a youthful temperament **-e|bild** symbol; [allegori] allegory **-e|lag** character, temper; *vänligt* ~ friendly disposition

sinnes||frid peace of mind **-frånvaro** absence of mind, abstraction **-förnimmelse** sensation **-förvirrad** *a* distracted **-förvirring** [[a] fit of] mental aberration; brain-storm; *under tillfällig* ~ while of unsound mind **-intryck** sensation **-lugn** tranquillity (calmness) of mind **-närvaro** presence of mind **-organ** sense-organ **-rubbad** *a* deranged [in mind] **-rörelse** emotion; *äv.* [mental] excitement **-sjuk** *a* insane; *en* ~ a lunatic, a madman **-sjukdom** mental disease; *äv.* insanity **-sjukhus** mental institution; [förr] lunatic asylum **-slö** *a* imbecile **-slöhet** mental debility; [starkare] imbecility **-styrka** firmness of mind **-stämning** state (frame) of mind; *befinna sig i en glad* ~ be in high spirits; *vara i dyster* ~ be in a melancholy mood **-svag** *a* feeble-minded; **F** [pjollrig] doting; *bildl.* insane [*påhitt* device] **-tillstånd** mental condition (state) **-undersökning** mental examination **-ändring** change of attitude

sinn||lig *a* .. pertaining to the senses; [köttslig] sensual; ~*t begär* sensual craving (desire); *den* ~*a världen* the material (external) world **-lighet** sensuality **-rik** *a* ingenious **-rikhet** ingenuity

sinom, *tusen* ~ *tusen* thousands and thousands

sinsemellan *adv* between (among) themselves

sinus 1 *mat.* sine **2** *anat.* sinus

sionist Zionist

sipp *a* prudish, prim

sippa *bot.* anemone, wind-flower

sippra *itr* trickle, drop; ~ *fram* ooze out; ~ *ut* (*bildl.*) transpire

sira *tr* [pryda] ornament, decorate, deck

sirap 1 treacle **2** *farm.* syrup

siren [*mytol.* o. signalapparat] siren

sirlig *a* elegant, graceful; [om pers.] ceremonious, affected; [fin] dignified

siska *zool.* siskin

sist *adv* last; *till* ~ at last (length); [slutligen] finally, in the end; [*jag ger med mig*] *så gott först som* ~ [I give in] just as well now as later; *den ~ anlände* the last comer; *först och ~* [*fordrar jag*..] from first to last..; *~ men inte minst* last but not least; *allra ~* [*kom*..] last of all..; *~ i* [*boken*] at the end of.. -|**a** (-|**e**) *a* last; [senast] latest; [slutlig] final; *-a delen* (*gången*) the last part (time); *den -e* [av två] the latter; *det vore det -a jag gjorde* that would be the last thing I should do; *lägga -a handen vid*.. put the finishing touch[es] to..; *-a modet* the latest fashion; *utandas sin -a suck* breathe one's last; *för -a gången* [för alltid] for good (ever); *i -a instans* (*bildl.*) in the last resort; *in i det -a* to the very last; *på -a tiden* latterly, lately; *sjunga på -a versen* **F** be upon one's last legs; *kämpa till -a man* fight to the last man **-liden** *a* last **-nämnd** *a* last-mentioned(-named); [av två] the latter **-one** *adv*, *på ~* lately, latterly

sisu grit; perseverance, endurance

sits 1 [stols o. d.] seat *äv. ridk.*; *ha bra ~* sit one's horse well **2** *kortsp.* lie, lay; [*dra*] *om ~en*.. for partners

sitt *pron* se *1 sin*; *var och en fick ~* everyone had his share; *hålla på ~* watch one's own interest

sitt|a *itr* **1** sit; [på sittplats] *äv.* be seated; [mots. stå] be sitting; *bildl.* be, live; *~ bra* be comfortably seated; *~ still* sit still; [friare] *äv.* keep quiet; *sitt* [*ned*]! sit down, please! *~ och vänta* sit waiting; *~ i orubbat bo* remain in undisturbed possession; *~ inom lås och bom* be in jail, be under lock and key; *~ med stor lön* have a good (big) salary; *få ~ a)* obtain a seat; *b)* [ej bli uppbjuden] get no partners, be a wallflower; *~ trångt* be jammed, be in a tight place; *nu -er vi där vackert!* we are in for it now! **F** now we are in the soup! *~ som värd* act as host **2** [om sak] be [placed]; [om kläder] sit, fit; [hänga] hang; [*det beror på*] *hur korten -er*.. how the cards lie; *~ på sned* be ([hänga] hang) awry (askew); *dräkten -er utmärkt bra* the dress is a good fit **3** *~ av* dismount, alight; *~ fast* se *fast 3*; *bildl.* be in a fix, be in for it; *~ hemma* stay at home; *lukten -er i* the smell clings; *låta nyckeln ~ i* leave the key in the lock; *~ inne a)* [inomhus] keep in[doors]; *b)* [~ i fängelse] **F** be safely lodged in custody; *~ inne med upplysningar* have inside information; *~ kvar a)* remain sitting (seated); [om sak] stick; *b)* [efter skolan] stay (be kept) in [after school]; jfr *kvarsittare*; *locket -er på* the lid is on; *låt hatten ~ på!* keep your hat on! *~ uppe och vänta på*.. sit up for..; *~ åt* [om plagg] be tight

sitt||ande *a* seated; sitting [*ställning* posture]; *dukat vid ~ bord* laid (served) on the table **-bad** hip-(sit-)bath **-brunn** cockpit **-bräda (-dyna)** seat board (cushion) **-lek** sitting-down game **-ning** sitting **-opp F** [a] wake up **-plats** seat **-rum** *flyg.* cockpit **-strejk** sit-down strike **-vagn** *järnv.* day-carriage

situ||ation situation; *fatta ~en* grasp the situation; *vara ~en vuxen* rise (be equal) to the occasion; *sätt dig in i min ~!* put yourself in my place! **-erad** *a*, *väl* (*illa*) *~* well (badly) off

sjabbig *a* shabby

sju seven; jfr *fem*[-] **-a** seven **-armad** *a* seven-branched

sjud||a *itr* simmer; *bildl. äv.* seethe [*av vrede* with anger] **-het** *a* boiling hot

sju||falt *adv* sevenfold; seven times **-jäkla** *a* **F**, *ett ~ liv* a (the) hell of a life

sjuk *a* **1** *predik.* ill; [*attr.* o. illamående] sick; [dålig] indisposed, poorly; *hans ~a arm* his bad arm; *en ~* a sick person; [på sjukhus] a patient; *bli ~* get (fall) ill; *bildl.* become (grow) sick [*av, på* of]; *jag blir ~, bara jag tänker på det* the mere thought of it makes me sick; *~ av* (*i*) suffering from; *bildl.* sick with **2** *en ~ sak* a suspicious (shady) business; *ett ~t samvete* a guilty conscience; *nu ber du för din ~a mor* **F** that's one for her and two for yourself; *~ efter, på* eager (**F** dying) for

sjuk||a se *-dom*; *det är hela ~n* that's the whole trouble **-anmäla** *rfl* report o.s. ill (sick) **-avdelning** infirmary **-besök,** *ett ~* [läkares] a visit to a patient; *äv.* a sick visit; *~ äro tillåtna* [på sjukhus] visitors are allowed **-betyg** sick-certificate **-bud** sick-call; *sända ~* call for a (the) doctor **-bår** stretcher, litter **-bädd** sick-bed; *ligga på ~en* be confined to one's bed, be bed-ridden **-bärare** stretcher(*Am.* litter)-bearer **-dom** illness, malady; *äv.* disease; [ont] disorder, complaint; *ådraga sig en ~* contract a disease

sjukdoms||anfall attack of illness **-bild** picture of a (the) disease, pathological picture **-fall** case of illness **-orsak** cause of a (the) disease **-symtom** symptom (sign) of a (the) disease

sjuk||försäkring health (sickness) insurance **-gymnast (-gymnastik)** medical gymnast (gymnastics *pl*) **-hem** nursing-home; *äv.* clinic **-[hjälps]kassa** sick [relief] fund **-hus** hospital **-intyg** se *-betyg* **-ledig** *a*, *vara ~* be on sick-leave **-lig** *a* infirm, weak in health; invalid; *äv.* sickly; *bildl.* morbid [*idé* idea]; *~a anlag* [a] sickly disposition **-lighet** infirmity &c **-ling** sick person, patient; *äv.* invalid **-läger** sick-bed **-mat** invalid['s] fare, diet **-na** *itr* fall ill [*i* with]; *äv.* sicken **-permission** sick-leave **-rapportera I** *tr* put.. on the sick-list **II** *rfl* report o. s. ill **-rond** doctor's round **-rum** sick-room **-sal** [hospital] ward **-skötare** male nurse **-sköterska** [sick-(hospital-)] nurse **-säng** se *-bädd* **-transport** ambulance service **-vagn** ambulance car **-vård** care of the sick; medical attendance; *äv.* nursing **-vårdare** male nurse, attendant **-vårds|artiklar** infirmary supplies **-vårds|kunnig** *a*.. trained in nursing the sick **-vårds|kurs** course in nursing **-vårds|soldat** medical orderly

sju||mila|steg, *gå med ~* walk with seven-league strides **-mila|stövlar** seven-leagued boots **-nde -nde|del** seventh

sjunga *tr* o. *itr* sing; [om fåglar] *äv.* warble; *~ rent* keep in tune; *~ in'* [på grammofon] record; *~ ngns lov* sing a p.'s praises; *~ sitt eget lov* blow one's own trumpet; *~ på sista versen* **F** be upon one's last legs; *~ ut* sing out; *bildl.* speak out; *sjung ut!* (*bildl.*) *äv.* out with it!

sjunk||a *itr* sink; [falla] drop (fall) [*på sina knän* on one's knees]; [minska] decrease [*i antal* in numbers]; decline [*i värde* in value]; *febern -er* the fever is abating; *priserna ~* prices show a downward tendency; [*termometern*] *har -it*.. has gone down; *solen -er* the sun is setting; *låta modet ~* lose heart (courage); *~ i glömska* fall into oblivion; *~ till marken* drop to the ground; *~ ihop* (*bildl.*) break down, collapse; *~ ned på en stol* sink (drop) into a chair **-bomb** *sjö. mil.* depth charge **-en** *a* sunken; *bildl.* degraded; *han är djupt ~* he has fallen very low **-hastighet** *flyg.* sinking speed **-mina** *sjö. mil.* depth mine

sju||sovare deep sleeper, sluggard **S-stjärnan** the Pleiades *pl*
sjuttio seventy **-nde** seventieth **-årig** *a* **-åring** septuagenarian
sjutton seventeen; *aj för ~! å ~!* by Jove! well I never! Heavens! **-de** seventeenth **-hundratalet** the eighteenth century
sjå F big (tough) job **-are** docker, dock-labourer; [lastare] longshoreman
sjåp [silly] goose, ninny; [ynkrygg] milksop **-a** *rfl* be silly, act the ninny (baby) **-ig** *a* silly, foolish, fussy; [rädd] **F** funky
själ 1 soul, mind; [ande] spirit; *~ens behov* spiritual needs; *upprörd in i ~en* shaken to the depths of one's soul **2** [friare] *vara ~en i . .* be the [life and] soul of . .; *min ~!* upon my soul! *i ~ och hjärta* at heart; *med liv och ~* body and soul **3** [person] soul; *en glad ~* **F** a jolly fellow **-a|glad** *a* overjoyed, delighted **-a|herde** pastor, shepherd of souls **-a|mässa** mass for the dead, requiem[-mass] **-a|nöd** anguish of the soul, spiritual distress **-a|ringning** passing bell, knell **-a|sörjare** spiritual guide **-a|tåg** [the] last struggle (throes); *ligga i ~et* be breathing one's last **-a|vandring** transmigration of souls **-a|vård** cure of souls **-full** *a* soulful; [besjälad] animated **-lös** *a* soulless, spiritless; [utan liv] inanimate **-s|adel** nobleness of mind **-s|dödande** *a* soul-destroying; deadening **-s|frid** peace of mind (soul) **-s|frände** kindred spirit; *vara ~r* (*äv.*) sympathize **-s|förmögenhet** mental ability **-s|gåvor** mental (intellectual) powers **-s|jämvikt** mental balance **-s|kval** mental suffering, agony **-slig** *a* mental; [andlig] spiritual, moral **-s|liv** intellectual (spiritual) life **-s|lugn** se *sinnes-* **-s|storhet** magnanimity **-s|strid** mental (internal) struggle **-s|styrka** strength of mind **-s|terapi** mental therapy **-s|tillstånd** mental state
själv *pron* myself, yourself &c; ourselves &c; *det har jag ~ gjort* I did it myself; *han har ~ sett . .* he himself has seen . .; *komma ~* come personally (in person); *tack ~!* the same to you! *det kan du vara ~!* **F** you're another! *hon är godheten ~* she is kindness itself; *på ~a dagen för . .* on the very day of . .; *av sig ~* of oneself, spontaneously; [frivilligt] voluntarily; *för sig ~* [avsides] aside; *i sig ~* in itself; *i ~a verket* as a matter of fact **-aktning** self-respect **-antändning** spontaneous ignition, self-ignition **-bedrägeri** self-deception (-delusion) **-befläckelse** self-abuse, masturbation **-behärskning** self-control **-belåten** *a* self-complacent **-beröm** self-praise **-besinning** self-reflection, self-communion **-bespegling** introspection, self-contemplation **-bestämmande|rätt** right of self-determination, autonomy **-betjäning** self-service **-bevarelse|drift** instinct for self-preservation **-bindare** *lantbr.* mechanical (automatic) binder **-biografi** autobiography **-disciplin** self-discipline **-död** *a*, *-dött djur* animal that has died from natural causes **-fallen** *a* obvious, evident **-fallenhet** matter of course **-förakt** self-contempt **-förbränning** spontaneous combustion **-förebråelse** self-reproach **-förhävelse** presumption **-förnekelse** self-denial **-försakelse** self-abnegation **-försvar** [*till* in] self-defence **-försörjande** *a* self-supporting ([subst.] -supporter) **-försörjning** self-sufficiency **-förtroende** self-confidence **-förvållad** *a* self-caused(-inflicted) **-förvärvad** *a* self-earned(-acquired); [pengar] . . of one's own earning **-gjord** *a* self-made **-god** *a* conceited; *äv.* self-opinion[at]ed **-hjälp** self-help **-hushåll** self-subsistent household **-härskare** autocrat **-hävdelse** self-assertion **-ironi** self-irony **-isk** *a* selfish, egoistic[al] **-isk|het** selfishness, egoism **-klar** *a* self-evident; *det är ~t* it is a matter of course **-kostnad[spris]** cost-prize, self-cost **-kritik** self-criticism **-kritisk** *a* self-critical **-kännedom** self-knowledge **-känsla** self-esteem **-ljud** vowel [sound] **-lysande** *a* [self-]luminous **-lärd** *a* self-taught; [subst.] autodidact **-mant** *adv* of one's own accord; *äv.* voluntarily **-medvetande** self-consciousness **-medveten** *a* self-conscious(-assured); [säker på sig själv] self-confident **-mord** **-mördare** suicide **-porträtt** portrait of the artist, self-portrait **-prövning** self-examination **-reglerande** *a* self-adjusting **-rådig** *a* self-willed, wilful **-servering** self-service; *restaurang med ~* self-service restaurant; cafeteria **-skriven** *a*, *han är ~ till platsen* he is bound (sure) to get the post **-start** ⊕ self-starter **-studium** self-instruction(-tuition); *äv.* private study **-styrd** *a flyg.* automatically controlled **-styre[lse]** autonomy, self-government **-ständig** *a* self-dependent; *vanl.* independent; *vara ~* be one's own master **-ständighet** independence **-självständighetsförklaring** declaration of independence **-ständighets|rörelse** independence movement **-suggestion** auto-suggestion **-s|våld** self-indulgence; *äv.* self-will **-s|våldig** *a* undisciplined; *äv.* self-willed; [om barn] *äv.* naughty **-säker** *a* self-confident **-tagen** *a* self-assumed; usurped [*rättigheter* rights] **-tillit** self-reliance **-tillräcklig** *a* self-sufficing **-tryck** own pressure, gravity **-tändning** ⊕ self-ignition **-uppoffrande** *a* self-sacrificing(-devoted) **-uppoffring** self-sacrifice(-devotion) **-upptagen** *a* self-absorbed **-utlösare** *foto.* delayed action release **-verksamhet** self-activity **-ändamål** end in itself **-övervinnelse** self-conquest
sjätte sixth **-del** sixth [part]
sjö 1 [in-] lake; [hav] sea; *på öppna ~n* in the open sea; *sätta en båt i ~n* put out a boat; *till ~ss* at sea; [*färdas* go] by sea; *gå till ~ss* [om pers.] go to sea; *till lands och till ~ss* by sea and land; *ute till ~ss* in the open sea **2** [sjögång o. d.] sea, wave; *hög ~* high (heavy) sea; *få en ~ över sig* ship a sea **-arbete** seamen's work **-bevakning** coastguard **-bod** boat-house **-buss** ancient mariner, **F** old salt **-duglig** *a* seaworthy, navigable; *icke ~* unseaworthy **-fart 1** navigation **2** *hand.* shipping [trade]; maritime commerce **-farts|museum** maritime museum **-farts|styrelsen** *ung.* the Shipping Board **-flygplan** seaplane **-flygplats** seaplane base **-fågel** aquatic bird; *äv.* sea-bird **-förklaring** [captain's (ship's)] protest; *avgiva ~* make the statutory declaration **-försvars|departement**, *~et* the [Board of] Admiralty **-försäkring** marine insurance **-gräs** sea-weed **-grön** *a* sea-green **-gång** [heavy (high)] sea, roll[ing] **-jungfru** mermaid **-kadett** naval cadet; *äv.* midshipman **-kapten** [sea-]captain, master mariner **-karta** [sea-]chart **-ko** sea-cow **-kort** marine (nautical) chart **-krigs|skola** naval college (school) **-kunnig** *a*, *vara ~* be a skilled sailor **-ledes** *adv* by water (sea) **-lejon** sea-lion **-lägenhet** shipping opportunity; [*med första*] *~* (*hand.*) . . boat **-makt** naval power **-man** sailor, seeman; *bli ~* (*äv.*) go to sea **-mans|blus** sailor's blouse **-mans|dräkt** sailor-suit **-mans|hem** sailor's home **-mans|kavaj** pea-jacket **-mans|kista** sailor's chest **-mans|mission** seamen's mission **-mans|-**

mössa sailor's cap **-mans|visa** sailor's song, chanty **-mil** sea-(nautical)mile **-minister** minister of marine; *Engl.* First Lord of the Admiralty **-märke** sea-(sailing-)mark, beacon **-nöd** distress [at sea] **-odjur** sea-monster **-officer** naval officer **-olycka** accident at sea **-orm** sea-serpent **-resa** [sea-]voyage **-rövare** pirate; *äv.* buccaneer **-röveri** piracy **-scout** sea-scout **-seger** naval victory, victory at sea **-sida,** *från ~n* from the sea[ward side] **-sjuk** *a* seasick; *vara ~ (äv.)* **F** feed the fishes; *bli lätt ~* be a bad sailor **-sjuka** seasickness, motion sickness **-skada** damage by sea **-skadad** *a* sea-damaged **-skum 1** *eg. bet.* sea-foam **2** [material] meerschaum *ty.* **-slag** action at sea, naval battle **-stad** sea port [town] **-stjärna** starfish, sea-star **-strids|krafter** naval forces **-sätta** *tr* launch **-sättning** launching **-term** nautical (sea-)term **-tunga** sole **-van** *a* . . used (accustomed) to the sea; *bli ~ (äv.)* **F** find (get) one's sea-legs **-vatten** lake-(sea-)water **-väg** maritime (sea-)route; *fara (gå) ~en* go by sea

skabb itch; [klåda] *äv.* scabies; [hos djur] mange **-ig** *a* itchy, scabby; [föraktl.] scurfy

skad||a I *s* injury [*för, på* to]; [förödelse] damage; [mots. nytta] harm, mischief; [kropps-] *äv.* hurt; [förlust] loss; *det är ingen ~ skedd* there is no harm done; **F** there are no bones broken; *det är ~ att* it is a pity that; *anställa (vålla) ~* cause (do) damage; *avhjälpa en ~* repair an injury; *erhålla en lindrig (svår) ~* be slightly (seriously) injured (hurt); *ta ~ av* suffer [damage] from; *taga ~n igen* recover (make up for) the loss; *av ~n blir man vis* experience is the best master **II** *tr* o. *itr* [pers.] hurt, injure; [sak] damage; *abstr* injure [*hälsan* one's health]; *äv.* mar, prejudice; *det skulle ~ mig mycket att* it would do me great harm to; *det ~r inte!* it won't do any harm! *det ~r inte att försöka* there is no harm in trying; *det skulle inte ~ om du kom* it would not be amiss for you to come **III** *rfl* be (get) hurt; *äv.* hurt o.s.; *~ sig i foten* hurt one's foot; *~ sig själv (bildl.)* harm o.s. **-ad** *a* [om pers.] injured, [badly] hurt; [om sak] damaged **-e|djur** noxious animal **-e|ersättning** compensation, indemnification; *äv.* indemnity **-e|glad** *a* spiteful, malicious **-e|glädje** malicious joy, malignity, malice **-es|lös** *a, hålla . . ~* indemnify . . **-e|stånd** damages *pl;* [is. krigs-] reparations *pl* **-e|ståndsanspråk** compensation claim **-lig** *a* injurious (harmful) [*för* to]; *äv.* noxious [*mat* food]; [menlig] detrimental **-ligt** *adv, verka ~ på* have a detrimental influence upon **-skjuta** *tr* wound

skaff||a I *tr* procure (get) [*åt* for]; [finna] find [*medel* means]; *äv.* furnish [*bevis* proof[s *pl*]]; [förse med] provide with; [skicka efter] send for; [~ hit] bring; *~ ngn bekymmer* cause a p. anxiety; *~ ngn kredit* obtain credit for a p.; *jag skall ~ pengarna åt dig* I'll find (raise) the money for you; *~ . . ur världen* do away with . ., get rid of . . for good; *~ fram . .* bring forth (produce) . . **II** *itr* **1** [sköta] do; *jag har haft mycket med honom att ~* I have had a good deal to do with him **2** *sjö.* eat, mess **III** *rfl* procure . . for o.s.; [förvärva] buy o.s. (acquire) [*en ny hatt* a new hat]; [vinna] make (obtain) [*vänner* friends]; attain [*kunskaper* knowledge]; [ådraga sig] contract [*en sjukdom* an illness]; [förse sig med] furnish (provide) o.s. with [*förråd* supplies] **-eri** pantry; [visthus] larder

ska[f]föttes *adv* [*ligga* lie] head to tail

skaft 1 handle [*på* of]; [*på verktyg o. d.*] *äv.* haft; shaft [*på en pil* of an arrow] **2** [friare] *bot.* stalk, stem; [penn-] pen-holder **3** *bildl., med ögonen på ~* with his (o. s. v.) eyes bulging out of his (o. s. v.) head

skaka *tr* o. *itr* shake [*av* with]; *äv.* stir; *fys.* vibrate; *bildl.* agitate, convulse; [skälva] shiver [*av köld* with cold]; *~ hand med ngn* shake hands with a p.; *denna underrättelse ~de henne djupt* she was deeply shaken at (by) the (this) news; [*huset*] *~de i sina grundvalar . .* rocked to its [very] foundations; *~ av skratt* shake (split one's sides) with laughter; *hon ~de på huvudet* she shook her head; *~ om'* shake up, stir

skak|el shaft, thill; *hoppa över -larna* kick over the traces, *bildl. äv.* run riot

skak||is F, *känna sig ~* feel shaky **-ning** shake [*på* of]; *äv.* shaking, jolt; [darrning] trembling; *motorns ~* the vibration of the motor

skal shell; [skorpa] *äv.* crust; [på gurka] rind; [frukt-] peel; [potatis-] skin; [avskalade] peelings (parings) *pl; sluta sig inom sitt ~* retire into one's shell

1 skala *tr* [un]shell; [äpplen] pare; [apelsiner, potatis] peel; *~ av* peel off

2 skala *mat., mus.* scale; *i förminskad ~* on a reduced scale; *handla med . . i stor ~* deal extensively in . .

skalbagge beetle; *vetensk.* coleopter

skald poet **-e|gåva** poetic gift, poetic[al] talent **-e|konst** poesy; *konkr* poetry **-inna** poetess

skaldjur crustaceous animal

1 skalk [bröd- eller ostkant] crust

2 skalk wag, rogue; *ha ~en i ögat* have roguish eyes **-aktig** *a* roguish, waggish; *äv.* malicious [*leende* smile] **-aktighet** roguishness &c

1 skall *vbform* shall, will; jfr *gram.*

2 skall [ljud] clang, ring[ing]; [av trumpet] *äv.* clangour; [hund-] bark **-a** *itr* clang, ring; [eka] resound; *så att det ~de i skogen* making the woods ring **-ande** *a* ringing [*applåd* applause]; clanging [*horn* horn]; *en ~ skrattsalva* a ringing (a peal of) laughter

skalle skull; *anat.* cranium; **F** pate

skallerorm rattlesnake

skallgång chase, search; *anställa ~* search [*efter* for]; *bildl.* institute a search

skallig *a* bald **-het** baldness

skallra I *s* rattle **II** *itr* rattle; [om tänder] chatter [*av* with]; [klappra] clatter

skalm 1 [på vagn] shaft **2** *~ar* [på glasögon] bows

skalp scalp **-era** *tr* scalp, take . .'s scalp

skam 1 shame; *ha bitit huvudet av ~men* be past all [sense of] shame; *~ till sägandes* to my (o. s. v.) shame; *rodna av ~* blush (flush) with shame; *för ~s skull* for very shame **2** [vanära] shame; disgrace [*för* for (to)]; [ngt skamligt] dishonour, scandal; *~ den som . .!* shame on him that . .! *det är stor ~ att* it is a sin and a (**F** it is a downright) shame that; *få stå med ~men* have to swallow the ignominy; *komma på ~* be put to shame; *komma ngns förhoppningar på ~* not live up to a p.'s expectations **-fila** *tr* **1** *sjö.* damage . . by rubbing **2** tarnish; [*möblerna voro*] *~de . .* the worse for wear **-flat** *a* shame-faced, ashamed **-fläck** stain, taint; [brännmärke] brand, stigma; *han är en ~ för* [*sin familj*] he is the disgrace of . . **-känsla** sense of shame **-lig** *a* shameful, disgrace-

ful; [vanhedrande] dishonourable; **F** shabby; *det ~a i saken är* .. the scandalous part of the business is ..; *det är verkligen ~t att* .. it is a great shame that .. **-ligt** *adv* outrageously **-lös** *a* shameless; [fräck] impudent, barefaced **-påle** pillory; *ställa .. vid ~n* (*bildl.*) expose .. to shame, disgrace .. publicly **-sen** *a* ashamed [*över* at] **-vrå,** *ställa .. i ~n* put .. in the corner
skandal scandal; *göra ~* make a scene, **F** kick up a row **-historia** [society] scandal **-hungrig** *a* eager for scandal **-isera** *tr* talk scandal of ..; scandalize .. **-ös** *a* scandalous
skander‖a *tr* scan **-ing** scanning, scansion
skandinav Scandinavian **S~ien** Scandinavia **-isk** *a* Scandinavian **-ism** Scandinavianism
skans 1 *mil.* redoubt, earthwork; [förskansning] entrenchment; *den sista på ~en* the last survivor **2** *sjö.* forecastle, fo'c's'le
skap‖a *tr* create; make; [friare] produce; [framkalla] cause; *~ [sig] en förmögenhet* make [o.s.] a fortune; *~ om'* re-create; *~ om sig till* transform o.s. into **-ad** *a* created (made) [*för* for]; *han är som ~ till det* he is just cut out for it; [*han är*] *som ~ till affärsman* .. a born business man **-ande I** *a* creative; *äv.* constructive; *inte ett ~ grand* not a mortal thing **II** *s* creation, creating &c **-are** creator **-ar|förmåga** creative ability (spirit, genius) **-ar|glädje** creator's joy **-ar|kraft** creative power (force) **-else** creation; *~n* creation, nature, the universe **-else|historia** history of the creation, genesis
skaplig *a* tolerable, passable, not [too] bad **-t** *adv, ~* [*nog*] tolerably well, well enough
skap‖lynne character, disposition **-nad** shape, form, figure
skar|a troop (band) [*soldater* of soldiers]; [mängd] crowd; [här-] host; *en ~ arbetare* a gang (team) of workmen; *en utvald ~* a select group; *samla sig i -or kring* flock round
skarabé scarab[ee]
skare [snöskorpa] crust [on the snow]
skarndäck *sjö.* gunwale
skarp *a* [kniv, spets, stigning o. d.; *äv.* kritik] sharp; [rakkniv, egg, blåst o. d.] keen; [besk] harsh; *~t angrepp* keen attack; *han är en ~ karl* **F** he is a smart card; *~t klander* strong disapproval; *~t omdöme* [an] acute judgment; *~a ord* sharp words; *ett ~t svar* a cutting reply; *hålla ~ utkik* keep a keen look-out; [friare] keep a strict watch [*över* on] **-blick** acute perception, penetration **-ladda** *tr* load .. with ball[-cartridge] **-rättare** executioner, hangman **-sinne** acumen, penetration; *äv.* ingenuity; [omdöme] discernment; [klarsynthet] perspicacity **-sinnig** *a allm.* keen, acute; [slug] astute; [klarsynt] perspicacious; *äv.* clever; [t. ex. bevis] ingenious **-skjutning** firing with ball[-cartridge] **-skodd** *a* roughshod **-skytt** sharpshooter, sniper **-synt** = *-sinnig* **-sås** *kok.* Indian sauce **-t** *adv* sharply &c; [starkt] strongly **-ögd** *a* keen-eyed
skarsnö crusty snow
1 skarv *zool.* cormorant
2 skarv ⊕ joint; *sömn.* seam; [tillsatt stycke] lengthening-piece **-a** *tr* **1** lengthen .. [by adding a piece]; *~ ihop* join; *~ till* add; *sömn.* let in **2** [ljuga] stretch a point
skat‖a magpie **-bo** magpie's nest
skatt 1 treasure *äv. bildl.* **2** [utskylder] tax; [kommunal-] [town] rate; [på vissa varor] duty; *~er* (*allm.*) rates and taxes **-a I** *tr* **1** [betala .. i skatt] pay .. in taxes &c **2** = *plundra* **3** = *upp~* **II** *itr* **1** pay taxes (&c); *han ~r för .. om året* he is assessed at .. a year **2** *~ åt förgängelsen* go the way of all flesh **III** *rfl, ~ sig lycklig* think o.s. fortunate **-e|avdrag** allowance [of tax] **-e|belopp** taxation amount **-e|betalare** tax-payer **-bok** tax book **-e|börda** burden of taxes (rates) **-e|fri** *a* tax(&c)-free; [om vara] free of duty **-e|frihet** exemption from taxes **-e|fusk** tax evasion **-e|inkomst** revenue from taxation **-e|innehåll** tax deducted (paid) **-e|innehållsbevis** receipt for tax paid **-e|längd** tax-roll(-register) **-e|lättnad** tax relief **-e|medel** taxation [money] **-e|myndighet** taxation authority **-e|märke** revenue stamp **-e|plikt** liability to taxation **-e|pålaga** tax **-e|skolkare** tax defaulter **-e|uppbörd** levy[ing] (collection) of taxes (rates) **-e|öre** rates *pl* **-grävare** digger for [hidden] treasures **-kammare** treasury **-mästare** treasurer **-pliktig** *a* .. liable to taxation, taxable; [om varor] dutiable **-sedel** tax-paper **-skriva** *tr bibl.* tax **-skyldig** = *-pliktig* **-sökare** treasure-seeker
skava *tr* o. *itr* **1** [med verktyg] shave, scrape **2** (*äv.* : *~ på*) rub; *äv.* gall [[*hål på*] *huden* one's skin]; *~ hål på* scrape a hole in
skavank flaw, fault; *full av ~er* defective
skav‖ning friction, abrasion **-sår** gall[-sore]
ske *itr* happen; occur; *skall ~!* [all] right! *~ din vilja!* Thy will be done! *det ~r en olycka om han* .. there will be the devil to pay if he ..; *allt vad* (*det*) *som* [*händer och*] *~r* all that is going on; *vad som ~tt står ej att ändra* what is done cannot be undone; *nyligen ~dd* recent [*händelse* event]
sked spoon; *en ~* .. a spoonful of ..; *ta ~en i vacker hand* make the best of a bad job
skeda *tr met. kem.* separate, segregate
sked‖blad bowl of a spoon **-drag** spoon bait
skede phase, period; *ibl.* epoch, era; [*i frågans*] *nuvarande ~* at the present stage of ..
skedvatten *kem.* spirit of nitre
skela *itr* squint; **F** be cock-eyed
skelett skeleton; [stomme, *byggn.*] framework
skelögd *a* squint-eyed, cross-sighted; *vara ~* (*äv.*) have a squint
1 sken 1 light; [starkt] *äv.* glare, shine **2** *bildl.* appearance[s *pl*], semblance; [förevändning] pretence, pretext; *~et bedrager* appearances are deceptive; *~et är emot honom* appearances are against him; *rädda ~et* save one's face; *ge sig ~ av att vara* make a show of being; *under ~ av* [*vänskap*] under the cloak (mask, guise) of ..
2 sken bolting; *sätta av i ~* se *1 -a*
1 skena *itr* bolt; run away; *en ~nde häst* a runaway horse
2 skena band, bar; *järnv.* rail
sken‖anfall feigned attack; *mil. äv.* diversion **-anläggning** dummy **-bar** *a* seeming (apparent) [*lugn* calm]; ostensible [*orsak* reason] **-barlig** *a* obvious **-bart** *adv* seemingly, apparently
skenben *anat.* shin[-bone]; *läk.* tibia
sken‖bild phantom, shadow; [dröm-] *äv.* phantasm **-död I** *a* apparently dead, dead-alive **II** *s* apparent death, suspended animation **-fager** *a* fine (grand) [*löfte* promise] **-helig** *a* hypocritical, pharisaical; [hycklande] canting **-helighet** hypocrisy, pharisaism; *äv.* cant **-köp** fictitious (sham) purchase **-liv** *bildl.* hollow life **-manöver** *mil.* diversion
sken‖skarv rail-joint **-spår** track-way
skepnad 1 shape, guise **2** [spöke] phantom

skepp 1 ship; jfr *fartyg; bränna sina ~ (äv.)* cut off all hope of retreat **2** *ark.* nave, body; [sido-] aisle **3** *boktr.* galley **-a** *tr* ship **-are** master shipper; **F** *äv.* skipper **-ar|historia** sailor's yarn **-ning** shipping, carriage [by water]
skepps||brott shipwreck; *lida ~* be shipwrecked **-bruten** *a* shipwrecked; *bildl.* derelict **-byggare** ship-builder, naval constructor **-byggnad** ship-building **-båt** [a ship's] boat **-docka** dockyard, basin **-furnerare** ship-chandler **-gosse** ship's boy; [kajutvakt] cabin-boy **-gosse|fartyg** school-(training-) ship **-klarerare** shipping agent **-klocka** ship's bell, [watch-]bell **-kock** ship's cook **-lanterna** ship's lantern **-last** cargo, shipload **-lista** register of ships; *Engl.* Lloyd's Register **-lucka** hatch[way] **-läkare** ship's doctor **-mäklare** ship-broker **-papper** ship's papers **-redare** ship-owner **-skorpa** ship biscuit **-varv** shipyard **-vrak** wreck
skep||sis scepticism, doubt **-tisk** *a* sceptic[al]
skev *a* warped; *bildl.* wry, wrong **-a I** *tr* slope, slant; *flyg.* bank; *~ en åra* feather an oar **II** *itr* squint **-bent** *a* wry-legged **-roder** aileron *fr.* **-t** *adv* awry
skick 1 [tillstånd] condition; state; *i bästa ~* in excellent (first-rate) condition; *i sitt hittillsvarande ~* in status quo; *i gott ~* in good order (repair); *i oskadat ~ (hand.)* intact, in good condition; *försätta .. ur stridbart ~ (mil.)* put .. out of action **2** = *bruk 2, sed* **3** [sätt] manners *pl;* se *fason* **-a I** *tr* send [*efter* for; *till* to; *med* by]; dispatch [*ett bud* a message]; remit [*pengar* money]; *~ ngn i uppdrag att..* commission a p. to ..; *~ bort'* send away, dismiss; *~ i förväg* send .. on before (ahead); *~ hit'* send [me (us)] here; pass me &c [*saltet* the salt]; *~ tillbaka (äv.)* return; *~ vidare* send on (forward) **II** *rfl* [uppföra sig] behave [o.s.] **-ad** *a* fitted (qualified) [*till* for] **-else** decree, ordinance; *ödets ~* the decree of fate, destiny; *genom försynens ~* by an act of providence **-else|diger** fateful, eventful **-lig** *a* skilful, clever; *äv.* good (apt) [*elev* pupil]; [duglig] able; *äv.* capable; [händig] dexterous, adroit; *en ~ arbetare* a capable (an able) workman; *en ~ affärsman* a first-rate business man; *vara ~ i ..* be a good hand (be clever) at .. **-lighet** skilfulness; skill, cleverness; aptitude; ability; competence; capability; dexterity; jfr *-lig*
1 skida 1 [slida] sheath, scabbard; *sticka svärdet i ~n* sheathe one's sword **2** *bot.* siliqua
2 skid||a ski, skee; *åka -or* ski, go skiing **-backe** ski-slope **-bindning** [ski-] binding **-byxor (-dräkt)** skiing trousers (costume) **-färd** skiing tour **-före,** *bra ~* good skiing surface **-hoppare** ski-jumper **-hoppning** ski-jump **-löpare** skier, ski-runner **-pjäxa** ski-boot **-sport** skiing **-spår (-stav)** ski-track (-stick) **-terräng** skiing country **-tröja** ski-jersey (-jacket) **-tävling** skiing competition, ski-race **-utrustning** skiing outfit **-valla** ski-wax **-åkare** = *-löpare* **-åkning** skiing, ski-running
skiff||er slate; [ss. vara] slating; *täcka med ~* slate **-er|grå** *a* slate-gray **-er|olja** shale-oil **-er|tak** slate[d] roof **-rig** *a* slaty
skift [arbetslag] gang (set, shift) of workmen; *i ~* by shifts **-a I** *tr* **1** divide; *~ boet* distribute the estate **2** [utbyta] exchange; *~ ord med..* altercate with .. **3** [byta] change; *~ gestalt* shift [outward] form **II** *itr* [förändra sig] shift, change; [regelbundet] alternate; *~ i rött* be shot with red **-ande** *a* changing, varied, variable; chequered [*bana* career]; eventful [*liv* life] **-arbete** shift work **-e 1** [delning] division, partition; [fördelning] distribution **2** [[om]byte] change, turn **3** [växling] *i livets alla ~n* in the ups and downs of life **-es|bruk** rotation farming **-es|rik** *a* eventful, chequered **-es|vis** *adv* alternately, by turns (shifts) **-ning** nuance, tinge, shade; *~ i rösten* break[ing] of the voice; *grått med en ~ i blått* gray with a tinge of blue **-nyckel** adjustable spanner, screw (monkey) wrench
skikt layer; [mur] course; *geol.* stratum; *bildl.* layer, stratum **-a** *tr* stratify
skild *a* **1** [olik] separate; *äv.* different, divers; *vitt ~a intressen* widely differing interests **2** [lösgjord, från-] separated, detached; jfr *från~*
skildr||a *tr* describe, depict; [förlopp] relate **-ing** description; relation, account
skilj||a I *tr* o. *itr* **1** [av-] separate (part, detach) [*från* from] **2** [åt-] divide; *äv.* dismember; [sammanhörande] disunite, disconnect; [om pers.] *äv.* part (separate) [*från* from]; divorce [*äkta makar* married people] **3** *~ mellan (på)* distinguish (discriminate) between; *~ mellan höger och vänster* know (tell) the difference between left and right **II** *rfl* part [*från* with]; detach itself, split off; *~ sig från [sin man]* divorce..; *~ sig med heder från sin uppgift* acquit o.s. creditably of one's task; *~ sig från mängden* be different from the common herd **-aktig** *a* different; [åsikt] divergent **-aktighet** difference; disparity [*i åsikter* of views] **-as** *dep* part; [om makar] separate, be divorced **-bar** *a* separable **-e|dom** award; [sentence of] arbitration **-e|domare** arbitrator **-e|mur** partition; barrier *äv. bildl.* **-e|mynt** [small] money, change **-e|tecken** *språkv.* punctuation mark **-e|väg** cross-road; *vid ~en* at the cross-roads *pl äv. bildl.*
skillingtryck chapbook
skillnad difference [*i* in; *på* between]; [avvikelse] distinction, divergence; *det är det som gör ~en* that makes all the difference; *göra ~ på (emellan) ..* make a distinction between ..; *äv.* treat .. differently; *till ~ från ..* as distinguished from ..
skilsmäss||a 1 parting [*från* with]; [*en lång* a long] separation **2** [äktenskaplig] divorce; *begära (söka) ~* sue (apply) for a divorce **-o|orsak** grounds *pl* for divorce **-o|process** divorce proceedings *pl*
skimmel [häst] roan
skim||mer shimmer, gleam; [glans] lustre; *ett ~ av overklighet* an air of unreality **-ra** *itr* shimmer, gleam
skin|a *itr* shine; [blänka] *äv.* glisten, gleam; [stråla] beam; *~ av belåtenhet* beam with contentedness; *avsikten -er igenom* his (o. s. v.) purpose is transparent; *hon sken upp* she brightened up
skingr||a *tr* disperse; *äv.* scatter; *mil.* [starkt] *äv.* rout; [förjaga] dispel [*misstankar* suspicions]; *~ tankarna* divert one's mind *sg* (thoughts); *~ ngns tvivel* set a p.'s doubts at rest **-|as** *dep* disperse, be scattered; *sällskapet -ades* the company broke up
skinka 1 *kok.* ham; *bräckt ~* fried bacon **2 F** [kroppsdel] buttock
skinn 1 skin; [fäll] fell; [berett] leather; [päls] fur; *våt inpå bara ~et* wet to the skin **2** *bildl., hon har ~ på näsan* she has a will (mind) of her own; *hålla sig i ~et* keep within bounds; behave o.s. **-a** *tr bildl.*

fleece (skin) . . [*på* of] **-band** leather-(calf-) binding; *i* ~ bound in leather **-foder** fur-lining **-fäll** skin rug **-klädd** *a* leather-covered **-krage (-mössa)** fur collar (cap) **- - och benfri,** ~ *ansjovis* skinned and boned anchovy **-rygg** *bokbind.* leather-back **-torr** *a* skinny; dry as a bone **-varor** skins, furs

skioptikon||[apparat] epidiascope; *Am.* stereopticon **-bild** slide

skipa *tr,* ~ *lag och rätt* dispense (administer) justice; ~ *rättvisa* do justice [to all]

skir *a* **1** [skirad] clear; [smör] run **2** *bildl.* aerial **-a** *tr* **1** try out [*ister* lard]; run (melt) [*smör* butter]; clear [*honung* honey]

skiss sketch; outline [*till* of] **-artad** *a* sketchy **-block** sketching pad **-bok** sketch-book **-era** *tr* sketch, outline

1 skiva F party; rag, spree

2 skiv||a 1 [thin] flat piece, plate; [platta] *äv.* slab, disk; [grammofon-] record; [fyrkantig] square **2** [skuren ~] slice, *ibl.* cut; *kok.* rasher; *i -or* in slices **3** *klara ~n (bildl.)* **F** manage (do) it (the job); get away with it **-bar** record (*Am.* disc) bar **-bytare** record changer **-ig** *a* in slices, sliced **-ling** agaric **-spelare** record player; *Am.* victrola **-växlare** = *-bytare*

skjort||a shirt **-bröst** shirt-front **-knapp** collar-stud **-ärm** shirt-sleeve

skjul shed, hovel

skjut||a *tr* o. *itr* **1** shoot; [ge eld] fire; ~ *bra* shoot well, be a good shot (marksman); ~ *efter ngn* shoot at a p.; ~ *ned* [person] shoot [down]; [flygplan] [shoot] down; ~ *över målet* overshoot the mark **2** *bildl.,* ~ *rygg* push up the back; ~ *skulden på ngn* lay the blame on a p. **3** [flytta] push, move, shove; ~ *fram'* push (move) forward; *itr* [om föremål] project, stand out; ~ *för'* shoot (push to) [*regeln* the bolt]; ~ *ifrån' sig* push (shove) away; *bildl.* shift off; ~ *igen'* shut, close; ~ *på'* push; ~ *upp'* = *upp~;* [om växter] shoot (spring) up; ~ *ut'* push (shove) out; [båt] launch; *itr* project, jut out **4** ~ *knopp* bud; ~ *rötter* strike roots; ~ *skott* sprout **-bana** shooting-(rifle-)range **-bar** *a* sliding **-dörr** sliding door **-fält** se *-bana* **-fönster** sliding window **-läge** shooting position **-ning** shooting, firing, *mil.* fire

skjuts 1 [-ning] conveyance **2** *konkr* [horse and] carriage **-a** *tr* o. *itr* drive, take; *äv.* convey [*resande* travellers]

skjut||skicklighet skill in shooting, marksmanship **-tävling** shooting-competition (-match) **-vapen** shooting-weapon; *äv.* fire-arm **-övning** rifle-practice

sko I *s* shoe; [känga] boot; [dans-] pump **II** *tr* **1** [häst] shoe **2** ~ . . *med järn* mount . . with iron **3** [kanta] line (edge) . . round the bottom **III** *rfl* line one's purse [*på ngns bekostnad* at a p.'s expense] **-affär** [boot and] shoe shop **-ask** shoe-box **-band** shoe-lace (-string) **-block** shoe-tree **-borste** shoe-brush

skock crowd, herd **-a** *rfl* crowd (troop) [together]; [om djur] *äv.* flock [together]

skodon *koll* [boots and] shoes

skog wood; [större] forest; [t. ex. hugga, plantera] trees; *ej se ~en för bara träd* not see the wood for the trees; *det går åt ~en* it is [all] going wrong (to the dogs); *dra åt ~en!* [go] to the deuce! [starkare] go to hell! take yourself off! **-bevuxen** *a* wooded, forest-clad **-fattig** *a* poorly wooded **-ig** *a* wooded, woody **-rik** *a* . . abounding in forests; well-wooded **-s|arbetare** woodsman **-s|areal** forest area **-s|avverkning** timber-cutting, lumbering **-s|backe** woody (wooded) hill **-s|brand** forest fire **-s|bruk** forestry **-s|bryn** edge of a (the) wood **-s|bygd** woody district, woodland; *i ~en (äv.)* in the backwoods **-s|byrå** forestry office **-s|dunge** grove; [mindre] copse **-s|duva** stock-dove **-s|eld** forest fire **-s|fågel** forest bird; *koll* grouse, black game **-s|gräns** forest boundary; *bot.* timber (tree) line **-s|gud** sylvan god, faun **-s|hushållning** forestry **-s|högskola** Forestry Institute, College (School) of Forestry **-s|körslor** timber haulage *sg* **-s|mark** wooded ground **-s|område** wooded (forest) district (area) **-s|plantering** planting of timber; [af]forestation **-s|produkt[er]** forest produce; timber, lumber **-s|rå** wood-spirit (-nymph) **-s|skövling** devastation of a (the) forest **-s|stig** forest path **-s|taxering** forest survey **-s|trakt** wooded region, woodland **-s|vård** forestry, sylviculture **-vaktare** gamekeeper, forester

skohorn shoehorn, shoe-lift

skoj 1 [bedrägeri] humbug, cheating, swindling **2** = *skämt, upptåg* **-a** *itr* **1** [bedraga] swindle **2** lark, jest, joke; ~ *med ngn* pull a p.'s leg **-are 1** [bedragare] cheat[er], fraud **2** [skämtare] wag **-ar|firma** swindling firm **-frisk** *a* . . full of fun **-ig** *a* = *lustig*

skokräm shoe-cream(-polish)

1 skola *hjälpv.* **1** se *1 skall, 1 skulle* **2** [måste] have (be obliged) to **3** [förutbestämmelse] be to **4** [stå i begrepp att] be going (about) to

2 skol||a I *s* school; *när ~n slutar a)* when school breaks up; *b)* when school is over for the day; *lämna (sluta) ~n* leave school; *i ~n a)* [vara] in (at) school; *b)* [gå] to school; *vilken ~ gick du i?* where did you go to school? **II** *tr* school, teach; *äv.* train **-ad** *a* trained; cultivated [*röst* voice] **-arbete** school work; [läxor] home-work, **F** prep

skolast||ik scholasticism **-isk** *a* scholastic

skol||avgift school-fees *pl* **-avslutning** breaking-up [of school] **-barn** school-child **-bildning** [school-]education, schooling **-bok** school-(text-)book **-bänk** form, seat; *sitta på ~en (bildl.)* be at school **-dag** school day **-direktion** school board **-elev** pupil; schoolboy, schoolgirl **-exempel** object lesson **-ferier** [school] holidays (vacation *sg*) **-film** educational film **-flicka** schoolgirl **-flygning** training flight; flight training **-flygplan** trainer, training plane **-föreståndare (-föreståndarinna)** head-master (-mistress) of a school **-gång** school-attendance, schooling **-gård** schoolyard; *äv.* playground **-hus** school[house] **-ka** *itr* play [the] truant (**F** the wag); *äv.* shirk school **-kamrat** schoolfellow; school chum; [vän] pal; *vi voro ~er* we were at school together **-kunskap[er]** knowledge acquired at school **-kök** school kitchen; [ämne] domestic science **-köks|lärarinna** domestic science teacher

skolla scale, lamina, thin plate

skol||ljus a shining light at school **-lov** holiday[s *pl*] **-lovs|koloni** holiday-camp **-läkare** school doctor **-lärare** school-teacher, schoolmaster **-lärarinna** schoolmistress, schoolteacher **-man** education[al]ist **-materiel** school supplies *pl* **-mästerskap** *sport.* school championship **-ning** training, schooling **-orkester** school orchestra **-plikt** compulsory education **-pliktsålder** compulsory school age **-pojke** schoolboy **-radio** school radio; broadcasting for schools **-reform** educational reform **-ridning** manège-riding **-rum** schoolroom **-ryttare** manège-rider **-sal** =

-*rum* **-sjuk** *a, vara* ~ ≐ *skolka* **-skepp** training-ship **-skrivning** written test **-slang** schoolboy (schoolgirl) slang **-stadium** school level **-styrelse** [country (parish)] education[-al] authority, school-board **-system** school system **-tid** school-hours *pl;* school-days *pl* **-tvång** compulsory education **-typ** type of school **-undervisning** school education, schooling **-ungdom** school-children *pl* **-väsen** educational system **-väska** [school-] satchel, school bag **-ålder** school age **-år** *pl* years at school, school-days **-[över]styrelse,** ~*n* the Board of Education
skomakare shoemaker, bootmaker
skona *tr* spare; use .. tenderly; ~ *ögonen* save one's eyes; ~ *sin hälsa* take care of one's health
skon||are -ert *sjö.* schooner
skoning tip; [på klänning] hem-lining
skon||ingslös *a* unsparing, merciless **-sam** *a* [tålmodig] forbearing; [mild] indulgent, lenient **-sam|het** forbearance; *äv.* indulgence, leniency
skonummer size in shoes
skopa scoop, dipper, drainer; *sjö.* bailer; *en* ~ *ovett* a shower of abuse
sko||putsare shoeblack; *Am.* shoeshine; [på hotell] *äv.* boots **-påse** shoe-bag
skorpa 1 [skal] crust; [på sår] *äv.* scab **2** [bakverk] rusk; biscuit
skorpion scorpion
skorr||a *itr* **1** [speak with a] burr **2** [låta illa] jar, grate **-ning 1** burr **2** jar[ring sound]
skorsten chimney; [på lok o. ångfartyg] funnel **-s|eld** [a] fire in the chimney **-s|fejare** chimney-sweep[er] **-s|huv** chimney cap **-s|pipa** chimney-flue, smoke-pipe
skorv *läk. bot.* scurf **-ig** *a* scurfy, scurvy
sko||skav galled feet *pl; få* ~ (*äv.*) get chafed feet **-smörja** se *-kräm* **-snöre** shoe-lace (-string) **-spänne** shoe-buckle **-sula** shoe-sole **-svärta** shoe-blacking
skot *sjö.* sheet **-a** *tr,* ~ *an* sheet home
skotsk *a* Scotch [*visky* whisky]; [i Skottl.] Scots, Scottish **-a 1** [språk] Scotch, Scots **2** [kvinna] Scotchwoman, Scotswoman
skott 1 shot; [laddning] charge; *ett* ~ *hördes* [the report of] a gun was heard **2** *bot.* shoot, sprout; *skjuta* ~ sprout **3** *sjö.* bulkhead **-a** *tr* o. *itr* shovel [*snö* away the snow]; ~ [*ren*] *gatan* clear the street [of snow] **-are** shoveller, sweeper
skottavla target; *tjäna som* ~ *för* be the butt of
skottdag intercalary (leap-)day
skott|e 1 Scotchman; [i Skottl.] Scot; *-arna* the Scots (Scotch) **2** [hund] Scottish terrier
skott||fri *a* shot-free; *gå* ~ (*bildl.*) get off scot-free **-fält** field of fire **-glugg** loop-hole; [kanon-] embrasure **-håll** [*inom* within] range **-kärra** wheelbarrow
Skottland Scotland
skott||linje *mil.* line of fire **-lossning** discharging, firing **-rädd** *a* gun-shy **-salva** round **-spole** shuttle **-sår** bullet wound **-säker** *a* bullet-proof **-vidd** firing range **-växling** exchange of fire; [-lossning] firing, shooting **-år** leap-year
skov||el 1 shovel, scoop **2** [t. ex. på fartyg] float[-board] **-el|hjul** paddle-wheel; [i mudderverk o. d.] flash-wheel **-la** *tr* shovel
skrak[e] merganser
skral *a* **1** [usel] poor **2** [sjuk] poorly, seedy **3** *sjö.,* ~ *vind* light (scant) wind **-t** *adv* badly; *det gick* ~ *för honom* he made a poor show
skram||la I *s* rattle[-box] **II** *itr* rattle, clatter; [klirra] jingle **-mel** rattling &c; [ett ~] rattle, jingle, clatter

skranglig *a* **1** [gänglig] lank[y], lathy; [om pers.] loose-limbed **2** [rankig] rickety
skrank railing, barrier; [i domstol] bar **-|a** barrier, check; *-or* limits, restraints; bounds; *inom lagens -or* within the limits of the law
skrap||a I *s* **1** scraper, rake **2** [sår] scratch **3** [klander] reproof; [*en duktig* a good] rating **II** *tr* o. *itr* scrape [*med fötterna* one's feet]; [om hund, penna] scratch; [*hästen*] ~*r med fötterna* .. paws [the ground]; ~ *ihop pengar* hoard up (scrape together) money **III** *rfl,* ~ *sig på benet* graze [the skin off] one's leg **-ning** scraping &c; [en ~] scrape
skratt laughter; [ett ~] laugh; *ett gott* ~ a good laugh; *full av* (*i*) ~ bursting (ready to burst) with laughter; *brista i* ~ burst out laughing **-a** *itr* laugh [*åt* at]; *det är ingenting att* ~ *åt* it is no laughing matter; ~*r bäst som* ~*r sist* he who laughs last laughs longest; ~ *ut* laugh one's fill; ~ *ut ngn* [have a] laugh at a p.; [göra .. löjlig] turn a p. to ridicule **-ar|e** laugher; *få -na på sin sida* have the laugh on one's side **-grop** dimple **-mås** black-headed gull **-retande** *a* laughable, droll, comic; [löjlig] ridiculous **-salva** burst (roar) of laughter
skred slip, slide
skreva I *itr,* ~ *med benen* straddle **II** *s* crevice, cleft
skri 1 scream, shriek, yell; [rop] cry **2** [djurs] shriek; [ugglas] hoot **-a** *itr* cry [out], shriek &c **-ande** *a* crying [*orättvisa* injustice], glaring [*missbruk* abuse]
skribent writer, *äv.* penman
skrida *itr* [långsamt] glide; [med stora steg] stride; ~ *till verket* set (go) to work, take action
skridsko skate; *åka* ~ skate, go skating **-bana** skating-rink **-is** ice for skating **-segel** hand-sail **-tävling** skating competition **-åkare** skater **-åkning** skating
skrift 1 [stil] [hand]writing; [skrivtecken] [written] characters *pl* **2** paper; [tryckt] publication; [broschyr] booklet; *samlade* ~*er* collected works; *den Heliga S*~ Holy Writ, the Scriptures *pl* **3** = *bikt* **-a** se *bikta* **-er|mål** confession **-lig** *a* written; ~*t besked* information in writing **-ligt** *adv* in writing; [genom brev] by letter; *ha* ~ *på* **F** have .. in black and white **-lärd** *a* *bibl.* .. versed in the Scriptures **-skola** [i Finland = konfirmationsundervisning], *gå i* ~ prepare for confirmation **-skol|gången** *a* prepared for confirmation **-språk** written (literary) language; *Engl.* Standard English **-ställare** writer [of books], author **-växling** correspondence
skrik cry [*på hjälp* for help; *av smärta* of pain]; [gällt] scream, shriek, yell; [rop] shout; [anskri] clamour *äv. bildl.; bildl. äv.* outcry **-a I** *s zool.* jay; *mager som en* ~ [as] thin as a herring **II** *itr* o. *tr* cry out [*på hjälp* for help]; shout, scream, yell; [om små barn] squeal, bawl, **F** howl; ~ *till'* give a cry **III** *rfl,* ~ *sig hes* roar o.s. hoarse **-ande** *a* screaming &c; *bildl.* glaring [*färger* colours] **-hals** screamer; [om barn] cry-baby **-ig** *a* screaming &c
skrin box; *äv.* case
skrinda hay-cart(-waggon)
skrinlägga *tr* enshrine; *bildl.* consign .. to oblivion; *äv.* postpone; [uppgiva] relinquish
skrinna *itr* skate
skritt, *i* ~ at a walking pace
skriv||a *tr* o. *itr* write; compose [*en essä* an essay]; [stava] spell; *hur -es ..?* how do

you spell ..? ~ *rent* copy out, make a fair copy of; ~ *sitt namn* sign o.'s name; ~ *på maskin* type; *måste* ~*s på* [*krigets*] *konto* must be ascribed to ..; ~ *av'* copy; ~ *om'* re-write; ~ *på' a)* [lista] put down one's name [on]; *b)* [lånehandling] se *borgen;* ~ *under* subscribe *äv. bildl.*, sign; ~ *upp* [anteckna] write (put) .. down; [ngns namn] take down; ~ *upp på ngns räkning* charge to a p.'s account; ~ *ut en räkning* make out a bill **-are** writer; [förr] scribe **-arbete** writing **-biträde** clerk **-block** writing-pad **-bok** *skol.* exercise-book **-bord** writing-table; *vanl.* desk **-don** writing materials **-else** *jur.* writ; *polit.* address; [brev] letter **-eri** writing; [klotter] scribbling **-fel** writing-mistake, slip of the pen **-göromål** desk-work **-klåda** scribbling-itch(-fever) **-konst** art of writing **-kramp** writer's cramp **-kunnig** *a, vara* ~ be able (have learnt) to write **-kunnighet** ability to write, literacy **-maskin** typewriter; *skriva på* ~ *(vanl.)* type **-maskins|-byrå** typewriting office **-ning** writing; *skol.* written examination (test) **-papper** writing-paper; [brev-] note-paper, stationery **-prov** written examination **-stil** hand[-writing] **-tecken** graphical sign, [written] character **-underlägg** blotting-pad, [calendar-]blotter

skrock superstition

skrocka *itr* cluck; [om pers.] *äv.* chuckle

skrockfull *a* superstitious **-het** superstition

skrodera *itr* bluster, swagger, brag

skrof||ler scrofula **-ulös** *a* scrofulous

skrot [järn-] scrap-iron; *allm.* scrap; *av samma* ~ *och korn* of the same stamp (standard) **-a** *tr,* ~ *ned* scrap; [t. ex. fartyg] break up **-hög** scrap-heap

skrov body; *sjö.* hull; [djurs] carcass

skrovlig *a allm.* rough; [klippa] rugged; [röst] *äv.* raucous, harsh

skrubb [rum] [dark] closet, box-room

skrubb||a *tr* [*rfl*] [skura] scrub ([skrapa] rub) [o.s.] **-sår** scratch, surface wound

skrud attire, garb **-a** *rfl* deck (dress) o.s.

skrump||en *a* shrunk[en], shrivelled; [rynkig] wrinkled **-na** *itr* shrink, shrivel [up]; wrinkle

skrup||ler scruples **-ulös** *a* scrupulous

skruv screw; [kläm-] jam-nut; [på fiol] [tuning-]peg; *ha en* ~ *lös* have a screw loose, be a bit touched; *det tog* ~ (*bildl.*) that went home **-a** *tr* o. *itr* screw; ~ *av* (*lös*) unscrew, screw off; ~ *fast* screw up [.. tight]; ~ *in en skruv* drive in a screw; ~ *ned* lower (turn down) [*gasen* the gas]; ~ *upp* screw up; [gasen] turn up; [öppna] unscrew, open; ~ *upp priserna* work up the prices **-bult** screw[ed] bolt **-gänga** screw-thread **-mejsel** screw-driver, turn-screw **-mutter** nut **-nyckel** screw-key (-wrench), spanner **-städ** [screw-]vice

skrym||ma *itr* take up [a great deal of] room; *äv.* be bulky **-mande** *a* bulky, voluminous

skrymsl||a **-e** corner, nook

skrymt||a *itr* play the saint **-ande** *a* hypocritical, dissembling **-are** dissembler; hypocrite **-eri** hypocrisy; [i ord] cant[ing]

skrynk||elfri *a* crease-resisting **-la** *s* o. *tr* wrinkle, crease; ~ *ihop (ned, till)* crease, crumple **-lig** *a* creased, crumpled

skryt brag[ging], boast[ing]; swagger[ing]; *tomt* ~ [an] idle (empty) boast, vainglory; [*han gjorde det*] [*bara*] *på* ~ .. just to show off **-a** *itr* boast (brag) [*över* (*med*) of]; [*vilja*] ~ *med* .. show off; *utan att* ~ without boasting **-sam** *a* boastful, bragging &c; *äv.* vainglorious **-samhet** boastfulness &c

skrå [trade-]guild; *äv.* craft[-guild]; [friare] corporation **-anda** [friare] sense of solidarity; [klandr.] exclusivism

skrål bawl[ing], bellow, roar **-a** *itr* o. *tr* bawl, bellow &c; make a noise **-ig** *a* boisterous, noisy

skråma scratch, cut; *äv.* skin-wound

skråväsen guild system

skräck terror [*för* of (to)]; [fruktan] fright, dread; [plötslig] scare, panic; [fasa] horror; *sätta* ~ *i* .. fill (strike) .. with terror, terrify .. **-bild** terrific vision; [spöke] bugbear; *bildl.* picture of terror **-drama** **-film** blood-curdler, hair-raiser **-hallucination** terror hallucination **-injagande** *a* horrifying, terrifying **-kammare** chamber of horrors **-propaganda** terror (atrocity) propaganda **-regemente** reign of terror, terrorism **-slagen** *a* panic-stricken, horror-struck **-stämning** atmosphere of terror **-vapen** terror weapon **-välde** terrorism

skräda *tr* [malm] pick, dress; bolt [*mjöl* meal]; *inte* ~ *orden* not mince matters

skrädd||are tailor **-ar|gesäll** journeyman tailor **-ar|räkning** tailor's bill **-ar|sydd** *a* tailor-made **-eri** tailor's business

skräll clash, crack, bang; [åsk-] clap (peal) of thunder; *bildl.* crash **-a** *itr* crack &c; [om fönster] rattle **-ande** *a* clashing, pealing &c; ~ *röst* cracked voice; ~ *hosta* hollow cough **-e**, *ett gammalt* ~ [om piano] a tinkling old piano; [om pers.] a rickety old body **-ig** se *-ande*

skräm||ma *tr* o. *itr* frighten; [plötsligt] startle, scare; *bli -d* be frightened (scared); ~ *upp* frighten, terrify; [fågel] beat up **-sel** fright, scare **-skott** warning shot; *bildl.* empty menace, *äv.* bugbear

skrän yell, howl **-a** *itr* yell, howl, vociferate; [gorma] bluster **-fock** blusterer, ranter **-ig** *a* vociferous, noisy

skräp rubbish, **F** trash, *Am.* junk; [avfall] litter; [billig grannlåt] *äv.* trumpery; *å* ~*!* nonsense! bosh! **-a** *itr* [*ligga och* lie about and] make the room (o. s. v.) [look] untidy; ~ *ned* [make a] litter **-hög** heap of rubbish **-ig** *a* untidy, littery; *det ser så* ~*t ut här* there is so much litter here, it looks so untidy here **-tunna** waste can **-rum** lumber-room

skräv||el = *skryt* **-la** = *skryta* **-lare** braggart, blusterer, swagger

skröplig *a* frail, fragile, weak[ly]; [orkeslös] decrepit

skudda *tr,* ~ *stoftet av sina fötter* shake the dust off one's feet

skuff push, shove **-a** *tr* push, shove; [i folkhop] jostle **-as** *dep* jostle

skugg||a **I** *s* [mots. ljus] shade; [av ngt] *äv. bildl.* shadow; *-or och dagrar* light[s] and shade[s]; [*han är*] *en* ~ *av* [*sitt forna jag*] .. a mere wreck (shadow) of ..; *ställa* .. *i* ~*n* (*bildl.*) throw (put, cast) .. into the shade **II** *itr* o. *tr* shade; [ej släppa ur sikte] shadow **-bild** **1** shadow, *bildl. äv.* phantom **2** = *silhuett* **-ig** *a* shaded, shady **-liv** shadowy existence **-ning** shading &c; *konkr* shade, shadow **-regering** shadow cabinet (government) **-sida** shady (*bildl. äv.* dark, seamy) side

skuld **1** debt; [*tillgångar och*] ~*er* .. liabilities; *ha en stor* ~ *hos* owe a large (big) sum [to a p. (at a shop)]; *infria sina* ~*er* meet one's liabilities **2** [fel] fault, blame; [synd] guilt; ~*en är min* it is my fault, I am the one to blame; *han bär den största* ~*en därför* he is most to blame in the matter; *det är*

hans egen ~ he has nobody to blame but himself; *förlåt oss våra* ~*er* (*bibl.*) forgive us our trespasses; *fritaga från* ~ exculpate; *ta* ~*en på sig för* confess o.s. guilty of; *vara* ~*[en] till* be to blame for **-belastad** *a* guilty **-börda** burden of debt
skulderblad shoulder-blade; *anat.* omoplate
skuld‖fri *a* **1** free from debt; [egendom] unencumbered **2** [oskyldig] guiltless, innocent **-förbindelse** bond, note of hand **-känsla** sense of guilt **-medveten** *a* guilty
skuldr|a shoulder; *ta* .. *på sina -or* (*bildl.*) shoulder
skuld‖satt *a* in debt; [om egendom] encumbered **-sedel** written acknowledgement of debt; IOU (= I owe you) **-sätta** *rfl* run into debt, contract debts
skull, *för* .. *s* ~ for ..'s sake, for the sake of ..; [till följd av] on account (because) of; *för Guds* ~ for the love of God; [ss. utrop] for goodness' (heaven's, God's) sake! *för en gångs* ~ for once; *för skams* (*syns*) ~ for the sake of appearances
1 skulle should, would; jfr *gram.*
2 skulle [hö-] hay-loft
skulpt‖era *tr* sculpture; *äv.* carve .. in stone (o.s.v.) **-ur** sculpture **-ur|verk** piece of sculpture **-ör** sculptor
1 skum *a* dusky, dim; [beslöjad] veiled; [misstänkt] suspicious, shady
2 skum foam; [fradga] froth; [på öl] froth, a head; [champagne] **F** fizz **-gummi** foamed rubber **-ma I** *itr* foam, spume, froth; [om vin] sparkle, **F** fizzle; [om tvål] cream, lather; ~ *av raseri* foam with rage **II** *tr* skim **-mjölk** skim[med] milk
skumpa *itr,* ~ [*i väg*] scamper off (away)
skumplast foamed plastic
skumrask dusk [of the evening] **-affär** shady business
skumsläckare foam-extinguisher
skumögd *a* purblind, dim-sighted
skunk [common] skunk
skur shower; [regn-] *äv.* **F** drencher, downpour
skur‖a *tr* scour (scrub) [*golvet* the floor]; [metall o. d.] polish, burnish **-balja** scouring-pail **-borste** scrubbing-brush, scrubber; *sjö.* swab **-gumma** charwoman
skurk scoundrel, villain; [skojare] rascal **-aktig** *a* knavish, villainous **-aktighet** villainy, rascality **-streck** [piece of] villainy, knavish (scurvy) trick
skur‖pulver polishing-powder **-trasa** scouring-cloth, mop
skut‖a barge, smack **-skeppare** skipper
skutt leap, bound; se *äv. 2 hopp* **-a** *itr* = *hoppa*
skvadron *mil.* squadron, company of horse
skvala *itr* swash; *äv.* gush, spout; jfr *ösa II*
skvaller gossip; [allmänt] town-talk; *skol.* sneaking; [förtal] slander **-aktig** *a* chatting, tattling; gossipy; [förtalande] slanderous **-bytta F** tell-tale; *skol.* sneak, **F** clack **-historia** gossip-story **-håla** gossipy place, resort of slanderers **-käring** [old] gossip, tattle-monger **-stund,** *en* ~ a [good] gossip
skvallra *itr* gossip, tattle; *skol.* sneak; *han* ~*de för henne* he told her; *hans utseende* ~*de om* .. his looks told of ..
skvalp [s]plash[ing], lap[ping] **-a** *itr* [om vågor] lap, ripple; [i kärl] splash to and fro
skvätt drop (splash) [*vatten* of water] **-a** *tr* o. *itr* splash, squirt; [om regn] sprinkle
1 sky [himmel] sky, heaven[s *pl*]; [moln] cloud; *jag stod som fallen från* ~*arna* I stood struck with amazement; *skrika i himlens (i högan)* ~ cry blue murder; *höja* .. *till* ~*arna* praise .. to the skies
2 sky *tr* shun, avoid; *äv.* shrink from; [frukta] dread; *inte* ~ *någon möda* spare no pains; *utan att* ~ *några kostnader* regardless of expense
skydd 1 protection [*mot, för* against (from)]; [försvar] defence; mera *konkr* shelter; [tillflykt] refuge; *söka* ~ [mot] seek shelter; [hos] seek protection; *äv.* take cover; *i* ~ *av* under cover of [*natten* the night] **2** *hand.* [av växel] protection, honour **-a** *tr* protect; [bevara] preserve (defend) [*mot (för)* against (from)]; [värna] shield; [skyla] *äv.* shelter; [trygga] safeguard **-s|ande** guardian spirit **-s|anordning** protective contrivance **-s|dräkt (-s|galler)** protective clothing (grating) **-s|glasögon** protective goggles **-s|helgon** patron [saint] **-s|häkte** [*sätta* .. *i* take .. into] protective custody **-s|ling** ward; *äv.* protégé *fr.* **-s|lös** *a* defenceless **-s|medel** means *sg* o. *pl* of protection, preservative **-s|märke** trade mark **-s|plagg** overall **-s|ridå** safety curtain **-s|rum** [air-raid] shelter; *mil. äv.* dug-out **-s|tull** protective duty **-s|väg** pedestrian (zebra) crossing; *Am.* cross-walk **-s|åtgärd** protective measure **-s|ängel** guardian angel
sky‖drag waterspout, typhoon, tornado **-fall** torrent of rain, downpour, cloudburst
skyff‖el shovel; [sop-] dust-pan **-la** *tr* shovel; [väg o. d.] hoe
skygg *a* shy [*för* of]; [om häst] *äv.* skittish; [försagd] timid; [tillbakadragen] reserved **-a** *itr* start (shy, take fright) [*för* at] **-het** shyness &c; timidity, fear; [tillbakadragenhet] reserve **-lappar** blinkers, blinds
skyhög *a* .. reaching to the clouds, sky-high
skyl shock, shook
1 skyla *tr* [säd] shock, shook
2 skyla *tr* cover; jfr *dölja, skydda*
skyldig *a* **1** guilty [*till* of]; *jur.* convicted (found guilty) [*till* of]; *icke* ~ not guilty, guiltless; *den* ~*e* the culprit; [svagare] the offender; *döma ngn* ~ condemn a p.; [om nämnd, jury] find a p. guilty; *göra sig* ~ *till* [*ett misstag*] commit (be guilty of) .. **2** [skuldsatt] in debt; *vara* ~ *ngn* [pengar, ett besök etc.] owe a p. ..; *vad är jag* ~? what do I owe [you]? how much have I to pay? [på restaurang] the bill (*Am.* check), please! [vid uppgörelse] how much am I to pay? **3** [pliktig] bound, obliged; *vara* ~ *att* .. have to ..; *jag är* ~ *att* [*omtala*] it is my duty to .. **-het** duty (obligation) [*mot* towards]; *ikläda sig* ~*er* assume liabilities
skyldra *tr,* ~ *gevär* present arms
skylla *tr* o. *itr,* ~ *ngt på ngn* blame a p. for a th.; ~ *på okunnighet* plead ignorance
skylt sign[board] **-a** *itr* [om sak] be exposed (exhibited); ~ *med* .. put .. on show; display, show off **-docka** dummy, lay figure **-fönster** show-window **-låda** show-case(-glass) **-ning** window-dressing; *äv.* decoration
skyltvakt sentry
skymf insult, offence; [nesa] contumely; [kränkning] outrage **-a** *tr* insult, offend; [kränka] outrage **-lig** *a* ignominious [*nederlag* defeat]; *äv.* outrageous [*behandling* treatment] **-ord** abusive (insulting) word; *koll* abusive language, insults *pl*
skym‖ma I *tr* stand in the way (light) of; [dölja] conceal, hide; *du -mer mig* you are [standing] in my light; *tårar -de hennes blick* her eyes were dimmed (blinded) by tears **II** *itr, det (kvällen) -mer* [*på*] it is getting dusk **-ning** twilight, dusk
skymt glimpse (gleam) [*av hopp* of hope];

[spår] trace; *äv.* vestige [*av bevis* of evidence]; *ej en ~ av* [intresse] not the faintest . .; [tvivel] not a shadow of . . **-a I** *tr* catch a glimpse of **II** *itr* be dimly seen (observed); *~ fram* peep out (forth)
skym|undan, *i ~* in an out-of-the-way corner; *hålla sig i ~* keep o.s. out of the way
skynd||a I *itr* hurry, hasten; *äv.* speed; *~ på!* make haste! hurry up! **II** *rfl* hurry [up], make haste **-sam** *a* speedy; prompt [*svar* reply]; [brådskande] quick (hurried) [*steg* steps] **-samhet** speed[iness], promptness &c
skynke cover[ing], wrapper, cloth
skyskrapa sky-scraper
skytt shot, marksman **-e|grav** *mil.* trench
skyttel *väv.* shuttle **-trafik** shuttle traffic
skyttelinje firing-line
skåda I *itr* se *blicka* **II** *tr* behold, see
skåde||bana stage; *äv.* scene **-bröd** *bibl.* o. *bildl.* showbread **-fönster** display (show) window **-lysten** *a* . . eager to see; [nyfiken] curious **-penning** medal **-plats** stage; *bildl.* scene [of action] **-spel** spectacle; *äv.* scene; *teat.* play, drama **-spelare** actor; *äv.* [stage-]player; *bli ~* go on the stage **-spelerska** actress **-spels|författare** playwright, dramatist
skål 1 [kärl] bowl; [spilkum] basin **2** [välgångs-] toast; *~!* here's to you! **F** cheers! *Am.* bottom up! *dricka ngns ~* drink [to] a p.'s health; *utbringa en ~* propose a toast **-a** *itr, ~ för* propose a toast to; *~ med varandra* drink to one another
skåll||a *tr* scald **-het** *a* scalding (boiling, **F** piping) hot
skåltal toast, afterdinner speech
skåp cupboard, *Am.* closet; [med lådor] cabinet; *bestämma var ~et skall stå* wear the breeches **-supa** *itr* tipple in private (on the sly)
skåra score, slot; [sår, rispa] scratch; [räffla] groove
skäck piebald horse **-ig** *a* piebald, pied
skägg [*ha* wear a] beard **-botten,** *ha mörk ~* have a blue chin **-dopping** great crested grebe **-ig** *a* bearded; [orakad] unshaved **-lös** *a* beardless **-prydd** *a* bearded **-strå** [a] hair [out] of one's beard **-stubb** bristles *pl* **-växt** [growth of] beard[s *pl*]; *han har stark ~* his beard is growing fast
skäkta *s* o. *tr* swingle
skäl reason [*till* of (for)]; [orsak] cause, ground; [bevekelsegrund] motive; [argument] argument [*för och emot* for and against]; *det vore ~ att du frågade* you would do well to (you had better) ask; *göra ~ för sig* give satisfaction; *det har sina* [*randiga*] *~* there are very good reasons for it, *ha allt ~ att* [*vara nöjd*] have every reason to . . **-ig** *a* reasonable; *äv.* fair; *finna ~t* find it proper **-igen** *adv* reasonably &c; *~ enkel* pretty simple
skäll||a I *s* bell; *nu blev det ett annat ljud i ~n!* then things took on a new note! **II** *tr* o. *itr* bark; *bildl.* [ösa ovett] bay, bellow; *~ på* (*bildl.*) abuse, scold, storm at; *~ ut . .* give . . a rating **-ko** bell-cow **-s|ord** abusive word; *pl* (*koll*) invectives, foul language *sg*
skälm rogue; [lymmel] rascal; [om barn] trot, monkey; [skämtare] wag, joker; *en inpiskad ~* an arch-rogue; *ha en ~ i ögat* have a roguish twinkle **-aktig** *a* roguish, waggish; *~ blick* arch look **-aktighet** roguishness **-sk** *a* arch **-stycke** roguish trick; *äv.* practical joke
skälv||a *itr* shake; [darra] tremble (quiver) [*av* with] **-ande** *a* tremulous

skäm||d *a* [frukt] rotten, perished; [luft, ägg] bad **-ma** *tr* spoil (*äv.: ~ bort*); [vanpryda] mar; *~ ut* put . . to shame; *~ ut sig* disgrace o.s. **-|mas** *dep* be ashamed; jfr *blygas; ingenting att ~ för* nothing to be ashamed about; *-s du inte!* shame on you! *fy -s!* fie! *~ ögonen ur sig* die of shame
skämt joke, jest; *dåligt ~* poor joke; *grovt ~* coarse jest, **F** gag; *~ åsido!* joking (jesting) apart! *på ~* for fun (**F** a lark); *äv.* in sport **-a** *itr* joke, jest; *~ med* poke fun at; *~r du* [*eller menar du allvar*]? is it a joke . .? *han låter inte ~ med sig* he won't stand any nonsense **-are** joker, jester, wag **-lynne** [wit and] humour **-sam** *a* jocose, facetious; [glad] jocular; [humoristisk] humorous; [gycklande] jesting, joking **-samhet** jocosity, facetiousness &c **-serie** comic strip **-tecknare (-tidning)** comic artist (journal)
skänd||a *tr* defile, pollute; *äv.* violate **-lig** *a* infamous [*handling* deed]; [nedrig] nefarious (atrocious) [*brott* crime] **-lighet** infamy, atrocity, outrage
1 skänk sideboard, buffet
2 skänk = *gåva; till ~s* for (as) a gift **-a** *tr* **1** give; present [*ngn ngt* a p. with a th.]; *~ bort . .* give . . away **2** *~ i glasen* fill the glasses
skänkel leg, shank *äv.* ⊕
skänkrum bar, tap-room
skäppa bushel; [korg] basket; *få ~n full* come in for it
1 skär *a* **1** pink, light red **2** [ren] pure, clean
2 skär [holme o. d.] skerry, rocky islet
skär||a I *s* sickle **II** *tr* o. *itr* **1** cut *äv. bildl.;* [kött, i trä] carve; *~ tänder*[*na*] gnash (grind) one's teeth; *~* (*korsa*) *varandra* intersect; [om gator] cross; *~ . . i* [*tunna*] *skivor* slice . .; *det skär mig i hjärtat* it cuts me to the heart; *~ av* (*bort*) cut off; *~ halsen av sig* cut one's throat; *~ in i* cut into; *~ upp* cut up; *~ ut* carve **2** ⊕ shear (cut) [*kläde* cloth] **III** *rfl* **1** cut o.s.; *~ sig i fingret* cut one's finger **2** *bildl., det skar sig* [*mellan dem*] there was a split . . **-ande** *a* cutting &c; [om ljud] shrill, piercing; *äv.* jarring **-bräde** cutting-board, trencher
skärgård archipelago; fringe of skerries; *i ~en* in the skerries (islands) [off Stockholm, Åbo o. s. v.]
skärm screen; [möss-] cap-peak **-blad** *bot.* bract[ea] **-mössa** peaked cap
skärmytsl||a *itr* **-ing** skirmish
skärning cutting *äv. järnv.; vetensk.* [inter-] section **-s|punkt** [point of] intersection
skärp belt; [broderat o. d.] sash
skärp||a I *s* sharpness, keenness &c; [i ton] acerbity; *med en viss ~ i tonen* with a certain edge to his voice **II** *tr* sharpen, *äv. bildl.; bildl. äv.* quicken, strengthen; [höja] increase; *~ straffet* (*äv.*) aggravate the penalty; *läget är -t* the situation is aggravated **-ning** sharpening &c; aggravation
skär||seld purgatory **-skåda** *tr* view, examine [critically]; scrutinize, scan
skärslipare knife-(scissors-)grinder
skärtorsdag Maundy Thursday
skärv *bibl.* mite, *min sista ~* my last farthing
skärva [kruk- o. d.] shard, sherd; [glas-, bomb- o. d.] splinter; *äv.* fragment, piece, bit
sköka harlot
sköld shield; [adlig] *äv.* [e]scutcheon; *zool.*

scutellum; [på sköldpadda] shell; *bildl.* shelter **-brosk** *anat.* thyroid **-e|märke** armorial bearing, crest **-körtel** *anat.* thyroid gland **-mö** *ung.* Amazon **-padd** tortoise shell **-padda** [land-] tortoise; [vatten-] turtle **-padds|soppa** turtle soup
skölj||a *tr* rinse [out] [*en flaska* a bottle]; wash [*över bord* overboard]; ~ *av'* rinse off; [disk] wash up; ~ *bort* wash away **-kopp** finger-bowl **-ning** rinsing &c; *äv.* [a] rinse **-vatten** rinsing-water
skön *a* beautiful; *äv.* fair; [behaglig] nice, comfortable; delightful [*utfärd* picnic]; *~t!* that's fine!
skönhet beauty &c; *konkr äv.* belle **-s|dyrkan** cult of beauty **-s|fel** flaw, blemish **-s|ideal** ideal of beauty **-s|medel** cosmetic **-s|salong** beauty parlour, *Am. äv.* beautician **-s|sinne** sense of beauty **-s|syn** beautiful (lovely) sight **-s|tävlan** beauty competition **-s|värde** aesthetic value
skönj||a *tr* discern; *äv.* espy (make out) [*land* the land] **-bar** *a* discernible; [synlig] visible; [märkbar] perceptible
skön||litteratur literature; belles lettres *fr.*; *äv.* [is. prosa] fiction **-litterär** *a* literary; *~t arbete* work of fiction **-målning** idealization **-skrift** calligraphy
skör *a* brittle; [spröd] fragile, frail
skörbjugg scurvy
skörd harvest *äv. bildl.*; [gröda] crop; *av årets ~* of this year's crop **-a** *tr* harvest, reap *äv. bildl.*; [bär] pick **-e|fest** harvest festival (home) **-e|maskin** reaping-machine, reaper **-e|resultat** yield, crops *pl*, harvest **-e|tid** harvest-(reaping-)time **-e|tröska** harvest combine **-e|utsikter** harvest prospects
skörhet brittleness, fragility, frailty
skört skirt; [rock-] *äv.* tail, flap **-a** *tr, ~ upp = upp~*
sköt||a I *tr* nurse [*de sjuka* the sick]; [om läkare] attend [to]; [förvalta] manage; [affär] run; [ombesörja] attend (see) to; [t. ex. korrespondens] conduct; [ta hand om] look after, take care of; *~ böckerna (kassan, räkenskaperna)* keep [the] books (the cash, [the] accounts); *~ sitt arbete* attend to one's work; *~ hushållet* do the housekeeping; *~ sina kort skickligt* play one's cards well; *~ sin sak bra* do one's task well; *den saken -er jag* I'll attend to that; *sköt du ditt!* mind your own business! **II** *rfl* **1** nurse o.s. **2** [uppföra sig] do [*bra* well]; *låta ngn ~ sig själv* leave a p. alone **-are** tender, keeper
sköte lap; bosom *äv. bildl.* **-barn** darling, pet
skötersk||a nurse; [barn-] *äv.* nurse-maid **-e|uniform** nurse's uniform **-e|utbildning** training of nurses
skötesynd bosom (besetting) sin
sköt||sam *a* [flitig] assiduous; *äv.* diligent [in business] **-sel** care (nursing) [*av* of]; management; [av maskin] *äv.* maintenance; jfr *-a*
skövl||a *tr* devastate; *äv.* sack (pillage) [*en stad* a town]; wreck [*ngns lycka* a p.'s happiness] **-ing** devastation; *äv.* ravage, pillage, sack[ing]
slacka *itr* slacken
sladd 1 *elektr.* flex **2** *bildl.*, *komma på ~en* be at the fag-end; *komma med på ~en* slip in among the rest
sladder = *pladder, skvaller* **-taska** chatterbox
sladdrig *a* flabby, limp; [om tyg] flimsy
slafsa *itr, ~ i sig* lap up
1 slag [art, sort] kind, sort; is. *vetensk.* species; [kategori] category, class; [typ] type; *alla ~s (~ av)* .. all kinds of ..; [folk] *av alla ~* all sorts (kinds) of ..; *äv.* .. of every description; *han är något ~s* [*agent*] he is a[n] .. of some sort; *i sitt ~* of (in) its (o. s. v.) kind
2 slag 1 [*ge ngn ett* deal a p. a] blow *äv. bildl.*; [-anfall, hugg] stroke; [med handen] cuff, [lätt] dab; [rapp] cut, lash; *ett ~ i luften* (*äv. bildl.*) a shot in the air; *det var som ett ~ för örat* (*bildl.*) it was like a knock-out blow; *~ i ~* in rapid succession; *göra ~ i saken* settle the matter **2** [rytmisk rörelse] beat[ing]; [hjärtats] *äv.* palpitation **3** [klock-] stroke; *på ~et 3* at three o'clock sharp **4 F** [tag, stund] moment, while; *ett ~* [*trodde jag* ..] once (for a time) .. **5** [fågels ljud] warbling **6** *mil.* battle [*vid* of] **7** [varv, tur] turn, round; *gå ett ~ runt* .. take a turn round .. **8** *sjö.* tack **9** [på plagg] facing; [på rock] *äv.* lapel; [på ärm] cuff
slag||a flail **-anfall** fit of apoplexy **-bom** falling-bar; [på vävstol] batten **-dänga** street-ballad, ear-drop, hit **-en** *a* struck [*av häpnad* with amazement]; [besegrad] defeated **-fält** battle-field **-färdig** *a* .. ready for battle (fight); *bildl.* quick at repartee **-färdighet** readiness for battle (fight); *bildl.* ready wit
slagg slag, cinder[s *pl*], *äv.* clinkers *pl*
slag||kraft striking power *äv. bildl.*; [i argument] *äv.* force **-kryssare** *sjö. mil.* battle-cruiser **-linje** *mil.* line of battle, battle-array **-man** [i kricket] batsman **-ord** catchword, slogan **-ordning** *mil.* battle-array **-regn** = *stört-* **-ruta** divining-rod; *söka med ~ (äv.)* dowse **-rörd** *a* paralysed **-sida** *sjö.* [*ha* have a] list **-skepp** battleship **-skugga** cast-shadow **-s|kämpe** fighter; *äv.* combatant **-s|mål** fight, scuffle; *råka i ~* come to blows (fighting) **-styrka** striking power **-svärd** large sword **-trä** *sport.* bat **-vatten** *sjö.* bilge-water **-verk** [i ur] striking apparatus
slak *a* slack, loose; [slapp] limp; *göra ~* slacken **-na** *itr* slacken, relax, flag
slakt slaughter **-a** *tr* slaughter; [människor] massacre **-ar|bod** butcher's shop **-are** butcher **-boskap** beef cattle; cattle to be slaughtered **-bänk** butcher's bench; *bildl.* block **-eri** butchery; *konkr* slaughter-house **-hus** slaughter-house **-offer** victim
slalom *s* slalom *äv. i sms*
1 slam *kortsp.* slam
2 slam mud, ooze, slime; [sandigt] silt **-ma** *tr* [malm] wash; [kalk] purify
slammer rattle; clatter *äv. bildl.*
slammig *a* .. full of mud, silty &c
slamp||a slattern[ly woman], slut **-ig** *a* slatternly, slipshod
slamra *itr, ~* [*med*] rattle; clatter *äv. bildl.*
slams slovenliness **-a** = *slampa*
1 slang, *slå sig i ~ med* strike up an acquaintance with, enter into relations with
2 slang tube; [vatten-] pipe; [på spruta] hose
3 slang [språk] slang
slang||båge catapult, slingshot **-klämma** hose clamp **-munstycke** jet pipe
slang||ord slang-word **-ordbok** dictionary of slang
slank *a* slender, slim **-ig** *a* limp, lank[y]
slant coin; [koppar-] copper; *~ar (koll)* loose cash, *en vacker ~* a nice sum
slanta *tr* o. *itr* [fisk] troll
slapp *a* slack, loose; [mjuk] soft, limp *äv. bildl.*; lax [*moral* morals *pl*] **-het** slackness; enervation, laxity **-hänt** *a* slack, easy-going **-na** *itr (äv.: ~ av)* slack[en], relax

slarv carelessness, negligence; [oreda] disorder **-a I** *s* careless (slovenly) woman (girl) **II** *itr* be careless; ~ *med* [*sin klädsel*] neglect . .; ~ *bort* . . carelessly lose . . **-er** careless fellow; *en liten* ~ a whipper-snapper, an imp **-fel** mistake through carelessness **-ig** *a* careless, negligent; [hafsig] slovenly; [osnygg] untidy
slask 1 slushy weather **2** [-vatten] slop[s *pl*] **3** [gatsmuts] street-mud, slush **-a** *itr* **1** *det* ~*r* it is sloppy (slushy) weather **2** splash (dabble) about **-brunn** drain well, cess-pool **-hink** slop-pail **-ig** *a* **1** splashy **2** [om väder] wet, sloppy, slushy **-rör** sink-hole, outlet **-tratt** [kitchen-]sink **-vatten** slop[s *pl*], dishwater
1 slav [folk] Slav[onian]
2 slav slave [*under* to] *äv. bildl.;* [träl] *äv.* serf **-a** *itr* [work like a] slave; [friare] drudge **-drivare** slave-driver **-eri -göra** slavery; *bildl.* drudgery **-handel** slave trade **-handlare** slaver, slave-trader **-inna** [female] slave
1 slavisk *a* Slav[ic], Slavonic
2 slav||isk *a* slavish; *bildl. äv.* servile **-liv** = *-eri* **-skepp** slave-ship, slaver **-ägare** slaver, slave-holder
slejf strap, strop **-sko** strap-shoe
slem slime; *läk.* [vid snuva] phlegm **-bildning** mucous secretion **-hinna** *anat.* mucous membrane **-mig** *a* slimy; *vetensk.* mucous; [klibbig] viscous
slentrian routine; *äv.* jogtrot; *följa gammal* ~ (*äv.*) tread the beaten path
slev ladle, scoop; *få en släng av* ~*en* (*bildl.*) come in for one's share **-a** *itr,* ~ *i sig* take in . . by ladlefuls
slick||a *tr* lick; ~ *i sig* lap [up] **-ad** *a* sleek [*hår* hair] **-e|pinne** lollipop
slid ⊕ slide-(sliding-)valve
slid||a sheath; *anat.* vagina **-kniv** sheath-knife
sling||a knot, loop; [på hår, rep o. d.] coil; [ornament] arabesque **-er|bult 1** dodge, prevarication **2** [pers.] dodger **-er|växt** creeper, climber; [på marken] runner **-ra I** *tr* wind, twine; [sno] twist **II** *itr sjö.* roll **III** *rfl* wind [in and out]; [sno sig] twist, twine; [om orm] wriggle; *bildl.* dodge; [om växt] climb; *förstå att* ~ *sig* (*bildl.*) know how to get round things; ~ *sig ifrån* wriggle [o.s.] out of **-rande** *a* winding; [flod, väg o. s. v.] *äv.* tortuous, meandering **-rig** *a* sinuous, tortuous, winding **-ring** wind[ing]; *äv.* twine; wriggle
1 slinka wench, hussy
2 slinka *itr* **1** [hänga lös] dangle, hang loose **2** [glida] slide; [smyga] slink [*i väg* (*undan*) away (off)]; ~ *igenom* slip through
slint, *slå* ~ come to nothing, fail **-a** *itr* slip; *han slant med foten* his foot slipped
slip *sjö.* slip-way; *ta upp ett fartyg på* ~*en* take a vessel on the stocks
slip||a *tr* hone; grind; [blank-] polish; [ädelsten] cut; *han behöver* ~*s av* (*bildl.*) he needs his corners rubbed off **-ad** *a* ground &c; *bildl.* cunning, smart **-are** grinder **-er** *järnv.* sleeper; *Am.* tie **-massa** wood pulp **-ning** grinding &c
slipp|a *tr* o. *itr* escape [from]; [undgå] avoid; [förskonas] be spared [from]; *du -er göra det* you needn't do it; *du -er inte* [*ifrån det*]*!* you can't get out of it (that)! *jag ska be att få* ~ I beg to be excused (let off); *låt mig* ~ [*höra sådant*]*!* I don't want to (don't let me) . .! *för att* ~ [besväret] to save (be spared) . .; [straff] to avoid . .; ~ *fram* get through; ~ *förbi* slip past; ~ *lyckligt ifrån saken* have a lucky escape; (*bildl.*) get off cheap; ~ *in* be let in (admitted); *här -er ingen in!* no admittance! ~ *lös* [undkomma] escape; *elden slapp lös* a fire started; ~ *undan med blotta förskräckelsen* escape with a scare; *det slapp ur mig* it escaped me; ~ *ut* get (be let) out
slipprig *a* slippery; *bildl.* loose, wanton
slips [neck]tie
slipsten grindstone, rubbing block
slir||a *itr* slip, slide; [bil] skid **-fri** *a* skid-proof **-ig** *a* slippery **-koppling** ⊕ safety clutch
sliskig *a* insipidly sweet; *bildl.* mawkish
slit wear and tear, worry; jfr *släp* **-a I** *tr* o. *itr* **1** [nöta o. d.] wear [*hål på* a hole in; *ut* out]; *slit den med hälsan!* you are welcome to it! *hålla att* ~ *på* stand a great deal of wear; ~ *ut sig* use o.s. up, kill o.s. with [over]work **2** [rycka] pull [*i* at]; *äv.* tear [*av* off; *sönder* asunder] **3** ~ *och släpa* toil, drudge **II** *rfl,* ~ *sig lös* get loose, tear o.s. away; [om båt] break adrift (loose); ~ *sig i håret* rend one's hair **-age** wear and tear **-en** *a* worn [out]; [om kläder] threadbare; [blank-] shiny **-ning** tearing &c; wear; *bildl.* dissension, contention, friction
slits slit, slot, aperture
slitstark *a* lasting, wearing well; jfr *hållbar 2*
slockn||a *itr* go out, expire **-ad** *a* extinguished; [vulkan] extinct; *bildl.* dull, lifeless **-ande** *a* expiring, dying down
slok||a *itr* slouch, droop; ~ [*med*] *öronen* droop (lop) its (o. s. v.) ears **-hatt** slouch-hat **-örad** *a* lop-eared; *bildl.* crestfallen
slopa *tr* **1** demolish **2** [upphäva] reject, abolish
slott castle; [modernt] palace **-s|fogde** constable of a castle, castellan **-s|herre** lord of a castle **-s|lik** *a* palatial **-s|ruin** ruined castle
slov||ak o. **-akisk** *a* Slovak **-en** o. **-ensk** *a* Slovenian
sludd||er sp[l]uttering, slur[ring] **-ra** *itr,* sp[l]utter, slur one's words; [om drucken] talk thick **-rig** *a* slurred, sp[l]uttering
slug *a* shrewd; astute; [listig] wily, sly; [fyndig] resourceful; *jag var honom för* ~ **F** I was one too many for him **-het** shrewdness &c; *äv.* guile **-huvud,** *ett* ~ a sly (deep) one
sluka *tr* swallow *äv. bildl.; äv.* gorge; devour [*en bok* a book]; bolt [*mat* food]
slum[kvarter] slum
slummer slumber; [lur] doze
slump 1 *hand.* remnant; *äv.* lot **2** *allm.* chance; *äv* luck, hazard; *en ren* ~ a mere chance; ~*en* [*gynnade oss*] fortune . .; *av en* ~ by chance (accident), accidentally; *på en* ~ at haphazard **-a I** *tr* o. *itr,* ~ *bort* sell off [at bargain prices] **II** *rfl, det kan* ~ *sig så* it (things) may happen so **-vis** *adv* **1** *hand.* by (in) the gross (lump) **2** [händelsevis] by chance
slumr||a *itr* slumber, be half-asleep; ~ *in* doze off [to sleep] **-ande** *a* slumbering; *bildl.* dormant, *äv.* undeveloped
slumsyster salvationist
slung||a I *s* sling **II** *tr* sling, throw . . [with a sling]; [friare] fling, hurl, let . . fly; [honung] run; ~ *ngn ngt i ansiktet* (*bildl.*) fling a th. at a p.
slup sloop; [skeppsbåt] launch
slusk shabby[-looking] fellow; [knöl] cad **-ig** *a* shabby
sluss [canal-]lock; sluice *äv. bildl.* **-a** *itr* o. *tr* pass (take . . through) a lock (&c) **-kammare** lock-chamber **-lucka** lock-shutter **-port** lock-gate
slut I end; [avslutning] ending; *ibl. äv.*

finish; [utgång] result, upshot; *när ~et är gott är allting gott* all's well that ends well; *~et blev, att . .* the end of it was that . .; *få ett ~* come to an end; *i, vid ~et* at the end; *ända till [sista] ~et* to the bitter end **II** *s* o. *a* at an end, done, [all] over; *vi få aldrig ~ på detta* we shall never see the end of this; *göra ~ på a)* [stoppa] put an end (a stop) to; *b)* [förbruka] consume (use up); *. . är ~ a)* [i tiden] . . at an end; . . over; *b)* [om vara o.d.] . . used up; *c)* [tålamod] . . exhausted; [*ljusen*] *äro ~* we have run out of . .; *jag är alldeles ~* **F** I am quite finished (done for); *det är ~ med oss* we are done for; *det är ~ mellan oss* it is all over between us; *. . har tagit ~* (*hand.*) we are [sold] out of . .; se *äv.* *. . är slut; smöret håller på att ta ~* we are getting (running) short of butter; *det här tar aldrig ~* this is (seems) endless; *till ~* at last, finally; *hör mig till ~!* hear me out!

slut||a I *tr* **1** [av-] end, bring . . to an end (a close); *äv.* conclude; [göra färdig] finish [off]; *~ skolan* leave school **2** [upphöra med] finish (stop, cease) [*arbetet* work (working)] **3** [uppgöra] conclude [*fred* peace] **4** [stänga] shut, close; *~ ögonen för* shut one's eyes to **II** *itr* **1** [upphöra] end [*med* with; *med att* by]; be at (come to) an end, stop, cease; [lämna sin plats] leave, quit; [ha . . till resultat] result [*med, i* in]; *han ~de med* [*några erkännsamma ord*] he wound up (concluded) with . .; *~ dricka* give up drinking; *~ gråta* stop (cease) crying **2** [dra slutsats] conclude [*av* from] **III** *rfl* **1** [tillslutas o. d.] shut, close **2** *~ sig inom sig själv* retire into one's shell; *~ sig till* [*ngn, ett sällskap*] join . .; *~ sig tillsammans* [om pers.] unite **3** [dra slutsatser] *~ sig till* conclude, infer; [svagare] conjecture; *jag -er mig därtill* [*från . .*] I draw this conclusion . . **-akt** final act **-anmärkning** concluding remark **-are** *foto.* shutter **-behandla** *tr* conclude [the hearing of] [*ett mål* a case], settle **-dom** final decision **-|en** *a* **1** [*äv.* vokal] close; *~ försändelse* sealed package; *med -na sedlar* by ballot; *~ omröstning* secret vote **2** [om pers.] reserved, reticent, **F** buttoned-up **-examen** final examination **-föra** *tr* bring . . to an end, conclude **-försäljning** clearance sale, selling off (out) **-giltig** *a* definitive, final **-hastighet** final velocity **-intryck** final impression **-kläm** summing-up **-körd** *a* worn out **-ledning** deduction, conclusion; *log.* syllogism **-lig** *a* final, ultimate **-ligen** *adv* finally; [äntligen] at last; [till sist] in the end, ultimately, *äv.* eventually **-likvid** *hand.* final settlement, payment of balance **-omdöme** final verdict **-ord** concluding remark **-punkt** = *änd-* **-påstående** summing up; final statement; *jur.* concluding charge **-resultat** final result **-rim** end-rhyme **-sats** conclusion, inference; *dra en ~ av . .* (*äv.*) conclude from . . **-sedel** *hand.* contract [note], sale note **-skede** final stage (phase) **-spurt** finish, spurt **-station** terminus, *Am.* terminal **-stavelse** final (last) syllable **-steg** [i raket] final stage **-stycke** final piece; *mus.* finale; *mil.* breech-piece **-summa** sum total, total amount **-sål|d** *a* . . sold out; [om bok] out of print; *-t!* house full! **-sälja** *tr* sell off, clear [out]

slutt||a *itr* slope [downwards], decline; *äv.* descend, slant **-ande** *a* inclined [*plan* plane]; slanting [*tak* roof]; *~* [*axlar*] sloping . .; *på det ~ planet* (*bildl.*) on the slide **-ning** slope; *äv.* declivity, descent

slutvinjett *boktr.* tail-piece

slyna wench, minx

slyngel young pickle, whipper-snapper; [starkare] scamp **-aktig** *a* scampish, rude **-år** years of indiscretion

1 slå *s* cross-bar, slat, rail

2 slå I *tr* o. *itr* [*~* flera slag; *äv.* besegra] beat [*på trumma* the drum; *fienden* the enemy]; strike [*ett slag* a blow; *eld* fire]; *eg. äv.* smite, knock; [träffa] hit; [hälla] pour [*i', upp'* out]; [om segel] flap; [om hjärta] *äv.* throb; [om fåglar] warble; *det slog mig att . .* it struck me that . .; *klockan ~r* the clock strikes; *~ efter* [*ngt i en bok*] look for . .; *~ näven i bordet* bring one's fist down [on the table]; *~ i dörrarna* bang (slam) the doors; *~ en spik i* [*väggen*] knock (drive) a nail into . .; [*regnet*] *~r mot* [*rutan*] . . is beating against . .; *~ armarna omkring* [*ngn (ngt)*] throw (put) one's arms round . .; *~ ett snöre om . .* put (pass) a string round . .; *~ ngn till marken* knock a p. down; *~ en bro över . .* throw a bridge across . .; *~ an* [en sträng] touch, strike; [en ton] strike up; *bildl.* catch on [*på* with]; *det slog an på honom* it caught his fancy; *~ av* knock off; [en elektr. ström] disconnect, switch off; [hälla] pour off; *~ av på* [ett pris o. d.] abate (reduce) . .; *~ bort'* throw away; *bildl.* [tankar, känslor] drive (shake) off, chase away; *~ bort tanken på . .* dismiss the thought of . . from one's mind; *~ bort' . . med skämt* turn off . . with a joke; *~ i'* [en spik] knock (drive) in; [hälla i] pour out (in); *~ i ngn* [*ngt*] (*bildl.*) stuff a p. with . .; *~ igen'* [stänga] *a)* [dörren] slam (bang) . . to; *b)* [locket, butiken] shut; [ge slag igen] strike back; *~ igenom med* [*en bok*] make one's name with . .; *~ ihop'* [händerna] clap ([med en smäll] clash) . . together; [bok] shut; *bildl.* put . . together, combine, unite; *~ in* [ett fönster] smash, break; [en dörr] force; [paket o. d.] wrap up . . [*i* in]; [besannas] come true; *~ ned'* knock down; [fälla ned] let down; [ögonen] lower; [om åska] strike; [om rovfågel o. d.] *äv. bildl.* swoop down, pounce; [*röken*] *~r ned* . . is driving (coming) down[wards]; *nyheten slog ned som en bomb* the news burst like a bomb; *~ om'* (*bildl.*) change; *~ omkull'* throw (knock) over; *~ runt* turn over, somersault; *~ sönder'* break . . [to pieces]; *~ tillbaka* beat (strike) back; *äv.* beat off [*anfallet* the attack]; *~ upp' a) tr* turn up; [tält] pitch; [fästa upp] stick ([affisch o.d.] post) up; [dörr o. d.] throw (fling) . . open; [paraply] put up; *bildl.* [förlovning] break off; *~ upp'* [*sidan 22*] open at (turn to) . .; *b) itr* [om dörr o. d.] fly open; [om låga] flare up; *~ ut' a) tr* knock (beat) out; [fönster] smash; [utbreda] extend (open) [*armarna* one's arms]; *b) itr* [om knopp] open; [träd, växt] burst into leaf; *bildl.* [utfalla] turn out; [*lågorna*] *slogo ut genom* [*taket*] . . burst through . .; *~ över'* put ([hälla] pour) . . over; fall (lapse) [*i det löjliga* into the comical] **II** *rfl* [göra sig illa] hurt o.s.; [om virke] warp, cast; *~ sig fördärvad* smash o.s. up; *~ sig för bröstet* beat one's breast; *jag kan ~ mig i backen på att han gör det* I bet he will do it; *~ sig fram* make (fight) one's way [in the world]; *~ sig ihop* unite, combine [*med* with]; *~ sig ned* sit down; [bosätta sig] settle down; *~ sig på* take to [*att supa* drinking; *studier* study]; [om sjukdom] go to, settle on **-ende** *a* striking [*likhet* resemblance]; *äv.* forcible [*bevis* proof]

slån *bot.* sloe, blackthorn
slåss *dep* fight [*med ngn* [with] a p.]
slåtter haymaking, harvest **-folk** haymakers *pl* **-maskin** mowing-machine, mower **-äng** hay-field **-öl** harvest-home
släck||a I *tr* o. *itr sjö.*, ~ [*på*] slack[en], *äv.* ease off (away) **2** *tr* extinguish, put out; [elektr. ljus] *äv.* switch (turn) off; [kalk; törst] slake **-ning** extinction &c **-nings|arbete** [the] work of extinguishing the fire
släd||e sleigh; ⊕ slide; *åka* ~ [go] sleigh[-riding] **-färd** sleigh-ride **-före** sleigh-way
slägg||a I *s* sledge[-hammer]; *sport.* hammer **II** *itr* use (hammer with) a sledge **-kastning** *sport.* hammer-throwing
släkt 1 [ätt] family; *det ligger i ~en* it runs in the family **2** [-ingar] ~ *och vänner* friends and relatives **3** *vara* ~ *med* be related to; *vi äro* ~ we are related (relatives) **-bibel** family Bible **-drag** family feature (likeness); *bildl. äv.* affinity **-e** race; *zool., bot.* genus; [-led] generation **-fejd** family (blood-)feud **-forskare** genealogist **-ing** relative [*till mig* of mine] **-klenod** [family] heirloom **-kär** *a* fond of (attached to) one's family; [inbördes] clannish **-led** generation **-namn 1** family name, surname **2** *zool., bot.* generic name **-skap** relationship; [friare] affinity **-tavla** genealogical table, pedigree **-tycke** family likeness; [friare] affinity
slända 1 [redskap] distaff **2** *zool.* dragon-fly
släng 1 [-ning] toss (jerk) [*på nacken* of the head] **2** [lindrigt anfall] touch; [av galenskap] dash **3** = *2 slag 1* **4** [i skrift] flourish **-a I** *tr* throw, fling, toss; [starkare] dash **II** *itr* dangle [*hit och dit* to and fro]; [svänga] swing; ~ *i dörrarna* slam the doors; ~ *omkring sig med fraser* talk big; ~ *av sig* throw (fling) .. off **-d** *a* **F** clever (smart) [*i* at] **-gunga** swing **-kappa** Spanish cloak **-kyss,** *ge ngn en* ~ blow a p. a kiss
släntra *itr* saunter, stroll
släp 1 train **2** *ta på* ~ take .. in tow **3** [slit] toil, drudgery; *slit och* ~ toil and moil **-a I** *s* sledge, dray **II** *tr* drag, lug, trail; ~ *benen efter sig* drag one's feet; ~ *med' sig* drag .. about with one **III** *itr* drag (trail) [*på marken* on the ground]; [slita] toil, drudge **IV** *rfl,* ~ *sig fram* drag on **-göra** drudgery, fag **-ig** *a* drawling [*röst* voice] **-kontakt** *flyg.* brush **-lina** drag-rope **-mundering** *mil.* undress
släpp||a I *tr* let go, leave hold of; *bildl.* give up [*tanken på* the thought of]; [tappa] let .. slip, drop; ~ *taget* release one's hold; ~ *fram* (*förbi*) let .. pass; ~ *ifrån sig* part with, give up; ~ *in* let in, admit; ~ *lös* release; ~ *på vatten* turn the water on; ~ *ut* let out; [fånge] release **II** *itr* leave hold, let go; [om sak] come loose; ~ *efter* slacken; *bildl.* [begin to] get lax **-hänt** *a* indulgent, easy-going; [disciplin] lax **-hänthet** indulgence; laxity
släp||tåg, *ha .. i* ~ (*bildl.*) have .. in tow, bring .. in its (o. s. v.) wake **-vagn** trailer
slät *a* smooth; [jämn] even, level; [enkel] plain; [mark] *äv.* flat; *göra en* ~ *figur* cut a poor figure **-a** *tr,* ~ [*till*] smooth .. [down]; [platta till] flatten; ~ *ut* smooth out [the creases in]; ~ *över* smooth over **-borra** *tr* bore .. smooth **-hamra** *tr* flatten, hammer .. even **-hugga** *tr* cut .. even; [sten] dress, face **-hyvel** smoothing-plane **-hårig** *a* smooth-(sleek-)haired; [om hund] short-haired **-kammad** *a* sleek-haired **-löpning** flat-race **-rakad** *a* clean-shaven **-struken** *a bildl.* indifferent, mediocre
slätt I *s* plain; [hög-] plateau **II** *adv* smooth[ly], even[ly]; *rätt och* ~ [quite] simply; [illa] badly; *stå sig* ~ cut a poor figure **-bo** inhabitant of a (the) plain **-land** plain, flat country
slätvar brill
slö *a* blunt *äv. bildl.*; *äv.* blunted (flattened) [*udd* point]; dull [*äv.* om sinnen]; [om pers.] apathetic; [sinnes-] imbecile, dense, stupid **-a** *itr* [*sitta och* sit and] idle
slödder = *pöbel*
slö||fock F sleepy-head, dullard **-het** bluntness &c; apathy; imbecility
slöja veil
slöjd industry, handiwork; *skol.* woodwork, carpentry; *ibl.* sloyd **-a I** *itr* do woodwork &c **II** *tr* carve, make **-lärare** woodwork (carpentry) master **-skola** arts and crafts (sloyd-)school
slör *sjö.* free (large) wind
slös||a I *tr,* ~ [*bort*] waste, squander; *äv.* spend [.. lavishly]; [ömhet o. d.] lavish; ~ *bort* (*äv.*) waste away **II** *itr* squander (be wasteful) [*med* with] **-aktig** *a* lavish [*med* with]; wasteful [*med* of]; extravagant **-aktighet** lavishness &c; extravagance **-ande** = *-aktig* **-are** spendthrift; lavisher, squanderer **-eri** squandering, extravagance; *äv.* waste [*med tiden* of time]
smack||a *itr* smack [*med läpparna* one's lips]; ~ *med tungan* clack one's tongue; ~ *åt en häst* gee up a horse **-ning** smacking; [en ~] smack
smak taste [*av* of; *för* for]; flavour [*av peppar* of pepper]; *~en är olika* tastes differ, every man to his taste; *enligt dåtida* ~ after the fashion of the day; *finna ~ i* have a taste for; relish; *få ~ på* get a taste (relish) for; *jag har förlorat ~en* I can't taste anything; *ha god* ~ have (show) good taste; *ha ~ av* [*ngt*] have a taste of ..; *falla ngn i ~en* please a p.; *det är .. i min* ~ that's .. for me; *få ~ för* (*på*) take a liking to; *det beror på tycke och* ~ it is [all] a matter of taste **-a** *tr* o. *itr* [have a] taste [of]; savour *äv. bildl.*; ~ *bra* (*illa*) taste nice (bad), have a nice (bad) taste; *hur ~r det?* a) what does it taste like? b) does it suit your taste? ~ [*av*] *vanilj* have a vanilla flavour; *låta sig ngt väl* ~ partake heartily of a th.; ~ *på* . taste . . **-domare** judge in matters of taste; *äv.* connoisseur *fr.* **-full** *a* tasteful; [elegant] elegant, stylish **-fullhet** tastefulness; elegance, style **-lig** *a* delicate (dainty) [*måltid* meal]; tasty; *äv.* appetizing [*mat* food] **-lös** *a allm.* tasteless; *eg. äv.* flat, insipid; *bildl.* in bad taste **-löshet** tastelessness &c; insipidity **-löst** *adv* without taste **-nerv** gustatory nerve **-prov** sample, taste **-riktning** taste; tendency; style **-sak,** *en* ~ a matter of taste **-sinne** [sense of] taste
smal *a* [mots. bred] narrow; [mots. tjock] thin; [om pers.] *äv.* lean; slender [*finger, thread*]; *det är en* ~ *sak* (*bildl.*) it is a small matter; *vara* ~ *om livet* have a slender waist **-ben** [the] small of the leg **-bent** *a* thin-legged; *bildl.* not big enough [for one's job] **-film** 16 mm film **-na** *itr* narrow [off (down)]; [i en spets] taper; *äv.* grow thinner **-spårig** *a* narrow-gauge **-strimmig** *a* narrow-striped
smaragd emerald [*-grön* green]
smatt||er -ra *itr* patter, rattle; [av (om) trumpet] blare
smed [black]smith **-ja** smithy; *äv.* forge
smek caressing; [kel] fondling **-a** *tr* caress; *äv.* fondle **-ande** *a* caressing; *äv.* gentle

[*toner* tones] **-as** *dep* caress **-full** *a* caressing, fond **-månad** honeymoon **-namn** pet name **-ning** caress, endearment **-sam** *a* caressing, fondling; ~ *av sig (äv.)* loving
smet grease; *kok.* paste, [cake] mixture **-a** *tr* o. *itr* daub (smear) [*på* on]; ~ *fast* stick; ~ *ifrån sig* be sticky; [färg] come off; ~ *ned sig* make a mess of o s. **-ig** *a* smeary, dauby; [degig] pasty
smick||er flattery; [inställsamt] cajolery; [starkare] adulation; **F** butter, soft-soap **-ra I** *tr* flatter, cajole; *äv.* adulate **II** *rfl*, ~ *sig med* flatter o.s upon **-rande** *a* flattering **-rare** flatterer; *äv.* adulator
smid||a *tr* forge *äv. bildl.; äv.* hammer; ~ *ihop* forge together, weld; *bildl.* make up (concoct) [*planer* schemes] **-d** *a* wrought; [grindar] wrought-iron . . **-e** forging, smithwork; ~*n* forgings; hardware *sg* **-es|järn** forge-iron **-ig** *a* ductile, flexible; pliable (pliant, supple) *äv. bildl.;* [mjuk, vig] lithe, agile **-ighet** flexibility; pliability, suppleness
smil smile **-a** *itr* smile [*mot* upon] **-band,** *dra på ~et* **F** smile [faintly]
smink paint, face-powder; make-up; [rött] rouge *fr.* **-a I** *tr* paint, make up **II** *rfl* paint o.s., use rouge, make up
smisk smack[ing], slap[ping] **-a** *tr* smack, slap
smita *itr* make off, slink off, **F** slope
smitt||a I *s* infection, contagion *äv. bildl.; bildl. äv.* contamination; *göra ngn oemottaglig för* ~ immunize a p. **II** *tr*, ~ [*ned*] infect *äv. bildl.; bildl. äv.* taint; *exemplet ~r* the example is infectious; *han ~de mig* I caught it off him **-ande** *a* infectious; catching [*skratt* laughter] **-fri** *a* non-contagious(-infectious) **-härd** focus of infection **-koppor** smallpox *sg* **-[o]fara** risk of infection **-[o]sam** *a* infectious, contagious; [ofta] catching **-ämne** contagion, virus
smocka F I *s* biff **II** *itr*, ~ *till ngn* sock a p.
smoking dinner-jacket, *Am.* tuxedo; *äv.* [för att ange klädsel] 'black tie'
smolk mote; *äv.* some (a bit of) dirt
smor||d *a* greased, oiled; *Herrans ~e* the Lord's anointed **-läder** oiled leather
smugg||elgods contraband; **F** run goods *pl* **-la** *tr* o. *itr* smuggle **-lare** smuggler; *äv.* contrabandist; *Am.* [is. sprit-] bootlegger **-leri -ling** smuggling
1 smul *a sjö.* smooth
2 smul = *dugg 2* **-|a I** *s* **1** [bröd-] crumb; *-or* (*äv.*) scraps **2** *en* ~ a little, a trifle, a bit; *inte en* ~ not [in] the least [*trött* tired], not a bit; *en ~ mer eller mindre* a trifle (shade) more or less; *den ~ engelska han lärt sig* the little English he has picked up **II** *tr*, ~ [*sönder*] crumble
smultron [wild] strawberry
smuss||el shuffle, shuffling **-la** *tr* o. *itr* shuffle; ~ *in* smuggle (slip) in
smuts dirt (filth) *äv. bildl.;* [gat-, väg-] mud, soil **-a** *tr*, ~ [*ned*] [make ..] dirty, soil; [smeta ned] [be]smear, [be]draggle; ~ *ned sig* get dirty **-fläck** blotch, smudge **-göra** dirty job **-ig** *a allm.* dirty; *bildl.* sordid, filthy; [svagare] soiled; *bildl. äv.* foul [ord words]; [vägar] muddy **-ighet** dirtiness &c **-kasta** *tr bildl.* throw dirt on; *äv.* defame **-litteratur (-press)** gutter literature (press) **-vatten** slops *pl*
smutta *itr*, ~ *på* sip
smyck||a *tr* adorn, ornament; [dekorera] decorate **-e** ornament; [juvel] jewel, gem
smyg, *i* ~ on the sly, furtively; *en blick i* ~ a furtive glance **-a I** *tr*, ~ [*in*] slip [*handen i* . . one's hand into . .] **II** *itr, gå och* ~ [go] sneak[ing] about **III** *rfl* steal (sneak, slink) [*bort* away]; ~ *sig intill* cling (press close) to **-ande** *a* sneaking; [misstanke] lurking; [sjukdom] *äv.* insidious **-handel** clandestine trade **-hål** [i lag o. d.] loophole **-väg** secret path; ~*ar* (*bildl.*) underhand ways
små *a* little; small &c; jfr *liten; bildl. äv.* petty [*bekymmer* troubles]; *de* ~ [barnen] the little ones; ~ *bokstäver* small (ordinary) letters; ~ *framsteg* little advance *sg* **-aktig** *a* mean, petty **-aktighet** meanness &c **-barn** little children; [späd-] babies **-borgare** petty tradesman **-bruk** small-scale farm[ing] **-brukare** small farmer (holder) **-bröd** *koll* biscuits (small cakes) *pl* **-delar** particles **-fisk** small fry **-flickor** little girls **-fnoskig** *a* half-dotty **-fåglar** small birds **-gnola** *itr* hum **-gräla** *itr* mutter, grumble **-industri** small industry **-kryp** insect, **F** bug; [ohyra] vermin **-kusin** second cousin **-le** *itr* smile [*mot* at] **-leende** *a* smiling
småningom *adv*, [*så*] ~ gradually, little by little; [med tiden] by and by
små||näpen -nätt *a* neat little . . **-ord** particle **-pengar** small change *sg* **-plock** *koll* odds and ends *pl;* [ur tidning] snippets *pl* **-pojkar** little boys **-prata** *itr* chat **-prickig** *a* .. sprinkled over with small dots **-rätter** fancy dishes **-sak** trifle, small (little) thing; *bli ond för minsta* ~ take offence at the slightest thing **-sinnad** = *-aktig* **-sinne** = *-aktighet* **-skog** brush-(under-) wood **-skola** preparatory school, infant school **-skol|lärarinna** preparatory-school (infant-school) mistress **-skratta** *itr* laugh to o.s. **-skrifter** pamphlets; [författares] *äv.* short essays **-skulder** petty (small) debts **-slantar,** *inga* ~ no small sums **-smulor** trifles; *det är inga ~!* that's no trifle! **-springa** *itr* half run, trot **-stad** small (provincial) town **-stadsaktig** *a* **-stads|bo** provincial **-sten** *koll* pebbles *pl* **-svära** *itr* swear to o.s. **-timmar,** *fram på ~na* in the small hours of the night **-tokig** half crazy **-tt I** *a* o. *s* **1** little; small; ~ *och gott* a little of everything; *i* ~ in little [things]; in a small way; *i stort som i* ~ in great as in little things **2** se *2 knapp, ont 2* **II** *adv* a little; *äv.* [*skriva* write] small; slightly (somewhat) [*ängslig* anxious] **-tting** baby, youngster **-varmt** *koll ung.* hot snack **-växt** *a* small [of stature], small-statured
smäcker *a* slender
smäckfull *a* crammed full [*med* of]
smäd||a *tr* abuse, revile; [okväda] rail at; ~ *Gud* blaspheme **-e|brev** abusive letter **-e|dikt** lampoon **-else** abuse; blasphemy; ~*r* invectives **-e|skrift** libel[lous pamphlet], lampoon **-lig** *a* abusive
smäktande *a* languishing
smälek disgrace, ignominy; *lida* ~ suffer (be put to) shame
smäll 1 [knall, brak] crack [*med piskan* of the whip]; [klatsch] smack; [knall] *äv.* report **2** [slag] smack, slap **3** *koll* [*få* get a] smacking (spanking) **-|a** *itr* o. *tr* crack, snap; *äv.* smack; *nu -er det!* off it goes! ~ *i dörrarna* bang (slam) the doors; ~ *med piskan* crack the whip; ~ [*till', på'*] rap, smack; ~ *igen* [shut . . with a] bang **-fet** *a* very fat **-kall** *a* tinglingly cold **-karamell** cracker **-kyss** smacking kiss
smält *a* melted; [smör] run **-|a I** *tr* melt; [metall] *äv.* smelt, fuse; [lösa] dissolve; [snö, is] *äv.* thaw; [mat] digest; *bildl. äv.* put up

with (get over, stomach) [*en förolämpning* an insult] **II** *itr* melt, fuse; [om snö, is] thaw; [om mat] digest; *..-er i munnen* .. melts in the mouth; ~ *ihop* melt down; *bildl.* dwindle away **-ande** *a* melting [*toner* tones]; *bildl. äv.* soft **-bar** *a* meltable; fusible; dissolvable; [om mat] digestible **-degel** crucible, melting-pot **-hetta** melting-heat **-ning** [s]melting &c; dissolution; fusion; [av mat] digestion **-ost** cream cheese **-punkt** melting(&c)-point **-ugn** smelting-(blast-)furnace **-vatten** *geol.* glacier-water
smärgel emery **-duk (-skiva)** emery-cloth (-wheel)
smärre *a* smaller; shorter; *äv.* minor [*brister* faults]
smärt *a* slender(slim)[-waisted]
smärt||a I *s* pain; [kort, häftig] pang, throe, twinge [of pain]; [lidande] sufferings *pl;* [pina] agony, torment; [sorg o. d.] grief, distress; *känna* ~ feel pain; [själsligt] be pained (grieved) [*över* at]; *med* ~ *har jag erfarit att..* I have been grieved (distressed) to learn that.. **II** *tr* pain; [själsligt] *äv.* grieve [*djupt* to the heart]; *äv.* distress **-fri** *a* painless
smärting canvas
smärt||sam *a* painful; [starkare] poignant; [själsligt] grievous, distressing **-samhet** painfulness **-stillande** *a läk.* lenitive; [lugnande] sedative (*äv. :* ~ *medel*)
smör butter; *vara* [*uppe*] *i* ~*et (bildl.)* be in high favour **-artad** *a* buttery **-ask** butter container **-bakelse** pastry cake **-blomma** butter-cup **-bytta** butter-tub **-deg** puff-paste **-gås** [piece of] bread and butter; [med pålägg] sandwich; *kasta* ~ [lek] play at ducks and drakes **-gås|bord** hors d'œuvres *fr.;* »smörgåsbord» **-ig** *a* buttery
smörj licking, thrashing; jfr *stryk* **-a I** *s* **1** grease, lubricant **2** [skräp] rubbish, trash, rot; *prata* ~ talk nonsense (rubbish) **II** *tr* grease; [med olja] oil; [maskin] lubricate; [med salva] salve; [bestryka] smear; [*det går*] *som smort ..* like clockwork **-apparat** lubricator **-else 1** *abstr* anointing **2** *konkr* chrism; *äv* ointment; *sista* ~*n* extreme unction **-fett** grease **-ig** *a* **1** greasy, oily **2** [smutsig] *äv.* smeary **-kopp** ⊕ oil-cup, greaser **-kran** grease-cock **-medel** ⊕ lubricant **-ning** greasing &c; ⊕ lubrication **-olja** lubricating oil **-spruta (-system)** lubricating gun (system) **-ämne** = *-medel*
smör||klick pat of butter **-kort** butter-card **-kärna** churn **-papper** greaseproof paper **-ranson** butter ration **-syra** *kem.* butyric acid **-ämne** *kem.* butyrine
snabb *a* swift (rapid) [*rörelse* motion]; speedy [*tillfrisknande* recovery]; fast [*tåg* train]; prompt (quick) [*svar* answer]; [~ i vändningarna] nimble, agile; *ha* ~ *uppfattning* be quick in the uptake **-eld** *mil.* rapid firing **-fotad** *a* fleet-(swift-)footed **-gående** *a* fast[-going] **-gång** high speed movement (travel) **-kurs** rapid course **-het** swiftness &c; *äv.* speed, rapidity **-löpare** racer, courser **-löpning** swift running **-seglande** *a* fast[-sailing] **-seglare** fast[-sailing] vessel **-skjutande** *a* quick-firing **-skrift** shorthand **-tåg** express [train] **-tänkt** *a* quick-(ready-)witted **-väg** by-pass, motorway, *Am.* speedway
snabel trunk
snack se *prat* o. *strunt* **-a** *itr* chatter
snagghårig *a* short-haired
snapp||a *tr* o. *itr* snatch (snap) [*efter* at]; ~ *bort* snatch away; ~ *upp* catch [*ett ord här och där* a word here and there]; intercept [*ett brev* a letter] **-hane** *hist.* marauder, freebooter
snaps *ung.* dram, **F** nip; *allm.* "snaps"
snar *a* speedy; *äv.* prompt; ~ *att* quick to; ~ *till vrede* quick to anger
snara snare; [giller] gin; [fälla] trap *äv. bildl.; lägga ut en* ~ *för..* set (lay) a trap for..
snar||are *adv* **1** [tid] sooner **2** [hellre] rather; ~ *rik än fattig* rich rather than poor; *jag tror* ~ *att..* I am more inclined to think that.. **-ast I** *a, med det* ~*e* as soon as possible, at an early date **II** *adv* at the soonest (quickest) **-fyndig** *a* quick-(ready-) witted **-fyndighet** ready wit (ingenuity)
snark||a *itr* snore **-ning** snore; ~*ar* (*äv.*) snoring *sg*
snar||ligen *adv* soon, before long **-lik** *a* rather like; ~ *i* [*färg*] much [of] the same..; *eller ngt* ~*t* or something rather like it **-likhet** great resemblance **-stucken** *a* .. quick to take offence; [retlig] touchy; [häftig] short-tempered **-stuckenhet** touchiness **-t** *adv* soon; [inom kort] shortly, before long; ~ *sagt* well-nigh, all but, not far from; *alltför* ~ only too soon; *så* ~ [*som*] as soon as; *så* ~ *som möjligt* se *-ast I; äv.* at your earliest convenience
snask sweet stuff, sweets *pl;* **F** goodies *pl* **-a** *itr* **1** eat sweets; ~ *i sig* munch **2** ~ *ned* slobber [all] down **-ig** *a* messy, dirty
snatta *tr* pilfer, pinch; **F** bone
snatter [ankas] quack[ing]; gabble *äv. bildl.*
snatteri pilfering &c; *jur.* petty larceny
snattra *itr* [om anka] quack; gabble *äv. bildl.; äv.* jabber
snava *itr* stumble (trip) [*på* on]
sned *a* **1** [linje, vinkel o. d.] oblique; [lutande] slanting, inclined; [skev] cast, askew; [~ och vind] crooked, wry; *kasta* ~*a blickar på..* look askance (askew) at..; *på* ~ *a)* [läge] awry, askew, on one side; *b)* [riktning] obliquely, sideways; *gå på* ~ (*bildl.*) go [all] wrong; *lägga huvudet på* ~ put one's head on one side **2** se *drucken*
snedd, *på* ~*en* obliquely, diagonally; [*klippa tyget*] *på* ~*en..* on the cross (bias) **-a I** *tr* slant, slope **II** *itr* edge; ~ *förbi* pass by; ~ *över gatan* cross the street
sned||gång|en *a, -na skor* shoes worn down on one side **-het 1** obliqueness, obliquity &c **2** [om pers., växt] crookedness, wryness **-hugga** *tr* bevel **-mynt** *a* splay-(wry-) mouthed **-skuren** *a ..* cut obliquely ([on the] bias), chamfered **-språng 1** side-leap **2** *bildl.* slip, lapse; *äv.* escapade **-vinklig** *a* oblique-angled **-vriden** *a* warped; distorted *äv. bildl.* **-vridning** distortion **-ögd** *a* oblique-eyed
snegla *itr* ogle; ~ *på* (*äv.*) look askance at, [lömskt] leer at
snett *adv* obliquely; askew, awry; *gå* ~ *över..* cross.. [diagonally]; *äv.* slant across; ~ *över* [*gatan*] nearly opposite; *gå* ~ *på skorna* tread one's shoes awry; *se* ~ *på* (*bildl.*) look askance at
snibb corner; point; [spets] tip **-ig** *a* pointed
snick||are joiner; [byggnads-] carpenter **-ar|lim** joiner's glue **-ar|verkstad** carpenter's workshop **-eri** joinery, carpentry **-eri|arbete** *konkr* piece of carpentry[-work]; *abstr* joiner's work **-ra** *tr* o. *itr* carpenter; do woodwork
snid||a *tr* carve .. [in wood] **-are** wood-carver **-eri** carving; *konkr äv.* carved work
snigel slug; [med hus] snail **-fart**, *med* ~ at a snail's pace **-hus** snail-shell

sniken *a* greedy (avaricious) [*efter, på* of]; *äv.* grasping **-het** greediness &c
snill||e genius; *ett* ~ a man of genius **-e|blixt** flash (stroke) of genius (wit) **-e|foster** product of genius **-e|gåvor** talents **-rik** *a* brilliant; [om pers.] .. of genius **-rikhet** genius
snip||a *sjö.* gig **-ig** *a* pointed, peaked
snirk||el twisted ornament; [på bokstav] flourish **-lad** *a* [om pers.] ceremonious
snitseljakt paper-chase
snitt **1** cut, section; is. *kir.* incision **2** [på kläder] cut, pattern **-blomma** cut flower **-yta** cut
sno **I** *tr* twist; [tvinna] twine; [vrida] twirl [*tummarna* one's thumbs] **II** *itr* **F** [springa] scamper, run **III** *rfl* twist, become twisted ([hoptrasslad] entangled); **F** ~ *dig* hurry up
snobb snob, **F** nob **-eri** snobbery, snobbishness **-ig** *a* [stilig] elegant, chic; [högfärdig] snobbish, **F** stuck up
snodd string, cord; [till garnering] lace
snok grass snake **-a** *itr* smell, muzzle; [spionera] poke, spy; *gå och* ~ go prying about; ~ *i*.. poke into ..; ~ *igenom* ransack, rummage; ~ *reda på* hunt up, unearth
snopen *a* disappointed, crestfallen; *se* ~ *ut* look blank (foolish) **-het** disappointment
snoppa *tr* [ljus] snuff; [bär o. d.] top and tail; [cigarr] cut; ~ *av' ngn* (*bildl.*) snub a p., **F** take a p. down a peg or two
snor mucus from the nose; snot **-ig** *a* snivelling **-valp** snivelling brat
snubbla = *snava*
snubbor snubbing (rating) *sg*
snudda *itr*, ~ [*vid*] graze, touch .. lightly
snugga cutty[-pipe]
snurr||a **I** *s* [peg-]top **II** *itr* whirl (spin) [*omkring* round]; ~ *runt* go (turn) round and round, rotate; *allt* ~*r runt för mig* my head is swimming; I feel giddy (dizzy) **III** *tr* spin, whirl **-ig** *a* dizzy; [inte klok] crazy
snus [*en pris* a pinch of] snuff **-a** *itr* take snuff **-dosa** snuff-box **-förnuftig** *a* knowing; *en* ~ *person* a wiseacre
snusk uncleanliness, dirt, squalor; [vidrig] filth **-a** *tr*, ~ *ned* soil, mess .. all down **-ig** *a* dirty, uncleanly; squalid; *bildl.* nasty; filthy [*historia* story] **-ighet** dirtiness &c
snus||ning snuff-taking **-tobak** snuff **-torr** *a* .. [as] dry as dust *äv. bildl.*
snut snout
snuv||a a cold in one's head; *få* ~ catch a cold **-ig** *a*, *vara* ~ have a cold
snyft||a *itr* sob [*fram* out] **-ning** sob; *under* ~*ar* sobbing
snygg *a* tidy; [nätt] neat; [ren] clean; *iron. äv.* fine, pretty; *det var just en* ~ *historia!* that's a fine story! **-a** *tr*, ~ [*upp*] make .. [look] tidy, tidy [up] ..; ~ [*upp*] *sig* make o.s. presentable **-het** tidiness &c; cleanliness **-t** *adv* tidily &c; [prydligt] neatly; [t. ex. möblerad] nicely, well
snylt||a *itr* be a parasite (sponge) [*på* on] **-gäst** parasite, sponger
snyt||a **I** *tr* **1** wipe a p.'s nose; [ljus] snuff **2** = *knycka II* **II** *rfl* blow (wipe) o.'s nose **-ning** blowing (&c) of the nose
snål *a* **1** stingy; [sniken] greedy (*äv.* om blick); [knusslig] near, close **2** *bildl.* [vind] cutting **-a** *itr* pinch and screw, be stingy; ~ *in* [*på ngt*] save .. **-het** stinginess &c; greed; ~*en bedrar visheten* penny wise pound foolish **-jåp** skinflint, miser, curmudgeon **-skjuts**, *åka* ~ get a lift **-varg** se *-jåp* **-vatt|en** salivation, water; *-net rinner* my (&c) mouth waters
snår thicket, copse, brush **-skog** brushwood
snäck||a mollusc; [skal] shell **-formig** *a* spiral, helical **-skal** shell *äv. bildl.* **-skruv** ⊕ worm [screw]
snäll *a* good; [av naturen] good-natured; [vänlig] kind [*mot* to], nice; ~*a du!* my dear! *gör det så är du* ~ do it please, will you? *var* ~ *och ge mig*.. please give me ..; [vid bordet] will you pass me some .., please; *vara* ~ *a)* [om barn] be good; *b)* [om vuxen] be kind ([hygglig] decent) **-het** goodness &c **-[l]od** ⊕ soft solder **-tåg** express [train] **-tågs|biljett** supplementary express [train] ticket **-tågs|-fart**, *med* ~ at express speed
snäppa snipe
snärj||a *tr* [en]snare (entangle) [*i* in] *äv. bildl.*; *bildl. äv.* catch; ~ *in sig i* get entangled in **-ande** *a* *bildl.* insiduous (captious) [*fråga* question]
snärt **1** [pisk-] lash, thong **2** [slag] lash **3** *bildl.* gibe, taunt **-a** *tr*, ~ [*till'*] lash; *bildl.* gibe at, taunt
snäs||a **I** *s* snub[bing], rating; rebuff **II** *tr* o. *itr* speak harshly (roughly) [to ..]; *äv.* snap at, snub **-ig** *a* snappish, snubbing; [svagare] cross **-ning** snub[bing]
snäv *a* **1** [trång] narrow; limited [*krets* circle]; [om plagg] tight, close **2** *bildl.* stiff, cold; [t. ex. svar] curt
snö snow **-a** *itr* snow; *det* ~*r* it is snowing; *det* ~*r in'* the snow is coming ([starkare] driving) in **-blanda|d** *a*, *-t regn* sleet **-blind** *a* snow-blind **-boll** snowball **-bolls|krig** snowball fight
snöd *a* sordid (vile) [*vinning* gain]
snö||driva snow-drift **-droppe** *bot.* snowdrop **-fall** snow-fall **-fjäll** snow-capped mountain **-flinga** snow-flake **-fästning** snow castle **-glasögon** snow-goggles **-glopp** sleet **-gräns** snow-line **-gubbe** snowman **-hinder** *järnv.* block (obstruction) caused by snow **-ig** *a* snowy **-kedja** [non-]skid-chain, snow chain **-klädd** *a* snow-clad **-kåpa** snow-gown **-lös** *a* snow-free **-mos** whipped cream
snöp||a *tr* geld **-ing** gelding
snöplig *a* ignominious, inglorious, shameful; *få ett* ~*t slut* come to a sorry (sad) end
snöplog snow-plough
snör||a **I** *tr* lace [together]; ~ *fast*.. fasten .. with a lace; ~ *igen* (*ihop*) lace up; [friare] compress; ~ *in* strap; ~ *till* tighten; ~ *upp* unlace **II** *rfl* lace o.s. **-e** cord, string; [segelgarn] twine; [sko-] lace; [prydnads-] cordon **-hål** lace-hole
snöripa ptarmigan
snör||liv [pair of] stays *pl* **-makare** lace-[and-trimming-]maker, braider **-makeri** lace-work
snörpa *tr* o. *itr* purse (pucker) [*ihop* up]; ~ *på munnen* screw up (purse) one's mouth
snör||rem lace; [läder] strap **-rät** *a* [as] straight as an arrow **-sko** laced shoe
snörvla *itr* [speak in a] snuffle
snö||skata fieldfare **-sko** snow-shoe **-skottning** clearing away of the snow **-skred** snow-slip, avalanche **-slask** sleet **-smältning** thaw[ing of the snow] **-sparv** snow-bunting **-storm** snowstorm; blizzard **-sörja** slush, thawing (melting) snow **-täcke** covering of snow **-täckt** *a* snow-covered **-vit** *a* snowy, snow-white; *S*~ [i sagan] Snow-white **-yra** whirling snow[storm]
so sow
soaré evening entertainment, soirée *fr.*
sobel sable **-päls** sable coat
social *a* social **-demokrat** (**-demokrati** **-demokratisk** *a*) social democrat (democracy, democratic) **-försäkring** national insurance

-**isera** *tr* socialize; nationalize [*industrin* industry] -**isering** socialization, nationalization -**ism** socialism -**ist** socialist -**istisk** *a* socialistic -**lagstiftning** social legislation -**politik** social politics *pl* -**vetenskap** social science -**vård** social welfare; *~en (äv.)* the social services *pl*
societet society -**s**|**hus** [vid badort] casino
sociolog sociologist -**i** sociology
socka [over-]sock
sockel socle, basement
socken parish -**bo** parishioner; *~r (äv.)* inhabitants of a parish -**kyrka** parish church -**stämma** parish meeting
socker sugar -**bagare** comfit-(sweet-)maker -**beta** sugar-beet -**bit** lump of sugar -**bruk** sugarworks *sg* o. *pl*, sugar refinery -**dricka** *ung.* sugared sodawater -**haltig** *a* sugar-containing -**kaka** sponge-cake -**lag** syrup [of sugar] -**mättad** *a* saturated with sugar -**ranson** sugar ration -**rot** skirret -**rör** sugar-cane -**sjuk** *a* diabetic -**sjuka** *läk.* diabetes -**skål** sugar-basin -**söt** *a* .. [as] sweet as sugar; *bildl. äv.* sugared, honeyed -**topp** sugar-loaf -**tång** sugar-tongs *pl* -**vatten** sugared water -**ärter** sugar-peas
sockra *tr* o *itr* sweeten [.. with sugar]
soda soda -**vatten** soda [water]
soff|**a** sofa; [vil-] lounge, couch; [låg] divan -**hörn** sofa-end(-corner) -**kudde** sofa-cushion
sof|**ism** sophism -**ist** sophist
soignerad *a* soigné[e] *fr.*; *äv.* well-groomed
soja soy -**böna** Japanese soy[a] -**sås** catchup
sol sun -**a I** *tr* expose .. to the sun **II** *rfl* sun o s., bask in the sun; [i ngns ynnest] *äv.* bask
solaväxel *hand.* single (sole) bill of exchange
sol|**bad** sun-bath -**bada** *itr* take a sun-bath -**batteri** solar battery -**belyst** *a* sunlit, sunny -**blekt** *a* sun-bleached -**blind** *a* blinded by the sun[light] -**blindhet** dazzled state -**bränd** *a* sunburnt, tanned -**bränna** sunburn, tan
sold *mil.* pay
soldat soldier; *bli ~* enlist [as a soldier] -**ed** military oath -**hem** soldiers' home -**hop** soldiery -**liv** [a] soldier's (military) life -**mässig** *a* soldierlike
sol|**dis** haze -**dyrkan (-dyrkare)** sun-worship (-worshipper) -**energi** solar energy
solenn *a* solemn
sol|**eruption** solar eruption -**fattig** *a* not sunny; *en ~* [*månad*] [a month] with [very] little sun[shine] -**fjäder** fan -**fläck** solar (sun-)spot -**förmörkelse** eclipse of the sun, solar eclipse -**gass** blazing (blaze of the) sun -**glasögon** sun-glasses -**glimt** sun-gleam, flash of sunshine -**gud** sun-god -**gård** sun-glow, halo round the sun -**hetta** heat of the sun -**höjd** altitude of the sun
solid *a allm.* solid *äv. hand.; äv.* substantial; *bildl.* sound [*affär* business]; *hand. äv.* respectable; *~a egenskaper* sterling qualities -**arisk** *a* jointly interested (responsible); *~ med* loyal to; *förklara sig ~ med* declare one's solidarity with -**aritet** solidarity -**itet** solidity; *äv.* stability; [om pers.] respectability -**itets**|**upplysning** information of solvency
solig *a* sunny *äv. bildl.*
solist soloist, solo-performer
solka *tr, ~ ned* soil
solkatt reflection of the light
solkig *a* soiled
sol|**kikare** helioscope -**klar** *a* sunny, [sun-] bright; *bildl.* .. as clear as noonday; [self-]evident -**ljus I** *a* se *-klar* **II** *s* sunlight -**lös** *a* sunless -**nedgång** setting of the sun; *i ~en* at sunset
solo *adv* o. *s* solo
sol- och vårman *ung.* marriage swindler, love pirate
solo|**flygning** solo flight -**nummer** -**stämma** solo
sol|**raket** sun rocket -**ros** sunflower -**rök** haze -**satellit** solar (sun) satellite -**sida,** *~n* [*på, åt* on] the sunny side -**sken** sunshine; *det är ~* the sun is shining -**skens**|**dag** sunny day -**skens**|**väder** sunshine, sunny weather -**skiva** sun's disk -**skydd** glare shield -**spektrum** solar spectrum -**stråle** sunbeam, sun-ray -**strålning** solar radiation -**styng** [*få* have a] sunstroke -**system** solar system -**tak** awning, canopy -**torkad** *a* sun-dried -**turbin** solar (sun) turbine -**tält** awning -**uppgång** sunrise -**ur** sundial
solv *väv.* heddles *pl* -**a** *tr* heddle
sol|**varg**, *grina som en ~* grin like a Cheshire cat -**varv** revolution of the sun
solv|**ens** solvency -**ent** *a* solvent
sol|**visare** sundial -**vända** *bot.* rock-rose -**värme** heat of the sun; solar heat -**år** solar year
som I *pron* who, which, that; se *vilken* o. *gram.; boken ~ han gav mig* the book he gave me; *så dum jag var ~ gick!* what a fool I was to go! [*det verktyg*] *~ man använder till* .. .. used for ..; *den ~ ser detta a)* [den av er] the one who sees this; *b)* [av alla] anybody (anyone) seeing this; *stället ~ han bor på* the place where he lives **II** *adv konj* [så-, efter-, just ~] as; [lik-] like: *så gammal ~* as old as; *en man ~ du* a man like you; *~ svar* in answer [*på* to]; *~ barn* as a child; *dö ~ ung* die young; *~ du minns* as you will remember; *~ sagt* as I said before; *se ut ~* .. look like ..; *om jag vore ~ du* if I were in your place; *så mycket mera (mindre) ~* .. so much the more (less) so as ..; *~ om* as if
somliga *pron* some; *det finns ~ som (äv.)* there are people who
sommar summer; *en svala gör ingen ~* one swallow does not make a summer -**afton** summer evening -**dag** summer's day -**dräkt** summer dress -**ferier** summer vacations (holidays) -**gylling** golden oriole -**gäst** summer guest -**hetta** heat of the summer -**kläder** summer garments (clothes) -**kurs** summer course (school) -**lov** se *-ferier* -**nöje** se *-ställe* -**rock** light coat -**ställe** summer residence (house) -**tid** summer time -**värme** warmth of the summer, summer warmth
somna *itr, ~* [*in*] fall asleep, go to sleep; *~ om* go to sleep again
son son [*till* of]
sona *tr* expiate
son|**ant** sonant -**at** *mus.* sonata
sond probe; *läk.* style -**era** *tr* probe; sound *äv. bildl.* [*terrängen* the ground]
sondotter granddaughter; *~s dotter* great granddaughter
sonett sonnet
sonhustru daughter-in-law
sonika *adv, helt ~* [quite] simply
sonlig *a* filial [*plikt* duty]
sonor *a* sonorous
sonson grandson; *~s son* great grandson
sop|**a** *tr* o. *itr* sweep [*golvet* the floor]; *~ rent framför egen dörr* sweep one's own doorstep clean; *~ igen spåren efter* .. efface the traces of .. *äv. bildl.* -**backe** dustyard -**borste** broom -**hink** dust-pail -**hög** rubbish-heap -**kvast** broom -**lår** dust-bin -**nedkast** dust-chute -**ning** sweeping -**or** dust *sg*, sweepings
sopp|**a** soup; [på kött] broth; *koka ~ på en spik* (*bildl.*) make something from nothing

-kött meat for soup **-rötter** vegetables for soup **-skål** [soup-]tureen **-tallrik** soup-plate
sopran soprano; [pers.] *äv.* sopranist **-stämma** soprano; *äv.* treble
sop||skyffel dust-pan **-tunna** dust-bin
sordin *mus.* sordine; *lägga ~ på (bildl.)* put a damper on
sorg 1 sorrow [*över* at (for, over)]; [djup] grief [*över* for (of, at)]; distress; [smärta] affliction; [bekymmer] trouble, care; [saknad] regret; *till min ~* to my regret **2** [efter avliden] mourning; *anlägga (bära) ~* go into (wear) mourning [*efter* for] **-band** black band **-bunden[het]** se *-sen[het]* **-dräkt** mourning [attire] **-e|barn** child of [many] sorrow[s]; *äv.* family failure **-e|betygelse** condolence **-e|bud** mournful tidings *pl* **-e|högtid** funeral festivity **-e|spel** tragedy **-e|tåg** funeral procession **-flor** mourning-crape **-fri** *a* free from sorrow ([bekymmer] care); carefree **-fällig** *a* careful; *äv.* solicitous, conscientious **-fällighet** care[fulness]; solicitude **-kant** black border (edge), mourning-border; *brev med ~er* black-edged letter **-klädd** *a* [dressed] in mourning **-kläder** mourning [attire] *sg* **-lig** *a* sad [*men sant* but true]; *äv* melancholy [*sanning* fact]; [bedrövlig] deplorable [*belägenhet* state]; [ömklig] pitiful [*syn* sight], miserable [*liv* life] **-ligt** *adv* sadly &c; *~ nog* unfortunately **-lustig** *a* tragicomic[al] **-lös** *a = -fri;* [friare] careless; [lättsinnig] happy-go-lucky, improvident; [lätt om hjärtat] light-hearted **-löshet** carelessness &c; lightness of heart **-marsch** funeral march **-modig** *a* melancholy **-sen** *a* sad; [bedrövad] grieved [*över* at], sorrowful; [svårmodig] melancholy, gloomy; [nedslagen] depressed **-senhet** sadness &c; melancholy, gloom[iness], misery **-slöja** mourning-veil
sork vole, field-mouse
sorl hum; [t. ex. folkets] murmur; [vågskvalp; av prat, skratt] ripple; [porlande] purl; *ett ~ av bifall* a buzz of approval **-a** *itr* hum, murmur; *äv.* ripple, purl
sort sort, kind; *äv.* description, species; *hand.* [märke] brand; *av bästa ~* first-rate.., **F** super..; *han är just av rätta ~en! (iron.)* he is a nice one! **-era I** *tr* sort, assort; *äv.* classify; [efter storlek] size **II** *itr, ~ under..* belong to..; [under ett ämbetsverk] fall under the heading of.. **-erad** *a hand.* assorted **-ering** [as]sorting, assortment; [urval] selection **-erings|maskin** grading (sorting) machine **-iment** assortment; [samling] collection; [uppsättning] set; *fullständigt ~ av ..* full line of ..
sot 1 soot; [ss. smuts] grime; [i cylinder] carbon **2** [på säd] brand, blight
1 sota *itr, ~ för..* smart (suffer) for..
2 sot||a I *tr* **1** sweep [*skorstenen* the chimney]; [motor] decarbonize **2** *~ ned* [cover with] soot; [friare] blacken, smut **II** *itr* [give off] soot **III** *rfl, ~ sig i ansiktet* black one's face **-are** chimney-sweep[er] **-bildning** carbonization
sotdöd, *dö ~en* die a natural death
sot||eld se *skorstens-* **-fläck** smudge, smut **-höna** coot **-ig** *a* **1** sooty; [om skorsten] full of soot; [smutsig] grimy, begrimed **2** [om säd] smutty **-lucka** soot-hole **-ning** sweeping [of a chimney]; [av motor] soot-removing, decarbonization; [nedsotning] sooting, carbonization
sotsäng deathbed
sov||a *itr* sleep; [ligga och ~] be asleep; [ta en lur] have a nap; [*min fot*] *-er..* has gone to sleep; *lägga sig att ~* go to sleep (bed); *sov gott!* [good night,] I hope you will sleep well! *~ gott* sleep soundly; be fast asleep; *har ni -it gott i natt?* did you have a good night? *~ oroligt* have a troubled sleep; *inte ~ på hela natten* have a sleepless night; *~ på saken* sleep upon it; *~ ut'* have enough sleep **-ande** *a* sleeping; [slumrande] dormant *äv. bildl.* **-dags** *adv* bedtime
sovel meat, cheese &c; something to one's bread
sovjet the Soviet **-blocket** the Soviet bloc **-fientlig** *a* anti-Soviet **S~-Ryssland** Soviet-Russia **S~unionen the Soviet Union** **-vänlig** *a* pro-Soviet
sov||kupé sleeping-compartment, sleeper **-plats** place to sleep in; [på resa] sleeping-berth **-påse** sleeping-bag
sovr||a *tr* pick; [friare] sift; purge [*från* of] **-ing** purging &c
sov||rum bedroom **-sal** dormitory **-säck** sleeping-bag **-vagn** sleeping-car, sleeper **-vagnsbiljett** sleeping-car ticket, sleeper [ticket]
spack||el[färg] **-la** *tr* putty
spad broth; [av grönsak] *äv.* water; [stek-] *äv.* gravy
spade spade
spader spades *pl;* jfr *hjärter; ~äss* the ace of spades; *dra en ~* **F** have a game of cards
spadtag cut (dig) with a spade
1 spak lever; *sjö.* handspike; [bil- o. flygmotor] stick, control column; *vid ~arna* at the controls
2 spak *a* tractable, manageable; [foglig] compliant, docile; *bli ~* relent, soften **-het** tractability
spaljé trellis-(lattice-)work; *bilda ~ (bildl.)* line up on both sides of the road **-träd** wall-[fruit]tree
spalt column **-fyllnad** padding [matter]; *neds.* bogus **-korrektur** galley-proof **-vis** *adv* by (in) columns
span||a *itr* spy [*efter* for]; [speja] scout; *mil.* observe; reconnoitre; *~ efter (äv.)* search (be on the look-out) for; *~ [ut] över [havet]* gaze out over.. **-ande** *a* spying; searching [*blickar* looks] **-are** searcher; *flyg.* observer
spaniel spaniel
Spanien Spain
spaning search; [efter förbrytare] pursuit; *mil.* reconnaissance; *vara på ~ efter* [institute a] search for; *våldsam ~* reconnaissance by force **-s|flygning** reconnaissance flight **-s|[flyg]plan** reconnaissance (*Am.* observation) plane **-s|patrull** reconnaissance [party] **-s|torn** conning tower
spanjor Spaniard **-ska** Spanish woman (o. s. v.)
spankulera *itr* stroll, saunter along
spann 1 team [of horses] **2** [mått] span **3** *ark.* span **4** [hink] pail, bucket
spannmål corn; *Am.* grain; cereal[s *pl*] **-s|export** corn (grain) exports *pl;* export[ation] of corn (grain) **-s|förråd** supply of corn (grain) **-s|handlare** dealer in corn, grain-dealer; [i stor skala] corn-(grain-) merchant **-s|import** corn (grain) imports *pl,* import[ation] of corn (grain) **-s|magasin** granary, corn-(grain-)store
spansk *a* Spanish; **F** [stursk] cocky, stuck-up; *~ peppar* red pepper; *~a ryttare (mil.)* chevaux de frise *fr.; ~a sjukan* the Spanish flu **-a** [språk] Spanish **-rör** [Bengal] cane
spant *sjö.* rib, frame-timber

spar||a I *tr* o. *itr* save [*tid* time; *pengar* money; *sina krafter* one's strength]; spare [*hästarna* the horses; *sin hälsa* one's health]; [vara -sam] be economical; [för framtiden] reserve [*till* for]; ~ *er besväret!* save yourself the trouble! *utan att ~ några kostnader* without stint of expense; ~ *pengar* economize, save up [money]; *den som spar han har* waste not want not; *det är ingenting att ~ på* it is not worth saving (keeping); *inte ~ på kritik* not withhold criticism; ~ *ihop till ålderdomen* put (lay) [something] by for one's old age; ~ *in* save **II** *rfl* spare o.s., husband one's strength (forces) **-are** saver **-bank** savings-bank **-banks|bok** savings-bank passbook, depositor's book **-bössa** savings-(money-) box

spark kick; *få ~en* **F** be fired (sacked) **-a** *tr* o. *itr* kick; ~ *av sig täcket* kick off one's blanket; ~ *bakut* [om häst] kick [out behind]; ~ *till* . . give . . a kick; ~ *ut' ngn* kick a p. out [of doors]

spar||kapital saved capital **-kassa** savings-fund **-kasse|räkning** savings account

spark||cykel scooter **-stötting** chair-sledge, kicking sledge

sparlakansläxa curtain-lecture

spar||låga, *ställa på ~* turn the gas down **-medel** savings

sparre spar; [tak-] rafter

sparris asparagus **-kål** broccoli **-säng** asparagus-bed

sparsam *a* economical [*med* of (with, in)]; [snål] parsimonious; saving [*med (på)* of]; [förståndigt ~] *äv.* thrifty, provident; [enkel] frugal; sparing [*med beröm* of one's praise]; *bildl.* [gles] sparse (scanty) [*befolkning* population]; [sällsynt] rare [*förekomst* occurrence] **-het** economy; thrift[iness]; [starkare] parsimony; *bildl.* scantiness **-hets|kampanj** economy drive **-hets|-skäl,** *av ~* for reasons of economy **-t** *adv* economically &c; *förekomma ~* (*äv.*) be scarce (scanty)

spartan Spartan **-sk** *a* Spartan

sparv sparrow **-hagel** dust-shot **-hök** sparrow-hawk **-uggla** pigmy owl

spasm spasm; [kramp] convulsion, cramp **-odisk** *a* spasmodic; *läk. äv.* spasmic

spat *min.* spar

spatiös = *rymlig*

spatsera *itr* promenade; walk

spatt *veter.* spavin; *med ~* spavined

spe derision, ridicule; [hånande] sneer[s *pl*], taunt[s *pl*], gibe[s *pl*]; jfr *narr*

speceri||affär grocer's [shop] **-handlare** grocer

special||begåvning special gift **-byggd** *a* built on special order **-fall** special (exceptional) case **-intresse** special interest; hobby **-isera** *tr* o. *rfl* specialize [*på* in] **-isering** specialization **-ist** specialist, expert **-itet** special[i]ty **-karta** detailed map **-studium** special branch of study **-träning** special training **-uppdrag** special task (mission) **-vapen** *mil.* special branch [of the army]

speci||ell *a* special, particular **-ellt** *adv* specially, particularly **-ficera** *tr* specify, particularize; *~d räkning* detailed bill **-ficering** specification, detailed description **-fik** *a* specific [*vikt* gravity] **-men** specimen

spedi||era *tr* forward, dispatch, send [off] **-tion** forwarding (dispatch) [of goods] **-tions|affär** forwarding-(shipping-)agency **-tör** commission-(shipping-)agent

spe||full *a* gibing; [hånfull] derisive (sarcastic) [*ton* tone]; [om pers.] given to mockery **-fågel** quiz, banterer, tease

spegel mirror; *vanl.* [looking-]glass; *se sig i ~n* = *spegla II* **-bild** [reflected] image *äv. bildl.*, reflection **-blank** *a* glassy, like a mirror **-dörr** framed door **-fäkteri** dissimulation; [knep] jugglery **-glas** reflecting-glass; [vara] plate-glass **-sal** mirrored hall **-teleskop** reflecting telescope, reflector

speg||la I *tr* reflect, mirror **II** *rfl* be reflected; [om pers.] look at o.s. in the glass (mirror) **-ling** reflection

speglosa gibe, sneer

spej||a *itr* spy [*efter* about (round) for; *på* on]; *mil.* scout **-ande** *a* spying; ~ *blick* searching look, watchful eye **-are** spy; *mil.* scout; [friare] secret agent

spektakel 1 *bildl.* **F** row; *ett sånt ~!* what a nuisance! *ställa till ~* make a scene **2** = *åtlöje*

spektr||al|analys *fys.* spectral (spectrum-)analysis **-oskop** spectroscope **-um** spectrum

spekul||ant 1 *hand.* speculator, intending (prospective, would-be) buyer (purchaser) **2** [börs-] operator, jobber; ~ *i hausse* bull; ~ *i baisse* bear **-ation** speculation; *hand. äv.* enterprise; *på ~* as a speculation **-era** *itr* **1** speculate [*på* on; *i hausse (baisse)* for a rise (decline)] **2** = *fundera*

1 spel [vinsch] crab, winch

2 spel 1 play[ing]; *teat.* acting; *sport.* game; *~et är förlorat* the game is up; *dubbelt ~* double dealing; *rent (icke rent) ~* fair (foul) play; *ha ~et (kortsp.)* be in (to) play; *det är* . . *med i ~et* there is . . in the case; *förlora (vinna på) ~* lose (win) at play (cards); *stå på ~* be at stake; *sätta* . . *på ~* put . . at stake, stake, risk; *dra sig ur ~et* quit the game, back out *äv. bildl.*; *vara ur ~et* be out **2** *kortsp.* trick

spel||a *tr* o. *itr* **1** play [*piano* the piano; *kort* [at] cards; *om pengar* for money]; ~ *hasard* gamble; *vad ~r vi om?* what are the stakes? ~ *bort* . . gamble . . away, lose . . in cards; ~ *falskt (mus.)* play out of tune; *kortsp.* cheat [at cards]; ~ *in (radio.)* record; ~ *upp' till dans* strike up; ~ *ut' ett kort* play a card; *du ~r ut'* you [have the] lead; ~ *över (mus.)* practise **2** *teat.* act, play; ~ *in* rehearse; ~ *förnäm herre* play the fine gentleman **-ande** *a* playing; [livlig] sparkling; *de ~* the players; *mus.* the musicians; *teat.* the actors **-bank** public gambling-house, casino **-bord** card-(gambling-)table **-bricka** piece **-dosa** musical box **-evink[er]** **F** whipper-snapper **-helvete (-håla)** gambling-hell (-den) **-kort** playing-card **-lektion** music-lesson **-lista** *teat.* list of performances, repertory **-man** musician; [fiolspelare] fiddler **-mark** counter; [-penning] jet[t]on **-parti** card-party; [spel] game [of cards] **-passion** gambling-fever (-passion) **-regel** rule of the game **-rum** *bildl.* scope, range, play; *lämna* . . *fritt ~* give . . free scope (play) **-skuld** gambling-debt **-säsong** theatrical season **-vinst** winnings *pl* at cards **-år** *teat.* theatrical year

spenat spinach

spender||a *tr* spend [. . liberally]; bestow [*på* upon] **-sam** *a* generous, liberal

spene teat, nipple; [på ko] *äv.* dug

spenslig *a* [. . of] slender [build]; [spröd] delicate; [smärt] slim **-het** slenderness &c; delicacy of build

sperma sperm

spets 1 point *äv. bildl.*; [på finger, tunga] tip; [berg-] peak, top; *geom.* apex; *bildl. äv.* head; *bjuda* . . *~en (bildl.)* bid defiance to . ., brave . .; *gå i ~en (äv.)* lead the way; *bildl. äv.* be the prime mover of; *stå i ~en för* [be at the] head

[of]; *driva ngt till sin ~* bring a th. to a head (climax) **2** [tyg-] lace, point[s *pl*] **3** [hund] Pomeranian [dog], spitz[-dog] **-a** *tr* **1** point; *äv.* sharpen [*en blyertspenna* a pencil]; *~ öronen* prick up one's ears **2** [genomborra] pierce; *äv.* spit; [på nål] pin, nail **-bov** arch-rogue, rascal **-båge** *ark.* pointed (Gothic) arch, ogive **-båg[s]stil** Gothic style **-fundig** *a* subtle, sophistical **-fundighet** subtlety *äv. konkr; ~er (äv.)* sophistry (casuistry) *sg* **-garnityr** lacing; lace collar **-gavel** pointed gable **-glas** tapering dram-glass **-hacka** pick axe **-ig** *a* pointed *äv. bildl.; äv.* peaked [*skägg* beard; *höjd* summit]; [avsmalnande] tapering; cutting (sarcastic) [*anmärkning* remark]; *en ~ vinkel* an acute angle **-ighet** pointedness &c; [-igt yttrande] sneer, sarcasm **-knyppling** lace-making **-krage** lace collar **-vinklig** *a* acute-angled

spett spit; [järn-] iron bar (crow) **-[e]kaka** cake baked on a spit

spetälsk *a* leprous; *en ~* a leper **-a** leprosy

spex [students'] farce **-artad** *a* farcical

spicken *a* cured [*sill* herring]

spigg stickleback

spik nail; [grövre] spike; *slå huvudet på ~en* hit (strike) the nail on the head, *äv.* strike home **-a** *tr* o. *itr* nail; [med nubb] tack; *~ fast . .* fasten . . with nails, nail [*ngt vid . .* a th. on to . .]; *~ upp* nail . . [up]; placard [*ett plakat* a poster] **-huvud** head of a nail, nail-head **-låda** nail box **-matta** bed of nails **-nykter** *a* . . [as] sober as a judge **-rak** *a* [as] straight as an arrow (as a poker) **-skor** hobnailed shoes; *sport.* spiked (*Am.* track) shoes

spilkum bowl, basin

spill waste, spill; [av radioaktiva ämnen] fall[-]out, spill

spilla *tr* o. *itr* **1** spill, drop; [för-] waste, lose; *spill inte!* do not spill it! *~ på sig* spill (drop) something on one's clothes **2** [plottra bort] fritter away [*sin tid* o.'s time]

spillkråka black woodpecker

spill||ning droppings *pl;* [gödsel] manure; dung **-o,** *ge . . till ~* give . . up [as lost]; *gå till ~* get (be) lost **-olja** waste oil

spillr|a splinter; *-or (äv.)* debris (wreckage) *sg; -orna* the fragments that remain[ed]; *äv.* the wreck *sg* [*av* of]; *-orna av armén* the scattered army; *gå (falla) i -or* break (fly) into splinters, splinter; *slå . . i -or* break . . into fragments; shatter . . *äv. bildl.*

spill||säd shelled corn **-vatten** spilt water

spilta stall; [för obunden häst] [loose] box

spindel spider; ⊕ spindle **-nät -väv** cobweb[s *pl*]; [finare] gossamer

spinett *mus.* spinet

spink shreds (snippings) *pl* **-ig** *a* very thin, slender, spindly **-ighet** thinness &c

spinn *flyg., råka i ~* get into a spin

spinn||a **I** *tr* o. *itr* spin; [tvinna] *äv.* twist **II** *itr* [om katt] purr

spinnaker spinnaker

spinn||eri cotton-(spinning-)mill **-fiske** bait-casting **-rock** spinning-wheel **-rocks|huvud** distaff **-sidan** the distaff-side **-spö** casting-rod

spion spy; secret agent **-age** espionage, spying **-era** *itr* spy [*på* [up]on]; *~ ut* espy **-eri** = *-age* **-nät** spy ring

spira **I** *s* [trä-] spar *äv. sjö.;* [stång] pole; [torn-] spire; [kunglig] sceptre **II** *itr* (*äv.: ~ upp*) sprout, shoot forth; *~nde liv* budding life

spiral spiral; [vindling] convolution, coil; *gå i ~* turn spirally **-fjäder** ⊕ coil-spring, spiral spring **-formig** *a* spiral, helical **-rörelse** spiral motion **-trappa** winding (spiral) staircase

spirant *fonet.* fricative [sound]

spirit||ism spiritism; *äv.* spiritualism **-ist** spiritist; spiritualist **-istisk** *a* spiritistic[al] **-ualitet** wit, esprit **-uell** *a* brilliant; [friare] smart, witty **-uosa** spirituous liquors, spirits **-us** spirit, alcohol

1 spis stove; [eldstad] fire-place; *öppen ~* **F** open fire

2 spis food *äv. bildl.; bildl. äv.* nourishment, nutriment **-a** *tr* o. *itr* eat **-bröd** [coarse] hard rye-bread

spisel||häll hearth[-stone] **-krans** mantelpiece, chimney-piece **-vrå** chimney-(fireside-)corner

spjut spear; [lans] lance; [kast-] *äv. sport.* javelin **-kast** throw of a (the) spear &c **-kastare (-kastning)** javelin-thrower (-throwing) **-lik** *a* spear-like **-skaft** shaft of a (the) spear **-spets** spear(&c)-head (-point, -iron)

spjuver = *skälm* **-aktig** = *skälmaktig*

spjäl||a **I** *s* lath, splint *äv. läk.;* [i jalusi] rib, slat **II** *tr* splint; *läk. äv.* secure . . by splints **-förband** *läk.* splint bandage **-gardin** Venetian blind **-ka** *tr* split [. . to pieces]

spjäll damper, register; [i motor] throttle **-snöre** cord of a (the) damper (&c)

spjäl||staket pale-fence **-verk** trellis-(lattice-)work

spjärn, *ta ~ mot* brace one's feet against **-a** *itr* spurn; *~ emot* kick against [*udden* the prick]

split discord, dissension

splits -a *tr* ⊕ *sjö.* splice, scarf **-ning** splicing

splitterfri *a, ~tt glass* safety (splinterproof) glass

splitt[er]||galen *a* stark (raving) mad **-naken** *a* stark naked **-ny** *a* brand-new

splittr||a **I** *s* splinter, shiver **II** *tr* splinter, break . . into splinters; [klyva] split; *bildl.* divide [up]; *~ [bort] sin tid* fritter away one's time **III** *rfl bildl.* divide (split) one's forces, be diffusive; *han ~r sig (äv.)* he cannot concentrate **-ing** *bildl.* split, division

1 spola *tr* o. *itr* wash (flush) [*däcket* the deck]; [skölja] rinse; *äv.* sprinkle [the streets]; *~ bort* wash away

2 spol||a *tr* [garn] spool, wind [up], reel **-e** **1** *väv.* spool, quill; [is på maskin] bobbin; *en ~ tråd* a reel of thread **2** *elektr.* coil, spiral **-formig** *a* spool-shaped

spoliera *tr* spoil, spoliate

spoling **F** stripling; [gröngöling] greenhorn, fledgling

spol||mask belly-worm **-ning** **1** washing, flushing **2** ⊕ o. *väv.* spooling &c

spont -a *tr* ⊕ tongue, rebate; *~de bräder* match-boards, tongued-grooved boards

spontan *a* spontaneous **-[e]itet** spontaneity

spor spore

sporadisk *a* sporadic[al]; [enstaka] isolated

sporr||a *tr* spur [*framåt* on; *hästen* one's horse]; *bildl. äv.* incite [*ngn till att . .* a p. into . . -ing]; encourage, stimulate; *~ hästen (äv.)* clap (set) spurs to one's horse **-|e** spur; *naturv. äv.* calcar; *flyg.* tail skid; *bildl. äv.* stimulus, incitement, encouragement; *förtjäna sina -ar* win one's spurs **-sträck,** *i ~* on the spur, at full gallop (speed).

sport sports (games) *pl* **-a** *itr* go in for sports (games) **-affär** sports outfitter **-artiklar** sporting articles **-bil** sports car **-dräkt** sports suit ([dams] costume); *vanl.* tweeds *pl* **-fiske** fishing **-flygare** sports pilot **-flygning** sporting flying **-[flyg]plan** sports plane, lightplane **-intresserad** *a* interested

in sports **-klubb** sports club **-krönika** sports column
sportler perquisites, casual income *sg*
sport‖lov sports holidays *pl* **-nyheter -nytt** sports news **-sida** sports column **-skjorta** sports shirt **-s|man** sportsman **-s[manna]-anda** sportsmanship **-s|mässig** *a* sportsmanlike **-stuga** week-end cottage **-tröja** sports jacket, jersey **-tävling** athletic competition, match
spotsk *a* disdainful, scornful **-het** disdain, scorn
1 spott [hån] scoff, scorn; [löje] derision
2 spott spittle, saliva **-a** *tr* o. *itr* spit; *läk.* expectorate **-kluns** expectoration **-kopp** spittoon **-körtel** salivary gland **-styver,** *för en* ~ for a song, at a ridiculously low price
spov curlew
sprak‖a *itr* sparkle, send out (emit) sparks; [om ljud] crackle **-ande** *a* sparkling [*kvickhet* wit]; crackling [*brasa* fire] **-fåle** frisky colt; *bildl.* scapegrace
spratt trick; *äv.* hoax; *spela ngn ett* ~ play a practical joke upon a p.; play a p. a trick **-el|gubbe** jumping-jack **-la** *itr* flounder, struggle; [om fisk] frisk (flap) about; [som en ål] wriggle
spri *sjö.* sprit
spric‖a I *s* crack; fissure; [större] crevice; [i huden] chap **II** *itr* **1** crack; [brista] break; [sprängas] burst; [rämna] split; *äta så man kan* ~ eat till one is ready to burst; ~ *av avund* burst with envy; ~ *ut* [om knopp] open; [om löv] come out **2** *skol., univ.* **F** fail, be ploughed **-bildning** cracking, fissuring **-fri** *a* crack-proof **-ig** *a* cracked; [hud] chapped
sprid‖a I *tr* spread [*en sjukdom* a disease]; [skingra] disperse; distribute [*böcker* books]; circulate [*ett rykte* a report]; ~ *en doft av . .* send out a smell of . .; ~ *ljus över* throw (shed) light on **II** *rfl* spread; [skingras] [be] scatter[ed], [be] disperse[d]; [utbreda sig] extend, *bildl. äv.* propagate **-d** *a* spread; scattered, dispersed; *en mycket* ~ *tidning* a widely circulated paper; *~a drag* scattered traits, miscellaneous features; *några ~a hus* a few straggling houses; *~a fall* isolated cases; *i* ~ *ordning* in scattered (*mil.* extended) order; *på ~a ställen* here and there **-ning** spreading &c; spread (dissemination) [*av kunskap* of knowledge]; *äv.* diffusion, propagation; [t. ex. tidnings] circulation, distribution
spring 1 [-ande] running [about] **2** *sjö.* sheer; [på kabel] spring **-a I** *s* chink, fissure; *äv.* slit; [skreva] cranny; [större] crevice **II** *itr* [*tr*] **1** run [*sin väg* away]; [hoppa] spring (jump) [*i sadeln* into the saddle]; [ta till flykten] make off; *vi måste* ~ we had to run for it; ~ *i butiker* [go] shop[ping]; ~ *i dagen* come to light; ~ *i höjden* [priser] soar; ~ *fram* rush out, *bildl.* [om sak] project; ~ [*i*]*fatt* overtake, catch up; ~ *ifrån* run away from, desert; ~ *om* run past, pass . . [running]; ~ *omkring* run around; ~ *omkull ngn* run a p. down; ~ *upp a)* [om lås] come apart; *b)* [om dörr] open; *c)* [hoppa] jump up; *d)* [om källa] spring up **2** [brista] burst; explode; [om kabel o. d.] break, snap; ~ *i luften* blow up; ~ *sönder* fly to pieces **-ande** *a* running &c; ~ *punkt* vital point **-are** [häst] courser, steed **-brunn** fountain **-fjäder** spring **-flicka** errand-girl **-flod** spring-tide **-pojke** errand-boy
sprint key, split pin; [kil] cotter; [bult] pintle, key bolt
sprinter sprinter **-lopp** sprint-race
sprit spirits *pl;* [*ren* pure] alcohol
sprita *tr* **1** [ärter o. d.] shell, hull **2** [fjäder] strip
sprit‖begär craving for spirits (drink, liquor) **-bolag** alcohol monopoly **-dryck** alcoholic drink, liquor **-förbud** prohibition **-förtäring** consumption of alcohol **-haltig** *a* spirituous, alcoholic **-kök** spirit-stove **-langare** bootlegger **-rättigheter** spirit licence *sg; restaurang med* ~ fully licensed restaurant **-servering,** *ingen* ~ no spirits served **-termometer** alcohol thermometer
sprits syringe, irrigator **-a** *tr* spurt, spirt
spritt *adv* = *splitt*[*er*]-
spritt‖a *itr,* ~ [*till*] [give a] start; *äv.* jump; ~ *av lust att . .* be quivering with eagerness to . . **-ande I** *a* sparkling [*melodi* melody] **II** *adv,* ~ *glad* ready to jump for joy **-ning** start, jump
spritvaror spirituous liquors, spirits
spritärter green field-peas
sprucken *a* cracked [*glas* glass; *röst* voice]
sprudl‖a *itr* bubble, gush **-ande** *a* bubbling (brimming) over [*av* with]; sparkling [*kvickhet* wit]; *på* ~ *humör* in high spirits *pl*
sprund bung[-hole]; [i plagg] slit
sprut‖a I *s* squirt; *läk.* syringe; [brand-] fire-engine **II** *tr* o. *itr* spurt; [~ ut] spout, squirt; ~ *eld* spit ([om vulkan] emit) fire; *hans ögon ~de eld* his eyes flashed (shot forth) fire; ~ *in* (*läk.*) inject; ~ *ut* eject, emit, spout **-hus** [fire-]engine house **-kanna** watering can **-målning** spray painting **-pistol** spray gun **-slang** fire-engine hose
språk language; *äv.* tongue, idiom; [uttryckssätt] style, manner of speaking, speech; *högre* ~ elevated language (style); *föra ett simpelt* ~ use vulgar language; *skriva ett ledigt* ~ have a light style of writing; [*lärare*] *i* ~ . . of languages; *vara slängd i* ~ be clever in [foreign] languages; be a good linguist; *ej vilja ut med ~et* hesitate to speak out; beat about the bush **-a** *itr* talk (speak) [*om* about]; [förtroligt] chat **-begåvad** *a, vara* ~ have a gift for languages **-bruk** usage [of the language]; *enligt vanligt* ~ (*äv.*) in common parlance **-familj** family of languages **-fel** grammatical blunder (slip) **-forskare** philologist; *äv.* linguist **-forskning** philology; [is. jämförande] linguistic science, linguistics *pl* **-förbistring** confusion of tongues (languages) **-geni** genius at languages **-historia** history of language **-kunnig** *a . .* versed (skilled) in languages; *en* ~ *person* a good linguist **-kunskap** knowledge of language[s] **-känsla** linguistic sense (instinct), feeling for language **-lektion** lesson in a [foreign] language **-lig** *a* linguistic [*studier* studies]; philological [*kommentar* commentary] **-ljud** speech sound **-lära** grammar **-lärare -lärarinna** teacher of [modern] languages **-man** linguist **-prov** language test **-riktighet** grammatical [and idiomatic] correctness **-rör** *bildl.* mouthpiece, spokesman **-sam** *a* talkative; [meddel-] communicative **-samhet** talkativeness &c **-sinne** = *-känsla* **-studier** study *sg* of languages, linguistic studies **-undervisning** language teaching **-vanor** linguistic habits **-vetenskap 1** science of language **2** = *-forskning* **-vetenskaplig** *a* philological; linguistic **-vård** preservation of the purity of a language **-öra,** *ha gott* ~ have an ear for languages

språng spring, leap; [skutt] bound, skip; *ta ett ~* take (give) a spring; *i fullt ~* at full speed; *på ~* on the run **-bräde** spring-(jumping-)board; stepping stone **-marsch** *mil., med (i) ~* at a run; [friare] at full speed **-vis** *adv* by leaps (&c)
spräcka *tr* crack; break [*rösten* one's voice]; *~ skallen* fracture one's skull
spräcklig *a* speckled; *äv.* mottled
spräng||**a I** *tr* burst; [med -ämne] blast; [*~ i luften*] blow up; [splittra] break *äv. bildl.* [*banken* the bank]; [skingra] scatter; *~ en dörr (äv.)* force a door open; *~ sönder* burst .. to pieces **II** *itr, ~ fram* gallop (dash) along (forward) **-as** *itr dep* burst, break **-bomb** *mil.* high-explosive (fragmentation) bomb **-granat** *mil.* high-explosive [shell] **-kall** *a* bitterly cold, arctic **-kraft** explosive power **-laddning** explosive (blasting) charge -[laddnings]spets warhead **-lärd** *a* **F** immensely learned, erudite **-läsa** *itr* **F** swot, cram, grind **-medel** explosive **-ning** bursting &c; explosion; [av atomer] fission; [skingring] dispersion **-nings**|**arbete** blasting **-sats** explosive composition **-skott** blast **-verkan** explosive effect **-ämne** explosive [substance]
sprätt dandy; [snobb] snob; **F** swell **-a** *tr* o. *itr* **1** [sparka] kick; [om höns] scratch **2** [om penna] spurt; [stänka] sprinkle, scatter **3** rip [open] [*en söm* a seam]; *~ upp ..* rip up .., unrip ..; *~ sönder* pick (rip) .. to pieces **-ig** *a* smart[ly dressed], dandified; **F** swell
spröd *a* brittle; [ömtålig] fragile **-het** brittleness; *äv.* fragility
spröt 1 [på paraply] rib **2** *zool.* antenna, feeler **-e** stick, rib
spurt -a *itr sport.* spurt
spy *tr* o. *itr* vomit [*(äv.) eld* fire]; [om kanon] belch
spydig *a* malicious, ironic[al], sarcastic **-het** malice, sarcasm
spy||**fluga** bluebottle [fly]; **F** *bildl. ung.* caustic person **-gatt** *sjö.* scupper[-hole]
spå *tr* o. *itr* **1** *absol.* tell fortunes; *~ ngn* tell a p. his (o. s. v.) fortune [*i kort* by the cards]; *~ i händerna (absol.)* practise palmistry (chiromancy) **2** [friare] jfr *förutsäga; han ~dde rätt* his prediction came true; *jag ~r att ..* **F** I dare say that ..; *människan ~r och Gud rår* man proposes, God disposes **-dom** prophecy; prediction; *äv.* divination, soothsaying **-doms**|**konst** art of divination **-kvinna** [female] fortune-teller; [häxa] witch **-man** fortune-teller, diviner; *äv.* prophet; [trollkarl] magician
spån chip; *koll* chips *pl; dum som ett ~* quite empty-headed
spånad *abstr* spinning; *konkr* spun wool (flax)
spång [foot-]bridge, plank
spån||**korg** chip-basket **-tak** shingle-roof **-täcka** *tr* shingle
spår 1 [märke] mark [*efter* of]; [fot-] [foot-] step *äv. bildl.;* [i rad] track; [svagare] trace *äv. bildl.; bildl. äv* [tecken, tillstymmelse] vestige [*av sanning* of truth]; *inte ett ~!* not a bit (at all)! *inte ett ~ av* not a trace (vestige) of; *icke det minsta ~ av tvivel* not the faintest (a vestige of) doubt; *finna ~ av ..* find traces of ..; *få upp ett ~* pick up a scent; *förlora ~et* lose the track ([om jakthund] scent); *sopa igen ~en [efter sig]* obliterate the (one's) tracks; *hjälpa ngn på ~et* put a p. on the [right] track; *komma .. på ~en* get ([ha kommit] be) on the track of ..; *bildl. äv.* find .. out; *komma in i de gamla ~en igen (bildl.)* get into the old rut again **2** ⊕ *järnv.* track; [skenor] rails *pl; hoppa ur ~et* run off the track, leave the rails **-a I** *tr* track (trace) *äv. bildl.; jakt. äv.* scent; *~ upp* track out, get the scent of; [friare o. bildl.] find out, discover **II** *itr, ~ ur* derail, run off the rails **-hund** sleuth-hound; bloodhound *äv. bildl.* **-korsning** crossing [of rails] **-ljusprojektil** *flyg.* tracer projectile **-löst** *adv* leaving no trace, without leaving any tracks; *.. är ~ försvunnen ..* has vanished into thin air **-sinne** ability to follow a clue **-vagn** tram[-car]; *Am.* streetcar **-vagns**|**biljett** tram[way &c] ticket **-vagns**|**förare** tram[way &c] motorman, tram driver **-vagns**|**konduktör** tram[way &c] conductor **-vidd** [railway] gauge **-väg** tramway **-vägs**|**linje** tramline **-växel** switch
späck lard; [valfisk-] blubber **-a** *tr* lard; *bildl.* interlard [*sitt tal med* one's speech with]; *~d börs* filled purse **-huggare** grampus
späd *a* tender [*ålder* age]; *äv.* slender [*växt* growth]; [klen] delicate; *bot. äv.* young [*löv* leaves]; *~ röst* feeble (weak) voice; *från sin ~aste barndom* from his (o. s. v.) earliest infancy
späda *tr, ~ [ut]* dilute, *äv.* thin, mix
späd||**barn** infant, baby **-barns**|**dödlighet** infantile mortality **-barns**|**ålder,** *i ~n* in infancy **-gris** young pig, porkling **-het** tenderness &c **-kalv** sucking-calf
spädning diluting &c; [en ~] dilution
späk||**a** *tr [rfl]* mortify ([friare] castigate) [o.s.] **-ning** mortification &c
spän||**d** *a* se *-na;* tight [*rep* rope]; [styv] taut; *bildl.* tense [*nerver* nerves]; *äv.* stretched [*segelduk* canvas]; [om båge] strung; *bildl. äv.* intense; *-t förhållande* strained relations *pl* [*till* with]; *högt ~a förväntningar* highly-strung expectations; *hålla intresset ~t* keep the attention alive; *~ uppmärksamhet* strained (tense) attention **-na I** *tr* **1** [sträcka] stretch [*en lina* a wire]; *äv.* strain [*sina muskler* one's muscles]; tighten [*ett rep* a rope]; *~ en fjäder* set a spring [to act]; *~ hanen på ett gevär* cock a gun; *~ sina krafter till det yttersta* strain every nerve [to the utmost]; *bildl.* brace o.s.; *~ ögonen i ..* fasten (rivet) one's eyes on ..; *~ öronen* prick up one's ears **2** [med spänne] clasp, buckle, [med rem] strap **3** *~ av [sig]* unstrap, unbuckle; *äv.* unfasten, undo; *~ av sig [skridskorna]* take off ..; *~ fast* buckle (strap) .. on [*vid* to]; *~ för (ifrån)* harness (unharness) the horse[s]; *~ ned* let down; *~ på sig [ryggsäcken]* strap on ..; *[skridskorna]* put on ..; *~ upp* undo, unfasten; [rem] unstrap; [ett paraply] put up; *~ ut* stretch *äv. bildl.;* expand [*bröstet* one's chest]; *~ åt* tighten **II** *itr = sitta [åt], klämma II* **III** *rfl* strain (brace) o.s. **-nande** *a bildl.* exciting, thrilling; *en ~ bok* a thriller **-nare** tightener **-nas** *dep* [om rep o. d.] tighten; [om muskler] contract; grow tense *äv. bildl.* **-ne** buckle, clasp **-ning** tension *äv. elektr.; elektr.* voltage; ⊕ strain, stress; *bildl. äv.* excitement; [oro] suspense; *vänta med ~* wait excitedly (eagerly) **-nings**|**förstärkare** *elektr.* volt[age] amplifier **-nings**|**laddad** *a* full of tension, thrilling **-nings**|**mätare** *elektr.* voltmeter **-n**|**papper** lining paper **-n**|**tamp** strap **-n**|**vidd** span; [vinges] expanse
spänst vigour, buoyancy, elasticity **-ig** *a allm.* elastic; springy [*steg* steps]; [sportig] sporty; *bildl.* buoyant [*sinne* mind]; [kraftig] vigorous **-ighet** elasticity, spring[-

iness]; *bildl.* buoyancy; *läk.* [*andlig* mental] tone **-igt** *adv* elastically; *gå* ~ walk with an elastic (a springy) gait
spänta split [*stickor* wood]
spärr catch, stop; barrier *äv. järnv.; järnv. äv.* gate; [hinder] block, obstacle **-a** *tr* **1** bar; [~ igen] block [up], obstruct; blockade [*hamnarna* the ports]; ~ *tillförseln* cut off supplies; ~ *upp* [*ögonen*] open .. wide **2** *boktr.* space out; *med ~d stil* in spaced-out type (letters *pl*) **-ballong** *mil.* barrage balloon **-eld** *mil.* barrage, curtain-fire **-hake** [på kugghjul] click, catch **-ning** *allm.* barring &c; *äv.* blockade [*av* of]; obstruction
spö **1** [kvist] twig; [käpp] switch; *regnet står som ~n i backen* the rain is coming down in sheets, **F** it is raining cats and dogs **2** [straff] *slita* ~ be publicly flogged
spök‖a *itr* **1** walk the earth, come back; *det ~r här* this place (house o. s. v.) is haunted **2** ~ *ut sig (bildl.)* make a fright of o.s. **-aktig** *a* ghostlike; uncanny, weird **-e** ghost, spectre; [vålnad] phantom; *äv.* spook; *bildl.* scarecrow, [friare] bugbear; *se ~n på ljusa dagen* be haunted by imaginary terrors **-historia** ghost-story **-hus** haunted house **-lik** *a* ghostlike, ghostly; [friare] ghastly
spöknippe bundle of rods
spök‖rädd *a* afraid of ghosts **-skepp** phantom ship
spör‖ja = *2 fråga* **-s|mål** question; *ett invecklat* ~ an intricate problem
spöstraff whipping, flogging
stab *mil.* o. *allm.* staff[-officers *pl*]; *höra till ~en* be on the staff
stabil *a* stable; [pålitlig] solid; *en ~ firma* a sound firm **-isera** *tr* stabilize **-iserings|-plan** stabilization plan **-itet** stability
stabs‖chef *mil.* chief of the staff **-officer** staff officer, officer of the staff
stack rick, stack; *dra sitt strå till ~en* do one's part (**F** bit) **-a** *tr* rick, stack
stackar‖e [poor] wretch; *en ~ till* .. a wretch (poor sort) of a ..; *en usel* ~ a pitiable creature; *den ~n!* poor thing (fellow)! **-s** *a* poor; ~ *dig!* you poor thing! ~ *liten!* poor little thing!
stad **1** [på tyg] border, list **2** town; [större] city; *~en Stockholm* the city of Stockholm; *lämna ~en* leave town; *bo i ~en* live in [the] town; *han reste till ~en* [*i morse*] he went up to town ..; *gå ut på sta'n* go into town; *det talar hela ~en om* it's the talk of the town; *över hela ~en* all over the town **3** *ej ha ngn varaktig* ~ have no permanent abode; *var i sin* ~ each in his own place
stadd *a* in the act [*på flyttning* of moving]; ~ *i fara* in [the midst of] danger; *vara ~ i upplösning* be dissolving; ~ *på resa* on the move (wing)
stadfäst‖a *tr* confirm [*en dom* a sentence]; establish [*en lag* a law]; [förordning] sanction; [överenskommelse] endorse **-else** confirmation; establishment; sanction; endorsement
stadg‖a **I** *s* **1** [fasthet] consistency, steadiness *äv. bildl.; bildl. äv.* stability **2** [föreskrift] regulation, statute, rule **II** *tr* **1** [göra stadig] steady, consolidate **2** [föreskriva] direct; prescribe; [påbjuda] decree; *inom ~d tid* within the time appointed **III** *rfl* become firm[er] (steadier), consolidate; [om väder o. d.] become settled [*äv.* om pers.]; [om pers.] *äv.* settle down **-ad** *a* [karaktär o. d.] solid, firm; [om uppförande] steady, staid; [friare] *äv.* settled [*rykte* reputation]; *en ~ karl* a staid (reliable) fellow (man) **-e|ändring** amendment of the rules (constitution)
stadieväxling *språkv.* consonant gradation
stadig *a* steady; [fast] firm; [stabil] stable *äv. bildl.;* [till konsistens] compact; [kraftig] substantial [*mål* meal]; ~ *blick* firm look; ~ *hand* steady hand; *ett ~t mål mat* (*äv.*) a square meal **-t** *adv* steadily &c; *sitta* ~ [om sak] be firmly fixed **-varande** *a* permanent; [ständig] constant
stad‖ion stadium **-ium** *allm.* stage; *läk. äv.* stadium; [skede] phase, period
stads‖arkiv municipal (city) archives *pl* **-barn** town(city)child; *han är* ~ he is town-bred **-befolkning** town (city) population **-bibliotek** town (city) library **-bo** town-resident; *~r* townspeople, townsfolk; [borgare] citizen **-bud** commissionaire *fr.; järnv.* porter **-buds|kontor** messengers' (porters') office **-del** quarter of a (the) town, town district **-fiskal** public prosecutor **-fogde** town bailiff **-fullmäktig** town councillor; *~e* [the] town (city, municipal) council **-hotell** town hotel **-hus** town hall **-invånare** town (city) dweller **-liv** town (&c) life **-mur** town wall **-ombudsman** town solicitor **-plan** street plan, town map **-planering** town-planning **-port** town (&c) gate **-privilegier** municipal rights **-resa** journey to a (the) town **-vapen** city arms
stafett **1** *mil.* runner, courier **2** se *-pinne* **-löpning** relay-race **-pinne** relay-race baton
staffage *konst.* figures *pl* in a landscape
staffli easel
stag *sjö.* stay; *gå över* ~ tack, go about **-a** *tr* stay (tack) ship; [förstärka med stag] brace
stagn‖ation stagnation; [stockning] standstill **-era** *itr* stagnate; [om vätska] thicken
stak‖a **I** *tr* o. *itr* punt (pole) [*en båt* a boat] [along]; ~ *ut* = *ut~* **II** *rfl* **1** ~ *sig fram* pole o.s. along **2** *bildl.* **F** make a blunder; ~ *sig på* [*vart ord*] stumble over .. **-e** stake, pole
staket [pail-]fence, rails *pl,* railing; [spjäl-] lattice-(trellis-)work
stall **1** stable; *äv.* [hästar] [*hålla* keep a] stud **2** [fiol-] bridge **-a** *itr* stale **-broder** companion, crony **-dräng** groom **-karl** stable-man
stam **1** stem *äv. bildl.* o. *språkv.;* [träd-] trunk, stock; *språkv. äv.* radical **2** = *ätt;* [folk-] tribe; .. *av gamla ~men* .. of the old stock (school) **-aktie** *hand.* ordinary (general) share; *~r (koll)* stock *sg* **-anställd** *a* o. *s mil.* regular **-bana** trunk (main) line **-bok** pedigree; [för häst] stud-book **-bord** regular table **-fader** [first] ancestor; [om pers.] *äv.* progenitor **-frände** kinsman; [om primitiva folk] tribesman **-kund** regular customer
1 stamma *itr* se *här~*
2 stamma *itr* stutter; [svårare] stammer; ~ *fram* .. falter out ..
stam‖manskap *mil.* regulars *pl* **-moder** first mother, [female] ancestor
stamning stuttering, stammering
stam‖ord *språkv.* radical (root) word **-ort** place of origin
stamp **1** ⊕ stamp; [puns] punch **2** se *pantbank* **-a** **I** *itr* **1** stamp [*med fötterna* one's feet]; *stå och ~ på samma fläck* (*bildl.*) be still on the old spot **2** *sjö.* pitch, heave and set **II** *tr* stamp; [i -verk] pound; [med puns] punch; [kläde] full, mill; ~ *av sig* .. kick .. off one's feet; ~ *till* [jord] trample down **-kvarn** stamp[ing]-mill;

fulling-mill **-maskin** pounding machine **-ning** *allm.* stamping, pawing; ⊕ pounding, punching &c

stam‖ros standard rose **-rulla** *mil.* muster-roll **-stavelse** *gram.* radical (root) syllable **-tavla** genealogical table; pedigree [*äv.* om djur] **-tillhåll** [favourite] resort; [tillflyktsort] refuge **-trupp** *mil.* skeleton-corps, cadre *fr.; bildl.* **F** old-timers *pl* **-träd** genealogical (family) tree

standar standard

standard standard **-isera** *tr* normalize, standardize **-isering** standardization **-iserings|-kommitté** standards committee **-mått** standard [measure] **-storlek** standard size **-typ** standard type **-upplaga** standard edition **-verk** standard work

standert *sjö.* [broad] pennant

stank stench, stink; [svagare] odour **-lås** interceptor

stanna I *itr* **1** [bli kvar] stay [on], stop; [kvarstå] remain; ~ *hemma* stay at home; *det ~r mellan oss* this rests between you and me; ~ *kvar* stay [on], remain; *skol.* stay down; ~ *till middagen* stay for dinner; ~ *över natten* stay the night; pass the night [*hos* with] **2** [~ i rörelse] stop, stand still; [av-] come to a standstill; [om åkande o. d.] pull up; [upphöra] cease; *hans hjärta ~de* his heart ceased to beat; *klockan har ~t* the clock (my o. s. v. watch) has stopped; ~ *i växten* stop growing; *det ~de vid hotelser* it got no further than threats; *det får ~ därvid* let the matter rest there **3** [om vätska] cease to run; [stelna] coagulate; *kok.* set **II** *tr* [hejda] stop; [fordon] bring . . to a standstill

stanniol[papper] tinfoil [paper]

1 stans *metr.* stanza

2 stans -a *tr* ⊕ stamp, punch *(äv. : ~a ut)* **-maskin** punching machine, puncher

stap‖el 1 [hög] pile **2** *sjö.* stocks *pl; gå (löpa) av ~n* leave the stocks, be launched; *bildl.* come off, take place **3** *fys.* pile, battery **4** [i skrift] stem **-el|avlöpning** launch[ing] **-el|bädd** stocks *pl,* bed **-el|ort** staple; *äv.* place of trade **-el|vara** *hand.* staple [commodity] **-la** *tr,* ~ [*upp*] pile .. [up], heap .. up

stappla I *itr* totter, stagger; [snava] stumble [*(äv.) på ett ord* over a word]; ~ *på målet* hesitate, falter **II** *rfl,* ~ *sig genom* [*läxan*] blunder through . .

stare starling

stark *a* strong [*karl* fellow; *dosis* dose; *te* tea]; [kraftfull] powerful [*maskin* engine; *inflytande* influence]; [maskin] *äv.* high-powered; [fast] firm [*is* ice; *karaktär* character]; [hållbar] solid, durable; [friare o. *bildl.*] pronounced [*motvilja* aversion]; [intensiv] intense [*längtan* longing]; ~ *blåst* (*äv.*) high (violent) wind; ~ *dimma* dense fog; ~ *fart* great (high) speed; *~t gift* virulent poison; *~t intryck* profound impression; ~ *köld* bitter (intense) cold; *~a skäl* strong (powerful) reasons; ~ *ström* [om vatten] [a] rapid current; *en 50 man ~ trupp* a troop of fifty men; *använda ~a uttryck* use vigorous (strong) language; *det blev* [*nästan*] *för ~t för mig* **F** that did not go down with me; *med den ~ares rätt* with the right of might; *när . . var som ~ast* at the very height of . . **-peppar** black pepper **-ström** *elektr.* high-tension current **-t** *adv* strongly &c; highly [*kryddad* seasoned]; *det blåser ~* it blows hard; there is a strong wind; *jag misstänker ~ att . .* I very much suspect that . . **-varor** strong liquors

1 starr *bot.* sedge

2 starr *läk.* cataract; *sticka ~en* couch the cataract **-blind** *a* . . blind from [a] cataract; [friare] purblind

start start; *flyg.* take-off **-a I** *itr* start, set out (off); *flyg.* take off **II** *tr* start; ~ *en affär* open a business **-anordning** starter **-bana** *flyg.* runway **-er** *sport.* starter **-kapital** initial capital **-klar** *a* ready to start ([motor] for driving) **-kontakt** starting-switch **-lina** [segelflygning] launching rope **-linje** starting-post **-läge** starting position **-motor** starter **-mästare** *flyg.* hangar foreman **-pedal** [self-]starter **-signal** starting signal **-skott** *sport.* starting-shot **-sträcka** *flyg.* take-off run **-vev** starting handle

stass finery; **F** state **-a** *itr* se *ståta*

stat 1 state; jfr *rike; ~en* the State, *äv.* the Government; *~ens tjänst* (*äv.*) the public service; *på ~ens bekostnad* at the public expense **2** staff; jfr *kår* **3** = *budget; officer på ~* permanent officer **4** [i konkurs] schedule **5** *dra in på ~en* cut down expenses **-are** farm-hand [receiving allowance in kind]

statera *itr teat.* play the mute

station station; [slut-] terminus, *Am.* terminal **-era** *tr* station; *äv.* assign . . a place **-s|hus** station[-house] **-s|inspektor** station-master **-s|karl** [railway] porter; *äv.* signal-man **-s|samhälle** village round a [railway] station **-s|skrivare** railway-clerk **-är** *a* stationary

sta|tisk *a* static **-ist** *teat.* walker-on, supernumerary; **F** super; *film.* extra; **F** super **-istik** statistics *pl* **-istiker** statistician **-istisk** *a* statistical **-iv** stand; [till kamera o. andra instrument] tripod

statlig state [*egendom* property]; . . of the State; public; government [*förordning* decree]; national [*sjukvård* health scheme]; jfr *stats-*

stats‖angelägenhet state affair **-anslag** public grant, government subvention **-anställd** state (government) employee **-bana** state [-owned] railway **-bankrutt** national bankruptcy **-bidrag** state subsidy **-chef** head of a (the) state **-egendom** state (national) property **-fientlig** *a* subversive [*verksamhet* activity] **-finanser** public finances **-form** form of government **-fru** lady of the bedchamber **-förbund** confederation of states **-författning** constitution **-förvaltning** public administration **-handling** political act **-hemlighet** state secret **-historia** political history **-hushållning** national economy **-kalender** state directory **-kassa** public treasury (exchequer) **-klok** *a* politic [*person* person]; . . versed in state affairs **-klokhet** political wisdom **-konst** politics *pl;* policy, statesmanship **-kontroll** state control **-kunskap** political science **-kupp** coup d'état *fr.* **-kyrka** State (national) church; *Engl.* the Church of England; the Established Church **-kyrklig** *a* state church .. **-lån** government (national) loan **-lära** political science **-makt 1** = *stat 1* **2** [riksstånd] estate; *den fjärde ~en* [tidningspressen] the fourth estate **-man** statesman; [politiker] politician **-medel** public funds **-minister** prime minister, premier *fr.* **-monopol** state monopoly **-obligation** government bond (security) **-papper** *pl* **1** [värde-] government bonds, [public] funds, consols **2** state document (paper) *sg* **-pension** civil service pension **-revisor** auditor of public accounts **-råd 1** [ministär] ministry, cabinet [council] **2** [person] cabinet minister; *Engl.* secretary of state; *konsultativt ~* minister without portfolio **-rätt** political (international) law **-sekreterare** *ung.* permanent secretary **-skatt** state [income] tax **-skick** constitution **-skuld** national debt **-subvention** state subsidization **-tjänst** public service **-tjänsteman** state (government) official, civil servant **-understöd** government subvention; *giva ~ till* subsidize; [*skola*] *med ~* state-aided .. **-utgifter** state expenditure *sg* **-vetenskap** political science **-vetenskaplig** *a, ~a fakulteten* the Faculty of Social Sciences **-välvning** [political] revolution **-överhuvud** head of the State

stat||uera *tr, ~ ett exempel* [*på* . .] make an example [of . .] **-uter** regulations, rules

staty statue **-ett** statuette

stav staff; [skid-] ski-stick; *sport.* pole; *bryta ~en över (bildl.)* condemn [outright]

stav||a *tr* o. *itr* spell; *hur ~s det?* how do you spell it? **-antenn** *radio.* whip aerial (antenna) **-else** syllable **-else|gräns** syllabic limit **-fel** spelling mistake **-hopp** *sport.* pole-jump (*äv.: hoppa ~*); pole-vaulting **-ning** spelling; [rättskrivning] orthography **-rim** alliteration

stearin stearin **-ljus** stearin candle

steg 1 step *äv. bildl.;* [gång] *äv.* [*med spänstiga* with a springy] gait; [i dans] pas *fr.; med långsamma ~* at a slow pace; *~ för ~* step by step, by steps, *bildl. äv.* gradually; *gå med stora ~ = -a II; ta första ~et* (*bildl.*) *äv.* take the initiative; *ta ~et fullt ut* (*bildl.*) go the whole length (**F** hog), stick at nothing; *.. går framåt med stora ~* (*bildl.*) .. is advancing with rapid strides; *följa .. på några ~s avstånd* follow .. a few paces behind **2** [i raket] [*tredje ~et* the third] stage **-a I** *tr, ~ upp* step out, pace **II** *itr* stride; *~ i väg* walk with long strides, stride along

stege ladder; [trapp-] step-ladder

steg||el wheel **-la** *tr* break .. upon the wheel

steglitsa goldfinch

steg||längd [the] length of a step **-mätare** pedometer **-pinne** rung

stegr||a I *tr* raise (increase) [*sina fordringar* one's demands]; *äv.* heighten [*ngns nyfikenhet* a p.'s curiosity]; [förstora] enhance; [förstärka] intensify **II** *rfl* [om häst] rear [itself (on its hind legs)] **-ing 1** rise, increase; [pris-] *äv.* advance; heightening; [förstärkning] intensification **2** [hästs] rearing

1 stek *sjö.* hitch, bend

2 stek roast meat; *en ~* a joint [of roast meat]; jfr *biff~, ox~* **-a I** *tr* roast; [rosta] broil; [i ugn el. aska] bake; [halstra] grill; [ägg, potatis, fisk] fry **II** *rfl, ~ sig i solen* broil (bask) in the sun

stekel hymenopter[an]

stek||fat meat-dish **-fett -flott** [meat-]dripping[s *pl*] **-gryta** stew-(braizing-)pan **-het** *a* broiling (roasting) [*sol* sun] **-ning** roasting &c **-os** smell of roasting meat &c **-panna** frying-pan **-spett** spit **-sås** [dish-]gravy, *äv.* juice **-t** *a* roast [*lamm* lamb]; *äv.* fried [*ägg* eggs; *fisk* fish]; *för hårt ~* overdone; *lagom ~* well done **-ugn** oven

stel *a* stiff *äv. bildl.;* [styv] rigid *äv. bildl.;* [is. av köld] numb; *bildl.* [kylig] frigid, stony; *äv.* formal (reserved, **F** starchy) [*sätt* manners *pl*]; [i hållning] wooden; *jag var ~* [*av att ha suttit obekvämt*] I was cramped ..; *~ av fasa* rigid (stiff) with dread (horror) **-bent** *a* stiff-legged **-frusen** *a* [om pers.] [be]numbed, stiff with cold; [om kött] [hard-]frozen **-het** stiffness &c; rigidity; frigidity; *bildl. äv.* constraint, **F** starch **-kramp** tetanus **-na** *itr* grow (get) stiff, stiffen; [domna] grow [be]numb[ed]; *bildl.* become petrified [*av skräck* with terror]; [om vätska] congeal, coagulate; *äv.* solidify; [om blod] clot; *kok.* set; *~ i en viss form* [om pers.] become stereotyped **-nad** *a* clotted [*blod* blood]

sten stone; [liten] pebble; [stor] *äv.* rock; *en [stor] ~ har fallit från mitt bröst* that's a great weight off my mind; *kasta ~ på* .. throw (pitch) stones at ..; *det kunde röra en ~* [*till tårar*] it would melt a heart of stone; *hugga i ~* (*bildl.*) go [very] wide of the mark **-a** *tr* stone **-block** block of stone, boulder-stone **-bock 1** *zool.* steenbok, steinbock **2** *S~en* (*astron.*) Capricorn **-brott** [stone-]quarry, stone-pit **-bräcka** saxifrage **-bunden** *a* stony [*mark* soil]; *äv.* pebbly, .. full of stones

stencil -era *tr* stencil

sten||död *a* stone-dead, **F** [as] dead as mutton (a door-nail) **-döv** *a* stone-deaf, .. [as] deaf as a post **-fat** stoneware (earthenware) dish **-flisa** chip of stone, stone splinter **-fot** *byggn.* [stonework] base **-frukt** stone[d] fruit **-get** chamois **-gods** *koll* stoneware, earthenware **-golv** stone floor **-huggare** stone-cutter(-mason) **-hus** stone ([av tegel] brick) house (building) **-hård** *a* .. [as] hard as stone (flint); flinty *äv. bildl.* **-häll** stone slab; [platta] flag **-hög** pile (heap) of stones **-ig** *a* stony; [-hård] flinty; *äv.* rocky [*bergssluttning* hillside] **-kast** [*inom ett* within a] stone's throw **-kol** [mineral (pit-)] coal **-kols|gruva** coal-mine, coal-works *sg* o. *pl*, colliery **-kols|lager** *geol.* coal-bed (-seam) **-kols|tjära** coal-tar **-kross** ⊕ stone-(rock-)breaker(-pounder, -crusher) **-kruka** stone-(earthenware)jar **-kula** [leksak] [stone] marble **-kummel** cairn [of stones] **-lägga** *tr* pave [.. with stones] **-läggning** *abstr* [stone-]paving; *konkr* pavement **-mur** stone ([av tegel] brick) wall

stenograf stenographer, shorthand-writer **-era** *tr* take down .. in shorthand; *absol.* write shorthand **-i** stenography, shorthand **-isk** *a* stenographic[al], .. in shorthand

stenogram stenograph

sten||parti rock-garden **-platta** stone-slab, flag **-rik** *a bildl.* rolling in riches **-riket** the mineral kingdom **-rös[e]** pile (heap) of stones **-skvätta** wheat-ear **-skärva** stone chip[ping], shiver of stone **-slipare** stone-dresser **-sprängning** [rock-]blasting **-stil** lapidary style **-sätta** = *-lägga* **-söta** common fern, polypody **-tavla** tablet of stone

stentorsröst stentorian voice

sten||tryck *konst.* lithography; *konkr* litho-graph[ic print] **-yxa** stone axe **-ålder** Stone Age **-öken** stony (rocky) desert; *bildl.* [om stad] waste of bricks and mortar

stereo||fonisk *a* stereophonic [*ljud* sound] **-skop** stereoscope **-typ I** *s* stereotype **II** *a* stereotyped, set

steril *a* sterile; [ofruktbar] barren **-isera** *tr* sterilize **-isering** sterilization **-itet** sterility; barrenness

sterlingblocket the Sterling Bloc

stetoskop *läk.* stethoscope

stia [pig-]sty

stick I *s* **1** stick[ing]; jfr *sting, styng;* [med vapen] stab **2** *kortsp.* trick **3** *lämna .. i ~et* leave .. in the lurch **II** *adv, ~ i stäv* (*sjö.*) right ahead; [*handla*] *~ i stäv mot ..* (*bildl.*) [act] absolutely contrary to .. **-|a I** *s* **1** [flisa] splinter, split; [pinne] stick **2** [strump-] [knitting-]needle **II** *tr* **1** [med nål o. d.] prick; [med värja o. d.] stab; [om insekt] sting *äv. bildl.;* [stoppa] put ([häftigare] thrust) [*handen i fickan* one's hand into one's pocket]; *~ hål i (på) ngt* prick (make) a hole in a th.; *~ emellan med..* put in..; *~ fast* fasten, fix; *~ fram* stretch forth (out); *~ i brand..* set fire to.. (..on fire); *~ en nål igenom..* (*äv.*) run a pin through..; *~ ihjäl ngn* stab a p. to death; *~ in huvudet i* pop one's head into; *~ upp* [huvudet o. d.] put up; *~ ut ögonen på ngn* put out a p.'s eyes **2** = *1 gravera* **3** *sömn.* knit; [vaddera] quilt **III** *itr allm.* prick, stick; *det -er i sidan* there is a stitch in my side; *..-er i näsan* ..tickles my nose; *det stack honom i hjärtat* (*bildl.*) it cut him to the heart; *solen -er mig i ögonen* the sun gets into my eyes; *~ av'* contrast [*mot* (*från*) to]; [om färg o. d.] stand out [*mot* (*från*) against]; *~ fram* stick out, [skjuta fram] project; *solen -er fram* the sun peeps out; *det stack till i honom* (*bildl.*) he felt a pang; *det stack till [i ögat]* there was a sudden pain [in my eye]; *~ upp* = *~ fram;* [komma i dagen] crop up (out); *~ ut* stick out, *sjö. äv.* put out [*till sjöss* to sea] **IV** *rfl* prick o.s.; *~ sig i fingret* prick one's finger **-ad** *a* knitted &c **-ande** *a* pricking [*känsla* sensation]; poignant [*smärta* pain]; pungent [*lukt* smell]; *små ~ ögon* small piercing eyes **-bäcken** bedpan **-eri** hosiery **-garn** knitting-wool **-kontakt** plug **-ling** [av växt] cutting **-maskin** knitting-machine **-ning 1** knitting *äv. konkr* **2** pricking &c **-ord** sarcasm, taunt; *ge ~* quip, taunt **-prov** test taken at random; sample test **-spår** siding, side-track

1 stift 1 [att fästa med] brad, pin; [häft-] tack **2** [rit-] crayon **3** *bot.* style

2 stift *kyrkl.* diocese **-a** *tr* [in-] found; institute [*regler* rules]; establish [*en fond* a fund]; form [*ett förbund* an alliance]; [förorsaka] cause [*gräl* a quarrel] **-ande** founding &c; foundation, establishment **-are** founder; [skapare] creator **-else** foundation; institution, establishment **-else|urkund** charter of foundation **-s|stad** cathedral city

stifttand crown [tooth], pivot tooth

stig path; *bildl. äv.* track **-|a** *itr* **1** [gå] step [*tillbaka* back]; walk [*in i rummet* into the room]; *~ miste* make a false step; *~ närmare* step nearer; *~ i land* go ashore; *~ av'* get off; dismount [*en häst* a horse]; *~ av tåget* get out of the train; *~ fram* step forward, approach; *stig in!* [vid knackning] come in! [annars] please step (come) in! *~ in i rummet* enter the room; *bed honom ~ in* show him in; *~ ned* descend; *~ på a) tr* o. *absol.* get in; *~ på tåget* get into the train; *äv.* take the train [*vid* at]; *b) itr* [gå vidare, framåt, in] go (walk) on; step (walk, come) forward (in); *~ upp* rise [*med solen* with the sun]; **F** get up; [om ballong, flygare] ascend; *stig upp!* get up! *~ upp från bordet* leave the table; *~ upp i en vagn* get into a carriage; *ett tvivel steg upp inom honom* a doubt arose within him; *~ upp på* mount, ascend; *~ upp ur graven* rise from the grave; *~ uppför* mount [*trappan* the stairs]; *~ ur* step (get) out [*vagnen* of the carriage]; *~ ur sängen* get out of bed; **F** turn out; *~ ut* step (get) out; *~ över* pass [over] **2** [höja sig] *allm.* rise [*i värde* in value]; [om pris] *äv.* increase; [från säljarsynpunkt] advance; *flyg.* climb; *hans aktier ~* (*bildl.*) his stocks are high; *barometern -er* the barometer is rising; *kaffet -er* coffee is going up (getting dearer); *levnadskostnaderna ~* the cost of living is increasing; *~ i ngns aktning* rise in a p.'s esteem; *~ i grad[erna]* rise in rank; *~ till a)* [nå] rise to, attain; *b)* [belöpa sig till] amount to; *~ ngn åt huvudet* go to (turn) a p.'s head **-ande** *a* rising; [om terräng] ascending; [om pris o. d.] increasing; *äv.* growing [*intresse* interest], *~ skala* progressive scale; *ha en ~ tendens* have an upward tendency **-bygel** stirrup **-förmåga (-hastighet)** *flyg.* climbing capacity (speed)

stigmatisering stigmatization

stig||ning 1 rising, ascent; [en ~] rise; [ökning] increase; [i terräng] incline, slope **2** *flyg.* climb; ⊕ pitch **-vinkel** angle of climb

stil 1 = *hand~* **2** *boktr.* type; [tryck-] print **3** *bildl.* [*äv.* i tideräkn.] style; *det är ~ på henne* she has style; *ngt i den ~en* something in that line; *och annat i samma ~* and more of the same kind; *i (icke i) ~ med* in (out of) keeping (character) with **4** = *kria* **-art** style **-enlig** *a* in keeping with the style [of the period] **-full** *a* in good style, tasteful **-ig** *a* [-full] stylish, chic; **F** smart **-gjuteri** letter foundry **-isera** *tr* **1** = *formulera* **2** *konst.* conventionalize, reduce.. to geometrical forms **-ist**, [*god*] *~* master of style **-istisk** *a* stylistic; *i ~t avseende* with regard to style **-känsla** artistic sense (taste); sense of style

still se *-a 1* **-a I** *a* [be (sit, stand)] still; [lugn] calm; [-sam] quiet; *var (stå) ~!* keep still (quiet)! *S~ Havet* the Pacific [Ocean]; *jag hyser ett ~ tvivel* I have doubts of my own; *~ vatten* calm waters; *hålla sig ~* keep (be) quiet; *aldrig hålla sig ~* always be on the move; *sitta ~* keep quiet; [bli sittande] be (remain) seated; *stå ~* not stir; [stanna] stand still; *mitt förstånd står ~* that is quite beyond me, **F** that beats me **II** *adv* quietly, calmly &c; *tiga ~* be silent, hold one's tongue **III** *tr* [lugna] quiet; [dämpa] appease; [lindra] soothe [*smärtan* the pain]; *~ sin hunger* appease one's hunger; *~ sin törst* slake one's thirst **-ande** *a, ~* [*medel*] sedative **-a|sittande** *a* sedentary **-a|stående I** *a* stationary, static; [vatten] stagnant; [orörlig] immobile; *bildl.* unprogressive **II** *s* standstill; stagnation **-a|tigande** *a* silent; [*förbigå* pass over] in silence; tacit [*medgivande* consent] **-e|stånd 1** stagnation, standstill **2** *mil.* armistice, truce **-e|ståndsavtal** truce **-het** calm, silence; *äv.* stillness, tranquillity; *leva i ~* lead a quiet life; *i all ~* quite quietly, in silence **-[l]eben** still life [picture] **-sam** *a* quiet, tranquil; *en ~ yngling* a sedate youth

stil||lös *a* without (in bad) style **-prov** *boktr.* specimen of type; *litt.* specimen of a p.'s style **-ren** *a* of pure style **-riktning** style

stiltje calm

stiltrogen *a* according to (in keeping with) the style [of the period]

stim 1 shoal; [av småfisk] fry **2** = *stoj, oväsen* **-ma** *itr* **1** shoal, crowd **2** = *stoja*

stimul||ans stimulant [*till* of]; stimulus **-era** *tr* stimulate; *~nde medel* stimulant

sting 1 sting (prick) *äv. bildl.; bildl. äv.* pang **2** = *styng* **-a** *tr* sting; jfr *sticka*

stinka *itr* stink, have a nasty smell

stinn *a* [utspänd] distended [av mat] full [up]

stint *adv, se ~ på ngn* look hard at a p.

stipel *bot.* stipel, stipule

stipendi||at *allm.* stipendiary; *univ.* scholar **-e|ansökan** application for a (the) scholarship **-um** scholarship; grant

stipul‖ation stipulation **-era** *tr* o. *itr* stipulate
stirr‖a I *itr* stare (gaze) [*på* at]; [se spänt] fix one's eyes [*på* upon]; ~ *framför sig* stare into space **II** *rfl,* ~ *sig blind på..* *(bildl.)* stare one's eyes out at.. **-ande** *a* staring [*blick* look]; ~ *blick* (*äv.*) fixed look
stjäla I *tr* o. *itr* steal *äv. bildl.* **II** *rfl* steal [*sig bort* away]; ~ *sig till litet vila* snatch some rest
stjälk *bot.* stalk; [friare] stem **-blad** *bot.* stem-leaf **-stygn** *sömn.* stem-stitch
stjälp‖a I *tr* (*äv.:* ~ *omkull*) turn over, overturn; upset *äv. bildl.;* ~ *av* turn out..; ~ *i sig* gulp down **II** *itr* [be] upset, topple over **-bar** *a* tilting
stjärn‖a star **-baneret** the star-spangled banner **-beströdd** *a* starred; starry [*himmel* sky] **-bild** constellation **-fall 1** [swarm of] shooting-star[s *pl*] **2** shower of decorations **-fysiker** astrophysicist **-himmel** starry sky (firmament) **-klar** *a* starlit [*natt* night]; starry [*himmel* sky]; *det är* ~*t* the stars are shining **-kunskap** astronomy **-tydare** astrologer
stjärt tail, **F** [på pers] behind **-fena** tail-(caudal) fin **-lanterna** *flyg.* tail light **-mes** long-tailed titmouse **-penna** *zool.* rudder-feather **-tung** *a flyg.* tail heavy
sto mare; [ungt] filly
stock 1 [stam] log; [friare] block; *sova som en* ~ sleep like a log (dormouse); *över* ~ *och sten* across country **2** *hattmak.* [hat] block, hatter's stock **-a I** *tr* **1** [hindra] block [up] (obstruct) [*trafiken* the traffic] **2** *hattmak.* block **II** *rfl* clog, stagnate; [*orden*] ~*de sig i halsen på honom* .. stuck in his throat **-dum** *a* thick-headed **-eld** log-fire **-fisk** stock-fish **-konservativ** *a* high and dry; *en* ~ *man* a die-hard conservative **-ning** [avbrott] stoppage; *äv.* stagnation; *bildl.* deadlock; [av blod] congestion; *råka i* ~ stagnate **-ros** hollyhock
stod [bild-] statue
stoff stuff [*till* for] *äv. bildl.; äv.* material[s *pl*] **-era** *tr* trim, dress
stofil duffer; *gammal* ~ old fog[e]y
stoft dust; [*mala till* grind to] powder; [avlidens] ashes (remains) *pl; böja sig i* ~*et för* crawl in the dust before; *jag rullar mig i* ~*et* **F** I roll in the dust; *frid över hans* ~*!* peace to his ashes (remains)! **-hydda** mortal clay
sto‖iker stoic **-isk** *a* stoic[al]
stoj noise, din **-a** *itr* make a noise, be noisy **-ande** *a* noisy; romping [*ungar* brats]
stol 1 chair; [utan ryggstöd] stool; *sticka under* ~ *med..* hold back (conceal)..; *icke sticka under* ~ *med sin mening* speak one's mind **2** ⊕ chair **-gång** = *avföring 2*
stoll *gruv.* adit, gallery; [vatten-] level
stolle fool, silly person
stollgång *gruv.* gallery, tunnel
stollig *a* cracked; foolish; jfr *tokig*
stolpe post; [i plank o.d.] standard, upright; [stång] pole, rod; [virkning] crochet [bar]
stol‖piller *läk.* suppository **-rad** row of chairs **-[s]ben** chair-leg **-[s]karm** chair-back
stolt I *a* proud [*över* of]; [högmodig] haughty; ~*a bedrifter* glorious deeds; ~ *sinne (sätt, väsen)* arrogance; *vara* ~ *över* (*äv.*) pride o.s. on **II** *adv* proudly &c **-het** pride [*över* in]; arrogance &c; [friare] glory; *berättigad* ~ legitimate pride; *sätta sin* ~ *i..* take [a] pride in.. **-sera** *itr* pride o.s. [*över* on]; [gå och ~] walk proudly; [om häst] prance; ~ *med..* parade..

stomme frame[work], shell; *äv.* carcass, skeleton *äv. bildl.;* ⊕ *äv.* shape
stop [kärl] stoop, pot
stopp I *itj* stop! **II** *s* **1** stop, standstill; *bildl.* deadlock; *sätta* ~ *för* put a stop (an end) to; *säg till när det skall vara* ~*!* [vid påfyllning] say when! **2** [på plagg] darn **-a I** *tr* **1** [hejda] stop, bring.. to a standstill; *äv.* stem [*blodet* the blood] **2** [täppa till] stop (fill) [up..]; *äv.* shut up; ~ *till* clog, choke up **3** [fylla] fill [*pipan* one's pipe]; [proppa] cram; ~ [*fickorna*] *fulla med..* fill [one's pockets] with..; ~ *i ngn ngt* stuff a p. with a th.; ~ *i sig* stuff o.s. with; ~ *upp* [fåglar, möbler] stuff; [kläder] pad **4** [sticka in, ned] put, [starkare] thrust; *äv.* tuck; ~ *ned* put (tuck) down; ~ *om ett barn* tuck a child up in bed; ~ *på sig..* [put.. into one's] pocket, [tillägna sig] appropriate..; ~ *undan* stow away **5** [laga] darn [*strumpor* stockings] **II** *itr* = *stanna 2* **-garn** darning-wool(-cotton) **-gräns** stop-line **-ljus** stop-light **-ning** stuffing &c; [av strumpor] darning **-nål** darning-needle **-signal** stop signal **-svamp** darning last **-ur** stop watch
stor 1 is. *abstr* great [*avstånd* distance; *författare* writer; *stad* city]; is. *konkr* [utsträckning] large [*trädgård* garden; *förråd* supply]; [främst i kroppsl. bet.] big, [starkare] huge; [~ och tjock] bulky; *bildl. äv.* grand; *Karl den* ~*e* Charlemagne; *ett* ~*t antal* a great (large) number; *få* ~*t A (skol.)* be classed in honours; ~*a bokstäver* capital letters; *min* ~*e bror* my big (grown-up) brother; *en* ~ *familj* a large family; *den* ~*a hopen* the crowd; *en* ~ *karl* a big (tall) man (fellow); *en* ~ *man (bildl.)* a great man; *ett* ~*t nöje* a great pleasure; *tala* ~*a ord* talk big; ~*a planer (äv.)* vast projects; ~ *summa* large sum [of money]; *hur* ~ *är han?* how big is he? *hur* ~*t är rummet?* what is the size of the room? *dubbelt så* ~ *som..* double the size of.., twice as great as..; *lika* ~ *som..* the same size (as great) as..; *i* ~*a drag (bildl.)* in broad outline *sg; i det* ~*a hela* on the whole; *till* ~ *del* largely; to a large (great) extent **2** [fullvuxen] adult, grown-up; *de* ~*a* grown-up people; *när jag blir* ~ when I grow up **-art‖ad** *a* grand; *äv.* magnificent, splendid; *på ett -at sätt (äv.)* magnificently &c **-bonde** big (large-scale) farmer **S~britannien** Great Britain **-dåd** great (grand) achievement, exploit **-furste** Grand Duke **-furstendöme** Grand Duchy **-förbrytare** master criminal **-förtjust** *a* [simply] delighted **-gata** main (high) street **-gods** large estate **-gråta** *itr* cry vehemently, **F** howl **-het 1** greatness &c; *vetensk.* magnitude; [-slagenhet] magnificence **2** is. *mat.* quantity **3** [om pers.] great man, notability; [berömdhet] celebrity **-hetsvansinne** excessive self-exaltation; delusion (excessive display) of grandeur; *äv.* megalomania **-industri** big (large-scale) industry
stork stork
storkapital big capital
storkna *itr* choke, suffocate
stor‖kornig *a* coarse-grained **-kors** grand cross (*förk.* G.C.) **-lek** *allm.* size; *äv.* greatness &c; [*av betydlig* of large] dimensions *pl;* is. *vetensk.* magnitude; [rymd] volume, bulk; [omfång] width, extent; [stor vidd] vastness; *i* ~ in size (&c); [*staty*] *i naturlig* ~ lifesize.. **-leks‖ordning** magnitude; [*av första* of the first] order; *konkr.* size category **-ligen** *adv* greatly; *äv.*

highly, vastly; very much **-ljugare** arrant liar **-lom** black-throated diver
storm **1** storm *äv. bildl.;* [oväder] tempest; [blåst] gale [of wind]: *det drar ihop sig till ~* a storm is brewing **2** (*mil.*) *taga .. med ~* take .. by storm *äv. bildl.; löpa till ~s mot* .. make an assault upon .. **-a** **I** *itr* **1** storm; *det ~r* it is stormy, a storm is raging, a gale is blowing; *när det ~r* in a storm (&c) **2** [rasa] storm, rage **3** [störta] rush, dash; *~ fram* rush forward; *~ på sin hälsa* overtax one's health **II** *tr mil.* assault, force, storm
stor‖makt Great Power **-makts|politik** power politics *pl* **-man** great man, magnate; [berömdhet] celebrity
storm|ande *a* stormy; [våldsam] tempestuous; jfr *-ig;* furious [*applåder* applause *sg*]; *göra ~ lycka* have an enormous success, *teat.* bring down the house
stormanlopp charge; frontal attack
stor|mast mainmast
storm‖by heavy squall **-centrum** storm-centre **-driven** *a* storm-tossed **-fågel** fulmar [petrel] **-förtjust** *a* absolutely delighted **-hake** window-stay **-hatt** *bot.* monkshood, aconite **-ig** *a* stormy; tempestuous [*känslor* emotions]; *bildl. äv.* tumultuous (uproarious) [*uppträde* scene]; *ett ~t hav* a turbulent sea **-klocka** alarm-bell **-kolonn** *mil.* storming-party **-löpning** storming; [rusning] rush, run **-ning** *mil.* [taking by] assault, storming **-plugga** *itr* read hard, swot **-rik** *a* immensely rich **-segel** storm-sail **-steg,** *med ~* with rapid (great) strides **-svala** storm[y]-petrel **-trupp** *mil.* storm troop; *~er (Engl.)* commandos **-tändstickor** wind-matches **-varning** *meteor.* storm signal; *radio.* gale warning **-virvel** violent whirlwind, tornado
stor‖mästare Grand Master **-offensiv** big (major) offensive **-ordig** *a* grandiloquent; se *äv. skrytsam* **-ordighet** grandiloquence **-pamp** **F** big noise, big shot, bigwig **-politik** higher politics *pl* **-politisk** *a* high political **-rengöring** house-cleaning **-rutig** *a* large-checkered **-segel** *sjö.* mainsail **-sint** *a* magnanimous, high-minded, generous **-sinthet** magnanimity, high-mindedness, generosity **-sjöfiske** deep-sea fishing **-skarv** cormorant **-skojare** big swindler **-skrake** goosander, *Am.* merganser **-skratta** roar with laughter, guffaw; *äv.* laugh outright **-skrävlare** big braggart, swaggerer **-slagen** *a* grand, magnificent **-slagenhet** grandeur, magnificence **-spov** curlew **-stad** big town, city; [huvud-] metropolis **-stads|aktig** *a* .. proper to a big town, metropolitan .. **-stilad** *a* grand; [nobel] fine **-strejk** general strike **-städning** house-cleaning; [vår-] spring cleaning **-stövlar** high boots; *äv.* seaboots **-t** *adv* greatly &c; grandly; *handla* (*tänka*) *~* act (think) nobly; *inte ~ mer än* .. not much more than ..; *i ~* on a large scale; *i ~ sett* on the whole; *slå på ~* live in grand style, **F** do the thing big **-tarm** *anat.* colon **-tjuv** master thief **-tvätt** big wash **-tå** great toe **-verk** se *-dåd* **-vilt** big game **-vuxen** *a* [..] tall [of stature] **-ätare** large eater; [frossare] guzzler **-ögd** *a* large-eyed; *bli ~* (*bildl.*) open one's eyes wide, grow round-eyed
straff *allm.* punishment [*för* for]; *jur.* penalty; [tuktan] correction; *utstå sitt ~* suffer one's penalty; *till ~ för* .. as (for) [a] punishment for ..; *vid laga ~* under penalty of law **-a** *tr* punish [*för* for]; [tukta] correct; [näpsa] reprove; *det ~r sig självt* it brings its own punishment; *han ~des för* [*sin djärvhet*] he paid the penalty of .. **-ad** *a* punished; *jur.* convicted **-arbete,** [*livstids*] *~* penal servitude [for life]; *tre månaders ~* three months' hard labour **-bar** *a* punishable; [brottslig] criminal, penal; [friare] condemnable, blam[e]able **-dom,** *Guds ~* divine judgment (visitation) **-exercis** *mil.* punishment-drill **-[f]ånge** [penal] convict **-[f]ängelse** convict prison **-lag** criminal (penal) law (code) **-lös** *a* .. exempt from punishment, unpunished **-löshet** impunity **-predikan** castigatory sermon; [friare] severe lecture **-påföljd,** *vid ~* on penalty **-register** register of crime **-ränta** fine for arrears **-rätt** [lag] criminal law **-spark** *sport.* penalty [kick] **-tid** [*avtjäna sin* serve one's] term [of punishment] **-värd** *a* reprehensible; criminal [*handling* act]; jfr *-bar*
stram *a* [spänd] tight, taut, strained; [om pers.] stiff; [högfärdig] distant; *en ~ livsföring* an austere way of life **-a** *itr* be tight; *äv.* pull
stramalj canvas [for needlework]
stram‖het tightness &c, tension; *bildl.* stiffness **-t** *adv* tightly &c; *sitta ~* fit tight, be a tight fit; *hälsa ~* give a stiff greeting
strand shore; [havs-] seaside, beach; [flod-] bank **-a** *itr* run ashore (aground), be stranded; strand *äv. bildl.; bildl.* fail, fall through **-aster** sea-aster **-brädd** river brink **-fynd** jetsam **-hugg** [plundering] raid upon a coast **-jacka** beach jacket **-ning** stranding &c; *bildl.* failure **-pipare** ringed plover **-remsa** strip of shore (beach, river-bank) **-råg** lyme-grass **-rätt** **1** *allm.* shore rights *pl* **2** [rätt att bärga vrak] salvage-right **-satt** *a bildl.* stranded [*på* for]; *äv.* at a loss (hard up) [*på* for] **-skata** oyster-catcher **-sätta** *tr bildl.* fail, leave .. in the lurch **-vakt** coastguard **-väg** seaside road **-ägare** riparian [proprietor]
strapats[er] fatigue *sg;* hardship[s]
strass strass, paste
strateg strategist **-i** strategy **-isk** *a* strategic
stratosfär stratosphere
strax *adv* **1** [tidsbet.] directly, immediately; [om ett ögonblick] in a moment, **F** in the twinkling of an eye; [med ens] at once; *det börjar ~* it will begin presently; [*jag*] *kommer ~!* just a minute (moment)! *klockan är ~ 2* it is close on two o'clock **2** [rumsbet.] just [*utanför* outside; *ovanför* above]; *~ bredvid* close by; *följa ~ efter* .. follow close on ..
streber pusher, climber **-natur** pushing nature
streck **1** [ritat o. d.] stroke; [skilje-] line; [strimma] streak; [tank-] dash; [takt-] *mus.* bar; *dra ett ~ över ..* (*bildl.*) draw a line through ..; *under ~et* below the line; *artikel under ~et* feature article **2** [spratt] trick; *ett fult ~* a dirty trick **3** [rep] cord, line **4** *hålla ~* (*bildl.*) hold good, be true **-a** *tr* mark .. with lines; *~ för* check (tick) .. off; *~ under* underline
strejk strike **-a** *itr* [go (be) on] strike **-aktion** strike [action] **-ande** **I** *s* strike **II** *a* striking; *de ~* those (the [work]men o.s.v.) on strike **-brytare** non-striker, strike-breaker; [föraktl.] *Engl.* blackleg; *Am.* scab **-förbud** strike ban, prohibition of strike **-hot** threat of strike **-kassa** strike fund[s *pl*] **-rätt** right to strike
streptokock streptococcus
streta *itr* strive (struggle) [*emot* against; *med* with]; *~ emot'* make (offer) resistance *äv. bildl.*

1 strid *a* rapid, violent; [om regn o. d.] heavy; *gråta ~a tårar* weep bitterly
2 strid struggle [*mot* against; *för* for; *om* about]; [kamp] fight (battle) *äv. mil.*; [sammandrabbning] conflict; [tvist] dispute; [i ord] *äv.* fray; *inre ~* inner fight; *livets ~* the struggle of life; *en ~ på liv och död* a life and death struggle; *i ~ens hetta* in the heat of the struggle (*bildl.* debate); *stupa under ~* be killed in action; *i ~ med* (*bildl.*) in opposition to [*lagen* law]; *råka i ~ med* (*bildl.*) come into collision with; *stå i ~ med..* (*bildl.*) be incompatible with..; *i ~ mot* contrary to; *göra.. klar*[*t*] *till ~* prepare .. for action; *ge sig utan ~* surrender without battle **-|a** *itr* fight [*om* for]; [kämpa] battle [*för* for]; [friare] struggle (strive) [*för* for]; [gräla] dispute, quarrel; *det -er mot våra intressen* it is contrary to (it conflicts with) our interests; *det -er mot god sed* it is incompatible with good manners; *~ mot varandra* [om fakta] contradict each other **-ande** *a* **1** [krigförande o. d.] combatant, fighting; [friare] opposing; *de ~* the fighters, *mil.* the combatants; [i dispyt] the disputants **2** [oförenlig] adverse (opposed) [*mot* to]; contradictory [*mot* to] **-bar** *a* fighting [*manskap* men]; [krigisk] warlike [*folk* people]; *ett ~t sinne* a battling spirit; *försätta ur ~t skick* disable **-ig** *a* **1** se *-s|lysten* **2** [omtvistad] disputable, disputed; *de ~a punkterna* the points of controversy; *göra ngn segern ~* dispute a p.'s victory **3** [oförenlig] incompatible [*fordringar* claims]; conflicting (contradictory) [*åsikter* opinions]; opposing [*intressen* interests] **-ighet** **1** [motsättning] opposition, contrariety **2** [tvist o. d.] dissension, dispute; *äv.* controversy; [fiendskap] antagonism
strids||anda fighting spirit **-broder** brother in arms, fellow-combatant **-domare** arbitrator **-duglig** *a* effective **-flygare** war pilot **-flygning** combat flying **-flygplan** fighter, fighting airplane **-fråga** debatable question, matter in dispute (controversy), [point at] issue **-fält** battle-field **-färdig** *a* in fighting order (trim), ready for battle (is. *mil.* action) **-gas** war gas **-handske** gauntlet **-hjälte** champion **-häst** charger **-humör** fighting mood **-iver**, *i ~n* in the brunt of the battle **-krafter** [active] military forces **-kämpe** warrior, combatant **-känning** contact with the enemy **-laddning** [på projektil] war-head **-larm** din of the battle **-lycka** fortune[s *pl*] of war **-lysten** *a* .. eager for battle (&c); [friare] combative, quarrelsome, **F** cantankerous **-lystnad** pugnacity, desire to fight, fighting mood **-man** warrior; *en Guds ~* a soldier of God **-ordning** battle-array **-rop** war-(battle-)cry **-skrift** polemical pamphlet **-ställning** *mil.* battle-station **-tupp** game-(fighting-)cock **-vagn** *mil.* tank, armoured car **-vagns|förband** armoured unit **-vim|mel** confusion (turmoil) of battle; *mitt i -let* in the thick of the battle **-yxa** battle-axe; [indians] tomahawk; *begrava ~n* bury the hatchet *äv. bildl.* **-äpple** apple of discord, *äv.* bone of contention **-övning** *mil.* battle-practice, *äv.* manœuvre
strig||el -la *tr* strop, strap
stril rose[-head], spray-nozzle **-a** *tr* o. *itr* spray; [spruta] sprinkle, squirt
strim||la slice, stripe, slip **-ma** streak; [rand] stripe; [i marmor o. d.] vein **-mig** *a* streaked, striped
strip||a I *s* [hårslinga] straggling (coarse) tuft of hair **II** *tr* strip **-ig** *a* lank (coarse) [and] straggling
stritt *adv, regna ~* rain heavily
strof strophe, stanza; [friare] verse
stropp strap, strop; [på skodon] loop
struken *a, en ~ tesked* a level teaspoonful [*socker* of sugar]
struktur structure; *bildl. äv.* texture
struma *läk.* struma, goitre
strump||a stocking; [kort] sock; *-or (koll)* hose *sg* **-e|band** suspender, *Am.* garter **-e|bandsorden,** *riddare av ~* Knight of the Garter (*förk.* K.G.) **-fabrikant** hosiery manufacturer **-fot** foot of a stocking &c **-garn** worsted for stockings, stocking-yarn **-handlare** hosier **-läst,** *gå i ~en* walk in one's stockinged feet **-skaft** stocking-leg **-sticka** knitting-needle
strunt rubbish, trash; [nonsens] bunkum, boloney, trumpery; *å ~!* stuff and nonsense! fiddlesticks! *~ i det (den saken)!* no matter! never mind! *prata ~* talk nonsense (rubbish) **-a** *itr, ~ i..* not care a bit about (a fig for).. **-prat** idle talk, nonsense **-sak** trifle
strup||e throat; [svalg] gorge; *få ngt i galen ~* have something go down the wrong way; *ha kniven på ~n* have no alternative, be at bay **-grepp** grasp at the throat **-huvud** *anat.* larynx **-katarr** *läk.* laryngitis **-ljud** *språkv.* guttural [sound] **-lock** epiglottis
strut cornet [*äv.* bakverk]; screw [*med te* of tea]
struts ostrich **-fjäder** ostrich-feather **-mage** **F**, *ha ~* have the stomach of an ostrich (a cast-iron stomach)
strutta *itr* strut, trip
stryk [*ge..* give..] a beating (whipping); [i slagsmål] [*få* get] a thrashing; *ett kok ~* a good thrashing (**F** wipe-down); *få ~* be beaten *äv. bildl.* **-|a I** *tr* **1** stroke; [släta] smooth; *~ håret ur pannan* stroke one's hair from one's forehead; *~ av'* [handskar o. d.] strip [off] **2** [pressa] iron, press; *~ in tvätten* iron [and put away] the washing **3** [be-, med färg o. d.] paint; *äv.* coat; *~ salva på ett sår* smear ointment on a wound; *~ smör på brödet* spread [a piece of] bread with butter; *~ över'* [med färg] give .. another coat of paint **4** *~ segel (flagg)* strike sail (one's colours) **5** [*~* ut, *~* över] strike out (through); [upphäva] cancel; [passus i skrift] cut out, expunge; *~ ett streck över ..* draw a line through .. *äv. bildl.*; *~ för'* mark, check.. off; *~ under* score [under], underline; *bildl.* [betona] emphasize, lay stress upon; *~ ut* strike out, [radera ut] scratch out, erase; *bildl.* wipe off [*gammalt groll* old scores] **II** *itr* **1** [ströva] roam (ramble) [*omkring* about]; *~ fram* pass; *vinden -er fram över slätten* the wind sweeps over the plain; *~ förbi* sweep past; *~ omkring på gatorna* wander about the streets **2** [rygga] back **3** *~ med* go [too]; *alltsammans strök med* everything was consumed ([om pengar] was spent); *han strök med* he was done for; *~ på foten* give in [*för* to] **III** *rfl* **1** rub [*mot* against] **2** *~ sig om munnen med* [*avigsidan av handen*] wipe one's mouth with .. **-ande** *a, ~ aptit* ravenous appetite; *äta med ~ aptit* devour; *~ avsättning, åtgång (hand.)* a brisk (rapid) sale; *hans varor ha en ~ åtgång* he is doing a roaring trade **-are** loafer, tramp **-bräde** ironing-board **-erska** ironing-woman **-filt** ironing-cloth **-fri** *a* non-iron **-järn** [flat (smoothing-)]iron
stryknin strychnin[e]
stryk||ning 1 [a] stroke, stroking &c; [gnidning] rub[bing] **2** [målning] painting, coat-

ing **3** [med -järn] ironing **4** [ut-] wiping out &c; se *-a* **5** backing **-rädd** *a* .. afraid of getting thrashed

stryp||a *tr* strangle; throttle *äv. bildl.* o. ⊕; [friare] choke *äv.* ⊕ ; *~nde konkurrens* cut-throat competition **-ning** strangling &c; strangulation; *bildl. äv.* constriction **-sjuka** *läk.* croup; [hos djur] strangles *pl*

strå straw *äv. koll;* [hår-] hair; *dra det kortaste ~et* come off a loser; *dra sitt ~ till stacken* do one's part (bit); *vara ett ~ vassare än* .. be a cut (stroke) above ..; *inte lägga två ~n i kors* sit idle; take no action; not lift a finger

stråk [för samfärdsel] passage; *äv.* sweep **-drag** stroke of the bow **-e** bow **-föring** bowing; *ha en god ~* have a good bow-hand **-instrument** stringed instrument **-kvartett** string quartet **-orkester** string orchestra (band) **-väg** highroad, thoroughfare; passage; *den stora ~en* (*bildl.*) the beaten track

strål||a *itr* beam (be radiant) [*av glädje* with joy]; [lysa] shine *äv. bildl.*; [utsända -ar] radiate **-ande** *a* beaming [*sol* sun; *glad* all over [his (o. s. v.) face]]; radiant [*solsken* sunshine]; [ögon] sparkling; [lysande] brilliant *äv. bildl.* **-behandling** *läk.* radiotherapy **-ben** *anat.* radius **-blomstrig** *a bot.* radiate **-brytning** refraction **-djur** *zool.* rayed animal, radiate **-e 1** ray, beam; [blixt] flash; [friare] gleam [*av hopp* of hope] **2** [av vätska] jet; [finare] squirt **3** *bot.* radius **-form,** *i ~* in the form of rays; radiately **-glans** radiance; [friare] brilliance; [bländande] glare **-gloria** halo, aureole **-kastare** searchlight; *teat.* spotlight; [för fasadbelysning] floodlight; [på bil] head light; [på flygplan] landing light **-knippe** bunch of rays **-ning** beaming &c; radiation; [be-] irradiation **-nings|energi** radiant energy **-nings|förmåga** *fys.* power of radiation, emissive power **-nings|skada** radiation burn **-skydd** protection against radiation **-värme** radiant heat **-ögd** *a* with radiant eyes

stråt path, way; [jägar-] trail **-rövare** highwayman, brigand

sträck 1 *i* [*ett*] *~* at a stretch; on end; [*fara 10 mil* cover ten miles] without stopping; [sova hela natten] without waking **2** [om fåglar] flight (track) of migratory birds **-a I** *s allm.* stretch; [väg-] distance, length; *på en ~ av* for a distance of; [yta] extent, tract; [av järnväg] section **II** *tr* o. *itr* **1** stretch [*på benen* (*armarna*) one's legs (arms)]; [ut-] extend [*sitt välde över* .. one's dominion over ..]; *~ händerna mot himlen* raise one's hands to[wards] heaven; *~ ut* extend; [förlänga] prolong *äv. bildl.*; *låta hästen ~ ut* give one's horse free rein **2** [spänna] stretch; [om stag etc.] *äv.* tighten; [göra rak] straighten **3** [för-] strain [*en sena* a tendon] **4** *~ gevär (vapen)* lay down one's arms, surrender **III** *itr* [om fåglar] stretch out, take flight **IV** *rfl* **1** *eg.* stretch [o. s.]; *~* [*ut*] *sig* [*i gräset*] lie [down] full length [on the grass] **2** [räcka] stretch [out], reach; *~ sig efter* .. reach for .. **3** [ha utsträckning] stretch, extend; *~ sig* [*ut*] *efter* .. extend (stretch) along ..; run along [*kusten* the coast]; *~ sig över* extend over [*hundra år* a hundred years] **-bänk** rack; *ligga på ~*[*en*] be on the rack (*bildl.* on tenterhooks) **-förband** traction bandage **-muskel** extensor **-ning** [-ande] stretching &c; [ut-] extension; [riktning] direction **-sim** stroke swim[-ming]

1 sträng *a* severe [*utseende* look; *kyla* cold; *mot* [up]on]; [obeveklig] rigid [*moral* morals *pl*]; [hård] rigorous [*lag* law]; [allvarlig] stern [*far* father; *min* look]; *~t arbete* hard work; *~ arrest (mil.)* close arrest; *hålla ~ diet* be on a strict diet; *vara ~ mot* .. be severe ([mot barn] strict) with ..

2 sträng 1 string *äv. bildl.;* [på instrument o. *bildl.*] *äv.* chord **2** = *klock~* **-a** *tr* string; *~ sin lyra (bildl.)* tune one's harp (lyre)

sträng||eligen *adv* severely &c; se *äv.* *-t* **-het** severity; rigour[ousness]; strictness &c **-t** *adv* **1** severely &c; *arbeta ~* work hard; *behandla* .. *~ (äv.)* deal harshly with ..; *~ förbjudet* strictly forbidden (prohibited); *vara ~ upptagen* be fully occupied, be pressed for time **2** [noga] *hålla ~ på* [*reglerna*] observe .. rigorously; *hålla sig ~ till* .. keep strictly to ..; *~ taget* strictly [speaking]

sträv *a* rough; [i smaken] harsh *äv. bildl.; bildl. äv.* stern, rugged; [om röst] *äv.* raucous; *~ smak* (*äv.*) acerbity; *under en ~ yta* (*bildl.*) under a rough (rugged) surface

sträv||a I *s ark.* prop, stay; [sned] brace **II** *itr* strive; [kämpa] struggle; *~ att* .. endeavour to ..; *~ efter* .. strive after ..; *~ efter fullkomlighet* seek perfection; *~ högt* (*bildl.*) aim high; *~ till* .. aspire to ..; *~ uppåt* strive upwards *äv. bildl.* **-an** striving; [ansträngning] effort, endeavour; [möda] labour; [åstundan] aim, aspiration; *hela min ~ går ut på att* it is my greatest ambition to **-båge** *ark.* arch-buttress **-het** roughness, harshness &c; [om smak] asperity, acerbity **-hårig** *a* rough-haired; [hund] *äv.* wire-haired **-pelare** *ark.* buttress **-sam** *a* **1** [arbetsam] industrious, hard-working, plodding **2** [knogig] laborious (strenuous) [*arbete* work]; *ha det ~t* have a hard time of it **-samhet** industriousness &c; industry; *äv.* thrift

strö I *s* litter **II** *tr* strew; sprinkle [*över* over; *salt på* salt on]; [sprida] spread; *~ omkring sig* scatter .. [about]; *~ in* [*citat*] *i ett tal* interlard one's speech with ..; *~ pengar omkring sig* spend money lavishly **-dd** *a* scattered; *~a tankar* detached (stray) thoughts **-gods** *koll* sundries *pl* **-halm** [straw for] litter

ström 1 [flod] stream [(*äv.*) *av folk* of people]; river *äv. bildl.;* [flöde] flood [*av tårar* of tears]; *äv.* flow [*av ord* of words]; [häftig] torrent *äv. bildl.; regnet föll i ~mar* the rain fell in torrents **2** [i luft o. vatten] current *äv. elektr.*; *bildl. äv.* tide; *följa (gå) med ~men* follow the tide (drift with the current) *äv. bildl.*; *kasta om ~men* (*elektr.*) reverse the current **-avbrott** failure of current **-brytare** *elektr.* switch, circuit-breaker **-drag** current, rapids *pl;* [häftigt] race **-fåra** [main] channel *äv. bildl.*; [flodbädd] river-bed **-förbrukning** *elektr.* consumption of current **-försörjning** current supply **-kantring** *elektr.* reversing of the current; *bildl.* change-over **-karlen** se *näcken* **-krets** *elektr.* electric circuit **-leverans** delivery of current **-linje[formad** *a*] streamline[d] **-ma** *itr* stream, flow; [friare] run; [om regn, tårar o. d.] [come] pour[ing] [*ned* down]; [om tårar] *äv.* gush, well; *folket ~r till (ut ur) kyrkan* people stream to (coming pouring out of) church; *~ in* rush in, [come] pour[ing] in; *~ igenom* flow (*bildl.* surge) through; *folk ~de till* people came flocking; *~ ut'* stream (&c)

out; [om ånga, gas o. d.] escape; ~ *över'* overflow
strömming Baltic herring
ström||mätare *elektr.* am[père]meter; [för vatten] [current-]meter **-ning** current *äv. bildl.; bildl. äv.* tide [*i modet* of fashion]
strömoln fleecy clouds
ström||riktning direction of current **-stare** dipper **-styrka** drift of [the] current; *elektr.* strength (intensity) of [the] current **-virvel** whirl[pool], eddy
strö||sked sugar sifter **-skrift** pamphlet, tract **-socker** powdered sugar; *hand.* castor sugar
ström||a *itr* stroll, ramble; [vandra] wander; [irra] rove, roam; [~ hit och dit] stray **-tåg** *mil.* raid, incursion; [plundrings-] foraging expedition; [friare] ramble; ~ *i litteraturen* excursions in[to] literature
stubb [på åker] stubble; [skägg] bristles *pl* **-a** *tr* [svans] dock; crop [*håret* the hair]; [hästsvans] *äv.* bob **-[b]omb** stump blast **-[b]rytning** uprooting of stumps (&c) **-e** stump, stub **-svans** bob[-tail], docked tail **-åker** stubble-field
stubin[tråd] ⊕ fuse, quick-match
stuck stucco, plaster of Paris **-arbete -atur** stucco[-work], plaster-work
stucken *a bildl.* nettled, ruffled, irritated
student [university (*Engl.* college)] student; *Engl. vanl.* undergraduate, **F** undergrad; *ta ~en, bli ~ a) allm.* qualify as a student; *b) Engl.* matriculate, be entered at the university **-betyg** marks *pl* obtained at (in) one's matriculation; *äv.* school leaving certificate **-examen** matriculation [examination] **-förbund** union of students **-förening** students' association (club); *~en (Engl.)* the Union **-hem** students' boarding-house; *Am.* dormitory **-ikos** *a* jovial, merry **-kamrat** fellow-student **-katalog** list of students, university register **-kår,** *~en* the [body of] students, the Students' Union **-liv** university (college) life **-mössa** student's cap **-ska** girl student; **F** undergraduette **-skrivning** matriculation examination (paper) **-tid -år** *pl* years at the university (at college), college (university, **F** Varsity) days
studer||a *tr* o. *itr* study [*medicin* medicine; *till läkare* to be a doctor]; make a study of [*bin* bees]; [~ vid universitetet] study at the university, go to college; ~ *juridik* study (read) law **-ande** *a* o. *s, en* ~ a student, [skolelev] pupil [*vid* at]; *de* ~ those studying [*vid* at]; *den ~ ungdomen* [the] schoolboys and schoolgirls; [the] young people at college (the university); *filosofie* ~ Arts student; *juris* ~ student of jurisprudence; *medicine* ~ medical student; *teologie* ~ student of divinity
studie study [*över (av)* of]; *konst. äv.* sketch; [litterär uppsats] essay [*över (av)* upon] **-begränsning** [gm begränsning av antal studerande] numerus clausus **-bok** study book **-cirkel** study circle **-gren** branch of study **-kamrat** fellow-student **-lån** study loan **-objekt** object of study **-plan** course of study; curriculum [of studies]; [forskares] plan for study **-resa** study trip; [*fara utomlands*] *på* ~ .. for purposes of study **-riktning** branch (field) of study **-skuld** debt incurred for college education (one's schooling) **-år** *pl* years of study; se *äv. student-*
studi||o studio **-|um** study; *ett svårt* ~ a difficult subject to study; *lärda -er* scientific pursuits; *musikaliska -er* the study *sg* of music; *vetenskapliga -er* scientific (scholarly) research *sg* (studies); *göra grundliga -er i* .. make a profound study of ..; *idka -er* [apply o.s. to] study
studs rebound, recoil **-a** *itr* bound; ~ [*tillbaka*] rebound [*mot väggen* off the wall]; [is. om kula] recochet; *bildl.* start [*vid åsynen av* .. at the sight of ..] **-are** rifle **-ning** rebounding &c; repercussion
stug||a cottage; [koja] cabin; [rum] living-room **-gris -sittare** *bildl.* home-bird
stuk||a *tr* **1** ⊕ stave; [järn] jump **2** *bildl.* browbeat, **F** take .. down a peg or two; [starkare] crush, humiliate; *nu blev han allt ~d!* **F** that was one in the eye for him! **3** [t. ex. tummen] sprain **-ad** *a bildl.* crushed, browbeaten; *känna sig* ~ feel small
stulta *itr* [om barn] toddle
stum *a allm.* dumb [*sedan födseln* from one's birth]; [mållös] mute; [om bokstav] silent; *bli* ~ be struck dumb [*av* with]; *göra ngn* ~ deprive a p. of the power of speech; *stå* ~ stand speechless **-film** silent film **-het** dumbness
stump *allm.* stump; [liten ~] fragment **-a** toddler; [smeksamt] poppet
stund while; [ögonblick] moment, instant, second; [eg. timme] hour; *en god* ~ quite a while; *en liten* ~ a few minutes (moments &c) *pl*; *det dröjde en ~ innan* .. it was some little time before ..; *min sista* ~ my last [breathing] hour; *vilken ~ som helst* any moment; *för en ~ sedan* a [little] while (a few minutes) ago; *i denna* ~ [at] this very moment; *i nödens* ~ in the hour of distress; *i sista ~[en]* at the last minute (the eleventh hour); [*komma in* get in] just in time; *om en liten* ~ in a little while, presently; *på lediga ~er* in one's spare moments; *adjö på en ~!* so long! **-a** *itr* approach, be at hand **-ligen** *adv* hourly **-om** = *ibland II* **-tals** *adv* now and then, at intervals
stup precipice, steep **-a I** *itr* **1** [luta] descend abruptly, incline sharply **2** [falla] fall [*omkull* over]; *jag är så trött så jag kan* ~ I am ready to drop [down dead], I am tired to death **3** [i strid] fall, be killed; *de ~de (subst.)* the killed (fallen) **II** *tr* [luta] stoop **-brant** *a* precipitous, steep **-full** *a* reeling drunk **-ränna** spout; [tak-] gutter pipe **-stock** block
stursk *a* [högmodig] stuck-up; [oförskämd] insolent, impudent; *vara ~ (äv.)* show off **-het** bumptiousness; insolence; **F** stuck-upness
stuss **F** bottom, behind
1 stut = *stryk*
2 stut *zool.* bullock **-eri** [breeding-]stud
stuv remnant [of cloth]; *~ar (äv.)* oddments **-a** *tr* **1** *kok.* stew, braise; ~ *upp* hash up *äv. bildl.;* **F** vamp up **2** *sjö.* stow; [säd, kol o. d.] trim **-ad** *a* stewed [*kanin* rabbit]; ~ *potatis* potatoes in white sauce **-are -eri|arbetare** *sjö.* stevedore **-ning** *kok.* stew
stybb coal dust **-kol** dust coal
styck piece; *sälja per* ~ sell by the piece; *en shilling per* ~ one shilling each (per (a) piece) **-a** *tr* cut up; [friare] divide up; [~ sönder] cut .. into pieces; ~ .. *till tomter* parcel .. in allotments **-arbetare** piece-worker **-e 1** [del, bit] piece; jfr *bit;* [friare] part; [lösryckt] fragment; *jag har hunnit ett gott* ~ I have made considerable progress [*på* with]; *ett ~ tyg* a piece (length) of cloth; ~ *för* ~ by the piece, bit by bit; *i ett* ~ all [in] one piece, all of a piece; *slå .. i ~n* smash .. into pieces **2** [exemplar] piece; *äv.* specimen; *ett par ~n* .. a couple of ..; [*ge mig*] *tre ~n* ..

three of them (o. s. v.); *en tio (tjugu) ~n* [. .] some (about) ten (twenty) [. .]; *det fanns fem ~n kvar* there were five left; *vi voro* . . *~n* we were . . in number **3** *litt. mus.* piece [*musik* of music]; *teat.* play; *valda ~n* selected pieces (passages) **4** [avdelning] part, section; [i skrift] paragraph; [ställe] passage; *nytt ~* [i skrift] new line (paragraph); *boktr.* break **5** [sträcka] distance; [väg-] way; *det är bara ett litet ~ dit* it is not far from here; *bli ett långt ~ efter* lag behind; *ett gott ~ av vägen* a good part of the way; [*hon är*] *ett gott ~ in på 40-talet* . . well on into her forties **6** *bildl.* respect, regard; *han är hemma i sina ~n* he is well up in his work (subject) **7** *bildl.* [fruntimmer] *elakt ~* nasty piece, baggage **-e|gods** *koll sjö.* case-goods *pl*; [diverse] sundries *pl* **-[e]vis** *adv* by pieces (the piece); [bit för bit] a piece at a time, piecemeal **-junkare** *mil.* sergeant major of artillery **-ning** cutting up &c; [sönderdelning] dismemberment **-verk** fragmentary work

stygg *a* bad, wicked; [om barn] naughty; [ovänlig] harsh [*mot* to]; *vad du är ~!* how naughty you are! **-else** abomination **-het** naughtiness &c; *äv.* bad manners *pl*

stygn *sömn.* stitch

stylt|a stilt; *gå på -or* walk on stilts

stymp||a *tr* maim, mutilate; [stubba] truncate *äv. geom.*; [friare o. *bildl.*] mangle **-ad** *a* maimed; truncated *äv. geom.* **-ande** *s* maiming &c; mutilation; truncation **-are** bungler, [poor] stick

styng 1 sting; jfr *sting* **2** *zool.* gadfly **3** = *stygn*

styr, *hålla* . . *i ~* keep . . in order (in check, within bounds); *hålla sig i ~* keep a hold on o.s.; *gå över ~ (bildl.)* go to rack and ruin; [t. ex. plan] come to naught (nothing) **-|a I** *tr* **1** [föra] steer [*ett fartyg* a ship]; *sjö. äv.* navigate; *~ kurs mot* . . stand for . . **2** [regera] govern (rule) [*landet* the country]; [behärska] dominate, control; [leda] direct [one's steps]; [*~* och ställa med] manage [*saker och ting* things]; *~ allt till det bästa* arrange things for the best; see things through; *~ sina passioner* control one's passions **3** *gram.* govern [*dativ* the dative] **II** *itr* **1** *sjö.* steer, navigate; [stå vid rodret] be at the helm; *~ ut från land* stand off shore; *~ ut till sjöss* make for the open sea **2** [regera] rule, govern; [friare] se *råda II; ~ och ställa i huset* manage the house; *få ~ och ställa som man vill* have a free hand, **F** rule (be cock of) the roost **3** *~ om'* . . (*bildl.*) see to (arrange, manage) . .; *det skall jag ~ om* I will see to that **4** *~ till sig* get [o.s.] into a mess; *~ ut sig* make a fright of o.s.; *så du har -t till dig!* what a fright you look! **-ande** *a* governing [*myndighet* body] *äv. gram.*; ruling [*klass* class]; *han är den ~* he manages (is responsible for) the whole; *de ~* the persons in power (people in authority) **-apparat** ⊕ steering-gear **-automat** *flyg.* automatic pilot **-bar** *a* governable, controllable; *äv.* steerable, dirigible **-bord** *s* o. *adv sjö.* starboard *äv.* i *sms* **-e 1** *sjö.* helm *äv. bildl.*; *sitta vid ~t* (*bildl.*) be in power **2** [på plog] plough-tail(-handle) **-else 1** *abstr* government, regime; [ledning] management **2** *konkr* [för bolag], *~n* the [board of] directors (managers), the board; [i förening] committee, council; *sitta i ~n* serve on the board **-else|berättelse** *hand.* report of the board (&c) **-else|ledamot** member of the board (committee, council) **-else|sammanträde** board(&c)-meeting **-else|-skick** system of government **-es|man** governor; [föreståndare] chief, manager **-förmåga** steering-capacity, man[o]euverability **-hytt** *sjö.* pilot-(wheel-)house **-inrättning** steering-gear; *flyg.* steering system

styrk||a I *s* **1** strength [*hos* (*i*) of]; [kraft] power, force; [häftighet] intensity [*i en känsla* of a feeling]; [persons] *äv.* vigour; [handlingskraft] energy; *det är hans ~* that is his strong point; *hans ~ ligger i* . . he excels in . .; *få ny ~* get (gain) new strength; *den råa ~n* brute force; *ha stor ~ i armarna* have strong arms **2** *konkr* [samlad skara] force; [antal] number[s *pl*]; *väpnad ~* armed force **II** *tr* **1** [stärka] strengthen, fortify; *bildl.* confirm (substantiate) [*ngns åsikt* a p.'s opinion] **2** [bevisa] prove, give proof of, show; [med vittnen] attest, verify; [bekräfta] confirm; *~ en avskrift* authenticate a copy **-ande** *a, ~* [*medel*] restorative; jfr *stärkande* **-e|dryck F** strengthener, pick-me-up **-e|-grad** degree of strength

styr||kompass *sjö.* binnacle-compass **-lastighet** *sjö.* [steering] trim **-lina** *sjö.* tiller-rope; [flygplans] control cable **-man** *sjö.* helmsman; *allm.* pilot; [ss. titel] mate; *förste ~* first (chief) mate **-ning** steering, steerage **-organ** controls *pl* **-ratt** steering wheel **-sel** bearing; se *äv. pli* **-spak** ⊕ lever; *flyg.* control stick, **F** joy-stick **-stag** [på bil] drag rod **-stång** ⊕ guide-rod; [på cykel] handle-bar **-åra** *sjö.* steering-tackle (-oar)

styv *a* **1** stiff [*i lederna* in the joints]; [spänd] tight [*lina* rope]; *äv.* rigid [*fjäder* spring]; [-sint] stubborn; *~ bris (kultje)* stiff breeze; *~ i mun* [häst] hard-mouthed **2** [dryg] *en ~ mil* a good mile **3 F** [duktig] clever (good) [*i* at]; jfr *skicklig, duktig; ett ~t arbete* [knogigt] a tough job; *en ~ simmare* a capital (tip-top) swimmer; *en ~ skytt* **F** a crack shot **-a** *tr* stiffen, make . . stiff

styvbarn stepchild

styvbent, *vara ~* have a stiff leg (stiff legs)

styv||bro[de]r stepbrother **-dotter** stepdaughter

styver stiver; *äv.* farthing

styvfar stepfather

styv||het stiffness &c **-hårig** *a* bristly

styv||moderlig *a* stepmotherly; [friare] grudging [*behandling* treatment] **-mor** stepmother **-mors|viol** wild pansy

styv||na *itr* stiffen, become (get, grow) stiff (rigid) **-sint** *a* strong-willed, stubborn; jfr *uppstudsig* **-sinthet** strong will, stubbornness

styv||son stepson **-syskon** step brothers and sisters **-syster** stepsister

styvt *adv* **1** stiffly &c; *hålla ~ på att* insist [up]on . . -ing; *hålla ~ på ngn* set great store by (**F** think a lot of) a p. **2** [duktigt] *det var ~ gjort!* well done! bravo!

stå I *itr* **1** stand [*på sina fötter* on one's feet]; [befinna sig] *äv.* be; *hon stod hela tiden* she stood (was standing [up]) the whole time; *låta ngt ~* leave a th. where it is, not move a th.; *få ~ a)* [få ~ kvar] be left standing; *b)* [vara tvungen att ~] be obliged to stand; *kom som du går och ~r!* come just as you are! *det ~r dig fritt att* (*bildl.*) you are free (at liberty) to; *~ maktlös* be unable to do anything; *~ ostadigt* wobble [*äv.* om barn]; be shaky *~ stilla* keep still, not move; *bilen ~r utanför* the car is at the door; *nu ~ vi där vackert!* **F** now we are nicely landed!

~ öppen stand (*bildl.* rest) open **2** [*~* stilla, ha stannat] be at (have come to) a standstill; [*~* och fiska o. d. samt *bildl.*] se *vederb. vb samt ex.; fabriken ~r* the factory is at a standstill (is not working); *klockan ~r* the clock (my o. s. v. watch) has stopped; *~ och fiska* (*titta*) stand fishing (looking); *~ och hänga* **F** hang about; *~ och läsa* (*äv.*) read standing up; *hur länge ~r tåget här?* how long does the train stop here? *~ och vänta på* [*ngn, ngt*] be waiting for .. **3** *bildl., det ~r ej att hjälpa* there is no help for it; *hon ~r ej att trösta* she is inconsolable; *så som saken nu ~r* in the present state of things; *~ väl hos* .. be in favour with .. **4** [äga bestånd] exist; *stadsmurarna ~ ännu* the town walls still remain **II** *tr, ~ sitt kast* (*risken*) take the consequences (run the risk); *~ ngn dyrt* cost a p. dear **III** *itr* [med obeton. part.] **1** *~ efter* .. aspire to ..; *det är ingenting att ~ efter* it is not [a thing] worth sighing for; *~ efter ngns liv* seek to kill a p. **2** *allting stod framför mig* everything came back to me **3** *~ för följderna* take (be responsible for) the consequences; *~ för vad man säger* vouch for what one says; *~ för dörren* (*bildl.*) be approaching **4** *det ~r hos* [*Cicero*] it is [to be found] in ..; *äv.* .. says **5** *~ i begrepp att, i blom, i förbindelse med* se *vederb. subst.; det ~r ingenting i* [*brevet*] *därom* there is nothing in .. about it; .. *~r i dativ* .. is (stands) in the dative; *~ i dörren* stand on the doorstep; *det ~r inte i min makt* it is not in my power; *~ i ngns tjänst* be in a p.'s service; *~ i vägen för ngn* be in a p.'s way **6** *~ inför* be faced by [*ruin* ruin] **7** *~ illa mot* .. [om färg] clash with .. **8** *läs vad som ~r om* .. read what is written about ..; *fradgan stod honom om munnen* he foamed at the mouth; *~ på* be (stand) on [*benen* one's legs]; *~ på höjden av* .. be at the height (top) of ..; *barometern ~r på regn* the barometer points to rain; *~ på sin rätt* stand upon one's rights **10** *det ~r inte till att ändra* it can't be changed, **F** nothing doing **11** *~ vid väggen* stand close to the wall; *~ vid sitt ord* stand by (stick to) one's word **IV** *itr* [med beton. part.] **1** *~ bi* hold out **2** *~ efter* a) come after, follow; b) [vara underlägsen] be inferior to; *ej vilja ~ efter i ngt* not want to play second fiddle in anything **3** .. *skall ej ~ emellan oss* .. will not come (stand) between us **4** *~ emot* be proof against [*vatten* water]; [om pers.] resist [*frestelsen* the temptation] **5** *~ framme* [.. *får inte* .. must not] be left about **6** *~ för* .. stand in the light of .. **7** *~ före* come before, precede **8** *~ inne* [om pengar] be in the bank **9** *~ kvar* remain standing; [friare] be left; *~ kvar i tjänsten* keep on one's position **10** *~ på sig* stand one's ground, hold one's own; *vad ~r på?* what is the matter (going on)? **F** what is up? **11** *hur ~r det till?* how are you? *allt ~r bra till* [*hemma*] everything is going on well ..; *hur ~r det till med din far?* how is your father? *det ~r illa till* matters are serious (in a bad way); *så ~r det till med den saken* that is how matters stand; *det ~r inte rätt till med honom* everything is not right with him **12** *~ ut* a) stand out, project; b) [uthärda] stand (bear) it; *jag ~r inte ut med det längre* I can't stand (endure, bear) it any longer **13** *~ ute* be [standing] out[side] [*i regnet* in the rain]; [om pengar] be out at interest, be invested **14** *~ över* stand over; [vara överlägsen] be superior to **V** *rfl* **1** *bildl.* [reda sig] do (be getting on) [*bra* well]; manage [*bra* all right]; *~ sig slätt* cut a poor figure **2** [hålla sig] wear [*bra* well]; *nu kan man ~ sig* [*till middagen*] **F** now we can do (go on) ..

stående I *a* **1** standing; [stilla-] stationary; stagnant [*vatten* water]; *bli ~ a*) [bli kvar] remain standing; b) [stanna] stop, come to a standstill **2** [friare o. *bildl.*] *en högt ~ militär* a man of high rank in the army; *på ~ fot* off-hand; *de närmast ~* those immediately around him (o. s. v.) **3** [ständig] standing [*armé* army; *skämt* joke]; *äv.* permanent, constant; *en ~ fras* a set phrase **II** *s* standing position; *det myckna ~t* [*vid spisen*] all that standing ..

stål steel **-band** *radio.* steel band (ribbon) **-fjäder** steel spring **-grå** *a* steel-(iron-)grey **-hjälm** steel helmet **-hård** *a* .. [as] hard as steel **-klädd** *a* steel-clad **-konstruktion** steel structural work **-lina** [steel] wire (cable) **-penna** nib, *Am.* pen-point **-plåt** sheet steel, steel plate **-satt** *a* steeled (proof) [*mot* against] **-skena** iron rail **-stick** steel-engraving; [plansch] *äv.* steel-plate **-sätta** *tr* [*rfl*] steel (brace) [o. s.] **-tråd** [iron (steel)] wire **-tråds|nät** wire-netting **-verk** steelworks *sg* o. *pl*

stånd 1 stand; *fatta ~* take [up] one's stand; make a stand [*mot* against]; *hålla ~* hold one's ground, hold out; *håll ~!* stand! **2** [tillstånd] state, condition; [gott *~*] keeping, repair; *i gott ~* in [a] good [state of] preservation (repair); *sätta .. i ~ a*) [om sak] put .. in [working] order; b) [om pers.] put .. in a position (enable ..) [*att* to], make .. able [*att* to]; *sätta ngn i ~ att* furnish a p. with the means to; *vara i ~ till* be able to; *komma till ~* come (be brought) about, be realized; [sättas i gång] come into existence, be constituted; *sätta ngn ur ~* render a p. incapable [*att säga* of saying]; make a p. unfit [*att arbeta vidare* for further work]; *sätta ngt ur ~* damage a th., put a th. out of order; *vara ur ~ att förklara* .. be unable to explain .. **3** [samhällsställning] station; [börd] birth; [rang] rank, class; [*andligt* spiritual] estate; *efter sitt ~* according to one's station [in life]; [*det*] *äkta ~et* the married state; *inträda i det äkta ~et* enter into matrimony; *gifta sig under sitt ~* marry beneath one **4** [salu-] stall, booth **5** [i riksdag] *de fyra ~en* the four Estates (Orders of Society) **-aktig** *a* steadfast, stable; [säker] steady; [pålitlig] constant; *förbli ~* persevere **-aktighet** steadfastness, stability; constancy; steadiness &c; perseverance; jfr *föreg.* **-are 1** standard **2** *bot.* stamen [*pl* stamina] **-ar|knapp** anther **-ar|mjöl** *bot.* pollen **-punkt** standpoint, position, [synpunkt] point of view, viewpoint; *polit.* platform; *en övervunnen ~* an idea that has had its days; an obsolete notion; *välja ~* take up a position (an attitude); *ändra ~* change one's position (attitude); *det beror på vilken ~ man intar till* .. that depends on one's attitude to ..; *från min ~ sett* from my point of view; [*bildningen*] *står på en mycket hög ~* [education] is at a very high level (has reached a very high standard); *på sakernas nuvarande ~* in the present state of things (affairs) **-rätt** *mil.* martial law **-s|fördom** class-(caste-)prejudice **-s|mässig** *a* .. conformable (suitable) to one's station in life **-s|person** person of standing (rank)

stång 1 *allm.* o. *sjö.* pole; *sjö. äv.* spar; [av lack lakrits] stick; *hålla ngn ~en* (*bildl.*) hold one's own with (against) a p.; *flagga på halv ~* fly the flag [at] half-mast **2** *ridk.* bar **-a** *tr* butt; [spetsa på hornen] toss [.. on the horns] **-as** *itr dep* butt [each other] **-järn** bar-(rod-)iron **-järns|-smedja** iron-works *sg* o. *pl*, forge **-korv** sausage of barley-and-meat **-krok** *ung.* night line **-piska** pigtail cue

1 stånka [av trä] wooden can, stoop

2 stånka *itr* puff and blow; [stöna] groan

ståplats standing-place; standing-room [for 15 passengers]

ståt display; [prakt] splendour, grandeur; *i (med) stor ~* with great pomp [and circumstance] **-a** *itr* make a parade (great show) **-hållare** governor; *hist.* Stateholder **-lig** *a* fine [*gestalt* figure]; [lysande] splendid, magnificent, grand; [imponerande] impressive (imposing) [*syn* sight]; stately [*byggnad* edifice]; gallant [*hållning* bearing]; *en ~ karl* a fine-looking fellow **-lighet** magnificence, stateliness &c; splendour

stäcka *tr* cut short; *~ vingarna på ngn* clip a p.'s wings

städ anvil; jfr *skruv~*

städ||a *tr* o. *itr* put [the] things straight (in order) [[i] *ett rum* in a room]; tidy up [*ett rum* a room]; [ha storstädning i] clean out ..; *~ efter ..* tidy up after ..; *~ efter sig* leave things tidy; *~ åt ngn* do (look after) a p.'s room[s]; *~ undan ..* put (clear) .. out of the way **-ad** *a* tidy; [anständig] decent, proper **-erska** charwoman; *sjö.* stewardess; *univ. äv.* bedder **-ning** tidying [up]; *äv.* charing [work], cleaning

städse *adv* always; constantly

städskåp cleaning cupboard

städsla *tr* engage, hire

ställ stand; [för pipor o. d.] rack

ställ||a I *tr* [*itr*] **1** *a)* [*~ upprätt*] place (set) .. upright, stand ..; [*~ .. på viss plats*] set, place; [mera allm. bet.] put; [is. pers.] station; *b)* [ge rätt -ning el. riktning åt] set .. [right]; [instrument] adjust, regulate; [klocka] set [*.. på sex* .. at six]; [rikta] direct [*sina steg* one's steps (course)]; [adressera] address; *~ klockan efter* [*tornuret*] set one's watch by ..; *~ en fråga till ..* put a question to ..; *~ sitt tal till ..* address o.s. to ..; *~ sitt hopp till ..* place one's hope[s *pl*] in ..; *~ så att ..* see to it that ..; *c)* [lämna] give [*borgen* security]; *~ fordringar* lay (make) claims; make demands **2** [med obeton. part.] *hon kan inte ~ för sig* **F** she is not able to arrange things herself; *~ illa för sig* manage [one's] affairs badly; *~ .. i ordning* arrange (prepare) ..; *~ i ordning för* [*en resa*] make preparations for ..; *~ .. i skuggan* put .. in the shade *äv. bildl.*; *bildl. äv.* obscure, eclipse; *man -es ofta inför* [*den*] *frågan om ..* one is often faced with the question whether ..; *~ ngn mot väggen* (*bildl.*) drive a p. into a corner; *~ stora förväntningar på ..* expect much of ..; *~ ngn till ansvar för* make (hold) a p. responsible for; *~* [*ngt*] *till rätta* put (set) .. right **3** [med beton. part.] *~ bort ..* place (set) .. out of the way; *~ fram ..* place (put) .. forward; *~ fram stolar* place chairs round; *~ in* (*radio.*) tune in; [re]adjust [an instrument]; *~ in ..* [*i skåpet*] put .. in[to [the cupboard]]; *~ in sig på att ..* set one's mind on ..-ing; *~ till* arrange [*en utfärd* a picnic]; *~ till en scen* make a scene; *~ till oroligheter* stir up trouble; *vad har du nu -t till?* what have you been up to now? *vem har -t till det här?* who is responsible for this? *~ tillbaka ..* put .. back (replace ..) [*på hyllan* on the shelf]; *~ undan ..* put .. away; *~ upp fordringar* present claims; *~ upp ett mål för sig* set o.s. a goal; *~ upp sig* form (get) into position; stand [*på linje* in a file (line)]; *~ upp sig i ett val* be a candidate at an election; *~ upp villkor* make conditions; *~ upp .. i boksavsordning* arrange .. alphabetically; *~ ut* expose; *~ ut en växel på ..* make out a draft (bill) on ..; *~ ut .. på post* post (station) .. **II** *rfl* **1** place (station) o.s. [*i ngns väg* in a p.'s path]; stand [*framför* in front of; *på en stol* up on a chair]; *~ sig i rad* range o.s.; *~ sig i vägen för ngn* stand in a p.'s way; *~ sig på ngns sida* side (take sides) with a p.; *~ sig in hos ngn* gain a p.'s favour, ingratiate o.s. with a p. **2** [bete sig] behave (conduct) o.s.; *~ sig avvaktande* take up a waiting attitude; [*jag vet inte*] *hur jag skall ~ mig ..* what course to take; *det -er sig dyrt* it is (will be) expensive; *~ sig skeptisk till ..* take a sceptical attitude towards ..; *~ sig sympatisk (välvillig) mot ..* take (assume) a favourable attitude towards .. **3** [låtsas] feign [*sjuk* illness] **-bar** *a* adjustable; reclining [*stol* chair] **-|d** *a* placed &c; *så är det -t* that is how it (the matter) stands, that is the state of affairs; *han har det bra -t* [ekonomiskt] he is well off; *hur har du det -t med ..?* how are you off for ..? *en växel ~ på innehavaren* a bill [of exchange] (draft) payable to bearer

ställ||e 1 [plats, rum] place; [ort] locality; [fläck] spot; [i bok o. d.] passage; *ej röra sig från ~t* not budge from the spot; *.. fås på ~t ..* is to be had on the premises; *på ort och ~* [polisterm] on the spot; *bli dödad på ~t* be killed on the spot; *på ~t marsch!* mark time! *på ~t vila!* stand at ease! *på annat ~* in other quarters; *äv.* in (at) another place, somewhere else; *på en del (sina) ~n* in some places, here and there; *på flera ~n* in several places; *på något ~* somewhere; *ej komma ur ~t* (*bildl.*) not advance a bit **2** *i ~t* instead [of it]: [i dess ~] in place of it (that); *i ditt ~ skulle jag ..* if I were you I should ..; *i ~t för* instead of; *i ~t för att svara* [*gick han sin väg*] by way of an answer ..; *sätta ngt i ~t för* substitute a th. for, replace a th. with **-företrädande** *a* vicarious [*lidande* suffering] **-företrädare** deputy; [representant] representative; [vikarie] substitute

ställning 1 position *äv. mil.*; [läge] situation; [hållning] attitude *äv. bildl.*; [*social* social] status (standing); *sakernas ~* the state of affairs; *ekonomisk ~* financial situation (condition); *liggande ~* lying position (posture); *vilken ~ intar han till frågan?* what attitude does he take to the question? *i min ~ som* in my capacity as **2** *konkr* [ställ] stand; [byggnads-] scaffold; [stomme] frame; *upphöjd ~* platform **-s|krig** war of position[s] **-s|steg** *mil.*, *göra ~* stand at salute **-s|tagande** attitude [*till* to]

ställverk *järnv.* signal-(shunting-)box; *elektr.* interlocking-plant

ställvis *adv* in places; occasionally

stäm||band *anat.* vocal chord **-d** *a* [*vänskapligt* amiably] disposed (inclined) [*mot* towards]; *ogynnsamt ~ mot* prejudiced against, averse (opposed) to **-gaffel** *mus.* tuning-fork **-järn** ⊕ [mortise-]chisel **-|ma I** *s* **1** [röst] voice, organ; *första ~n* the first (leading, principal) part **2** [möte] assembly, meeting **II** *tr* **1** *mus.* tune; put .. in tune; *bildl. äv.* attune; ~ *högre* (*äv.*) sharp; ~ *lägre* deepen **2** *bildl.*, ~ *ngn allvarlig* render a p. serious; ~ *ngn mildare* soften a p. **3** ~ *ngn inför rätta* se *rätta I 2;* ~ *ngn för en fordran* sue a p. for a debt (a claim); ~ *ngn för ärekränkning* bring an action against a p. for libel; ~ *ngn som vittne* summon a p. as witness; ~ *ned* depress [*humöret* the spirits]; ~ *ned tonen* lower the key (*bildl.* one's pretensions); ~ *upp* strike up [*en sång* a song] **4** stem [*strömmen* the current]; ~ *blod* (*äv.*) sta[u]nch blood **III** *itr* **1** *mus.* be in tune, harmonize **2** (*äv.* : ~ *överens*) agree, accord; *äv.* correspond (tally) [*med* with]; *det -mer!* **F** quite right! that's it! ~ *med* [*originalet*] be in accordance with ..

stämning **1** *mus.* pitch, key, tune **2** *bildl.* mood, temper; [friare] sentiment; *en hemtrevlig* ~ a nice friendly atmosphere; *~en var hög (var tryckt)* spirits *pl* ran high (were depressed); *upprörd* ~ agitation, excitement; *~en bland folket* (*äv.*) public sentiment; *i glad* ~ in high spirits; *vara i* [*den rätta*] ~[*en*] *för* .. be in a (the right) mood for .. **3** *jur.* [writ of] summons; *ta ut* ~ *mot* cause a summons to be issued (bring an action) against, sue **-s|full** *a* .. instinct with (abounding in) feeling; full of atmosphere, moving; [verkningsfull] impressive **-s|läge** mood **-s|människa** sentimental (emotional) person

stämnyckel tuning-key(-lever); *äv.* tuner

stämpel **1** [verktyg] stamp, punch; [mynt-] die **2** [avtryck] stamp (imprint) *äv. bildl.;* [på guld, silver o.d.] hall-mark; [på varor o. d.] brand, mark **-avgift** stamp-duty **-dyna** stamping pad **-färg** marking ink **-skatt** stamp-duty

stämp‖la **I** *tr* stamp; mark (impress) *äv. bildl.;* [träd] blaze; [med brännjärn] brand *äv. bildl.* [*ngn som förrädare* a p. as a traitor]; ~ *ngn som* .. (*äv.*) characterize a p. as a .. **II** *itr* plot, conspire, intrigue **-ling** **1** stamp[ing], blazing &c **2** conspiracy, plot[ting], intrigue

ständig *a* permanent [*sekreterare* secretary]; perpetual [*vår* spring]; ~ *ledamot* life-member **-t|grön** *a* evergreen

stäng‖a **I** *tr* [*itr*] shut [*dörren* the door]; *äv.* close [*kl. 6* at 6]; [med lås] lock; [med regel] bolt; [med bom] bar; [hämma] bar (obstruct) [*trafiken* the traffic]; [täppa] stop [*en genomfart* a passage]; ~ *butiken* shut up shop; ~ *dörren efter sig (ngn)* shut (close) the door after (behind) one (a p.); ~ *av'* shut (turn) off; ~ *igen' om ngn (sig)* shut (lock) a p. (o.s.) in; ~ *in*[*ne*] [låsa in] shut (lock) .. up; ~ *till'* close, shut [up (to)]; lock [up] [*kassaskåpet* the safe]; ~ *ute* keep (shut) out [*solskenet* the sunlight]; shut [*ngn* a p.] out **II** *rfl* shut [itself]; *dörren -er sig själv* the door shuts by (of) itself; ~ *sig inne på sitt rum* keep (lock o.s. up in) one's room **-dags** closing-time

stängel stalk, stem; [bladlös] scape

stäng‖ning shutting, closing &c **-nings|tid** [*tidig* early] closing **-sel** fence; [räcke] rail[-ing]; *äv.* enclosure; [friare o. *bildl.*] bar[-rier] **-sel|tråd** fencing-wire

stänk sprinkle (sprinkling) [*av vatten* of water]; [is. av gatsmuts] splash; [av havsskum o. d.] spray; [friare o. *bildl.*, aning] tinge, touch; *några* [illegible] ~ *i* [*håret*] a few strands of grey in .. **-|a** **I** *tr* sprinkle [*vatten på* .. .. with water]; *äv.* splash; ~ *ned* .. splash (&c) .. all over [*med* with] **II** *itr* [småregna] [*börja* begin to] sprinkle; [dugga] drizzle; *det -er* there is a sprinkle of rain **-bord** *sjö.* wash-board **-fråga** pop (shot) question, **F** sharp shooter **-ning** sprinkle, sprinkling, splash[ing] **-röster** isolated votes **-skärm** [på bil, cykel] mudguard; *äv.* splash-board

stäpp steppe **-höns** sand grouse

stärbhus **1** [dödsbo] *~et* the estate [of the deceased] **2** [arvingar] heirs *pl* to the estate

stärk‖a **I** *tr* **1** strengthen [*minnet* the memory]; fortify [*kroppen* the system]; [is. fysiskt] invigorate; [bekräfta] confirm **2** [med stärkelse] [clear-]starch **II** *rfl* strengthen (fortify &c) o.s.; ~ *sig med mat och dryck* take some refreshments **-ande** *a* strengthening &c; ~ [*medel*] (*läk.*) restorative, tonic **-else** starch **-krage** starched collar **-ning** starching **-skjorta** dress shirt

stätta stile

stäv stem **-a** *itr sjö.* head

stäva pail

stävja *tr* check; [undertrycka] suppress; [motsätta sig] counter

stöd support [*för* for; *allm.* of]; aid [*för minnet* to memory]; [om pers.] *äv.* supporter, backbone; *ett gott* ~ (*äv.*) a pillar of strength; ⊕ prop (stay) *äv. bildl.; bildl. äv.* staff; [maskindel] bearer; ~ *för ett påstående* foundation of a statement; *finna* ~ *i* find support in [*att höra* hearing]; *få* ~ *av* [i dispyt] *äv.* be backed up by; *tjäna* [*ngn, ngt*] *till* ~ support .., serve as a confirmation to ..; *utgöra* ~ *för* (*bildl.*) form a basis for; *med* ~ *av* with the support of; *såsom (till)* ~ *för (bildl.)* in confirmation (support) of **-a** se *-ja* **-aktion** supporting intervention (action) **-ja** **I** *tr* [o. *itr*] support; [stötta] prop [up]; [friare o. *bildl.*] sustain, uphold; [luta] rest [*huvudet i handen* one's head against one's hand]; lean [*en stege mot en vägg* a ladder against a wall]; ~ *en fordran på* base a claim upon; *icke kunna* ~ *på benen* not be able to stand on one's legs **II** *rfl* support o.s.; [luta sig] lean (rest) [*mot* against; *på* [up]on]; *bildl.* base one's opinion [*på* [up]on]; ~ *sig på ngn* (*bildl.*) depend (rely) upon a p.; [*mina uttalanden*] ~ *sig på* [*fakta*] .. are based upon [facts] **-je|pelare** supporting-pillars, prop; *bildl.* pillar of strength **-je|punkt** point (base) of support (footing); *mil.* [military] base; ⊕ lever-prop, fulcrum **-premie** subvention

stök pottering [jobs *pl*]; [hus-] cleaning **-a** *itr* [make a] bustle; *gå och* ~ potter about; ~ *till* make a mess of **-ig** [ostädad] disorderly, untidy; *det ser ~t ut här* things look topsy-turvy (in a mess) here

stöld [*leva av* live by] stealing; [*skyldig till* guilty of] theft; *jur.* larceny; [i butik] shoplifting; *begå* [*en*] ~ steal, commit robbery **-affär** case of stealing; theft **-säker** *a* thiefproof

stön‖a *itr* groan; [svagare] moan **-ande** groan[ing], moan[ing]

stöp slosh, slush; *gå i ~et* come to nothing, be a [complete] wash-out **-|a** *tr* cast, mould; ~ *tenn* melt tin; ~ *ljus* dip [tallow-]candles; *-t i samma form* (*bildl.*) made after the same pattern **-form** [bullet-, candle-]mould **-slev** casting-(moulding-)ladle; *vara i ~en* (*bildl.*) be in the melting-pot

1 stör *zool.* sturgeon

2 stör pole; [för växter] stick; [stötta] prop

1 störa *tr* [bönor] pole; [ärter] stick
2 stör||a *tr* disturb; [rubba] derange; [avbryta] interrupt; [göra intrång på] interfere with [*ngn i hans arbete* a p.'s work]; *förlåt att jag stör* excuse me for disturbing you; *jag hoppas jag inte stör er* I hope I am not intruding (putting you out) **-ande** *a* disturbing; ~ *uppträdande* disorderly behaviour
störböna pole-(climbing-)bean
störning disturbance; *radio. äv.* [avsiktlig] interference; [annars] atmospherics *pl;* [avbrott] interruption; [rubbning] perturbation
större *a* **1** greater, larger; bigger &c; jfr *stor; äv.* major [~ *delen* the major part]; *desto* ~ *anledning* all the more reason; ~ *delen* (*äv.*) the majority; *bli* ~ [öka] increase; *med* ~ *hastighet* (*lön*) with increased (improved) speed (salary); *vara* ~ *än* [i antal] be superior to **2** [utan eg. jämförelse] se *stor*
störst *a* greatest &c; jfr *stor;* [ytterst stor] utmost; ~*a bredd* [på fartyg] beam, overall width; [*den*] ~*a delen* the greatest part; *äv.* most [*av pengarna* of the money]; [huvuddelen] the main (major) part; [flertalet] the greater number; *till* ~*a delen* for the most part; se *äv. mest II 2*
stört *adv* absolutely; [*det är*] ~ *omöjligt*.. downright impossible
stört||a I *tr* precipitate [*ngn från en höjd* a p. from a height] *äv. bildl.;* [slunga] hurl; *bildl.* overthrow [*regeringen* the government]; ~ *ngn i fördärv* bring about (cause) a p.'s ruin, undo a p. **II** *itr* **1** [falla] fall (tumble) [down] [*från* from; *ned i* on to (into)]; [om flygare] crash **2** *regnet* ~*r ned* the rain falls in torrents; ~ *omkull* fall (tumble) down (over); ~ *samman* collapse; [om byggnad] fall in; *bildl.* break down **3** [rusa] rush, dash; ~ *upp* spring to one's feet **III** *rfl* precipitate (throw) o.s. [*i* into]; plunge [*i utsvävningar* into excesses]; ~ *sig på huvudet i* [*vattnet*] plunge headlong into..; ~ *sig över ngn* fall upon a p. **-ande** *s* precipitation; downfall; subversion; [jäktande] rush **-anfall** dive-bombing **-bombare** **-bombplan** dive-bomber **-dykning** *flyg.* nose dive **-flod** torrent *äv. bildl.* **-flygning** *mil.* nose-diving ([en ~]-dive) **-hjälm** crash-helmet **-ning** *allm.* se *-ande; flyg.* crash[ing] **-regn** downpour, torrent of rain **-regna** *itr* = *häll-* **-ränna** shoot, chute **-sjö,** *få en* ~ *över sig* ship a heavy sea; *en* ~ *av ovett* a torrent of abuse **-skur** heavy shower; **F** drencher
stöt thrust *äv. bildl.; fäktn. äv.* pass; [hugg] stroke; [slag] hit, blow *äv. bildl.;* [med ngt spetsigt] poke; [med ngt trubbigt] buffet *äv. bildl.;* [knuff] push; [dunk] knock [*i huvudet* on the head]; [skada genom -ning] bruise *äv. bildl.,* contusion; [vid kroppars sammanstötning] shock *äv. elektr.* o. *bildl.;* [rekyl] recoil, **F** kick; *ta emot första* ~*en* take the first impact
stöt||a I *tr* **1** thrust; push; knock &c; bump [*huvudet mot* one's head against]; [knuffa] *äv.* jostle; ~ [*foten, huvudet*] *mot* [*en sten*] knock (bang) o.'s . . against . .; ~ *kniven i bröstet på ngn* stab a p. in the chest; ~ [*ett glas*] *i kanten* chip.. at the edge **2** ⊕ [krossa] pestle; [i mortel] *äv.* pound; [friare] crush, powder **3** *bildl.* [giva anstöt] offend, give offence to; [starkare] shock; [såra] hurt; *det -er mitt öra* it grates upon my ear; *det -er ögat* it is an eyesore **II** *itr* **1** knock (strike, hit, [häftigt] dash) [*emot* against]; ~ *på svårigheter* (*motstånd*) meet with difficulties (resistance) **2** [ge -ar] jostle, knock; *fäktn.* make a pass **3** [om skjutvapen] kick **4** [gränsa] border [*till* [up]on]; ~ *på orimlighet* verge on the absurd **III** ~ *bort* push away; *bildl.* repel; ~ *fram* [*ljud*] force out (utter, emit)..; ~ *ihop* knock (strike, [häftigare] dash (rush)) against each other; [med en skräll] clash [together]; [om tåg o. d.] collide, run into each other; *bildl.* [om omständigheter] coincide; [råkas] meet; ~ *omkull* upset, knock (push) .. over, overturn; ~ *på'* se *2 råka I 1* o. *påminna;* ~ *till a)* [knuffa till] push, bump &c; *b) om ingenting -er till* unless something unforeseen should occur (happen); ~ *ut*.. thrust .. out; [en båt från land] push off, put out **IV** *rfl* **1** ~ *sig* (*sig i huvudet*) hurt (knock) o.s. (one's head); ~ *sig mot* knock [one's head (&c)] against; *han föll och -te sig* he fell and got hurt (bruised) **2** *bildl.,* ~ *sig med ngn* quarrel with a p., offend a p. **-ande** *a* **1** [gränsande] bordering; *bildl. äv.* approaching **2** *bildl.* [anstötlig] offensive, shocking; [friare] objectionable **-dämpare** shock absorber **-e|sten** *bildl.* stumbling-block **-fångare** bumper, fender **-kraft** percussive force **-ljud** plosive **-säker** *a* shockproof
stött *a* **1** [skadad] hurt, damaged; [om frukt] bruised **2** [i mortel] pounded **3** *bildl.* offended [*över* at (about)]; *bli* ~ feel hurt [in one's mind]
stött||a I *s* prop, stay, support, pillar; *byggn. äv.* pier **II** *tr* prop (shore) [up], strut; [friare] support, bear up **-e|pinne** = *-a I; bildl.* pillar of strength; *en samhällets* ~ a pillar of society
stöt||trupp, ~*er* shock-troops; *Engl. äv.* commandos **-vapen** thrusting-weapon **-vis** *adv* by jerks; [då och då] intermittently; [om vind] in gusts
stövare [hund] harrier
stöv||el boot **-el|knekt** bootjack **-el|skaft** boot-leg **-la** *itr* stalk, stride
subaltern *mil.* subaltern [officer]
subjekt subject *äv. bildl.* **-iv** *a* subjective
sublim *a* sublime; *äv.* grand **-at** sublimate **-era** *tr kem.* o. *psyk.* sublimate; sublime
sub||marin *a* submarine **-ordinations|brott** breach of discipline, case of insubordination **-ordinera** *itr,* ~ *under* be subordinate to **-sidier** subsidies; *äv.* subvention *sg* **-skribent** subscriber **-skribera** *itr* subscribe [*på* for]; ~*d bal* subscription ball **-stans** substance; [ämne] matter **-stantiv** noun, substantive **-stantivisk** *a* substantival **-stituera** *tr* o. **-stitut** substitute **-strat** substratum, basis, foundation **-til** *a* subtle; *äv.* finedrawn **-tilitet** subtlety **-trahera** *tr* subtract [*från* from] **-traktion** subtraction **-traktions|tecken** minus sign **-tropisk** *a* subtropical **-vention** subvention
succé success; *göra* (*ha*) ~ score (be) a [great] success; *teat. äv.* bring down the house **-bok** best seller
succession [right of] succession
successiv *a* successive, gradual **-t** *adv* successively, gradually
suck sigh [*av lättnad* of relief]; *dra en djup* ~ heave a deep sigh; *dra sin sista* ~ breathe one's last **-a** *itr* sigh [*av* with; *för* for; *över* for (at)]; [klaga] groan **-an** sighing, sighs *pl*
Sudan the Soudan
sudd 1 [tuss] wad, pad; [större] mop; [för småbarn] sugar-titty **2** [med bläck o. d.] smudge; [slarv] slovenly work **-a I** *tr* blur, blot, smudge; ~ *bort* (*ut*) blot (smudge)

out; [med flit] efface, rub out; ~ *till* botch, make a mess of **II** *itr* **1** [om bläck o. d.] blot; *äv.* blur; [om pers.] make blots **2** = *rumla, ruckla* **-ig** *a* blurred &c, blotched; [otydlig] fuzzy; *foto.* fogged
suffix suffix
sufflé *kok.* soufflé *fr.*
suffl||era *tr* o. *itr* prompt **-ett** hood (folding top) [of a carriage] **-ör** *teat.* prompter **-ör|lucka** prompter's box
sug||a **I** *tr* o. *itr* suck [*på tummen* one's thumb]; *bildl.* drink in (imbibe) [*vishet ur* wisdom from]; ~ *i sig* suck up; *äv.* absorb; [som en svamp] sponge; ~ *ut* suck out; *bildl.* bleed, fleece **II** *rfl,* ~ *sig fast* adhere [*vid* to]; fasten [*vid* on to] **-apparat** *biol.* sucker **-en** *a* **F** peckish; *vara* ~ *på* be longing (dying) for
sugga sow
sugge||rera *tr* suggest; [egga] instigate **-stion** suggestion **-stions|kraft** suggestive force -**stiv** *a* suggestive
sug||glas breast-(milk-)pump; *kem.* sucking-tube **-kraft** suction power **-mun** suctorial mouth **-ning** sucking &c, suction; *läk.* ⊕ aspiration; [in-] absorption **-pump** ⊕ sucking-(suction-)pump **-rör** suction-pipe; [insekts] haustellum **-ventil** suction-valve **-vårta** sucker
sukta *itr* [*vi få* we shall have to] go without
sula **I** *s* sole **II** *tr* sole, put soles on
sulfa *läk.* sulpha, sulfa **-behandling** sulpha treatment **-nilamid** sulphanilamide **-preparat** sulpha drug
sulf||at sulphate **-id** sulphide **-it** sulphite
sulläder sole-leather
sultan sultan
summ||a sum; [slut-] [sum] total; [belopp] *äv.* amount; *en stor* ~ a large (good) sum [of money]; a big amount; *i rund* ~ in round figures (numbers) *pl* **-arisk** *a* summary; [kortfattat] brief **-era** *tr* sum (add) up **-ering** summing, addition
summerton *tel.* dial tone; *radio.* buzzer tone
sump **1** = *fisk*~ **2** [kaffe-] coffee-grounds *pl* **-feber** *läk.* fen-fever, malaria **-höna** crake **-ig** *a* [sank] fenny &c; *äv.* marshy **-mark** fen[land], moorland; *äv.* swampy ground
1 sund sound; strait[s *pl*]; *ett smalt* ~ a narrow channel (passage)
2 sun|d *a* sound *äv. bildl.;* [hälsosam] healthy; ~ *till kropp och själ* healthy in body and mind; *-t förnuft* common sense **-het** soundness &c; health **-hets|inspektör** health-officer(-inspector)
sunnan **I** *adv* from the south **II** *s* [the] south wind
sup [a] glass of spirit[s]; [*ta en* take (have) a] dram **-|a** **I** *tr* o. *itr* drink; [starkare] booze; ~ [*ngn*] *full* make . . drunk (tipsy); ~ *in* (*bildl.*) inhale, imbibe **II** *rfl,* ~ *sig full* get drunk; *han har -it sig full* (*äv.*) he is drunk **-broder** boon (pot-)companion
sup||é [grand] supper **-era** *itr* have supper
super||fosfat superphosphate **-intendent** superintendent **-lativ** *a* o. *s* superlative **-oxid** superoxide
sup||gille drinking-bout, spree, binge **-ig** *a* . . given to drink[ing]
supinum *gram.* [the] supine
suppl||eant deputy, substitute; [i styrelse] deputy member **-ement[vinkel]** supplement[al angle] **-era** *tr* supply, fill in
supplik petition, supplication **-ant** petitioner, suppliant
supponera *tr* suppose (put the case) [*att* that]
suput tippler, boozer

sur *a* **1** *allm.* sour *äv. bildl.;* [syrlig] acid, sharp; *kem. äv.* [ättik-] acetous; *bildl. äv.* surly; *se* ~ *ut* make a wry face, look sour (surly); *bita i det* ~*a äpplet* swallow the bitter pill; *göra livet* ~*t för ngn* embitter a p.'s life; *'surt', sa räven om rönnbären* 'sour grapes', said the fox **2** [fuktig, rå] wet, damp; ~ *ved* green wood; ~ *pipa* foul pipe **-bröd** leavened bread **-deg** leaven **-het** sourness &c; acidity **-kål** *kok.* sauerkraut *ty.* **-mjölk** sour milk **-mulen** *a* sullen, surly; [butter] crabbed **-mulenhet** sullenness &c **-na** *itr* sour, turn (get, become) sour
surr hum[ming]; [av prat] *äv.* buzz[ing]; [t. ex. av flygplan] whir[ring]
1 surra *itr* hum, buzz, whir
2 surra *tr sjö.* (*äv.* : ~ *fast*) frap, lash
surrealis||m surrealism **-tisk** *a* surrealist[ic]
surrogat substitute, makeshift
sur||stek *kok. ung.* marinated roast-beef **-strömming** fermented Baltic herring **-söt** *a* bitter-sweet **-t** *adv* sourly; *smaka* ~ taste sour, have a sour taste; ~ *förvärvad* (*bildl.*) hard-earned **-ögd** *a* blear-eyed
1 sus, *göra* ~*en* do the trick
2 sus **1** sough[ing]; [suckan] sighing; [friare] murmur[ing]; [för öronen] singing **2** *leva i* ~ *och dus* lead a life of riot and revel (a wild life) **-a** *itr* sough; [sucka] sigh; [friare] murmur
susning = *2 sus 1*
suspen||dera *tr* suspend **-sion** suspension
suverän **I** *a* sovereign; [oinskränkt] supreme [*makt* power] **II** *s* sovereign **-itet** sovereignty, sovereign power
svabb o. **-a** *tr* swab, swob
svada [ordsvall] torrent of words; *ha en väldig* ~ **F** have the gift of the gab
svag *a* weak [*ögon* eyes; *kvinna* woman; *kaffe* coffee; *skäl* argument]; [starkare, ofta klandrande o. medlidsamt] feeble [*försök* attempt]; [kraftlös] powerless; [om maskin] *äv.* low-powered; [klen] delicate [*till hälsan* in health]; [lätt, t. ex. cigarr o. d.] light; [späd] tender; [utmattad] faint [*av hunger* with hunger]; [skral] poor [*hälsa* health]; [sakta] soft [*bris* breeze]; [*ha*] *en* ~ *aning om* . . a faint (vague) idea of; *ett* ~*t hopp* a slight hope; *det* ~*a könet* the weaker (fair) sex; *den* ~*a punkten* the weak point; ~ *tröst* poor consolation; *i ett* ~*t ögonblick* in a moment of weakness; *bli* ~ weaken; *vara* ~ *för* have a weakness (**F** soft spot) for, be fond of; ~ *till förståndet* weak in mind **-dricka** small (table-) beer **-het** weakness &c; [bräcklighet] fragility; [ålderdoms-] infirmity; [svag sida] foible **-hets|tecken** sign of weakness **-hets|-tillstånd** general debility, weak condition **-sint** *a* feeble-minded; jfr *sinnessvag* **-ström** *elektr.* weak current **-synt** *a* weak-eyed (-sighted) **-t** *adv* weakly &c; [lindrigt] slightly [*berusad* drunk]; [klent] poorly [*belyst* lit]
svaj *sjö., ligga på* ~ [lie and] swing **-a** *itr* **1** *sjö.* swing [to and fro] **2** [vaja] float
sval *a* cool; [frisk] breezy, fresh
svala swallow
svalg **1** *anat.* throat **2** [avgrund] gulf, abyss
svalk||a **I** *s* coolness, freshness **II** *tr* cool; [uppfriska] refresh **III** *rfl* cool [o. s. (down)]; *äv.* refresh o.s. **-ande** *a* cooling &c [*dryck* drink]
svall surge; [dyning] swell; [våg-] *äv.* surging of [the] waves; [ord-] torrent [of words] **-a** *itr* surge, swell; [bölja] undulate; [sjuda] seethe; [om blod] *äv.* boil;

[brusa] *bildl.* effervesce; *känslorna ~de* sentiment *sg* ran high; *~ över'* overflow **-ande** *a* surging &c **-ning** surging &c; undulation; [*hans blod*] *råkade i ~..* began to boil (got excited) **-våg** surge; [efter fartyg] [back]wash
svalna *itr, ~* [*av*] [get] cool; cool down (off) *äv. bildl.*
svalört common celandine
svam‖la *itr* ramble [on]; [utbreda sig] discourse [*om* upon] **-lig** *a* rambling; [oklar] vaporous [*tal* discourse] **-|mel** verbiage; *rena -let* sheer nonsense
svamp 1 *bot.* fungus *äv. läk.*; [ätbar] mushroom **2** [tvätt-] sponge (*äv. : tvätta sig med ~*) **-aktig** *a* **1** *bot. läk.* fungous; mushroom[-like] [*växt* growth] **2** spongy **-bildning** fungus [growth], fungosity **-kunskap** *bot.* myc[et]ology, fungology **-kännare** mycologist, fungologist **-plockning** mushroom gathering
svan swan **-dun** swan's-down **-e|sång** swansong
svang, *i ~* in vogue, current; *vara i ~* [om rykte] be abroad
svankryggig *a* saddle-backed
svans tail; [komet-] train *äv. bildl.* **-a** *itr, ~ för* (*bildl.*) cringe to **-kon** tail cone **-kota** *anat.* caudal vertebra **-rem** crupper
svar answer [*på* to]; [genmäle] reply; [genklang] response; [skarpt] retort; *~ betalt* reply prepaid (R.P.); *jakande ~* (*äv.*) acceptance; *nekande ~* (*äv.*) refusal; [*avvaktande Edert*] *snara ~* (*hand.*) .. early reply; *bli ~et skyldig* not [make any] answer, return no answer; *inte bli ~et skyldig* have a reply ready, be quick at repartee; *ge ngn ~ på tal* reply to a p.; [friare, i handling] give .. tit for tat; *om ~ anhålles* an answer is requested (a.a.i.r.); [på bjudningskort] R.S.V.P.; *till ~ på* [*Edert brev*] in answer (reply) to [your letter]; *stå till ~s för* be held responsible for **-a** *tr* o. *itr* answer; *äv.* reply [*på* to], respond; [på brev] *äv.* write back; [på tilltal] make reply; *~ näsvist* (*spetsigt*) give an impudent (a cutting) reply; *han ~de ingenting* [*på* ..] he made no reply [to ..]; [*det är*] *rätt ~t* that's right; *~ för* answer (be responsible) for; *jag ~r för att* I'll warrant (see to it) that; *~ på färg* (*kortsp.*) follow suit **-ande** *jur.* defendant **-o|mål** defence, [defendant's] plea; *avge ~* reply to a charge **-s|lös** *a* at a loss for a reply; nonplussed; *göra .. ~* reduce .. to silence; *ej vara ~* have a nimble tongue, give as good as one gets **-s|not** reply note **-s|skrift** [written] reply
svart I *a* black *äv. bildl.*; [dyster] dark; [djup-] ebony [*hår* hair]; [beck-] pitch-black(-dark); *~ färg* black; *de ~a* the blacks; *~a börsen* the black market; *S~a Havet* the Black Sea; *S~e Petter* (*kortsp.*) Old Maid[s]; *~a tavlan* (*skol.*) the blackboard; *bli ~* grow (get) black, blacken; *~ och vit* black and white; monochrome [television] **II** *s* black; *ha ~ på vitt på* [ngt] have .. in black and white (on paper); *måla (skildra) ..i ~* paint .. in black colours; *se allting i ~* take a gloomy view of things, be a pessimist **-a|börshaj** black-marketeer **-betsa** *tr* stain .. black, ebonize **-blå** *a* blue-black **-broder** black friar, Dominican **-fläckig** *a* black-spotted **-hårig** *a* black-haired **-hätta** blackcap **-klädd** *a* [dressed] in black **-konst 1** [magi] black art, sorcery **2** *konst.* mezzotint[o] **-mes** coal-titmouse **-muskig** *a* [of] swarthy [complexion] **-måla** *tr* paint .. in black colours **-na** *itr* blacken, grow (get, turn, become) black; *det ~de för ögonen på mig* everything grew dim (went black) before my eyes **-rot** viper's-grass **-sjuk** *a* jealous [*på* of] **-sjuka** jealousy **-skjorta** *polit.* fascist **-soppa** goose-giblet soup; [hos spartanerna] black broth **-spräcklig** *a* pepper-and-salt **-ögd** *a* black-(dark-) eyed
svarv [turning-]lathe **-a** *tr* turn (form) [.. on a (the) lathe] **-ad** *a* turned; *bildl. äv.* well-turned, elaborate[d] **-ar|arbete** turner's work; *konkr* piece of turnery **-are** turner **-ar|verkstad** turner's [work-] shop, turnery **-bänk -stol** [turning-]lathe
svass‖a = *stoltsera* **-ande** *a* grandiloquent, high-sounding, **F** high-falutin
svavel sulphur; *äv. min.* brimstone **-aktig** *a* sulphur[e]ous, sulphurine **-bad** sulphur-bath **-haltig** *a* sulphuric **-lukt** sulphurous smell **-predikant F** fire-and-brimstone preacher **-syra** sulphuric acid **-syr|ad** *a, -at salt* sulphate; *-at natron* sulphate of soda **-väte** sulphuretted hydrogen **-ånga** sulphur vapour
svavla *tr* sulphur[ate], sulphurize
sved‖a I *s* smart[ing pain]; *~ och värk* aches and pains *pl;* [*som ersättning*] *för ~ och värk* in smart-money **II** *tr allm.* o. ⊕ singe; [om solen] parch; [om frost] nip; *lukta -d* smell burnt **-ja** *tr* burn-beat; *absol.* burn woodland **-je|fall** forest-clearing **-je|land** burn-beaten land; clearing
svek treachery, perfidy; [list] deceit, guile; *jur.* fraud **-fri** *a* guileless; fair, loyal **-full** *a* treacherous, perfidious; deceitful &c; fraudulent **-fullhet** treacherousness &c; guile; [falskhet] duplicity **-lös** *a* guileless, single-hearted
sven page, swain
svensk I *a* Swedish; *två ~a män* two Swedes **II** *s* Swede **-a 1** [språk] Swedish **2** [kvinna] Swedish woman **-amerikan -amerikansk** *a* Swedish-American **-engelsk** *a* Anglo-Swedish; [ordbok] Swedish-English **-född** *a* born of Swedish parents (in Sweden) **-språkig** *a* Swedish-speaking
svep sweep; *i ett ~* at one go **-a I** *tr* (*äv. : ~ in*) wrap [up] [*i* in]; *~ .. om*[*kring*] *sig* wrap (fold) .. around one, wrap o.s. up in ..; *~ minor* sweep for mines **II** *itr* [om vind] sweep [*över* over]; *~ fram* sweep along **-duk** winding-sheet **-ning** wrapping &c; *konkr* shroud **-skäl** [förevändning] pretext, subterfuge; *äv.* prevarication
Sverige Sweden
svets ⊕ weld[ing] **-a** *tr* (*äv. : ~ ihop*) weld **-aggregat** welding set **-are** welder **-låga** welding torch **-ning** welding
svett perspiration; **F** sweat; *i sitt anletes ~* in the sweat of one's brow; [*arbeta*] *så ~en lackar* .. till one is dripping with perspiration **-as** *dep* perspire, be in a perspiration; **F** sweat *äv. bildl.*; [om vägg o. d.] be[come] moist (damp) **-bad** *läk.* sweat[ing-bath]; *få sig ett riktigt ~* get into a thorough (good) perspiration **-drivande** *a* sudorific, sudatory (båda *äv. : ~ medel*) **-droppe** drop of perspiration **-ig** *a* perspiring [all over], **F** sweaty; *bli ~* perspire; *vara ~ om händerna* have clammy (**F** sweaty) hands **-kur** *läk., ta en ~* take a sudorific **-ning** sweat[ing]; perspiration **-pärla** bead of perspiration **-rem** sweat-band
svid‖a *itr* smart; [friare] ache; *såret -er* the wound is very painful; *det -er i halsen på mig* my throat feels sore (raw), I have a sore throat; *det -er i hjärtat på mig* it breaks my heart; [*röken*] *-er i ögonen* ..

makes my eyes smart **-ande** *a* smarting; *med ~ hjärta* with an aching heart

svik||a I *tr* [överge] fail, desert; [i kärlek] jilt, **F** chuck; [bedraga] deceive, play .. false; *äv.* disappoint [*ngns förväntningar* a p.'s expectations]; *~ sitt löfte* break one's promise (word), go back on one's word; *~ sin plikt* fail in (desert) one's duty; *krafterna sveko honom* his strength failed [him]; *modet svek mig* my courage failed me **II** *itr* fail; *äv.* fall short; [om pers.] *äv.* prove false **-ande** *a, med aldrig ~* .. with never-failing .. **-lig** *a* fraudulent; *~t förfarande (jur.)* breach of trust

svikt 1 spring[iness], elasticity; [smidighet] flexibility **2** = *-bräda* **-a** *itr* bend [*under* beneath]; [stappla] stagger; [vackla] vacillate; [gunga] shake, rock; [sjunka ihop] give way; *bildl. äv.* flinch, waver **-bräda** spring-board

svim||ma *itr, ~ [av']* faint [away]; [fall into a] swoon; lose consciousness; *~ av [hunger]* faint with .. **-ning** fainting; [medvetslöshet] unconsciousness **-nings|anfall** fainting-fit

svin pig; *koll* swine *äv. bildl.* **-a** *itr, ~ ner (till)* turn .. into a pigsty **-aktig** *a* piggish, swinish; *bildl. äv.* low, mean; [oanständig] indecent [*historia* story]; beastly [*tur* luck] **-aktighet** piggishness &c; meanness &c; [i ord] obscenity; *~er* [i ord] foul (beastly) things **-borst** pig's (hog's) bristle

svindel 1 [yrsel] dizziness, giddiness; *läk.* vertigo; *få ~* turn (feel) giddy (dizzy) **2** [bedrägeri] swindle, humbug, cheating

svindl||a *itr* o. *tr* **1** *komma ngn att ~* make a p. giddy (dizzy); *äv.* make a p.'s head reel *is. bildl.* **2** *hand.* swindle (cheat) the public **-ande** *a* giddying, dizzying; giddy (dizzy) [*höjd* height]; *i en ~ fart* at a breakneck pace (speed) **-are** swindler; [bedragare] *äv.* cheat, humbug; crook **F** **-ar|-firma** swindling company, bogus firm **-eri** swindle; *~er* swindling transactions

svineri swinishness, filth[iness]

sving||a *tr, itr* o. *rfl* swing [o.s.]; *~ sig upp a)* [om fågel] take wing; *b)* [i sadeln] vault (swing o.s. up) [into the saddle]; *c)* [i världen] rise [in the world] **-pjatt F** jitterbug, pansy

svin||gård hog-(pig-)pen; pig-yard; [större] pig-farm **-herde** swineherd **-ho** pig-trough **-hus** piggery **-ister** [hog's] lard **-kött** pork **-läder** pigskin; *äv.* hog's skin (leather) **-mat** food [only fit] for swine (pigs); pig-wash **-päls** *bildl.* **F** swine, dirty beggar **-stia** pigsty; *bildl.* sty

svira *itr* revel

svirvel ⊕ swivel **-spö** casting-rod

sviskon prune

svit 1 [av rum samt furstes] suite; *kortsp.* sequence, flush **2** [verkan] effect; *läk.* sequela; *~er* [av krig] *äv.* aftermath *sg*

svordom oath; [förbannelse] curse; *~ar (äv.)* abusive language *sg*

svull||en *a* swollen [*ansikte* face]; *äv.* swelled up, puffed **-na** *itr, ~ [upp]* swell, become swollen **-nad** swell[ing], tumefaction

svulst 1 *läk.* tumour, tumefaction **2** *bildl.* turgidity [of style], bombast **-ig** *a* inflated, turgid; bombastic; **F** high-falutin

svunnen *a* past (bygone) [*tid* time]

svuren *a* sworn [*fiende till* enemy of]

svåger brother-in-law

svål skin, rind [of bacon]

svångrem belt; **F** belly-strap; *dra till (åt) ~en (bildl.)* tighten one's belt

svår *a* difficult [*för* for]; [mödosam] hard [*läxa* lesson; *arbete* piece of work; *för* for]; [krånglig] troublesome; [invecklad] intricate, complicated; [allvarlig] grave, serious, severe; *ett ~t arbete (äv.)* a heavy task, **F** a tough job; *en ~ examen* a stiff examination; *ett ~t fall a) eg.* a serious (heavy) fall; *b) bildl.* a grave (difficult) case; *en ~ frestelse* a sore (heavy) temptation; *en ~ förbrytelse* a great offence *(jur.* crime); *en ~ förlust* a heavy loss; *han har ett ~t hjärtfel* there is something seriously the matter with his heart; *en ~ klämma* a bad pinch; *~ köld* severe cold; *en ~ olycka* a grievous calamity; [om enskild olyckshändelse] a fatal accident; *ha ~a plågor* be in great pains, suffer greatly; *~ sjögång* a rough (heavy) sea; *en ~ tid* hard times *pl; en ~ uppgift* an arduous task; *en ~ [över]resa* a rough passage (crossing); *han är för ~* **F** he is [altogether] too bad; *han har det ~t a) allm.* he suffers greatly; *b)* [ekonomiskt] he has a hard time of it, he is badly off; *ha ~t för ngt* find a th. difficult; *ha ~t för att* find it difficult to; *ha ~t för att fatta (äv.)* be slow [of apprehension], **F** be slow in the uptake; *jag hade ~t för att inte säga* it was all I could do to restrain myself from saying **-artad** *a* malignant **-botlig** *a* difficult to cure **-fattlig** *a* hard (difficult) to understand; [dunkel] abstruse; deep [*fråga* question] **-hanterlig** *a* difficult to manage (handle); [friare, om pers.] [*vara* be] hard to deal with, stubborn; [pojke] *äv.* troublesome; [om djur] unmanageable, unruly; [om sak] awkward **-ighet** difficulty [*i att* in ..-ing]; [möda] hardship; [besvär] trouble; [olägenhet] inconvenience; [hinder] obstacle; *göra ~er* raise difficulties; *icke göra några ~er* **F** make no bones about it; *möta (stöta på) ~er* meet with (face) difficulties; *där ligger ~en* there's (that's) the trouble, that is where the difficulty comes in; *i ~[er]* in trouble; *utan ~* without any difficulty, easily **-ligen** *adv* hardly, scarcely **-läkt** *a* slow-healing **-läst** *a* difficult to read **-löst** *a* difficult to solve; [gåta] intricate, hard **-mod** melancholy; [sorgsenhet] sadness; *äv.* gloom, spleen **-modig** *a* melancholy, sad, gloomy **-smält** se *hård-* **-t** *adv* seriously [*sjuk* ill]; badly [*sårad* wounded]; hard [*ansatt* pressed] **-tillgänglig** *a* difficult to get at; [om pers.] *äv.* distant, reserved **-tydd** *a* difficult to interpret **-åtkomlig** *a* difficult to find (of access)

svägerska sister-in-law

svälja *tr, ~ [ned]* swallow *äv. bildl.*; [sluka] gulp; *bildl. äv.* [tåla t. ex. skymf] pocket; put up with

sväll||a *itr* swell; [om flod, deg] rise; *äv.* heave; [utvidga sig] expand *äv. bildl.*; *~ upp* swell up (out), become swollen (puffed up); *~ ut* swell [out]; [bukta ut] belly (bulge) out **-ande** *a* swelling; [uppsvälld] turgescent; [uppblåst] puffed up; [barm, läppar] full

svält [*av* from] starvation; [hungersnöd] famine; *dö av ~* starve to death **-a I** *tr* o. *itr* starve, [starkare] famish; *~ [hela dagen]* go hungry .. **II** *rfl* starve [o. s.] **-död** death from famine, starvation **-föda** *tr* underfeed; *äv.* half starve **-född** *a* [half] starving **-konstnär** hunger artist **-kur** starvation (fasting) cure **-lön** starvation wages *pl* **-system** sweating-system

svämma *itr* [o. *tr*], *~ över* [rise and] overflow [its banks]

sväng bend, turn; [av väg, flod o. d.] curve, wind[ing]; [t. ex. med pensel] sweep; [rörelse] round; [*vägen*] *gör en ~* [*åt höger*] .. bends (turns) ..; *ta sig en ~* **F** shake a leg **-a I** *tr* (*äv.* : *~ med*) swing; [vifta med] wave; [fana] flourish **II** *itr* **1** swing [*fram och tillbaka* to and fro]; [svaja] sway; *fys.* [om pendel] oscillate *äv. bildl.*; [om sträng] vibrate **2** [*~ runt omkring*] turn, rotate; [om hjul] *äv.* whirl; [på en tapp] swivel; *mil.* wheel; [i båge] swing, sweep; *~ om hörnet* turn the corner; *~ av'* turn off; *~ in på* [*en gata*] turn into ..; *~ om* (*allm.*) turn round; *bildl.* shift, change; *~ om på klacken* turn on one's heels; *~ upp på linje* (*mil.*) align **III** *rfl* swing o.s. **-bom** swing-beam **-bro** swing-(pivot-)bridge **-d** *a* [böjd] bent, turned; *~a ögonbryn* arched brows **-dörr** swing-door **-el** swing-bar(-tree) **-hjul** fly-wheel **-kran** revolving crane **-ning** [gungning] swing; [kring-] wheeling, rotation; [fram o. tillbaka] oscillation, vibration **-nings|radie** radius of turn **-nings|rörelse** pendulous motion; *äv.* oscillation, vibration **-nings|tal** number of oscillations **-rum** = *utrymme* **-tapp** pivot; swivel

svär||a I *tr* o. *itr* **1** [gå ed] swear [*på att* that; *lydnad* obeisance; *vid* by]; *jag kan ~ på det* (*på att han har* ..) I'll swear to it (I'll swear to it that he has ..); *~ dyrt och heligt* make a solemn vow; *~ falskt* take a false oath **2** [begagna svordomar] swear [*över* at; *som en borstbindare* like a trooper]; use bad language; [förbanna] curse **II** *rfl, ~ sig fri* clear o.s. [of a charge] by oath

svärd sword **-fisk** sword-fish **-formig** *a bot.* ensiform

svärdotter daughter-in-law

svärds||egg sword's edge **-fäste** sword-hilt **-hugg** sword-cut **-lilja** iris **-sida,** *på ~n* on the male (spear-)side **-slag,** *utan ~* without striking a blow (firing a shot)

svär||far father-in-law **-föräldrar** parents-in-law

svärm swarm [*av* of]; [hop, flock] flock; [fåglar, barn] bevy; jfr *hagelsvärm* **-a** *itr* **1** [om bin] swarm, cluster; [om andra insekter] flutter about **2** *bildl.* dream, be lost in day-dreams; *~ för* fancy, admire; [starkare] be mad (**F** rave) about; [för pers.] *äv.* **F** be crazy about; *~ för teatern* be stage-struck **-are 1** [drömmare] dreamer, fantast **2** *zool.* sphinx-moth **-eri** enthusiasm [*för* for] **-isk** *a* [drömmande] dreamy, [romantisk] romantic; **F** gushing; *vara ~* (*äv.*) be of a romantic turn

svär||mor mother-in-law **-son** son-in-law

1 svärta I *tr* (*äv.* : *~ ned*) blacken *äv. bildl.*; *äv.* make black; [förtala] *bildl.* defame **II** *itr*, [*tyget*] *~r ifrån sig* the colour comes off .. **III** *s* **1** blackness **2** [färgämne] blacking

2 svärta velvet scoter

sväv||a *itr* **1** float (be suspended) [*i luften* in the air]; [om fågel] soar (*äv.* : *~ omkring*); [kretsa] hover *äv. bildl.*; [hänga fritt] hang; *~ genom* [*luften*] sail through ..; *~ i fara* (*ovisshet*) be in danger ([a state of] uncertainty); [*låta blicken*] *~ över* .. roam over **2** [vackla] falter [*på målet* in one's speech] **-ande** *a* vague, uncertain

sy *tr* o. *itr* sew [*för hand* (*på maskin*) by hand (on the machine)]; [tillverka] make; *absol.* do needlework; *kir.* make (do) a suture; *låta ~ ngt* have a th. made; *~ fast'* (*i'*) sew on (up); *~ ihop* sew up; *~ in* [minska] take in; *~ om* remake **-arbete** sewing, needlework **-ateljé** dressmaker's [[work]shop]

sybarit sybarite

sy||behör sewing materials *pl* **-behörs|affär** haberdasher's [shop] **-bord** [lady's] work-table

syd south **S~afrika** South Africa **-afrikansk** *a* South-African **S~amerika** South America **-amerikansk** *a* South-American **S~europa** Southern Europe **-frukter** southern (tropical) fruits **-kust** south[ern] coast **-lig** *a* southern; [vind] south[erly]; *~are* further south; *hålla ~ kurs* keep a southerly course **-ländsk** *a* southern, of the South **-länning** southerner **-ost I** *adv* south-east **II** *s* south-easter **S~ostasienpakten** the South East Asia Treaty Organization (SEATO) **-ostlig** *a* south-east[erly] **-pol,** *~en* the South Pole **-pols|expedition** Antarctic expedition **-sida,** *på ~n* [av byggnad] on the south[ern] (sunny) side **-staterna** the Southern States, the South *sg* **-väst I** *adv* south-west **II** *s* [vind o. hatt] south-(sou'-)wester **-västlig** *a* south-west[erly](-western) **-öst[lig]** se *-ost[lig]*

syfilis *läk.* syphilis

syft||a *itr* aim [*på* at]; [häntyda] allude [*på* to], hint [*på* at]; *~ på* [avse] have in view (mind); *det ~r på mig* it is aimed at me; *~ tillbaka på* refer [back] to **-e** aim, purpose, end; *äv.* object [in view]; [*ha i* (*till*) have in] view; *vad är ~t med?* what is the purpose of? *i detta ~* to that (this) end (purpose); with this object in view; *i vad ~?* to what end? *i ~ att köpa* with a view to buying **-e|mål** = *-e* **-linje** line of aim, *flyg.* sight line **-ning** aiming &c; allusion **-punkt** point of aim

sy||förening sewing-circle(-bee) **-junta** sewing-guild

sykomor sycamore

sy||korg work-basket **-kunnig** *a* able to sew

syl awl; *inte få en ~ i vädret* **F** not get a word in edgeways

sylfid sylphide **-isk** *a* sylph-like

syll [ground]sill; *järnv.* sleeper; *Am.* tie

sylt preserve, jam **-a I** *s* brawn **II** *tr* preserve, make jam [of]; *~d[e] frukt[er]* candied fruit[s]; *~ in sig med* **F** get mixed up with **-burk** jam-(preserve-)pot (jar); [med sylt] pot (jar) of jam **-gryta** preserving-pan(-kettle) **-gurka** cucumber for preserving; [-ad] preserved cucumber **-lök** pickled onions *pl* **-ning** preserving **-skål** jam-bowl **-socker** preserving-sugar

sylvass *a* [as] sharp as an awl (needle); *en ~ blick* a piercing look

sy||lön dressmaker's (tailor's) wages *pl* **-maskin** sewing-machine

symbol symbol; [om pers.] *äv.* figure-head, symbol figure **-ik** symbolism **-isera** *tr* symbolize **-isk** *a* symbolic[al]; *bildl.* figurative

symfoni symphony *äv. i sms*

symmetr||i symmetry, due (right) proportion; *brist på ~* asymmetry **-isk** *a* symmetric[al]

sympat||etisk *a* sympathetic; [bläck] *äv.* invisible **-i** sympathy [*med* with; *för* for]; *~er och antipatier* likes and dislikes; *fatta ~ för ngn* take a liking to a p.; *hysa ~ för* sympathize with **-isera** *itr* sympathize [*med* with] **-isk** *a* nice; [trevlig] genial [*sätt* manners *pl*]; attractive [*utseende* looks *pl*] **-i|strejk** sympathetic strike **-isör** *polit.* **F** fellow-traveller

sym[p]tom symptom [*på* of]; [tecken] sign (indication) [*till* of] **-atisk** *a* symptomatic

syn 1 [eye]sight; [-förmåga] vision; *~ och hörsel* sight and hearing; *mista ~en* lose one's [eye]sight; *hans ~ på* his view of;

få ~ på catch sight of; *få en helt annan ~ på* get an entirely different idea of; *komma till ~es* appear; *till ~es* [*lugn*] seemingly (outwardly) . . **2 F** [ansikte] face; *bli lång i ~en* pull a long face **3** [anblick] sight; [uppenbarelse] appearance; *en ståtlig ~* a grand spectacle **4** [sken] *för ~s skull* for the look of the thing **5** [andesyn o. d.] vision; [spökbild] apparition; *ha (se) ~er* have visions; *se i ~e* be mistaken **6** [besiktning] [legal] inspection **-a** *tr* [besiktiga] inspect; *äv.* examine; [friare, t. ex. sin rock] look over; *~ ngt i sömmarna (bildl.)* look thoroughly into a th.

synagoga synagogue

syn||as *dep* **1** [ses] be seen; [visa sig] appear [*för* to]; be visible [*för blotta ögat* to the naked eye]; *vilja ~* want to make a show; *redan -tes* . . already . . began to appear; *det -s inte* it is not [to be] seen, [om fläck o. d.] it will not (doesn't) show; *det -s inte* [*härifrån*] it cannot be seen . .; *det -s på honom att* one (you) can tell by looking at him that; *ingen människa -tes till* nobody was to be seen **2** [tyckas] appear (seem) [*för ngn* to a p.]; *som -es (äv.)* as you can see; *det -es mig som om* it looks to me as though **-bar** *a* visible, [märkbar] apparent; [tydlig] obvious, evident **-barligen** *adv* apparently &c **-bild** optical image

synd 1 sin; [överträdelse] trespass, transgression; *liten ~* light offence; *~en straffar sig själv* be sure your sins will find you out; [*jag avskyr honom*] *som ~en* . . like poison; *det är ingen ~ att dansa* there is no harm in dancing; *bekänna sin ~* confess one's guilt **2** [skada] pity; *så ~!* what a pity! *det är ~ om honom* one can't help feeling sorry for him; *jag tycker ~ om honom* I pity (feel sorry for) him; *det är ~ på . .* it is a pity . . should be wasted; *det vore (är) ~ att säga* it would be a lie to say **-a** *itr* sin [*mot* against]; *äv.* commit a sin **-a|bekännelse** confession of sin[s] **-a|bock** scapegoat; **F** whipping-boy **-a|fall** fall of [the first] man **-a|flod** flood, deluge; *existerande före (efter) ~en* antediluvian (postdiluvian) **-a|pengar** [om pris] exorbitant price *sg* **-are** sinner; **F** [missdådare] culprit; *en gammal ~* **F** an old offender **-a|register** *bildl.* list (register) of sins **-a|straff** punishment for [one's] sin[s]; *bildl.* [*ett riktigt* a regular] cross **-erska** sinner, sinful woman

syndetikon glue, seccotine

synd||fri *a* free from sin, sinless; [fläckfri] unspotted **-full** *a* full of sin (of iniquity) **-ig** *a* sinful; [brottslig] culpable; [starkare] wicked; *det vore ~t att* it would be a sin (be wicked) to **-ighet** sinfulness, iniquity

syndik||alist syndicalist **-at** syndicate; trust

syne||förrättare inspector, surveyor **-instrument** inspector's report

syn||fel visual defect **-fält** field (range) of vision (view) **-förmåga** vision, [eye]sight, faculty of seeing **-håll,** *inom (utom) ~* within (out of) sight (view); *försvinna ur ~* be lost to sight **-intryck** visual impression

synkop||[e] syncope **-era** *tr* syncopate

synkrets [*bildl.* mental] horizon; is. *bildl.* range of vision (observation)

synkronis||era synchronize **-ering** synchronization **-m** synchronism

syn||lig *a* visible [*för* to]; [märkbar] [*knappast* hardly] discernible; *vara ~ (äv.)* be in evidence; *bli ~* become visible; *sjö.* heave in sight; [komma i sikte] *äv* come into view (sight) **-lighet** visibility **-minne** visual memory

synner||het, *i ~* [more] particularly (especially); (*äv.* : *i all ~*) in particular; *i ~ när* above all when; *i ~ som* all the more [so] as **-ligen** *adv* particularly, extraordinarily &c; *~ lämpad för* eminently suited to; *~ tacksam* extremely obliged; *inte ~* [*belåten*] not very . .; *alla samt och ~* all and sundry

synnerv optical (visual) nerve

synonym I *a* synonymous **II** *s* synonym

syn||punkt *bildl.* point of view; viewpoint; *från (ur) en annan ~* from a different angle **-rand** horizon, skyline **-sinne** faculty of vision, sense of sight; jfr *-förmåga*

syn||taktisk *a* syntactical **-tax** syntax **-tes** synthesis **-tetisk** *a* synthetic[al]

syn||vidd range of vision, visibility **-villa** optical illusion; *konkr äv.* hallucination **-vinkel** visual (optical) angle; *bildl.* angle [of approach]

sy||nål [sewing-]needle **-nåls|brev** packet of needles

syra 1 [smak] acidity, sourness **2** [i jorden] sourness, moisture **3** *kem* acid **4** *bot.* sorrel, dock **-överskott** excess of acid

syre *kem.* oxygen **-brist** lack of oxygen **-fattig** *a* lacking oxygen **-haltig** *a* oxygenous

syren[buske] lilac

syre|tillförsel oxygen feed

syr||gas oxygen gas **-gasapparat** oxygen apparatus **-gasbehållare** oxygen bottle **-lig** *a* sourish; acid *äv. bildl.*; *göra ~* acidify **-lighet** [sub]acidity, sourness; *bildl.* acidity

syrsa cricket

syrsätta *tr* **1** acidify, acidulate **2** [med syre] oxygenate

sy||saker se *-behör* **-silke** sewing-silk

syskon brother[s] and sister[s] **-barn 1** sister's (sisters') child (children), brother's (brothers') child (children) **2** [kusin[er] [first] cousin[s *pl*] **-hakar** *sjö.* sister-(clip-) hooks **-krets** circle of brothers and sisters **-tycke** family likeness

syskrin [lady's] work-box

syssel||satt *a* occupied [*med* with]; [upptagen] engaged [*med* about (with); *med att skriva* in writing]; [strängt upptagen] busy [*med* with; *med att . . -ing*]; [anställd] employed [*med* in (with)] **-sätt|a I** *tr* occupy; engage; [keep . .] busy; [*fabriken*] *-er* [*100 arbetare*] . . employs (gives work to) . .; . . *sysselsatte mig* [*en tid*] . . kept me busy . . **II** *rfl*, *~ sig med* occupy (busy) o. s. with **-sättning 1** [av pers.] occupying &c **2** [syssla] occupation, employment; *full ~* full employment; *konkr äv.* business, work, something to do; [anställning] *äv.* employ; *sakna ~* have nothing to do; be out of work **-sättnings|-lag** [full] employment bill **-sättnings|läge,** *~t* the situation on the labour market **-sättnings|problem** problem of [full] employment

syssl|a I *s* **1** [sysselsättning] occupation &c; [göromål] *äv.* business, work; *husliga -or* domestic duties; *tillfälliga -or* odd jobs **2** [tjänst, ämbete] office, employment; *sköta sin ~* discharge one's duties **II** *itr* busy o.s. (be busy) [*med* with]; potter [*med* over (with)]; [göra] do; *vad ~r du med på söndagarna?* how do you spend your Sundays?

syssling second cousin

sysslolös *a* idle; [arbetslös] unemployed, out of work; *äv.* with no occupation; [overk-

sam] inactive; *gå* ~ go idle, do nothing **-het** idleness, inactivity; unemployment
syssloman manager
system *filos.* o. *allm.* system; [friare] plan, method; *efter ett* ~ on (according to) a system **-atisera** *tr* systematize, reduce.. to [a] system **-atisk** *a* systematic[al]; *äv.* methodical &c **-förändring** change in the system
syster sister; [om sjuksköterska o. d.] nurse **-barn** sister's (sisters') child (children) **-dotter** niece **-fartyg** twin ship **-son** nephew
syträd sewing cotton
1 så tub, bucket; cowl
2 så *tr* o. *itr* sow *äv. bildl.;* [beså] *äv.* seed
3 så *pron* se *sådan; i ~ fall* in that (such a) case, if so
4 så *adv* **1** *a)* [sätt] so, thus; *han sade ~* he said so; *~ utrustad* thus equipped; *b)* [grad] so, such; *en ~ liten summa* such a small (so small a) sum; *~ snälla människor* such kind people; [vid jämförelse] as; [nekande] so; *~ snart som möjligt* as soon as possible; *inte ~ snabb som* not so quick as; *c)* [hur] how; *~ tiden går!* how time runs away! **2** *si och ~* **F** [rather] so-so; *hur ~?* how then? how do you mean? *~ [där] hände det* that was how it happened; *~ [här] kan det inte [få] fortgå* it (things) can't go on like this; *det förhåller sig ~* this is how it is; *~ går det [, när man..]* that is what happens..; *~ ska man inte göra* that is not the way to do it; *~ hette hon* that was her name; *de[n] ~ kallade* the so-called; *det ser inte ~ ut* it doesn't look like it (that); *skrik inte ~!* don't shout like that! *~ att säga* so to speak; *säg ~ till [honom]* say that to..; *~ sade han* those were his words; *än säger han ~ och än ~* he says now one thing and now another; *~ är det* that is how it is; *är det inte ~?* am I (o. s. v.) not right? *det är ~, att* the thing is that; *även om ~ skulle vara* even if that be the case; *~ där [en hundra pund]* a matter of..; *~ där [vid femtiden]* round about..; *~ gärna jag än [talar med honom]* much as I like [..-ing..]; *[han var klokare] än ~*.. than that; *~ mycket jag vet* as far as I know; *~ mycket mer som* the more so as; *~ snällt av dig att..!* how kind (nice) of you to..! **3** [sedan] then; *och ~ är det slut* and that is the end **4** *~ där [ja]!* there we (you) are! so then (there)! *~! ~!* there there (now)! *~ vackert väder!* what fine weather!
5 så *konj* **1** then, and; *[gör det] ~ får du ett äpple* .. and I will give you an apple; *kom ~ skall jag [tala om något]* come here and I will..; *om du inte vill, ~ slipper du* if you don't want to do it, you needn't; *..men ~ är hon också..* but then she is **2** then [vanl. utelämnat]; *[om den är god,] ~ tag den* .. [then] take it **3** *~ att* so that; *han ser ut ~ att man kan bli rädd* he looks a regular fright; *det är ~ att man kan bli galen* it is enough to make one mad; *~väl .. som....* as well as..
sådan *pron* **1** such; (*äv.* : *~ här*) like this; *en ~* such a[n]; *en ~ som han* a man like him; *en ~ här sak* such a thing as this; *~ är jag* that is how I am; *ser jag ~ ut?* do I look like that? *i ~t fall* in that (such a) case; *~t händer* these things will happen; *ngt ~t* such a th.; something of the (&c) kind; *~t som.. a)* [t. ex. händer var dag] things that.., such things as..; *b)* [vad[helst] som] what[ever] [*du behöver* you need] **2** [i utrop] *ett ~t barn!* what a child! *~a idéer!* what ideas!
sådd I *a* sown **II** sowing; *konkr* seed
såd‖ig *a* branny **-or** bran *sg*
så|framt *konj* se *-vida*
såg saw **-a** *tr* saw [*av* off; *på fiolen* at the fiddle]; [sönder] saw up **-blad** saw-blade **-bock** saw-horse; *äv.* sawbuck **-klinga** saw-blade **-ram** saw-frame **-spån** sawdust **-tand** saw-tooth **-verk** saw-mill **-virke** sawn timber
såld *a* sold; *han är ~* **F** he is done for
således *adv* **1** [följaktligen] consequently, accordingly; *jag hade ~ [ingen möjlighet]* so I had.. **2** [på detta sätt] thus; jfr *sålunda*
såll sieve, riddle; [grovt] cribble **-a** sift, riddle
sålunda *adv* thus; *äv.* in this manner (way)
sång song; [sjungande] singing *äv. skol.;* [melodi] strain[s *pl*]; [kyrko-] hymn; *ta lektioner i ~* take singing-lessons **-are 1** [*till yrket* (*äv.*) professional] singer; [konsert-] vocalist **2** [-fågel] warbler **-bar** *a* singable, melodious **-bok** song-book **-erska** [lady] singer **-fest** musical festival **-fågel** warbler, singing-(song-)bird **-förening** singing-club, madrigal society **-gudinna** muse **-kunnig** *a* able to sing **-kör** choir **-lektion** singing-lesson **-lärare** singing-master **-lärka** skylark **-mö** muse **-nummer,** *ett ~* a song **-röst** singing-voice **-stämma** vocal part **-svan** whooper swan
sånings‖man sower **-maskin** seeder
såp‖a I *s* soft (washing) soap **II** *tr (äv. : ~ in)* soap; *~d mast* greasy pole **-bubbla** soap-bubble *äv. bildl.* **-lödder** [soap-]suds *pl,* lather [of soap]
sår wound *äv. bildl.;* [var-] sore *äv. bildl.; ett gapande ~* a gash; *äv.* a deep cut **-a** *tr* wound *äv. bildl.; bildl. äv.* hurt **-ad** *a* wounded *äv. bildl.;* [skadad] injured; *djupt ~* deeply hurt; *~ fåfänga* slighted vanity; *känna sig ~* feel offended (aggrieved) **-ande** *a* [smärtfull] painful, hurtful, wounding; [*avsiktligt*] *~ ord* words calculated to hurt [a p.'s feelings] **-bar** *a* vulnerable; **F** touchy **-barhet** vulnerability **-feber** wound-fever **-ig** *a* sore; [varig] ulcered **-salva** traumatic ointment **-skorpa** scab, crust
sås sauce; [till kött] gravy; *äv.* juice
såsom *konj* as [*jag gör* I do]; like [*jag* me]; *äv.* by way of [*svar* an answer]; *redan ~ barn* while still a child; *~ tillbörligt är* as is fitting
sås‖sked sauce-ladle **-skål** sauce-bowl(-tureen)
såt *a, ~a vänner* great chums (pals)
så‖tillvida *adv, ~ som* [in] so far as **-vida** *konj* provided [*han kommer* that he comes] **-vitt** *konj* as (so) far as [*jag vet* I know; *på mig ankommer* I am concerned] **-väl** *konj, ~ A som B* A as well as B; *~ i tal som i skrift* both in the spoken and the written language
säck sack; [mindre] bag; *köpa grisen i ~en* buy a pig in a poke; *i ~ och aska* in sackcloth and ashes **-ig** *a* baggy **-pipa** *mus.* bagpipe[s *pl*] **-väv** sacking, sackcloth
säd 1 *koll* [frön] corn; is. *Am.* grain; cereal[s *pl*]; [utsäde] seed; [gröda] crop[s *pl*] **2** *fysiol.* sperm; seed *äv. bildl.*
sädes‖ax ear of corn **-cell** sperm-cell **-fält** corn-field **-korn** grain of corn **-kärve** [corn-]sheaf **-magasin** granary **-slag** [kind (variety) of] corn (grain), cereal **-tork** drying machine **-ärla** [white] wagtail
sädgås bean goose

säg||a I *tr* o. *itr* **1** say; [berätta, ~ åt (till)] tell; *gör som jag -er* do as (what) I say (tell you); *han sade, att jag skulle komma* he told me to come; *så att* ~ so to speak, as it were; *äv.* what you might call; *om jag så får* ~ if I may say so; *om, låt oss* ~, [*tre dagar*] in say (let us say) ..; *inte låta* ~ *sig ngt två gånger* not need to be told twice; *det må jag* [*då*] ~! well, I never! [*det var vackert,*] *ska jag* ~ *dig!* .. I [will] tell you! *det vill* ~ that is [to say]; [i skrift ofta, ehuru icke i god prosa] i.e. [= id est *lat.*]; *det -er sig självt* it goes without saying; [*förstå*] *vad det vill* ~, *att* .. what it is [like] to; *vad vill detta* ~? what is the meaning of this? *var god och säg mig* please tell me; *-er du det?* do you say so? really? *man -er* (*det -s*) *att* people (they) say that; *det -s att han* he is said to; *vem har sagt det?* who said so? who told you? *ha mycket att* ~ (*bildl.*) have a great deal to say [*i församlingen* in the parish]; *han har mycket att* ~ *hos* he is a man of [great] influence (authority) with; ~ *mycket* (*äv. bildl.* [t. ex. om blick]) speak volumes; *vad -er du om det?* (*äv.*) what do you think about it! [*nej,*] *vad -er du?* well, I never! you don't say so! *vad var det jag sade!* well, I told you so! what did I tell you? *vad var det ni sade?* what did you say? [ofta] I beg your pardon! ~ *ja till* [*förslag*] agree to ..; jfr [be]*jaka; säg stopp!* say when! *pang! sade bössan* bang! went the gun **2** [med beton. part.] ~ *efter* repeat; *äv.* echo; ~ *emot* contradict; ~ *ifrån* state [openly] (declare) [*att* that; *hur* how]; [tala rent ut] speak one's mind; ~ *om* say .. over and over again, repeat; *det -er jag ingenting om* I am not surprised [to hear that]; [det har jag ingenting emot] I have nothing against (to say to) that; ~ *till* tell a p.; leave word, give warning; *säg till* [*, när du får tid*]*!* [do] let me know ..! ~ *upp en lägenhet* [om hyresgäst] give notice of removal; ~ *upp sin hyresgäst* give one's tenant notice [to quit]; ~ *upp* [*en tjänare*] give .. notice; **F** sack ..; ~ *upp bekantskapen med* break off all relations with; ~ *upp sin plats* resign (**F** chuck) one's situation; ~ *upp sina fordringar* call in one's claims; ~ *åt ngn* tell a p. [*att han skall gå* to go] **II** *rfl,* ~ *sig vara* pretend (give o.s. out) to be [*glad* glad]; *han -er sig vara sjuk* he says he is ill **-andes,** *skam till* ~ to my (o. s. v.) shame be it said **-en** legend; [*det går en* there is a] tradition

säk|er *a* sure [*om, på* of (about)]; [trygg] secure [*för, mot* against (from)]; [viss] certain [*på* of]; [betryggad; *äv.* själv-] assured; [ofarlig] safe [*is* ice]; *~t bevis* positive proof; ~ *blick* [a] sure eye; *gå en* ~ *död till mötes* [go to] meet a sure death; *en* ~ *karl* a safe (reliable) man; *-ra kunskaper* a sound (solid) knowledge; *-ra papper* good securities; ~ *placering* (*hand.*) sound investment; *vara på -ra sidan* be on the safe side; *ett ~t uppträdande* poise, assured manners *pl; är du* ~ *på det?* are you quite sure (certain) [about it]? *det blir ~t regn* it's sure to rain; *lova ~t att komma!* be sure to come! *det är alldeles ~t* there is no doubt about it; *gå* ~ *för* be safe from, be above; *vara* ~ *i* [*latin*] be good at ..; *vara* ~ *på sin sak a)* [vara skicklig] know one's business thoroughly; *b)* [viss] be certain [that] one is right; *du kan vara* ~ *på att* you may rest assured that; *ta det -ra för det osäkra* rather be safe than sorry **-het 1** certainty; sureness; [själv-] confidence, assurance; [trygghet] security; [*i* in] safety; *för ~s skull* for safety['s sake]; *vilken* ~ *har man* [*för att detta inte kommer att upprepas*]? what safeguard is there [against this being repeated]? *sätta sig i* ~ get out of harm's way; *med* [*all*] ~ certainly; *han kommer med* [*största*] ~ *att* he is sure (certain) to; *med* ~ *påstå* definitely declare; [*veta*] *med* ~ (*äv.*) .. for certain **2** *hand.* security; *ställa* ~ give (furnish) security

säkerhets||anordning safety device **-bälte** *flyg.* seat (safety) belt, lapstrap **-kedja** safety-chain **-krav** demand[s *pl*] for safety (&c) **-känsla** feeling of security **-lampa** safety-lamp **-lås** safety-lock **-marginal** safety margin, clearance **-nål** safety-pin **-patrull** *mil.* security patrol **-polis** security police **-rådet** the Security Council **-skäl** (**-styrka** *mil.*) security reason (force) **-ventil** safety-valve **-åtgärd** precaution; *vidtaga ~er* take precautions

säk||erligen *adv* surely, certainly, no doubt **-er|ställa I** *tr* guarantee; [ekonomiskt] *äv.* provide .. with sufficient funds **II** *rfl* cover (protect) o.s. [*mot förluster* against losses] **-ert** *adv* [med visshet] surely, certainly, no doubt, to be sure; [stadigt] securely (firmly) [*fäst* fixed]; [pålitligt] steadily; *~!* surely! *kom ~!* be sure to come! don't fail me (us)! *du känner honom ~!* you must know him! *det vet jag* [*alldeles*] ~ I know that for certain **-ra** *tr* set (put) .. at safety **-ring** [på vapen] safety-catch; *elektr.* fuse

säl seal; *äv.* sea-dog **-bisam** muskrat **-fångst** sealing

sälg sallow

sälj||a *tr* sell; [avsätta] market; [handla med] trade in; ~ *ngt för* [*20 pund*] sell a th. at ..; ~ *i minut* sell [..] [by] retail, retail; ~ *ut'* sell off, clear [out] **-are** seller **-ar|-förmåga** salesmanship **-bar** *a* saleable, marketable; *icke* ~ unsaleable **-kurs** selling-price

säll *a* blissful *äv. bildl.;* [salig] blessed

sälla *rfl,* ~ *sig till* join, associate [o.s.] with

sällan *adv* seldom, rarely; *inte så* ~ rather often; pretty frequently; *högst* ~ very seldom (&c); [om händelse] **F** once in a blue moon

sälle fellow; *en oförvägen* ~ a dare-devil

sällhet felicity, bliss **-s|rus** transports *pl* of bliss

sällsam *a* strange; [bisarr] bizarre, singular

sällskap *allm.* society; [församling] assembly; [förening] *äv.* association; [tillfällig samling pers.] party; [samvaro] company *äv. konkr;* [om pers.] companion; *han är ett angenämt* ~ he is a pleasant companion (makes pleasant company); *dåligt* ~ bad (low) company; *blandat* ~ mixed company; *göra (hålla) ngn* ~ go with a p. (keep a p. company); *gör ni* ~ *med oss?* are you coming along with us? *i* ~ in company **-a** *itr,* ~ med associate with; [umgås med] *äv.* frequent the society of **-lig** *a* social; sociable [*läggning* disposition] **-s|dam** [lady's] companion [*hos* to] **-s|lek** indoor game **-s|liv** social (society) life; *deltaga i ~et* mix in (go into) society **-s|människa** sociable person; [*han är*] *en trevlig* ~ .. very good company (a good mixer) **-s|nöjen** the pleasures of society **-s|resa** conducted tour **-s|rum** [privat] drawing-room; [på hotell] assembly-room, lounge **-s|talanger** social talents

säll||spord = *-synt* **-synt I** *a* rare, uncommon; unusual; *en ~ gäst* an infrequent (a rare) guest **II** *adv* exceptionally [*kall* cold] **-synthet** rarity; *det är ingen ~ [att finna]* it is by no means a rare thing . .
sällträ bat
säl||skinn seal[skin] **-skytt** sealer **-späck** seal-fat
sälta saltness, salinity
sälunge seal calf
sämj||a amity, harmony **-as** *dep* agree [*i fråga om* on]; get on well together
sämre I *a* [med jämförelse] worse; [underlägsen] inferior [*kvalitet* quality; *än* to]; *äv.* poorer; [utan eg. jämförelse] bad; poor; [starkare] disreputable [*lokal* place]; *bli ~* get (grow) worse [*äv.* om sjuk]; *bli allt ~ och ~* (*äv.*) go from bad to worse; *han är inte ~ för det* he is none the worse for that **II** *adv* worse; badly, poorly
sämskskinn chamois[-leather], wash-leather
sämst *a* o. *adv* worst; *jag vill inte vara [den] ~[e]* **F** I don't mean (choose) to take the back seat
sänd||a *tr* send; jfr *skicka; hand. äv.* dispatch, [pengar] remit; *~ vidare* forward, pass on **-are** *radio.* transmitter **-ar|station** *radio.* transmitting station **-e|bud** envoy; *polit. äv.* ambassador
sänder, *i ~* at a time; *en i ~* one by one; *litet i ~* little by little; *äv.* gradually
sändning sending; *hand.* consignment; *sjö. äv.* shipment; *radio.* transmission, broadcast
säng 1 bed; *i ~en* in bed; *rum med en (två) ~(ar)* single (double) room; *gå till ~s* go to bed; *ligga till ~s* be (lie) in bed **2** [trädgårds-] bed **-botten** bottom of a (the) bed **-dags** *adv, det är ~* it is time to go to bed; *vid ~* at bedtime **-fösare F** night-cap **-gavel** end of a (the) bed **-himmel** canopy **-kammare** bedroom **-kamrat** bedfellow **-kant** edge of a (the) bed; *vid ~en* at the bed-side **-kläder** bed-clothes, bedding *sg* **-liggande** *a* [lying] in bed; *~ [sjuk] äv.* confined to [one's] bed; [sedan länge] bedridden **-linne** bed-linen **-matta** bed-carpet(-mat, -rug) **-omhänge** bed-curtains(-hangings) *pl* **-ställ** bedstead **-täcke** [av vadd] [bed-]quilt; jfr *-överkast* **-värmare** warming-pan; hot-water bottle **-vätare** bed-wetter **-överkast** bedspread, coverlet
sänk||a I *s* **1** hollow, depression [in the ground]; [dal] valley **2** *läk.* [blod-] sedimentation [rate] **II** *tr* sink *äv. mil.;* [fartyg gm hål i skrovet] scuttle; [i vätska] immerse, submerge; [göra lägre] lower [*hyran* the rent]; *~ blicken* drop (cast down) one's eyes; *~ fanan* dip the flag; *~ huvudet* bend one's head; *~ priserna* (*äv.*) reduce the prices; *~ rösten* (*äv.*) speak lower; *~ . . en ton* (*mus.*) lower . . one note; *~ tonen* (*bildl.*) lower one's key (one's pretensions (claims)), **F** draw in one's horns **III** *rfl allm.* descend; [om sak] sink, droop; [om mark] incline, fall; [om pers.] lower (demean) o.s.; *~ sig till att* condescend to; *skymningen -er sig [ned]* twilight is falling; *sömnen -te sig över honom* sleep descended upon him (closed his eyes) **-e 1** *fisk.* sinker, sinking-weight **2** ⊕ swage **-lod** plumb, plummet **-ning 1** sinking &c; [i pris] reduction, lowering **2** *konkr* se *-a I*
sär||deles *adv* extraordinarily; [särskilt] particularly; *jag vore er ~ tacksam* I should be exceedingly grateful **-drag** characteristic, distinctive mark; [egenhet] peculiarity **-egen** *a* peculiar, singular; [typisk] characteristic [*för* of]; [enastående] extraordinary **-intresse** special interest (line) **-märke -prägel** = *-drag* **-präglad** *a* striking, peculiar, [highly] individual, distinctive **-skil|d** *a* separate; *äv.* distinct; [friare] particular; [egen] individual [*behag* charm]; *ha ~ anledning* have special occasion; *ingenting -t* nothing [e]special ([in] particular); *under -t omslag* (*hand.*) under separate cover; *vid ~a tillfällen* on special ([olika] several) occasions **-skilja** *tr* separate, keep . . separate; [åt-] distinguish; [ur-] discern **-skiljande** separation; distinction **-skilt** *adv* particularly &c; [för sig] apart, isolated **-ställning,** *inta en ~* hold a unique (an exceptional (exclusive)) position **-tryck** separate [impression], off[-]print
säsong season **-arbetare** seasonal worker **-betonad** *a* seasonal **-biljett** season-ticket **-vara** seasonal article
säte 1 *allm.* seat *äv. abstr;* [bänk] bench; [på stol] seat, bottom **2** [bakdel] seat; **F** behind
säter = *fäbod*
sätt *allm.* manner, way; *äv.* fashion; [tillvägagångs-] method; [stil] style; [utväg] means *sg* o. *pl;* [umgänges-] [*trevligt* agreeable] manners *pl; ~ att betrakta ngt* point of view, way of looking at a th; *~ att uppträda* conduct, behaviour; *det var också ett ~* [indignerat] well, I never! is that a way to behave? *vad är det för ett ~?* don't you know better? *han har så gott ~ [med pojkar]* he has such a good hand . .; *på ~ och vis* in a sense (way), in certain respects; *på alla möjliga ~* in every possible way; *på annat ~* in another (a different) way; *på detta ~* in this way (manner); *på ett eller annat ~* somehow, in some way or other; [*om du fortsätter*] *på det ~et* . . at this rate (like this); *på mer än ett ~* in more ways than one; *på följande ~* in the following manner (way); [*reda sig*] *på något ~* . . somehow; [*om jag kan hjälpa dig*] *på något ~* . . in any (some) way; *på så ~* in this (that) way; by this means; *på vad ~?* how?
sätt||a I *tr* place, put; [plantera] plant, set; *boktr.* compose, set [up]; *~ händerna i sidorna* put one's arms akimbo; *~ klockan på tre* set one's watch (clock) at three; *~ barn till världen* bring children into the world; *~ färg på* colour; *bildl. äv.* lend (give) colour to; *~ mod i* put courage into; *äv.* inspirit, embolden; *~ näsan i vädret* stick one's nose into the air, give o.s. airs; *~ skräck i* fill . . with terror; *~ värde på* value; *~ ngn högt* esteem a p. highly **II** *itr, komma ~nde[s]* come running (dashing) along **III** *tr* o. *itr* [med obeton. prep.] *~ [handen] för [munnen]* put . . before . .; *~ i fara* endanger, imperil; *~ . . i land* put (set) . . ashore (on shore); *~ ngn på prov* put a p. to the test; *~ ngn till arbete* set a p. to work **IV** *tr* o. *itr* [med beton. part.] *~ av a) tr* drop [*vid dikeskanten* at the roadside]; *b) itr* dash off (away); *~ av från land* push off; *~ bort* put away; *~ efter a)* se *efter~; b)* [förfölja] set off after, give chase to; *~ fram* put (set) out; *~ fram en stol åt* bring [up] a chair for; *~ i ngn [en idé]* put . . into a p.'s head; *~ i sig mat* **F** stow away food; *~ ihop* put . . together; *bildl.* invent, make up, fabricate; *~ in ngn [i fängelse]* **F** lock a p. up; *~ in pengar a)* [i företag] invest money; *b)* [i bank] put money into; *~ ngn in i [ngt]* initiate a p. into . .; *~ ned* (*äv.: ~ ifrån sig*) put . . down, [i jorden]

plant; ~ *ned sina anspråk* lower one's claims (pretensions); ~ *till (tr) a)* [tillägga] add; [blanda i] mix; *b) sjö.,* ~ *till segel* set sail; ~ *till alla klutar* clap on all sail[s]; *c)* [förlora] lose (sacrifice) [*livet* one's life]; *itr* [börja] set in, begin; ~ *till att skrika* set up a cry; ~ *tillbaka* put .. back; put .. in its place again; ~ *undan* put by; ~ *upp* put up [*ett staket* a fence]; [på hylla o. d.] put .. up [on a shelf]; [resa upp] raise; ~ *upp gardiner* hang curtains; ~ *upp en affär* found (set up) a business; ~ *upp ett kontrakt* draw up a contract; ~ *upp en teaterpjäs* stage a play; ~ *ut* put out; [ett barn] expose; put down [*datum* the date]; fix [*dagen* the day] **V** *rfl* **1** seat o.s.; (*äv.:* ~ *sig ned*) sit down; *han gick och satte sig* he went and sat down **2** [friare o. *bildl.*, placera sig] place o.s.; put o.s. [*i spetsen för* at the head of]; ~ *sig i fara* expose o.s. to danger; [*gikten*] *har satt sig i lederna* .. has settled in the joints; ~ *sig i respekt* make o.s. respected; ~ *sig emot* oppose, rebel against; ~ *sig in i ett ämne* get into (read up) a subject; ~ *sig över (bildl.)* disregard, ignore, not mind **3** [om vätska] settle; [om fällning] settle to the bottom **-are** *boktr.* type-setter, compositor **-ar|nisse** printer's devil **-eri** composing-room **-maskin** type-setting (composing) machine **-ning 1** *allm.* setting; [plantering] planting **2** *boktr.* typesetting, composition **3** *mus.* arrangement **-potatis** *koll* potatoes for setting; seed-potatoes

säv [bul]rush

sävlig *a* slow, leisurely; [trög] tardy **-het** slowness

säv‖matta rush-mat **-sångare** sedge-warbler

söcken, *i helg och* ~ [on] holy days and weekdays **-dag** week-(work-)day

söder I *s* south; ~*n* the South **II** *adv* south; ~ *ifrån* from the south **S~havet** the South Pacific **S~havs|öarna** the South Sea Islands **-sluttning** south slope

södra *a* southern; *S~ ishavet* the Antarctic Ocean

sök‖a I *tr* o. *itr* **1** *allm.* seek; [forska] search [*efter* for]; [leta efter] look for; [besöka] want ([have] come) to see; ~ *bot för* seek a remedy (cure) for; ~ *läkare* consult (go to) a doctor; ~ *tillåtelse att* seek (ask) permission to; ~ *upplysningar* apply for (try to obtain) information; *vem -er ni?* whom do you want to see? *det är* [*en herre*] *som -er er* there is .. to see you; *ung man -es* [i annons] young man wanted; [*han reste dit*] *för att* ~ *vila* .. in search of rest; ~ *vinna ngt* try (seek) to win (gain) a th. **2** [an- om] apply for [*en plats* a post]; try (compete) for [*ett stipendium* a scholarship]; ~ *transport* apply for removal (to be transferred) [*till* to] **3** *jur.* sue for [*nåd* pardon] **4** [trötta] try; *luften -er* the air is very searching **5** [med obeton. prep] ~ *efter* look for; *han -te efter ord* he was at a loss for words **6** [med beton. part.] ~ *fram* hunt out; ~ *igenom* search (look) through; ~ *upp a)* seek [out]; *b)* [be-] go to see; ~ *ut* choose, pick (single) out; [leta ut] search (hunt) out **II** *rfl* **1** *eg.* [om pers.] [try to] find a way [*ut ur* out of]; ~ *sig bort* try to get away **2** ~ *sig en annan plats* try to find (obtain) another situation (post) **-ande** *s* applicant, candidate; *de* ~ those applying [*till* for]; *anmäla sig som* ~ send (give) in one's name as a candidate **-are** seeker; searcher *äv.* ⊕; *foto.* view-finder **-ar|ljus** spotlight **-t** *a* far-fetched

söl tardiness; [dröjsmål] delay **-a I** *itr* loiter, lag [behind]; [dröja] delay, tarry; ~ [*bort tiden*] waste (lose) time **II** *tr (äv.:* ~ *ned)* soil, befoul; [med smuts] dirty **-ig** *a* **1** se *smutsig, nedsmutsad* **2** [långsam] dilatory, tardy, slow **-ighet** dilatoriness &c

sölja small buckle, clasp

sölkorv F dawdler, slowcoach; *äv.* laggard

söm seam; *anat. kir.* suture **-ma** *tr* sew, stitch **-merska** seamstress; [kläd-] dressmaker

sömn sleep; [lur] nap; *ha god* ~ sleep well, be a sound sleeper; *i* ~*en* in one's sleep; *falla i* ~ go (drop off) to sleep, fall asleep; *tala i* ~*en* talk in one's sleep; [*väcka ngn*] *ur* ~*en* .. out of his (o. s. v.) sleep

sömnad sewing; *konkr* needlework

sömn‖drucken *a* heavy (drunk) with sleep, dead sleepy **-dryck** sleeping-draught **-givande** *a* somniferous; [friare] sleepy [*föredrag* lecture] **-gångare** sleep-walker **-ig** *a* sleepy; [klandrande] drowsy [*ton* tone] **-ighet** sleepiness &c **-lös** *a* sleepless; [orolig] restless; *ha en* ~ *natt* have a bad (sleepless) night **-löshet** sleeplessness; *läk.* insomnia **-medel** soporific **-sjuka** coma; sleeping-sickness; *äv.* lethargy

sömsmån allowance for the seam (turnings)

söndag Sunday **-s|afton** Sunday evening **-s|barn** Sunday-child; *han är ett* ~ he was born under a lucky star **-s|bilaga** Sunday supplement **-s|jägare** Cockney sportsman **-s|kläder** holiday-clothes, **F** Sunday best **-s|seglare** Cockney sailor **-s|skola** Sunday-school

sönder I *a* broken; [-riven] torn; [om sköra saker] [all] in pieces **II** *adv* [isär] asunder; [*bryta* break; *hugga* cut; *taga* (*plocka*) take] to pieces; [mera planmässigt] [*klippa* cut] into pieces; *gå* ~ get broken; *äv.* break, smash [in two], burst; *krama* ~ squeeze .. to bits; *slå* ~ [krossa] smash [*ett fönster* a window]; *slå* ~ *allt man får i händerna* break everything one touches; *slå ngn* ~ *och samman* smash a p. to pieces **-bruten** *a* broken [in two]; [*den är* it is] in pieces **-dela** *tr* break up; [stycka] disjoint; [t. ex. en massa] disintegrate; *kem.* decompose **-delbar** *a* decomposable **-falla** *itr* fall to pieces; [kunna delas] be divisible; *kem.* decompose [*i* into] **-kokt** *a* boiled to rags **-nött** *a* worn through (out) **-riven** *a* torn to pieces **-skjuten** *a* riddled with bullets **-slagen** *a* broken; *jag är alldeles* ~ I feel as if all my bones were broken **-slitande** *a bildl.* excruciating (agonizing) [*smärta* pain] **-taga** *tr* take to pieces; [t. ex. maskin] dismantle **-trasad** *a* tattered [and torn], in (torn to) rags

söndr‖a I *tr* **1** divide; [av-] separate; [splittra, t. ex. ett parti] disunite **2** se [*bryta* (*slå*)] *sönder* &c **II** *rfl* divide (separate) [*i olika partier* into different parties; *i två läger* into two factions] **-ig** *a* se *trasig* o. *sönder* **-ing** dividing &c; division; disunion; [brytning] rupture; [oenighet] discord, dissension

1 sörja sludge; [smuts] mud

2 sörj‖a I *tr* [en avliden] mourn; [bära sorgdräkt efter] be in mourning for; ~ *förlusten av ngn* (*äv.*) grieve for (feel grief at) the loss of a p. **II** *itr* **1** [i sitt sinne] grieve [*över* at (for, over)]; feel grief [*över* at]; *sörj inte så!* don't take it so [much] to heart! **2** [ha bekymmer [för]] *inte* ~ *för morgondagen* have (take) no

thought for the morrow; ~ *över* be concerned (anxious) about, worry [o. s.] about; *ingenting att* ~ *över* nothing to worry about **3** ~ *för* [dra försorg om] see to (about), attend to; ~ *för* [*sina barn*] provide for..; ~ *för ngns behov* administer to a p.'s wants; ~ *för sig själv* shift for o.s. **-ande** *a* mourning &c; desolated; *de* ~ the mourners
sörjig *a* slushy, sludgy
sörpla *itr*, ~ *i sig* lap (sup) up
söt *a* **1** [till smaken] sweet *äv. bildl.*; [smickrande] sugared [*ord* words]; ~ *lukt* sweet odour; *~t vatten* fresh water; *bli, göra* ~ sweeten **2** [vacker] pretty, lovely; [intagande] charming, attractive; *~a du!* [my] dear! *en* ~ *flicka* a pretty (&c) girl **-a** *tr* sweeten **-aktig** *a* sweetish, sickly sweet **-e|bröds|dagar** halcyon days **-ma** sweetness **-mandel** sweet almond **-mjölks-ost** sweet-milk (*äv.* whole-milk) cheese **-ning[s|medel]** sweetening [agent] **-nos** **F** darling, love **-potatis** batata; *koll äv.* sweet potatoes **-saker** sweets, sweetmeats; *Am.* candies; *tycka om* ~ (*äv.*) have a sweet tooth **-sliskig** *a* sickly sweet **-sur** *a* sourish sweet, sour-sweet; [leende] *äv.* acid **-t** *adv* sweetly, in a sweet manner **-vatten** fresh water **-vattens|fisk** freshwater fish
söv||a *tr* **1** put (send) .. to sleep; [vagga i sömn] lull [.. to sleep]; [om vindens sus] make .. sleepy (drowsy) **2** [vid operation] an[a]esthetize; *äv.* chloroform **-ande** *a* soporific [*medel* drug]; *ett* ~ *mummel* (*bildl.*) a drowsing murmur **-ning** *läk.* an[a]esthesia **-nings|medel** an[a]esthetic

T

tabell table [*över* of] **-form** tabular form
tablett tabloid; *äv.* tablet, dragée
tablå tableau; [översikt] schedule [*över* of]
tabu taboo
taburett **1** *allm.* tabouret **2** [statsråds-] seat in the Cabinet
tack **I** *s* o. *itj* thanks *pl; äv.* thank you; ~ *för att du kom* thank you for coming; ~ *så mycket!* thanks very much! *ja ~!* yes, please! *nej ~!* no, thank you [, not for me]! *äv.* no, thanks! ~ *för sist!* thank you for an enjoyable (lovely) evening (party) o. s. v. **II** *s, mitt hjärtliga* ~ *för* my best thanks for; ~ *ska du ha!* **F** thanks [awfully]! *det är ~en för ..!* that's all the thanks you get for ..! *vara ngn* ~ *skyldig för* owe a p. thanks for; *till* ~ *för* in acknowledgement of; *Gud vare ~!* thanks be unto God! **F** thank God! ~ *vare ditt bistånd* thanks to your help
1 tacka [får] ewe
2 tacka [järn, bly] pig; [guld, silver] bar, ingot
3 tacka *tr* o. *itr* thank [*ngn för* a p. for]; [*jag*] *~r så mycket* thanks very much; *ja, jag ~r* extremely obliged; *äv.* I shall be very pleased to; *jo, jag ~r* [*, jag*]*!* well, I never! dear me! *iron. äv.* I should just think so! ~ *och ta emot* (~ *ja*) accept with many thanks; ~ *nej* [*till* ..] decline [..] with thanks; ~ *för det!* of course! *ingenting att* ~ *för!* don't mention [it]! *äv.* nothing worth mentioning! *ha ngn att* ~ *för ngt* owe a th. to a p.; *det har du dig själv att* ~ *för!* you have yourself to blame [for it]!
tackel *sjö.*, ~ *och tåg* [the] **rigging**
tackjärn pig-iron
tackl||a *tr sjö.* rig **-ing** rigging
tack||nämlig *a* [värd tack] acceptable; se *äv. -sam* **-offer** thank-offering **-sam** *a* [mot försynen o. d.] thankful [*för, över* for]; [is. mot pers.] grateful [*mot* to; *för* for]; [erkännsam] appreciative [*för* of]; [som skänker tillfredsställelse] rewarding (worthwhile) [*uppgift* task]; [förbunden] obliged; [tack skyldig] indebted; *jag vore er mycket* ~ I should be very much obliged to you **-samhet** gratitude; thankfulness **-samhets|-bevis** mark (token) of gratitude **-samhets|-skuld** debt of gratitude; *stå i* ~ *till* be indebted to [*för* for] **-samt** *adv* gratefully &c
tacksägelse, *mottag mina hjärtliga ~r!* accept my heartfelt thanks **-gudstjänst** thanksgiving service
tacktal speech of thanks
tad||el blame, censure **-el||lös** *a* blameless **-la** = *klandra*
tafatt **I** *s* [lek] tig **II** *a* awkward; *äv.* clumsy
taffel **1** [måltid] *hålla öppen* ~ keep open house **2** *mus.* square piano **-musik** mealtime music
tafs [på metkrok] [piece of] gut; *ge ngn på ~en* **F** give it a p. hot
taft taffeta
tag **1** grip (grasp) [*omkring* round]; *äv.* hold [*i* (*om*) of]; *sport.* tackle; *fatta* (*ta, gripa, hugga*) ~ *i* grasp, seize, catch [hold of]; *få* ~ *i* (*på*) get hold of; [komma över] *äv.* come across, pick up; *släppa ~et* leave hold, let go; *bildl.* give up (in); *ta ett säkert* ~ *i* take firm hold of **2** *bildl.* knack, trick; *ha de rätta ~en inne* have [got] the right knack [of the thing]; *äv.* know all the ropes; *komma i ~en* get into full swing **3** [gång, stund] ~ *på* ~ over and over again, repeatedly; *ett* ~ for a time (a little while, a moment); *titta hit ett ~!* look here a second [, will you]! *två i ~et* two at a time; *i första ~et* at the first try (**F** go); *äv.* straight off
taga **I** *tr* **1** take [(*äv.*) *gestalt* shape; *tåg* train; *tid* time; *hand om* charge of]; [~ fast] catch, capture; *äv.* seize, lay hands [up]on; [tillägna sig] appropriate, take [possession of]; [vinna ett pris] win; [~ med sig hit] bring; [bortföra] carry off; [göra] make, do; [göra verkan] tell; [träffa, t. ex. prick] hit; *ta betalt för* ask money for; charge; *han förstår konsten att ta folk* he knows just how to take (**F** tackle) people; *det tog honom djupt* (*hårt*) that affected him profoundly, that hit him hard; *hur mycket tar ni för ..?* how much do you charge for ..? *ta det inte så noga* don't be so very particular about it; *ta ngt för givet* take a th. for granted: *ta ngn i armen* take hold of a p. by the arm;

nyckeln tar inte i .. the key doesn't (won't) grip (act, work) in ..; [*kniven*] *tar inte* .. doesn't bite [*på* on]; *det tar på nerverna* it tells on the (one's) nerves; *jag ska ta och kila dit* I'll just go round there; *ta och klå upp pojken!* just give the boy a thrashing! **2** [med beton. partikel] ~ *av a) tr* take off (.. off); *b) itr kortsp.* cut; [vika av] turn off [*åt vänster* to the left]; ~ *bort* take away (.. away; *äv.* remove) [*från* from]; ~ *efter* imitate; [följa ngns exempel] follow; ~ *emot a) tr* [hejda] stop, catch; [stöta emot] *äv.* collide with; [mot-] receive; [mot- folk] *äv.* see; [an-] accept, take in (up); *b) itr* [stå i vägen] be in the way, offer resistance; *äv.* catch; [om pers.] see callers; *tar herr M. emot?* can I see Mr. M.? ~ *fram* take out [*ur* of], produce [*biljetten (passet)* the (one's) ticket (passport)]; ~ *för sig av* help o.s. to; ~ *i a) tr* [*vinden*] *tog i* [*seglen*] .. caught ..; [vidröra] touch; *b) itr* [ordentligt] go at it; [öka, t. ex. om vinden] get up (higher); [hjälpa till] pull away [hard], bear a hand; ~ *ifrån* take .. away [from]; [lösgöra] detach [from]; ~ *ngt ifrån någon* deprive a p. of a th.; ~ *igen* take .. back [again], recover; [förlorad tid] *äv.* make up for; ~ *igen sig* se *repa III;* ~ *in a) tr* take [in]; [bära in] carry (bring) in; [varor från utlandet] import; [station i radio] tune in to; [vatten] ship; *b) itr* put up [*hos* with; *på* at]; ~ *itu med* set about [working at], set to work at; deal with; [ngn] take .. in hand; ~ *med* [bortföra] carry away; [låta följa med] take (bring) .. too; *äv.* have .. with one; [i räkningen] take into account; ~ *ned* take (reach, fetch, bring) .. down; [segel] take in; ~ *om* take (go through) .. [over] again; *mus., teat.* o. *film. äv.* repeat; ~ *på* [*sig*] put .. on; [ansvar] take .. upon o.s.; [viktig min] assume; ~ *till a) tr* take to one's [*rocken* coat]; [starkare] *äv.* have resort to; [börja att] start [.. -ing]; *b) itr* [överdriva] ~ *till för mycket* overdo it; [om pris] *äv.* put it on too much; [ökas] increase [*i* in]; ~ *mod till sig* pluck up courage; ~ *tillbaka* take (carry, bring) back; [löfte] retract; [ansökan, yttrande] withdraw; ~ *undan* take away; [för att gömma] put .. out of the way; ~ *upp,* jfr *upp~ a)* take (carry, bring) .. up; [från marken] pick up [*äv. passagerare* passengers]; [potatis] lift up; [ngt nedpackat] take out; *b)* [friare o. *bildl.,* öppna] open; [en knut] undo; [som eget barn] adopt; [ett lån] take up; [skatter, order *hand.*] collect; [anteckna] put down; *c) bildl.* take up; *mus. äv.* strike up [*en sång* a song]; *d)* ~ *upp sig* se *repa III, förkovra II;* ~ *ur* take out [of]; [tömma] *äv.* empty; [rensa fågel] draw, [fisk] gut; [fläck] remove; ~ *ut* a) take (carry, bring) out; b) [pengar] get out; [lyfta] with-draw, [lön] draw; c) [upphäva] cancel; [problem] solve; ~ *ut* [*det mesta möjliga*] *ur* get (extract) .. out of; [en melodi på ett instrument] go over, reproduce; ~ *vid a) itr* [börja, fortsätta] step in, follow on; *äv.* take up the thread (story &c); [om sak] begin, start; *b)* ~ [*illa*] *vid sig* take on [very badly] [*över* about]; ~ *åt sig (bildl.)* [t. ex. en artighet] take .. to oneself; [känna sig träffad] feel guilty (smitten) **II** *rfl* **1** take (have) [*ett bad* a bath]; ~ *sig friheten att* .. take the liberty of .. -ing; [servera sig] help o.s. to; ~ *sig för pannan* put o.'s hand to o.'s forehead **2** [om planta] grow, come on **3** ~ *sig an* take .. up; ~ *sig fram* [hitta] find one's way; [i världen] make one's way, get along; *inte veta vad man ska ta sig till* not know what to do; *vad tar du dig till?* what are you up to? ~ *sig bra ut* show to great advantage

tagel horsehair **-madrass** [horse]hair mattress **-skjorta** hair shirt **-tyg** hair-cloth

tag|en *a* taken &c; *bli djupt* ~ *av* be deeply affected by; *noga -et* strictly speaking; *över huvud -et* on the whole; *det är över huvud -et omöjligt* it is altogether impossible

tagg prickle; [ojämn, skarp spets] jag; [törn-] thorn; *naturv.* spine; [på -tråd] barb; [på hjorthorn] snag **-ig** *a* prickly, spiny &c **-svamp** *bot.* hedgehog mushroom **-tråd** barbed wire **-tråds|stängsel** barbed-wire fence

tak roof; [omnibus- o. d.] top; [i rum] ceiling; *bildl. äv.* shelter, cover; *vara utan ~ över huvudet* have no shelter (refuge); *rummet är högt (lågt) i ~et* the room has a lofty (low) ceiling; *vara under ~* [om gröda] be housed **-antenn** *radio.* roof aerial (*Am.* antenna) **-belysning** ceiling light **-bjälke** roof-beam(-timber) **-dropp,** *det är ~* there's rain coming in through the roof **-fot** eaves *pl* **-halm** thatch[ing-straw] **-lags|öl** roofing celebration **-lampa** ceiling lamp, pendant [lamp] **-list** cornice **-läggning** roofing **-målning** *konst.* ceiling-painting **-papp** [asphaltic] roofing-felt **-plåt** roofing sheet-metal **-ränna** eaves-gutter **-stol** roof truss; [pair of] couples *pl*

takt 1 [tempo] time; *mus. äv.* measure; [friare] pace; [vid rodd] stroke; *hålla (slå) ~*[*en*] keep (beat) time; *hålla ~*[*en*] *med* keep pace with; *markera ~en* set the time (pace); *gå i ~* keep in step [in walking]; *komma ur ~en* get out of time (step, pace) **2** [av musik] bar; [av vers] foot **3** [personlig egenskap] tact, delicacy; [urskillning] discretion

tak‖tegel *koll* roof tiles (pantiles) *pl* **-terrass** flat roof; *äv.* roof restaurant

takt‖fast I *a* [om pers.] steady in keeping time; [steg o. s. v.] measured; [maskindunk o. d.] regular **II** *adv* [marschera] in perfect time **-full** *a* tactful, discreet **-fullhet** tactfulness, discretion

takt‖ik tactics *pl* **-iker** tactician **-isk** *a* tactical

takt‖känsla sense of tact, tactfulness **-lös** *a* tactless, indiscreet; *äv.* indelicate **-löshet** [mark of] tactlessness; want of tact, indiscretion **-mässig** *a* rhythmical, cadenced **-pinne** baton **-streck** *mus.* bar[-line]

tak‖täckare roofer **-täckning** roofing **-ås** ridge [piece], roof tree **-ås|tegel** ridge tile

tal 1 number; [räkne-] sum; *i runt ~* in round figures (numbers) **2** speech; [prat] talk[ing]; *äv.* gossip, chatter; [sam-] conversation; *i ~ och skrift* in speech and writing; *falla ngn i ~et* interrupt a p., cut a p. short; *hålla ett ~* make a speech; *jag kan inte hålla ~* I am no good at speech-making; *~ets gåva* the gift of speech (**F** the gab); *det kan inte bli ~ om det* there can be no talk of that; *~et föll på* the conversation turned on (upon); *ge sig (komma) i ~ med ngn* start a conversation with a p.; *komma på ~* come up for discussion; *det är på ~ att* .. there is talk of ..-ing; *på ~ därom* talking of that; *äv.* by the way

tal‖a I *tr* o. *itr* speak [*med* to; *om* about, of; *på* in]; [konversera] *äv.* talk [English; *i telefonen* over the telephone]; ~ *är silver,* *tiga är guld* speech is silver, but silence is gold; *allt ~r för* everything speaks in favour of; *får jag ~ ett par ord med dig?* can I have a word with you? *det är ingenting att ~ om!* don't mention [it]! *vi ~ inte längre med varandra* we are not on speaking terms; *för att nu inte ~ om* to say nothing of; *~ högre!* speak up! *det ska jag ~ om för dig* I'll tell you [about it]; *~ till* speak to, address; *~ ut* speak out (up); *~ rent ut* speak one's mind; put it frankly **II** *rfl*, *~ sig hes* talk o.s. hoarse; *~ sig varm* warm to one's subject **-an** *jur.* suit; *fullfölja sin ~* pursue one's claim; *..har ingen ~ därvidlag* ..has no voice in the matter **-ande** *a* speaking &c; [uttrycksfull] expressive; [menande] significant; *den ~* the speaker

talang talent, [natural] gift; *en ~* a [man o. s. v. of] talent **-full** *a* talented, gifted **-fullt** *adv* with great talent

talar‖e [public] speaker; [väl-] orator **-förmåga** oratorical gift (ability); *äga stor ~* be a great orator **-konst** art of [public] speaking; rhetoric, oratory **-stol** desk, platform

tal‖as *dep, höra ~ om* hear of; *jag har hört ~ om honom* I have heard him spoken of (mentioned); *vi får ~ vid om saken* we must talk the matter over (have a talk about it) **-es|man** spokesman (representative) [*för* of] **-e|sätt** phrase, *äv.* mode of expression **-fel** speech defect **-film** talking picture (film); **F** talkie **-för** *a* fluent [of speech]; talkative **-förmåga** faculty (power) of speech

talg tallow; [njur-] suet **-dank** tallow dip **-ig** *a* tallowy, greasy; *bildl.* [ögon] bleary **-ljus** tallow candle **-oxe** great titmouse

talhytt [telephone] call-box (cabinet)

talisman talisman

talja *sjö.* tackle(pulley)[-blocks *pl*]

talk *min.* talc[um] **-puder** talc[um] powder **-sten** talc stone

talkör spoken chorus

tall 1 [träd] [common] pine, Scotch (Norway) fir **2** [trä] pine-wood **-barr** pine-needle[s *pl*] **-barrs|olja** pine needle oil **-kotte** pine-(fir-)cone, fir-apple **-kotts|körtel** pineal gland

tallrik plate; *en ~ soppa* a plate of soup **-s|hållare** plate-rack

tall‖ris *koll* pine-brash(-twigs *pl*) **-skog** pine forest (&c) **-såpa** pine soap **-tita** willow tit

tallös = *otalig*

talman speaker **-s|klubba** mallet

talong talon

talorgan organ[s *pl*] of speech

talrik *a* numerous; frequent; *~a* (*äv.*) numbers of **-het** numerousness **-t** *adv* numerously; *äv.* in large numbers; *~ besökt* well attended

tal‖s, *komma till ~ med* get to speak to, gain a hearing with **-scen** dramatic theatre **-språk**, *~et* the spoken (colloquial) language; *Engl.* spoken (&c) English **-teknik** elocution **-trast** song-thrush **-tratt** [på telefon] mouthpiece **-trängd** *a* eager to speak; se *äv. pratsam* **-övning** conversation exercise (lesson); [is. uttals-] speech training

tam *a* tame; [djur] domestic[ated] **-boskap** domestic cattle

tambur hall; [kapprum] cloak-room **-in** tambourine **-major** drum-major; [-vaktmästare] cloakroom attendant

tamhet tameness

tampo‖nera *tr* **-ng** *läk.* tampon

tand *allm.* tooth [*pl.* teeth]; ⊕ [på kugghjul] cog; *borsta tänderna* brush one's teeth; *försedd med tänder* toothed; *få tänder* cut [one's] teeth, teethe; *hålla ~ för tunga* (*bildl.*) keep one's counsel; *tidens ~* the ravages *pl* of time; *visa tänder mot* show one's (bare its (o. s. v.)) teeth at **-ad** *a* toothed; ⊕ indented **-a|gnisslan**, *gråt och ~* weeping and gnashing of teeth **-ben** tooth-bone **-borste** tooth-brush **-garnityr** set of [false] teeth, denture **-klinik** dental clinic **-krona** crown of a tooth **-kräm** tooth-paste **-kött**, *~et* the gums *pl* **-läkare** dentist **-läkar|examen** dental degree **-läkar|stol** dentist's chair **-lös** *a* toothless **-pasta** tooth-paste **-petare** toothpick **-pulver** tooth-powder **-rad** row of teeth **-rot** root of a (the) tooth **-röta** dental caries **-sprickning** teething, cutting of the teeth **-sten** tartar **-tekniker** dental mechanic **-utdragning** tooth-extraction **-val** toothed whale **-vall** alveolar (teeth-)ridge **-vård** care of the teeth, dental hygiene **-värk** tooth-ache

tang‖ent 1 key **2** *mat.* tangent **-ent|bord** [på skrivmaskin] key-board **-era** *tr* **1** *mat.* be [a] (fall) tangent to; *äv.* touch **2** *bildl.* touch upon

tango tango

tanig *a* thin **-het** thinness

tank [behållare o. *mil.*] tank **-a** *itr* refuel

tank|e thought [*på* of]; [föreställning] idea [*om* (*på*) of]; [mening] opinion [*om* about]; [avsikt] intention; *utbyta -ar om* exchange ideas about; *ha -arna med sig* have one's wits about one; *ha en dålig ~ om* have a poor opinion of; *det finns ingen ~ på att* it is quite out of the question to; *försänkt i -ar* absorbed in thought (meditation); *i ~ att* with the idea (intention) of ..-ing; [*göra ngt*] *i ~arna* .. without thinking; *med ~ på* .. bearing .. in mind, in view of ..; *föra ngn på den ~n att* put the idea into a p.'s head of .. -ing; *äv.* lead a p. to think that; *bringa ngn på andra -ar* make a p. change his mind; *komma på andra -ar* change one's mind

tanke‖ansträngning mental exertion (effort) **-arbete** mental work **-bana** train of thought **-diger** *a* pregnant with thought **-experiment** mental experiment **-frihet** liberty of thought **-förmåga**, *~n* the thinking-faculty, the faculty of thought **-gång** line of thought **-kraft** mental power **-lyrik** poetry of ideas **-läsare** thought-reader **-skärpa** mental acumen **-ställare** warning, reminder; *en ~* (*äv.*) something to think about **-utbyte** exchange of ideas **-verksamhet** mental activity **-väckande** *a* suggestive **-värld** world of ideas **-överföring** thought-transference

tankfartyg tanker

tankfull *a* thoughtful, contemplative; [drömmande] *äv.* musing

tankhinder anti-tank obstacle

tank‖lös *a* thoughtless, unreflecting; [om pers.] *äv.* scatter-brained **-löshet** thoughtlessness; *en ~* a thoughtless act **-spridd** *a* absent-minded **-spriddhet** preoccupation (absence) of mind **-streck** dash **-ställare** se *tanke-*

tank‖vagn tank waggon; gasoline truck **-vapen** anti-tank weapon

tant aunt; [smeksamt] auntie

tantiem percentage (commission) [on profits], tantième *fr.*; *äv.* bonus

tapet 1 [wall-]paper; [vävd] tapestry; *sätta upp ~er* put on (hang) the wall-paper **2** *vara på ~en* (*bildl.*) be under consideration **-dörr** tapestried door **-rulle** roll of wall-paper **-sera** *tr* hang .. with wall-paper, paper; *~ om* re-paper **-serare** up-

holsterer **-sering** wall-papering, paper-hanging
tapisseri tapestry **-affär** fancy-work shop
tapp 1 [i tunna o. d.] tap, spigot, faucet; [i kran, båt o. s. v.] plug; ⊕ pivot; jfr *hö~, ull~* **2** [till hopfästning] peg; [av trä] tenon
1 tappa *tr* [vätska] tap; *~ .. på buteljer* (*äv.*) draw .. [off] into bottles; *~ blod av* draw blood from; *~ på (ur) vatten* let in (out) water
2 tappa *tr* o. *itr* drop, let .. fall; *~ [bort]* lose [*äv. huvudet* one's head; *modet* courage]; *~ bort sig* lose o.s., get lost
tapper *a* brave; courageous; [ridderlig] valiant, gallant; *hålla sig ~* stand one's ground **-het** bravery, valour; *äv.* courage **-hets|medalj** medal for bravery; *Engl.* o. *Am.* Distinguished Service Medal
tapp||hål plug-(tap-)hole **-ning** tapping
tappt, *ge ~* give in; *ge inte ~!* (*äv.*) never say die! stick to your guns!
tapto *mil.*, [*blåsa*] *~* [beat the] tattoo
tara *hand.* tare
tariff tariff; *äv.* schedule [of rates] **-skydd** tariff protection
tarm intestine; *~arna* (*äv.*) the bowels (**F** guts) **-blödning (-kanal -katarr)** intestinal bleeding (canal, catarrh) **-slinga** intestinal loop **-vred,** *få ~* have an attack of ileus
tars tarsus
tarv, *förrätta sitt ~* ease nature **-a** *tr* require, demand, call for **-lig** *a* [enkel] frugal; [billig] cheap; [dålig] poor; [om pers., smak] vulgar, common; [uppförande] mean, shabby **-lighet** frugality, homeliness &c **-ligt** *adv* frugally &c; *bära sig ~ åt* behave shabbily [*mot* to]
taskspelare juggler, conjurer
tass paw; *ge vacker ~* put out a paw nicely; *bort med ~arna!* hands off! **-a** *itr* patter, pad
tass||el, *tissel och ~* tittle-tattle **-la** *itr* tittle-tattle
tatar Ta[r]tar
tatt||are gipsy **-ar|unge** gipsy brat **-erska** female gipsy
tatuer||a *tr* tattoo **-ing** tattooing
tavel||galleri (-handlare -ram) picture-gallery (-dealer -frame) **-samling** collection of pictures **-utställning** picture exhibition
tavla 1 picture **2** [skiva] table; [anslags-] *äv.* board; *svarta ~n* the blackboard **3** [ur-] face; *äv.* dial
tax badger-dog, dachshund *ty.*
taxa list of rates; tariff; [avgift] *äv.* fare; [för telefon] fee **-meter** taximeter
taxer||a *tr* assess .. [for taxes] [*till* at]; [uppskatta] rate **-ing** assessing, assessment **-ings|belopp** sum charged **-ings|grund** basis for taxation **-ings|kalender** taxpayers' directory **-ings|nämnd** assessment board **-ings|värde** assessed value
taxi taxi[-cab], *Am. äv.* cab **-förare** taxi-driver **-station** taxi-rank
1 te tea; *laga ~[et]* make [the] tea
2 te *rfl* present itself, appear
teater theatre; [yrke] [the] stage; *spela ~* act, have [amateur] theatricals *pl*; *bildl.* make pretence; *gå på ~n* go to the theatre; *gå in vid ~n* go on the stage **-affisch** playbill **-besökare (-biljett)** theatre-goer (-ticket) **-dekoration,** *~er* stage-scenery *sg* **-direktör** theatrical manager **-effekt** stage effect **-föreställning** theatrical (theatre-) performance **-historia** history of the theatre **-intresserad** *a* interested in the theatre **-kikare** opera-glasses *pl* **-kritik** theatrical criticism **-pjäs** [stage] play **-program (-publik)** theatre-programme (-public) **-recensent** dramatic critic **-regissör** producer **-salong** body of a theatre; *äv.* house, auditorium **-scen (-sällskap)** theatrical stage (company) **-viskning** stage whisper
teatralisk *a* theatrical
te||bjudning (-blad) tea-party (-leaf) **-bord** tea-table **-buske** tea-shrub
tecken 1 sign [*på, till* of]; [känne-] mark [*på* of]; *äv.* token; *mat.* symbol; [signal] signal [*till* for]; *göra ~ åt ngn* (*äv.*) motion to a p.; *visa alla ~ till att ..* show every sign of ..-ing; *på givet ~* at a given sign[al]; *till ~ av (på)* as a token of **2 F**, *icke ett ~ till* not a (no) vestige (trace) of **-alfabet** sign alphabet **-förklaring** key to the (table of) signs **-språk** sign (gesture) language **-tydare** [i forntiden] augur; [modern] *äv.* prognosticator; *iron.* soothsayer
teckn||a *tr* o. *itr* **1** sign (make signs) [*till (åt)* to] **2** [skriva] sign; [bidrag] put one's name down for; [om aktier] subscribe for; *hand.* [i slutet på brev] *jag ~r, Er förbundne* I remain, Yours very truly **3** [rita] draw [*efter* from; *för* for]; *bildl.* [skildra] *äv.* delineate, depict; *~d film* cartoon film **-are 1** drawer **2** [av aktier etc.] subscriber [*till* for (of)] **-ing 1** drawing; *äv.* sketch **2** [i skrift] delineation, description **3** subscription [*på ett lån* to a loan] **-ings|lektion** drawing-lesson **-ings|lista** subscription-list **-ings|lärare** drawing-(art-)master **-nings|rätt** right of pre-emption **-ings|undervisning,** *meddela ~* give instruction in drawing
tedags, *vid ~* at tea-time **-dosa** [tea-]caddy **-fat** saucer
teg piece of ploughed land; [*plöja*] *i ~ar* .. in strips
tegel brick; *koll* bricks *pl*; [tak-] tile; *koll* tiles *pl* **-bruk** brickyard [and tilery] **-bränning** brick-burning **-byggnad** brick building **-mur** brick wall **-panna** roofing-tile; *äv.* pantile **-röd** *a* brick-red **-rör** draining-tile **-slagning** brick-moulding **-sten** brick **-tak** tile[d] roof **-täckt** *a* tiled **-ugn** brick-kiln
te||hus [i Kina] tea-house **-huv** tea-cosy **-kaka** tea-cake **-kanna** tea-pot **-kittel** tea-kettle
tekn||ik technic[s *pl*], [ss. vetenskap] *äv.* technology; [is. konstnärs] technique **-iker** technician **-isk** *a allm.* technical; *~ fabrik* engineering-works *sg* o. *pl*; *T~a högskolan* [*i Stockholm*] the [Stockholm] Institute of Technology **-olog** technologist; [studerande vid högskola] **F** technology man **-ologi** technology **-ologisk** *a* technologic[al]
te||kopp tea-cup; [mått] teacupful [of] **-kök** tea-urn
tele- se *telegraf*
telefon telephone; **F** phone; *ha ~* be on the telephone; *tala med ngn i ~* talk to a p. over the telephone; *det är ~ till er* you are wanted on the telephone; [*underrätta*] *per ~ ..* by telephone **-abonnent** telephone subscriber **-apparat** telephone; *äv.* receiver **-automat** automatic (penny-in-the-slot) telephone **-avgift** [samtals-] call fee **-bud** telephone message **-central** telephone exchange **-era** *tr* o. *itr* telephone [*efter* for; *till* to]; **F** phone [a p.] **-fröken** telephone girl **-förbindelse** telephone connection **-ist** [telephone-]operator **-kabel** telephone cable **-katalog** telephone directory **-kiosk** telephone [call-]box (*Am.* booth) **-ledes** by telephone **-ledning** telephone line **-lur** [telephone] receiver **-nummer** telephone number **-samtal** telephone conversation ([påringning] call) **-station** telephone exchange

(call-office) **-stolpe** telephone post **-tråd** telephone wire **-växel** telephone exchange
telegraf telegraph; *per* ~ by telegraph (wire) **-apparat** telegraph apparatus **-era** *tr* o. *itr* telegraph, wire; [till utlandet] *äv.* cable **-förbindelse** telegraphic communication **-i** telegraphy **-isk** *a* telegraphic **-iskt** *adv* telegraphically; *svara* ~ wire (cable) back **-ist** telegraph (wireless) operator **-station** telegraph office **-verk,** [*Kungl.*] ~*et* the [Royal] Telegraph Service **-väsen** telegraphy
telegram telegram; **F** wire; [till utlandet] cable; ~ *med svar betalt* reply-paid telegram **-adress** telegraphic (registered) address **-avgift** telegram charge **-bild** telephoto **-blankett** telegram form **-byrå** telegraphic agency **-kod** telegraph[ic] (cable) code **-pojke** telegraph boy **-remissa** telegraphic remittance (money order) **-svar** telegraphic (wired, cabled) reply **-taxa** telegram rate
tele||pati telepathy **-patisk** *a* telepathic **-printer** teleprinter **-skop** telescope **-skopisk** *a* telescopic[al] **-vision** television; *sända per* ~ televise, telecast **-visions|antenn** television aerial (*Am.* antenna) **-visions|apparat** television set (receiver) **-visions|kamera** television camera **-visions|sändare (-visions|sändning)** television transmitter (transmission)
telning sapling; scion *äv. pers.*
tema 1 [ämne] theme *äv. mus.*; [uppsats] *skol.* composition **2** *gram., säga* ~*t på* give the principal parts of
tempel temple; *poet.* shrine [of art]; [kyrka] church **-herre** Knight Templar **-herre|orden** the Order of Knights Templars **-skändare** temple desecrator **-tjänare** temple ministrant
tempera distemper
temperament temperament **-s|full** *a* with temperament, [häftig] high-tempered, choleric
temper||atur temperature **-atur|fall (-atur|stigning)** fall (rise) of (in the) temperature **-era** *tr* temper **-erad** *a* tempered; [klimat] temperate
temp||o time; *mus. äv.* tempo [*pl* tempi]; *gymn., ridk.* pace, gait **-oral** *a* temporal; [hjälpv.] . . of tense **-orär** *a* temporary **-us** tense **-us|följd** sequence of tenses
Temsen the [River] Thames; *t~mynningen* the Thames Estuary
ten [metal] rod, pin
tendens tendency; [om priser, idéer o. s. v.] trend **-fri** *a* non-tendentious **-författare** writer with a tendency to preach **-roman** novel with a purpose (message)
tendentiös *a* tendentious, with a purpose[d tendency]; [friare] bias[s]ed, distorted
tender tender
tendera *tr* tend [*till* towards; *till att* to]; [syfta] aim [*till* at]
tenn tin; *engelskt* ~ pewter **-bägare** pewter-cup **-gruva** tin-mine
tennis *sport.* tennis **-boll** tennis ball **-hall (-plan)** tennis hall (court) **-racket** tennis racket **-sko** tennis shoe **-tävling** tennis tournament (match)
tenn||kanna pewter tankard **-plåt** sheet tin **-soldat** tin-soldier **-stop** pewter mug
tenor tenor **-solo** tenor solo **-stämma** tenor voice
tentakel tentacle, feeler
tent||amen examination; *muntlig* ~ oral examination; *äv.* viva [voce] **-amens|skräck** examination terror **-and** examinee, candidate **-ator** examiner **-era** *tr* o. *itr* **1** conduct an examination **2** [om -and] be examined [*för* by]
teolog theologian; [präst] *äv.* divine; [student] divinity student **-i** *allm.* theology; [såsom studieämne] *äv.* divinity **-ie** *a,* ~ *doctor* doctor of divinity [*förk.* D.D.]; ~ *professor* professor of theology (*Engl. vanl.* of divinity) **-isk** *a* theological
teo||rem theorem **-retiker** theorizer, theoretician **-retisera** *itr* theorize [*om (över)* about] **-retisk** *a* theoretical **-ri** theory **-sof** theosophist **-sofi** theosophy **-sofisk** *a* theosophical
terap||eutisk *a* therapeutic **-i** therapy
terestaurang tea restaurant, tea-room
term term
termin 1 [tidpunkt] stated time, term; *hand.* period; [*betalning*] *i* ~*er* . . at regular intervals **2** *skol.* o. *univ.* term **3** *jur.* term **-ologi** terminology **-s|avgift** term fee[s *pl*] **-s|betyg** term report **-s|vis** *adv hand.* at stated intervals
termisk *a* thermal
termit termite, white ant
termo||dynamik thermodynamics *sg* **-meter** thermometer; ~*n visar* . . the thermometer stands at . . **-meter|skala** thermometric scale
termosflaska thermos flask; **F** thermos
termostat thermostat
terpentin turpentine, oleoresin
terrakotta terra-cotta
terrass o. **-era** *tr* terrace **-formig** *a* terraced **-formigt** *adv* in terraces **-tak** platform roof **-trädgård** terrace garden
terrier terrier **-valp** terrier puppy
terrin tureen
territori||alvatten territorial waters *pl* **-ell** *a* territorial **-um** territory
terror terror **-handling** act of terror **-isera** *tr* terrorize [over] **-våg** wave of terror
terräng terrain *is. mil.; äv.* country; *förlora* ~ lose ground **-bil** *mil.* jeep **-förhållanden** character *sg* of the terrain **-hinder** ground impediment **-ledes** *adv* cross country **-löpning** *sport.* cross-country running (run) **-ritt** cross-country riding (ride)
ters tierce; *mus. äv.* third
tertiärtid, ~*en* the Tertiary [Age (Period)]
terylene terylene; *Am.* dacron
tes thesis [*pl* theses]
te||servis tea-set **-sil** tea-strainer **-sked** teaspoon; [mått] teaspoonful [of] **-sort** variety (blend) of tea
testament||arisk *a* testamentary **-e 1** *jur.* will; *göra (upprätta) sitt* ~ make (draw up) one's will; *dö utan att ha gjort sitt* ~ die intestate **2** *bibl., Gamla (Nya)* ~*t* the Old (New) Testament **-era** *tr,* ~ *ngn ngt* bequeath a th. to a p., leave a p. a th. **-s|exekutor** executor [of a (the) will]
testator testator; [kvinnlig] testatrix
testikel *anat.* testicle, testis [*pl.* testes]
testning testing
tevatten water for the tea
text text; *bibl. äv.* passage; *vidare i* ~*en!* go on [with your] reading! **-a** *tr* o. *itr* write [. . in] text-hand, engross **-analys** analysis of a (the) text **-förklaring** textual note
textil *a* textile **-fabrik** textile mill **-ier** textile goods; *äv.* textiles **-industri (-konst)** textile industry (art) **-varor** = *-ier*
text||kritik textual criticism **-kritisk** *a* critical [*upplaga* edition] **-ställe** passage **-utläggning** exposition of the text **-uttal** articulation
tia *allm.* ten; [sedel] ten-kronor(-mark) note
tiar[a] tiara
tick||a *itr* [om ur] tick **-tack** *itj* ticktack!

tid 1 time [*och rum* and space]; [*på hans* in his] day[s *pl*]; [-s|längd] period, space; [kortvarig period] *äv.* spell, interval; [-s|-ålder] *äv.* age, epoch; [-punkt] time, hour, date; se *äv. sms* [-s] **2** [utan föreg. prep.] *andra ~er, andra seder* manners change with the times; *beställa ~* [hos läkare o. d.] make an appointment; *när jag får ~* when I get (find) time (find an opportunity) [*med* (*till*) for]; *ge sig god ~* allow o.s. plenty of time, take things easy; *ge sig god ~ med att..* take one's time about ..-ing; *har ni ~ ett ögonblick?* can you give me a minute or two? *allt har sin ~* there's a time for everything; *det är ännu god ~!* there's plenty of time! *det var andra ~er då* times were different then; *en ~ brukade han* at one time he used to; *han har varit där under en* [*kort*] *~* he has been there for a (some) time; *öppen alla ~er på dagen* open at all hours of the day; *en ~s vila* a period of rest; *~en flyr* (*går*) time flies (passes); *hela ~en* all the time; *ta ~*[*en*] (*sport.*) do the timing; *~ens gång* the course of time; *den nya ~en* the new age; *på den ~en* at that time; then **3** [med föreg. prep.] *efter en* (*ngn*) *~* after a time (while); *efter ett års ~* after the lapse of a (one) year; *äv.* in a year's time; *för en ~* for some time; *äv.* for a period [of..]; *för en ~ sedan* some time ago; *nu för ~en* nowadays; *före sin ~* ahead of one's times; *i ~* in time [*för* (*till*) for; *att* to]; *i ~ och otid* in season and out of season; *i ~ och evighet* for all time [and eternity]; *i god ~* in good time; *i rätt ~* at the right time; *i tre års ~* for [the space (a period) of] three years; *i hela sin ~* all his life [long]; *i vår ~* in our times (day[s *pl*]); *i alla ~er* for all time [to come]; *äv.* for ever; *vad i alla ~er* what in all the world; *förr i ~en* in former times, formerly; *med ~en* in [course of] time; *äv.* as time goes on; *på* [*Linnés*] *~* in .. day[s *pl*]; *på bestämd ~* at the appointed time; *på en ~* for some time; *på en ~ då* at a time (period) when; *på min ~* in my time (day); *det är på ~en* it is about time; *på senaste* (*sista*) *~en* latterly, recently; *till evig ~* for ever; *till den ~en* by that time; *under ~en* meanwhile; *under den närmaste ~en* during the next few days (weeks); *under åtta dagars ~* for a week; *under min ~* in my [life-] time; *vid en ~ som denna* at a time like this; *vid ~en för* at the time of; *vid den ~en* at (by) that time; *vid den här ~en* by now; *äv.* by this time; *vid fyra~en* at about four [o'clock]; *över ~en* [arbeta] overtime, beyond the proper time

tide||räkning chronology; [*den kristna* the Christian] era **-varv** period, epoch, age

tidig *a* early **-are I** *a* earlier; [föregående] *äv.* previous, former **II** *adv* earlier; *äv.* at an earlier hour, sooner; [förut] previously &c **-ast** *a* o. *adv* earliest; *allra ~* at the very earliest **-t** *adv* early; [*~* nog] in good time; *~ på dagen* at an early hour of the day; *~ på morgonen* in the early morning; *~ på våren* in early spring; *för ~* too early [*för* for; *för att* to]

tid||lön time rate **-lös** *a* timeless **-mätare** time-measurer; chronometer

tidning newspaper; ofta *äv.* paper; *en daglig ~* a daily; *det står i ~en* it's in the paper **-s|anka** canard *fr.* **-s|annons** (**-s|artikel**) newspaper advertisement (article) **-s|för-säljare** newsvendor; *äv.* paper-man **-s|kiosk** bookstall, *Am.* newsstand **-s|klipp** [press-] cutting **-s|man** journalist **-s|notis** newspaper paragraph **-s|papper** *hand.* newsprint [paper]; *en bit ~* a piece of newspaper **-s|pojke** paperboy **-s|prenumeration** subscription for a newspaper **-s|press** *allm.* press **-s|redaktion** (**-s|redaktör**) newspaper office (editor) **-s|referat** (**-rubrik**) newspaper report (headline) **-s|spalt,** *i ~erna* in the [columns of the] newspapers

tid||punkt point [of time], time; [tidsläge] *äv.* juncture; *vid ~en för* at the time of **-rymd** period, space of time; [i historien] *äv.* epoch, era **-s** *adv, det blir ~ nog* [*då*] it will be soon enough (plenty of time)..

tids||adverb adverb of time **-anda,** *~n* the spirit of the age **-begrepp** idea of time **-begränsning** time limit **-besparande** *a* time-saving **-beställning** appointment **-betingad** *a* determined by the conditions of the time **-betonad** *a* characteristic of its time, typical of the period **-bild** picture of the age **-bisats** temporal clause **-bomb** time bomb **-bunden** *a* dated, of its period **-dikt** poetry embodying the spirit of its age **-enhet** unit of time **-enlig** *a* in harmony with the times; *äv.* up-to-date **-form** *gram.* tense **-fråga,** *en ~* a matter of time **-följd** chronological order **-fördriv,** *till ~* as a pastime **-förlust** loss of time **-förskjutning** time shift **-inställd** *a* timed, delayed action [bomb]; *~ bomb* (*äv.*) time bomb

tidskrift journal, review; *äv.* [is. vetensk.] periodical [publication]; [lättare] magazine **-s|artikel** article [in a journal &c] **-s|nummer** issue of a journal &c

tids||läge situation at the time ([just nu] at present) **-signal** time signal **-skede** epoch **-skildring** picture of the time **-skillnad** time difference **-spillan** waste of time **-trogen** *a* with the true (contemporary) colouring **-typisk** *a* typical of the time (age) **-utlösning** *foto.* time release **-vinst,** *en ~* a great gain (saving) of time **-ålder** age, generation **-ödande** *a* time-consuming(-absorbing)

tid||tabell time-table, *Am. äv.* schedule **-tabells|enlig** *a* scheduled **-tagare** *sport.* timekeeper **-tagar|ur** stop-watch **-tals** *adv* [ibland] at times; [långa tider] for periods together **-vatten,** *-vattnet* the tide **-vis** *adv* [med mellanrum] periodically, intermittently

tiga *itr* be (remain) silent [*med* about]; *äv.* keep silence; *~ med ngt* (*äv.*) keep .. to o.s.; *~ som muren* remain stolidly silent; *tig!* **F** stop talking! shut up!

tiger tiger **-färgad** *a* tigrine **-hane** (**-hona**) male (female) tiger **-hud** [på tiger] tiger's coat; [avdragen] tiger-skin **-jakt** tiger-hunt[ing]

tigg||a I *tr* o. *itr* beg [*av* of; *för* (*om*) for]; *gå och ~* go begging; *~ ihop..* collect .. by begging **II** *rfl, ~ sig fram* beg one's way along; *~ sig* [*till ngt*] *av ngn* coax .. out of a p. **-ar|brev** begging letter **-are** beggar; *äv.* mendicant **-ar|flicka** (**-ar|gosse**) beggar-girl (-boy) **-ar|lista** begging circular **-ar|munk** mendicant friar **-ar|stav** beggar's staff; *bringa ngn till ~en* reduce a p. to beggary **-eri** begging **-erska** beggar-woman

tigrinna tigress

tik bitch[-hound]

tilja *eg.* board; *gå över ~n* (*bildl.*) be produced; *beträda ~n* go on the stage

till I *prep* **1** [rumsförh.] *allm.* to; [ankomma] at, in; [in *~*] into [*staden* town]; [*av-resa* leave, start] for; [mot] towards; *vägen ~ stationen* the way (road) to the station; *inbjuda ngn ~* invite a p. to; *ta av*

~ *höger* turn to the right; *ankomsten ~ staden* his (o. s. v.) arrival in town; *komma ~ ett resultat* arrive at a result; *tåget ~ B.* the train for B.; *lösa biljett ~ B.* take (buy) a ticket for B.; *fara ~ staden* travel (go) [up] to town; [*göra utflykter*] ~ *landet* . . into the country; *komma ~ makten* get into power; [*ta steget*] ~ *försoning* . . towards a reconciliation; *räkna ~ tio* count [up] to ten; *sitta ~ bords* be at table; *färdas ~ fots (lands, sjöss)* travel (go) on foot (by land (sea)); *gå ~ sjöss* go to sea; *sitta ~ häst* be on horseback **2** [tidsförh.] *vanl.* till, until; *äv.* at, in, for; [senast] by; [före] preceding; ~ *en tid* for a time; [*vi träffas*] ~ *julen* . . at Christmas; [*han kommer hem*] ~ *sommaren* . . in the summer; ~ *dess* by then; *ända ~ dess* up to that time; *natten ~ lördagen* the night preceding Saturday; *ända ~ i år* up to this year; ~ *långt in på natten* till far on into the night; *från . . till* (*vanl.*) from . . to; *från morgon ~ kväll* from morning till night **3** [ändamålet] *allm.* for; *äv.* as, in, by way; [*ha ngn*] ~ *vän* . . as a friend; ~ *uppmuntran* as an (by way of) encouragement; ~ *belysande av frågan* in illustration of the point **4** [verkan, resultat] to; *äv.* for, of; [övergång] *äv.* into; ~ *min förvåning* to my astonishment; ~ *hinder för* to the obstruction of; *växa upp ~* grow up into; [*välja ngn*] ~ *sin förtrogne* . . as one's confidant; *göra ngn ~ sin fiende* make a p. one's enemy **5** [i fråga om] in; *äv.* by; ~ *namnet* (*utseende, kvaliteten*) in name (looks *pl*, quality); ~ *det yttre* in one's exterior, externally; [*känna ngn*] ~ *namnet* . . by name **6** [dativförh. o. friare] *allm.* to; *äv.* on, for, in; *det finns ett brev ~ dig* there is a letter for you; ~ *var och en* to each [of them]; *skriva ~ ngn* write to a p.; *det säger jag inte nej ~* I won't refuse (say no to) that; *av kärlek ~* out of love to (affection for); *hans kärlek ~* his love of; *min tillit ~ honom* my trust in him **7** [genitivförh.] *allm.* of; *äv.* to, for; *ägaren ~ huset* the owner of the house; *arvingen ~* the heir to; *han är brorson ~* he is nephew to (a nephew of); *nyckeln ~ skåpet* the key to the cupboard; *dörren ~ huset* the door of the house; *en granne ~ min bror* a neighbour of my brother's; *en källa ~* (*bildl.*) a source of **8** [ytterligare exempel] [*få*] . . ~ *middag* . . for dinner; *komma för sent ~ middagen* be late for dinner; *sjunga ~ luta* sing to [the accompaniment of] the lute; [*en förändring*] ~ *det sämre* . . for the worse **9** [i förb. med inf.] to; *äv.* for; ~ *att börja med* to begin with; *han är inte karl ~ att* he is not the man to; [*krut användes*] ~ *att spränga med* . . for blasting, . . to blast with **II** *adv* **1** [ytterligare] more; [om tid] *äv.* longer; *litet ~* a little more; *en vecka ~* a week longer **2** [dessutom] . . too, . . besides **3** [mera] *det är ett par saker ~* [*som jag behöver*] there are a few more things . .; *tre stycken bilar ~* another three (three more) cars; *en kopp te ~* another cup of tea

tillag||a *tr* [fågel o. s. v.] dress; [te o. d.] make; [genom stekning o. s. v.] cook; *äv.* get . . ready, prepare; [medicin] make up **-ning** dressing &c; *äv.* preparation

tillbaka *adv* back; [bakåt] backwards; *få ngt ~* have something in return; *sedan lång tid ~ är han* for a long time past he has been **-blick** retrospect; [i bok o. film] flashback **-böjd** *a* backward-bent **-dragen** *a bildl.* retired, reserved **-draget** *adv* in retirement; *äv.* aloof **-gående** *a* retrograde; retrogressive; *bildl. äv.* declining **-gång** retrograde movement; retrogression; *bildl. äv.* decline [*i* of] **-kammad** *a* combed back **-lutad** *a* backward-leaning **-satt** *a, känna sig ~* feel [o.s.] slighted **-stött** *a bildl.* repulsed, rebuffed **-visa** *tr* [förslag] reject; *äv.* refuse; [beskyllning] repudiate; [anfall o. d.] *mil. o. sport.* repel, repulse

till||be[dja] *tr* worship; [friare] *äv.* adore **-bedjan** worship; adoration **-bedjans|värd** *a* adorable **-bedjare** adorer; *hennes ~* her admirer **-behör, ett ~** an appendage; *koll* outfit; *pl* accessories, fittings, trimmings **-blivelse** coming into existence; [begynnelse] origination **-bringa** *tr* spend, pass; *en väl -bragt dag* a well-spent day **-bringare** jug **-bucklad** *a* dented in **-bud** [olycks-] narrow escape **-byggd** *a* built-on, built-up **-byggnad** *konkr* piece built on (added) to a house, extension **-börlig** *a* due; [lämplig] fitting; [vederbörlig] proper; *på ~t avstånd* at a safe distance **-börligen** *adv* duly, fittingly &c **-dela** *tr* allot (assign) [to a p.]; [en utmärkelse] confer (bestow) [[up]on a p.]; [ett pris] award [a p. a prize; a prize to a p.]; ~ *ngn ett slag* deal a p. a blow **-delning** allotting; allotment; *äv.* administration; *konkr* [av kaffe, sprit o. s. v.] allowance (ration) [*av* of] **-draga** *rfl* **1** attract [*uppmärksamhet* attention] **2** [hända] happen, occur **-dragande** *a* attractive; [*ha*] *ett ~ sätt* . . engaging manners *pl*; *det har intet ~ för mig* it has no attraction for (does not attract) me **-dragelse** occurrence; [betydande] event **-döma** *tr*, ~ *ngn* . . adjudge . . to a p.; *äv.* award a p. . . **-erkänna** *tr*, ~ *ngn* . . award a p. . .; ~ [*en bok*] *värde* attach (assign) value to . . **-falla** *itr allm.* go to; *äv.* accrue to **-fartsvägar** roads leading [in]to . . (converging on . .) **-flykt** refuge [*mot (undan)* from]; [medel, utväg] resort, resource; *finna en (sin) ~ hos ngn* find refuge with a p.; *taga sin ~ till* take refuge in, [om pers.] take refuge with, go to . . for refuge **-flykts|ort,** *en ~* a place (haven) of refuge [*undan* from] **-flöde** *abstr* flowing of . . [*till* in[to]]; *konkr* feeder stream, affluent, minor river **-foga** *tr* **1** [tillägga] affix (append, add on) [*till* to] **2** [vålla] inflict [*ngn skada* harm on a p.]; cause [*ngn en förlust* a p. a loss]; ~ *ngn ett nederlag* administer a defeat to a p., defeat

tillfredsställ||a *tr* satisfy, content; [göra ngn till lags] *äv.* suit, please; [hunger, törst] appease; [ngns önskningar] gratify; ~ *ngns anspråk* fulfil a p.'s expectations **-ande I** *a* satisfactory [*för* to]; [glädjande] gratifying [*för* to] **II** *s* satisfying; se *äv.* *-else* **-d** *a* satisfied; *äv.* content [*med* with] **-else** satisfaction [*för* to; *över* (*med*) at]; *äv.* appreciation [*över* of]

till||friskna *itr* recover [*efter, från* from]; *äv.* get well (**F** get better) again **-frisknande** *s* recovery **-frusen** *a* [that is] frozen [over]; *äv.* ice-bound, frozen up **-fråga** *tr* ask; [rådfråga] consult [*om* as to (about)]; *~d om orsaken till* when asked the reason for (why) **-frågan** query; *på* (*vid*) ~ *om* when asked about

tillfyllest *adv* [till fullo] to the full; *vara ~* be satisfactory (sufficient)

tillfånga||tag|a *tr* capture; *bli -en* be taken prisoner **-tagande** capturing, capture

tillfäll||e occasion; [kritiskt] juncture; [gynnsamt] opportunity (chance) [*till att* to]; *det* *finns ~n, då* occasions [do] occur when; *begagna ~t* take (seize) the opportunity; *bereda ngn ~ att* provide (furnish) a p. with an opportunity to; *få (ha) ~ [till] att* find (get) an opportunity of ..-ing (to); *låta ~t gå ur händerna* let the opportunity slip; *för ~t* for the occasion; [för ögonblicket] for the time being; [för närvarande] at present, just now; *jag är inte i ~ att* I am not in a position to; *vid ~* when an opportunity occurs; [vid lägligt ~] when [it is] convenient; [när ni får ~] at your convenience; *vid första [bästa] ~* at the first opportunity; at your earliest convenience; *vid vissa ~n* on certain occasions **-ig** *a* [då o. då] occasional; [händelsevis] accidental; *äv.* chance, incidental; [för kort tid] temporary [*arbetare* hand]; *en ~ händelse* an accidental (a chance) occurrence **-ighet** accidental occurrence (circumstance); [slump] *äv.* chance; *av en [ren] ~* by [[a] mere (pure)] chance **-ighets|dikt** occasional poem **-igt|vis** *adv* accidentally, by accident; [oförutsett] incidentally, by chance; [helt apropå] casually

till||föra *tr* bring (carry) .. to; *äv.* provide .. for; supply with .. **-förlitlig** *a* reliable; [uppgift] authentic **-förlitlighet** reliability; *äv.* authenticity

tillförordn||a *tr* appoint .. temporarily **-ad** *a, den ~e regeringen* the ad interim (commissioned) government; *~ professor* acting (deputy) professor

till||försel supplying (supply, provision) [*av* [..*till*] of [..to]]; se *äv. import;* [det tillförda] supply; *äv.* supplies *pl* **-försel|rör** ⊕ feed pipe **-försikt** confidence [*till* in], assurance; *äv.* [*sakna* lack] self-confidence **-försäkra I** *tr, ~ ngn ngt* secure a p. a th. **II** *rfl, ~ sig ngt* secure a th.; *äv.* make sure of a th. **-gift** forgiveness, condonation **-given** *a* attached [*ngn* to a p.], affectionate; [hund o. d.] devoted; *Din -givne* [i slutet av brev] Yours sincerely (affectionately) **-givenhet** attachment (*äv.* devotedness, devotion) [*för* to]; [kärlek] affection [*för* for] **-gjord** *a* affected; [konstlad] artificial **-gjordhet** affectation, affected manners *pl*

tillgodo *adv* = [*till*] *godo* **-göra** *rfl* utilize [for one's own benefit (profit)]; [använda] make use of, avail o.s. of **-havande** *hand.* [för sålda varor] outstanding account[s *pl*] (debt); [i bank] deposit [*hos* in], credit balance [*hos* with] **-räkna** *rfl* [en rabatt] allow o.s. **-se** *tr* pay due attention to; *äv.* satisfy (meet) [*alla krav* all requirements]; supply (provide for) [*ngns behov* a p.'s needs]; [ngns intressen] *äv.* look after

till||grepp [stöld] theft; [försnillande] misappropriation [*ur* from] **-gripa** *tr* **1** take .. unlawfully, appropriate .. for one's own use, seize upon; [snatta] thieve; [försnilla] misappropriate **2** *bildl.* [utväg] resort to; [ursäkter] take refuge in **-gå I** *itr* = *gå* [*till*] **II** *tr, finnas att ~* be to be had (be obtainable) [*hos* from]; *ha* [*ngn* (*ngt*)] *att ~* have .. at hand **-gång 1** [tillträde] access [*till* to]; [möjlighet] opportunity [*till att* of ..-ing]; [tillförsel] supply [*på* of]; *~ och efterfrågan* supply and demand; *ge ngn ~ till* allow a p. the use of [*sina böcker* one's books]; *ha ~ till* have the use of; *äv.* have .. at hand **2** [värdefull ~] asset; *~ar* means; [resurser] resources **-gänglig** *a* **1** [sak] accessible [*för* to]; [som finns] available [*för* for, to]; *äv.* obtainable; *med alla ~a medel* by every available means **2** [om pers.] easy to approach; [älskvärd] affable **-gänglighet 1** accessibility &c **2** affability

tillhanda *adv* = [*till*] *handa* **-hålla** *tr, ~ ngn ngt* supply (furnish) a p. with a th.; [mot betalning] sell; *~s* (*äv.*) be on sale, be to be bought

till||handla *rfl* buy o.s... [*av ngn* off (from) a p.] **-hjälp,** *med (utan) ~ av* with (without) the aid (assistance) of; *med hans ~* by his aid **-hopa** *adv* [al]together, in all **-hygge** striking-weapon, weapon for hitting **-håll** haunt [*för* of]; *ha sitt ~ hos ngn* have one's quarters with a p. (at a p.'s house) **-hålla** *tr, ~ ngn att* urge a p. to **-höra** *itr* **1** belong to; [räknas till] be among (one of); [vara förenad med] be attached to; *jag tillhör inte dem, som* I am not amongst (one of) those who; *~* [*en förnäm släkt*] come of .. **2** = *tillkomma 3* **-hörande** *a* belonging (pertaining) to; *med ~ bekvämligheter* with appurtenant conveniences **-hörig** *a, en mig ~* .. a .. belonging to me (in my possession) **-hörighet** possession; *äv.* [private] property; *~er* (*äv.*) belongings

tillika *adv* also, as well; [dessutom] besides, moreover; *~ med* along (together) with

tillintet||gjord *a* [utmattad o. d.] exhausted, done up **F**; [andligen] crushed [*av* with]; se *följ.* **-göra** *tr* annihilate; [rasera] demolish; [besegra .. i grund] defeat .. completely; [förstöra] destroy, ruin; [krossa] crush *äv. bildl.;* [hopp] frustrate **-görande** *a* annihilating &c; [blick] *äv.* withering **-görelse** annihilation; demolition; ruin; frustration

tillit trust (confidence) [*till* in]; [förlitande] reliance (dependence) [*till* on]; *sätta sin ~ till* put one's confidence in **-s|full** *a* [säker] full of confidence, confident; [förtroendefull] confiding, trustful, trusting

till||kalla call, summon; [läkare] call in **-klippt** *a* cut out **-knäppt** *a* [om pers.] reserved **-kom|ma** *itr* **1** se *komma* [*till*]; *dessutom -mer* (*äv.*) to which must be added, besides that there is (will be) **2** [uppstå] come into being, arise; [om företag] spring up; [tillverkas] be made; *-me ditt rike!* Thy Kingdom come! **3** *~ ngn* be a p.'s due, belong to a p.; [åligga] devolve [up]on; *det -mer inte oss att* it is not for us to; *ge var och en vad honom -mer* give every man his due **-kommande** *a* coming; *äv.* future, .. to come; *hennes ~* [*man*] her intended (future husband) **-komst** coming into being; production; [uppkomst] origin, rise

till||koppla *tr* engage, connect up; *järnv.* couple; [motor] put .. in gear **-krånglad** *a* entangled; complicated (intricate) [*stil* style] **-kämpa** *rfl* obtain (gain) .. after (as a result of) a struggle; *~ sig segern* (*bildl.*) fight one's way to victory **-kämpad** *a,* [*mödosamt*] *~* hard-won

tillkänna||ge (-giva) *tr* make .. known, notify, announce; [starkare] declare, proclaim; *härmed -gives, att* this is to give notice that **-givande** notification, announcement, declaration; [anslag] *äv.* notice

till||mäle opprobrious (abusive) epithet; *grova ~n* (*äv.*) invectives **-mäta I** *tr* **1** measure .. out to; *äv.* allot; [beräkna] reckon **2** *bildl.* [tillräkna] attach [*betydelse* importance] to **II** *rfl* attach .. to o.s. **-mätt** *a* measured out; *äv.* apportioned; *tiden var för knappt ~* the time allowed (allotted) was too short

tillmötes *adv, gå ~* meet **-gå** *tr* [en begäran] comply with, accede to; *~ ngn* (*äv.*) meet

(oblige) a p. **-gående I** *s, ett* ~ *av* [önskemål o. d.] an accession to, a compliance with; [hänsyn] consideration; [välvilja] courtesy; *såsom ett särskilt* ~ [*ha vi*] *(hand.)* as a special favour .. **II** *a* [sätt] obliging, courteous; *äv.* complaisant; [medgörlig] compliant [*mot* towards (to)]; forthcoming
till‖namn surname, family name **-närmelsevis** *adv* approximately; *inte* ~ [*så stor som*] not anything like ..
till och med I *prep,* ~ *söndagen* up to and including (inclusive of) Sunday **II** *adv* even
tillopp [tillflöde] influx, inflow; [av ånga o. s. v.] induction, inlet; [av kunder] run, rush **-s|rör** intake-(induction-)pipe, feed pipe
tillplatta *tr* flatten, compress; *känna sig* ~*d* (*bildl.*) **F** feel crushed (flat)
tillra *itr* roll; *äv.* trickle
till‖reda *tr* prepare, get .. ready, dress **-reds** *adv, vara* ~ be ready [*med* with; *till* for; *till att* to] **-rop** call, shout **-ropa** *tr* hail; [om skyltvakt o. d.] challenge **-rygga|lägga** *tr* cover [.. *på* in]; ~ *vägen till fots* (*äv.*) walk the distance
tillråd‖a *tr* advise, counsel, recommend **-an,** *på ngns* ~ on the (by) advice of a p., on a p.'s recommendation **-lig** *a* advisable **-lighet** advisability
tillräcklig *a* sufficient (enough) [*för, åt* for]; *äv.* adequate [*för* for]; *vi har* ~*t med* we have .. enough; *ha* ~*t med tid* (*äv.*) have plenty of time; *mer än* ~*t* more than enough, enough and to spare **-t** *adv* sufficiently, enough; ~ *ofta* sufficiently often, often enough; ~ *många* a sufficient number of
tillräkn‖a I *tr,* ~ *ngn ngt* put a th. down to a p.; *det* ~*r jag honom som förtjänst* I count that as a merit on his part **II** *rfl* take (ascribe) .. to o.s.; [ära o. d.] credit o.s. with **-elig** *a* accountable (responsible) [for one's actions] **-elighet** accountability &c
tillrätta *adv* = *rätta I 1* **-kommen** *a,* .. *är ej* ~ .. has not turned up **-lagd** *a,* ~ [*för*] arranged (adjusted) to suit **-skaffa** *tr* find, bring .. to light; [friare] produce; ~ *ngt åt ngn* get a th. back to a p. **-visa** *tr* reprove, censure; [starkare] reprimand [*för* for] **-visning** reproof, censure; *äv.* reprimand
tills I *konj* **1** [ända ~] till, until **2** [vid den tidpunkt då] by the time **II** *prep* o. *adv* up to; ~ *vidare* until (till) further notice; ~ *dato* to date; ~ *för* .. *sedan* until .. ago
till‖sagd *a, är det -sagt?* [i affär] are you being attended to [, Sir (Madam)]? **-samman**[s] *adv* together [*med* with]; [inalles] altogether, in all; *alla* ~ all together; [gemensamt] jointly; ~ *med ngn* (*äv.*) with a p.; *äta middag* ~ *med* dine with; ~ *ha vi 10 kronor* we have ten kronor between ([om flera än två] amongst) us; *stå* ~ (*bildl.*) stand shoulder to shoulder **-sats 1** [-sättande] adding, addition **2** [ngt -satt] added ingredient; *bildl. äv.* admixture; [liten ~] dash **3** [vidfogat stycke] piece added on, addition **-se** *tr* **1** look after, superintend **2** see [to it], [undersöka] find out **-skansa** *rfl* appropriate .. for o.s.; ~ *sig makten* usurp [the] power **-skjuta** [pengar o. d.] contribute **-skott** contribution; [-ökning] addition **-skotts|lön** additional salary (wages *pl*) **-skriva I** *tr bildl.,* ~ *ngn ngt* ascribe (attribute) a th. to a p.; [ära, upptäckt] *äv.* credit a p. with **II** *rfl* = *-räkna* **-skynda** *tr,* ~ *ngn* .. cause a p. .., bring .. upon a p.; *äv.* bring a p. .. **-skyndelse,** *på* ~ *av* at the instigation of **-skära** *tr allm.* cut out **-skärare** cutter **-skärning** cutting-out **-sluta** *tr allm.* o. *bildl.* close (*äv.* shut) [*för* to] **-slutning,** [*begravningen*] *ägde rum under stor* ~ .. was very well attended; jfr *an-* **-slå** *tr* ⊕ [koppling] throw .. into gear; [ström] switch .. on **-spetsa I** *tr eg.* sharpen, point; *bildl.* bring .. to a head (to a critical stage); *äv.* accentuate **II** *rfl bildl.* come to a head, become critical **-spillo** *adv* = [*till*] *spillo* **-spillo|giva** *tr* **1** [pris-] sacrifice [*åt* to] **2** [ge förlorad] se [*ge till*] *spillo* **-stampa** *tr* [jord o. d.] stamp .. down **-stoppa** *tr* stop (shut) [up], obstruct **-stramning** tightening **-strypning** throttling **-strömning** streaming in &c; [tillskott utifrån] influx; [vätska] inflow; [publik-] stream, rush **-stukad** *a* deflated **-stunda** = *nalkas* **-stymmelse,** *inte en* ~ *till* not an (the least) atom (iota) of; *utan varje* ~ *till* without any semblance of
till‖styrka *tr* recommend, support, give one's support to; *äv.* pronounce in favour of **-styrkan** [*på hans* on his] recommendation **-stå** *tr* confess [*för* to]; [medgiva] admit **-stånd 1** [tillåtelse] permission, leave; [godkännande] sanction, consent; *äv.* licence; *få* ~ *till att* receive (be granted) permission to; *ha* (*äga*) ~ *till att* (*äv.*) have been authorized to; *med benäget* ~ *av* by kind permission of; *med vederbörligt* ~ with the sanction of the authorities **2** [skick] state, condition [of things]; *i berusat* ~ in a state of intoxication; *i gott* (*dåligt*) ~ in good (bad) repair; *i medtaget* ~ in an exhausted condition (state) **-stånds|bevis** licence, permit **-städes** *adv, vara* ~ be on the spot; [närvarande] be present **-städes|varande** *a, de* ~ those present **-ställning 1** [anordning, påhitt o. d.] business, arrangement; *äv.* [*hela* ~*en* the whole] concern (show) **2** [fest o. d.] entertainment [*för* for (in honour of)]; *vad är det här för en* ~? what is all this about? **-stöta** *itr* **1** [ansluta sig till] join **2** [om ägor] adjoin **3** [hända, tillkomma] occur, happen; [sjukdom] supervene, come on [to complicate matters] **-syn,** *ha* ~ *över* have the supervision of, be in charge of; *utan* ~ unattended **-synings|man** supervisor [*för, över* of] **-säga** *tr* tell; instruct, order; *är det -sagt, när vi* .. have we been told when .. **-sägelse** [befallning] order[s *pl*] [*om* for]; [kallelse] summons [*till* to]; [begäran] demand [*om* for]; *på min* ~ in response to my orders; *få* ~ [*om*] *att* receive orders to; *utan* ~ without being told **-sända** = *skicka* [*till*] **-sätta** *tr* **1** [vidfoga] add on [*till* to] **2** *kok.* add [*till* to] **3** [ledig plats] appoint a p. to; ~ *en kommitté* set up a committee **-sättning** addition; [av plats] appointment
tilltag venture; [försök] attempt; [okynnigt streck] prank, trick; *ett sådant* ~*!* (*äv.*) what a thing to do! **-a** *itr* increase; *äv.* grow; [utbreda sig] spread **-ande I** *s* increase, growth; *vara i* ~ be on the increase **II** *a* increasing &c **-en** *a, vara knappt* (*stort*) ~ be small (large) in the measurement ([om rum] in size (dimensions)); [om mat] be scanty (abundant) in quantity; *tillräckligt* ~ amply sufficient; *väl* ~ a good (fair) size **-sen** *a* enterprising, go ahead; [påhittig] resourceful
tilltal 1 address; [*begagnas*] *i* ~ .. as a form of address; *svara på* ~ answer when [one

is] addressed; *strängt* ~ a severe talking to **2** = *åtal* **-a** *tr* **1** address, speak to; *den ~de* the person addressed (spoken to) **2** *bildl.* [behaga] attract, please, appeal to; *han ~r mig mycket* I like him very much **-ande** *a* attractive, pleasing; [förslag] acceptable [*för* to] **-s|form** *gram.* vocative form **-s|ord** word (term) of address [*till* to]

till||trasslad *a* entangled; *ha ~e affärer* have involved finances (pecuniary entanglements) **-tro I** *s* credit; [förtroende] credence; [tillit] confidence [*till* in]; *sätta ~ till* place confidence in; *vinna ~* [*hos*] gain credence [with] **II** *tr, ~ ngn ngt* believe a p. capable of, give a p. credit for **III** *rfl, ~ sig ngt* believe o.s. capable of **-träda** *tr* [egendom] take over (come into) [possession of]; [tjänst] enter upon the duties of; se *äv. regering; ~ tjänsten* enter service **-träde 1** taking over, entry **2** [inträde] entrance; admission; [tillstånd till ~] admittance; *fritt ~* admission (entrance) free; *~ förbjudet!* No Admittance! *~ endast för medlemmar* Members Only; *ha (äga) ~ till* have admission to; *barn äga ej ~* children [are] not admitted; *äv.* for adults only **-tugg** something to eat [*till* with] **-tvinga** *rfl* obtain (secure) .. by force; *äv.* force **-tyga** *tr, ~ ngn illa* treat (handle) a p. roughly; **F** manhandle a p.; [is. levande varelser] *äv.* mangle, maul; *han var så ~d, att* he had been so badly knocked about that **-tänkt** *a* contemplated, proposed; [planerad] projected, intended **-vals|ämne** *skol.* optional [extra subject]

tillvaratag||a *tr* take charge of; [bevaka] look after; [skydda] protect, safeguard; [hopsamla] collect [up]; [utnyttja] take advantage of, utilize; [hitta] find; *-na reseffekter* [passengers'] lost property **-ande** *s, ~t av* the taking charge of; *äv.* the protection of

tillvaro existence; [friare] life; *kampen för ~n* the struggle for existence (life)

tillverk||a *tr* manufacture, make; *äv.* produce; [om maskiner o. s. v.] turn out **-are** manufacturer **-ning** manufacture, make, production; [om det som tillverkas] product; [per år o. d.] output, turnout **-nings|-kostnad** cost of production **-nings|pris** manufacturer's price **-nings|sätt** manner of production; manufacturing process

till||vinna *rfl* gain, obtain, secure; [ngns aktning] *äv.* win **-vita** *tr, ~ ngn ngt* charge a p. with a th.; *~ ngn skulden för ..* lay the blame of .. on a p. **-vitelse** charge (imputation) [*för* of; *för att* of .. -ing] **-väga** *adv, gå till väga* proceed, go to work **-vägagångs|sätt** course (line) of action (procedure) **-välla** *rfl* usurp, arrogate to o. s. **-växa** *itr* grow; [rikedom] *äv.* accumulate; *bildl. äv.* increase [*i* in] **-växt** growth [*av* of; *i* in]; [ökning] *äv.* increase [*i* in (of)]; *vara stadd i ~* be increasing (growing, on the increase) **-yxa** *tr* rough-cut (-hew), rough out

tillåt||a I *tr* allow; *äv.* permit; [samtycka till] consent to; [med *opers. subj.*] admit (allow) of [no doubt]; *tillåt mig att göra en fråga* allow me to ask you a question; *om ni -er* if you will allow (permit) me; *du -er väl, att jag ..?* you don't object to (mind) my .. -ing, do you? *om vädret -er* weather permitting **II** *rfl* permit (allow) o.s. [*att* to]; [ta sig friheten] take the liberty to (of .. -ing); *han -er sig vad som helst* he doesn't mind what liberties he takes; he stops at nothing **-else** permission, leave; jfr *2 lov 2;* [tillståndsbevis] licence; *med er ~* with your permission; *be om ~ att* ask for permission (leave) to; *få ~ att (äv.)* be allowed to **-|en** *a* permitted, allowed, admissible; [laglig] lawful; *det är inte -et att röka här* smoking is not allowed here; *är det -et ..?* may one ..? *under ~ tid (jakt.)* in the open season; *högsta -na fart* the maximum speed allowed; *äv.* the speed limit **-lig** *a* allowable, permissible **-ligt** *adv* allowably &c; *mer än ~ dum* unpardonably stupid

tillägg addition; [till handling, avtal] additional paragraph; [anmärkning] *äv.* addendum; *rättelser och ~* corrections and additions; [till testamente] *äv.* codicil; [till brev] postscript (P.S.); [löne-] bonus; *utan ~* without any addition **-a** *tr* add [*till* to] **-s|anslag** additional grant ([statens] appropriation) **-s|avgift** extra fee; *~ för övervikt* excess luggage charge (fee) **-s|biljett** supplementary ticket **-s|budget** supplementary budget **-s|kostnad** additional cost **-s|plats** *sjö.* stopping-(mooring-) place **-s|porto** additional postage **-s|ranson** extra ration

till||ägna I *tr, ~ ngn* [bok o. d.] dedicate .. to a p. **II** *rfl* [förvärva] acquire; [tillgodogöra sig] assimilate, profit by; [med orätt] appropriate; [med våld] seize [upon] **-ägnan** dedication **-ägnelse|förmåga** receptive faculty **-ämna** *tr* intend, have .. in view **-ämnad** *a* intended; [påtänkt] premeditated

tillämp||a *tr* apply [*på* to]; [t. ex. erfarenhet] *äv.* bring .. to bear [*på* [up]on]; *~ i praktiken* put .. into practice; *kunna ~s (äv.)* be applicable [*på* to] **-lig** *a* applicable [*på* to] **-ning** application [*på* to]; *ha (äga) ~* be applicable [*på* to]; *i ~en* in application (practice)

tillända *adv, gå ~* come to an end **-gången -lupen** *a, vara ~* be at (have come to) an end

till||öka *tr* add to; [göra större] increase .. in length (o. s. v.) **-ökning** increasing; *äv.* enlargement [*av* (*i*) of]; increase [*i familjen* in (of) the family] **-önska** *tr* wish **-önskan** wish; *med ~ om* with best wishes for

tim||arbete work [paid for] by the (per) hour **-avlöning** payment (wages *pl*) per hour **-glas** hour-(sand-) glass; *hans ~ är utrunnet* (*bildl.*) the sands of his life have run down

timjan [garden] thyme

tim||lig *a* temporal; *det ~a* temporal things *pl; lämna det ~a* depart this life **-lärare (-lärarinna)** *skol.* visiting master (mistress) **-lön** rate per hour

timm||a (-e) hour; [lektion] lesson; *varannan (var tredje) ~* every two (three) hours; *en ~s, fyra -ars ..* an hour's, a four hours' ..; *efter en ~* an hour later; *i ~n* an hour; *i flera -ar* for several hours; *om en ~*[*s tid*] in an hour; *per ~* per (by the) hour

timmer timber; is. *Am.* lumber **-avverkning** log-cutting; lumbering **-flotte (-flottning)** log-(timber-) raft(-floating) **-huggare** tree-(wood-)feller; *äv.* logger; lumberer **-huggning** log-cutting **-koja** log cabin **-lass** timber load **-man** *äv. sjö.* carpenter **-ränna** flume, log-chute **-skog** timber-forest **-släp** timber haulage **-stock** log, piece of timber; *dra ~ar (bildl.)* [snarka] **F** be driving one's hogs to market **-yxa** woodman's axe

timotej timothy[-grass], herd's grass

tim||penning hour's (hourly) wage **-plan** timetable

timra I *tr* build [..of logs]; *bildl. äv.* construct, put together; *en ~d* .. a log-(timber-)built .. **II** *itr* do carpentry, carpenter
tim||slag, *på ~et* on the stroke of the hour **-s|lång** *a* of an hour's duration (length) **-tals** *adv* for hours together (and hours) **-vis** *adv* by the hour **-visare** hour (*äv.* small) hand
1 tina [kärl] tub; [fiskredskap] creel
2 tina I *itr* thaw, melt; *bildl.* [om pers.] become less reserved (more sociable) **II** *tr,* ~ [*upp*] thaw, melt
tindra *itr* twinkle; [skarpare] sparkle
ting 1 thing; [sak, ärende] *äv.* matter; [föremål] object; *saker och ~* [a lot of] things **2** *hist.* thing **3** se *lands~* **4** [domstolssammanträde] [district-court] sessions *pl*; *Engl.* Assizes *pl*, Quarter Sessions *pl; hålla ~* hold the sessions **-a** *tr* order [.. in advance]; [om pers.] retain, secure; [göra upp om] bargain for; ~ *bort* dispose of .. in advance; [ett arbete] contract out **-est** thing, object; **F** contraption **-s|dag** sessions-day **-s|hus** court-house **-s|sal** sessions-hall
tinktur tincture
tinn|e summit; [tempels] pinnacle; *försedd med -ar* pinnacled
tinning *anat.* temple
tio ten; jfr *fem*[-] **-dubbel** *a* tenfold **-dubbla** *tr* multiply .. by ten; *~s* (*äv.*) increase tenfold **-hörning** *geom.* decagon **-kamp** *sport.* decathlon **-krone|sedel** ten-kronor note **-marks|slant** ten-mark coin **-nde I** *räkn.* tenth **II** *kyrkl.* tithes *pl*; *giva ~* pay tithes **-n[de]del** tenth **-punds|sedel** ten-pound note; **F** tenner **-tal,** *~et* [[the] number] ten; *ett ~* about ten; some ten [odd]; *under ett ~ år* for ten years [or so] **-tiden,** *vid ~* at (round about) ten [o'clock] **-tusen** ten thousand **-tusentals,** *i ~ år* for tens of thousands of years **-årig** *a* ten-year-old **-åring** ten-year-old; [barn] child of ten **-års|dag** tenth anniversary [*av* of]
1 tipp [spets] tip [*av* (*på*) of]
2 tipp [-ningsplats] tip, refuse dump
1 tippa *tr* [stjälpa] tip, dump
2 tippa *tr sport.* bet; [gissa på] spot
1 tippning tipping, dumping; *~ förbjuden!* no tipping allowed!
2 tip||pning *sport.* betting; winner-spotting **-s** *pl sport.* tips [*om* about (as to)]; *ge ngn några ~* give a p. a tip (some hints) **-s|tjänst** *ung.* football-pool
tippvagn tip-wagon; *Am.* dump-car
tirad tirade, screed
tisdag Tuesday; jfr *fredag*
tiss||el, *~ och tassel* tittle-tattle **-la** *itr, ~ och tassla* tittle-tattle
tistel thistle **-stång** pole [of a (the) vehicle]
titan *mytol.* Titan **-isk** *a* Titanesque; [friare] titanic, titan **-vitt** titanium white
tit|el 1 [persons] title; *äv.* denomination, designation; *lägga bort -larna* drop the Mr. (o. s. v.) **2** [bok-] title [*på* of (to)]; *en bok med ~n* .. a book entitled .. **-blad** title-page **-roll** *teat. o.d.* title-rôle **-sjuka** mania for titles **-vinjett** head-piece
1 titt *adv, ~ och ofta* repeatedly, over and over again
2 titt 1 [blick] look; [hastig] glance; [i smyg] peep; *ta sig en ~ på* have a look at **2** [kort besök] call [*hos* on; *på* at]; *tack för ~en!* kind of you to look me up! **-a I** *itr* [se] look; [kika] peep; [hastigt] glance [*genom* through; *på* at]; *~, där kommer hon!* look, there she's coming! *~ bort'* look away [*från* from]; *~ bort' mot* look towards; *~ efter* gaze after, [söka] look for; *~ efter' a)* [se till] look after, see to; *b)* [leta] look and see; *~ fram'* peep out (forth); *vill du ~ hit* do you mind coming over here (having a look at this); *~ inte hit!* don't look this way! [avsnäsande] keep your eyes to yourself! *~ i* have a look at (in); *~ i ngns kort* (*bildl.*) see through a p.'s little game; *~ in'* look in [*genom* through], [hälsa på] *äv.* drop in [*till* to see]; *~ in' i* look into; *~ in' hos* look .. up; *~ på* [have a] look at; *~ på stan* go sightseeing; *~ på'* look on, watch; *~ ut' ngn* stare a p. out of the room **II** *rfl, ~ sig i spegeln* look (have a look) at o.s. in the mirror **-glugg** spy-hole(-window) **-hål** peep-hole **-ut,** *leka ~* play [at] bo-peep
titul||atur, *ngns ~* a p.'s title **-era** *tr* style, call; *äv.* address a p. as **-är** *a* titular
tivoli place of amusement; jfr *nöjesfält*
tja *itj* **F** well!
tjat[a] = *kält*[*a*], *käx*[*a*]
tjeck Czech **-isk** Czech[ish] **-o|slovak** Czecho-Slovak **T~o|slovakien** Czecho-Slovakia
tjo *itj* hey[day]! [heigh-]ho!
tjock *a* thick; [om pers.] stout; *äv.* fat; [knubbig] chubby; [kläder] heavy; [rök o.d.] dense; [mörker] intense; *det var ~t med folk på gatan* the street was packed (crowded) with people **-a** fog, mist **-bottnad** *a* thick-bottomed ([om sko]-soled) **-flytande** *a* thickly liquid, viscid **-hudad** *a* thick-skinned *äv. bildl.* **-huding** pachyderm **-hårig** *a* thick-haired **-is F** fatty **-lek** thickness; *av två tums ~* two inches thick (in thickness) **-na** *itr* get (grow, become) thick; *äv.* thicken **-skalig** *a* [ägg, nöt] thick-shelled; [potatis, äpple] thick-skinned **-skalle F** thickhead; [starkare] fathead, numskull **-skallig** *a eg.* o. *bildl.* thick-headed(-skulled); *bildl. äv.* dense **-tarm** large intestine **-ända -ände** thick-(but-)end
tjog score; *ett ~ ägg* (*äv.*) twenty eggs; *tio ~* ten score of **-tals I** *adv* by scores **II** *a, ~ med* scores of **-vis** *adv* by the score
tjud||er tether **-ra** *tr* tether [*fast vid* up to]
tjuga hay-fork, pitchfork
tjugon||dag, *~en* Hilarymas [Day] **-de** twentieth **-[de]del** twentieth
tjugu twenty **-en (-ett)** twenty-one **-femårs|jubileum** twenty-five years' celebration; twenty-fifth anniversary **-femöring** twenty-five-öre piece **-första** twenty-first **-tal,** *ett ~* about twenty; some twenty [odd]; *äv.* a score or so [of ..]; [årtal] *på ~et a)* [en man] in his twenties; *b)* [1920-talet] in the nineteen twenties **-årig** *a* twenty-year-old, of twenty years **-åring** man (o. s. v.) of twenty [years of age] **-års|ålder,** *i ~n* at the age of twenty
tjur bull **-a** *itr* [be in a] sulk **-fäktare** bull-fighter **-fäktning** bull-fighting; *en ~* a bull-fight **-huvud** *bildl.* obstinate (**F** pig-headed) fellow **-ig** *a* sulky **-ighet** sulkiness **-kalv** bull calf **-skalle** = *-huvud* **-skallig** *a* **F** pig-headed **-skallighet F** pig-headedness
tjus||a *tr* enchant, charm; [friare] fascinate; [en flicka] *äv.* make .. sweet [up]on one **-erska** fair charmer, enchantress **-ig** *a* (**F**) captivating, charming **-kraft** power to charm **-ning** charm, enchantment; *äv.* fascination, allure
tjut howling; [a] howl **-a** *itr* howl; [skrika] shriek, yell; [om bil] hoot
tjuv 1 thief; [i smått] pilferer **2** [på ljus] [candle-]waster **-aktig** *a* thievish **-band** = *-liga* **-eri[er]** thefts, pilferings **-fiskare (-fiske)** fish-poacher (-poaching) **-gods** *koll*

stolen property **-gömmare** receiver (harbourer) of stolen property **-knep** thievish trick, sharp practice; [skämtsamt] wily dodge **-liga** gang of thieves (burglars) **-lyssna** *itr* eavesdrop **-läsa** *tr* read . . on the sly **-nad** theft; *jur.* larceny **-nads|brott** [a case of] larceny **-pack** pack of thieves **-pojke** young rascal; *din ~!* you young beggar (monkey)! **-pojks|aktig** *a* roguish, scampish, larky **-röka** *itr* o. *tr* smoke [. .] on the sly **-skytt** [game-]poacher **-stanna** *itr* [motor] stall **-start** *sport.* false start **-starta** *itr sport.* make a false start **-streck** dirty (mischievous) trick **-titta** *itr, ~ i* take a look into (have a peep at) . . on the sly **-åka** *itr* steal a ride

tjäder capercailzie, capercaillie; *koll.* äv. wood-grouse **-tupp** cock-capercailzie(-capercaillie)

tjäl‖e frost in the ground **-frusen** *a* frozen

tjäll abode

tjäl|lossning, *under ~en* when the frost in the ground is giving (breaking up)

tjän‖a I *tr* o. *itr* serve [*för* for; *hos* in . .'s house (*mil.* under); *till* (*som*) as]; [en god sak] *äv.* minister to; [göra tjänst] do duty [*som* as]; [som rådgivare] act [*som* as]; *~ hos ngn* be in a p.'s service; *~ ihop'* save up . . out of one's earnings; *~ in'* clear; *låt detta ~ dig till varning!* let this be a warning to you! *det ~r ingenting till att . .* there is no point in . . -ing; *det skulle inte ~ någonting till* it would be to no purpose; *vad ~r det till?* what is the use of that? *den har ~t ut* it has seen its best days **II** *rfl, ~ sig upp* work one's way up **-ande** *a* serving [*till* as]; *äv.* ministering [*andar* spirits]; [klass] menial **-are** servant; [betjänt] man-servant; [hembiträde] domestic [servant]; *en kyrkans ~* a minister of the Church; *~!* **F** Hello! **-arinna** maid[-servant] **-lig** *a* serviceable [*till* for]; [lämplig] suitable; *äv.* fit; [ändamålsenlig] expedient; *vid ~ väderlek* when the weather is suitable

tjänst service [*mot* to]; [syssla, plats] place, situation; [befattning] appointment; **F** job; [ämbete] office; [prästerlig ~] charge, ministry; *göra ~* do (render) service (serve, do duty) [*som* as]; *kan ännu göra ~* will still serve its purpose; *vägra att göra ~* [fungera] refuse to (won't) work; *göra ngn en ~* do a p. a [good] service (a good turn); *gör mig den ~en att!* please do me the favour to! *lämna sin ~* resign one's appointment; *söka ~* apply for a situation (job); *vara i ngns ~* be employed by a p.; *i ~en* when on duty; *i aktiv ~* on active service; *i statens ~* in the State service; *stå till ngns ~* be at a p.'s service; *varmed kan jag stå till ~?* what can I do for you? *utom ~en* when off duty; *å ~ens vägnar* on official business **-aktig** *a* ready to render service; *äv.* obliging **-bar** *a* serviceable **-duglig** *a* fit for service; [sak] serviceable

tjänste‖ande servant; **F** slavey **-angelägenhet[er]** official business **-avtal** service agreement **-berättelse** official report **-betyg** testimonial **-bil** official car **-brev** *post.* official letter **-ed** oath of office **-fel** breach (dereliction) of duty **-folk** servants *pl* **-förmåner** emoluments **-försummelse** negligence in the discharge of one's duties **-grad** grade (rank) in the service **-man** official; [högre] officer; [lägre] employee; [statens ~] civil servant **-manna|bana** civil service career **-manna|kretsar,** *i ~* among civil servants **-manna|kår** staff of officers and employees; *~en* [statens] the corps of civil servants; *Engl.* the Civil Service **-meddelande** official communication **-personal** staff **-plikt** official duty **-resa** journey on official business **-rum** office[-room] **-ställning** *mil.* official standing **-telefon** office telephone **-tid** time of service; [*under* during] office hours *pl* **-utövning,** *under ~* while discharging o.'s official duties **-ålder,** *gå efter ~* go by seniority **-år** year[s *pl*] of service **-ärende** official matter; *i ~n* on official business

tjänst‖flicka servant[-girl]; *Am.* hired girl **-folk** se *tjänste-* **-förrättande** *a* officiating; acting (deputy) [professor]

tjänstgör‖a *itr* serve [*som* as; *på, vid* at]; [om pers.] *äv.* act [*som* as (for)]; [sköta sin tjänst] be on duty *äv. mil.; äv.* be on active service **-ande** *a,* [*den*] *~* [the person (o. s. v.)] on duty (in charge); *vara ~* be on duty; *~ chef* acting superintendent **-ing** duty; discharging (discharge) of one's duty (duties); [arbete] work; *hel (halv) ~* whole-(half-)time duty; *ha ~* be on duty; *icke ha ~* be off duty; *inkalla ngn till ~* summon a p. to enter upon his duties; *under sin ~* while on service; *försätta ngn ur ~* suspend a p. from the further discharge of his duties **-ings|betyg** service certificate **-ings|pengar** active-service emoluments **-ings|reglemente** service regulations *pl* **-ings|tid 1** [daglig] hours *pl* of duty (work); *på, under ~[en]* in (during) office hours **2** = *tjänstetid*

tjänst‖ledig *a* [*vara* be] away [from one's work (post)] on leave [of absence]; *mil.* be on furlough; *~ för sjukdom* (*äv.*) away on sick leave **-ledighet** leave of absence [*för* for]; *~ för sjukdom* sick leave **-villig** *a* ready (willing) to help

tjär‖a I *s* [*bränna* boil (distil)] tar **II** *tr* tar; [-stryka] tar . . over, give . . a coating of tar **-blomster** limewort, catch-fly **-bloss** pitch-torch, link **-brännare** tar-boiler(-distiller) **-bränning** tar-boiling **-doft** tar-smell **-fläck** tar stain **-ig** *a* tarry

tjärn tarn

tjär‖papp tarred board **-stryka** = *-a II* **-tunna** tar-barrel; [fylld] barrel of tar **-valla** *tr* dress . . with a tar oil mixture

toalett 1 toilet[te]; [klädsel] *äv.* dress; *göra ~ till middagen* dress for dinner **2** [rum] lavatory, toilet; *ibl.* bathroom; *Am.* washroom, rest room; [på hotell] cloakroom, ladies' room, men's room **-artiklar** toilet-requisites(-accessoires) **-bestyr,** *upptagen av ~* busy with o.'s toilet **-bord** dressing-(toilet-)table **-papper** sanitary (toilet-)paper; **F** bumf **-rum 1** dressing-room **2** lavatory &c; se *toalett 2*

tobak tobacco; **F** baccy

tobaks‖affär se *-handel* **-blandning** blend of tobacco; *äv.* mixture **-buss** quid **-dosa** tobacco-box **-handel** tobacco-business; [butik] tobacconist['s shop] **-handlare** tobacconist **-monopol** tobacco monopoly **-odling** tobacco-growing **-pipa (-planta -pung)** tobacco-pipe (-plant, -pouch) **-rök** tobacco-smoke **-rökning** tobacco-smoking; *~ förbjuden* no smoking allowed

toddy toddy

toff|el slipper; *i -lor* in slippers; *stå under ~n* be hen-pecked **-hjälte** hen-pecked husband **-regemente** petticoat government

tofs 1 tuft, bunch; [fåglars] *äv.* crest **2** [på möbler o. d.] tassel **-lärka (-mes)** crested lark (tit) **-vipa** lapwing

toft *sjö.* thwart

toga toga

tok 1 [pers.] fool; [enfaldig pers.] silly goose, duffer; *äv.* simpleton **2** *prata* ~ talk nonsense (tosh) **3** *vara* (*gå*) *på* ~ be (go) wrong; [*svaret var*] *alldeles på* ~ .. altogether beside the mark **-a** fool of a woman (girl); *en liten* ~ a silly little thing **-enskap -eri** folly, nonsense; ~*er* [upptåg] foolish pranks **-ig** *a* mad [*av* with; *efter* after; *i* on]; [enfaldig] silly; [löjlig] ridiculous; [vilt entusiastisk] crazy [*i* about]; *det är så man kan bli* ~ it is enough to drive (send) one mad; *det låter inte så* ~*t* that doesn't sound so far out **-rolig** *a* [extremely] funny (comic, droll) **-rolighet** [extreme] funniness; *äv.* [irresistible] drollery **-stolle** droll fellow; **F** comic cus; jfr *tok 1*

toler‖ans tolerance [*mot* towards (of)] **-ant** *a* tolerant, forbearing; [friare] broad-minded **-era** *tr* tolerate, put up with

tolft dozen **-e -e|del** twelfth

tolk interpreter; *göra sig till* ~ *för* give voice to; [åsikt] *äv.* advocate

1 tolka *itr sport.* go ski-joring

2 tolk‖a *tr* interpret; [återge] render; [handskrift] decipher; [uttrycka känslor o. d.] express, give expression to **-ning** interpretation [*av* of]; [handskrift] decipherment; [uppfattning] version, construction; *en fri* ~ a free rendering **-ningsfråga** question of interpretation, matter of opinion

tolv twelve; *kl.* ~ *på dagen (natten)* at noon (midnight) **-a** twelve **-finger|tarm** duodenum **-hundra|tal,** *på* ~*et* in the thirteenth century **-tiden,** *vid* ~ at about twelve **-årig** *a* twelve-year-old **-åring** twelve-year-old boy (&c) **-års|åldern** the age of twelve

tom *a* empty [*på* of] *äv. bildl*; [oupptagen] vacant; [naken] bare; [oskriven] blank; [~ och öde] deserted; [dov] hollow; ~*t prat* idle talk; ~*t skryt* vain boasting; *i* ~*ma rymden* [försvinna] into space, [stirra ut] into vacancy

tomat tomato **-saft (-soppa -sås)** tomato juice (soup, sauce (ketchup))

tombola tombola; *äv.* raffle

tom‖butelj (-fat) empty bottle (cask) **-gång** ⊕ idling; *gå på* ~ idle **-het** emptiness, bareness &c; *äv.* vacancy **-hänt** *a* empty-handed **-kärl (-låda)** empty vessel (box) **-rum** vacant space; [på blankett] blank [space]; *fys.* vacuum; [lucka] gap; *bildl.* void, blank; *han har lämnat ett stort* ~ *efter sig* he has left a void (great blank) behind him **-säck** empty sack &c

tomt [obebyggd] [building-]lot (site) [*för* for]; *äv.* ground plot; [kring ett hus o. d.] garden, grounds *pl*

tomte Robin Goodfellow, brownie; jfr *jul*~

tomt‖jobbare building-lot speculator **-pris** building-lot price **-rätt** *jur.* site leaseholdership rights *pl* **-ägare** site-holder(-owner)

1 ton [vikt] ton; *sex* ~ six tons of

2 ton 1 [ljud o. färg] tone; [om röst] *äv.* tone of voice; [om viss ~ på skalan] note *äv. bildl.*; [*mus.* o. friare] key[-note], tune; *fonet.* stress; [-höjd] pitch [of the voice]; *i befallande* ~ in a tone of command; ~*ernas rike* the realm of music; *ange* ~*en* (*mus.*) give the note (*bildl.* tone); *träffa den rätta* ~*en* strike the right note; *sänka* ~*en* (*bildl.*) **F** begin to sing small; *ta sig* ~ assume (put on) airs **2** *det är inte god* ~ it is not good form **-a I** *itr* sound, ring **II** *tr foto.* tone **-ande** *a* sounding; *fonet.* voiced [sound] **-art** *mus.* [musical] key; [friare] tone, tune; *i alla* ~*er* in every possible strain (key) **-bad** *foto.* toning-bath **-fall** intonation; *äv.* accent

tonfisk tunny[-fish]

ton‖fixera *tr foto.* tone and fix **-givande** *a*, *i* ~ *kretsar* in leading quarters (circles) **-höjd** [musical] pitch; *fonet.* pitch [of the voice] **-konst** music[al art] **-läge** *mus.* pitch; [rösts omfång] range, compass **-lös** *a* [röst] toneless; [ljud] voiceless

tonnage tonnage; *konkr äv.* shipping **-brist (-förlust)** lack (loss) of tonnage

tonpapper *foto.* tinted (toned) paper

tonsill *anat.* tonsil

ton‖skala musical scale **-skapelse** musical composition **-styrka** intensity of tone

tonsur tonsure

ton‖sättare composer [of music] **-vikt** *språkv.* stress; *äv.* accent[uation]; [friare] emphasis; *lägga* ~ *på* stress, put stress on; emphasize

ton‖åren, *i* ~ in her (o. s. v.) teens **-åring** teen-ager

topas topaz

topograf‖i topography **-isk** *a* topographical

1 topp *itj* done! agreed! [it is] a bargain!

2 topp 1 top; [våg-] crest; [friare] pinnacle, apex; *från* ~ *till tå* from top to toe, from head to foot; *i* ~*en* at the top; *med flaggan i* ~ with the flag aloft; *hissa flaggan i* ~ run up the flag **2** loaf [*socker* of sugar] **-a** *tr* [växt o. d.] top, lop, poll **-belastning** peak load **-fart** maximum (top) speed **-figur** [pers.] figure-head **-form,** *vara i* ~ be at the top of o.'s form **-formig -ig** *a* conical; sugar-loaf **-klass** top-class (-grade) **-konferens** summit conference (meeting) **-kurs** top rate (price) **-lanterna** *sjö.* masthead light **-mast** *sjö.* topmast **-mössa** pointed (conical) cap **-möte** se *-konferens* **-nivå** summit level **-[p]restation** top performance; maximum output **-[p]ris** top price **-[p]unkt** = *höjd-* **-rasande** *a* mad with rage **-rida** *tr* bully **-segel** *sjö.* topsail **-siffror** peak figures **-socker** loaf-sugar **-värde** peak value

torde *hjälpv.* will; *ni* ~ you will please, you are requested to; *det* ~ *finnas* there are (is) probably; *det* ~ *stundom hända att* it probably occurs sometimes that; *som man* ~ *erinra sig* as will be remembered; *ni* ~ *ha rätt* I dare say you are right; *man* ~ *kunna säga att* it may (can; *äv.* might, could) probably be said that

tordmule razorbill

tordyvel dor-(dung-)beetle, scarab

tordön thunder **-s|röst** voice of thunder, thunderous voice

torftig *a* [fattig] poor; *äv.* indigent, needy; [enkel] plain; [knapp] scanty, meagre, bare **-het** poorness &c **-t** *adv* poorly &c

torg 1 [salu-] market[-place]; *gå på* ~*et* go to the market **2** [öppen plats] square **-dag** market-day **-fru** market-woman **-föra** *tr* [take (bring) .. to] market **-handel** market-trading, marketing **-kasse (-korg)** market[-ing]-satchel (-basket) **-pris** price [ruling] in the market; [dagens] *äv.* market price **-skräck** agoraphobia **-stånd** market-stall **-var|a,** *-or* market goods (wares)

tork se *-ning* **-a I** *s* drought, dry weather **II** *tr* **1** dry, get .. dry; [luft-] air[-dry]; [tvätten] hang up .. to dry **2** [av-] wipe .. dry, dry; ~ *disken* dry the dishes; ~ [*tårarna ur*] *ögonen* dry (wipe) [the tears out of] one's eyes; ~ *fötterna väl!* please use the doormat! **III** *itr* dry, get dry; [om växt] wither [away], dry up; ~ *ihop* dry up; ~ *in* dry up; *bildl. äv.* come to nothing; ~ *upp a) tr* wipe (mop) up; *b) itr* dry up, get dry; ~ *ut* dry up, run dry **IV** *rfl* dry (wipe) o.s. [*med* (*på*) with (on)];

~ sig i [*ansik*tet] dry one's . .; *~ dig om munnen!* use your napkin (handkerchief)! **-ad** *a* dried **-apparat** dehydrator, desiccator **-hus** drying-house (-plant) **-lina** clothes-line **-ning** drying; *till ~* to get dry **-ugn** drying-stove (-kiln)

1 torn 1 *bot.* spine, thorn **2** [spänne] tongue

2 torn tower; [spetsigt] steeple; [klock-] belfry; *sjö(mil.* turret; [i schack] castle, rook **-a** *tr, ~ upp sig* pile itself (o. s. v.) up; *bildl.* tower aloft

tornado tornado

torn‖era *itr* tourney, joust **-ering -er|spel** tournament, tourney; *äv.* joust

tornfalk kestrel

tornister 1 *mil.* knapsack; [mat-] haversack **2** [för häst] feed-(nose-)bag

torn‖klocka 1 tower-bell **2** se *-ur* **-spira** spire; [spetsig] steeple **-svala** swift **-ur** tower(&c)-clock

torp croft[er's holding] **-are** crofter, cotter, cottar

torped torpedo; *avskjuta en ~* launch a torpedo **-angrepp** torpedo attack **-båt** torpedo-boat (T.B.) **-era** *tr* torpedo **-ering** torpedoing **-flygplan** torpedo-plane

torr *a* dry; [uttorkad] parched; [ofruktbar] arid; [klimat] torrid; [torkad] dried; *bildl.* [tråkig] *äv.* prosy, dull; *inte en ~ tråd* not a dry shred; *han är inte ~ bakom öronen* he has not cut his wisdom-teeth yet; *varken vått eller ~t* neither bite nor sup; *på ~a land* on dry land; *vara på det ~a* (*bildl.*) be on terra firma; *han har sitt på det ~a* **F** he doesn't stand to lose anything **-batteri** dry[-cell] battery **-docka** *sjö.* dry dock **-fisk** dried fish **-het** dryness &c, aridity **-hosta** dry cough **-lagd** *a* drained, turned dry **-lägga** *tr eg.* drain; [sjö, mosse] lay . . dry; [på sprit] **F** turn . . dry **-läggning** draining, drainage **-mjölk** dry milk **-nål** *konst.* dry-point **-[r]olig** *a* droll; [infall] drily amusing **-[r]olighet** drollness; *äv.* dry wit, drily witty remark **-[r]öta** dry rot **-skaffning** dry food; *äv.* tinned (canned) provisions *pl* **-skodd** *a* dryshod **-sprit** spiritine **-ögd** *a* dry-eyed

torsdag Thursday

1 torsk *läk.* thrush

2 torsk cod[fish] **-fiske** cod-fishing **-lever** cod-liver

torso torso

tort‖era *tr* torture **-yr** torture; *undergå ~* be tortured **-yrbänk** rack **-yrkammare** torture-chamber **-yrredskap** implement of torture

torv 1 *geol.* peat **2** [gräs-] sod, turf **-a 1** [jordbit o. d.] plot [of ground] **2** [gräs-] [piece of] turf; *bunden vid ~n* bound to the soil **-brikett** peat-brick **-bränsle (-jord)** peat-fuel (-soil) **-lägga** *tr* turf, sod **-mosse** peat-bog(-moss) **-mull** peat-mould **-strö** peat-litter **-tak** turf[ed] roof **-täcka** *tr* sod, [cover . . with] turf **-täckt** *a* sodded; [tak] turfed **-upptagning** peat-cutting

tota *itr, försöka ~ till ngt* (**F**) try to fix up, have a shot at

total *a* total; *äv.* entire, complete; [friare] utter [*okunnighet* ignorance]; *det ~a kriget* [the] total war[fare] **-antal** total number **-belopp** [sum] total **-bild** complete picture, general view **-förbud** total prohibition **-förlust** total loss **-förmörkelse** total eclipse **-haveri** total wreck; **F** write-off **-intryck** general impression **-isator** totalizator; **F** tote **-itet** totality **-itär** *a* totalitarian **-kostnad** total cost **-omdöme** summed-up judgment **-verkan** total effect

totem[påle] totem[-post]

tov‖a I *s* twisted (tangled) knot **II** *tr* o. *rfl, ~ ihop* [*sig*] ravel, tangle **-ig** *a* [hår o. d.] tangled, matted

toxin toxin

trad[e] *sjö.* [shipping-(sea-)]route

tradition tradition **-ell** *a* traditional **-s|bunden** *a* tradition-tied; *vara ~* be bound by tradition **-s|rik** *a* rich in tradition

trafik traffic; [förehavanden] proceedings *pl*; [järnvägs-, flyg-] *äv.* [railway (&c)] services *pl*; [drift] service; *mitt i värsta ~en* in the very thick of the traffic; *upprätthålla ~en* keep the service going; *ångaren uppehåller ~en mellan* the steamer plies (is responsible for the service) between **-abel** *a* trafficable; [järnväg o. d.] in working (running) order **-ant** road user **-assistent** passenger agent **-avbrott** break in the traffic **-bil** public service motor vehicle; *vanl.* taxi[cab] **-buller** noise of [the] traffic **-döden** death on the roads **-era** *tr* [en bana o. d.] travel by (on); [gata, väg] use, frequent; [om bolag] work, operate **-erbar** *a* trafficable **-flyg[ning]** commercial aviation; air transportation **-flygplan** airliner **-fyr** [street] traffic beacon, flasher **-förbud** [på skylt] no traffic **-förordning** traffic regulation **-hinder** obstacle to [the] traffic **-kultur** traffic (road) sense; *äv.* traffic ethics *pl* **-led** arterial road; [i stad] thoroughfare **-ledning** *flyg.* air traffic control, ATC **-ljus** traffic light **-olycka** traffic accident; *äv.* street (road) accident; *offer för ~* traffic (road) casualty **-plan** airliner, passenger plane **-polis** traffic policeman (*koll* police) **-pulsåder** artery of traffic; arterial road **-reglemente** traffic regulations *pl* **-skylt** traffic sign **-stockning** jam [in the traffic], traffic jam **-stopp** traffic hold-up **-säkerhet** road safety **-trängsel -vimmel** congested traffic **-väsen** traffic system

tragedi tragedy **-enn** tragedienne

traggla *itr* **F 1** [käxa] go on [*om* about] **2** [knoga] *~ igenom* plod through

trag‖ik tragic art (poetry); *~en i* the tragedy of **-iker** *allm.* tragedian; [skådespelare] tragic actor **-i|komisk** *a* tragicomic[al] **-isk** *a allm.* tragic[al]

trakasser‖a *tr* harass, worry; pester **-i** pestering, vexation; [starkare] persecution

trakt [grannskap] neighbourhood; [område] district, parts *pl;* region; stretch of country; *här i ~en* (*äv.*) round about here, hereabouts

trakta *itr, ~ efter* aspire to; [framgång] aim at; *~ efter ngns liv* seek a p.'s life **-n** se *diktan*

traktat 1 [fördrag] treaty **2** [skrift] tract **-s|brott** breach of a (the) treaty

trakter‖a *tr* **1**, *~ ngn med* treat a p. to, stand a p. a th.; *äv.* regale a p. with; *inte vidare ~d* not particularly pleased **2** [hantera, spela] play; [blåsa] blow **-ing** entertainment [provided]; *bestå ~en* stand treat; *få riklig ~* have sumptuous entertainment

traktor tractor; *mil. äv.* dragon, caterpillar

trall melody, tune; *den gamla ~en* (*bildl.*) the same old ditty

1 tralla ⊕ trolley; se *äv. dressin*

2 tralla *itr* o. *tr* troll [out . .], warble

tramp tramping **-a I** *s* [på cykel] pedal, treadle **II** *itr* o. *tr* tramp, tread; [tungt] trample; [orgel] blow the bellows of; *~ ngn på foten* (*tårna*) tread on a p.'s foot (toes); *~ i klaveret* drop a brick, put one's foot in it; *~ i samma gamla spår* plod along in the same old track; *~ . . i smutsen* (*bildl.*) trample . . in the dirt; *~ ihjäl* trample . . to death; *~ sönder* tread on . .

and smash; ~ [*ngn*] *under fötterna* (*bildl.*) trample .. under foot **-dyna** *zool.* matrix **-fartyg** tramp **-kvarn** treadmill
trampolin [high-diving] spring-board **-hopp** [spring-board] high-dive
trams **F** nonsense, rubbish, rot
tran whale-(train-)oil, blubber
tran||a crane **-bär** cranberry
trankil *a* cool, calm
trans trance; *vara i* ~ be in a trance
trans||aktion transaction **-atlantisk** *a* transatlantic **-formator** transformer **-formera** *tr* transform **-fusion** transfusion [of blood]
transistor *radio.* transistor
transit transit **-era** *tr* pass (convey) .. in transit, pass .. through [a country] **-iv** *a* transitive **-o** *adv* through, for through traffic
transkri||bera *tr* transcribe **-ption** transcription
translator [*edsvuren* sworn] translator
trans||marin *a* transmarine; *äv.* oversea **-mission** transmission; ⊕ *äv.* transmission-gear, drive **-ocean[i]sk** *a* transoceanic **-parang** transparency **-parent** *a* transparent **-piration** *naturv.* transpiration; [svettning] perspiration **-pirera** *itr naturv.* transpire; [svettas] perspire **-plantera** *tr* transplant **-ponera** *tr mus.* transpose
transport **1** [av varor o. d.] transport[ation], conveyance; [försändelse] consignment **2** *hand.* [överlåtelse] transfer; [i bokföring] carried forward **3** [tjänstemans] *söka* ~ apply for transfer (removal) **-abel** *a* transportable **-affär** transport company **-arbetare** transport worker **-band** conveyor [belt] **-era** *tr* **1** transport; [gods] convey, carry **2** *hand.* [överlåta] transfer [*på* to]; [i bokföring] carry .. forward (over) **3** [tjänsteman] transfer, remove **-fartyg** *mil.* transport-ship; *äv.* transporter, troopship **-[flyg]plan** transport plane **-försäkring** goods-in-transit insurance **-kostnad** cost of transportation; transport expense; carriage **-medel** means *sg* o. *pl* of conveyance **-väsen** transportation system
trapets **1** *gymn.* trapeze **2** *geom.* trapezium
trapp||a **1** *byggn.* [inomhus] [flight of] stairs *pl*, staircase; [utomhus] [flight of] steps *pl*; [farstu-] doorstep; *rörlig* ~ escalator; *en* ~ *(två -or) upp* on the first (second) floor; ~ *upp och* ~ *ned* up and down stairs; *i* ~*n* on the stairs; *nedför* ~*n* downstairs; *uppför* ~*n* upstairs **2** *sjö.* ladder **-avsats** [inomhus] landing; [utomhus] platform **-gavel** *ark.* stepped gable **-hus** staircase, stairs *pl* **-räcke** [staircase] banisters *pl* **-steg** step, stair; *bildl. äv.* stage **-stege** footladder; *äv.* [a pair (set) of] stairs *pl* **-uppgång** staircase, stairs *pl; sjö.* companion way
tras||a **I** *s* **1** [piece of] rag, shred; *utan en* ~ *på kroppen* without a rag (shred) of clothing on one's body; *i -or* in rags **2** se *damm~*, *skur~* **II** *tr*, ~ *sönder* tear .. into rags **-bylte** bundle of rags *äv. bildl.* **-docka** rag-doll **-grann** *a* [om sak] gaudy; [om pers.] cheaply and gaudily dressed **-hank** tatterdemalion, ragamuffin **-ig** *a* ragged, tattered; [i kanten] frayed; [sönderbruten] broken; [i olag] out of order
traska *itr* trudge (trot) [*av* off; *bort, i väg* away (off); *omkring* [a]round; *på* on]
trasmatta rag-rug; *äv.* rag-carpet
trassat *hand.* drawee [of a bill]
trassel **1** [bomulls-] cotton waste **2** [ngt oredigt] tangle; *bildl. äv.* muddle, confusion; [besvär] bother, trouble, complications *pl*; *ställa till* ~ make a muddle; [bråka] kick up a fuss **F**
trass||ent *hand.* drawer [of a bill] **-era** *tr* o. *itr hand.* draw
trassl||a **I** *itr* o. *tr*, ~ *med betalningen* be irregular about paying; ~ *ihop* get .. into a tangle; entangle; ~ *in* [*sig*] entangle [o.s.]; ~ *till sina affärer* get one's finances into disorder **II** *rfl* **1** get entangled **2** *bildl.*, ~ *sig ifrån* wriggle out of **-ig** *a* tangled, entangled; [friare] *äv.* muddled, confused; *han har* ~*a affärer* his finances are rather embarrassed
trast thrush
tratt funnel; ⊕ *äv.* hopper
1 tratta *hand.* [drawn] bill [of exchange]
2 tratt||a *tr*, ~ .. *i öronen på ngn* din .. into a p.'s ears; ~ *i sig* stuff o.s. with **-formig** *a* funnel-shaped, funnelled
trav trot; [*rida*] *i* ~ .. at a trot; *sätta* [*sin häst*] *i* ~ put .. to trot; *hjälpa ngn på* ~*en* (*bildl.*) give a p. a start (cue)
1 trava *tr* [ved o. d.] pile up
2 trav||a *itr* trot; *komma* ~*nde* come trotting along **-are** trotter, trotting horse **-bana** trotting-course
trave [ved, böcker o. d.] pile (stack) [of]
trav||sport trotting **-tävling** trotting-match
tre three; jfr *fem*[-]; *ett par* ~ *stycken* two or three; *vi gjorde det alla* ~ all [the] three of us did it; *alla goda ting äro* ~ all good things are three in number; ~ *och* ~ [~ i taget] three at a time **-a** three **-aktare** three act play **-bent** *a* three-legged **-dela** *tr geom.* trisect; *allm.* divide .. into three **-dimensionell** *a* three dimensional
tredje third (*förk.* 3rd); *resa* [*i*] ~ *klass* travel third [class]; [~ klass numera avskaffad i de flesta länder] **-dag**, ~ *jul* the day after Boxing Day **-del** third; *två* ~*ar* two thirds; *en* ~*s* a third of **-grads|tortyr** the third degree **-klass-** i *sms* third-class; [om kvalitet] third-rate **-mansrisk** third party risk
tredsk *a* refractory; *jur. äv.* contumacious **-a** refractoriness **-as** *dep* be refractory
tredubb||el *a* threefold; *det -la priset* treble (three times) the price **-la** *tr* treble
tre||enig *a* triune **-enighet** *kyrkl.* triunity, trinity; ~*en* the Trinity **-faldig** *a* threefold, treble, triple **-faldighet** *kyrkl.* [the] Trinity **-falt** *adv* se *-dubbel; äv.* thrice [*lycklig* blessed] **-fas-** i *sms* ⊕ three-phase **-fot** tripod **-hjulig** *a* three-wheeled **-hundra** three hundred **-hundraårs|jubileum** tercentenary **-kant** triangle **-kantig** *a* triangular; ~ *hatt* cocked (three-cornered) hat **-klang** *mus.* triad **-kvarts** *a*, *under* ~ *timme* for three quarters of an hour
trema *språkv.* diæresis [*pl* diæreses]
tre||makts|förbund triple alliance **-mastare** three-master **-mils|gräns** three-mile limit **-motorig** *a* three-engine[d]
tremulera *itr* sing with a tremolo, quaver
trepan||era *tr* trepan, trephine **-ering** trepanation
tre||procentig *a* three-per-cent **-rums-** i *sms* three-room[ed] **-sidig** *a* trilateral **-siffrig** *a* three-figure **-sitsig** *a* three-seated **-snibb** [-kantig duk o. d.] triangular[-shaped] cloth **-språkig** *a* trilingual; [film, bok] in three languages **-stavig** *a* trisyllabic **-stegs|hopp** *sport.* hop-step-and-jump **-stegs|raket** three-stage rocket **-stämmig** *a mus.* for three voices **-takts|motor** three-stroke engine **-tal** [grupp av tre] triad; ~*et* [the number] three **-tiden**, *vid* ~ [at] about three [o'clock]

tretti||[o] thirty; *kl. sex och* ~ at six thirty **-onde** thirtieth **-[o]tal,** ~*et* [the number] thirty; *på* ~*et* in the thirties **-[o]årig** *a* thirty-year[-old]; *T~a kriget* the Thirty Years' War
tretton thirteen **-dag,** ~*en* Twelfth Day **-dags**|**afton,** ~*en* Twelfth Night **-de** thirteenth **-hundratal,** *på* ~*et* in the fourteenth century **-årig** *a* thirteen-year-old; jfr *fem-*
tre||**tums-** i *sms* three-inch **-udd** trident **-uddig** *a* three-pointed; [gaffel o. d.] three-pronged
trev||**a I** *itr* grope [about] [*efter* for]; ~ *efter ord* fumble for words; ~ *på ngt* feel .. [gropingly] all over **II** *rfl* grope one's way [*fram* along; *omkring* about] **-ande I** *s* groping **II** *a* groping, fumbling; *bildl. äv.* tentative **-are** *allm.* feeler
trev||**lig** *a* pleasant, agreeable, nice; [starkare] jolly; [rolig] enjoyable; [tilltalande] pleasing, attractive; [sällskaplig] sociable; [bostad o. d.] comfortable; jfr *hem~; en ~ historia!* (*iron.*) a nice story! ~ *resa!* pleasant journey! bon voyage! *fr.; nog får han det ~t där!* he'll be sure to have a good (nice) time of it there! *iron. äv.* they will make things pleasant for him, I know! *vi hade mycket ~t* we had a very nice time [of it]; *äv.* we enjoyed ourselves very much; *jag har haft mycket ~t* I have had a wonderful time; *det är just ~t! (iron.)* what a pleasant state of things this is! **-ligt** *adv* pleasantly &c **-nad** comfort; *äv.* comfortable feeling; *sprida* ~ put people in a good humour with themselves
tre||**vånings**|**hus** three-stor[e]y house **-väppling** *bot.* trefoil leaf **-årig** *a* [avtal o. d.] three-year[s']; [barn och djur] three-year-old **-åring** [om barn] child of three [years of age]; [om hästar] three-year-old **-års-** i *sms* se *-årig*
triang||**el** triangle **-ulär** *a* triangular
tribun platform, tribune **-al** tribunal
tribut tribute **-skyldig** *a* tributary
trick trick, stunt
triftong triphthong
trigonometr||**i** trigonometry **-isk** *a* trigonometric[al]
trikin trichina [*pl* trichinae]
trikolor, ~*en* the tricolour [flag]
trikå 1 [stickat tyg] tricot *fr.*, stockinet **2** ~*er* tights **-affär** hosiery shop **-dräkt** knitted costume; *äv.* jersey suit **-fabrik** knitted-goods (hosiery-)factory **-klänning** jersey dress **-varor** stockinet (hosiery) goods, *hand.* knitted wear *sg*
trilla I *itr* [rulla] roll; [falla] drop, fall, tumble; [om tårar] trickle **II** *tr* roll, wheel **III** *s* [vagn] surrey
tri||**lling** triplet **-logi** trilogy
trilsk *a* contrary, wilful; [tjurig] pig-headed, mulish **-as** *dep* be contrary &c **-het** contrariness &c
trim||**ma** *tr sjö.* trim; [hund] get .. into trim **-ning** trimming, *äv.* trim
trind *a eg.* round[-shaped]; [figur] rotund, **F** tubby, chubby **-het** roundness, rotundity
trio trio; [tretal] triad
1 tripp [short] trip; *göra en* ~ go for a trip
2 tripp, ~ *trapp trull* tit-tat-toe **-a** *itr* trip along
triptyk triptych
trissa trundle, [small] wheel; ⊕ pulley; [på möbel] castor, caster
trist *a* [dyster] gloomy, dismal; [pers.] melancholy, sad; [förhållanden] depressing, dreary **-ess** gloominess &c; melancholy
triumf triumph **-ator** triumphator **-båge** triumphal arch **-era** *itr* triumph; [jubla] exult **-erande** *a* triumphing, triumphant; *äv.* exultant **-rop** shout (cry) of triumph **-tåg** triumphal procession (*bildl. äv.* progress)
triv|**as** *dep* get on; [blomstra] flourish, prosper; [frodas] thrive; *hur -s ni i Sverige?* how do you like Sweden? ~ *med ngn* like (get on with) a p.; *jag har -ts mycket bra här* I have enjoyed my stay here
trivial *a* trivial; [platt] commonplace, trite **-itet** triviality
trivsam *a* [om pers.] easy to get on with; *ha ett ~t sätt* have a congenial way **-het** congeniality; [ngts] *äv.* homishness
trivsel se *trevnad*
tro I *s* **1** belief [*på* in]; *relig.* faith; [tillit] *äv.* trust [*på* (*till*) in]; *sätta* ~ *till* trust, believe, give credence to; *äv.* put confidence in; *i den ~n att* believing (in the belief) that; *i god* ~ bona fide, in good faith **2** [*lova sin* pledge one's] troth; *svära ngn* ~ *och loven* give a p. one's plighted word; *svära ngn* ~ *och lydnad* swear allegiance to a p. **II** *tr* o. *itr* believe, trust; [förmoda] think, suppose; **F** o. *Am.* guess, reckon; [föreställa sig] fancy, imagine; *ja, jag ~r det* yes, I believe (think) so; *det ~r jag, det!* I should just think so! rather! *det var det jag ~dde!* [that is] just what I thought! *jag kunde just* ~ *det* I thought as much; *det ~r du bara!* that's only your imagination! *inte* ~ *ngn alltför väl* not put too much faith in a p.; *jag ~r detsamma* I am of the same opinion; *jag kan* ~ *det!* I dare say! *jag skulle* ~ *det* I am inclined to believe so; ~ *mig, ..* take my word for it ..; *må ni* ~ I can tell you **III** *rfl* think (believe) o.s. [*säker* safe]; ~ *sig vara* think that one is; *äv.* consider (imagine, believe) o.s. to be; ~ *sig om att kunna* believe o.s. capable of ..-ing (able to)
troende *a* believing; se *äv. rättrogen; en* ~ a believer; *de* ~ (*äv.*) the faithful
trofast *a* [kärlek] faithful; [vänskap] loyal, true, constant; [~ *av sig*] true-hearted, trusty **-het** faithfulness; *äv.* loyalty, constancy
trofé trophy
trogen *a* faithful [*intill döden* unto death; *mot* to]; *förbli* ~ *sina ideal* remain true (stick) to one's ideals; jfr *trofast; sin vana* ~ true to habit
trohet faithfulness, fidelity; loyalty **-s**|**brott** breach of faith **-s**|**ed** oath of allegiance **-s**|**plikt** allegiance
trohjärtad *a* true-hearted; [blick] frank; [förtroendefull] confiding
trojan -sk *a* Trojan
trok||**é** trochee **-eisk** *a* trochaic
trolig *a* probable, likely; [trovärdig] credible, plausible; *det är ~t att han* he will probably (he is likely to); *hålla för ~t* think it likely; *söka göra ~t att* make people believe that **-en -tvis** *adv* very (most) likely, probably; *äv.* as likely as not; *han kommer* ~ *inte* he is not likely to come
troll troll; [elakt] hobgoblin, ogre; *ditt lilla ~!* you little witch! *när man talar om ~en, så stå de i farstun* think of the devil and he's over your shoulder **-a** *itr* [bruka -dom] conjure; [om -konstnär] perform conjuring [tricks]; ~ *bort* conjure (juggle) .. away; ~ *fram* conjure forth (up) **-dom** witchcraft; [-eri] magic; *bruka* ~ use magic **-doms**|**konst,** ~*en* [the art of] witchcraft **-dryck** magic potion **-eri** magic, enchantment **-eri**|**professor** [professional] conjurer **-formel** magic formula; charm, spell; [be-

svärjelse] incantation **-karl** magician, wizard; *äv.* sorcerer **-konst, ~er** magic *sg; äv.* conjuring tricks; *göra ~er* perform conjuring tricks **-konstnär** conjurer **-kraft** magic power **-krets** *bildl.* magic sphere; *dra ngn inom sin ~* bring a p. under one's spell **-kunnig** *a* skilled in the magician's (&c) art **-kvinna -käring** witch, sorceress **-skott** fit of sciatica **-slag,** *som genom ett ~* as if by [a stroke of] magic **-slända** dragonfly **-spö -stav** magic rod (wand) **-trumma** troll-drum **-tyg** witchery, sorcery
trolov‖a *rfl* become betrothed [*med* to] **-ad** *a, hans (hennes) ~e* his (her) betrothed **-ning** betrothal *äv. i sms*
trolsk *a* magic[al]; [tjusande] bewitching
trolös *a* faithless (disloyal) [*mot* to]; [förrädisk] treacherous, perfidious **-het** faithlessness (disloyalty) [*mot* to]; *äv.* treachery, perfidy
tromb 1 tornado **2** *läk.* thrombus
tron throne; *avsäga sig ~en* abdicate; *störta ngn från ~en* dethrone a p.; *uppstiga på ~en* ascend the throne **-a** *itr* be enthroned [*på* on]; [friare, *skämts.*] throne it **-anspråk** claim to the throne **-arvinge** heir to the throne **-avsägelse** abdication **-bestigning** accession [to the throne] **-följare** successor to the throne **-följd** [order of] succession [to the throne] **-himmel** canopy **-pretendent** pretender to the throne **-sal** throne-room **-skifte** demise of the crown **-tal** speech from the throne
trop‖ik tropic; *~erna* the Tropics, the Tropic Zone *sg* **-ik|hjälm** sun helmet **-isk** *a* tropic[al]
tropp troop; [infanteri] section; *gymn.* squad **-a** *itr, ~ av* move off; [en och en] drop off **-chef** *mil.* troop (section, squad) commander
tros‖artikel article of faith; [friare] doctrine **-bekännelse** confession (declaration) of [one's] faith; [lära] creed **-frihet** religious tolerance **-frände** brother in the faith **-iver** religious zeal
tro‖skyldig = *-hjärtad* **-s|lära** [religious] doctrine of faith, dogma; [bekännelse] *äv.* creed
1 tross *sjö.* hawser; [friare] rope
2 tross *mil.* [träng o. d.] supply-vans *pl*
tros‖sak matter of [religious] belief **-samfund** religious community **-sats** dogma
trossbotten *byggn.* double floor[ing]
tross‖häst (-kusk) *mil.* baggage-horse (-driver) **-kärra** *mil.* baggage-(army-)wag[g]on
tros‖stark *a* firm (steadfast, strong) in the (one's) faith **-strid** religious controversy **-viss** *a* full of implicit faith **-visshet** certainty of belief; *äv.* assured faith **-vittne** [bekännare] confessor; [martyr] martyr [to the faith]
trotjänar‖e -inna, [*gammal*] ~ faithful old servant (retainer)
trots I *s* defiance [*mot* of]; [övermod] bravado; [motspänstighet] obstinacy [*mot* to[wards]]; *äv.* scorn [*mot* of]; *visa ~ mot ngn* defy (bid defiance to) a p.; *i ~ av* in spite of; *på ~* in (out of) defiance **II** *prep* in spite of; *äv.* despite, notwithstanding **-a** *tr* o. *itr* defy, set .. at defiance; [bjuda .. trots] bid defiance to; [utmana] brave, scorn, laugh .. to scorn; *det ~r all beskrivning* it defies (baffles) all description **-ig** *a* defiant [*mot* to[wards]]; [uppstudsig] refractory; [styvsint] stubborn, obstinate; [friare] *äv.* scornful, insolent **-ighet** refractoriness &c; defiance, obstinacy **-ålder** period of resistant behaviour, *äv.* difficult age

trottoar pavement; *äv.* footway; *Am.* sidewalk **-kant** curb (kerb)[-stone] **-servering** pavement restaurant (café)
trovärdig *a* credible; [tillförlitlig pers.] reliable, trustworthy; *äv.* authentic [*källa* source]; *från ~t håll* from a reliable quarter; from good authority **-het** credibility; *äv.* trustworthiness
trubadur troubadour
trubb‖a *tr, ~ av (till)* blunt **-ig** *allm.* o. *bildl.* blunt; [avtrubbad] blunted; [ej spetsig] pointless; [vinkel] obtuse **-näsa** snub nose, pug-nose **-vinklig** *a* obtuse-angled
truga I *tr, ~ ngn att* press a p. to; *äv.* urge (solicit) a p. to; *~ på' ngn ngt* force a th. [up]on a p. **II** *rfl* force o.s. [*till att* to]; *låta ~ sig* wait to be pressed
trumeld *mil.* drum fire
trumf trump; *hjärter är ~* hearts are trumps; *sitta med alla ~ på hand* have all the trumps in one's hand **-a** *itr* **1** *kortsp.* play trumps, trump; *~ över ngn* out-trump a p. **2** *~ (dunka) i bordet* pound on the table; *~ igenom* [*ett lagförslag*] force .. through **-färg** trump suit **-kort** trump [card] **-spel** trump game **-äss** ace of trumps
trum‖hinna ear-drum, drum-membrane [of the ear] **-ma I** s **1** *mus.* drum; *slå på ~* beat the drum **2** ⊕ arched culvert, drain, sewer; [för kablar] conduit **II** *itr* drum; [om regn] *äv.* beat [*på* on]; *~ ihop* (*bildl.*) drum (beat) up
trumpen *a* sullen, sulky; *äv.* morose, moody
trumpet trumpet; *blåsa* [*i*] *~* play (sound) the trumpet **-a** *itr* trumpet [*ut* forth] **-are** trumpeter; *mil. äv.* bugler **-fanfar** flourish of trumpets **-signal** trumpet-signal(-call) **-stöt** trumpet-blast
trum‖pinne drumstick **-skinn** drum-skin **-slag** drum-beat **-slagare** drummer **-slagar|pojke** drummer-boy **-virvel** roll[ing] of [the] drums
trupp troop; [-styrka] contingent; [-enhet] unit; *gymn.* o. *sport.* team; *teat.* troupe, company; *~er* (*mil.*) troops, forces **-biljett,** *resa på ~* travel at the reduced troop-transport rate **-förband** *mil.* military unit **-koncentration**[**er**] massing of troops **-revy** review [of troops] **-rörelse** *mil.* military movement **-slag** branch of the service **-styrka** *mil.* military force **-transport** transport[ation] of troops **-transport|fartyg** troop-ship, trooper **-transport|plan** transport plane, troop carrier
trust trust, combine **-väsen** trust system
1 trut *zool.* gull
2 trut F [mun] mug, snout; *hålla ~en* hold one's jaw, shut up **-a** *tr* o. *itr, ~ med munnen* pout [one's lips]
tryck 1 pressure [*på* on]; [tonvikt] stress; [friare] *äv.* oppression [*över bröstet* on one's chest]; *bildl.* constraint, strain; *utöva ~* exercise ([friare] put) pressure [*på* on] **2** ⊕ *boktr.* print; [av-] impression; *ge ut i ~* print, publish **-|a** *tr* o. *itr* **1** press [*mot* against (to); *på* on]; [klämma] squeeze; [tynga] weigh .. down, press heavily upon; *~ ngns hand* shake a p.'s hand; *~ ihop'* press (squeeze) .. together; *äv.* compress; *~ in'* press (force) .. in; *~ ned'* press .. down; [friare o. *bildl.*] depress; *~ en kyss på* imprint a kiss on; *skon -er* [*mig*] *på tårna* the shoe feels tight over the (my) toes; *~ på en fjäder* touch a spring; *tryck på knappen!* press the button! *~ ngn till sitt bröst* (*äv.*) clasp a p. to one's breast; *~ upp* press .. up, force .. open; *~ ut* press (force) .. out **2** *boktr.* print; [med stämpel] stamp; [tyg o. d.] impress; *~ om'*

en bok reprint a book **-alster** specimen of printing; *äv.* printed matter **-ande** *a* pressing &c; [friare o. *bildl.*] oppressive; [tung] heavy; [väder] sultry, close **-ark** *boktr.* printed sheet **-bokstäver** block letters **-eri** printing-works *sg* o. *pl; äv.* printing-office; *skicka till ~et* send to the printer's (press) **-eri|faktor** printer's foreman **-fel** *boktr.* misprint, printer's error
tryckfrihet freedom of the press **-s|brott** breach of the press law **-s|förordning** press law **-s|mål** press-law suit
tryck||färdig *a* ready for the press **-kammare** pressure chamber **-knapp** push button **-kokare** pressure cooker **-kontakt** *elektr.* push-contact **-luft** *fys.* compressed air **-mätare** manometer **-ning 1** pressing &c; pressure; [med fingret] press; [på -knapp] *äv.* push **2** *boktr.* printing; *lämna till ~* hand in to be printed; *godkännes till ~* passed for printing; *under ~* in the press **-nings|kostnader** costs of printing **-nings|tillstånd** licence (permission) to print; imprimatur **-ort** place of publication **-press** printing-press **-pump** pressure pump **-rör** discharge pipe **-sak[er]** printed matter *sg; äv.* book post *sg* **-sida** *boktr.* printed page **-stark** *a* stressed, accented **-stil** [printing-]type **-svag** *a* unstressed, unaccented **-svärta** *boktr.* printer's ink **-t** *a* **1** pressed &c **2** *boktr.* printed [*hos* by] **-år** year of impression (publication); *utan ~* no date (*förk.* n. d.)
tryffel truffle
trygg *a* safe (secure) [*för* from]; [om pers.] confident; [orädd] dauntless; *äv.* assured **-a** *tr* make .. safe (secure) [*för* (*emot*) from]; *äv.* safeguard; *~d* (*äv.*) safe (secure) [*för* (*emot*) from] **-het** safety, security **-hets|känsla** feeling (sense) of security **-t** *adv* safely &c; with safety
trymå pier-glass
tryne snout
tryta *itr* **1** se *fattas* o. *saknas* **2** [ta slut] *börja ~* [om förråd] begin to get low (run short); [om krafter] ebb; [*tålamodet*] *tröt honom* .. failed (deserted) him
tråck||el|styng (**-el|tråd**) tacking-stitch (-thread) **-la** *tr* o. *itr* tack, baste; *~ fast* tack on [*på* (*vid*) to]
tråd thread; [bomulls-] cotton; [sy-] sewing-thread; [metall-] wire; [i glödlampa] filament; *den röda ~en* (*bildl.*) the main theme [of the book]
tråda *tr, ~ dansen* tread the dance
tråd||antenn wire aerial **-buss** trolley bus **-docka** twist of thread **-ig** *a* filamentous, fibrous **-lik** *a* threadlike; *äv.* filamentous **lös** *a* wireless (*äv.*: *~ telegraf*[*i*]) **-radio** wired broadcasting **-rulle** [tom] bobbin, reel; *Am.* spool; [med tråd på] reel &c of thread **-rätt** *adv* the way of the thread[s] **-sliten** *a* threadbare, thread-worn **-smal** *a* [as] thin as a thread **-spik** nail **-vante** thread glove **-ända** end of cotton (thread)
tråg trough; [mindre djupt] tray
tråk||a *itr, ~ ihjäl (ut)* bore .. to death (.. utterly) **-ig** *a* tedious, boring; [besvärlig] tiresome; [om pers.] dull; [ointressant] uninteresting; [om bok o. d.] prosy, dry; [oangenäm] disagreeable; *en ~ historia* an unpleasant affair; *en ~ människa* (*äv.*) a bore; *ha ~t* be bored, have a tedious (dull) time of it; *det blir ~t för mig!* that will be tiresome (nasty) for me! *det var hemskt ~t!* that was too bad! *det var ~t att* I am sorry that; *så ~t!* [det gör mig ont] Oh, I'm sorry! [så synd] what a pity! *det vore ~t, om* I should be [very] sorry if **-ighet** tediousness; jfr *ledsamhet* **-igt** *adv* tediously &c; *~ nog* unfortunately; *äv.* I am sorry to say **-måns F** bore
trål trawl **-are** trawler
trån||a *itr* pine (languish) [*efter* for] **-ad** pining (languishing) [*efter* for]
trång *a* narrow; [åtsittande] tight [*om* round]; [horisont] limited; *det är ganska ~t i* there is very little space [to spare] in; [*stugan*] *blev honom för ~* [his home] became too confined for him **-bodd** *a* overcrowded; *vara ~* live at close quarters **-boddhet** restricted (cramped) housing-accommodation; *äv.* overcrowding **-bröstad** *a bildl.* narrow-minded; [pryd] strait-laced **-mål** *ekon.* embarrassment; [friare] *äv.* straits *pl;* [nödläge] distress; *råka i ~* get into straits (embarrassed circumstances), **F** *äv.* get into a [tight] corner **-sinthet** narrow-mindedness **-synt I** *a* narrow-sighted(-visioned); *äv.* narrow **II** *adv* narrow-sightedly **-t** *adv* narrowly; [om plagg] [*sitta för* fit too] tight; *bo ~* live in [over]crowded conditions; *sitta ~* (*bildl.*) be severely cramped, be hard up, be in a tight corner
trånsjuk *a* pining (languishing) [*efter* for]
trä wood; *av ~* (*äv.*) wooden; *smaka ~* (*bildl.*) be dull (boring) **-aktig** *a* woodlike; *bildl.* woody, wooden **-beläte** wooden image **-ben,** *gå på ~* have wooden legs (a wooden leg) **-bit** piece (bit, chip) of wood **-bjälke** timber beam **-bock 1** [sak] wooden trestle **2** [om pers.] *bildl.* block **-bro** (**-bänk**) wooden bridge (bench)
träck excrement[s *pl*]; [djurs] dung
träd tree; [*sådana saker*] *växa inte på ~* .. don't grow on every bush
1 träda *itr* step, tread; jfr *gå; ~ emellan* step between; *äv.* intervene; *~ fram* come (step) forward; *äv.* appear; *~ i kraft* come into effect (force); *~ tillbaka (bildl.)* withdraw (retire) [*för* in favour of]; *~ ut* step (go, walk) out; *~ åt sidan* step aside
2 träda *tr* [tråd på en nål] thread [*på* on to]; [friare] pass, slip, thrust; *~ på' en nål med* thread a needle with
3 träd||a -e *s lantbr.* fallow [field]; idle land; *ligga i ~* lie fallow
träd||dunge clump of trees **-fällning** wood cutting (felling) **-gren** branch [of a tree] **-gräns,** *~en* the tree-limit(-line) **-gård** garden; [större, is. offentlig] gardens *pl*
trädgårds||alster garden product; *pl äv.* garden produce *sg* **-allé** garden avenue **-arbete** gardening **-arkitekt** landscape gardener **-dräng** gardener's man, under-gardener **-fest** garden party **-gång** (**-land**) garden walk (plot) **-mästare** [master] gardener **-möbel** [piece of] garden furniture **-odlare** gardener; horticulturist **-produkt** = *-alster* **-redskap** gardening implement **-sax** garden shears *pl* **-skola** school of horticulture **-skötsel** gardening, horticulture **-stad** (**-staket**) garden city (fence) **-sångare** garden warbler **-täppa** garden plot **-utställning** horticultural show
träd||krona crown of a (the) tree, tree-top **-krypare** tree-creeper **-lös** *a* treeless **-piplärka** tree-pipit **-skola** [tree-]nursery **-slag** [variety (type) of] tree **-stam** (**-stubbe -topp**) tree-trunk (-stump, -top)
träfartyg wooden vessel
träff 1 hit; *skjuta ~* score a hit **2 F** [möte mellan två] rendezvous, *Am.* date **-a** *tr* o. *itr* **1** meet; [*~ngn hemma*] *äv.* find, see; [i telefon] get hold of [.. by (over the) telephone]; [få tag i] catch; *~s herr B.?* can I see ([i telefon] speak to) Mr. B.? *äv.* is Mr. B. in? *~s* [*mellan 9 och 10*] [.. is] at home for callers ..; *~ på'* [happen to]

come across (come [up]on) **2** [råka med slag o. d.] hit; *äv.* strike; [ha avsedd verkan] strike home; ~ *det rätta* strike the right note **3** ~ *åtgärder* take measures; ~ *sitt val* make one's choice **-ad** *a* hit; *känna sig* ~ (*bildl.*) feel smitten (guilty) **-ande** *a* to the point; [anmärkning] pertinent; [passande] apposite, appropriate **-as** *dep* meet; *vi* ~ *i morgon* we shall be seeing each other to-morrow **-säker** *a* sure in aim; *bildl. allm.* sure [*i* in]; [yttrande] apposite; *en* ~ *skytt* a sure marksman, [starkare] a dead shot **-säkerhet** [skytts] precision (accuracy) of aim; [i omdöme] rightness of judgment

trä||fiber wood fibre **-fiber|platta** fibre [building] board, wallboard **-fri** *a* wood-free **-förädling[s|industri]** wood-working [industry] **-gas** wood-gas

trägen *a* assiduous, persevering; ~ *vinner* perseverance carries the day **-het** assiduity, perseverance

trä||golv wood[en] floor **-hus** wooden (timber) house **-häst** wooden horse **-ig** *a* [i smaken] woody; jfr *-aktig* **-industri** wood-working industry; *äv.* timber industry **-karl** *kortsp.* dummy; [snickare] carpenter **-karls|bridge** dummy bridge **-kol** charcoal **-konservering** timber preserving **-konstruktion** timber work, wood construction **-kärl** wooden vessel

träl [is. förr] thrall; [livegen] serf; [friare bruk] bond[s]man, slave; se *äv. 2 slav* **-a** *itr* = *slava*

trälast *sjö.* timber cargo

träl||bunden *a* enslaved **-dom** bondage, thraldom; [friare bruk] slavery, servitude **-göra** *s* drudgery

trä||list wood border (lath) **-låda** wooden box **-mask** woodworm **-massa** wood-pulp **-mjöl** wood-meal

trän||a *tr* o. *itr* train [*till* for]; [öva sig] practise; *börja* ~ go into training **-ad** *a* *sport.* trained; [erfaren] experienced, practised **-are** trainer; *äv.* coach

träng *mil.* train; *~en* the [Royal] Army Service Corps

träng||a **I** *tr* o. *itr* [skjuta, knuffa] force, push; [genom öppning] *äv.* squeeze; [driva, trycka] drive, press; [*fienderna*] ~ *oss på alla sidor* . . press in upon us [on every side]; [vara trång, om plagg o. d.] be (feel) tight; *icke ett ord -de över hennes läppar* not a word escaped her lips; ~ *fram till* reach, penetrate to; ~ *igenom* penetrate, come through; [om sak] *äv.* find its way (come) through; ~ *ihop* [människor] crowd (pack) . . together; [is. saker] compress; ~ *ihop sig* crowd together; ~ *in* . . [i] press (force) . . in[to]; *kulan -de djupt in i* the bullet penetrated deep into; ~ *in i* (*bildl.*) penetrate into; ~ *ned* force one's way down [*i* into]; *äv.* is. *bildl.* penetrate [*till* to]; ~ *på'* [~ framåt] come crowding on; [~ vidare] push (press) on; ~ *undan* force (push) . . out of his (its) place (out of the way); ~ *ut a) tr* force . . out; *b) itr* force one's way out; [om rök, vätska o. d.] issue forth **II** *rfl,* ~ *sig fram* push one's way forward; ~ *sig in* [objuden] intrude [*bland* among; *i* upon]; ~ *sig på* [om minnen, tankar o. d.] come thronging in upon a p.'s mind; ~ *sig på ngn* obtrude [o.s.] upon a p. **-ande** *a* [angelägen o. d.] urgent; *äv.* pressing; *vid* ~ *behov* in an (a case of) emergency **-as** *itr dep* jostle one another, push; [samlas, skockas] crowd [together]

träng||re *komp.* **I** *a* narrower; *äv.* more limited; [om plagg] *äv.* tighter; *inom en* ~ *krets* [with]in a [strictly] limited circle; *den* ~ *familjekretsen* the immediate family circle **II** *adv* more narrowly; [tätare] closer [together] **-sel** crowding; [mera *konkr*] crush (throng) [of people]; *det råder* ~ *på* [*sjukhuset*] . . is overcrowded; *i ~n* in the crush; *vara till* ~ *full av* be thronged (packed) with

trängt||a *itr* yearn (pine) [*efter* for; *efter att* to] **-an** yearning[s *pl*]

träning training; [av ngn] *äv.* coaching; [övning] practice; *lägga sig i* ~ *för* go into training for

träns **1** *ridk.* snaffle **2** braid, cord

trä||panel wood panelling **-pinne** [round] piece of wood **-plugg (-ram -ribba)** wooden pin (frame, lath)

träsk fen, marsh; [insjö] lake, mere; *bildl.* slough

träskaft wood handle

träskalle blockhead, numskull

träskartad *a* fen-like, fenny, marshy

träsked wooden spoon

träsk||feber marsh fever **-mark** fenny (marshy) ground

trä||sko wooden shoe; [-bottnad toffel] clog **-skruv** screw nail **-skulptur** wood-carving **-skål** wooden bowl **-slag** sort (kind) of wood; *äv.* woods *pl* **-slev** wooden ladle **-sliperi** wood pulp mill **-slöjd** wood sloyd, woodwork, carpentry **-snideri** wood-engraving, wood-cutting; [skulptur] wood-carving **-snitt** *konst.* wood-cut **-sprit** wood spirit **-sticka** wood splinter (sliver); *äv.* chip of wood **-stock** timber, log **-stol** wooden chair **-stubbe** stump [of a tree]

trät||a **I** *s* quarrel, wrangle; [högljudd] *äv.* [violent] altercation, squabble, row **II** *itr* quarrel, wrangle; [svagare] bicker [*om* about] **-girig** *a* se *grälsjuk*

trä||tjära wood tar **-ull** wood-wool; *äv.* excelsior **-varor** timber-(wood-) products **-varu|affär** timber(&c)-business **-varu|bransch,** *i ~en* in the timber industry **-varu|handlare** timber-merchant **-varu|industri** timber industry **-virke** wood, timber; [i byggnad] woodwork

trög *a* sluggish; [allmännare] slow [*i* at; *i att* at . . -ing]; [senfärdig] tardy [*i att* in . . -ing]; [*fys.* och friare] inert; [slö] dull **-het** sluggishness &c; [*fys.* o. friare] inertia; *äv.* inertness, inactivity; [flegma] phlegm **-måns** **F** sluggard, slacker **-tänkt** *a* slow-witted, slow in the uptake

tröja [under-] vest; [sport- o. d.] jersey, sweater, cardigan; [kavaj, jacka] jacket

trösk||a *tr* o. *itr* thresh; ~ *igenom* (*bildl.*) plough through **-el** threshold [**till** of]; [dörr-] *äv.* door-sill, doorstep **-ning** threshing **-verk** threshing-mill, thresher

tröst consolation, solace; [svagare] comfort; *klen* ~ poor consolation; *söka sin* ~ *i glaset* **F** seek solace in the bottle **-a** **I** *tr* console [*över* for]; *äv.* solace, comfort **II** *rfl* console o.s [*för* (*över*) for]; [*han ville icke*] *låta* ~ *sig* . . be comforted **-e|ord** word of comfort (solace) **-e|rik** *a* consoling, full of consolation **-lös** *a* [om pers., blick o. d.] disconsolate; [om situation] hopeless, desperate **-pris** consolation prize

trött *a* tired [*av* with; *av att* with . . -ing; *efter* after (as a result of)]; [uttröttad] weary, fatigued; ~ *på alltsammans* sick of the whole thing; *jag är* ~ *på honom* (*på att resa*) I have had enough of him (of travelling); *arbeta sig* ~ work till one is tired [out] **-a** *tr* tire, weary, fatigue **-het** tiredness, weariness; *äv.* fatigue **-hets|-**

känsla sense of fatigue **-köra** *tr* overdrive; *bildl. äv.* overwork, jade **-na** *itr* tire (weary, get (grow) tired) [*på* of; *på att* of..-ing] **-sam** *a* fatiguing, tiring; *äv.* wearisome; [mödosam] toilsome
tsar czar, tzar **-evitj** czarevitch
tu two; *ett ~ tre* in the twinkling of an eye; *de unga ~* the young couple; *det kan inte vara ~ tal om den saken* there can be no two opinions about that [question]
tub tube
tubba *tr, ~ ngn till* induce a p. to
tuberkel tubercle **-bacill** tubercle bacillus **-fri** *a* non-tuberculous; [mjölk] tuberculin-tested **-härd** seat (focus) of tubercular lesions
tuberkul‖os tuberculosis [*i* of] (*förk.* T.B.) **-ös** *a* tuberculous; tubercular
tudela *tr* divide .. into two [parts]
1 tuff *a* **F** tough [*kille* guy]
2 tuff [vulkanisk] tuff; [kalk-] tufa
tugg‖a I *s* se *munsbit; äv.* chew, cud **II** *tr* o. *itr* chew; [mat] *äv.* masticate; *~ på (äv.)* bite (**F** chaw) at **-buss** quid [of tobacco] **-[g]ummi** chewing-gum **-ning** mastication, chewing **-tobak** chewing-tobacco
tuja white cedar
tukt discipline; *i ~ och ära* in honour and chastity **-a** *tr* discipline, correct; [straffa] punish; [aga] *äv.* chastise; ⊕ [sten] hammer-dress; [trädgård o. d.] prune **-an** chastisement, castigation; *äv.* correction **-hus** [straff] penal servitude **-husfånge** convict
tull 1 duty [*på* on] **2** [-verk] *i ~en* in the Customs *pl;* [-personalen] the Customs officers (people); *gå genom ~en* go through the customs **3** [stads-] toll-gate **-behandla** *tr* examine .. for customs [purposes] **-betjäning** *koll* customs attendants *pl* **-bevakning,** *~en* the Preventive Service Corps **-deklarera** *tr* declare .. for customs [purposes] **-fri** *a* duty-free, non-dutiable **-hus** **-kammare** custom-house, customs office **-pliktig** *a* dutiable, liable to duty; [*har ni*] *ngt ~t* [*gods*]? .. anything to declare [for customs]? **-skydd** [tariff-]protection **-snok F** shark **-station** customs-examination station **-tjänsteman** customs officer; [högre] revenue officer **-union** customs union **-verk,** *~et* the Custom House **-visitation** customs examination **-väsen,** *~det* the customs organization
tulpan tulip
tum inch **-handske** mitten, fingerless glove
tumla I *itr* fall, tumble [*av* off]; [vältra sig] roll; *~ om med varandra* [brottas o. d.] have a tussle [together] **II** *rfl, ~ sig i gräset* roll over and over in (on) the grass **-re 1** [glas] tumble **2** *zool.* common porpoise
tumm‖a *tr* o. *itr, ~* [*på*] finger; [klandrande] tamper with; [överenskomma om] **F** strike hands on **-e** thumb **-e|liten** Tom Thumb
tummelplats battlefield (battleground) [*för* for]
tum‖metott [i barnspråk] thumby **-s|bred** *a, en ~* .. a[n] .. an inch broad (wide) **-s|bredd,** *en ~* the breadth of an inch **-skruv** thumbscrew; *sätta ~ar på ngn* (*bildl.*) thumbscrew a p. **-stock** carpenter's rule
tumult tumult; [oväsen] uproar; [upplopp] disturbance, riot
tumvante woollen mitt[en]
tumör *läk.* tumour
tundra *geogr.* tundra
tung *a* heavy [*av* with]; *äv. bildl.* weighty, ponderous; [besvärlig] cumbersome, burdensome; [svår] hard, severe; [prövning] sore; [till lynnet] *äv.* gloomy; *jag känner mig ~ i huvudet* my head is heavy, I feel heavy-headed; *göra livet ~t för ngn* make life a burden to a p., *det känns ~t att* it feels hard to; *ett* [*flera kilo*] *~t paket* a parcel weighing..
1 tunga [börda] burden
2 tung‖a tongue; [på våg] *äv.* needle, pointer; [på flagga] tail; *räcka ut ~n åt* put (thrust) out one's tongue at; *hålla ~n rätt i munnen* mind one's P's and Q's; *utgöra ~n på vågen* (*bildl.*) hold the balance in one's hands; [*ha ordet*] *på ~n* .. on the tip of one's tongue **-band** *anat.* ligament of the tongue **-blad** blade of the tongue **-häfta** *läk.* tongue-tie; *han lider inte av ~* **F** he isn't tongue-tied **-o|mål** tongue; jfr *språk* **-omåls|talande** *relig.* speaking with tongues
tung‖rodd *a* heavy-rowing, [a] heavy .. to row; *bildl.* [*vara* be] difficult to move (get going) **-sinne** [morbid] melancholy **-sint** *a* melancholy, of a melancholy humour
tung‖spene uvula [*pl äv.* uvulæ] **-spets** tip (point) of the (one's) tongue
tung‖sövd *a, vara ~* be a heavy sleeper **-t** *adv* heavily; *gå ~ a)* [om pers.] have a heavy gait; *b)* [om vagn, maskin o. d.] run heavily (heavy); *det ligger mig ~ på sinnet* it weighs heavy on my mind; *~ vägande skäl* weighty reasons
tungus *bildl.* bore, mope
tungvikt *sport.* heavy weight *äv. bildl.* **-are** heavy-weight [boxer (wrestler)]
tunik tunic **-a** tunic
tunn *a* thin; se *äv. mager;* [tyg] *äv.* flimsy; [överrock o. d.] light; [tråd] fine; *bildl.* slender
1 tunna *itr, ~ av* [smalna] grow (get) thin[ner]; [glesna] thin
2 tunn‖a [kärl] barrel; *äv.* cask; *hoppa i galen ~* (*bildl.*) get into the wrong box **-band** barrel-hoop; [leksak] hoop **-bindare** cooper, hooper
tunnbröd *ung.* clap-bread(-cake)
tunnel tunnel; [is. för fotgängare] *äv.* subway; *Am.* underpass **-bana** *järnv.* underground (tube) railway (line); *~n* the Underground; *Am.* the Subway
tunn‖flytande *a* thin[ly] liquid **-klädd** *a* thinly (lightly) clothed (dressed)
tunnland *ung.* acre
tunn‖sådd *a* thinly sown; *bildl.* few and far between **-tarm** small intestine
tunt *adv* thinly; [glest] sparsely
tupp cock, *Am.* rooster **-fjät** cock's (cock-) stride **-fäktning** cock-fighting **-kam** cock's crest **-kyckling** cockerel; *bildl.* cocky young master (**F** monkey) **-lur** little (short) nap; *ta sig en liten ~* (*äv.*) drop off, have forty winks
1 tur 1 [ordning] turn; *det är min ~ att* it is my turn to; *i ~ och ordning* by turn[s *pl*]; *i sin ~* [*allt* everything] in its [proper] turn **2** [lycka, slump] luck; *ha ~* have luck, be lucky; *ha ~ med sig* [medföra ~] bring luck; *ha ~en att* have the luck (be lucky enough) to; *det var ~, att* how fortunate that; *en sådan ~!* what [a stroke of] luck!
2 tur 1 [resa] tour; [kortare] *äv.* round; *äv.* trip; *göra en ~* take (go for) a trip; *göra dagliga ~er till* run daily to **2** [omgång] round, turn **3** [i dans] figure **-a** *itr, ~ om att* take [it by (in)] turns to
turban turban **-klädd** *a* turbaned
turbin turbine **-driven** *a* turbine-driven **-motor** turbo-motor
turbåt regular boat
turist tourist **-bil** touring car **-buss** sight-

seeing coach; tourist bus **-byrå** tourist agency (office); jfr *rese-* **-färd** holiday trip (tour) **-förening** tourist association **-hotell** tourist hotel **-information** tourist information **-karta** touring map **-klass** tourist class **-land** tourist country **-led** tourist route **-ort** tourist resort **-ström** stream (influx) of tourists **-säng** [camp] stretcher **-säsong** tourist season **-väsen** tourist service
turk Turk **T~iet** Turkey **-inna** Turkish woman &c **-isk** *a* Turkish; *äv.* Turkey [*matta* carpet] **-iska** Turkish
turkos turquoise
turlista [ångbåts] list of sailings; [tidtabell] time-table
turn‖é, *göra en* ~ make a tour, go on tour **-era 1** *itr* tour **2** *tr* [uttrycka] turn, phrase, put **-yr** tournure *fr.*
tur och returbiljett return (*Am.* round-trip) ticket
turturduva turtle-dove
turvis *adv* by (in) turns, in turn
tusan, *det var ~!* the deuce (dickens)! *köra av bara ~* drive like blazes; *för ~!* by Jove (Jingo)!
tusch [färg] India[n] ink
tusen [*ett*] ~ one thousand; *T~ och en natt* The Arabian Nights; *jag ber ~ gånger om ursäkt!* [I beg] a thousand pardons! *flera ~ människor* several thousand people; *~ sinom ~* thousands and (upon) thousands; *inte en på (bland) ~* not one in a thousand **-de I** *räkn.* thousandth **II** *s*, *~ns beundran* the admiration of thousands **-[de]del** thousandth [part] **-foting** centipede, millepede **-konstnär** Jack-of-all-trades **-krone|sedel -lapp**, *en ~* a thousand-kronor note **-marks|sedel** thousand-mark note **-sköna** [common] daisy **-stämmig** *a* thousand-voiced **-tal 1** *inemot ~et* approaching a thousand; *ett ~* a (some) thousand or so, about a thousand **2** *på ~et* in the eleventh century **-tals** *a* thousands [of . .]; *äv.* . . in thousands **-årig** *a* a thousand years old; *det ~a riket* the millennium **-års|jubileum** millennial
tuss wad; [bomulls-] [cotton-wool] pellet
tussa *tr*, *~ en hund på* set a dog on to; *~ ihop . .* set . . [on] at each other; [friare] set . . by the ears
1 tuta [finger-] finger-stall, cot
2 tut‖a *itr* o. *tr mus.* toot, tootle; [med signalhorn] hoot; *~ . . i öronen på ngn* (*bildl.*) din . . into a p.'s ears **-ning** tooting &c
tutta *tr* **F**, *~ eld på (i) ngt* set fire to . ., set . . on fire
tuv‖a tussock, grassy hillock; [gräs-] *äv.* tuft [of grass]; *liten ~ välter ofta [ett] stort lass* little strokes fell great oaks **-ig** *a* tufty
tve‖dräkt dissension, discord **-eggad** *a* two-edged; [om svärd] *äv. bildl.* double-edged **-gifte** bigamy **-hågsen** *a* in two minds
tveka *itr* hesitate [*om* about (as to)]; *äv.* be doubtful (uncertain) [*om hur man skall* [about] how to]
tvekamp duel
tvek‖an hesitation; *äv.* uncertainty, irresolution; *utan ~* without [any] hesitation **-ande** *a* hesitating &c, hesitant **-sam** *a* hesitative (doubtful) [*om* [*ngt*] about (as to); *om, huruvida* whether]; [obeslutsam] irresolute; *känna sig ~* (*äv.*) feel dubious, be in doubt **-samhet** hesitation; hesitance, hesitancy; *äv.* doubt[fulness]; jfr *tvekan*
tve‖könad *a biol.* bisexual, hermaphrodite **-stjärt** earwig **-talan**, *beslå ngn med ~* convict a p. of self-contradiction **-tydig** *a* ambiguous; [friare] equivocal; [tvivelaktig] questionable, dubious; [oanständig] indecent; *~a existenser* (*äv.*) shady individuals **-tydighet** ambiguousness; *äv.* ambiguity; indecency
tvilling twin **-bror** twin brother **-par** pair of twins **-syskon** twin brothers and sisters; [om två] a brother and a sister who are twins **-syster** twin sister
tvina *itr* languish; *~ bort* se *tyna [bort]*
tving‖a I *tr* force [*ngn till ngt* a p. to do a th.]; *äv.* compel (coerce) [*till att* to]; [friare] *äv.* constrain, [svagare] oblige; *äv.* make [*ngn i säng* a p. go to bed] **II** *rfl* force o.s. [*till att* to]; *äv.* constrain o.s.; [tränga sig] force one's way [*fram* forward]; *låta ~ sig till [att göra] ngt* let o.s. be forced into doing a th. **-ande** *a* imperative; [oemotståndlig] irresistible; [trängande] urgent; *~ omständigheter* circumstances over which I (o. s. v.) have no control; *utan ~ skäl* without urgent reasons; *äv.* unless absolutely obliged
tvinna *tr* twine; *äv.* twist; [silke] throw
tvist [i ord] dispute, controversy; [oenighet] strife; [friare] quarrel; *slita en ~* settle a dispute; *ligga i ~* be at strife (controversy) **-a** *itr* dispute (quarrel) [*om* about] **-e|fråga** point in dispute (at issue) **-e|frö (-e|ämne)** seed (subject) of dissension **-ig** *a* disputable, open to dispute; [fråga] controversial
tvivel doubt; [farhågor] misgiving[s *pl*]; *det är (råder) inte det minsta ~ därom* there is not the slightest doubt about that; *utan ~* without any doubt; [svagare] no doubt, doubtless; *utom allt ~* beyond all doubt **-aktig** *a* doubtful; [framgång o. d.] dubious, questionable; [misstänkt] suspicious; [skum] shady; *det är ~t* [*om* . .] it is problematical . . **-s|mål**, *dra . . i ~* throw doubt upon . . **-sjuk** *a* sceptical
tvivl‖a *itr*, *~ på* doubt; *äv.* be doubtful about (as to); [misstro] mistrust; [ifrågasätta] call . . in question **-ande** *a* [klentrogen] incredulous; [skeptisk] sceptical **-are** doubter; *äv.* sceptic
tvungen *a* **1** forced; *äv.* enforced; *vara ~ att* be forced (compelled, constrained) to; have got to; [is. av inre tvång] *äv.* be bound to; *vara så illa ~* be pretty well forced to; *äv.* have no other choice **2** *bildl.* [konstlad, stel] forced (constrained) [*leende* smile]; [ställning o. d.] *äv.* cramped
1 två *tr* wash; *jag ~r mina händer* (*bildl.*) I wash my hands of it
2 två two; *en ~ tre stycken* two or three [of them]; *kl. halv ~* at half past one; *jag tar dem båda ~* I'll take both [of them]; *det ska vi bli ~ om!* two can play at that game! **-a** two; [i spel] *äv.* deuce; [om växel på bil] the second gear **-bent** *a* two-legged(-footed) **-bladig** *a* [växt] two-leaved; [propeller] two-bladed **-cylindrig** *a* twin-cylinder **-dimensionell** two-dimensional **-faldig** *a* twofold; *äv.* double **-familjs|-hus** two-family (semi-detached) house **-fas-** i *sms elektr.* two-phase **-hjulig** *a* two-wheeled **-hjuling** two-wheeler **-hundra** two hundred **-kammar|system** two-chamber system
tvål soap **-ask** soap-case **-bit** piece of soap **-fager** *a* **F** glossy-faced **-flingor** soap-flakes **-ig** *a* soapy **-kopp** soap-dish(-cup) **-lödder** soap lather **-stång** bar of soap **-vatten** soapy water; soap-suds *pl*
två‖läppig *a bot.* bilabiate **-mans-** i *sms* for two [men (persons)]; double [*säng* bed] **-mastare** two-master **-motorig** *a* twin-engine[d]

tvång compulsion, coercion; [återhållande] restraint; [våld] force; [nöd-] necessity; *det är inte ngt* ~ there is no absolute necessity; *använda* ~ use force; *göra ngt av* ~ do .. under compulsion (constraint)
tvångs||arbete forced labour **-fri** *a* free from restraint; *äv.* unconstrained; [frivillig] voluntary **-frihet** freedom from constraint; *äv.* voluntariness **-föreställning** [mental] obsession **-förflyttad** *a,* ~*e* displaced persons **-inlösa** *tr* acquire by compulsory purchase (forced sale) **-läge,** *vara i* ~ be in an emergency situation **-mata** *tr* subject .. to forced feeding **-medel** means *sg* o. *pl* of coercion **-rekrytering** *mil.* conscription **-tanke** obsession **-tröja,** *sätta* ~ *på* put a strait-waistcoat(-jacket) upon *äv. bildl.* **-uppfostran** reformatory upbringing **-uppfostrings|anstalt** reformatory **-utskriva -uttaga** *tr mil.* requisition **-vaccinering** compulsory vaccination **-åtgärd,** *tillgripa* ~*er* resort to coercion
två||procentig *a* two-per-cent **-radig** *a* **1** two-line[d]; *äv.* two-rowed [*korn* barley] **2** [rock o. d.] double-breasted **-rums-** i *sms* two-room[ed] **-siffrig** *a* two-figure **-sitsig** *a,* ~*t flygplan* two-seater **-skifts|-arbete** double-shift work **-spaltig** *a* two-column **-språkig** *a* bilingual **-stavig** *a* two-syllabled, di[s]syllabic; ~*t ord* dissyllable **-struken** *a mus.* two-marked(-accented) **-stämmig** *a* for two voices, in two parts **-stämmigt** *adv* [sjunga] in two parts **-takts|motor** two-stroke[-cycle] (two-cycle) engine **-tiden,** *vid* ~ at (about) two [o'clock] **-tusen** two thousand **-vinga|d** *a,* *-t plan* biplane **-vingar** *zool.* dipterans **-vånings|hus** two-stor[e]y house **-värdig** *a kem.* bivalent **-årig** *a* two-year-old **-åring** child of two **-års|åldern** the age of two **-öring** two-öre piece
tvär I *a* [-t avskuren] square; [-gående] transverse, cross; [brant] steep; [skarp, oförmodad] abrupt; [plötslig] sudden; [om pers. sätt] blunt, bluff; *ett* ~*t avbrott a) eg.* a sudden break (interruption) [*i* in]; *b)* [stark motsättning] a sharp contrast [*mot* to]; [ett] ~*t avslag* an off-hand (a blunt) refusal; *ta ett* ~*t slut* come to an abrupt end **II** *s,* [*skära, vika ngt*] *på* ~*en* .. across, crosswise; *sätta sig på* ~*en* [om sak] get stuck crossways; *bildl.* [om pers.] turn obstinate (awkward) **-a** *tr* o. *itr* cross, go across **-bjälke** transverse (cross-)beam, *äv.* transom **-brant** *a* precipitous; *äv.* bluff [*klippvägg* cliff] **-gata** cross (cross-)street; *ta nästa* ~ *till höger!* take the next turning (turn) to the right! **-genomskärning** transverse (cross-)section **-gående** *a* transverse, transversal **-hand** hand's breadth **-huggen** *a* squared; [friare] *äv.* abrupt **-linje** transverse (diagonal) line **-randig** *a* cross-striped, banded **-s** *adv,* ~ *för* (*sjö.*) athwart, abeam of; ~ *igenom* right (straight) through; ~ *över* straight (right) across; *gå* ~ *över gatan* cross the street; *bo* ~ *över gatan* live just across the street **-skepp** *kyrkl.* transept **-slå** cross-bar (-piece) **-snitt** transverse (cross-)section **-stanna** *itr* stop dead, come to a dead stop **-streck** cross stroke **-säker** *a* cocksure; positive **-säkerhet** cock-sureness &c
tvärt *adv* squarely; [brant] steeply &c; [plötsligt] abruptly; [genast] at once, immediately; [med ens] all at once; [svara] straight off; *svara* ~ *nej* (*äv.*) refuse flatly **-emot** *adv* [quite] contrary to **-om** *adv allm.* on (quite) the contrary; [svagare] on the other hand; *jag är* ~ *belåten därmed* on the contrary I am satisfied with it; *och* (*eller*) ~ and (or) contrariwise (vice versa); [*alldeles*] ~ just the opposite (contrary); *snarare* ~ rather the reverse
tvär||vigg contrary person; **F** cross-patch (-pate) **-vägg** transverse (cross-)wall **-vändning** sharp (sudden) turn
tvätt wash[ing]; [kemisk] cleaning; [yrkesmässig] laundry-work; [kläder till ~] laundry; ~ *och strykning emottages* washing and ironing done here; *..är på* ~ .. is at the laundry **-a I** *tr allm.* wash; [yrkesmässigt] do washing (laundry-work); [friare, rengöra] clean; [med svamp] sponge; ~ *åt ngn* do a p.'s washing; *tål att* ~[*s*] will stand washing, is washable; ~ *kemiskt* dry-clean; ~ *bort'* wash away; ~ *upp* get .. washed **II** *rfl* wash [o.s.]; ~ *sig i* [*ansiktet*] wash one's .. **-balja** washing-tub **-bar** *a* washable **-björn** racoon, wash[ing]-bear **-borste** washing-brush **-bräde** wash-board **-erska** washer-woman; *äv.* laundress, laundry-woman **-fat** [wash-stand] basin; [väggfast] wall-(lavatory-) basin **-inrättning** laundry; *kemisk* ~ dry-cleaning establishment **-kläder** clothes for the wash (the laundry); *äv.* [the] washing *sg;* laundry *sg* **-klämma** clothes-pin(-peg) **-korg** clothes-basket **-lapp** wash cloth, face flannel **-maskin** washing-machine **-medel** soap-powder(-flakes); detergent **-ning** washing; *lämna till* ~ send .. to the laundry **-nota** laundry list **-pulver** soap-powder, detergent **-påse** laundry bag **-rum** [toalett-] lavatory **-siden -silke** wash[ing]-silk **-skinn** wash-leather **-stuga** [uthus] wash-house; [rum] laundry **-ställ** washstand; [väggfast] *äv.* lavatory-basin **-svamp** bath-sponge **-vante** toilet-glove **-vatten** water for washing; [använt] dirty water, slops *pl* **-äkta** *a* [färg] fast; [oförfalskad] unadulterated; hundred-per-cent [*amerikan* American]
1 ty *konj* for; *äv.* because
2 ty *rfl,* ~ *sig till ngn* attach o.s. to a p.
tyck||a I *tr* o. *itr* **1** think [*om* about; *att* that]; [anse] be of the opinion [*att* that]; [inbilla sig] fancy, imagine; *jag -er, att* it seems to me that; *det -er jag* that's what I think; *jaså, -er du det?* Oh, you think so, do you? *säg vad du själv -er!* tell us your own opinion! *som ni -er!* just as you please (like)! *du -er väl inte illa vara, att jag ..r* I hope you don't mind my ..-ing; *vad -er du om ..?* what do you think of ..? **2** ~ *om* like ([starkare] be fond of) [*att rida* riding]; [finna nöje i] enjoy, appreciate; ~ *mycket om* like .. very much; *jag -er illa om att ..* I dislike ..ing; *jag -er mer om .. än ..,* (*om att .. än att ..*) I like .. (..-ing) better than [I do] .. (than ..-ing), I prefer .. to .. (..-ing to ..-ing) **II** *rfl,* ~ *sig vara* think that one is, imagine o.s. to be; ~ *sig vara ngt* think o.s. somebody, think a great deal of o.s. -|as *dep* seem; *det kan* ~ *så* it may seem so; *det -s mig som om* it seems to me as if (though); *vad -s?* what do you think (say)? **-e 1** [mening] opinion; *i mitt* ~ to my thinking (mind), in (according to) my opinion **2** [smak] liking; *fatta* ~ *för* take [a fancy] to; *efter eget* ~ according to one's own liking, as one likes; *efter* (*i*) *mitt* ~ according to my taste, *äv.* in my style **3** [böjelse] inclination [*för* for]; *vinna ngns* ~ (*äv.*) win a p.'s fancy **4** [likhet] likeness, resemblance; *ha* [*ett visst*] ~ *av* bear a [certain] resemblance to **-mycken** *a* fastidious; *äv.* touchy

tyd||a I *tr* interpret; [ut-] decipher; solve [*gåtor* riddles]; ~ *allt till det bästa* put the best construction on everything **II** *itr*, ~ *på* indicate [*trötthet* weariness; *att* that]; *äv.* point to; *allt -er på att han*.. everything points to his .. -ing **-bar** *a* interpretable &c **-lig** *a* [lätt att se] plain, clear; [lätt att urskilja] distinct; [markerad] marked; [uppenbar] obvious; *äv.* manifest; [synbar o. d.] evident, apparent; *ha ett ~t minne av* have a distinct remembrance (recollection) of; *i ~a ordalag* in plain terms; *klara och ~a bevis på* clear and distinct proofs of; *tala sitt ~a språk* (*bildl.*) speak for themselves **-ligen** *adv* evidently, obviously &c **-lighet** plainness &c; *för ~ens skull* for the sake of clarity; *med all önskvärd ~* as plainly as anyone could desire **-ligt** *adv* [skriva, tala] plainly, distinctly &c; [uttrycka sig] clearly; *som ~ framgår av* as is plain from **-ligtvis** se *-ligen* **-ning** interpretation, solution **-nings|-försök** attempt at interpretation

tyfoidfeber *läk.* typhoid (*äv.* enteric) fever

tyfon typhoon

tyfus *läk.* typhus [fever]

tyg 1 material [*till* for]; *äv.* stuff; [ylle-] *äv.* cloth; is. *hand.* fabric **2** *allt vad ~en hålla* at the top of one's speed, *äv.* [springa] for dear life **-bit** bit of cloth (stuff)

tyg||el *allm.* rein; *äv.* bridle; *bildl. äv.* check; *ge sin häst fria -lar* give one's horse a free rein; *ge sin fantasi fria -lar* give [a free] rein to one's imagination; *med lösa -lar* with slack reins **-el|lös** *a bildl.* [otyglad] unbridled; [om pers., liv o. d.] licentious, dissolute; [levnadssätt] *äv.* wild, loose **-el|löshet** unbridled behaviour; licentiousness &c **-la I** *tr* [häst] rein [in]; *bildl.* bridle, curb; [otålighet] restrain, check **II** *rfl* restrain o.s., curb one's inclinations (desires, passions)

tyg||officer *mil.* [chief] ordnance officer **-packe (-remsa)** roll (strip) of cloth **-sko** cloth shoe **-stycke** se *-bit*; [rulle] *äv.* roll (length) of cloth

tyll bobbinet; [silkes-] tulle *fr. äv. i sms*

tyna *itr* languish (pine, fade) [*bort* away]

tyng||a I *itr* [vara tung, en börda] weigh [*på* [up]on]; [trycka] press [*på* [up]on]; [kännas tung] be (feel) heavy [*på* to] **II** *tr* **1** weigh .. down **2** [belasta] weight [*med* with]; *äv.* burden [*med* with] **-ande** *a* heavy; [tung[t vägande]] weighty; *bildl. äv.* burdening, burdensome

tyngd I *a* weighed down [*av sorg* (*åren*) by grief (the years)] **II** *s* weight; *äv.* load; *fys.* gravity; *en ~ har lyfts från mitt bröst* (*bildl.*) a weight (load) has been lifted off my mind **-kraft,** *~en* the force of gravitation; *äv.* gravity **-lag,** *~en* the law of gravitation **-lyftning** *sport.* weight-lifting **-punkt** centre of gravity; *bildl.* essence (essential part, main point) [*i* in]

tyng||re I *a* heavier &c **II** *adv* more heavily **-st I** *a* heaviest &c **II** *adv* most heavily &c; *drabba .. ~* fall heaviest upon ..

typ 1 type [*av* of]; *äv.* model; *~en för en god äkta man* a pattern of a good husband **2** *boktr.* type **-isk** *a* typical (representative) [*för* of] **-ograf** typographer **-ografi** typography **-ografisk** *a* typographical

tyrann tyrant **-i** tyranny **-isera** *tr* tyrannize ([friare] domineer) over **-isk** *a* tyrannical; [friare] *äv.* domineering

tyrol||are Tyrolian [man (o. s. v.)], Tyroler **T-en** Tyrol (Tirol) **-er|dräkt (-er|hatt)** Tyrolese costume (hat)

tysk I *a* German; *T~a Riket* the German Empire; [1919—45] the Reich *ty.* **II** *s* German **-a 1** [språk] German **2** [kvinna] German woman **-fientlig** *a* anti-German **T~land** Germany **-vänlig** *a* pro-German

tyst I *a* silent; *äv.* still; [lugn, t. ex. gata, person] quiet; [ljudlös] noiseless; [stum] mute; [t. ex. samtycke] tacit; *~ förbehåll* mental reservation; *han är inte ~* [*ett ögonblick*] he can't be silent (quiet) [for ..]; *plötsligt blev det ~ i rummet* suddenly a silence (hush) came over the room; *hålla sig ~* keep quiet (silent); [*var*] *~*[*a*]*!* be quiet! *äv.* silence! **II** *adv* silently &c; *äv.* in silence, quietly; *håll ~ med det!* keep that quiet! don't let that out! **-a** *tr* silence; *~* [*munnen på*] *ngn* stop a p.'s mouth, make a p. hold his tongue **-gående** *a* silent-running **-het** silence; *äv.* quietness &c; *i* [*all*] *~* in secrecy; *äv.* secretly, privately, quietly **-hets|löfte** promise of secrecy **-hets|plikt** obligation to observe secrecy **-låten** *a* taciturn; *äv.* silent; [förtegen] reticent; [ej meddelsam] uncommunicative; [hemlighetsfull] secretive **-låtenhet** taciturnity; silence; *äv.* discretion **-na** *itr* become silent; [om ljud] *äv.* cease, stop **-nad** silence; *bringa* [*ngn, ngt*] *till ~* reduce .. to silence; *äv.* silence ..; *förbigå ngt med ~* pass a th. over in silence; *under ~* in silence

tyvärr *adv* [olyckligtvis] unfortunately; [ss. itj] *äv.* alas! *~ har han* I am sorry [to say that] he has; *~ inte* I am afraid not; *jag får ~* to my regret (I am sorry) I must

tå toe; *gå* (*stå*) *på ~* walk (stand) on one's toes (on tiptoe); *äv.* tiptoe [*till* to]; *stå på ~ för ngn* (*bildl.*) be at a p.'s beck and call

1 tåg [rep] rope; se *1 tross* o. *tackel*

2 tåg 1 *mil.* o. *allm.* march[ing]; is. *mil. äv.* expedition; [fest- o. d.] procession **2** *järnv.* train; *byta ~* change [trains]; *med ~*[*et*] by train; *på ~et* in (*Am.* on) the train; *ta ~et till* go by train to; *komma i rätt tid* (*för sent*) *till ~et* catch (miss) one's (the) train; *när går ~et?* when does the train leave? *när kommer ~et?* when will the train be in?

1 tåga *s* **1** filament, thread **2** *bildl.* nerve, sinew

2 tåga *itr* march; *äv.* walk in procession; [friare] proceed, progress

tåg||attentat train outrage **-biljett** railway ticket **-förbindelse** train connection; *ha goda ~r med* have an excellent train-service to and from **-kupé** [railway (rail-road)] car[riage] (coach); compartment **-ledes** *adv* by train **-lägenhet,** *med första ~* by the first train **-olycka** railway accident **-ombyte** change of trains; *~ till S!* [passengers] change here for S! **-personal** train staff (officials *pl*) **-resa** train-journey **-sätt,** *ett ~ på* [*10 vagnar*] a train of .. **-tid,** *~erna* the times of the trains **-tidtabell** railway time-table; [i bokform] railway guide; *Engl.* Bradshaw **-trafik** railway &c traffic **-urspåring** [train-]derailment

tågvirke *sjö.* cordage

tåhätta *skom.* toe-cap

tåla *tr* bear; endure; [stå ut med] stand; *äv.* put up with, suffer; *jag tål honom inte* I can't bear (stand) him; *bör inte ~s* ought not to be tolerated; *han tål inte skämt* he can't take a joke; *han tål* (*tål inte*) *sjön* he can (doesn't) stand the sea; *jag tål inte hummer* lobster disagrees with (doesn't agree with) me; [*saken*] *tål att tänka på ..* is worth consideration; *saken tål att dis-*

kuteras the case merits discussion; [*saken*] *tål inte uppskov* .. brooks no delay

tålamod [*ha* have] patience; *förlora ~et* lose patience; *ha ~* (*äv.*) be patient [*med* with]; *ha ~ med honom* be indulgent to him; *ha förlorat ~ med ngn* be out of patience with a p.; *med ~* (*äv.*) patiently **-s|prov,** *ett riktigt ~* a real trial to the (one's) patience **-s|prövande** *a* trying to the (one's) patience

tål||ig *a* patient; [långmodig] long-suffering **-ighet** patience; *äv.* long-suffering **-modig** *a* patient [in spirit] **-s,** *ge sig till ~* have patience, be patient

1 tång *bot.* seaweed; [blås-] rockweed

2 tång [[a] pair of] tongs (nippers, pliers) *pl;* [kirurgisk] forceps **-förlossning** forceps delivery

tår 1 tear; *fälla ~ar* shed tears; *hon fick ~ar i ögonen* [the] tears came into (rose to) her eyes; *med ~ar i ögonen* with eyes brimming with tears; *röra .. till ~ar* move .. to tears **2** [skvätt] drop (**F** spot); *en ~ kaffe* a few drops of coffee **-ad** *a* filled with tears **-dränkt** *a* [blick] tearful **-e|flod** stream of tears **-flöde** flood (torrent) of tears **-fylld** *a* filled with tears; [blick, röst] tearful **-gas** *mil.* tear-gas **-kanal (-körtel)** *anat.* lachrymal (tear-) canal (gland) **-lös** *a* tearless **-pil** weeping (drooping) willow

tårt||a cake, trifle; *äv.* gâteau *fr.;* [av mördeg, smördeg] *äv.* tart **-bit** piece of cake &c **-papper** cake-doily

tårögd *a* with tears in one's eyes, with eyes filled with tears

tåspets tip (end) of a (the, one's) toe **-dans (-dansös)** tiptoe dance (dancer)

tåt piece (bit) of string ([grövre] cord)

täck *a* pretty; *det ~a könet* the fair sex

täck||a I *tr* cover [*med* with]; *eg. äv.* coat; [skydda] protect *äv. hand.* [om växel]; *~ sitt behov av* supply one's needs of; *tillgången -er efterfrågan* the supply meets the demand; [betala] defray **II** *rfl hand.* cover o.s. [*för* for] **-ande** *s* covering &c; *till ~ av* [t. ex. omkostnaderna] for defraying; *hand. o. d.* in (for the) defrayment of **-dika** *tr lantbr.* drain .. by [deep] covered drains **-dike** *lantbr.* [deep] covered drain, underground channel **-e** cover[ing], coating; [skynke] cloth; [vadd-] [bed-]quilt; se *äv. säng~; spela under ~ med (bildl.)* collude (have underhand dealings) with **-else** *eg.* cover[ing]; *dra ett ~ över* draw a veil over; *låta ~t falla* cause the drapery to be removed **-färg** *mål.* finish[ing] (top) coat **-mantel,** *under religionens ~* under the cloak (mask, veil) of religion; *äv.* under cover of **-namn** assumed name **-ning** *allm.* covering &c; *hand.* [för check o. d.] cover; *lämna tillräcklig ~ för (hand.)* furnish adequate cover (protection, [due] provision) for **-t** *a* covered &c; *äv.* coated [over] [*av* with]; *~ bil* closed car **-vagn** close[d] carriage **-vinge** wing-cover, shard

tälja *tr* carve, cut, whittle

täljare *mat.* numerator

tälj||kniv jack-knife **-sten** *min.* soap-stone

tält tent **-a** *itr* **1** pitch one's tent **2** [bo i tält] tent; camp (be camping) [out] **-duk (-lina)** tent-cloth (-cord) **-läger** tented camp, camp of tents **-pinne** tent-peg **-stol** camp-stool **-stång** tent-pole **-säng** tent (camp) bed[stead]

tämja *tr* tame; *äv.* domesticate; *bildl.* curb

tämligen *adv* tolerably; *äv.* moderately; [gillande] pretty; [ogillande] rather; *~ bra* pretty well, [fairly] tolerable; *.. är ~ bra* .. is passable (well enough); *det blev ~ sent* it was rather (pretty) late

tänd||a I *tr* light; [det elektriska ljuset] turn (switch) on; ⊕ ignite, fire; *bildl. äv.* kindle; *~ belysningen* light up; *~ eld på* set fire to, set .. on fire; *stå som -a ljus* stand straight upright **II** *itr* [fatta eld] ignite, catch fire; *äv.* light [*lätt* readily]; [om -stift på motor o. d.] spark **-ande** *a* lighting &c; [eggande] stimulating, stirring; *den ~ gnistan* (*bildl.*) the igniting spark **-apparat** ignition device (apparatus) **-gnista** ignition spark **-hatt** percussion cap **-ning** lighting &c; ⊕ *allm.* ignition; [gnista] spark **-sats** ⊕ o. *mil.* [för sprängmedel o. d.] exploding composition; [på -sticka] [match-]head **-sticka** [*tända en* strike a] match **-sticks|-ask** [tom] match-box; [fylld] box of matches **-sticks|fabrik** match manufactory **-stift** ⊕ [på bilmotor o. d.] spark[ing]-plug

tänj||a *tr* stretch; *bildl. äv.* draw out, prolong; *~ ut sig* stretch **-bar** *a* stretchable; [friare, samvete, politik o. d.] elastic; ⊕ tensible, tensile

tänk||a I *itr* think; *äv.* reason; [fundera] meditate; [*~* efter] consider, reflect; [förmoda] suppose; [vänta sig] expect; [föreställa sig] imagine; *det var det jag -te!* just as I thought (supposed)! *säga vad man -er* speak one's mind; *tänk först och tala sedan!* look before you leap! *~ själv* think for o.s.; *~ för sig själv* think to o.s.; *tänk ..! a)* [tänk efter] reflect ..! *b)* [betänk] think ..! *c)* [utrop] [just] to think [that ..]! *äv.* [just] imagine [her being ..]! [*nej (ja),*] *tänk!* [Oh,] I say! *tänk om ..!* suppose (what if) ..! *han är .., kan jag ~* he is .., I shouldn't wonder; *~ på ngt* think of a th.; *äv.* reflect (meditate) upon a th.: *det är inte att ~ på* there's no chance of that; *vad -er du på?* what [ever] are you thinking about? *tänk på ..!* think of ..! *äv.* bear .. in mind! *jag ska ~ på saken* I will think the matter over; *när jag -er rätt på saken* when (now that) I come to think of it; *jag har mycket att ~ på* I have a great deal to think about; *jag kom att ~ på att* the thought occurred to me that; *det är (vore) ngt att ~ på* that's [a thing] quite worth considering; *~ ef'ter* reflect, think, consider; *låt mig ~ ef'ter* let me see **II** *tr* [ämna] intend, propose; [*jag borde ha*] *gjort som jag först -te* .. done as I first intended [to]; *vad -er du nu göra?* what are you going to do now? **III** *rfl* **1** [föreställa sig o. d.] imagine; *äv.* fancy; [fatta] conceive; *jag har -t mig, att* my idea is that; *kan ni ~ er?* can you imagine? *kan man ~ sig!* well, I never! *jag kunde just ~ mig det!* I might have known as much! *~ sig väl för* think a matter over well; *du bör ~ dig för två gånger* you should (had better) think twice; *~ sig in i* imagine (picture) .. to o.s. **2** [ämna sig] *vart har du -t dig?* where have you thought of going? **-ande I** *s* thinking &c; [begrundan o. d.] meditation, reflection; *äv.* thought **II** *a* thinking, reflective; [människa] thoughtful **-are** thinker; *filos. äv.* speculator **-bar** *a* thinkable, conceivable; [friare] imaginable; *den största ~a* the greatest imaginable; *den enda ~a* the only thinkable; *på alla ~a sätt* in every conceivable manner **-e|språk** maxim, adage, proverb **-e|sätt** way of thinking; [friare] turn of mind **-värd** *a* worth considering (taking into consideration); [minnes-] memorable

1 täppa *s* [trädgårds-] garden-plot(-patch); *vara herre på ~n* rule (be the cock of) the roost; be master in one's own house
2 täpp||a *tr,* ~ [*för* (*igen, till*)] stop (choke) up; *äv.* obstruct; *jag är -t i näsan* my nose feels stopped (stuffed) up; ~ *till munnen på ngn* (*bildl.*) shut a p.'s mouth **-t** *a* stopped-(choked-)up
tär||a *tr* o. *itr* consume; ~ *på* waste [. . away]; make inroads [up]on, reduce . . [in bulk]; [förbruka] use up; [*sorgen*] *tär på honom* . . is preying [up]on him **-ande** *a* consuming; [bekymmer] wearing; [sjukdom] wasting **-d** *a* worn (wasted) [*av* by]; ~ *av bekymmer* (*äv.*) careworn; *se ~ ut* (*äv.*) look haggard
1 tärna *zool.* tern; *äv.* sea-swallow
2 tärna [flicka] maid[en]; [brud-] bridesmaid
tärning 1 die [*pl* dice]; *~en är kastad* (*bildl.*) the die is cast **2** *geom.* cube **-[s]||spel** game at dice; gambling with dice
1 tät head; *gå i ~en för* walk ([friare] set o.s.) at the head of
2 tät *a* **1** close; [svårgenomtränglig o.d.] thick (dense) [*skog* forest]; [icke porös] massive, compact; [som ej genomsläpper luft o. d.] tight **2 F** [välbärgad] warm[ish] **3** [ofta förekommande] frequent, repeated **-a** *tr* [tilltäppa] stop [up]; [göra . . lufttät, vattentät] make . . air-(water-)tight; *äv.* thicken; *sjö.* caulk; ⊕ pack **-befolkad** *a* densely populated **-het 1** [skogs o. d.] denseness; *äv.* density; [vävs o. d.] closeness **2 F** warmness **3** frequency **-na** *itr* become (grow, get) dense (compact); become water-tight o. s. v.; [om rök o. d.] thicken **-ning** packing **-nings|garn** packing cord **-nings|list** [för fönster] draught preventer **-ort** densely built-up (thickly populated) area **-packad** *a* crowded **-t** *adv* **1** closely; *äv.* densely; *hålla ~* be watertight; *sluta ~* fit tight; ~ *slutande* closely fitting; ~ *åtsittande* tight[-fitting]; ~ *bredvid* close to (by); ~ *efter* close behind; ~ *i hälarna på ngn* close upon a p.'s heels **2** frequently, repeatedly; *dugga ~* come thick and fast
tätting passerine bird, sparrow
tät||tryckt *a* closely printed **-t|slutande** *a* tight **-ört** steep-grass, butterwort
tävl||a *itr* compete [*med* with; *om* for]; ~ *om makten* strive (struggle) for [the] power; ~ *med varandra i* vie with each other in; ~ *om priset* be [fellow-]competitors (rivals) for; [*detta märke*] *kan ~ med* . . can stand comparison with; *låt oss ~ om* [*vem som springer fortast*] let us [have a] race to see . . **-an** competition [*i* in; *om* for]; *äv.* rivalry, emulation; *en ädel ~* a noble contest; *avstå från ~* withdraw from the competition; *sport. äv.* scratch; *utlysa ~ om* announce a competition for **-ande I** *s* competing &c **II** *a* competing &c; [en ~] competitor, rival; *sport.* match-player, [löpare] racer; [bridge o.d.] tournament player
tävling *allm.* competition; *äv.* contest; *sport. allm.* match; [kapplöpning] race **-s|bana** *sport.* tournament ground; [för löpning] race-track; [kapplöpnings-] race-course **-s|bil** racer **-s|dikt** competition poem **-s|domare** umpire **-s|humör** [right] mood for a (the) competition **-s|match** match **-s|regler** rules of (for) the competition (game) **-s|uppgift** subject for a prize competition
tö thaw; *när det blir ~* when a thaw sets in **-a** *itr* thaw
töcken haze, mist; [dunst] vapour **-gestalt** misty form
töcknig *a eg.* o. *bildl.* hazy, misty
töj||a I *tr* stretch; ~ *ut'* stretch out, extend **II** *rfl* stretch **-bar** *a* stretchable; *äv.* extensible **-ning** stretching; *äv.* extension
tölp [bond-] yokel, clodhopper; [friare] boor; [drummel] churl, lubber **-aktig -ig** *a* boorish, churlish; *äv.* lubberly
töm rein, bridle *äv. bildl.*
töm||ma *tr* **1** empty [out] [*i* into; *på* on [to]]; [sitt glas o. d.] *äv.* drain; [brevlåda] clear; ~ *en bägare* (*äv.*) drink off a glass; [*salen*] *-des* [the hall] emptied (was cleared [of people]); *äv.* cleared [quickly] **2** [tappa, hälla] pour [out] [*på* into] **-ning** emptying [out] &c; [brevlådas] clearance; [tappning] pouring [out]; [tarms] evacuation
tör|as *dep* dare; *om jag -s fråga* if I may ask; *jag -s inte säga* I'm afraid to say; [friare] I can't tell exactly
törn 1 blow, bump; *bildl.* shock; *ta ~* (*sjö.*) bear off **2** *sjö.* [arbetsskift] shift **-a** *itr,* ~ *emot* strike, bump into; ~ *emot ngn* come into collision with a p.
törn||beströdd *a bildl.* thorny, thorn-strewn **-buske** thorn-bush, briar **-e** thorn; *ingen ros utan ~n* no rose without thorns (a thorn) **-e|krona** wreath (crown) of thorns **-e|krönt** *a* wearing a crown of thorns **-häck** thorn-(briar-) hedge **-ig** *a* thorny *äv. bildl.* **-ros** rose **T-ros[a],** *Prinsessan ~* Sleeping Beauty **-rosbuske** [planterad] rose-tree(-bush); [vild] *äv.* wild (briar) rose **-skata** red-backed shrike **-snår** thorn-brake, briery thicket **-sångare** whitethroat **-tagg** thorn, prickle
törst [*dö av* die from] thirst; [längtan] longing [*efter* for]; *ha* (*känna*) *stark ~* be (feel) very thirsty **-a** *itr* thirst [*efter* for]; ~ *ihjäl* die of (from) thirst **-ande** *a* thirsting [*efter* for] **-ig** *a* thirsty
tös F girl, lass[ie]
töväder thaw

U

ubåt submarine *äv. i sms;* [tysk] U-boat **-s|fara** submarine menace **-s|fälla** mystery-ship **-s|krig** submarine war[fare]
udd 1 [sharp] point; [gaffel] prong, tine **2** [prydnad] point, jag; [rundad] scallop **3** *bildl.* point, bite; [*satirens*] ~ the sting of . .; *bryta ~en av* turn the edge of
udda *a* **1** odd, uneven; *låta ~ vara jämnt* make odds even; *spela ~ eller jämnt* play at odds and evens **2** [omaka] odd
udde *allm.* cape, point, foreland
udd||ig *a* pointed, in points **-ljud** *språkv.* initial sound
uggl||a owl; *det är -or i mossen* there is

mischief brewing, something is up **-e|skri** owl's hoot; *äv.* tu-whit, tu-whoo **-e|unge** owlet; young owl
ugn *allm.* oven; [kakel-] stove **-s|lucka** oven-door **-s|pannkaka** baked batter pudding **-s|raka** oven rake **-s|spjäll** slide valve **-stekt** *a* roast[ed] **-s|torka** *tr* oven-(kiln-) dry; bake **-s|vrå** chimney corner
ukas ukase
Ukrain||a Ukraine **u-are u-sk** *a* Ukrainian
ulk bullhead
ull *allm.* wool; [kamel-, get-] *äv.* hair; *av* ~ [made] of wool, woollen **-garn** wool yarn; [stick-] worsted **-hår** woolly (frizzy) hair **-ig** *a* woolly, fleecy **-karda** wool card **-strump|a** = *ylle-; gå på i -orna* pursue one's way unconcerned **-tapp -tott** wool-flock
ulster ulster
ultim||atum ultimatum **-o** *hand.* the last day of the month
ultra *a* ultra **-kortvåg** [UKV] ultra-shortwave **-marin** *a* o. *s* ultramarine **-rapid** *a* ultra-rapid, slow-motion **-violett** *a* ultra-violet
ulv wolf; se *fårakläder* ex.; *man måste tjuta med ~arna* one must cry with the pack
umbra *min.* umber **-jord** umber
umbär||a *tr* go (do) without **-ande** privation, hardship; *äv.* deprivation **-lig** *a* dispensable
um||gås *dep* be a frequent (regular) visitor [*hos* at a p.'s house]; [idka umgänge] associate, keep company; ~ *bland fint folk* move in good society; *han ~ ofta i huset* he visits the house frequently; *de ~ ofta med varandra* they see a great deal of one another; *ha lätt att ~ med människor* (*äv.*) be a good mixer **-gälla** *tr* pay (atone) for; *få* ~ suffer (smart) for **-gänge** social intercourse; [sällskap] company, society; *dåligt* ~ low company; *ha flitigt ~ med* be in constant touch with; *ha stort* ~ have a large circle of friends **-gänges|former** forms of social intercourse, etiquette *sg* **-gänges|krets** circle of acquaintances **-gänges|liv** social life
undan I *adv* **1** [ur vägen] out of the way; *lägga* ~ lay (put) aside; *komma* (*slippa*) ~ get (be let) off **2** ~ *för* ~ little by little, one by one; *det går ~ med* [*arbetet*] . . is getting on fine **II** *prep* [*fly* flee] from; *~!* [ur vägen!] get out of the way! *rädda sig* ~ save oneself from
undan||be[dja] *rfl* decline; *äv.* not seek; *jag -ber mig* . . kindly spare me . . **-dra[ga] I** *tr* withdraw [*ngn ngt* a th. from a p.]; deprive [*ngn ngt* a p. of a th.] **II** *rfl* shirk (elude) [*ansvar* responsibility] **-flykt** evasion; subterfuge; prevarication; *äv.* excuse **-gjord** *a* done (ready); done with **-gömd** *a* concealed; hidden away; [plats] secluded, remote **-hålla** *tr* keep . . back; ~ *sanningen* conceal the truth **-röja** *tr* remove **-röjning** clearance **-skymd** *a* hidden, concealed; remote [*hörn* corner] **-stök|ad** *a, det är -at* it is over (done with) **-tag** exception; *ett ~ från* an exception to; *med ~ av detta* this (that) excepted; *~en bekräfta regeln* the exception proves the rule; *ingen regel utan* ~ [there is] no rule without some exception; *med ~ av* . . with the exception of . ., . . excepted; *utan* ~ without [an (any)] exception **-tag|a** *tr* exempt from; [göra -tag] make an exception for; *ingen -en* none excepted **-tagandes** *prep* except [for]; *äv.* excepting, save **-tags|fall** exception[al case] **-tags|lös** without exception, unexceptional **-tags|människa,** *en* ~ a person out of the common [run] **-tags|tillstånd 1** exceptional state of affairs **2** *proklamera* ~ proclaim a state of [civil] emergency **-tags|vis** *adv* exceptionally, by [way of] (as an) exception **-tränga** *tr* force . . out of its (o. s. v.) place; *äv. bildl.* brush . . aside; [ersätta] displace; [sed o. d.] supersede, take the place of
1 under wonder, marvel; [övernaturligt] miracle; *ett ~ av lärdom* a prodigy of learning; ~ *över alla ~!* wonder of wonders! *göra* ~ work (do) wonders
2 under I *prep* **1** [rum] under; [nedanför] below, beneath; ~ *lås och bom* under lock and key; ~ *ytan* below the surface **2** [tid] during [*kriget* the war]; in the course of [*samtalets gång* the conversation]; [om, på] in [*sommaren* [the] summer]; [. . *varade*] ~ *tre dagar* . . for three days; ~ *hela* [*natten*] all through . ., throughout . .; ~ *en resa* while travelling (on a journey) **3** *bildl.* under [*befäl av* command of; *kung Alfred* King Alfred]; *äv.* below [*pari* par]; beneath [*min värdighet* me] **4** ~ *det att han* . . while he . . **II** *adv allm.* underneath, *äv.* beneath; *lägga* . . ~ put . . underneath; *bildl.* [lägre än] below; *skriva* ~ sign
under||arm forearm **-art** subspecies **-avdelning** subdivision, subsection; sub-group **-balans** *hand.* deficit
under||bar *a* wonderful, marvellous; **F** stunning; [övernaturlig] miraculous **-barn** wonder-child, infant prodigy **-bart** *adv* wonderfully &c **-befäl** *mil.* non-commissioned officers *pl* **-befälhavare** *mil.* second-in-command
under||betala *tr* underpay **-betyg,** *få* ~ fail [*i* in], be marked below standard **-binda** *tr läk.* tie up **-bjuda** *tr* underbid; *hand. äv.* underquote **-blåsa** *tr bildl.* fan, add fuel to **-bud** lower offer **-bygga** *tr* support (substantiate) [*en teori* a theory] **-byggnad** *byggn.* foundation, substructure; *bildl.* grounding, elementary instruction **-del** lower part, bottom; [grund] base
underdjur marvellous (strange) animal, prodigy
under||domstol court of first instance **-dånig** *a* humble; *äv.* obsequious; jfr *inställsam;* ~ *ngn* subservient to a p.; *~st* Your Majesty's most obedient servant (subject) **-dånighet** humility; [lydnad] obedience **-exponera** *tr foto.* underexpose **-exponering** underexposure **-fund** *adv, komma ~ med* get hold of, find out; [upptäcka] discover; [fatta] realize, understand; *komma riktigt ~ med* get to the bottom of **-fundig** *a* droll, facetious, odd; subtle [humour] **-förstådd** *a* implied, *äv.* implicit **-given** *a* submissive; resigned [*sitt öde* to one's fate] **-givenhet** submissiveness, resignation **-gräva** *tr* undermine **-gå** undergo, jfr *genom-; ~ examen* be examined **-gång** *bildl.* destruction, ruin; *dömd till* ~ doomed [to destruction]; *gå sin ~ till mötes* be on the road to destruction
undergör||ande *a* miracle-(wonder-)working **-are** miracle-(wonder-)worker
under||haltig *a* below (not up to) [the] standard; *äv.* inferior **-haltighet** inferiority, inferior quality **-hand** *adv* privately **-handla** *itr* negotiate [*med* with, *om* for]; *äv.* confer [*om* on]; ~ *om* (*äv.*) discuss; negotiate [*ett lån* a loan] **-handlare** negotiator **-handling** *allm.* negotiation; *mil.* parley, conference; *ligga i ~[ar] med* be in negotiation with **-havande** dependant, *äv.* retainer; [på gods] tenant; *koll* tenantry *sg* **-havs i** *sms* [t. ex. -djur, -klippa] submarine **-huggare F** underling **-huset** the House of

Commons (*Am.* Representatives) **-hus|val** general election

underhåll 1 *allm.* maintenance; *äv.* upkeep **2** [understöd] allowance; *äv.* support; *jur.* [tilldömt] alimony **-|a** *tr* **1** maintain; *äv.* support; *byggn.* keep .. in repair; [kunskaper] keep up; *bra -en* well kept; *~ en eld* (*mil.*) keep up a fire **2** [förströ, roa] entertain, amuse; *äv.* divert; *~ sig med* talk (converse) with **-ande** *a* entertaining &c **-ning** entertainment; diversion **-nings|-litteratur** light literature **-nings|musik** light music **-nings|program** entertainment program[me] **-s|kostnad** [cost of] maintenance, upkeep **-s|pliktig** *a* responsible for the support of .. **-s|skyldighet** [duty of] maintenance **-s|tjänst** *mil.* supply service

under||ifrån *adv* from below (underneath) **-jord,** *~en* (*mytol.*) the lower (infernal) regions *pl; äv.* Hades **-jordisk** *a* subterranean; *~ järnväg* underground, *Am.* subway; *mytol.* infernal **-kant 1** *eg.* lower (under-)edge **2** *i ~* (*bildl.*) rather on the small (short) side **-kasta I** *tr* subject (submit) .. to; *bli ~d* [kritik o. s. v.] be exposed to, *äv.* be subject to; *tvivel ~t* open to doubt **II** *rfl* [finna sig i] submit [to], resign [o.s. to]; [kapitulera] surrender; [ge tappt] give in **-kastelse** submission [*under* to]; *mil.* surrender **-kjol** petticoat **-klass** lower class; *~en* the lower classes *pl* **-klassig** *a* lower-class; [vulgär] vulgar **-kläder** under-clothes(-clothing *sg*); *hand.* underwear *sg;* **F** undies **-klänning** slip, undergown **-kropp** lower part of the body **-kunnig** *a* aware [*om* of]; *göra ngn ~ om* inform a p. of **-kurs,** *till ~* (*hand.*) at a discount **-kuva** *tr* subdue, subjugate; [besegra] conquer; *~d* (*äv.*) oppressed **-käke** lower jaw **-kän|na** *tr* not approve; *skol. o. d. äv.* reject; *bli -d* fail (*Am.* flunk), **F** be ploughed **-kännande** non-approval; rejection, failure **-lag** substratum *äv. bildl.;* [grund[val]] foundation, basis; [stöd] support; *byggn.* bed[ding]; ⊕ bearing **-lakan** bottom (under-)sheet

underlig *a* curious, strange; [konstig] odd, queer; [*han var*] *litet ~* .. rather strange in his ways; *det ~a* [*var*] the funny thing about it ..; *det är inte ~t om* [it is] no wonder if; *~t nog* oddly (strangely) enough **-het** curiousness &c, oddity **-t** *adv* curiously &c; *det går ~ till här* there are strange goings-on here

under||liv abdomen **-livs|lidande** [kvinnas] uterine complaint **-lydande I** *a* dependent [upon] **II** *s* se *-havande* o. *-ordnad II* **-låta** *tr* neglect, fail; [avsiktligt] omit; *jag kan inte ~ att säga* I cannot help saying; *han -lät att* he failed to **-låtenhet** negligence; omission **-låtenhets|synd** sin of omission **-lägg** [writing-]pad, mount **-lägsen** *a* inferior [*ngn* to a p.]; *du är honom ~* (*äv.*) you are his inferior **-lägsenhet** inferiority **-läkare** assistant [physician] **-läpp** lower lip **-lärare** junior master **-lätta** *tr* facilitate, make .. easy (easier); *det kommer att ~ saken* it will simplify matters **-lättande** facilitation **-medvetande** subconsciousness **-medvet|en** *a* subconscious; *det -na* the subconscious [mind] **-mening** hidden meaning **-minera** *tr* undermine, *äv.* sap **-målig** *a* deficient **-närd** *a* underfed, undernourished **-närdhet -näring** malnutrition, undernourishment **-officer** non-commissioned officer **-ordna** *tr* [*rfl*] subordinate [o.s.] **-ordnad I** *a allm.* subordinate; *äv.* secondary (minor) [*betydelse* importance] **II** *s* subordinate **-plagg** underwear, **F** undies *pl* **-plats** lower berth **-pris,** *till ~* (*hand.*) below cost price; [sälja] *äv.* at a loss **-rede** [bils] chassis; *järnv.* truck; [bords] trestle **-rubrik** sub-heading(-title) **-rätt** *jur.* lower (petty) court **-rätta** *tr* inform (tell) [*ngn om* a p. of]; *äv.* send .. word; *göra sig ~d om* make inquiries about; *~ mig* let me know **-rättelse** information, intelligence; [på förhand] notice, warning; *en ~* a piece of information (&c) **-rättelse|väsen** intelligence service **-sida** underneath (under-)side **-skatta** *tr* underrate, underestimate **-skog** underwood **-skott** deficit [*på* of]; [förlust] loss **-skrift** signature; *förse med sin ~* sign **-skriva** *tr* sign; *bildl. äv.* endorse

underskön *a* wonderfully beautiful

under||slev embezzlement; *äv.* fraud; [i Finland] *skol.* cribbing **-st** *a* o. *adv* undermost, lowermost, lowest; *äv.* at the [very] bottom [*i, på* of] **-stiga** *tr* be (fall) below (*äv.* short of) **-streckare** *ung.* feature article **-stryka** *tr* underline; [betona] emphasize **-ström** under-current **-stå** *rfl* presume, dare **-ställ|a** *tr* submit .. to, refer .. to; *-d* (*äv.*) subordinated [to ..] **-stöd** support; [bistånd] help, assistance, aid; jfr *fattig~;* [arbetslöshets-] dole; *ha ~* be on the dole; [penning-] subsidy; *vinner* [*förslaget*] *~?* is .. seconded? **-stödja** *tr* support, assist, aid; [ekonomiskt] *äv.* subsidize; [förslag o. d.] second **-stöds|fond** relief fund **-stöds|-mentalitet** welfare-state mentality **-stöds|-tagare** person drawing relief **-stöds|verksamhet** relief work **-såte** subject **-sätsig** thick-set, square-built; *äv.* dumpy **-sätsighet** squareness [of build]; dumpiness **-söka** *tr* examine; *bildl.* investigate, inquire (look) into; *kem.* test; *~ möjligheterna* (*äv.*) explore the possibilities **-sökning** examination; investigation, inquiry; *vid närmare ~* on closer examination (scrutiny) **-söknings|domare** examining magistrate **-söknings|fånge** prisoner at the bar **-teckna** *tr* sign, put one's name to; *~d* [I,] the undersigned; *skämts.* yours truly **-ton** undertone **-trycka** *tr* suppress; [återhålla] *äv.* restrain, repress; [kuva] subdue; se *äv. dämpa, kväva* **-tröja** under-jacket, [under-]vest, *Am.* undershirt **-utskott** subcommittee **-utvecklad** *a* underdeveloped

undervattens- i *sms* submarine **-båt** submarine, U-boat **-klippa** sunken rock **-mina** submarine mine

undervegetation undergrowth, underbrush

underverk miracle, wonder; *uträtta ~* do (work) miracles (wonders); *som genom ett ~* as by [a] miracle

undervinge lower wing

undervis||a *tr* instruct, teach **-ning** instruction; tuition; [verksamhet] teaching; [utbildning] training; [uppfostran] education; *ge ~* [*i*] give lessons [in], teach

undervisnings||film (-metod) educational film (method) **-ministerium** Ministry of Education **-skyldighet,** *med ~ i* [*engelska*] with the obligation to teach .. **-språk** language of instruction **-vana** teaching experience **-väsen** education[al system]

undervärdera *tr* underrate, underestimate

und||falla *itr* escape; *låta ett ord ~ sig* drop a word **-fallande** *a* compliant, submissive **-fallenhet** compliance; submissiveness **-fallenhets|politik** appeasement policy **-fly** *tr* flee from; escape [*faran* danger] **-få** *tr* receive **-fägna** *tr* treat .. [*med* to] **-fägnad** entertainment **-gå** *tr* escape; *man ~r inte sitt öde* there is no escaping from one's fate; *han kan inte ~ att* he cannot fail to

-komma I *itr* escape, get away [with it] **II** *tr* escape from, *äv.* give .. the slip
undr||a *itr* wonder [*över* at]; *det ~r jag* I wonder; *~ på att..* no wonder.. **-an** wonder
undre *a* [the] lower; *äv.* bottom
und||seende deference; *visa ~ för* show (pay) deference to **-skylla** *rfl* se *ursäkta II* **-slippa** *tr* o. *itr* se *-gå* o. *-komma* **-sätta** *tr allm.* o. *mil.* relieve; [friare] succour **-sättning** relief, succour; jfr *räddning* **-sättnings|expedition** relief expedition **-vara** *tr* do without, spare **-vika** *tr* avoid [*att* ..-ing]; *äv.* keep away from; [-gå] escape; [med list] evade, elude, dodge **-vikande I** *s* avoidance; *till ~ av* in order to avoid **II** *a* evasive [*svar* reply]
ung *a* young; *de ~a* the young, [the] young people; *som ~* [*bodde han*] as a young man ..; *~t sinne* youthful temper; *~t vin* new wine; *vid ~a år* early in life, at an early age
ungdom 1 *abstr* youth; *i ~en, i sin ~* in [one's] youth **2** *en ~* a young person (man, girl); *koll (äv.: ~en)* young people (folks, men, women) *pl* **-lig** *a* youthful; [t. ex. röst, vanor] juvenile **-lighet** youthfulness **-s-** i *sms* [t. ex. -förbund, -rörelse] Youth; Young People's .., .. of (for) the young **-s|arbete** early work, work of o.'s youth; [socialt] youth work **-s|bjudning** party for young people **-s|brottslighet** juvenile delinquency **-s|dryckenskap** drunkenness among minors **-s|förening** youth club **-s|kärlek** young (calf-)love **-s|litteratur** literature for the young **-s|poesi** early poetry **-s|tid** youth, adolescence **-s|vän,** *en ~* a friend of one's early days **-s|år** early years, youth
ung|e [barn] baby, kid; [djur] se *fågel~* m. fl.; *-ar* young [ones]; *våra -ar* **F** our youngsters; *få -ar* bring forth young; *som föder levande -ar* viviparous
ungefär *adv* about; *äv.* something like; *~ här* somewhere about here; *~ 50 stycken* 50 or so, say 50; *~ likadan* much the same; *för ~ tio år sedan* some ten years ago; *~ som han vill* pretty much as he likes **-lig** *a* approximate; *vid en ~ beräkning* at a rough estimate; *äv.* in round numbers **-ligen** *adv* approximately, roughly
Unger||n Hungary **u-sk** *a* Hungarian **u-ska 1** [språk] Hungarian **2** [kvinna] Hungarian woman
ung||herre young gentleman **-häst** colt **-höns** *kok.* spring chicken **-karl** bachelor **-karls|-liv,** *leva ~* lead a bachelor's life **-karls|-skatt** bachelor tax **-karls|våning** bachelor's apartment **-mö** maid[en]; *gammal ~* spinster
ungrare Hungarian
ung||skog young forest **-tupp** *äv. bildl.* cockerel
uniform uniform; *mil. äv.* regimentals *pl; officer i ~* uniformed officer **-s|klädd** *a* uniformed, in uniform **-s|mössa** dress cap **-s|rock** tunic **-s|skräddare** military (army and navy) tailor
unik *a* unique
union union **-s|flagga** union flag; *~n* (*Engl.*) the Union Jack
unison *a mus.* unison **-t** *adv* in unison
univers||al- i *sms vanl.* universal **-al|arvinge** heir general **-al|geni** *äv.* all-round genius **-al|medel** *äv.* cure-all, panacea **-ell** *a* universal
universitet university **-s|bibliotek** university library **-s|bildad** *a* college-bred **-s|bildning** university (college) education **-s|liv** college life **-s|lärare** *äv.* college tutor, **F** don **-s|-studier** university (college) studies
universum universe
unk||en *a* musty, fusty; stale **-et** *adv* mustily &c; *lukta ~* have a musty smell
unna I *tr, ~ ngn ngt* not [be]grudge a p. a th.; jfr *miss~; jag ~r honom all lycka* I wish him all good fortune **II** *rfl* allow o.s.
uns ounce; jfr *smula I 2*
upp *adv* up; [-åt] upward[s]; *denna sida ~!* this side up! *hit ~* up here; *gå ~* [stiga] ascend; *gå ~ för* [*backen*] walk (climb) up ..; *ända ~* right up, all the way up; *vända ~ och ned på* turn upside down; *gata ~ och gata ner* up one street and down another; *~ med händerna!* hands up! *~ ur* out of **-amma** *tr* nurse, foster **-arbeta** *tr* [jord] cultivate; [förbättra] improve, work up; [utveckla] develop
uppass||are waiter; *mil.* batman **-erska** waitress; *sjö.* stewardess **-ning** waiting; *äv.* attendance
upp||bjuda *tr* muster (summon) [*hela sin kraft* all one's strength]; [energi] mobilize, exert **-bjudande** exerting &c; *med ~ av* (*äv.*) exerting **-bjudning** invitation [to dance] **-blanda** *tr* mix [up]; [vätska] dilute **-blomstrande** *a* flourishing, prospering; *äv.* rising [industry] **-blomstring** rise, prosperity; *äv.* expansion **-blossande** *a* blazing up; *äv.* flaring up **-blås|bar** *a* inflatable **-blåst** *a* inflated; *äv.* puffed up, stuck-up **-blött** *a,* [*vägarna*] *voro alldeles ~a* .. were sopping wet **-bragt** *a* angered, indignant; [starkare] exasperated **-bringa** *tr* **1** *sjö.* capture, seize **2** [pengar] raise **-brott** breaking up; [avresa] departure; *mil.* decampment; *blåsa till ~* (*mil.*) sound the march; *göra ~* take leave, break up the party; *mil.* break camp **-brotts|order** order[s *pl*] to march **-brusande** *a bildl.* hot-tempered, impetuous **-brusning** burst of passion **-bränd** *a* burnt [up] **-buren** *a, vara mycket ~* be made much (thought highly) of; be popular **-bygga** *tr* **1** = *bygga* [*upp*] **2** *bildl.* edify **-byggelse** *bildl.* edification **-byggelse|litteratur** edifying literature **-bygglig** *a* edifying **-båd** *mil.* summons to arms, calling up; *konkr* levy; *sista ~et* the last reserve **-båda** *tr* summon .. to arms, call up; [trupper] levy; [friare] mobilize [*hjälp* help] **-bäddad** *a* made up **-bära** *tr* **1** [stödja] support **2** [erhålla] receive, collect; [inkassera] cash, draw **3** *få ~ klander* come in for criticism; be exposed to censure **-bärare** upholder **-börd** collection; *förrätta ~* take up the collection, collect the taxes
uppbörds||bok register of ratepayers **-distrikt** revenue district **-kontor** [tax-]collector's (revenue) office **-längd** tax-roll **-man** [tax-]collector **-stämma** levy[ing] of taxes **-verk** revenue office
upp||daga *tr* discover, detect; se *äv. -täcka* **-dela** *tr* divide **-delning** division **-diktad** *a* invented, trumped up **-drag** *allm.* commission; [högre stil] mission, charge; [uppgift] task; *hand.* order; *enligt ~* by direction (order); *få i ~ att* be commissioned (instructed) to, be charged [*att köpa* with buying]; *i offentligt ~* on public business; *på ~ av* at the bidding (request) of; *på ~ av* [*regeringen*] at the command (by order) of . **-draga** *tr* **1** = *draga* [*upp*]; [växter] grow, rear; [djur] bring up, breed **2** *~ åt ngn att* commission a p. to **3** [rita o. s. v.] draw, trace; *~ en jämförelse mellan* draw a comparison between; *~ linjerna*

för prescribe the scope of **-dragen** *a* [klocka] wound up **-dragsgivare** *allm.* employer; *hand.* customer; *jur.* mandator; [till ont] instigator **-driv|a** *tr bildl.* raise; [öka] increase; *högt -na* [*förväntningar*] high . . **-dämma** *tr* dam up

uppe *adv* **1** [mots. nere] up; [ovanpå] up above; [i övre vån.] upstairs; *högt ~ på himlen* high in the sky; *~ i landet* up country **2** = *öppen* **-håll 1** [avbrott] interruption, break; [mellanskov] interval; [paus] pause; [tågs] stop; *10 minuters ~ (teat.* o. d.) an interval (*Am.* intermission) of ten minutes; *göra ett ~* make a pause, break off; [tåg] stop; *göra ~ i* [under resa] stop over at; *utan ~* without stopping (pausing, a stop) **2** [vistelse] sojourn; [kortare] stay **-hålla I** *tr* **1** [kvarhålla] delay, detain, keep . . [back] **2** [syssla] discharge the duties of **3** [stödja] support; [modet] keep up; *~ livet* support life **II** *rfl* [vistas] stay, live; *äv.* reside; *bildl.* dwell [*vid detaljer* upon details] **-hålls|ort** [place of] residence; *tillfällig ~* whereabouts **-hålls|väder** dry (fair) weather **-hälle** subsistence, sustenance; *fritt ~* free board and lodging; *förtjäna sitt ~* earn one's living; *sörja för ngns ~* support a p.

uppenbar *a* obvious, manifest, evident; [skriande] flagrant **-a I** *tr* manifest, make . . evident; *äv.* reveal; [yppa] disclose **II** *rfl* reveal o.s. [*för* to] *äv. relig.*; [visa sig] appear **-else** · [*gudomlig* divine] revelation; manifestation; *konkr* apparition; *äv.* vision **-else|boken** the Revelation of St. John; the Apocalypse **-ligen** *adv* obviously &c

upp||fart ascent; *under ~en* while going (driving) up **-farts|väg** drive ascent; *äv.* road up **-fatta** *tr* apprehend, understand, comprehend; [tolka] interpret; [t. ex. idé, situation] grasp; [ngns mening] catch **-fattning** [förstående] apprehension, comprehension; understanding; [föreställning] conception, idea; jfr *åsikt; hans ~ av saken* his view of the matter **-finna** *tr* invent; *äv.* devise **-finnare** inventor **-finning** invention; [nyhet] *äv.* innovation **-finnings|förmåga** inventive power; *äv.* ingenuity **-finnings|rik** *a* [of an] inventive [turn of mind]; [fyndig] *äv.* ingenious **-flugen** *a* perched **-flytta** *tr* o. *itr* move up; [i lönegrad] advance, promote; *bli ~d (skol.)* get one's remove **-fordra** *tr* **1** *gruv.* raise . . [to the surface], draw up **2** *bildl.* call upon, request; [till strid] challenge, summon **-fordrings|verk** drawing engine **-fostra** *tr* bring up; [bilda] educate; [uppöva] *äv.* train; *illa (väl) ~d* badly (well) brought up **-fostran** education; bringing up; *äv.* training **-fostrare** *allm.* educator; *äv.* tutor **-fostrings|anstalt** juvenile reformatory **-fostrings|bidrag** *jur.* alimony **-fostrings|syfte,** *i ~* to improve a p.'s education **-friska** *tr* freshen up, refresh; [språk o. d.] brush up **-friskande** *a* refreshing **-fyll|a** *tr* fill, [plikt, löfte] fulfil; [plikt] *äv.* carry out, perform; [ngns önskningar] *äv.* meet, comply with; *-d av* filled with; *~ en begäran* grant a request **-fyllelse** accomplishment; *gå i ~* be fulfilled (accomplished, realized); come true **-fånga** *tr* catch [*en skymt* a glimpse]; [hindra] intercept [*ljus* light] **-föda** *tr* bring up; *äv.* nourish; [djur] breed, rear, raise

uppför I *prep* up; *gå ~ . .* mount (ascend) . .; *gå ~ trappan* go upstairs **II** *adv* uphill

uppför||a I *tr* **1** raise, put up; [bygga] build, erect **2** *teat.* do, give, perform, produce **3** [skriva upp] put down, enter **II** *rfl* behave [o.s.], conduct o.s.; *~ sig illa (väl)* [ss. vana] have bad (good) manners **-ande 1** building &c; erection; *är under ~* is being built; is under construction **2** *teat.* performance **3** [beteende] behaviour, conduct; *dåligt ~* misbehaviour **-ande|rätt** [*teat.* o. d.] acting (performing) rights *pl* **-s|backe** ascent, rise, hill **-s|väg** uphill road

upp||ge se *-giva* **-gift 1** [meddelande] statement [*angående* as to]; information; [officiell] report; [förteckning] list, specification; *närmare ~er (äv.)* particulars; *~ å värde* declaration of value; *enligt hans ~* according to him **2** [åliggande] task; function; [kall] mission; object [*i livet* in life]; *matematisk ~* problem; *skriftlig ~* exercise; *hans ~ är att* it is his duty (task) to **-giva** *tr* **1** [meddela] state; *äv.* [adress o. d.] give; [rapportera] report; *~ namnet på* name, give the name of; *~ ett pris (hand.)* quote a price; *~ sig vara* give o.s. out as (to be) **2** [avstå från] give up, abandon; *~ andan* expire **-gjord** *a* arranged, settled; *på förhand ~* prearranged **-gå** *itr* **1** *bildl.* amount [*till* to] **2** [sammansmälta] *~ i* be merged ([om firmor] *äv.* incorporated) in **-gående** *a* rising; *äv.* ascending **-gång 1** *allm.* way up; [inomhus] ascent; stairs *pl* **2** [solens o. d.] rise **-görelse** [avtal] agreement; *äv.* arrangement, settlement; [affär] transaction; [sammanstötning] showdown **-handla** *tr* buy [in (up)], purchase **-hetsa** *tr* excite, heat; *bli ~d* get excited **-hetsande** *a* exciting; [tal] inflammatory **-hetsning** excitement **-hetta** *tr* heat, make .. hot; *~ för mycket* overheat **-hinna** *tr* overtake, catch .. up **-hitta** *tr* find **-hittare** finder **-hjälpa** *tr* improve; [laga] mend; *äv.* repair **-hostning** expectoration **-hov** origin; [källa] source; [orsak] cause; [början] *äv.* origination, beginning; *ge ~ till* [*ovilja*] give birth (rise) to ..; [*diskussion*] start ..; *vara ~ till* be the cause of; jfr *ursprung* **-hovs|man** author (originator) [*till* of] **-hällning,** *vara på ~en* be on the decline (wane); [om förråd] be running short **-hängning** suspension, mounting **-häva** *tr* **1** [utstöta o. s. v.] raise [*ett rop* a cry] **2** [avskaffa o s. v.] abolish, do away with; [förklara ogiltig] annul, declare .. void; [kontrakt] cancel; *~ varandra (naturv.)* neutralize each other **-höja** *tr* raise *äv. mat.*; elevate; *äv.* promote; [prisa] extol **-höjd** *a* **1** [bokstäver, arbete] raised **2** *bildl.* elevated, exalted, noble **-höjelse** elevation, exaltation, *äv.* promotion **-höjning** *konkr* elevation, rise **-hör|a** *itr* cease (stop) [*att läsa* reading]; [ta slut] *äv.* [come to an] end; [avbrytas] be discontinued; *jag har för länge sedan -t att* . . I long ago gave up . . -ing **-hörande** s ceasing &c; cessation; [i bet. avbrott] *äv.* interruption

uppifrån I *adv* from above; *~ och ned* from the top to the bottom **II** *prep* [down] from

uppiggande *a* bracing, stimulating; *äv.* reviving, refreshing

upp||jagad *a bildl.* [over-]excited; [fantasi] *äv.* heated; [nerver] *äv.* overstrained **-kalla** *tr* **1** *eg.* call up **2** [benämna] call, name; *~s efter* be called after (named for) **-kastning** vomiting; *läk.* emesis; *få ~ar* vomit, be sick **-kavla** *tr* roll up **-klarna** *itr* clear up **-klängd** *a* perched [*på* on] **-knäppt** *a* unbuttoned **-kok** *bildl.* rehash [*på* of] **-komling** upstart; parvenu *fr.* **-komma** *itr* [uppstå] arise [*av* from], originate [*ur* in]; *äv.*

come into existence; [plötsligt] start up; *den* [*vinst*] *som kan ~* any ultimate .. **-kommande** *a* possible; *vid ~ skada* in case of damage **-komst** origin; *vetensk.* genesis; *ha sin ~ i* (*äv.*) originate in, arise from **-konstruera** *tr* invent, devise **-krupen** *a* curled up [*i soffan* on the sofa] **-käftig** *a* impertinent; **F** cheeky, saucy **-käftighet** impertinence; **F** cheek, sauce **-köp** [-ande] purchasing, buying [in]; **F** shopping; [ett ~] purchase **-köpa** *tr* buy [up (in)], purchase **-köpare** buyer, purchaser; *hand. äv.* buying clerk; [spekulant] cornerer **-körs|väg** drive, entrance

upp‖lag stock, store, supply **-laga** edition; [av tidn.] *äv.* issue **-lagd** *a* [till förvaring] laid up; *stort ~ plan* large-scale plan; *bildl.* inclined, disposed; *vara ~ för skämt* be in a mood for joking **-lagring** storing, storage **-lags|näring** *biol.* reserve [of] nourishment **-lags|plats** depot, deposit; *äv.* magazine **-leta** *tr* find, hunt up **-leva** *tr* live to [*år 2000* the year 2000]; *äv.* [live to] see; [erfara o. d.] experience; [bevittna] witness; *han har ~t mycket* he has had many experiences **-levelse** [händelse] event; [erfarenhet] experience; *~n av en dikt* the way a poem is experienced; [*konserten*] *var en ~* .. was something to remember **-liva** *tr* **1** cheer [.. up]; *äv.* exhilarate **2** [bekantskapen] renew; *~ minnet* refresh one's memory **-livande** *a* cheering; stimulating; [omväxling] exciting **-livnings|försök** *pl* attempts at resuscitation **-lopp 1** riot, tumult **2** *sport.* finish **-luckra** *tr bildl.* shatter [*moralen* the morals *pl*] **-lupen** *a*, *~ ränta* interest due **-lyfta** *tr* lift up; [högtidligt] *äv.* elevate; *med -lyft huvud* head high **-lyftande** *a* elevating; *äv.* sublime [*skådespel* spectacle]

upplys‖a *tr* **1** *eg.* light [up], illumin[at]e **2** *bildl.* enlighten; [klargöra] *äv.* elucidate **3** [underrätta] inform, give .. [the] information; *~ ngn om detaljerna* furnish a p. with particulars **-ande** *a* [exempel] illustrative; [lärorik] instructive, illuminating; [förklarande] explanatory **-ning 1** *eg.* lighting; *konkr* illumination **2** *bildl.* enlightenment, elucidation; [kultur] civilization, culture **3** *bildl.*, *~*[*ar*] information *sg; närmare ~ar* further particulars (information *sg*) **4** *hand.* [om soliditet] status report **-nings|arbete** instructive work **-nings|-byrå** inquiry office, *Am.* information desk **-nings|tiden** the Age of Enlightenment **-nings|verksamhet** dissemination of information **-nings|vis** *adv* by way of information **-t** *a* **1** *eg.* illuminated, lighted (lit) up **2** *bildl.* enlightened

upp‖låna *tr* borrow, raise **-låta** *tr* open [*för* to], give up, grant .. the use of **-låtelse** giving up, grant **-läsare** reciter **-läsning** reading; *äv.* recital **-lösa I** *tr* **1** = *lösa I 2* **2** dissolve, resolve; [sönderdela] *äv.* disaggregate, disintegrate; *mat.* solve; [församling] dismiss, disperse; [armé] disband; [möte] break up **II** *rfl* dissolve (be dissolved) &c; [sönderfalla] decompose **-lösande** *a* dissolving &c; *~ krafter (äv.)* disintegrating forces **-lösas** *dep* = *-lösa II* **-löslig** *a* dissoluble **-lösning** dissolution; *mat.* solution; [is. samhälls-] disintegration; dispersing &c; [ett dramas ~] unravelling, dénouement *fr.* **-lösnings|tillstånd** state of dissolution (&c); *vara i ~* (*bildl.*) be on the point of a collapse (break-down)

upp‖mana *tr* exhort; [hövligt] invite, request; [ivrigt, enträget] urge, incite; *jag ~de honom att* (*äv.*) I recommended him to **-maning** exhortation; *äv.* summons, call; [vädjan] appeal; *på ~ av* (*äv.*) on the recommendation of **-marsch** *mil.* deploy[ment], marching up **-marschera** *itr mil.* deploy, march up **-mjuka** *tr* make .. soft, soften; [göra smidig] limber up **-muntra** *tr* cheer up, encourage; [främja] favour, promote, patronize; [uppmana] exhort **-muntran** encouragement; *äv.* patronage, support **-muntrande** *a* encouraging **-märksam** *a* attentive [*mot, på* to]; [aktgivande] watchful; [iakttagande] observant; *göra ngn ~ på* call a p.'s attention to **-märksamhet** attention; *äv.* attentiveness; [aktgivande] watchfulness, observation; *fästa ngns ~ på* draw a p.'s attention to; *visa ngn ~* pay attention to a p.; *väcka ~* attract attention; create a stir **-märksamma** *tr* notice, observe; *äv.* pay attention to **-märksamt** *adv* attentively; [starkare] intently **-mäta** *tr* measure [out]; [mark] *äv.* survey **-mätning** measuring [up] &c **-nosig** *a* impertinent, pert, saucy **-nå** *tr* reach; [ålder, syfte] attain, achieve; [bestämmelseort, mål] *äv.* arrive at [*ett resultat* a result]; [*konferensen*] *~dde ingenting* .. achieved nothing **-näsa** pug-(turn[ed]-up)nose **-näst** *a* pug-nosed

upp‖- och avskrivning[s|konto] current account **- och nedvänd** *a* [turned] upside down; *äv.* reversed, inverted; *bildl.* [ofta] topsy-turvy

upp‖odla *tr* bring .. under cultivation; se *äv. odla* **-offra** *tr* [*rfl*] sacrifice [o.s] [*för* for (to)]; [avstå från] forgo, give up **-offrande** *a* self-sacrificing **-offring** sacrifice; devotion; *med ~ av* by sacrificing **-rensa** *tr* clean (clear) out; purge; *mil.* [terrängen] mop up **-repa** *tr* repeat; [säga om och om igen] reiterate; [sammanfatta] recapitulate, sum up; [förnya] renew; *~de gånger* repeatedly; again and again; *ofta ~de (äv.)* frequent **-repning** repetition; reiteration; renewal; recurrence **-resa I** *s* up-journey **II** *rfl* rise [in arms]; se *äv.* [*göra*] *uppror* **-retad** *a* provoked; irritated; enraged [*tjur* bull]; *äv.* exasperated [*på* with; *över* at; *av* by] **-riktig** *a* sincere; [öppen] frank, candid; [språk] open; [ärlig] honest; *~ vän (äv.)* true friend; *för att vara ~* to tell the truth **-riktighet** sincerity; *äv.* candour **-riktigt** *adv* sincerely &c; *säg mig ~!* tell me honestly! *tala ~ med ngn* talk to a p. in plain words (English o. s. v.) **-ringning** [telephone] call **-rinnelse** origin, source **-rivande** *a bildl.* se *-rörande* **-rive|n** *a* frayed [*nerver* nerves]; *i -t tillstånd* in a nervous state **-rop** calling over [of names]; roll-call; [uppmaning] appeal **-ror** insurrection, rebellion, uprising; [mindre] revolt; [oro] agitation; *göra ~* rise in rebellion; *äv.* rebel, revolt; [sinnenas, elementens] tumult, uproar **-rorisk** *a* rebellious, revolted; *äv.* seditious (mutinous) [*tal* speech]; [uppstudsig] insubordinate **-rors|anda** rebellious (&c) spirit, spirit of revolt (munity) **-rors|fana** standard of rebellion **-rors|försök** attempt at insurrection **-rors|här** insurgent army **-rors|makare** rebel, revolter; insurgent **-rors|rörelse** revolutionary movement **-rusta** *itr* rearm **-rustning** rearmament **-ryckning** *bildl.* rousing, shaking up; *ge ngn en ~* give a p. a shake-up **-rymd** *a* in elevated spirits, exhilarated **-rymdhet** exhilaration **-räck|a** *tr* [göra ngt] *med -ta händer* (*bildl.*) be only too pleased to **-räkna** *tr* enumerate **-räkning** enumeration **-ränning** *bildl.* origin, rise

upprätt *a* upright, erect; *äv.* vertical [*streck* line] **-a** *tr* **1** [resa] raise, erect **2** *bildl.* raise; [åter-] restore; [grunda, t. ex. affär] found; [förbindelse] establish; [testamente o. d.] draw up **-ande** raising, foundation **-else** reparation, redress; *äv.* rehabilitation; *begära ~ för* demand satisfaction for; *giva ngn ~* make amends to a p.; *skaffa ngn ~* see a p. righted **-hålla** *tr* uphold, preserve; *äv.* maintain [*ordningen* order]; [t. ex. trafik] keep .. going **-hållande** upholding &c; maintenance, preservation **-stående** *a* upright, erect

upp‖röjning clearance; clearing *äv. konkr* **-röra** *tr bildl.* stir [up], agitate, disturb; *äv.* excite [*sinnena* people's minds] **-rörande** *a* agitating &c; [starkare] revolting, shocking **-rörd** *a* agitated, excited; upset; troubled [*tider* times] **-rördhet** agitation, disturbance; *äv.* excitement

upp‖sagd *a, vara ~* have had notice; *bli ~* get notice **-samla** *tr* gather [up], take up, collect **-samlingsplats** *mil.* assembly point **-sats** [i tidning] article; [större] *äv.* essay, paper; [i skola] composition **-satt** *a* exalted (distinguished) [*person* personage]; *en högt ~ person* a man of high station **-seende** [-märksamhet] attention; [starkare] sensation, scandal; *väcka ~* attract notice (attention) [*genom* by]; *äv.* make o.s. conspicuous **-seende|väckande** *a* sensational, scandalous **-segling,** *vara under ~* be brewing **-sikt** control; [*stå under* be under] superintendence (supervision); *ha ~ över* have charge of; *äv.* supervise **-sjö** *sjö.* [a] high (full) tide; *en ~ på* (*bildl.*) an abundance of **-skakad** *a* upset, agitated; *äv.* perturbed [*över* at] **-skakande** *a* shocking &c; *äv.* upsetting &c **-skatta** *tr allm.* estimate [*efter* by; *till* at]; *äv.* value; set store by [*ngn* a p.]; appreciate [*vänlighet* kindness]; *kan inte ~s nog högt* cannot be too highly prized **-skattning** estimation, valuation; appreciation **-skjuta** *tr* [ngt i tiden] put off, postpone, defer; [fördröja] delay; [möte] adjourn **-skov** postponement, delay; [anstånd] respite [*med* for]; *bevilja ~* (*hand.*) grant (allow) a respite (prolongation); *utan ~* without delay, promptly **-skruva** *tr eg.* se *skruva* [*upp*]; *~t pris* exorbitant (screwed-up) price **-skrämd** *a* startled, frightened; *äv.* alarmed **-skur|en** *a* [bok] with the pages cut; *-et* slices of cold meat **-skörta** *tr, bli ~d* be made to pay through the nose

upp‖slag 1 [på kläder] facing; [rock-] lapel; [ärm-] cuff **2** *bildl.* [idé] idea, impulse, project; *nya ~* fresh suggestions, new ideas; *ge ~ till* start, begin **-slagen** *a* **1** opened &c; jfr *slå* [*upp*]; *som en ~ bok* like an open book; *med ~ rockkrage* with [one's] collar turned up **2** [förlovning] broken[-off] **-slags|bok** reference book; *hand. äv.* compendium, manual **-slags|ord** [i ordbok o. d.] title-word, [main] entry **-slags|rik** *a* full of suggestions, ingenious **-slags|ända** *bildl.* clew, clue **-slamma** *tr* silt [up]; *kem. äv.* dredge **-slitande** *a bildl.* [samtal o. d.] heart-rending **-slitsa** *tr* split open **-sluka** *tr* devour; *bildl.* engulf, absorb **-sluppen** *a* **1** [i sömmen] [ripped] open **2** *bildl.* exhilarated, in high spirits **-sluppenhet** exhilaration, high spirits *pl* **-slutning** *mil.* forming [*till höger* to the right] **-snappa** *tr* snatch (pick) up; [i krig] capture; *~ ett ord* catch a word; *~ ett brev* intercept a letter **-spelt** *a* exhilarated; [munter] *äv.* gay, jolly **-spottning** expectoration *äv. konkr* **-sprucken** *a* ripped (split) [up (open)] **-spåra** *tr* se *spåra* [*upp*] **-spärrad** *a* wide open; [näsborrar] distended **-stigen** *a, han är inte ~* [ur sängen] he has not got (is not) up **-stigande -stigning** jfr *stiga* [*upp*]; ascension [*på tronen* to the throne]; *flyg.* take off; ascent **-stoppad** *a* [fågel] stuffed **-struken** *a* [hår] brushed back **-sträckning** *bildl.* reprimand; **F** *äv.* wigging, rating **-ström** upstream **-studsig** *a* refractory, insubordinate; [starkare] obstinate **-studsighet** refractoriness, insubordination **-styltad** *a bildl.* stilted, affected; [svulstig] bombastic **-stå** *itr* [stiga upp] rise; [-komma] arise; *äv.* come (spring) up; [börja] start; [visa sig] appear **-stående** *a* stand-up [*krage* collar] **-ståndelse 1** [från de döda] resurrection **2** *bildl.* excitement, commotion; **F** fuss **-stånden** *a* risen **-ställa** *tr* [ordna] arrange; *mil.* draw up; [framställa] propose, set forth; [regel] lay down; *~ .. som exempel* take .. as an example; *~ .. som villkor* put .. forward as a condition **-ställning** arrangement; *mil.* formation [*på linje* in line]; [i rad] alignment; *~!* fall in! **-stämma** *tr* se *stämma* [*upp*]; [friare] set (strike) up [*ett rop* a cry] **-stötning** *läk.* eructation, *äv.* belch **-suga** *tr* absorb, draw up **-sving** advance, rise; [återupplivande] revival; *hand. äv.* boom **-svälld -svullen** *a* swollen, swelled [-up] **-svällning** swelling; [svulst] tumour **-syn 1** look[s *pl*], countenance; jfr *2 min* **2** se *-sikt* **-synings|man** supervisor; *äv.* inspector **-såt** intent, intention; *utan ont ~* without malice **-såtlig** *a* intentional; wilful [*mord* murder] **-säg|bar** *a* subject to notice; *hand.* terminable [*kontrakt* contract]; [lån] redeemable **-sägelse -sägning** notice [to quit], warning **-sägnings|tid** [time allowed for giving] notice; *tre månaders ~* three months' notice; *hand.* length of notice **-sända** *tr* send up; [bön] offer up **-sätta** *tr eg.* se *sätta* [*upp*]; [maskiner] mount, fit up, install; *~ ett kontrakt* (*hand.*) draw up a contract **-sättare** ⊕ engine-fitter **-sättning** *konkr* set; *äv.* collection; ⊕ equipment, installation; *teat.* o. *film.* get-up **-söka** *tr* seek (hunt) out; jfr *be-*

upp‖taga *tr* **1** = *taga* [*upp*] **2** *bildl. allm.* take up; take [*som ett skämt* as a joke]; [mottaga] receive; [i en förening] admit; [i ordbok o. d.] include; [på grammofonskiva] record; *målet skall ~s på nytt* (*jur.*) the case is to be resumed (reopened); *~s till behandling* come (be brought) up for discussion **3** [fylla] take up [*plats* (*tid*) room (time)]; *äv.* occuppy [*ngns tid* a p.'s time]; *~ tankarna* engage one's thoughts **-tag|en** *a* **1** *eg.* taken up &c **2** *bildl.* [sysselsatt] occupied, busy; [beställd] booked; *platsen är ~ a)* [tjänst] the post has been filled (is no longer vacant); *b)* [sittplats] the seat is taken (occupied); *-et!* number engaged! *Am.* line busy! *jag är ~* I have an engagement [*i kväll* for to-night] **3** [på grammofonskiva] recorded **-tagning** *film.* taking of scenes; [grammofon- o. *radio.*] recording; *konkr* record **-takt** *mus.* anacrusis; *bildl.* preamble **-taxera** *tr* assess; [värdera] value, estimate **-teckna** *tr* take down, make a note of; [folksägner o. d.] record, chronicle **-teckning** *konkr* record, chronicle; *äv.* note **-till** *adv* at the top [*på* of] **-tingad** *a,* [*redan*] *~* already taken (engaged) **-torna** *tr* pile up **-trampa** *tr* tread, beat [out]; *en ~d stig* a beaten track, *äv.* a well-worn path **-transformera** *tr* ⊕ transform .. to a higher voltage **-träda** *itr* **1** [framträda] appear [*offent-*

ligt in public]; make one's appearance [*inför ngn* before a p.]; [om skådespelare] perform, give performances **2** [uppföra sig] behave [o.s.]; *äv.* act [*bestämt* resolutely]; ~ *oväntat* turn up; ~ *med anspråk på* lay claim to; ~ *med fasthet* display firmness **-trädande I** *a, de* ~ the performers (actors) **II** *s* appearance; [beteende] behaviour, conduct; [fräckt] *äv.* impudence **-träde** scene, scandal; **F** *ställa till ett* ~ make a scene **-tuktelse,** *ta ngn i* ~ take a p. to task, read a p. a lecture **-tåg** [påhitt] prank, lark; [skälmstycke] practical joke; *ha ngt* ~ *för sig* be up to some joke **-tågs|makare** practical joker, wag
upp||täck|a *tr allm.* discover; [ngt hemligt] detect, find out; [uppspåra] track out; *då -tes det att* it then turned out that **-täckare** discoverer, finder; *äv.* detector **-täckt** discovery; detection; [uppenbarelse] *äv.* revelation **-täckts|färd** exploring expedition **-täckts|resande** explorer
upp||tända *tr* light; *bildl.* kindle; *äv.* inflame, excite; *-tänd av raseri* enraged **-tänklig** *a* imaginable, conceivable **-vaknande** *s* awakening; [ur en inbillning] disillusion[ment] **-vakta** *tr* [betjäna vid hovet] attend; [besöka] call upon; [en dam] court **-vaktande** *a* attendant; ~ *kammarherre* chamberlain in waiting **-vaktning 1** attendance; *göra sin* ~ *för* pay one's respects to **2** [följe] attendants *pl;* gentlemen (ladies) *pl* in waiting; [*prins N.*] *med* ~ . . with suite **-vigla** *tr* excite (stir .. up) [to rebellion (mutiny)] **-viglare** stirrer up of rebellion (&c) **-viglingsförsök** attempt to instigate rebellion (&c) **-vilad** *a* rested; [*helt*] ~ [quite] refreshed **-vind** *flyg.* upwind **-visa** *tr* show, exhibit; [blotta] show up; [framvisa] produce (present) [*en biljett* a ticket] **-visning** *allm.* show; *mil.* o. *skol.* exhibition **-vuxen** *a* grown up, adult **-väcka** *tr* raise; [lidelse] *äv.* rouse; *bildl. äv.* excite **-väg|a** *tr* [counter]balance; weigh against; *äv.* neutralize; *mer än* ~ outweigh; *det ena -er det andra* one makes up for the other **-värma** *tr* warm up, heat **-värmning** heating &c **-växande** *a* growing [up]; *det* ~ *släktet* the coming (rising) generation **-växt** growth; se *äv.* följ. **-växt|tid** adolescence, youth; *under* ~*en* during adolescence (the period of growth), while growing
uppåt I *adv* upward[s]; *stiga* ~ (*äv.*) ascend **II** *prep* up to[wards]; ~ *landet* (*floden*) up country (the river) **-böjd** *a* bent upwards **-gående I** *a* ascending; [tendens] upward **II** *s* ascension; *hand. äv.* rise, hausse **-riktad** *a* upturned **-stigande** *a* ascending **-strävande** *a* aspiring; *äv.* struggling to rise; *bildl. äv.* ambitious **-vänd** *a* turned up[wards], upturned [*blick* look]
upp||äta se *äta* [*upp*]; *-äten av mygg* eaten by gnats **-öva** *tr* train, exercise **-över** *prep* over; ~ *öronen* head over heels [*förälskad* in love]
1 ur, *i* ~ *och skur* in all weathers
2 ur *s* watch; [bords-, vägg-] clock
3 ur I *prep* out of; from [*minnet* memory] **II** *adv* out
ur||aktlåta *tr* neglect, omit, fail **-akt|låtenhet** [act of] neglect, omission **-aktlåtenhets|synd** sin of omission
uran uranium **-malm** uranium ore **-stapel** uranium pile
ur||arta *itr* degenerate; [friare] turn [*till* into]; ~*d* degenerate[d], depraved; ~*t tillstånd* degeneracy **-arva** *a, göra sig* ~ renounce any concern in the estate; ~ *konkurs* bankruptcy of the estate

urban *a* urbane, affable
ur||befolkning primitive population; ~*en* (*äv.*) the aborigines *pl* **-berg** primary (primitive) rock[s *pl*] **-bild** prototype (archetype) [*för* of], original [*för* to]
ur||blek|a *tr* fade; *-t* faded; [genom tvätt] *äv.* washed out **-bota** *a* hopeless; [pers.] *äv.* incorrigible
ur||djur *zool.* protozoan **-fader** first father progenitor
urfjäder watch spring
ur||folk primitive (prehistoric) people **-fånig** *a* **F** idiotic; *det är* ~*t* it is too silly for words **-gammal** *a* extremely old; ancient [*bruk* custom]; [rättighet] time-honoured **-germansk** *a* **-germanska** Primitive Germanic
urholk||a *tr* hollow [out]; [utgräva] dig out, excavate; ⊕ scoop [out]; ~*d* hollow, concave; *äv.* hollowed out **-ning** excavation, hollow, [con]cavity
urin urine; *kem.* uric **-blåsa** [urinary] bladder **-förgiftning** ur[a]emia **-glas** urinal
urin[ne]vånare original inhabitant, aboriginal; *pl äv.* aborigines
urin||rör urethra **-syra** uric acid
urkedja watch-chain
ur||klipp cutting, scrap **-kokt** *a* with all the flavour boiled out [of it]; [friare] sapless, juiceless **-komisk** *a* irresistibly funny **-koppling** *elektr.* interruption; ⊕ disconnection, disengagement
urkraft original (fundamental) power; *bildl.* immense power
urkristendom Primitive Christianity
ur||kund [original] document; *äv.* record **-källa** *bildl.* fountain-head
ur||ladda I *tr* discharge **II** *rfl* explode, burst **-laddning** discharge; explosion, burst **-laka** *tr* soak; ~*d* **F** jaded, fagged (worn) out **-lasta** *tr* unload **-lastnings|hamn** port of discharge
urmakare watchmaker; [butik] watchmaker's [shop]
ur||minnes *a* immemorial [*hävd* usage]; *från* ~ *tid*[*er*] from time immemorial (time out of mind) **-moder** first mother **-modig** *a* out of fashion, antiquated; [gammaldags] old-fashioned **-människa,** ~[*n*] primitive man
urna urn
urnyckel watch-key; clock-key
ur||oxe aurochs **-plock** selection, assortment **-premiär** *teat.* o. *film.* first performance, world première
ur||ringad *a* low-necked **-ringning** cutting out; [djup] low neck
ursinn||e fury, frenzy; [raseri] rage **-ig** *a* furious [*över* at; *på* with]; *som en* ~ like a madman
ur||skilja *tr* discern, make out; [skilja] distinguish (discriminate) [*från* from; *mellan* between] **-skiljbar** *a* discernible **-skillning** discernment; discrimination; [omdöme] judgement, discretion; *utan* ~ (*äv.*) indiscriminately
ur||skog primeval (virgin) forest; *Afr.* o. *Austr.* bush; *Am.* the backwoods *pl* **-skulda** *tr* [*rfl*] exculpate [o. s.]; jfr *-säkta*
ursprung origin; [härkomst] extraction; [friare] source, root; *leda sitt* ~ *från* derive one's (its) origin from, be derived from; *till sitt* ~ in (by) origin **-lig** *a* original; *äv.* primitive; *bildl. äv.* natural, simple **-ligen** *adv* originally **-lighet** originality, primitiveness **-s|beteckning** indication (designation) of origin **-s|ort** place of origin
urspråk primitive language
urspår||a *itr* run off the rails, derail; ~*d*

(*bildl.*) gone wrong **-[n]ing** derailment, running off the rails
urståndsatt *a* incapacitated, incapable
ursäkt excuse [*för* for]; *äv.* apology; *anföra som* ~ give .. as a pretext; *be om* ~ make apologies, apologize, ask pardon; *be ngn om* ~ se *förlåtelse* **-a I** *tr* excuse, pardon; ~ [*mig*]! excuse me! I beg your pardon! [I'm] sorry! ~ *att jag* .. excuse my ..-ing **II** *rfl* excuse o.s. [*med att* with ..-ing] **-ande** *a* apologetical **-lig** *a* excusable, pardonable
urtavla clock-face, dial
ur‖text original [text] **-tid** prehistoric age, prehistory; *i* ~*en* in [the] primitive ages **-tids-** i *sms* primeval, prehistoric[al]; *geol.* paleontological **-tillstånd** original (primitive) state **-tima** *a* extraordinary; ~ *riksdag* (*Engl.*) autumn session **-tråkig** *a* extremely dull **-typ** prototype, archetype **-usel** *a* extremely bad **-val** choice, selection; *hand. äv.* assortment; [ss. titel] *i* ~ selections from **-vattna** *tr* soak; ~*d* (*bildl.*) washy
ur‖verk works *pl* of a watch (clock); *som ett* ~ like clockwork **-visare** watch-(clock-) hand
ur|vuxen *a* outgrown
ur|åldrig *a* extremely old, ancient
usance *hand.* usage, commercial custom
usch *itj* faugh! oh! ~ *då!* hoo! ugh!
us‖el *a allm.* wretched, miserable; *äv.* foul [*väder* weather]; [dålig] worthless; [starkare] execrable; [moraliskt] vile, mean; [klen o. d.] poor; *ha det* ~*t* be very badly off **-elhet** wretchedness &c; misery; meanness **-ling** wretch; [starkare] villain; [stackare] poor creature
ut *adv* out; [utrikes] *äv.* abroad; *inte veta varken* ~ *eller in* be at one's wit's end, not know what to do; *dag* ~ *och dag in* day out day in; ~ *och in* in and out; *låt honom tala* ~ let him have his say; *vända* ~ *och in på* turn inside out; ~ [*med dig*]! get out! ~ *på* out into [*gatan* the street]; ~ *ur* out of; *det kommer på ett* ~ it is all one, it makes no difference **-agerad** *a, saken är* ~ the matter is (has been) settled
utan I *adv* outside [*och innan* and inside] **II** *prep* [i saknad av] without; *äv.* with no [*vänner* friends]; [berövad] destitute of; ~ *arbete* out of work; ~ *vidare* without further notice (say); ~ *vidare besvär* without further trouble; *prov* ~ *värde* (*hand.*) sample of no (without) value; *bli* ~ have to do (go) without; *vara* ~ have no, lack; *kunna vara* ~ be able to do without; ~ *honom* .. but [were it not] for him ..; ~ *att veta* without knowing **III** *konj* but; and not; *icke blott* .. ~ *även* .. not only .. but [also] ..
utand‖as *tr itr dep* breathe out, exhale, expire; ~ *sin sista suck* breathe one's last [breath] **-ning** expiration, exhalation; *in- och* ~ inhalation and expiration
utan‖för I *adv* outside **II** *prep* outside, before, in front of; *stå* ~ *saken* (*äv.*) have nothing to do with the matter **-läsning** recitation by heart **-läxa** lesson [to be] learnt by heart **-på I** *adv* outside **II** *prep* outside, on the outside of; *gå* ~ **F** beat **-skrift** address [on the cover] **-till** *adv* by heart **-verk** *mil.* outwork, outer work
ut‖arbeta *tr allm.* work out; [förslag o. d.] *äv.* draw up; [karta o. d.] prepare; [lexikon] compile; [omsorgsfullt] elaborate **-arbetad** *a* **1** worked out &c **2** [om pers.] worn out, overworked **-arbetande,** *vara under* ~ be in course of preparation **-arma** *tr* impoverish [(*äv.*) *jorden* the soil]; reduce .. to poverty; [starkare] pauperize; ~*d* (*äv.*) destitute **-arrendera** *tr* let [out] .. on lease, lease out **-arrendering** leasing **-be[d-ja]** *rfl* solicit [*en ynnest* a favour]; *jag -ber mig Edert anbud å* (*hand.*) please quote me for, please send me your quotations for; *jag -ber mig benäget svar* I request the favour of a reply **-beordra** *tr* command .. out **-betala** *tr* pay [out (down)], disburse; *som skall* ~*s till* (*hand.*) payable to **-betalning** payment, disbursement; *förfalla till* ~ (*hand.*) pass for payment **-bilda I** *tr* train, develop; [fullkomna] finish, perfect; [undervisa] instruct; *mil. äv.* drill **II** *rfl* train [o.s.] [*till* for], perfect o.s.; ~ *sig till* (*äv.*) study for **-bildad** *a* trained; [*fullt* fully] developed **-bildning** training &c; [uppfostran] education; *få sin* ~ *vid* (*äv.*) be educated (trained) at **-bjud|a** *tr* offer [*till salu* for sale]; *-es hyra* [annons] to [be] let **-blick** perspective; view, survey **-blommad** *a* faded **-blottad** *a* destitute [*på* of]; *äv.* denuded **-bombad** *a* bombed out **-breda I** *tr* spread [out]; *äv.* expand; [utsträcka] extend **II** *rfl* spread [itself]; *äv.* extend; ~ *sig över* [ett ämne] *bildl.* expatiate upon **-bredd** *a* [widely] spread; [bruk] *äv.* prevailing, general; *med* ~*a armar* with open arms **-bred|ning 1** [-ande] spreading &c **2** spread, distribution, extension; [av sjukdom, sed] prevalence **-bringa** *tr* propose [*en skål* a toast] **-brista** *itr* burst out [*i tårar* crying]; [plötsligt yttra] exclaim **-brodera** *tr bildl.* deck out [*en historia* a story] **-brott** breaking out; [krigs-] outbreak [*av* of]; [av känslor] outburst; fit [*av dåligt humör* of temper]; [av vulkan; *läk.*] eruption; *komma till* ~ break out **-brunnen** *a* burnt out; [vulkan] extinct **-bryta I** *tr* break .. out; detach **II** *itr* break out **-bränd** *a* burnt away, burnt out **-bud** *hand.* offer **-buktad** *a* bent outwards **-buktning** bulge **-bygg|d** *a* built out; [fönster] *äv.* projecting; *-t fönster* (*äv.*) bay (bow) window **-byggnad** piece built on, external erection **-byta** *tr* exchange (change) [*mot* for]; [ömsesidigt] interchange; ~ *erfarenheter* (*äv.*) compare notes; ~ *meddelanden* communicate [with each other] **-bytbar** *a* interchangeable **-byte** exchange; [ömsesidigt] interchange; [vinst] gain, profit; *ha stort* ~ *av* derive great benefit (pleasure) from; *i* ~ in exchange; *få* .. *i* ~ *mot* (*äv.*) get .. instead of **-bärning** distribution; [av post] *äv.* delivery **-böling** outsider, stranger
ut‖dela *tr* distribute, deal out; ~ *befallningar om* give orders for; ~ *hugg* deal out blows; ~ *dividend* pay dividend **-delning** distribution, dealing out &c; *hand.* dividend; *extra* ~ (*äv.*) bonus **-dikning** drainage [by ditches] **-dimitteras** *dep* graduate **-drag** extract (excerpt) [*ur* from] **-dragbar** *a* telescopic **-dragen** *a* drawn out; [i tid] protracted, lengthy **-drags|bord** extension table **-drags|soffa** sofa bed **-drags|stycke** slide **-driva** *tr* drive out [*ur* from]; [onda andar] exorcise; *vetensk.* expel **-drivnings|-hastighet** escape velocity **-dunsta I** *tr* transpire, perspire; [om sak] exhale [*fuktighet* moisture] **II** *itr* evaporate **-dunstning** transpiration, perspiration &c **-död** *a* extinct; [-rotad] exterminated **-döende** extinction; *befinner sig i* ~ is dying out **-döma** *tr* reject **-dömd** *a* rejected, doomed
ute *adv* **1** [rum] out; [utomhus] out of doors; [utanför] outside; [utomlands] abroad; *där* ~ out there; *vara* ~ *och* .. be out ..-ing **2** [tid] up; *allt hopp är* ~ all hope is gone;

tiden är ~ [the] time is up; det är ~ med [mitt tålamod] .. has come to an end; det är ~ med honom it is all up with him, he is quite done for **3** bildl., vara illa ~ be hard put to it, be badly off (in a bad fix); jag har aldrig varit ~ för I have never been in for **-arbete** out-of-door work **-bli[va]** itr [om pers.] fail to appear (arrive), stay away, not turn up; [om sak] not be forthcoming, fail to come; följderna komma inte att ~ the consequences are sure to be felt **-blivande** s non-appearance (-arrival); jur. default **-bliven** a [frånvarande] absent; ~ betalning non-payment
utefter prep [all] along
utegångsförbud curfew
ute||liggare vagrant, homeless person **-liv** **1** = frilufts- **2** idka ~ frequent public places of amusement **-lämna** tr leave out, omit; [hoppa över] pass over **-lämnande** omission
utensilier utensils, accessories
ute||restaurang open-air restaurant **-slut|a** tr exclude [ur from]; [ur förening] expel; vetensk. eliminate; det är absolut -et it is absolutely out of the question **-slutande** **I** a exclusive, sole **II** adv exclusively, solely **-slutning** exclusion; expulsion; äv. elimination; med ~ av to the exclusion of **-stående** a **1** ~ gröda standing (growing) crops pl **2** ~ fordringar outstanding debts **-stäng|a** tr lock (shut) .. out; äv. keep .. out, bar; [-sluta] exclude; bli -d be shut (locked) out **-stängning** exclusion; äv. debarment **-tennis** outdoor tennis **-termometer** outdoor thermometer
ut||examinerad a [t. ex. sköterska, lärare] passed, certificated; bli ~ pass one's (the) final examination [från at] **-experimentera** tr discover (work out) .. by experiment[s] **-fall** **1** mil. sortie fr., sally; fäktn. lunge; [anfall] attack; göra ett ~ (mil.) make a sally; bildl. have a fling [mot at] **2** [av radioaktiva ämnen] fall-out, spill **-falla** itr **1** [om flod] fall [out] **2** [om lott] come out [på to]; [om pengar] fall due; bildl. turn out [väl well]; ~ med vinst [om lott] be a winning ticket; [utslaget] -föll gynnsamt för honom .. was in his favour **-fallsdike** drain[ing ditch] **-fart** **1** departure [från from] **2** konkr way out; [från stad] main road [out of the town] **-fattig** a miserably (abjectly) poor; [utblottad] destitute; [utan pengar] penniless **-festad** a played out **-flugen** a, fågeln är ~ the bird is (has) flown **-flykt** excursion, trip; [i det gröna] picnic; göra en ~ make an excursion **-flyttning** moving out, removal **-flyttnings|betyg** certificate of removal **-flöde** outflow, discharge; bildl. emanation **-fodra** tr keep [med on]; ~ .. med havre feed oats to .. **-fodring** feed[ing], keep **-forma** tr [give final] shape [to], model **-formning** shaping &c, formation **-forska** tr find out; investigate; jfr -fråga; geogr. explore **-forskning** investigation; exploration **-fråga** tr question; [korsförhöra] cross-examine; äv. sound **-fundera** tr think (work) out; [hitta på] devise **-fylla** tr se fylla [ut] **-fälla** tr kem. precipitate **-fällning** precipitation; geol. äv. sediment **-färd** excursion; jfr -flykt **-färda** tr issue [order orders]; [kommuniké] publish; hand. [t. ex. revers] make out **-fästa** **I** tr offer [en belöning a reward]; [lova] äv. promise; ~ en tid fix a time **II** rfl engage (undertake, pledge o.s.) [att to] **-fästelse** pledge, promise **-för** **I** adv down[wards], downhill; färdas ~ descend; det har gått ~ med honom (bildl.) he has come down in the world **II** prep down; ramla ~ fall headlong down
ut||föra tr **1** = exportera **2** [verkställa] perform; carry out [en beställning an order]; [plan, order, uppdrag] äv. execute; ~ sin mission achieve one's mission; väl -fört well done (executed); ~ en plan (äv.) realize (carry out) a plan **3** hand., ~ en summa place a sum to account **-förande** performance, execution &c; [export] exportation **-förbar** a performable, executable; [möjlig] practicable, feasible, äv. realizable **-förlig** a detailed; [tydlig] explicit; [-tömmande] exhaustive **-förlighet** fullness (completeness) [of detail] **-förligt** adv in detail, fully; äv. at great length; exhaustively **-förs|backe** downhill **-försel** export[ation]; se äv. export **-försel|förbud** export ban **-förs|gåvor** oratorial gifts **-förs|väg** descent **-försälja** tr sell off **-försäljning** selling off, clearance sale **-gallring** thinning out; bildl. elimination; [t. ex. av sökande] screening
ut||gift expence; ~er (äv.) expenditure sg; stora ~er heavy expenses; få inkomster och ~er att gå ihop make both ends meet **-gifts|konto** expense account **-gifts|post** item [of expenditure] **-gifts|sida** credit side **-giva** **I** tr **1** [-lämna] give out **2** [-färda] issue, emit; [publicera] publish **II** rfl, ~ sig för att vara give o.s. out (pretend) to be **-givare** **1** [av växel] drawer **2** [av bok o. d.] publisher; ansvarig ~ responsible editor **-givning** publication; är under ~ is in course of publication **-givnings|rätt** copyright **-givnings|år** year of publication **-gjuta** **I** tr pour out; shed [tårar tears]; ~ sin vrede över vent one's anger on **II** rfl pour out one's feelings; [i tal o. d.] dilate [över on] **-gjutelse** bildl. effusion **-gjutning** effusion; läk. suffusion **-grenad** a branched out **-grunda** tr find (think) out, fathom; [hitta på] imagine, invent **-gräva** se gräva [ut] **-grävning** excavation; digging out
ut||gå itr **1** [härröra] come (issue, originate, proceed) [från, ur from]; bildl. start [från from]; förslaget -gick från honom the suggestion came from him **2** [-betalas] be paid (payable) **3** [utelämnas] detta ~r ur this is to be expunged (deleted) from **4** [gå till ända] come to an end, expire **5** ~ ur en tävling withdraw from a contest, give up; ~ som segrare come off a victor **-gående** **I** a outgoing; sjö. äv. outward-bound; ~ post outgoing post; ~ varor exports **II** s going out; [utgång] departure, exit; på ~ outward bound **-gång** **1** [dörr o. d.] exit; way out; ha ~ till (äv.) open on to **2** [slut] end, termination; [olyckshändelse] med dödlig ~ fatal [accident]; [om tid] expiration **3** [resultat] result, outcome **4** kortsp. rubber **-gången** a, han är ~ he has gone out; [växt] died out; [bok] out of print **-gångs|hastighet** initial velocity **-gångs|psalm** concluding hymn **-gångs|punkt** starting-point, point of departure; [friare] äv. basis **-gångs|ställning** gymn. initial position **-gård** outlying farm **-gåva** edition **-göra** tr [bilda] constitute, form, make; [tillsammans ~] compose, make up; [belöpa sig till] amount to **-hamn** outer harbour; Am. open basin **-hugga** tr cut down, fell **-huggning** konkr clearing **-hungra** tr reduce .. to famine **-hungrad** a famished, starving **-hus** outhouse, annex **-hyra** se hyra [ut] **-hyrning**, till ~ for hire **-hyrnings|byrå** house-agent's office

ut||hållig *a* persevering, tenacious, persistent; [friare] tough **-hållighet** staying power[s *pl*], perseverance, tenacity **-hållighets|prov** endurance test **-hållighets|tävlan** endurance race **-härda** *tr* endure; bear (stand) [*smärta* pain; *kylan* the cold; *jämförelse med* comparison with]; ~ *en belägring* (*mil.*) sustain a siege **-ifrån** *adv* from [the] outside (*bildl.* without); [*komma in*] ~ .. from out of doors; [från utlandet] .. from abroad **-jämna** **I** *tr* level, even; *äv.* smooth out; [göra lika] equalize; *hand.* balance; *fys. äv.* compensate **II** *rfl* become level; be adjusted; *äv.* get settled **-jämning** levelling &c; *äv.* equalization, compensation; *till* ~ *av* (*hand.*) in settlement of **-kalla** *tr* call (summon) .. out **-kant** **1** outer edge; [av skog] border **2** *i stadens* ~*er* on the outskirts of the town **-kast** draft [*till* of]; [skiss] sketch; [konst] design; *göra ett* ~ *till* design, plan; *äv.* trace .. [in outline] **-kastare** **1** [på vapen] ejector **2** [på restaurang] chucker-out

ut||kik **1** *hålla* ~ be on the look-out [*efter* for], watch **2** [pers.] look-out [man] **-kiks|post** *sjö.* look-out **-klarera** *tr sjö.* clear .. [outwards] **-klarering** *sjö.* clearance outwards **-klipp** scrap; jfr *urklipp* **-kläcka** *tr* hatch **-kläckning** hatching **-klädd** *a* dressed up [*till* as a] **-kom|ma** *itr* se *komma* [ut]; *en nyligen -men bok* a book recently published **-kommendera** *tr* order .. out **-komst** = *uppehälle* **-komst|-möjlighet** means *sg* o. *pl* of subsistence **-kora** *tr* elect; *den* ~*de* the chosen one **-kristallisera** *itr* [*rfl*] crystallize **-kräva** *tr* se *2 kräva;* ~ *hämnd* take vengeance [*på* on] **-kvittera** *tr* acknowledge [the receipt of], receipt; [lyfta pengar] cash **-kämpa** *tr* fight [out]; *där* ~*des striden* there the struggle took place **-körare** deliverer **-körd** *a* **1** turned out [of doors] **2** *bildl.* worn out **-körning** **1** [av pers.] driving (turning) out **2** [av varor] delivery **-körs|port** [exit] gateway

ut||landet, *från* ~ from abroad; *i* ~ in foreign countries, abroad; *till* ~ abroad **-lastning** unloading **-lands|hjälp** foreign aid **-led[sen]** *a* thoroughly tired; **F** bored to death [*på* of]; fed up [*på* with] **-levad** *a* decrepit; [genom utsvävning] debauched **-ljud** *språkv.* final sound **-lopp** outflow; *konkr* o. *bildl.* outlet; *ge* ~ *åt* give vent to **-lotta** *tr* draw **-lova** *tr* promise **-lufta** *tr* ventilate **-lys|a** *tr* give notice of, publish, proclaim; ~ *ett sammanträde* (*äv.*) advertise a meeting; *en -t tävlan* a competition announced to take place **-låna** *tr* lend; ~ *mot ränta* loan .. at interest; [*boken*] *är* ~*d* (*äv.*) .. is out on loan **-låning** lending **-lånings|ränta** interest on a loan **-låta** *rfl* express o.s.; [yttra] *äv.* state, report **-låtande** [stated] opinion, [formal] report, pronouncement; [sakkunnigas] *äv.* verdict; [från högre myndighet] rescript; *avge ett* ~ deliver (express) an opinion; hand in a statement of [one's] opinion **-lägg** outlay; *kontanta* ~ (*äv.*) money out of hand **-lägga** *tr bildl.* interpret, comment, expound **-läggning** [i ord] exposition, comments *pl* **-lämna** *tr eg.* give (hand) out; issue [*biljetter* tickets]; [över-] give up, surrender; [brottsling till främmande land] extradite **-lämning** giving out, distribution, issue; [av post] *äv.* delivery; [av brottsling] extradition **-ländsk** *a* foreign; [växt] exotic **-ländska** foreign lady **-länning** foreigner **-lännings|kommission** alien office **-lärd** *a, vara* ~ be fully trained (qualified) **-löpa** *itr* **1** *sjö.* put to sea; *äv.* leave port **2** [avslutas] run out, come to an end, expire **-löpare** **1** offshoot; *bot.* runner **2** [från bergskedja] offset **-lösa** *tr* redeem; [fångar] ransom; [ström, fallskärm] release; *bildl.* [framkalla] provoke, produce **-lösning** redeeming &c; redemption; *äv.* ransom, release; *automatisk* ~ automatic release; *hon fick* ~ *för* [*sina känslor*] she found an outlet for .. **-lösnings|lina** [på fallskärm] release (rip-)cord

ut||mana *tr* challenge; [trotsa] *äv.* defy **-manande** *a* challenging, defiant; *äv.* provocative; [friare] inviting, coquettish; [fräck] bold, brazen **-maning** challenge **-manövrera** *tr* outman[o]euvre **-mark** outlying land **-mattad** *a* exhausted **-mattning** exhaustion **-mattnings|tillstånd** state of exhaustion **-med** *prep* [all] along; ~ *varandra* alongside each other, side by side **-minutera** *tr* [sell .. by] retail **-minutering** retailing [of spirits] **-mynna** *itr* **1** empty (run) [*i* into] **2** *bildl.,* ~ *i* finish with, result in; [*förslaget*] ~*de i att* .. aimed at (amounted to) ..-ing **-måla** *tr bildl.* paint, depict **-mångla** *tr* huckster **-märglad** *a* emaciate[d], wasted **-märgling** emaciation, impoverishment **-märka** **I** *tr allm.* mark [out]; [beteckna] denote; [känneteckna] characterize, distinguish; [utpeka] indicate **II** *rfl* distinguish o.s. [*genom* by; *för* for]; *äv.* excel [*i* in] **-märkande** *a* characteristic [*för* of]; *äv.* distinguishing [*egenskap* quality]; ~ *egenskap* (*vanl.*) characteristic **-märkelse** distinction, honour **-märkelse|tecken** [mark of] distinction (honour) **-märkt** **I** *a* excellent; [starkare] superb; **F** first-rate, splendid, capital; ~! (*äv.*) fine! **II** *adv* excellently &c; [starkare] extremely; ~ *god* (*äv.*) delicious, exquisite; *må* ~ *bra* feel first rate, be fine **-mätning** distraint, distress; *göra* ~ levy a distress [*hos* upon] **-mätnings|man** distrainer **-mönstra** *tr* [kassera] reject, discard; *mil. äv.* muster .. out [of the service], discharge **-mönstring** rejecting &c; *äv.* discharge

ut||nyttja *tr* exploit; *äv.* make [full] use (the most) of **-nyttjande** exploitation **-nämna** *tr* appoint [*ngn till professor* a p. [a] professor], nominate **-nämning** appointment; nomination; ~*ar* [rubrik] [Official] Appointments **-nötnings|krig** war of attrition **-nött** *a* worn out; jfr *nött; bildl.* hackneyed, stale, trivial

utom **I** *prep* **1** [utanför] outside [*huset* the house]; out of [*fara* danger]; beyond [*allt tvivel* doubt]; *inom såväl som* ~ *landet* at home and abroad; *bli* ~ *sig* be beside o.s.; [starkare] be frantic (transported) [*av* with] **2** [med undantag av] except, save; *alla* ~ *han* all except him; *ingen* ~ *han* no one but him; [*alla kostnader*] ~ *drycker* .. exclusive of drinks **3** [för-] besides; [utöver] beyond **II** *konj,* ~ *att* except that, besides that; ~ *när* except when **-bords** *adv* outboard **-bords|motor** outboard motor **-europeisk** *a* non-European **-hus** *adv* out of doors **-hus|antenn** outdoor aerial (*Am.* antenna) **-hus|sport** outdoor sports *pl* **-lands** *adv* abroad **-lands|vistelse** visit abroad **-ordentlig** *a* extraordinary; [ovanlig] exceptional; [mycket stor] extreme; ~*t sändebud* ambassador extraordinary **-ordentligt** *adv* extraordinarily; [starkare] exceedingly, extremely; to perfection **-parlamentarisk** *a* extraparliamentary **-skärs** *adv* beyond (outside, *äv.* off) the skerries **-stående** *a, en* ~ an outsider

utopi Utopian scheme **-sk** *a* Utopian

ut||peka *tr* point out; ~ *ngn som* indicate a p. as **-pinad** *a* harrowed; [starkare] excruciated, agonized **-plantera** *tr* plant out **-plundra** *tr* despoil (fleece) [*på* of] **-plåna** *tr allm.* obliterate (efface, wipe out) [*minnet av* the memory of]; *äv.* delete, deface; ~ *från jorden* (*äv.*) exterminate **-portionera** *tr* portion out, distribute **-post** outpost **-postera** *tr* station (post) [*vaktposter* sentries] **-pressa** *tr,* ~ *pengar av ngn* extort money from a p., *vanl.* blackmail a p. **-pressare** blackmailer **-pressning** blackmail, extortion; *Am. äv.* racket **-pressnings|försök** attempted blackmail **-pressnings|politik** policy of extortion **-pricka** *tr* mark out; prick out; ~*d farled* buoyed-off fairway **-prångla** *tr* offer for sale, hawk; ~ *falska mynt* utter base coin **-präglad** *a* marked, pronounced; *äv.* decided **-pumpad** *a* **F** fagged out, done up **-rangera** *tr* discard [as unfit for use] **-rannsaka** *tr* search out, fathom

ut||reda *tr* **1** disentangle (unravel) [*en invecklad fråga* a complicated question] *äv. bildl.; äv.* clear up; [lösa] solve; [undersöka] investigate; [grundligt] analyse **2** *jur.* [avveckla t. ex. dödsbo] wind up; [konkurs] liquidate **-redning 1** disentanglement, unravelment &c; [undersökning] inquest, investigation, analysis; *för vidare* ~ (*äv.*) for further consideration **2** *jur.* winding up; liquidation **-rednings|kommitté** investigating committee **-rednings|man** administrator; [i konkurs] liquidator **-rensning** [i polit. parti] purge **-resa** *s* outward journey (*sjö.* voyage) **-rese|tillstånd** exit permit **-rigga** *tr sjö.* outrig **-riggare** *sjö.* outrigger

utrikes I *a* foreign [*handel* trade]; ~ *resa* journey abroad; *på* ~ *ort* abroad **II** *adv* abroad; *resa* ~ go abroad **-departement,** ~*et* the Ministry for Foreign Affairs; *Engl.* the Foreign Office; *Am.* the State Department **-handel** foreign trade **-minister** Minister (*Engl.* Secretary of State) for Foreign Affairs; *Engl. äv.* Foreign Secretary; *Am.* Secretary of State **-minister|-konferens** foreign ministers['] conference (meeting) **-ministerium** se *-departement* **-politik** foreign policy **-politisk** *a, det* ~ *a läget* the political situation abroad **-representation** foreign representation **-resa** journey abroad **-utskott** foreign affairs committee

ut||rop exclamation; *ge till ett* ~ *av glädje* give a cry of delight **-ropa** *tr* **1** [yttra] exclaim, ejaculate **2** ~ *ngn till konung* proclaim a p. king; ~ *till salu* cry for sale **-ropare** [på auktion] crier; [härold] herald **-rops|tecken** note of exclamation, exclamation mark (point) **-rota** *tr* root out (up), eradicate; [totalt] extirpate; [ett folk] exterminate **-rotning** rooting out (up), eradication, extermination; [av folkgrupp] genocide **-rotnings|krig** war of extermination **-rotnings|medel** means *sg* o. *pl* of extermination, killer **-rucklad** *a* debauched, dissolute **-rusande** *a, komma* ~ come out with a rush **-rusta** *tr vanl.* equip; [fartyg o. d.] fit out; [med vapen] arm; [förse] supply, provide, furnish; *rikt* ~*d* richly endowed, jfr *begåvad* **-rustning** equipment, outfit; *mil. äv.* kit **-ryckning** *mil.* decampment, departure; *ge signal till* ~ sound the departure **-rymma** *tr mil.* evacuate; [överge] abandon; [hus o. d.] vacate, clear out of **-rymme** space, room *äv. bildl.; bildl. äv.* scope: *fordra mycket* ~ take up room; *fritt* ~ ⊕ clearance; *av brist på* ~ for want of space **-rymmes|skäl,** *av* ~ from considerations of space **-rymning** evacuation, abandonment **-räkna** *tr* [beräkna] calculate; ~ *kostnaden* work out the cost **-räkning** working out, calculation; *det är ingen* ~ it isn't any good; there is nothing in it; *det är* ~ *med att* it is good policy to **-rätta** *tr* do [*en hel del* a great deal]; [uppdrag] perform; [uppnå] accomplish; *vad har du* ~*t?* what have you got done? **-rättning** job, errand, commission **-röna** *tr* ascertain; *äv.* find out; [fastställa] establish **-sago,** *enligt hans* ~ according to his statement **-satt** *a* **1** se *sätta* [*ut*] **2** *bildl.* [blottställd] exposed [*för* to]; [underkastad] subjected [*för kritik* to criticism]; ~ *för fara* in danger; ~ *för förkylning*[*ar*] liable to catch cold[s]; *bli* ~ *för* [*ett angrepp*] be the object of . . **3** [fastställd] fixed, appointed; *på* ~ *dag* on the day fixed, on the appointed day **-schasad** *a* **F** fagged out, dog-tired **-se** *tr* choose, select; ~ *en ordförande* appoint (elect) a chairman **-seende** appearance, look; [om pers.] looks *pl;* ~*t bedrar* appearances are deceptive; *ha ett konstigt* ~ have a funny look; *av* ~*t att döma* on the face of it; *äv.* from the look of him (o. s. v.); [*känna*] *till* ~*t* . . by sight **-sida** outside; [fasad] façade ; is. *bildl.* exterior **-sikt 1** *eg.* view, outlook; *härlig* ~ magnificent scenery; *med* ~ *åt söder* with a southern outlook, facing the south **2** *bildl.* prospect, chance, outlook; *äv.* lookout; *ha lysande* ~*er* have a brilliant future; ~*erna för i dag* [väderleken] further outlook; ~*erna äro mörka* the outlook is gloomy; *ställa ngt i* ~ hold out the prospect of; *har ingen* ~ *att* is not likely to, has no chance of .. -ing **-sikts|lös** *a* hopeless **-sikts|punkt** look-out **-sikts|torn** look-out tower, belvedere **-sira** *tr* deck out, decorate; [smycka] adorn **-sirad** *a* ornamented &c **-sirning** ornament[ation]; *äv.* embellishment **-skeppa** *tr* ship [off (out)]; [friare] export **-skeppning** shipment; exportation **-skeppnings|hamn** shipping-port **-skicka** *tr* send out, dispatch **-skjutande** *a* projecting, jutting out; [fram-] protruding; [framspringande] salient **-skjutnings|ramp** launching pad

utskott 1 [kommitté] committee **2** = ~*s|varor* **-s|betänkande** committee report **-s|bräder** wreck boards **-s|porslin** defective china **-s|varor** *hand.* soiled (defective) goods; *äv.* seconds

ut||skrattad *a* laughed to scorn **-skriva** *tr* **1** write out . . [in full]; [ren-] copy out; *äv.* make out [*en räkning* a bill]; draw up [*ett kontrakt* a contract] **2** [trupper, skatter] levy **3** [från sjukhus] discharge **-skrivning 1** writing out [in full]; transcription **2** levy; *mil. äv.* conscription **3** [från sjukhus] discharge **-skuren** *a* cut out **-skyld** = *skatt 2* **-skällning F** wigging **-skämd** *a* covered with (put to) shame, disgraced **-skänka** *tr* [sprit] sell by retail **-skänkning** [retail] sale of spirits (of intoxicants) **-skänknings|lokal** licensed house; jfr *krog* **-skänknings|rättighet[er]** bar licence **-skär** outer skerry **-slag 1** ⊕ [av metall] running off, tapping **2** *läk.* eruption, rash; eczema; *få* ~ [över hela kroppen] break out **3** [beslut] decision, resolution; *fälla* ~ give a verdict, pronounce judgment **4** [yttring] manifestation; [bevis] evidence; [exempel] case **5** [på våg] turn of the scales, deviation; *fälla* ~*et* decide the matter; *ge* ~*et* turn the scale **-slagen** *a* [blomma] in blossom; [träd] in leaf; [hår] undone; *sport.* eliminated **-slagning** *sport.* elimination **-slags|givande** *a* decisive; *det blev* ~ *för honom* that decided him

-slags|röst casting vote **-sliten** *a* worn out; **F** played out, done for; [fras o. d.] hackneyed, trite; ~ *fras (äv.)* cliché **-slockna** *itr* go out; [om ätt] die out; *~d (äv.)* extinct **-slunga** *tr* hurl (fling) out; *äv.* throw out; ~ *hotelser* launch threats **-släpad** *a bildl.* worn out; **F** *äv.* dog-tired **-släppa** *tr,* ~ *i handeln* put on the market; ~ *sedlar* issue bank-notes **-smycka** *tr* adorn, decorate; deck out; *bildl.* embellish [*sanningen* the truth] **-smyckning** adornment, ornamentation; *konkr* ornament **-socknes** *a* [pers.] of another parish **-spark** *sport.* goal kick **-spekulerad** *a* artful, cunning **-spel** *kortsp.* lead; *du har ~et* it is your lead **-spel|ad** *a, -at kort* a card played [out]; *bildl.* played out **-spelas** *dep* be enacted, take place **-spinna** *rfl* arise, ensue **-spionera** *tr* espy **-spionering** espionage **-spisa** *tr* feed **-spisning** feeding **-sprida** *tr* spread [*ett rykte* a report (rumour)]; [utströ] scatter about **-spridning** spreading &c; jfr *spridning* **-språng** *allm.* projection; [av klippa] jut; [bergs-] shoulder [*på* of] **-sprängning** excavation **-spy** *tr* vomit, belch forth, disgorge **-spädd** *a* diluted **-spädning** dilution **-spärra** *tr* spread out, stretch . . open

ut‖staka *tr* stake out, set out; [väg, järnväg] lay out; *bildl.* lay down; [föreskriva] determine, prescribe **-stakad** *a* marked out; fixed [plan] **-stansa** *tr* stamp, punch **-stråla I** *itr* [ir]radiate; [utflöda] emanate **II** *tr* radiate; *äv.* give out [*värme* heat]; emit [rays of] **-strålning** [ir]radiation **-strålnings|värme** radiant heat **-sträcka I** *tr* stretch [out], extend **II** *rfl* extend; se *äv. sträcka rfl* **-sträckning** extension; [i tid] protraction; [i längd] extent; *äv.* extensiveness; *bildl.* dimensions *pl; i stor ~* to a large extent; *använda i stor ~* use extensively **-sträckt** *a* outstretched; *äv.* extended; *ligga ~* lie sprawling (prostrate) **-strömning** discharge; [av gas] exhaust, issue **-studerad** *a* studied; [om sak] premeditated; [beräknande] calculating; [inpiskad] thorough-paced **-styra** *tr* fit . . out; [utpynta] dress out, array **-styrsel** outfit; [montering] *äv.* garniture; ⊕ fittings *pl; hand.* package; [klädsel] *äv.* rig[-out] **-styrsel|stycke** *teat.* spectacular play **-stå** *tr* suffer, endure, go through; [straff] undergo; *efter ~ndet straff* after having served his (o. s. v.) time **-stående** *a* protruding [*ögon* eyes]; projecting; *äv.* salient [*hörn* angle] **-ställa** *tr* exhibit, display, expose; *äv.* put . . on show; ~ *en växel på* draw a bill on **-ställare** exhibitor; [på växel] drawer **-ställning** exhibition, show; *äv.* display; [av tavlor] gallery **-ställnings|byggnad** exhibition building (hall) **-ställnings|fönster** show-window **-ställnings|föremål** exhibit **-ställnings|hall** exhibition hall **-ställnings|lokal** showrooms *pl* **-stöt|a** *tr* eject (expel) [*ur* from]; [ljud] utter; [rökmoln] puff out; *vara -t ur samhället* be a social outcast **-stötning** ejection &c **-suga** *tr* [jord] impoverish; se *äv. suga* [*ut*] **-sugnings|system** sweating system **-svettas** se *svettas* **-svettning** exudation **-svulten** *a* starved, famished **-svältnings|taktik** starvation policy **-svängd** *a* curved (bent) outwards **-svängning** curve **-svävande** *a* dissipated, dissolute **-svävningar** dissipation *sg,* excesses; *äv.* extravagances **-syning** discarding; [av träd] marking out **-så** *tr* sow out **-sål|d** *a* sold out; *-t* all tickets sold; house full **-säde** seed[-corn(-grain)] **-sädes|potatis** seed potatoes *pl* **-sända** *tr* send out [*till utlandet* abroad]; [expediera] dispatch; [ljus, värme o. s. v.] give out; *radio.* broadcast, transmit **-sändning** sending out; *radio.* transmission, broadcast **-sätta I** *tr* **1** expose ([underkasta] *äv.* subject) [*för* to] **2** [bestämma] appoint (fix) [*dagen för* the day for] **II** *rfl* expose o.s. (lay o.s. open) [*för* to], [riskera] run the risk [*för att* of . . ing] **-sökning** *jur.* debt-(tax-)recovery procedure **-sökt I** *a* exquisite; [utvald] select **II** *adv* exquisitely; ~ *fin (äv.)* very choice **-sökthet** exquisiteness **-sövd** *a* thoroughly rested

ut‖tag [av pengar] withdrawal; *elektr.* connecting contact **-taga** *tr* take out; [välja] choose **-tagning** [av pengar] withdrawal; *sport.* selection **-tagnings|tävling** qualifying round **-tal** pronunciation, articulation **-tala I** *tr* **1** pronounce, articulate **2** [uttrycka] express [*sin åsikt* one's opinion] **II** *rfl* speak [*om* of]; pronounce o.s. [*för* for]; ~ *sig mot* (*äv.*) object to **-talande** *s* pronouncement; [*göra ett* make a] statement **-tals|beteckning** phonetic notation **-tals|fel** fault of (in) pronunciation **-tals|lexikon** pronouncing dictionary **-tals|lära** phonetics *sg* **-taxera** *tr* assess; ~ *skatter* levy taxes **-taxering** assessment

utter otter **-skinn** otter's skin; i *sms* otterskin

ut‖tjänt *a* who (which) has served his (o. s. v.) time; [pers.] *äv.* retired **-torkad** *a* dried-up **-tryck** expression; [talesätt] phrase; [tecken] mark (token) [*för* of]; *ett stående ~* a set phrase; *ge ~ åt* give expression to; *sakna ~ för* have no expression (lack words) for **-tryck|a I** *tr* express [*en förhoppning* a hope]; [yttra] utter; *som han -te det* as he put it **II** *rfl* express o.s. **-trycklig** *a* express (positive) [*order* order]; [tydlig] explicit; *äv.* strict [*förbud* prohibition] **-uttryckligen** *adv* expressly, explicitly; *äv.* in so many words **-trycks|full** *a* expressive; [om blick, ord] significant, eloquent **-trycks|fullhet** expressiveness **-trycks|fullt** *adv* expressively, with expression **-trycks|lös** *a* expressionless; vacant [*min* look] **-trycks|medel** means *sg* o. *pl* of expression **-trycks|sätt** mode of expression, manner of speaking; [fras] phrase

ut‖tråkad *a* bored [to death] **-träda** *itr* se *träda* [*ut*]; ~ *ur* leave (retire) from; [förening] resign one's membership of (in) **-träde** withdrawal, retirement; *anmäla sitt ~* [ur förening] announce one's resignation of membership **-tränga** *tr* force aside; [ersätta] supplant, supersede **-tröttad** *a* tired out, weary, fagged out; [utmattad] exhausted, spent **-tyda** *tr* interpret; *äv.* decipher **-tåg** march[ing] out, departure **-tåga** *itr* march out, depart from **-tänja** *tr* stretch, extend **-tänka** *tr* think out; [hitta på] devise; [uppfinna] invent **-töm|ma I** *tr eg.* empty; *bildl.* exhaust; *läk.* evacuate; *mitt tålamod är -t* my patience is exhausted (spent) **II** *rfl* [om flod o. d.] empty itself **-tömmande** *a* exhaustive, comprehensive **-tömning 1** *abstr* exhaustion **2** *läk.* evacuation, defecation

utur *prep* out of

ut‖vakad *a* spent with watching **-vald** *a* chosen; selected [*dikter* poems]; select [*grupp* group]; [-korad] elect; [t. ex. trupper] picked; [-sökt] choice **-vandra** *itr* emigrate **-vandrare** emigrant **-vandring** emigration; [friare] migration **-veckla I** *tr* develop; [visa] show, display; *fys.* generate; *bildl.* [synpunkter] unfold; *det är ~nde att resa* travel broadens the mind;

tidigt ~d [om barn] precocious; advanced for his (her) age **II** *rfl* develop [*till* into; *från* out of]; *bildl.* unfold; ~ *sig till* grow into **-veckling** development; *vetensk.* evolution; *äv.* growth; [framsteg] progress **-vecklings|lära** theory of evolution; evolutionism **-vecklings|möjlighet** possibility of development **-vecklings|stadium** stage of development **-verka** *tr* obtain, procure, secure **-vidga I** *tr* widen *äv. bildl.; fys.* [-spänna] dilate, distend; *äv.* expand [*ett välde* an empire], extend; [förstora] extend, enlarge **II** *rfl* widen; distend, dilate &c; [friare] extend, expand **-vidgning** expansion, extention; dilation, distention; *äv.* enlargement **-vidgnings|förmåga** expansive power, dilatability **-vikning** deviation; [från ämne] digression **-vilad** *a* thoroughly rested, recreated **-vinna** *tr* extract, win **-visa** *tr* **1** *eg.* send out; [förvisa] banish; [landsförvisa] exile; [utlänning] *äv.* expel, deport; *han blev ~d ur staden* he was ordered out of the town **2** [visa] indicate [*platsen* the place]; [bevisa] prove; *det får framtiden ~* time will show **-visning** sending out; banishment, exile; expulsion, deportation **-visnings|order** notice to leave [the country (town)] **-vissling** hiss, whistle **-votera** *tr* vote ..'s expulsion [*ur* from]; [förslag] vote down **-väg** *eg.* way out; *bildl.* expedient, resource, means *sg* o. *pl; hitta på ngn* ~ find some expedient; *vi ha ingen annan* ~ no other course is open to us; *en sista* ~ a last resort **-välja** *tr* choose [out], select **-väljande** *s* choice, selection **-vändig** *a* outward, external **-vändigt** *adv* outwardly; *äv.* [on the] outside, without **-värdshus** out-of-town restaurant **-värtes** *a* external, outward; *till ~ bruk* for external use **-växla** *tr* exchange; *äv.* interchange **-växling 1** exchange &c **2** ⊕ gear[-ing]; *ha stor (liten)* ~ be high-(low-)geared **-växlings|anordning** ⊕ transmitter **-växt** [out]growth, is. *bildl.* excrescence

utåt I *adv* outward[s] **II** *prep* out into (towards); *gå ~ vägen* walk along the road **-böjd** *a* bent outwards; *äv.* excurved **-riktad** *a bildl.* extrovert

ut||ägor outlying fields **-öka** *tr* increase; *~d upplaga* enlarged edition **-ösa** *tr* shower [a torrent of] [*ovett över* abuse upon]; *~ sin vrede över ngn* vent one's anger on a p. **-öva** *tr* exercise, practise; [hantverk] carry on, pursue; ~ *hämnd* wreak (take) vengeance [*mot* upon]; ~ *inflytande på* exert an influence upon; ~ *värdskapet* act as host **-övare** practiser &c, practician **-över** *prep* [over and] above, beyond; *gå* ~ exceed **-övning** practice, exercise; pursuit

uv horned (eagle-)owl

uvertyr overture

uvular *a språkv.* uvular

V

vaccin vaccine **-ations[tvång** compulsory] vaccination **-era** *tr* vaccinate; *allm.* inoculate

vack|er *a* **1** beautiful; [förtjusande] lovely; [fager] fair; [söt] pretty; [ståtlig, storslagen, fin] fine; [tilltalande] nice; [is. om män] handsome; [handling] noble; *ett ~t bevis på..* an admirable proof of..; *-ra lovord* high praise *sg; ~t* [*väder*] fine (fair) [weather]; *det blir ~t* it's clearing up; *det är ~t att se (av dig)* it is a fine (pretty) sight (nice of you) **2** *iron.* fine, pretty **3** [ansenlig] good (handsome) [*vinst* profit]; *det är ~t så!* [it's] pretty good at that! **F** fair enough! **-t** *adv* **1** *eg.* beautifully &c; *be ~ om* ask nicely for; *det var ~ gjort av honom* it was a fine thing of him to do; [*staden*] *ligger ~* .. is beautifully (prettily) situated **2** *iron.* nicely, prettily; *jo ~!* not likely! **3** [ss. fyllnadsord] *du blir ~ hemma!* just you stop [quietly] at home!

vackl||a *itr* totter; [ragla] stagger, reel; is. *bildl.* falter, waver; [priser] fluctuate; *bruket ~r* the usage varies; ~ *hit och dit* (*äv.*) sway to and fro **-an** vacillation, fluctuation; [obeslutsamhet] indecision, irresolution **-ande** *a* tottering &c; [hälsa] precarious; [*hans hälsa börjar*] *bli ~..* give way

1 vad [på ben] calf [of the leg]

2 vad bet [*om* [summa] of; [utgång] on]; *slå ~* [make a] bet, lay a wager; [*det går bra,*] *det slår jag ~ om..* I'll bet you; *jag slår ~ om* [*5 kr.*] I'll bet you..

3 vad I *pron* **1** *interr.* what; *~?* I beg your pardon? *~ för* [*bok (en)*] what..? [i utrop] what a..! *~ är det för slags* [*karl*]? what sort (kind) of a.. is he? *~ har du för anledning att..?* what reason have you (do you have) for..-ing? *~ är* [beton.] *det?* what's the matter? **F** what's up? *~ nytt?* any news? [*jag vet inte*] *~ jag skall göra..* what to do; *vet du ~!* I'll tell you what! *efter ~ jag vet* as far as I know **2** *rel.* [det som] what; *~ som är av vikt* [*är att..*] what is important..; *~ värre är* what is [even] worse; [*man säger ej*] *allt ~ man tänker* .. all [that] one thinks; *~ helst (än)* whatever; [starkare] whatsoever; *~ som helst* anything [whatever] **II** *adv* how [*du är snäll!* kind you are!]

4 vad se *-ställe* **-a** *itr* wade [*över* across]; *~ över en flod* (*äv.*) ford a river **-are** *äv. zool.* wader

vadben *anat.* splint[-bone], fibula

vadd wadding; [bomulls-] cotton wool; [fönster-] padding **-era** *tr* wad, pad; [is. täcke] quilt **-täcke** quilt

vad||hållare better, backer **-hållning** betting, wagering

vadmal rough woollen cloth, *ung.* homespun

vadställe ford[able place], passage

vag *a* vague; undefined, hazy, indistinct

vagabond vagabond; loafer **-liv** vagabondage

vagel [i ögat] sty[e]

vagg||a I *s* cradle **II** *tr* o. *itr* rock [*i sömn* to sleep; *på kroppen* o.s.]; [gå -ande] waddle; *~ på* [*huvudet*] wag o.'s.. **-visa** lullaby; *mus. äv.* berceuse *fr.*

vagn is. *Am.* car; [ekipage, *järnv.*] carriage; [diligens, gala-] coach; [kärra] cart; [for-] wag[g]on; jfr *järnvägs~* o. d. **-makeri** carriage-works *sg* o. *pl* (*abstr* -building) **-ombyte** change of car &c **-park** *järnv.* rolling-

stock; wagon-park; [bil-] stock of [motor-] cars
vagns||axel axle-tree **-buller** noise of carriages **-hjul** cart-(carriage-)wheel **-häst** coach-horse **-korg** body of a (the) carriage &c **-last** cart-(carriage-)load; *järnv.* truck-load **-lider** coach-house **-tak** carriage-top
vagnsätt *järnv.* train [of coaches]
vaja *itr* float, fly; [fladdra] flutter, stream
vajer wire **-lås** wire (cable) joint
vak hole in the ice, ice-hole
vaka I *s* vigil, watch; [lik-] wake **II** *itr* [hålla vakt] watch [*hos* .. by .. 's bed-side]; keep watch; jfr *vakta, över~*
vak||ans vacancy **-ant** *a* vacant, unoccupied
vak||en *a* [ej sovande] *predik.* awake; *i -et tillstånd* when awake; [-ande] waking; se *äv. -sam;* [sömnlös] wakeful; [livlig] alert [*sinne* mind]; [pigg] wide-awake, brisk; **F** all there; *ha* [*en*] *~ blick för* be keenly alive to; *ha ett -et intresse för* take a keen interest in **-enhet** *eg.* wakefulness; *bildl.* alertness **-na** *itr* wake [up], awake; is. *bildl.* awaken; *plötsligt ~ ur* [*sömnen*] start out of [o.'s ..]; *~ till medvetande* become conscious [*om* of]; return to consciousness **-sam** *a* watchful [*öga* eye]; [starkare] vigilant; *äv.* ... on the alert (look-out) **-samhet** watchfulness
vakt 1 [-hållning] watch; is. *mil.* [*gå på* mount] guard; *hålla ~* se *-a, vaka; slå ~ om* .. (*bildl.*) keep an eye on ..; [friheten o. d.] stand up for ..; (*inte*) *vara på sin ~* be on (off) o.'s guard; *ha ~en* be on duty **2** *a)* [person] guard, *mil.* sentry; *se fångvaktare, natt~, port~* o. s. v.; [i skyddsrum] warden; [djur- o. d.] keeper; *b) koll* [men *pl* on] guard; jfr *liv~; avlösa ~en* relieve guard **3** *sjö.* watch **-a I** *tr* o. *itr* guard, *absol.* keep guard (watch); *~ ngn* [keep] watch over a p.; *~ boskap* tend cattle; *~ på* watch; se *äv. av~* **II** *rfl,* (*inte*) *~ sig* be on (off) o.'s guard [*för* against]; jfr *akta III* **-are** watcher, guardian **-arrest** close arrest
vaktel quail
vakt||havande *a* .. on duty; *sjö. äv.* .. of the watch **-hund** watch-dog **-hållning** guarding; jfr *bevakning* **-kur** sentry-box **-mästare** [skol- o. d.] porter; [tillsyningsman] care-taker; [i museum] guard; [på bio o. d.] attendant; [kypare] waiter **-ombyte** changing guard relief; *~*[*t*] *sker* [*kl. 2*] the guard is relieved .. **-parad** changing of the guard **-post** se *vakt 2 a* **-rond** beat **-tjänst** guard-(watch-)duty **-torn** watch-tower
vakuum *oböjl. s* vacuum *äv.* i *sms*
1 val *zool.* whale; *~ar (koll)* cetaceans
2 val 1 *allm.* [*efter eget* according to o.'s own; *träffa sitt* make o.'s] choice; [ur-] selection; [fritt *~*] *äv.* option; [is. mellan två] alternative; *det finns intet annat ~* there is no alternative; *göra ett gott (dåligt) ~ (äv.)* choose well (badly); *ställa ngn i ~et mellan* .. make a p. choose between ..; se [*i ~et och*] *kval*[*et*] **2** *polit.* [*segra vid ~et* win the] election; *allmänna ~* general election *sg; tillsatt genom ~* elective
valack gelding
val||agitation electioneering, canvassing **-bar** *a* [*icke* in]eligible [*till* for]; [t. ex. ämne] optional **-barhet** eligibility
valben whalebone
val|berättigad *a* entitled to vote
valborgsmässo|afton *ung.* Walpurgis night
val||boskap floating vote **-byrå** election office
-dag polling (election) day **-deltagande** participation in the election; *livligt (ringa) ~* heavy (low) poll **-distrikt** electoral district; *Am.* precinct
valens *kem.* [atomvärde] valency
valfeber election fever
valfisk whale **-späck** blubber
val||fri *a* optional; [frivillig] *äv.* facultative; *~tt ämne* (*skol.*) optional subject, *Am.* elective **-frihet** [right of] option **-fusk** election irregularities *pl*
valfång||are whaler [*äv.* fartyg] **-st** whaling
valförbund electoral pact
valhänt *a* numb; *bildl.* awkward [*försök* attempt]; lame [*ursäkt* excuse]; *vara ~* (*eg.*) have numb hands **-het** numbness in o.'s hands; jfr föreg.
valk 1 callosity; [av slag] wale **2** [hår-] roll
valkampanj election campaign
valkig *a* callous; horny
val||konung elective king **-krets** constituency
valkyria valkyr[ia]
vall 1 [upphöjning] embankment; *äv.* bank; *mil.* rampart, *äv.* wall **2** [sluttande gräs-] grass slope; [betes-] grazing-(pasture-) ground (land); *driva* .. (*gå*) *i ~* turn .. out to grass (be grazing)
1 valla *tr* tend [*boskap* cattle]; [friare] guard; [bov] take .. to the scene of the crime
2 valla I *s* [skid-] ski-wax **II** *tr* wax
val|lag electoral law, franchise (*Engl.* reform) act
vall||fart pilgrimage **-fartsort** resort of pilgrims, shrine **-färda** *itr* go on [a] pilgrimage **-grav** moat, foss **-horn** herdsman's horn **-hund** shepherd's dog; [ras] collie [-dog]
vallmo poppy
val|lokal poll[s *pl*]; polling-place (-booth, -station)
vallon Walloon
vall||piga herdsmaid[en] **-pojke** shepherd boy **-visa** herdsman's tune
val||längd electoral register **-löfte** electoral promise **-man** elector; voter **-manifest** election manifesto **-mans|kår** electorate **-manöver** election man[o]euvre **-metod** voting method; *proportionell ~* proportional representation **-möte** election meeting **-nederlag** defeat [at the elections (polls)] **-nämnd** electional committee
valnöt walnut
valp pup[py]; *äv.* whelp [båda *äv. bildl.*] **-a** *itr* whelp **-aktig** *a* puppyish; *äv.* puerile
val||plakat election poster **-plats** field [of battle] **-program** election program[me]; is. *Am.* platform **-propaganda** election propaganda (campaign)
valpsjuka [canine] distemper
val||rapport polling returns *pl* **-reform** electoral reform **-resultat** election result; poll
valross walrus; *äv.* morse
val|rörelse election campaign; jfr *-agitation*
1 vals ⊕ roller **-a** *tr* ⊕ roll (flatten) [out]
2 vals [dans] waltz **-a** *itr* waltz
val||sedel = *röst-* **-seger** election victory, victory at the polls
vals||formig *a* cylinder-shaped **-järn** rolled iron
valskolkare person who does not go to the poll, non-voter
vals||kvarn roller-mill **-ning** rolling, lamination
val||skärm polling booth **-språk** motto **-strid** election contest
valsverk ⊕ **1** rolling-mill(-works *sg* o. *pl*) **2** [maskin] laminating rollers *pl;* [för papper] pressing-rollers *pl*

val||system electoral system **-sätt** mode of election, electoral system **-taktik** election tactics *pl* **-tal (-talare)** election address (speaker)
valthorn bugle[-horn]
val||trötthet election apathy **-upprop** electoral manifesto **-urna** ballot-box
valuta 1 [gällande mynt] currency **2** [vederlag] equivalent, value; ~ *bekommen* (*hand.*) value received; *få* ~ *för* get [a] good value for **-brist** currency shortage **-förhållanden** state *sg* of [foreign] exchange; currency conditions **-jobbare** jobber in foreign currency **-kontroll** currency control **-marknad** foreign exchange market **-restriktioner** currency restrictions **-svårigheter** currency difficulties
valv *allm.* vault; se *-båge;* [bank-] safe; *sjö.* counter **-båge** arch **-gång** archway, arcade **-konstruktion** arch vaulting
valör value; [på sedel o. d.] denomination
vamp -a *tr* **F** vamp **-yr** vampire
van *a* **1** is. *attr.* [övad] practised; *äv.* trained; [skicklig] skilled; *gammal och* ~ trained by long experience **2** *predik.* [*bli* get] accustomed (used) [*vid* [*att*] to [. . -ing]]; *vara* (*bli*) ~ *att* (*äv.*) be in (get into) the habit of . . -ing; [få rutin i ngt] get into the knack of a th. **-a 1** [utan *pl*] accustomedness [*vid* to]; [övning] practice; [erfarenhet] experience [*vid* of]; [förtrogenhet] familiarity [*vid* with] **2** [*pl -or*] custom; [persons] habit; *äv.* [*enligt hans* according to his] wont; *bli en* ~ grow into a habit; *~ns makt* the force of habit; *få* (*ha*) *stor* ~ *vid* [*att* . .] grow familiar with (be quite used to) [. .-ing]; *av gammal* ~ by [force of] habit; *ha för* (*ta till*) ~ *att* . . have a habit (make a practice) of . .-ing; *här har man för* ~ *att* . . it is the custom here to .
vanart bad disposition; [starkare] depravation; [is. hos djur] vice **-as** *dep* degenerate; fall into bad ways; go to the bad **-ig** *a* depraved; demoralized; vicious; [svagare] naughty **-ighet** depravity, depravation
vandal vandal **-isera** *tr* vandalize **-ism** vandalism
vandel conduct, [mode of] life; habits *pl*
vandr||a *itr* walk *äv. bildl.;* [ströva] wander (*äv.* stroll) [*omkring* about]; [friare] go *äv. bildl.;* [djur, folk] migrate; ~ *omkring i rummet* pace the room; *vara ute och* ~ (*äv.*) be out hiking **-ande** *a allm.* wandering; [gesäll] travelling; [djur] migratory; [kring-] ambulatory **-are** wanderer, traveller; *sport. äv.* hiker **-ar|folk** nomadic people (tribe) **-ar|hem** hikers' (youth) hostel **-ing** wandering &c; [genom livet] way; [-s|tur] walk[ing-trip], walking-tour; [om folk, djur] migration **-ings|bibliotek** travelling library **-ings|lust** longing to travel (rove about) **-ings|pokal (-ings|pris)** challenge cup (prize)
vane||djur creature ([-människa] *äv.* slave) of habit **-drinkare** habitual drunkard **-förbrytare** habitual criminal; **F** jail-bird **-sak** matter of habit
van||frejd *jur.* infamy **-för** *a* disabled, lame **-före|anstalt** institution for cripples [and the disabled] **-föreställning** false notion, misconception, wrong idea **-heder** dishonour; [starkare] disgrace **-hedra I** *tr* dishonour, [be a] disgrace [to] **II** *rfl* [bring] disgrace [upon] o.s. **-hedrande** *a* ignominious; dishonouring; disgraceful **-helga** *tr* profane **-helgande I** *s* profanation; [av kyrka o. d.] *äv.* sacrilege **II** *a* profaning **-hävd** neglect; *falla* (*ligga*) *i* ~ go to (lie) waste
vanilj vanilla **-choklad (-glass -socker)** vanilla chocolate (ice, sugar) **-sås** [tjock] *äv.* custard
vank, *utan* ~ flawless; *utan* ~ *och lyte* without defect or blemish
vanka *itr* (*äv.* : *gå och* ~) saunter [about]
vank|as *dep, det -ades bullar* buns were put on the table; *det kommer att* ~ *smörj* there is a thrashing in store for you (o. s. v.)
vankelmod irresolution, indecision; [tvekan] hesitation; [ombytlighet] vacillation [of mind] **-ig** *a* irresolute, undecided; vacillating
vanlig *a* [mots. märkvärdig] ordinary [*dödlig* mortal]; [mots. sällsynt; gemensam för många; *äv.* tarvlig] common [*uppfattning* notion]; [allmän] general [*tro* belief]; [ofta förekommande] frequent [*fel* mistake]; [bruklig] usual [*hos* with]; [vanemässig] habitual [*sysselsättning* occupation]; [sed-] customary [*hos* with]; *den gamla ~a historien* the same old story; *~a* [*människor*] (*äv.*) . . in general; *det ~a priset* the usual price; *den ~a åsikten bland* . . the opinion generally held by . .; *i ordets ~a bemärkelse* in the ordinary sense of the word; *i ~a fall* (*eg.*) in ordinary cases; *vanl.* ordinarily, as a rule; *som* (*mer än*) *~t* as (more than) usual; *på ~t sätt* in the usual way; jfr *-t* **-en** *adv* usually, generally, ordinarily; as a rule **-het** usualness; frequency; *efter ~en* as usual; *mot ~en* contrary to the (his o. s. v.) [usual] practice; *det hör till ~en* it is [quite] the regular thing **-t** *adv* usually &c; jfr *vanlig* **-t|vis** *adv* = *-en*
van||lottad *a* badly off [*i fråga om* as regards]; [som har otur] luckless, hapless; *vara* ~ *av ödet* have been ill-treated by Fortune **-makt 1** impotence; ineffectiveness; jfr *oförmåga* **2** [svimning] unconsciousness; *falla i* ~ have a fainting-fit; faint, swoon; become unconscious **-mäktig** *a* impotent, powerless; ineffective
vanna I *s* fan **II** *tr* fan, winnow
van||pryda *tr* disfigure, spoil the look[s] of **-prydnad** disfigurement; stain, blemish **-rykte** disrepute, bad repute; *råka i* ~ fall into discredit **-sinne** insanity, *läk. äv.* lunacy; [galenskap] madness **-sinnig** *a* insane, mad; [vild] frantic; [tokig] crazy; *en* ~ se *dåre; bli* ~ go mad; *det är så man kan bli* ~ it is enough to drive one mad **-skapt** *a* deformed
vansklig *a* [riskabel] risky [*företag* enterprise]; [brydsam] delicate [*uppgift* task]; [svår] awkward [situation]; *det är ~t att avgöra* it is not easy to decide
van||sköta I *tr* mismanage; [försumma] neglect; [miss-] look badly after **II** *rfl* be neglectful; [~ sin hälsa] neglect one's health **-skötsel** mismanagement; negligence; *av* ~ for want of proper care **-släktas** *dep* degenerate **-styre** misrule **-ställa** *tr vanl.* disfigure; *eg. bet. äv.* deform; [friare] spoil [the look[s] of]; [förvrida] distort; [förvränga] misrepresent; [stympa] mutilate
vant *sjö.* shroud
vant|e [tum-] mitten; [finger-] [woollen &c] glove; *lägga -arna på* seize, lay hands upon
van||tolka misinterpret, misconstrue **-trevnad** discomfort **-triv|as** *dep* feel ill at ease [in o.'s surroundings]; not feel at home; get on [very] badly [*med ngn* with a p.]; [om växter, djur] not thrive; *jag -s med* [*mitt arbete*] I am not at all happy in . . **-tro** false belief; se *äv. klentrogenhet*
vantskruv *sjö.* rigging screw

van||vett dementia; mania; se äv. *-sinne; det vore rena ~et att* it would be sheer madness to **-vettig** *a* demented; [vild] raving; [friare] absurd [*påhitt* idea]; jfr *-sinnig* **-vetting** madman; [vildhjärna] madcap **-vård** neglect; jfr *-skötsel* **-vördig** *a* disrespectful; wanting in respect; [mot heliga ting] irreverent [alla: *mot* to] **-vördnad** disrespect, lack of respect; irreverence **-ära I** *s* infamy, disgrace; [skam] shame; *dra ~ över ..* bring shame upon .. **II** *tr* dishonour, disgrace

vapen 1 *allm.* weapon; *koll* [*gripa till* take up] arms *pl; sträcka ~* lay down o.'s arms, surrender; *sätta ~ i ngns händer* (*bildl.*) furnish a p. with arguments; *med ~ i hand* arms &c in hand **2** [-sköld] coat of arms; [sköldemärke] arm[orial bearing]s *pl* **-begränsning** arms limitation **-bragd** feat of arms; [friare] military achievement **-broder** companion in arms **-brödraskap** brotherhood of arms **-fabrik** arms factory **-för** *a* fit for military service **-förråd** supply of arms (weapons) **-gny** clash (clang) of arms **-gömma** concealed store of arms (weapons) **-hjälp** arms assistance **-hus** *ark.* [church] porch **-innehav** possession of arms **-last** arms shipment **-leverans** arms supply **-lös** *a* unarmed **-makt** [*med* by] force of arms **-rock** tunic **-skrud,** *i full ~* in full armour **-sköld** coat of arms **-slag** arm, branch of the service **-smed** armourer; [för skjutvapen] gunsmith **-smedja** armourer's workshop, *Am.* armo[u]ry **-smussel** concealment of arms (weapons) **-stillestånd** armistice; [längre] truce **-sändning** consignment of arms **-tillverkare** manufacturer of arms **-övning** military exercise; *eg.* practice [in the use] of arms

1 var *läk.* pus; [-bildning] suppuration

2 var *obest. pron a)* ss. *adj.* [varje särskild] each, is. *självst.;* [varenda every; *b)* ss. *subst.* = *en~* [se d. o.] *~ och en* [se ned. ex.]; *~ annan* se *-annan; ~ dag* every day; *leva som om ~ dag vore den sista* live from hand to mouth; *~ gång* each time; *ge dem* [*ett äpple*] *~* give them .. each (each of them ..); *litet ~* [*vet ..*] most of us ..; *~ och en* [varje människa] every man (o. s. v.), everybody, everyone; [*~* och en särskilt] each [one] [*av* of]; *de gå ~* [*och en*] *till sitt* each [of them] goes home; *~ femte* o. s. v. every fifth o. s. v. [*dag* day]; *äv.* every five o. s. v. [*dag* days *pl*]; *de ha ~ sin* [*bok*] each [of them] has his o. s. v. [[starkare] separate] .., they have a .. each; *~ för sig* each by himself (o. s. v.); [*behandla dem* deal with them] separately; *vara i ~ mans mun* be common property (the talk of the town); *i ~t ögonblick* [*fruktade jag*] every moment ..; *på ~ sin sida av ..* on either side of ..

3 var *adv* where; (*äv.* : *~ än, ~helst*) wherever; *~ någonstans?* where[abouts]? *~ som helst* anywhere; *här och ~* here and there; *~ i all världen ..?* wherever ..?

1 var|a I *s* se *-ande II* **II** (jfr *vare, vore* o. *-ande*) *itr* o. *hjälpv.* **1** be, jfr *gram.* o. ex. ned.; *att ~ eller icke ~* to be or not to be; [*~* till'] exist; jfr *få, låta ~* o. s. v.; *hans sätt att ~* his manners *pl; det kan* (*får*) *~ till en annan gång* it may wait to another time; *vad får det ~?* what can I do for you? *hur därmed än må ~* be that as it may; *den dag som i dag är* this very day; [*dopet*] *är den tionde ..* will take place on the tenth; *om så är* if that be the case; *om han inte -it* had it (if it had) not been for him, but for him **2** *jag är bjuden dit* [*i morgon*] I have been (*äv.* I am) invited [to go] there ..; [*fartyget*] *är byggt* [*i Clydebank*] .. was built ..; *jag är född* [*i Rom*] I was born ..; *jag är alldeles nyss hemkommen* I've only just got home, I'm only just home; *det är utrönt att ..* it has been ascertained that .. **3** *det är farliga saker* these are dangerous things; *~ en god lärare* make a good teacher; *för att ~* [*en*] *utlänning* [*talar han ..*] for a foreigner ..; *de voro två* there were two of them [*om vinsten* to share the profit; *om arbetet* on the job]; *var inte* [*dum*]*!* don't be [stupid]! *det var snällt av dig att ..* it's very kind of you to ..; *det är att befara* it is to be feared; *vad är att göra?* what's to be done? [*fikonen*] *äro från* [*Turkiet*] .. come from ..; *hur är det med ..?* [obeton.] how (what) about ..? *har du -it på ..? a)* [t. ex. bio] have you been to ..? *b)* [t. ex. Hamlet] have you been to see ..? *vad skall det ~ till?* what is it meant for? **4** *~ av'* be [broken] off; *~ av med ..* [ha förlorat] have lost ..; [*~* fri från] be rid of ..; *~ borta a)* be away [from home]; *b)* [död] be gone; *c)* [försvunnen] be missing; *d) bildl.* be lost; *~ efter* (*bildl.*) [t. ex. sina kamrater] not be up to ..; se *efterbliven; ~ efter sin tid* be behind the times (out of date), *Am.* be a back number; *~ emot ..* be against (opposed to) ..; *~ för ..* (*äv.*) be in favour of ..; *~ före a)* be ahead [*sin tid* of the times]; *b)* [till behandling] be up for discussion; *målet har -it före* the case has been before the court; *~ ifrån sig* be beside o.s.; *~ kvar a)* [återstå] remain, be left [over]; *b)* [stanna] remain, stay [on]; *~ med, jag var med* I was there; *får jag vara med?* (*äv.*) may I join in? *~ med om a)* se *deltaga* [i]; *b) äv.* [gå med på] agree to; *det är det värsta jag har -it med om* it's the worst I've been through; *hur är det med henne?* how is she? *~ till* se *1;* [*polisen*] *är till för att ..* . is there to ..; *~ undan* be off; [*nyckeln*] *är ur ..* is not in the lock; *~ utan* be (do, go) without; jfr *sakna; ~ ute* be out; *det är ute med mig* I am done for; *vad är det åt dig?* what's the matter with you?

2 vara *itr* [räcka] last [*i två dagar* [for] two days]; [fortfara] go on, continue; [hålla; om kläder o. d.] *äv.* wear

3 var|a *hand.* mest i *pl* [färdiga -or] goods *pl;* [artikel] article; *eg.* [nödvändig ~] o. *bildl.* commodity; mest i *pl* [kram] *koll* wares; i *sms vanl.* ware [*järn- och metallvaror* hardware *sg*]; [tillverkning] product; *det är god ~* it is [a] good quality; *svensk ~* (*äv.*) made in Sweden

4 vara *oböjl. s, ta ~ på* [ta hand om] take care of; [se efter] look after; [använda väl] make good use of; [gömma] keep; *ta sig till ~* mind what one is doing; be careful [*för att ..* not to ..]; *ta sig till ~ för* be on one's guard against

5 vara *rfl läk.* suppurate, fester, form pus

varaktig *a* lasting (enduring) [*fred* peace]; [hållbar] durable [material]; [beständig] permanent [*adress* address]; *vara ~* (*äv.*) last **-het** [i tid] duration; [hållbarhet] durability; [beständighet] permanency **-hets|prov** endurance test

varande I *a* being; [som finns till] existing; ofta oövers., t. ex. *den i bruk ~* [*maskinen*] the .. in use **II** *s* being; [tillvaro] existence

var‖andra *recipr. pron* [oftast om två] each other, [oftast om flera] one another; *bredvid ~ (äv.)* side by side; *efter ~ a)* one after the other (another); *b)* [*10 dagar* for ten days] running (in succession); *tätt efter ~* close upon each other; *de ha ingenting med ~ att göra (äv.)* they have nothing in common; *byta* [*kläder*] *med ~* exchange . .; *om vartannat (~)* indiscriminately; jfr *huller om buller; deras* [*förhållande*] *till ~ (äv.)* their mutual . . **-annan** *a* every other (second); *~ dag (äv.)* every two days; *~ vecka* every (once a) fortnight
varav *adv* and hence (so) [*följer att* . . it follows that . .]; whence (*interr.* el. *rel.*); *i allm.* = *av vad (vilken);* ibl. = *och därav* and from that (o. s. v.); *~ kommer det sig att . .?* why (how) is it that . .?
varbildning suppuration; *konkr* abscess
varda *hjälpv.* se *bliva; i ~nde* in the making
vardag weekday; [arbets-] *äv.* working-day; i *sms vanl.* [t. ex. -s|klänning, -s|liv] everyday; *om (på) ~arna, till ~s* on weekdays; [*ha*] *till ~s* . . for everyday use ([om kläder] wear) **-lig** *a* everyday; *bildl.* [banal] commonplace, trivial **-lighet** triviality
vardags‖bestyr *pl* daily occupations (tasks) **-bruk** se [*till*] *vardag*[*s*] **-dräkt** everyday suit ([dams] dress); [på bjudningskort] *äv.* business dress, lounge suit **-klädd** dressed in everyday clothes **-kväll** weekday evening **-lag,** *i ~* in everyday life; jfr *vanlig*[*en*] **-liv** everyday life **-mat** daily (&c) fare **-middag** *äv.* family dinner; [*kom och*] *ät ~ hos oss* . . take pot-luck with us **-prat** small talk **-rum** sitting-(living-)room **-språk** colloquial language **-tal** everyday speech **-uttryck** colloquial (everyday) expression (phrase)
vardera *obest. pron* each jfr *2 var* ex.; *i vartdera fallet* in both cases, in each (either) case; *på ~ sidan* on either side
1 vare [*konj.* av *1 vara II*] be; *ära ~ Gud* glory be [un]to God; *tack ~* . . thanks to . .; *~ därmed hur som helst* however that may be
2 vare se *vare sig*
var|efter *adv* after (&c, jfr *efter*) which; jfr *-av;* [tid] *äv.* whereupon
varelse being; *konkr* ofta *äv.* creature
varemot I *adv* against (&c, jfr *emot*) which; [i utbyte mot] in return for which; [jämfört med] compared to which **II** *konj* while, whereas
varenda *pron* every; *~ en* every [single] one; jfr *var* [*och en*] o. [*var*] *evig*[*a en*]
vare sig *konj* **1** *~ sig* . . *eller* either . . or **2** [underordn. koncess.] whether [*han vill eller inte* he wants to (it) or not]
varest *adv* [at the place] where; and there
var‖feber *läk.* suppurative fever; *vetensk.* py[a]emia **-flytning** flow[ing] of pus; pyorrhoea
varför *adv* **1** *interr.* why; [av vilket skäl] for what reason; **F** what for; *~ det?* why then? *~ inte?* why not? *orsaken ~ jag gick dit* the reason I went there **2** *rel.* and so (therefore); for which reason **3** [för vad (vilket)] for (&c) which (*interr.* what)
varg wolf *äv. bildl.; hungrig som en ~* ravenous **-flock** pack of wolves **-grop** wolf-pit **-hane** wolf **-hona** she-wolf **-jakt** wolf-hunt[ing] **-lik** *a* wolfish **-skinn** wolfskin **-skinns|päls** wolfskin fur[-coat] **-tjut** howling of wolves (a wolf) **-unge** wolf-cub [*äv.* om scout]
varhelst *adv (äv. : ~ än)* wherever
varhärd suppurating cavity

var|i *adv* wherein; [oftare] in (&c) which (*interr.* what); jfr *-av*
vari‖ant variant; *biol.* variety; [i text] various (different) reading **-ation** variation *äv. biol.*
varibland *adv* among which; and among them (&c)
vari‖era I *itr* vary; [inom vissa gränser] range [*mellan* . . *och* . . from . . to . .]; [vara ostadig, t. ex. pris] fluctuate **II** *tr* vary **-erande** *a* varying, fluctuating **-eté 1** variety entertainment **2** [-teater] music-hall **-etet** *biol.* variety
varifrån *adv* where from [*kommer du?* where do you come from?]; from where [*kommer den?* does it originate?]; *man vet inte ~* [*texten*] *härstammar* the origin of [the text] is unknown; *rel.* se *därifrån,* [*från*] *vilken*
varig *a läk.* purulent; festering [*sår* sore]
var‖igenom *adv rel.* through (by [means of] &c) which; *interr.* by (&c) what [means] **-je** *pron* every; [*~* särskild] each; jfr *2 var;* [vilken . . som helst] any . .; *litet av ~* a little of everything; *i ~ fall* in any case; *utan ~* . . without any . . **-jehanda** *a* [s] all sorts of (divers, various) [things]; [ss. rubr.] miscellanies **-jämte** *adv* besides which; and besides [that]
varken *konj* neither [. . *eller* . . or]; *de ~ kunde eller ville* . . they could not nor would they . .; *~ bättre eller sämre än* . . no better nor worse than . .
var|lig *a* gentle; jfr *-sam* **-en -t** *adv* gently
varm *a allm.* [is. behagligt *~*: kläder, färg, vänskap] warm [*av* with]; [starkare: het, t. ex. bad, mat; *äv.* obehagligt *~*, t. ex. dag] hot; [brännhet: zon] torrid; *bildl. äv.* [brinnande: bön] fervent, [önskan, beundrare] ardent; [blick] tender; se *hjärtlig;* [hjärta] *äv.* generous; *3 grader ~t* three degrees above freezing-point (zero); *~t vatten* hot water; *bli ~* get (**F** go) warm &c; *bli ~ i kläderna* (*bildl.*) [begin to] find o.'s feet; *jag blev ~ om hjärtat* my heart warmed; *gå ~* ⊕ run hot; *gå sig ~* walk till one is warm; *hålla sig ~* keep warm; *hålla* . . *~* (*bildl. äv.*) keep . . in play; *serveras ~*[*t*] to be served hot; *tala sig ~* warm to o.'s subject; *med ~ hand* of o.'s own free will; readily, gladly; *vara ~ om händerna* have warm hands **-bad** hot bath **-blodig** *a zool.* warm-(*bildl.* hot-) blooded
varmed *adv interr.* with (by &c) what (*rel.* which); *~ kan jag stå till tjänst?* what can I do for you?
varm‖front *meteor.* warm front **-gång** ⊕ overheating **-hjärtad** *a* warm-(tender-) hearted **-köra** *tr* ⊕ warm up **-luft** hot air **-rum** ⊕ hot-flue, [i ugn] hot-closet **-rätt** hot dish **-vatten** hot water **-vatten|cistern** [i ångpanna] hot well **-vatten|panna** boiler
varn‖a *tr* warn [*för ngt* of a th.; *för ngn* against a p.; *för att* not to]; [mana t. försiktighet] *äv.* caution [*för att* . . against . . -ing]; *inte låta ~ sig* heed no warning; *~s för efterapningar!* beware of imitations! *~s för tåg* [anslag] level crossing **-agel** [-ande exempel] example; *honom till straff och andra till ~* (*ordspr.*) as a punishment to himself and a warning to others **-ing** [*i tid* a fair] warning; [*~*s|ord] *äv.* caution; [vink] hint; [för-] premonition; *~ för* [*ficktjuvar*]*!* beware of . .! **-ings|ord** word of warning **-ings|signal** danger signal; *äv.* is. *mil.* caution **-ings|skott** warning shot
var|om I *adv* about (of &c) which (*interr.*

what); jfr *-av; den sak ~ det handlar* what it is about **II** *konj, ~ icke* and if not; jfr *annars*
varp 1 [i väv] warp; [handgjord] chain **2** *sjö.* warp, kedge **-a** *väv.* **I** *s* warping-machine **II** *tr* warp **-garn** warp-thread **-ning** warping **-spel** tow[ing] capstan **-tåg** warp
var|på *adv* on (&c) which (*interr.* what); jfr *-av; rel.* [om tid] *äv.* after which, whereupon; and so; *~ beror* [*hans trötthet*]? what is .. due to? what is the reason for ..?
1 vars *pron* **1** [*gen.* av *vilke|n, -t*] whose, of whom (which); *för ~ skull* for whose sake (the sake of whom &c)
2 vars, *ja ~* why not; yes, rather
varsam *a* wary; cautious; [förtänksam] prudent; [aktsam] careful; *med ~ hand* (*äv.*) discreetly **-het** wariness, cautiousness; caution **-t** *adv* warily &c; *ytterst ~* gingerly; *handskas ~ med* .. handle .. carefully; *gå ~ till väga* act with caution
varse *oböjl. a, bli ~* perceive; [lägga märke till] notice; [upptäcka] discover, descry
varsel premonitory sign; jfr *förebud;* [om arbetsnedläggelse o. d.] notice, warning
varsko *tr* [fore]warn [*om (för)* .. of ..], pass the word to ..; *äv.* give notice [*om flyttning* to quit]; *polisen är ~dd* the police have been notified
varsla *tr* o. *itr* foretoken, presage; *~ om* .. (*äv.*) be ominous of ..; *det ~r inte gott* it is no good omen (sign)
varsna *tr* se [*bli*] *varse; bildl. äv.* realize
varstans *adv, lite ~* **F** here, there and everywhere
vart I *pron* neutr. till *2 var* **II** *adv* where [to **F**]; *åld.* whither; *~ som helst* anywhere; *jag ser nog ~ du vill komma (bildl.)* I see very well what you are driving at; *~helst (än)* wherever; [*jag vet inte*] *~ jag skall ta vägen* .. where to go **III** *oböjl. s, ej komma ngn ~* get nowhere, make no progress (headway); *jag kommer ingen ~ med honom* I can do nothing with him **-hän** *adv* whither
var|till *adv* **1** *rel.* to (for &c) which; jfr *-av* **2** *interr.* for what [purpose]; *~ gagnar det?* what is the good (use) of that?
vart|åt *adv* where; in what direction; *~ gick han?* which way did he go? [*märka*] *~ det lutar* .. which way things are going (tending)
varu||behov demand for goods **-behållning** *bokf.* stock-in-trade **-beteckning** trade mark **-brist** shortage of goods (commodities) **-förråd** stock in hand **-försändelse** consignment; [med fartyg] shipment **-förteckning** list of goods **-hiss** goods lift (*Am.* elevator) **-hus** stores *pl,* is. *Am.* department store **-kännedom** knowledge of merchandise **-lager** stock of goods; [magasin] warehouse
varulv werewolf
varu||magasin warehouse; [-hus] department store **-märke** trade mark **-mässa** [commercial] fair
varunder *adv* under ([tid] during) which
varuprov sample
varur *adv* out of (&c) which (*interr.* what)
varuslag description[s *pl*] of goods &c
var||uti *adv* in which (*interr.* what); wherein [*består* ..? does .. consist?] **-utöver** *adv* besides (in addition to) which
varu|utbyte *eg.* exchange of commodities; *vanl.* trade
1 varv [skepps-] ship-yard, ship-building yard; [flottans] [naval] dockyard
2 varv 1 [[om]gång] turn; round *äv. sport.;* [hjul-] revolution; *linda* [*ett band*] *två ~* [*runt*] wind .. twice round **2** [lager, rad] row; [skikt] layer **-[an]tal** number of revolutions
var|vid *adv* at (&c) which; *äv.* [om tid] when; *äv.* in doing which [he. .]; jfr *-av*
varv||ig *a geol.* stratified [*lera* loam] **-mätare** ⊕ tachometer
varvsarbetare dockyard labourer, **F** docker
varvtal ⊕ number of revolutions **-s** *adv* in layers &c
var||åt *adv* at (&c) which (*interr.* what); jfr *vart-* **-över** *adv* over (at &c) which (*interr.* what); *~ beklagar du dig?* what do you complain of?
vas vase
vasa *adv* o. *itj* [I] beg your pardon; **F** what [did you say]? **F** eh?
vasall vassal **-skap -tjänst** vassalage
vasa|riddare Knight of the Vasa Order
vaselin vaseline, mineral fat
vask [i kök] [kitchen-]sink **-a** *tr allm.* wash; [malm] *äv.* buddle **-guld** alluvial (river-)gold **-tråg** washing-trough; [guld-] rocker
1 vass *a allm.* sharp; keen [*egg* edge] *äv. bildl.;* sharp-edged [*verktyg* tool]; [stickande] piercing [*blickar* looks]; [sarkastisk] caustic [*ton* tone]; pointed [*anmärkning* remark]; *en ~ tunga* a sharp (biting) tongue
2 vass *bot.* [common] reed; *koll* reeds *pl; i ~en* among (on) the reeds; *skära pipor i ~en* have a big income and little to do for it
vassbuk sprat
vasskant, *utmed* (*i*) *~en* along (at) the edge of the reeds
vassla I whey **II** *rfl* turn (get, go) wheyey
vass||pipa -rör -strå reed
Vatikanen the Vatican
vatt|en 1 *allm.* [*ett glas* a glass of: *ett stort* a vast expanse (piece) of] water; *kunna sin läxa som ett rinnande ~* know o.'s lesson off pat; *till lands och ~* by sea and land; *där får han ~ på sin kvarn* that brings grist to his mill; *på* [*15 meters*] *~* at a depth of ..; [*simma*] *under -net* .. below the surface; *sätta .. under ~* flood ..; *ta sig ~ över huvudet* take on more than one can manage **2** [urin] *kasta ~* make (pass) water **3** [vätska] water [*i knät* on the knee]; *~ i lungsäcken* pleurisy **-aktig** *a* watery **-avlednings|rör** drain [pipe] **-avvisande** *a* water repellent **-behållare** tank, cistern **-beständig** *a* water resistant, waterproof **-blandad** *a* mixed with water **-brist** water shortage; [svår] drought **-bryn,** *i* (*vid*) *~et* at (*äv.* on) the surface of the water; [vid stranden] at the edge of the water **-cirkulation** water circulation **-delare** watershed, divide **-djur** aquatic animal **-drag** watercourse **-droppe** drop of water **-fall** [water]fall, cataract **-fattig** *a* short of water; [torr o. ofruktbar] arid **-flaska** water-bottle **-flöde** flood [of water]; [häftigt] torrent **-fågel** waterfowl *vanl. koll* o. *pl* **-färg** water-colour **-förråd** water-supply **-glas** drinking-glass; *en storm i ett ~* a storm in a teacup; *kem.* water-glass **-halt** content of water **-haltig** *a* .. containing water, waterish; *kem.* hydrous; *läk.* serous **-hink** water bucket **-hjul** water-wheel **-intag** water inlet **-kanna** [för vattning] watering-can; [för tvättning] water jug **-klar** *a* .. [as] clear as water; limpid **-klosett** water-closet [*förk.* w. c.] **-konst** fountain **-koppor** chicken-pox *sg* **-kraft** water (hy-

draulic) power **-kraftverk** water-power (hydraulic) plant, hydroelectric power station **-kran** water-tap; *Am.* faucet **-kur** *läk.* hydropathy **-kvarn** water mill **-lagd** *a* soaked **-ledning** [water-]conduit; [-ssystem] water-service; *det finns* ~ there is water laid on **-lednings|kran** water-tap, *Am.* faucet **-lednings|rör** water-pipe **-lednings|-vatten** waterworks water; *Engl.* mains water **-lednings|verk** waterworks *sg* **-linje** *sjö.* water-line **-lås** water-seal **-massa** volume of water **-melon** water melon **-märke** *sjö.* load-line; [-stämpel] watermark **-nivå** water level **-orm** aquatic snake **-pass** [water-(spirit-)]level **-pelare** column of water **-pest** *bot.* water-weed **-post** *brandv.* hydrant **-prov 1** *allm.* water-test **2** *hist.* [gudsdom] ordeal by water **-pump** water pump **-puss -pöl** puddle **-renings|verk** water-purifying plant **-rik** *a* abounding in water; ~ *trakt* well-watered country **-rätt** *jur.* **1** law of water[s] **2** [enskilds] water-privilege **-samling** body of water **-sjuk** *a* watery, water-logged **-skada** damage caused by water **-skott** *bot.* water-shoot **-slang** hose **-slipning** wet rubbing **-spegel** mirror (surface) of the water **-sport** aquatics *pl* **-spridare** water sprinkler **-stråle** jet of water **-stånd** water-level; *högsta* ~ high-water level **-stånds|mätare** water-level indicator **-stämpel** watermark **-system** river-(lake-)system **-tak** roof **-tank** water tank **-tillflöde** afflux of water **-tillförsel** **-tillgång** water-supply **-torn** water[works] tower **-tryck** *äv.* hydraulic pressure **-tunna** water-butt **-turbin** hydraulic turbine **-tät** *a* [tyg o. d.] waterproof; [fartyg, kärl] watertight **-verk** waterworks *sg* o. *pl* **-väg** waterway; *komma* ~*en* come by water **-växt** aquatic plant **-yta** surface of the water **-ånga** steam; water vapour **-ämbar** waterbucket **-ödla** newt

vatt||gröt porridge [boiled in water] **-koppor** chicken-pox *sg* **-na** *tr* water [*äv.* djur]; [be-] irrigate **-nas** *dep, det* ~ *i munnen* [*på mig*] it makes my mouth water **-nig** *a* watery, waterish **-ning** watering **-ra** *tr* ⊕ water, tubby **V-u|mannen** *astron.* Aquarius **-u|-skräck** rabies; [hos människor] hydrophobia **-u|sot** dropsy **-välling** water-gruel; *var och en rosar sin* ~ (*ordspr.*) everyone swears by his own remedy

vax wax **-a** *tr* [bees-]wax **-artad** *a* waxy **-avtryck** impression in wax **-bild** wax-image **-blek** *a* waxen, deadly pale **-böna** *ung.* yellow haricot [bean] **-duk** wax-cloth, oilcloth **-duks|pärm** oilcloth cover **-figur** waxwork **-gul** *a* waxen **-kabinett** waxworks *sg* o. *pl* **-kaka** wax-cake **-ljus** wax candle **-papper** wax-paper **-taft** *vanl.* oilskin; wax-taffeta

ve I *s* woe; *det gäller hans väl och* ~ his weal or woe (welfare) is at stake; *svära* ~ *och förbannelse över* . . call down curses on . . **II** *itj,* ~ *mig* (*dig*)*!* woe is me ([be] to (betide) you)! *o,* ~*!* alas! *ropa ack och* ~ cry woe, lament aloud, wail

veck *allm.* fold; [i sömnad] pleat; [invikning] tuck; [press-; ej avsett ~] crease [*äv.* på papper]; [i ansiktet] wrinkle, pucker; *lägga pannan i* ~ pucker [up] (knit) o.'s brows; *lägga upp (släppa ned) ett* ~ *på* [*en kjol*] put (let out) a tuck in . .

1 vecka week; *nu i* ~*n* this week; *en gång i* ~*n a*) once a week; *b*) [utkommande] weekly; [*på lördag i*] *nästa* ~ [on the Saturday of] next week; *om en* ~ in a week['s time]; *i dag om en* ~ this day week

2 veck||a I *tr* pleat; jfr *veck;* [krusa] frill; **II** *rfl* fold; crease; [skrynkla sig] crumple; jfr *veck* o. *rynkig* **-ig** *a* creased; [skrynklig] crumpled; [hy] wrinkled

veckla *tr* se *vira I, linda II;* ~ *ihop* fold . . up; ~ *in* wrap . . up; ~ *upp* (*ut*) unfold; *äv.* undo; [flagga] unfurl (*äv.* : ~ *ut sig*)

vecko||dag day of the week **-lön** [arbetares] weekly wages *pl;* week's salary **-slut** week-end **-tal,** *i* ~ for weeks together (at a time) **-tidning** weekly [paper]

ved wood; [till bränsle] *äv.* firewood **-artad** *a* woody **-bod** wood-shed **-bränsle** firewood **-bärare** wood-carrier; [redskap] wood-holder **-eldning** wood-firing

veder||bör *opers, den* (*dem*) *det* ~ whom it may concern; the party (parties) concerned; *som sig* ~ as is proper (meet, fitting) **-börande I** *a* the proper . .; [t. ex. myndighet] *äv.* the competent . .; jfr [. . i] *fråga;* ~ *utskott* the appointed committee **II** *s* the party (parties *pl,* those *pl*) concerned; *höga* ~ the authorities *pl;* ~ *själv* the [very] man (o. s. v.) himself **-börlig** *a* due, proper; *i* ~ *ordning* in due course; *med* ~*t tillstånd* with due permission; [*hålla sig*] *på* ~*t avstånd* (*äv.*) . . at a discreet distance **-börligen** *adv* duly, properly **-faras** *dep* [hända] befall; [*den heder*] *som -farits mig* . . that has fallen to my lot **-gälla** *tr allm.* repay [*ngn ngt* a th. to a p. (a p. for a th.)]; [gengälda] return; [löna] reward; [hämnas] retaliate; ~ *gott med ont* return evil for good **-gällning** retribution *äv. relig.;* [hämnd] retaliation; [lön] reward, recompense; . . *torde återlämnas mot* ~ reward offered for the return of . . **-häftig** *a* **1** *hand.* solvent; *icke* ~ insolvent **2** [tillförlitlig] reliable; [uppgift] authentic **-häftighet** *hand.* solvency; reliability; authenticity **-kvicka** *tr* [uppfriska] refresh; [stärka] invigorate; [återställa] restore **-kvickande** *a* refreshing; restorative **-lag** compensation; [skadestånd] amends *pl;* [full ersättning] equivalent **-like** se *jäm-* **-lägga** *tr* confute; refute [an argument]; deny (disprove) [*ett påstående* a statement]; *som inte kan* ~*s* (*äv.*) irrefutable; [beskyllning] rebut **-möda** hardship **-sakare** adversary **-stygglig** *a* abominable; [-t ful] hideous **-tage|n** *a* [erkänd] accepted; [fastställd] established [*bruk* practice]; conventional [*uppfattning* idea]; *-t bruk (äv.)* convention[alism] **-vilja** repugnance [*mot* to]; [avsky] disgust **-våga** *tr* risk, hazard, jeopardize **-värdig** *a* repulsive; [avskyvärd] disgusting; [äcklig] nauseating **-värdighet 1** jfr *-värdig* **2** ~*er* vexations, adversities; *äv.* horrors

vedettbåt *sjö. mil.* vedette (patrol) boat

ved||gård wood-yard **-handel** firewood business; woodshop; *abstr äv.* wood-trade **-handlare** firewood dealer **-huggare** wood-cutter(-chopper) **-hög** pile of [fire-]wood **-kubb**[e] chopping-block **-lass** [cart-]load of wood **-lår** firewood bin **-skjul** wood-shed **-trave** wood-pile **-trä** log (billet) [of wood]

veget||abilier *pl* vegetables **-abilisk** *a* vegetable [*olja* oil] **-arian** vegetarian **-ation** vegetation **-ations|fattig (-ations|rik)** *a* poor (rich) in vegetation **-era** *itr* vegetate; *bildl. äv.* lead a useless life

vejde woad

vek *a* [böjlig] pliant; [som ger efter] yielding; [svag] weak; [mjuk, lättrörd] soft; [känslig] gentle, tender; *en* ~ *natur* a tender disposition; ~*a livet* the waist; *bli* ~ *om hjärtat* feel o.'s heart soften; *göra* ~ soften

veke wick **-garn** wick-yarn
vek||het pliancy; softness; tenderness **-hjärtad** *a* soft-(tender-)hearted
veklagan lamentation
vek||lig *a* [omanlig] effeminate; [slapp] nerveless; [svag] weak[ly]; [klemig] coddled; [*leva*] *ett ~t liv* . . a very easy life **-lighet** effeminateness &c **-ling** weakling, **F** milksop **-na** *itr* soften, grow tender; relent
velar *a språkv.* velar
vellpapp corrugated cardboard
velociped se *cykel 1*
vem *pron* **1** *interr.* who; [vilkendera] which [of them]; *~ där?* (*mil.*) who goes there? *~ får jag hälsa från?* what name shall I give? *~ som* who; *~s är det?* whose is it? whom does it belong to? **2** *rel., ~ det* [*än*] *vara må* who[so]ever it may be; *~ som helst* anybody, anyone; *det kan ~ som helst förstå* everybody can see that; se [*~ som*] *helst*
vemod [sweet] melancholy, [tender] sadness; [tristess] *äv.* languor **-ig** *a* melancholy, sad [at heart]; [dyster] *äv.* blue **-s|full** *a* full of sadness (melancholy)
ven *anat.* vein, i *sms* venous, venose
Venedig Venice
venerisk *a* venereal [*sjukdom* disease]
venetian||are **-sk** *a* Venetian
ventil **1** [t. luftväxl.] ventilator **2** [säkerhets- o. d.] valve *äv. anat.* **-ation**[s|**system** system of] ventilation **-era** *tr* **1** *eg.* ventilate; [rum o. d.] air **2** *bildl.* [dryfta] discuss; [offentligen] debate **-fjäder (-gummi -nål)** valve spring (rubber, needle)
veranda veranda[h]; *Am.* porch, gallery
verb verb **-al** *a* verbal **-al|substantiv** verbal noun **-form** verbal form
verifi||era *tr* verify **-ering** verification **-kat** voucher, receipt **-kation** = *-ering*
veritabel *a* veritable, true
verk **1** [arbete] work; is. *litt.* o. *konst.* production; [gärning] *äv.* deed; [fullbordat] achievement; *samlade ~* collected works; *alltsammans är hans ~* [klandrande] it's all his doing; *änden kröner ~et* the end crowns the labour; *gripa* [*sig*] *~et an* set to work; *sätta i ~et* carry out, put . . into practice; [förverkliga] realize; *i själva ~et* in reality, as a matter of fact, actually **2** [ämbets-] [Government] office, [Civil Service] department **3** [fabrik] works *vanl. sg;* jfr *gas~* o. s. v.; *äv.* mill; jfr *såg~* o. s. v.
verk||a **I** *tr* work; jfr *åstadkomma; ~ gott* do good **II** *itr* **1** [handla, arbeta] work [*för freden* for (in behalf of) peace]; *~ i statens tjänst (äv.)* serve the State **2** [göra ~n] work; act [*stimulerande* as a stimulant]; *~ förstoppande* (*lugnande*) have a constipating (soothing) effect; *~ på* work (act, operate) upon; [t. ex. fantasin] influence **3** [förefalla] seem, appear; *~ barnslig (äv.)* have an air of childishness; *~ sympatisk*[*t*] make an agreeable impression [[up]on . .]; *han ~r äldre* [*än han är*] he strikes one as being older . . **-an** [resultat] effect, result; [-ningskraft] effectiveness; [is. medicins] efficacy; [intryck] impression; *göra ~* take effect, be effective; *äv.* tell; *icke göra ~* be of no effect, **F** fall flat; *ha åsyftad ~* produce the desired effect **-ande** *a* active; [arbetande] working; jfr *-sam; kraftigt ~* very effective; *långsamt ~* [. . of] slow [effect]
verklig *a vanl.* real; [sann] true [*vän* friend]; [faktisk] actual [*inkomst* income]; [påtaglig] palpable [*skillnad* difference]; [egentlig] *den ~e ledaren* the virtual leader; *det ~a förhållandet* the actual state of the case, the real facts *pl; ett ~t nöje* a true (real) pleasure. *en ~ tråkmåns* **F** a regular bore **-en** *adv vanl.* really; actually; indeed; *~!* indeed! *äv.* you don't say [so]! *Am.* is that a fact? *jag hoppas ~* [*att* . .] I do hope . . **-het** *vanl.* reality; *äv.* fact; [sanning] truth; *bli ~* become a reality, come true, be realized; *i ~en* in reality; in real life **-hets|betonad** *a* realistic **-hets|flykt** escapism **-hets|främmande** *a* out of touch with real life **-hets|sinne** sense of reality **-hets|skildring** realistic description **-hets|trogen** *a* true to [real] life, realistic; [porträtt] lifelike **-hets|underlag** underlying reality
verkmästare foreman
verknings||full *a* effective **-kraft** efficiency **-krets** *fys.* sphere of action **-lös** *a* ineffective **-sätt** mode of action
verksam *a allm* active; [driftig] energetic; [arbetsam] industrious; [effektiv] effective; [kraftig] powerful; *ta ~ del i* take an active part in; *vara ~ som* . . work as . . **-het** activity; [rörelse, handling] action; [arbete] work; *hålla (sätta)* . . *i ~* keep (set) . . working; *vara i ~* be at work ([sak] in operation) **-hets|begär** craving for action **-hets|form** form of activity **-hets|fält** field of action; [persons] sphere of activity; *hand. äv.* line [of business] **-hets|år** *hand.* financial year; *äv.* working year
verkstad workshop, repair shop **-s|arbetare** mechanic **-s|industri** engineering industry **-s|praktik** workshop training
verkställ||a *tr* [t. ex. dom] execute; [uppgift] perform, carry out; *äv.* [utbetalningar] make **-ande** *a* executive [*makt* power]; *~ direktör* managing director, manager; president **-are** executor **-ighet** execution, effect; *gå i ~* be put into effect, be carried out; [friare] be realized
verktyg tool (instrument) *äv. bildl.*; implement **-s|låda** tool-box(-chest) **-s|sats** set of tools; tool kit **-s|skåp** tool cabinet **-s|väska** kit bag
vermut vermouth
vernissage[dag] opening [day], *äv.* private view
veronal veronal
vers verse; [strof] stanza; [i Bibeln] verse; [dikt] poem; *koll äv.* [*skriva* write] poetry; *sjunga på sista ~en* be on o.'s (its) last legs **-byggnad** metrical structure **-drama** verse (metrical) drama
verserad *a* [världsvan] well-mannered; [hemmastadd] versed [*i* in]
vers||form (-fot) metrical form (foot)
version version
vers||konst metrical art **-lära** prosody **-makare** versifier **-mått** metre **-rad** line of poetry **-takt** cadence
vertikal *a* vertical
vessla weasel; [tam] ferret
vestal vestal [virgin]
vestibul vestibule; *äv.* entrance-hall, lobby
vet|a **I** *tr* o. *itr* know; *~ mycket väl att* . . (*äv.*) be perfectly aware of the fact that . .; *hur kan man ~?* how can you tell? *man kan aldrig ~* one (you) never can tell; *nu vet jag!* I have it! *så vitt jag vet* as far as I know; for anything I know; [*hem,*] *vet jag!* why, . . of course! *det -e fåglarna!* goodness knows! *jag vet det av honom själv* **F** I've got it straight from the horse's mouth; *det vet jag visst* [*det*]*!* I should think so [indeed]! *vad vet jag?* how should I know? *vet du vad!* I'll tell you what! *~ att* . . know (understand) how to . .; *vi ~ inte, hur vi skola* [*tolka*] we are

at a loss how to . .; *inte ~ vad man vill* not know o.'s own mind; *få ~* get to know, hear (learn) [*av* from]; *äv.* be told [*av* by]; *av vem fick du ~ det?* who told you? [*det är inte småsaker*] *ska ni ~!* **F** . . mind you! *~ av'* know (be aware) of; *hon vill inte ~ av honom* she won't have anything to do with him; *innan man vet ordet av* before you can say Jack Robinson; *~ med sig* be conscious (aware) [*att man är* . . of being . .]; *~ om* know [about (of)]; *inte ~ till sig* [vara rådlös] not know what to do; [av skräck] be out of o.'s mind with fear; *~ varken ut eller in* not know which way to turn **II** *rfl, ~ sig ha* [*vänner*] (*vara* [*försörjd*]) know that one has . . (is . .)

vetande I *a, vara mindre ~* not be quite right in o.'s head **II** *s* knowledge; [lärdom] learning; *mot bättre ~* contrary to o.'s better judgment; in spite of knowing better

vete wheat **-ax** ear of wheat **-bröd** white bread **-bulle** [söt] bun; [matbröd] roll [of white bread] **-fält** wheat-field **-mjöl** wheat-flour **-odling** wheat-growing

vetenskap [is. natur-] science; [*svensk* Swedish] scholarship; *de humanistiska ~erna* the humanities; *göra ~* do research [work] **-lig** *a* scientific; [lärd] scholarly **V~s|akademien** the Academy of Science[s]; *Engl.* the Royal Society **-s|man** [natur-] scientist; [humanist] scholar **-s|samfund** learned society

veteran veteran [soldier]

veterinär veterinary [surgeon], veterinarian; **F** vet **-högskola** veterinary college

veterlig *a* known; . . that I (o. s. v.) know of; *göra ~* se *kungöra* **-en -t** *adv* so (as) far as is known ([*mig -t*] I know)

vetgirig *a* eager to know (learn), craving for knowledge; [nyfiken] prying **-het** thirst for knowledge, [intellectual] curiosity; [frågvishet] inquisitiveness

veto *lat.* veto; *inlägga sitt ~ mot* . . [put o.'s] veto [on] . . **-rätt** right of veto

vetskap knowledge; jfr *kännedom; få ~ om* get to know, learn about; *utan min ~* (*äv.*) unknown to me

vett 1 [förstånd] [good] sense; *äv.* wit; *ha ~ att* . . have the good sense to . .; *vara från ~et* be out of o.'s senses (wits); *med ~ och vilja* wittingly **2** se *folk~*

vetta *itr, ~ emot* face [on to]

vette stool-pigeon, decoy

vett||ig *a* sensible; [omdömesgill] judicious **-lös** *a* senseless; [påhitt] *äv.* wild [idea] **-skrämd** *a* frightened (scared) out of o.'s senses (wits) **-villing** hare-brained fellow (o. s. v.); jfr *våghals* o. d.

vev crank, handle **-a I** *s, i den ~n* **F** just at that (the same) moment (time) **II** *tr* o. *itr* (*äv.* : *~ på*) turn [the crank (handle) [of . .]]; grind [[*på*] *ett positiv* an organ] **-arm** crankweb **-axel** crankshaft **-hus** crankcase **-stake** connecting-rod **-tapp** crankpin

vi *pron* we; *~ systrar* my sister[s] and I

via *prep* via, by [way of]; *äv.* through

viadukt viaduct, subway

vibr||ation vibration **-ations|fri** *a* free from vibration[s] **-ations|rörelse** vibratory movement **-era** *itr* vibrate; [röst] tremble

vice *oböjl. a* **1** vice[-]; [t. ex. talman] *äv.* deputy **2** *~ versa* vice versa **-häradshövding** *ung.* barrister-at-law **-konsul** vice-consul **-konung** viceroy **-korpral** lance-corporal

vichyvatten *ung.* soda[-water]

vicka *itr* (*tr*) rock, sway; [*bordet*] *~r* . . wobbles; *sitta och ~* [*i en båt*] make . . rock; *sitta och ~ på* [*stolen*] sit and swing on [o.'s . .]; *~ omkull* tip over; *tr äv.* upset

vicker vetch; *koll* vetches *pl*

1 vid I *prep* (jfr ord i fören. m. ~) **A** [rum] *äv. bildl.* **1** [på en punkt] *a*) *allm.* [bordet, pianot (för att spela), nästa station] at; *b*) ss. *prep attr.* [ofta; t. ex. slaget ~ Waterloo, herr N. ~ Brittiska museet] of; *c*) *sitta ~* [*sina böcker*] sit over . .; *sitta och prata ~* [*en kopp kaffe*] have a chat over . . **2** [på en linje, t. ex. en flod] on; *~ gränsen (havet, kusten)* on the frontier (the sea, the coast); *~* [*ekvatorn*] *a*) [belägen] on . .; *b*) [t. ex. klimatet] at . . **3** [inom ett område] in; *jag bor (huset ligger) ~* [*Kungsgatan*] I live (the house is) in . . **4** [i närheten av, t. ex. en stad] near; *äv.* [*bo*] *~* [*hamnen*] . . close to . .; jfr *in~* **5** [t. ex. bron, fönstret] by; *sida ~ sida* side by side; *~* [*hans namn stod ett kors*] against . .; jfr *äv. bred~* **6** [utanför: ~ kusten av . .] off **7** [fäst ~] to; *vara fästad ~* be attached to *äv. bildl.; fastvuxen ~ marken* rooted to the spot **8** [anställd ~] *a*) [i, inom] in; *tjänstgöra ~* [*armén*] serve in . .; *komma in ~* [*flottan*] get into . .; *b*) at; *vara* [*anställd*] *~* [*en skola*] be at . .; [*sändebud*] *~* [*hovet*] i . . . . at . . of . .; *c*) [som medlem av kår o. d.] of; *major N. ~ sjunde husarregementet* Major N. of the 7th Hussars; jfr *1 b; d*) [i vissa fall] on [*teatern* the stage] **B** [tid; *äv.* indirekt] **1** [tidpunkt] *a*) *allm.* [t. ex. ~ jul[tiden]] at; *b*) ibl. *äv.* on [*detta tillfälle* this occasion]; *c*) *~ den här tiden* by this time, by now; *d*) [omkring] about [*9-tiden* nine o'clock] **2** [i uttr., som beteckna en handling, tilldragelse el. företeelse] *a*) [då tilldragelsen o. s. v. äger rum, t. ex. ~ sin fars död var han . .] at; *~ första besöket* at the first visit; *b*) [genast efter, ofta ss. resultat av handlingen, t. ex. ~ sin fars död besteg han tronen] on; *~ uppvaknandet* on waking up; *~ hans ankomst* on his arrival; *~ öppnandet av brevet* on opening the letter [he learned . .]; *c*) [under handlingsförloppet] in; *~ öppnandet av* . . in opening . .; *~ omröstning med slutna sedlar* in voting by ballot **C** [specialfall] **1** *~ fara* in case of danger; *~ vackert väder* in fine weather **2** [i ed] *~ Gud* by God; *~ min ära* up[on] my honour **3** i uttr.: *~ ansvar* o. s. v. se *ansvar, vite, äventyr* o. s. v. **4** [med tillhjälp av] by [*eldsljus* firelight (&c)] **5** [med] with; [*sova*] *~ öppet fönster* . . with o.'s window open; *tala ~* . . speak to . .; [*kalla* . .] *~ namn* . . by name **6** *vara ~ gott (bästa) humör* be in very good humour (the best of spirits); *han är ~ min ålder* he is [about] my age **7** efter vissa *a* o. *vb*, se *van, vänja* [*sig*] o. s. v. **II** *adv* se *taga* [*vid*] o. s. v.

2 vid *a* wide; jfr *-sträckt;* [dal, vyer] broad; [hav] open; [kläder] loose[ly fitting]; full; *vara omtyckt i ~a kretsar* enjoy a wide popularity

vid||a *adv* **1** [rum] widely [*känd* known]; *~* [*omkring*] [far and] wide **2** [grad] far [*bättre* better]; [t. ex. överträffa] by far; *äv.* much **3** *så ~* if, provided [that]; *så ~ inte* unless; *så till ~* so far **-are I** *a* **1** [*komp.* av *2 vid*] wider &c; *bli (göra) ~* (*äv.*) widen **2** [ytterligare] further, more; *intet ~* nothing more; *och så var det intet ~* and that's (that was) all; *var det ingenting ~?* is this all? *~ besked* (*detaljer*) further particulars **3** [särskild, t. ex. begåvning] particular; *inget* ~ **F** nothing much (special); *utan* ~ *besvär* without much trouble; *han har inga* ~ *utsikter* his chances are not particularly good **II** *adv* **1** [*komp.* av *-a 1 (2 vitt)*] more widely, wider; [längre] farther, further **2** [tid] longer, *äv.* more; *det behövs inte* ~ it's no longer needed **3** [t. ex. gå] on; ~*!* go on! *läsa* ~ go on reading **4** [ytterligare, mer] further, more; *låt oss inte tala* ~ *om det!* let us say no more about it! *och så* ~ and so on (forth); et cetera (etc.); *jag har intet* ~ *att tillägga* I have nothing to add; *tills* ~ until further notice; for the present; *gällande tills* ~ (*äv.*) provisional; *utan* ~ without further notice, simply; ~ *vill jag veta* also, I want to know **5** [igen] again; *låt det inte hända* ~ don't let it happen again **6** [synnerligen] *inte* ~ not particularly; *vi hade inte* ~ *roligt* we didn't enjoy ourselves so very much; *det går inte* ~ *bra* it is not much of a success; things are not going too well **-are|befordra** *tr* forward, send on; [rykte; maträtt] pass on **-are|befordran** forwarding; *för* ~ to be forwarded; [på brev] please forward

vid||brän|d *a*, .. *är* ~..has got burnt (caught); *smaka -t* have a burnt taste **-brättad** *a* wide-brimmed

vidd 1 [utan *pl*] *eg.* width; is. *vetensk.* amplitude; [utsträckning] is. *bildl.* [t. ex. farans] extent; [räck-] *bildl.* scope **2** [med *pl*] expanse; tract; jfr *fjäll*~

vide||[buske] willow; [korg] osier **-korg** *vanl.* wicker basket **-snår** osier-bed, osiery

vid||foga *tr* append **-fästa** *tr* attach, fix on

vidg||a *tr* o. *rfl* (~*s dep*) widen; expand; [t. ex. näsborrarna] *äv.* dilate; ~ *sina vyer* broaden o.'s mind; *här* ~*r sig* [*dalen*] (*äv.*) here.. opens out **-ning** widening, expansion, dilatation

vid||gå *tr* own, confess **-hålla** *tr* maintain; hold (**F** stick) to; [krav] *äv.* insist on **-hållande** adherence [*av* to]; insistence [*av* on] **-häfta** *tr* **1** se *fästa* [*vid*] **2** *bildl.* se *-låda* **-hängande** *a* appendant; *med* ~ *nyckel* with key attached

vidim||era *tr* attest; ~*s* [*N. N.*] signed in the presence of.. **-ering** attestation

vidj||a osier switch **-e|band** withe; *av* ~ wicker

vid||kommande, *för mitt* ~ as far as I am concerned **-kännas** *dep* **1** [erkänna] own, acknowledge **2** [lida] bear (suffer) [*en förlust* a loss] **-lyftig** *a* [omfattande] extensive [*reparationer* repairs]; voluminous [*korrespondens* correspondence]; [vidsträckt] vast; [lång[randig]] lengthy [*diskussion* discussion]; [skrymmande] bulky; [för ~] prolix; [i leverne] fast, loose; ~*a affärer* risky ([tvivelaktiga] questionable) transactions; *en* ~ *herre* a fast liver; *vara för* ~ [i tal] enlarge too much; *det skulle bli för* ~*t att* it would take too long to; *ett* ~*t fruntimmer* a lady of easy virtue **-lyftighet** *abstr* extensiveness &c; [i seder] dissipation; [-lyftiga äventyr] escapades *pl* **-låda** *tr* be inherent in; *de brister som* ~ .. the [inherent] faults of.. **-makthålla** *tr* maintain, keep up **-makthållande** maintenance, keeping up

vidrig *a* **1** [motbjudande] repulsive, disgusting; [förhatlig] odious; [otäck] horrid; [äcklig] loathsome; jfr *vedervärdig* **2** [ogynnsam] ~*a omständigheter* adverse circumstances **-het 1** repulsiveness &c **2** adversity

vid||räkning, *hålla en* ~ *med*.. square up accounts with..; [friare] take .. to task **-röra** *tr* *eg.* touch; *bildl.* [t. ex. ämne] touch upon; *förbjudet att* ~ do not touch

vidskep||else superstition **-lig** *a* superstitious **-lighet** superstitiousness, superstition

vid||sträckt *a* extensive, wide; vast [*område* area]; ~*a befogenheter* extensive powers; *i ordets* ~*aste bemärkelse* in the widest sense of the word; *göra* ~*a resor* travel extensively **-stående** *a* adjoining [page] **-synt** *a* [kring-] far-seeing; [-sinnad] broad-minded, tolerant **-synthet** broad-mindedness, tolerance **-taga I** *tr* take [*försiktighetsmått* precautions]; make [*anstalter* arrangements] **II** *itr* se *taga* [*vid*] **-tala** *tr* arrange with

vidunder monster; prodigy [*av lärdom* of learning] **-lig** *a* monstrous; preposterous [*påhitt* idea] **-lighet** monstrosity

vid|öppen *a* wide open; [spricka, mun] gaping

Wien Vienna

vift, *vara ute på* ~ **F** be out on the loose (the spree) **-a** *itr* o. *tr* wave [*farväl åt ngn* a p. a (o.'s) farewell]; ~ *med*.. wave..; ~ *på svansen* wag its tail; ~ *bort* whisk away

vig *a* [i rörelser] agile; [flink] nimble; [smidig] supple

vig|a *tr* **1** [brudfolk] marry; ~*s* get (be) married [*vid* to], marry **2** [in-, helga] consecrate [.. *till biskop* .. bishop]; [is. präst-] ordain; [ägna] dedicate (devote) [*sitt liv åt* o.'s life to]; *-d åt undergången* (*äv.*) doomed [to extinction]

vigga F *tr* get.. on tick; borrow

vighet agility, nimbleness, suppleness

vigsel marriage (wedding) [ceremony] (*äv.* : *-akt*); *borgerlig* (*kyrklig*) ~ civil (religious) marriage; *förrätta* ~*n* officiate [at the marriage] **-attest** marriage certificate **-formulär** marriage service **-ring** wedding-ring

vigvatten holy water

vigör, *vid* [*full*] ~ in full vigour, **F** in the pink

vik [vid] bay; [stor havs-] gulf; [liten] creek; is. *Engl.* inlet; [*ha*] *en vän i* ~*en* **F** ..a friend at court

vik|a I *oböjl. s, ge* ~ give way (in) [*för* to]; [böja sig] yield [*för* to]; [slappna] slacken; *ej ge* ~ (*äv.*) resist, keep firm, *mil.* stand o.'s ground **II** *tr* fold; [fåll] turn in; [bord] mark .. as reserved **III** *itr* yield [*för* to], give in; *mil.* retreat; *bildl.* waver; *inte* ~ not budge; *aldrig* ~ *från dygdens väg* never swerve from the path of virtue; ~ *om hörnet* turn [round] the corner; ~ *åt sidan* turn aside **IV** [m. beton. part.] ~ *av* turn off; [t. ex. ~ t. höger; vägen -er av] turn; ~ *ihop* fold up; ~ *in a)* *tr* fold (*sömn.* turn) in; *b)* *itr*, ~ *in på*.. turn into..; ~ *ned* turn down [*kragen* o.'s collar]; ~ *tillbaka a)* *tr* fold back; *b)* *itr* recede; [pers.] retire; ~ *undan* (*itr*) give way; [för slag o. d.] dodge; ~ *upp* turn ([t. ex. ärm] tuck) up; ~ *ut* unfold **V** *rfl* **1** double up; [böja [sig]] bend; *mina ben* ~ *sig* my legs are shaky **2** *gå och* ~ *sig* **F** turn in

vikari||at locum-tenency, deputyship; temporary post **-e** deputy, substitute; [för läkare, präst] locum-tenens *lat.* **-era** *itr*, ~ *för ngn* act as a p.'s substitute (deputy) **-erande** *a* deputy; acting [professor]

viking Viking **-a|balk (-a|färd)** law (expedition) of the Vikings **-a|skepp** Viking ship **-a|tiden** the Viking Age

vikt 1 [*efter* by; *förlora i* lose] weight; [tyngd] *fys.* [*specifik* specific] gravity; *mått, mål och ~* weights and measures; *inte hålla ~en* fall short of weight; *i lös ~* in bulk **2** [betydelse] [*av mindre* (*ej av*) of secondary (no)] importance; weight; *fästa ~ vid* attach importance to; *lägga ~ vid* [lay (put)] stress [upon]; [*inte*] *vara av ~* be of [no] consequence (importance) **-enhet (-förlust)** unit (loss) of weight **-gräns** weight limit **-ig** *a* **1** *eg.* o. *bildl.* weighty [*skäl* reason[s *pl*]; [betydelsefull] important; of importance (consequence); [allvarlig] serious [problem]; [väsentlig] essential [*villkor* condition]; [angelägen] urgent [*sak* matter]; [livs-] vital; *det ~aste* the chief (main) thing, the essential point **2 F** [dryg] self-important (stuck-up) (*äv.* : *~ av sig*); jfr *mallig; göra sig ~* put on airs **-ighet 1** weightiness, importance **2** self-importance, stuck-upness, conceit **-ig|petter F** stuck-up fellow **-lyftning** weight-lifting **-lös** *a* weightless **-löshet** weightlessness **-mängd** quantity [by weight] **-system** system of weights **-ökning** increase in weight

vila I *s* [[*ta*] *en stunds* .. a little; *i at*] rest *äv.* ⊕ ; [ro] [*söka* seek] repose; [*det är*] *en ~ för* [*nerverna*] *(äv.)* .. restful to ..; *ingå i den eviga ~n* enter into the everlasting peace **II** *tr* o. *itr* rest [*mot* against (on)]; repose; *absol. äv.* be at rest ([om arbete] at a standstill); [*affärerna*] *få ~* [*tills i morgon*] .. must stand over (be deferred) ..; [*avgörandet*] *~r hos honom* .. rests with him; *här ~r* [*N. N.*] here lies ..; *~ på* rest on; *bildl.* be based on; *på stället ~!* stand at ease! *~ ut* take a good rest, relax **III** *rfl* rest [o.s.], take a [good] rest, relax

vild *a vanl.* wild; [otämd, ociviliserad] savage [*folkstam* tribe]; barbarous [*seder* customs]; [oregerlig] unruly [*häst* horse]; [rasande] furious [*fart* pace; *kamp* struggle]; [öde, ej odlad] uncultivated; [bullrande] noisy [*uppträde* scene]; *~ flykt* headlong flight; *bli ~* go frantic (mad) [*av glädje* with joy]; *vara ~ på* (*på att*) be mad for (wild to); *vara ~* [utom sig] be beside o. s. [*av* with] **-and** wild-duck **-basare F** scapegrace **-djur** wild beast; *äv. bildl.* brute **-e** savage; *polit.* independent [member] **-fågel** wildfowl **-gås** wild-goose **-het** wildness, savagery, unruliness &c **-hjärna** madcap **-häst** wild horse **-inna** wild woman **-katt** wildcat **-mark** wilderness **-sint I** *a* fierce, savage, ferocious **II** *adv* fiercely &c **-stam** wild stock **-svin** [wild] boar **-vin** Virginia creeper, wild wine **-äpple** crab[-apple]

Vilhelm William **-ina** Wilhelmina

vilja I *s vanl.* will; [önskan] wish, [starkare] desire; [avsikt] intention; [samtycke] consent; [fast *~*] determination; [*med litet*] *god ~* .. good intention; *driva sin ~ igenom* (*få sin ~ fram*) work (have) o.'s will; *låta ngn få sin ~ fram* let a p. have his (o. s. v.) own way; *efter hans ~* according to his wish[es] (&c); *med* [*vett och*] *~* on purpose, intentionally; *med hans goda ~* with his consent; *med bästa ~ i världen* with the best intentions in the world; *med eller mot din ~* whether you will or no[t], willy-nilly **F II** *tr itr* o. *hjälpv. allm.* will; se *gram.;* [vara villig] be willing; [önska, åstunda] want, wish, desire; [ha lust [till]] like; [ämna] intend, mean; [stå i begrepp att] be about ([just] going) to; [bry sig om] care to; *jag vill inte gärna* I would rather not; *jag ville inte gå* I didn't care to go; *om du vill a)* [har lust] if you like (choose); *b)* [önskar] if you want [*att jag skall göra det* me to do it]; *du kan om du bara vill* you can if you [really] want to; *om du vill som jag, så* .. if you are of my mind ..; *om Gud vill (äv.)* God willing; *han må vara hur* [*envis*] *han vill* however .. he may be; *som du vill* [just] as you like [it], have [it] your [own] way; *jag vill* [*göra det*] *a)* [åstundar] I want to ..; *b)* [är villig] I will ..; *c)* [yrkar på att] I insist on ..-ing; *jag ville* .. *a)* [önskade] I wanted to ..; *b)* [ämnade] I meant to ..; *c)* [skulle *~*] I should like to ..; *d)* [i bisats] *äv.* [om if] I would ..; *jag vill gärna (skulle gärna ~)* .. *a)* [åka bil] I should like to ..; *b)* [hjälpa dig] I shall (should) be very glad to ..; *jag skulle ogärna ~* .. I would rather not (prefer not to) ..; *vad vill ni ha?* what do you want? [vid måltid] what will you have? *det vill jag hoppas* I do hope so; *jag vill råda dig att* .. I should advise you to ..; *jag skulle ~ tro att* .. I should think that ..; *det vill jag gärna tro* I am quite prepared to believe that; *jag vill nu övergå till* I now propose to pass on to; *vad vill du, att han ska göra?* what do you want (&c) him to do? *han vill inte, att hon skall* .. he doesn't want her to ..; *det vill jag inte* I don't want that (it); [tillåter inte] I won't have (allow) that (it); *vad vill du mig?* what do you want of ([to do] with) me? *kosta vad det vill* cost what it may; *det må vara hur det vill med den saken* be that as it may; *veta vad man vill* know o.'s own mind; *jag vill av'* (*hem*) I want to get off (go home); *han vill åt' mig* he wants to get at me **III** *rfl, om det vill sig väl* (*äv.*) if all goes (turns out) well; *det ville sig så väl, att han* .. (*äv.*) as [good] luck would have it, he ..

vilje||akt [act of] volition **-ansträngning** effort of will **-betonad** *a* volition-coloured **-fast** *a* firm of purpose, resolute **-kraft** will-power **-liv** volitional life **-lös** *a* without a will of o.'s own, weak-minded; [starkare] apathetic **-löshet** lack of will-power **-s,** *göra ngn till ~* do as a p. wants; *för att göra ngn till ~* [in order] to gratify (please) a p. **-stark** *a* strong-willed; [beslutsam] determined **-styrka** strength of will; will-power **-svag** *a* weak-minded **-yttring** manifestation of the (o.'s) will

vilk|en *pron;* jfr *gram.* **1** *rel. a) självst.* [pers.] who; [sak] which; *allm.* that; *b) fören.* which; se *gram.; -a alla* all of whom ([om saker] which); *gör -et du vill* do as (what) you like; [*det hus*] *i -et* [*jag bor*] (*äv.*) .. where ..; *i -et fall* in which case; *~ som helst* anyone, anybody; *i -et fall som helst* in any case; *~ som helst som* whoever; whichever; *~* .. *än* whichever; whatever; [om pers.] whoever **2** *interr.* (*äv.* : *~ som*) *a)* [vid urval (*~dera*)] *fören.* o. *självst.* which; *b)* [i obegräns. bet.] *fören* [vad för ..] o. *självst.* [vad] what; *självst.* [om pers., *äv.* : *-a*] who; [vid urval] which of them; *~ hatt* [*skall jag ta*]? [*~ av dessa*] which ([*~ av alla*] what) hat ..? **3** [i utrop] *~ dårskap!* what folly! *~ hjälte!* what a hero! *-a vågor!* what rollers! **-dera** *pron* which [of the two (them)]

1 villa I *s* illusion, delusion; *göra den sista ~n värre än den första* (*ordspr.*) make confusion more confounded; se *fylla I* ex. **II** *tr, ~ bort* confound; *~ bort sig* se *för-*

irra rfl o. [*gå*] *vilse; på ~nde hav (poet.)* on the boundless sea

2 villa villa; house; [liten] cottage; [envånings-] bungalow **-kvarter (-område)** villa quarter (district) **-stad** garden suburb

villebråd game; [förföljt el. nedlagt] quarry

villervalla [*allmän* general] confusion, chaos; [röra] muddle, jumble; jfr *huller om buller*

villfara *tr* grant (comply with) [*ngns önskan* a p.'s wish]

villfarelse delusion; [misstag] error, mistake; [felslut] fallacy; [kätteri] heresy; *sväva i den ~n att* .. (*i ~*) be under the delusion that .. (in error); *ta ngn ur hans ~* open a p.'s eyes

villig *a* willing; [bered-] ready [*till* to do]; *vara ~ (äv.)* agree [*att komma* to come] **-het** willingness, readiness

villkor [*på inga* on no] condition; [förbehåll] provision; *pl* [erbjudna o. d.] [*förmånliga* favourable; *uppställa* make; *på goda* on fair] terms; *vilka äro edra ~?* what are your terms? *du får på inga ~ fara* on no account must you go; *på det ~et att* on [the] condition that, provided that **-lig** *a* conditional; *~ dom* qualified sentence; *han fick ~ dom* (*äv.*) he was released on probation **-s|lös** *a* unconditional **-s|sats** conditional clause (sentence)

villo||lära false doctrine; [kätteri] heresy **-spår,** [*komma*] *på ~* [get] on the wrong track (scent); *föra ngn på ~* (*äv.*) throw a p. off the scent **-väg** false path; *föra ngn (råka) på ~ar* lead a p. (go) astray

villrådig *a* [obeslutsam] irresolute [*om* as to]; [rådlös] at a loss [*om vad man skall göra* what to do]; *vara ~* (*äv.*) hesitate, be in two minds [*om* [*huruvida*] as to whether] **-het** irresolution, hesitation; perplexity

villsam *a bildl.* confusing, puzzling; *det är ~t i* [*skogen*] (*ung.*) it is easy to get lost in ..; *~ma vägar* devious paths

vilo||dag day of rest **-hem** convalescent home **-läge** position of rest **-läger** couch **-paus** break; pause **-rum -stad** [*sista* last] resting-place **-stund** hour of rest, leisure hour; [uppehåll] *äv.* pause **-tid** time of rest

vilsam *a* restful; comfortable; cosy; snug

vilse *adv* [*föra ngn* (*gå*) lead a p. (go)] astray; *gå ~* (*äv.*) lose o.'s way (bearings); get lost **-förd** *a* misguided, misled **-gången -kommen** *a* .. gone astray; stray .. **-leda** *tr* lead .. astray, mislead; [leda ngn på orätt spår] put a p. on the wrong scent; *låta ~ sig* be deceived [*av* by] **-ledande** *a* misleading, deceptive

vil||soffa lounge, couch **-stol** [fåtölj] easy (arm-)chair; [däcks-, trädgårds-] deck-chair

vilt I *adv* **1** *eg.* wildly &c; furiously; fiercely; *växa ~* grow wild **2** *~ främmande* quite strange; *en ~ främmande människa* an utter stranger **II** *s* game **-bestånd** game stock **-handlare** game dealer

vim||la swarm (teem) [*av* with]; *det ~r av fisk i sjön* the lake (sea) is teeming with (abounds in) fish; *det ~r av folk på gatorna* the streets are crowded with people **-mel** swarm, crowd, throng **-mel|kantig** *a* giddy; dizzy; *.. gjorde honom ~* .. made his head swim

vimpel streamer; *sjö.* pennant

1 vin [dryck] wine; [växt] vine; *~ av årets skörd* this year's vintage

2 vin [i luften] **-|a** *itr* whizz, whistle; buzz; *i ~nde fart* at a headlong pace; *det -er* the wind is whistling

vin||beredning wine-making **-berg** *eg.* hill planted with vines; se *äv. -gård* **-butelj** bottle of wine; [tom] winebottle **-bär** currant **-bärs|buske (-bärs|sylt)** currant bush (jam)

1 vind [*nordlig* a northerly] wind; [lätt] breeze; [hård] gale; *vad är det för ~?* how is the wind? *blåser ~en från den kanten?* (*bildl.*) is that the way the wind is blowing? *~en har vänt sig* the wind has veered; *~ för våg a)* [driva] be adrift, be drifting [at the mercy of the winds]; *b) bildl.* [lämna ngn] adrift (loose) [upon the world]; *snabb som ~en* [as] quick as lightning; *få (ha) ~ i seglen* catch the (sail with a fair) wind; *skingras för alla ~ar* be scattered to the winds; *vaja för ~en* float in the wind; *arbeta sig (hålla, köra) upp i ~en (sjö.)* beat (haul, ply) to windward; *borta med ~en* gone with the wind; *med ~ens hastighet* like the wind

2 vind [i hus] attic, garret; *äv.* loft; *på ~en* in the attic &c

3 vind *a* warped; [sned o. ~] crooked; jfr *skev*

1 vinda I *s* [nyst-] winder **II** *tr, ~* [*upp*] wind [up]; [ankare] heave [up]

2 vinda *itr, ~* [*med ögonen*] [have a] squint, be cross-eyed

vind||brygga drawbridge **-böjtel** weathercock; turncoat **-driven** *a* weather-driven *(sjö.* -bound)

vindel whorl; spiral **-trappa** winding (spiral) staircase

vind||fläkt breath of wind **-flöjel** weathercock, wind vane **-fång** [yta] surface exposed to the wind; *har litet ~* catches very little wind **-fälle** windfall[en trees *pl*] **-hastighet** wind velocity **-il** gust [of wind] **-jacka** wind-breaker **-kåre** breeze

vindling whorl; convolution [*i hjärnan* of the brain]; *~ar* [i flod, väg o. d.] meanders

vind||motor wind-wheel **-mätare** anemometer, wind gauge **-pust** whiff [of wind] **-riktning** direction of the wind **-ruta** [på bil o. d.] wind-screen **-rute|torkare** windscreen wiper

vindruv||a grape **-s|klase** bunch of grapes

vinds||brand fire in the attic (garret) **-fönster** attic (garret) window **-glugg** skylight

vind||sida windward side; *åt ~n* to windward **-skala** Beaufort scale

vinds||kammare garret (attic) [room] **-kontor** boxroom [in the garret (attic)] **-kupa** garret, attic

vind||skydd shelter against the wind; *flyg.* windshield

vindslucka ceiling hatch

vindspel windlass, winch; is. *sjö.* capstan

vindsrum garret room, room in the attic

vind||stilla I *a* [be]calm[ed] **II** *s* [dead] calm **-strut** *flyg.* wind sock **-styrka** wind force **-stöt** gust, squall

vindsvåning garret (attic) [stor[e]y]

vind||tyg wind-proof cloth **-tygs|jacka** windbreaker **-visare** wind-pointer **-ägg** windegg

vindögd *a* squint-eyed **-het** squint

viner||bröd Danish pastry, sweetroll **-snitsel** Vienna schnitzel

vinflaska bottle of wine; [tom] winebottle

ving||ad *a* winged **-balk** *flyg.* [wing] spar **-belastning** wing loading **-ben** wing-bone; *ta .. i ~et (bildl.)* **F** collar .. **-bredd** wingspread; *flyg.* span **-brott** *flyg.* wing failure **-bruten** *a* broken-winged **-|e** wing; [*vilja flyga*] *högre än -arna bära* .. too high; *slå med -arna* flap (beat) the wings; *ta ngn under sina -ars skugga (bildl.)* take a p. under o.'s wing **-frukt** key[-fruit]

-kant edge of the wing **-klaff** *flyg.* wing flap **-klippa** *tr* clip ..'s wings; *äv.* pinion
vingla *itr* wobble
vinglanterna wing-tip flare
vinglas wineglass
vinglig *a* tottering [*gång* gait]; [stol] rickety **-het** *vanl.* unsteadiness
ving‖lös *a* wingless **-mutter** ⊕ winged screw; *flyg.* wing-nut **-par** pair of wings **-penna** [wing-]quill, pinion **-skjuta** *tr* wing, shoot .. in the wing **-slag** wing-beat **-spegel** *zool.* speculum **-spets** wing-tip **-sus** swish of wings
vingud god of wine; *~en* (*äv.*) Bacchus
vingyta wing area
vin‖gård vineyard **-handlare** wine-merchant, vintner
vinjett vignette *fr.; boktr.* piece
vinjäst wine yeast
vink 1 *eg.* beck; [m. hand] wave; [nick] nod; [tecken] sign **2** *bildl.* [*en tydlig* a broad] hint; **F** tip; *en fin ~* (*äv.*) a gentle reminder; *ge ngn en ~* give (drop) a p. a hint; *på en ~ av* at a hint from; *vid minsta ~ av* at a nod from **-a** *tr* o. *itr* **1** beckon [*åt* to; *ngn till sig* a p. to come up [to one]]; *äv.* motion; [vifta] wave; *~ åt ngn att ..* sign to a p. to .. **2 F** [*vi ha inte mycket tid*] *att ~ på* .. to spare
vink|el 1 *mat.* angle [*adj.* angular]; [verktyg] try-square; se *~hake; bilda ~ mot ..* form an angle with ..; *i 45° ~* at an angle of 45 degrees; *i rät ~* [*mot ..*] at right angles [to ..]; *död ~* blind angle **2** [hörn] corner; [vrå] nook; *i alla -lar och vrår* in every nook and corner **-ben** leg of an angle **-formig** *a* angular **-hake** ⊕ set square, triangle **-höjd** angular height **-järn** ⊕ angle-iron **-linjal** [T-]square **-mått** square rule **-rät** *a* perpendicular (at right angles) [*mot* to] **-spets** *mat.* apex [of an angle]
vin‖krus wine-jug **-källare** wine-cellar **-kännare** connoisseur of wine **-land** wine-producing country **-lista** wine-list **-löv** vine-leaf **-märke** brand of wine
vinn‖a I *tr* [lyckas förskaffa sig] gain [*erfarenhet* experience; *inflytande* influence; *terräng* ground; *tid* time]; [pris, spel, strid, tävlan] win; [förvärva] acquire [*kunskap* knowledge]; [uppnå] *äv.* attain [*sitt mål* o.'s goal]; [ernå] *äv.* obtain (get) [*ny kraft* new strength]; *~ anklang* meet with approval; *~ höjd* (*flyg.*) climb, get height; *~ inträde* obtain admission; *~ laga kraft* become legal; *~ ngn för sig* win a p. over to o.'s side **II** *itr* gain [*vid jämförelse* by comparison]; [ha vinst] profit [*på en affär* by a business transaction]; [ha nytta] benefit [*på* by]; *han -er mer och mer* he grows upon you; [*huset*] *kommer att ~ på* [*ombyggnaden*] .. will be improved by ..; *därmed är föga vunnet* little is gained by that **-ande** *a* winning; [intagande] *äv.* attractive **-ing** gain; profit; *snöd ~* sordid gain, [filthy] lucre **-ings|lysten** *a* covetous; mercenary **-ings|lystnad** greed [for profit], covetousness **-lägga** *rfl, ~ sig om* strive after; study [*ett gott uppförande* good behaviour; *att få ..* to acquire ..]
vin‖odlare wine-grower **-odling 1** *abstr* wine-growing, viticulture **2** *konkr* vineyard **-planta** vine **-press** winepress **-prov** tasting (*konkr* sample) of wine **-provare** wine-taster **-ranka** [grape-]vine; [klänge] tendril of grape **-röd** *a* wine-coloured
vinsch ⊕ winch **-a** *tr* hoist **-skötare** winch-man **-start** *flyg.* winch launching
vin‖skörd vintage **-sort** [brand (sort) of] wine

vinst *allm.* gain; is. *hand.* [*ren* net] profit[s *pl*]; [snöd] lucre; [avkastning] return, yield; [utdelning] dividend; [fördel] advantage; [förmån] benefit; [på lotteri] prize; [spel-] winnings *pl; ~ och förlust* profit and loss; *ta in* [*10 kr.*] *i ren ~* make a clear (net) profit of ..; *ge stor ~* yield a big profit; *sälja med ~* sell at a profit; *gå med ~* [om företag] be a paying concern; *på ~ och förlust* at random; on speculation **-andel** share of (in) the profits **-begär** greed of gain (profit); cupidity
vin|sten wine-stone, tartar; *renad ~* cream of tartar
vinst‖givande *a* profitable; lucrative **-kupong** dividend warrant **-lista** lottery [prize-] list **-lott** winning ticket **-marginal** margin of profit **-medel** profits, proceeds **- - och förlust|konto** profit and loss account
vinstock [grape-]vine
vinstuga tavern
vinst‖utlottning prize-drawing **-ökning** increased profit
vin‖syra tartaric acid **-säck** wineskin
vint|er winter; *i ~* this winter; *i -ras* last winter; *om (på) ~n (-rarna)* in winter **-badare** winter bather **-behov** winter demand **-bonad** *a* fit for winter habitation **-bostad** winter residence **-dag** winter['s] day **-dvala** winter sleep; *ligga i ~* hibernate **-frukt** winter fruit **-fälttåg** winter campaign **-förråd** winter supplies *pl* **-gatan** the Milky Way **-gröna** [Pyrola] winter-green; [Vinca] periwinkle **-hamn** winter port **-härdig** *a* hardy **-kappa** winter coat **-klädd** *a* winter-clad **-kläder** winter clothes (clothing *sg*) **-krig** winter war **-kurort** winter resort **-kvarter** [*lägga sig i* go into] winter quarters *pl* **-köld** wintry cold; *i ~en* in the cold of the winter **-solstånd** winter solstice **-sport** winter sports *pl* **-tid** winter season; *~*[*en*] (*adv*) in [the] winter **-trädgård** winter garden **-väder** winter weather **-väg** road trafficable only in [the] winter
vinthund greyhound
vin‖tunna cask of wine **-ångor** fumes of wine **-ättika** wine-vinegar
viol violet **-blå** *a* violet-blue **-ett** *a* violet
violin violin *äv. i sms* **-ist** violinist, violin-player
violoncell [violon] cello
vipa lapwing, pe[e]wit
vipp F *bildl., vara på ~en att ..* be on the point of ..-ing; *det var på ~en att han föll* he was within an ace of falling; *kola ~en* **S** kick the bucket **-a I** s **1** puff; jfr *puder~* **2** *bot.* panicle **II** *tr* o. *itr* tilt (tip) [up]; *~ på stjärten* wag[gle] its tail; *~ upp och ned* swing up and down, seesaw **-anordning** tilting device **-kärra** tilt-cart
vips *itj, ~* [*var hon borta*]*!* [off she was,] pop (like a shot)!
vira I *tr* wind [*med* [round] with; *om*[*kring*] round]; [veckla] wrap; [krans] weave **II** *rfl* wind (twine) [itself]; *äv.* get twisted
virka *tr* [work in] crochet
virke timber (*Am.* lumber); jfr *trä~; bildl.* stuff; [*de äro*] *av samma ~* (*bildl.*) .. chips of the same block
virk‖garn crochet-cotton(-wool) **-ning** *konkr* [piece of] crochet[-work] **-nål** crochet hook (needle)
virr‖ig *a* [pers.] muddle-headed, scatter-brained; [sak] muddled, confused; [osammanhängande] disconnected [*tal* speech]; *bli ~* (*äv.*) lose o.'s head **-ighet** confused state of mind o. s. v. **-varr** muddle, confusion; **F** mess; *ett ~ av ..* (*äv.*) a tangled heap of ..

virtuos virtuoso; master **-itet** virtuosity
virus virus
virv‖el whirl, turbulence; [ström-] whirlpool, [mindre] eddy; *vetensk.* vortex; *dansens -lar* the whirls of the dance; jfr *ström~* **-el|rörelse** whirling motion **-el|storm** cyclone **-el|vind** whirlwind **-la** *itr* whirl; [vatten] eddy; *~ omkring* whirl round; *~ upp* whirl up *äv. tr*
1 vis manner, way; *på det ~et* in that way; *på sätt och ~* in a way; *på intet ~* in no (not in any) way
2 vis *a* wise; *en ~* [*man*] (*äv.*) a sage; *de ~es sten* the philosophers' stone; *de tre ~e männen* (*äv.*) the Magi; *bli ~ av skadan* learn wisdom by experience
1 vis|a song; *äv.* ballad, ditty; *Höga ~n* the Song of Solomon; *hon är en ~ i hela staden* she is the talk of the town; *alltid samma ~* always the same old story; *ord och inga -or* plain words (speaking)
2 visa I *tr allm.* show [*hur man skall* .. how to ..]; [demonstrera] demonstrate; [peka] point [*på* out (to)]; [ut-] *äv.* indicate [*tiden* the time]; [ådagalägga] exhibit (display) [*skicklighet* skill]; [be-] prove; [en tjänst] render, do; [hän-] refer; [*detta*] *~r att han är* (*äv.*) .. shows him to be; *erfarenheten ~r att* experience proves that; [*termometern*] *~r* [5°] .. says ..; *~ ngn en artighet* pay a p. a compliment; *~ ett svagt livstecken* give a feeble sign of life; *gå före och ~ vägen* lead the way; *~ med exempel* demonstrate by examples; *~ ngn på dörren* show a p. the door; *~ ngn vägen till* direct a p. to, show a p. the way to; *~ ngn en ynnest* confer a favour on a p.; *~ bort* dismiss; *eg. äv.* turn .. away; *~ fram* show .. up; [ta fram] produce [*sitt pass* o.'s passport]; *~ tillbaka* turn .. back; *bildl.* reject; *~ upp* show up; *äv. bildl.* produce, exhibit; *~ ut* send .. out **II** *rfl eg.* show o.s. [*äv.* friare (*~ sig vara*)]; [framträda] appear [*av* from; *för* to]; [dyka upp] turn up; [bli sedd] be seen; [[be]~ sig vara] prove (turn out) [to be]; *åter ~ sig* reappear; *det kommer snart att ~ sig* it will soon be[come] evident; *det ~de sig att* [*beräkningarna*] *voro* [*riktiga*] (*äv.*) .. proved to be ..; *~ sig vänlig* be kind [*mot* to]; *~ sig vara sann* turn out to be true; *härav ~r det sig att* from this it appears that
visar‖e [ur-] hand; [på instrument] pointer, needle **-tavla** dial
visavi *adv prep* o. *s* vis-à-vis
vis‖bok song-book, book of ballads **-diktare** ballad-writer, writer of songs
visdom wisdom; [klokhet] *äv.* prudence **-s|ord** words of wisdom **-s|regel** maxim **-s|tand** wisdom-tooth
vise [bidrottning] queen [bee]
visent bison
viser‖a *tr* [pass] visé, visa **-ring** viséing, visaing
vis|het se *-dom* **-s|lära** philosophy
vision vision **-är** visionary
1 visir [turk. ämbetsman] vizier
2 visir [hjälmgaller] visor; *kämpa med öppet ~* (*eg.*) fight with visor raised; *bildl.* play a straightforward game **-skiva** *foto.* focussing screen
visit visit; *vanl.* call; jfr *besök; avlägga ~ hos ngn* pay a p. a visit, call on a p.; *göra ~ hos varandra* exchange calls **-ation** visitation; *vanl.* inspection; *jur.* revision **-ations|resa** tour of inspection &c **-dräkt** morning dress **-era** *tr* inspect; [tull] examine; *jur.* o. *allm.* search **-kort** [visiting-] card
1 viska whisk; [liten kvast o. d.] *äv.* wisp
2 visk‖a *tr* o. *itr* whisper [*ngn ngt i örat* a th. into a p.'s ear] **-ning** whisper **-nings|-kampanj** whispering campaign
visky whisky **-grogg,** *en ~* a whisky and soda; *Am.* highball
vislig‖en -t *adv* wisely
vismut[pulver] bismuth [powder]
visning show[ing] &c; [före-] *äv.* exhibition; *det är två ~ar om dagen på* [*slottet*] .. is shown (people are taken round ..) twice a day **-s|sal** exhibit room
visp whisk; [för ägg] [egg-]beater **-a** *tr* [grädde] whip; [ägg o. d.] (*äv.* : *~ upp*) beat [up] **-grädde** whipped cream **-ig F** restless; fickle
viss *a* **1** *vanl. predik.* [säker] sure (certain) [*om* (*på*) about (of)]; [tvärsäker] positive [*på* of]; *segern är ~* (*äv.*) victory is assured; *~t och sant* true [enough] **2** *attr.* [särskild] *vanl.* certain [*skäl* reasons]; *i pl äv.* some [*personer* people]; [bestämd] given (fixed) [*summa* sum]; *en ~ a)* [*hr S.*] a certain [Mr. S.]; *äv.* one [S.] [by name]; *b)* [skicklighet] a certain degree of; [tvekan] some; *i ~ mån* to a certain extent; *aktie ställd på ~ person* personal share; [*överlåta*] *på ~ person* .. to a specified person
vissel‖konsert hissing-concert **-pipa** whistle
vissen *a* faded *äv. bildl.;* [förtorkad] withered; is. *Am.* wilted; *bildl.* **S** ['nere'; oduglig o. d.] rotten, *Am.* punk
viss‖erligen *adv* it is true, certainly; *~, men jag ..* (*äv.*) true, but I ..; *de ~ fåtaliga* [*svar som*] the .., few in number it is true **-het** *allm.* certainty; [känsla av ~] *äv.* certitude; [tillförsikt] assurance; *med ~* (*äv.*) for certain; *få ~ om ..* find out [about] ..; *ha ~ om ..* know .. for certain; *skaffa sig ~ om ..* ascertain .., make sure about ..
vissl‖a I *s* whistle **II** *tr* o. *itr* whistle; *~ på* whistle for ([hund] to); *~ ut ngn* hiss [a p. off the stage] **-ing** whistle; whistling; hiss; [kulas] whizz, ping
viss|na *itr* fade; wither; is. *Am.* wilt; jfr *-en*
visso, *för ~* for certain, certainly; *till yttermera ~* [*bad han ..*] what is more, [he ..]
visst *adv* **1** [säkert] certainly; [*det är han*] *~* to be sure [he is]; *~* [*ska du göra det*] [you should do so] by all means; *helt ~* [most] certainly; *ja ~!* [oh,] certainly! yes, indeed! of course! *ja ~ ja* yes, of course, that's true; *~ inte!* not at all! by no means! **2** [nog] probably, no doubt; *de ha ~ rest* they have left, I think; *vi ha ~ träffats förr* I'm sure we must have met before; *du tror ~ ..* you seem to believe ..; *du tänkte ~* [*överraska oss*]? you wanted to .., didn't you?
vis‖stump scrap of a song **-sångare** ballad-singer
vist *kortsp.* whist
vist‖as *dep vanl.* stay; [bo] live; [friare] *äv.* be [*ute* in the open air]; [*hur länge har ni*] *-ats här?* .. been [staying] here? *ofta ~ på ..* (*äv.*) frequent .. **-else** stay; [boende] residence **-else|ort** [place of] residence; *äv.* abode **-else|tillstånd** residence permit
visthus[bod] provision shed; larder; pantry
vis‖uell *a* visual **-um** visa, visé
vit *a* white; *en ~* a white [man]; *de ~a* the whites, white people; *sjön går ~* the sea whitens with foam; *göra ~* whiten **-a** *s* white [of an egg] **-aktig** *a* whitish
vital *a* [of] vital [importance]; [livskraftig] vigorous; [livfull] spirited; [viktig] *äv.*

momentous **-itet** vitality, vigorousness, spiritedness
vitamin, *A-~* vitamin A **-brist (-fattig** *a*) lack of (.. lacking in) vitamins **-halt** vitamin content **-haltig** *a* vitaminous; rich in vitamins **-rik** *a* rich in vitamins
vit‖beta white beet **-bets|socker** beet-sugar **-bleck** tin-plate **-blå** *a* whitish blue **-bok** *bot.* hornbeam
vite penalty, fine; *vid ~ av..* under [a] penalty of..; *tillträde vid ~ förbjudet!* trespassers will be prosecuted
vit‖fläckig *a* with white spots **-garva** *tr* taw **-glödande** *a* white-hot, incandescent **-glödga** *tr* bring .. to a white heat **-grå** *a äv.* hoary **-gul** *a* [of a] pale yellow, flaxen **-het** whiteness **-hårig** *a* white-haired; *äv.* hoary **-klädd** *a* dressed in white **-klöver** shamrock **-kål** white cabbage **-limma** *tr* **-limning** *konkr* white-wash **-ling** [fisk] whiting **-lök** garlic **-metall** white metal **-mossa** peat-moss **-måla** *tr* paint .. (*~d* painted) white **-na** *itr* grow ([plötsligt] turn) white **-peppar** white pepper **-rappa** *tr* rough-cast .. with white paint **-ryska -ryss (V-ryssland)** White Russian (Russia)
vits [ordlek] pun; [kvickhet] jest, joke; witticism; *kläcka en ~* crack a joke; *det är ~en med det hela* **F** that's just the point **-a** *itr* pun, [crack] joke[s] **-are** punster; joker; *Am.* wisecracker **-ig** *a* .. full of puns &c; witty
vit‖sippa [wood-]anemone, windflower **-skäggig** *a* with a white beard
vitsord, [*få*] *~* [*om* ..] [obtain a] testimonial [as to ..]; [*ge ngn ett gott* give a p. a good] character; [omdöme] verdict; *skol.* mark, grade **-a** *tr* testify to ..; [ngn] give a p. a good character; *~ ngn som* [*duglig*] consider a p. ..
1 vitt [färg] white; [*klädd*] *i ~* .. in white
2 vitt *adv* **1** *vanl.* widely [*olika* different]; *äv.* wide (far) [*åtskilda* apart]; *~ och brett* far and wide; *prata ~ och brett om* talk at great length on; *vara ~ skild från ..* (*bildl. äv.*) differ greatly from ..; *~ utbredd* widespread **2** *så ~ möjligt* as far as possible; *för så ~* provided, if **-bekant** *a* widely known; famous; [ökänd] notorious **-berest** *a, vara ~* be an extensive traveller (a globe-trotter) **-beresthet,** *hans ~* his having travelled a great deal; his wide travels **-berömd** *a* far-famed **-berömdhet** wide renown
vitten *ung.* farthing
vitter *a* literary; *~ person* (*äv.*) man (o. s. v.) of letters **-het** literature; *äv.* letters *pl* **-hets|akademi** academy of literature &c
vitt‖famnande *a* wide-embracing; comprehensive **-förgrenad** *a* with many ramifications **-gående** *a* far-reaching [*följder* consequences], extensive [*reformer* reforms]
vittja *tr* examine and empty
vittn‖a *itr vanl.* witness; [intyga] testify [*om* to]; [bära -esbörd] bear witness [*om* to]; [vid domstol, *äv.* friare] give evidence [*om* of]; *~ om* [visa] *äv.* show **-e** *vanl.* witness [*till* of]; *ha ~n på det* have witnesses to the fact; *höra ~n* (*äv.*) take evidence; *vara ~ till* [be a] witness [of]; *i ~ns närvaro* before witnesses
vittnes‖arvode compensation to witnesses, conduct money **-berättelse** deposition; [muntl.] evidence [of a witness] **-börd** [*bära falskt* bear false] witness [*om* to]; *jur. äv.* evidence; [ett *~*] testimony **-ed** oath [of a witness] **-förhör** hearing of [the] witnesses **-gill** *a* competent to witness **-mål** [*avlägga* give] evidence; [skriftl.] deposition
vitt|omfattande *a* far-reaching [*projekt* project]; extensive [*reparationer* repairs]; comprehensive [*studier* studies]
vittr‖a *itr* weather, decompose **-ing 1** *geol.* weathering; decomposition **2** *jakt.* scent
vitt‖svävande *a* ambitious [*planer* plans] **-syftande** *a* far-reaching, all-embracing
vit‖varor white goods **-varu|affär** linen-draper's business **-ved** sap-wood **-öga** white of the eye; *se döden i ~t* face death [bravely]
vivel weevil
vivre, *fritt ~* board and lodging free
vivör man about town; debauchee, rake, roué *fr.*
Vlissingen [holl. hamnstad] Flushing
voall voile voile
vodka vodka
vokabulär vocabulary
vokal I *s* vowel **II** *a* vocal **-förkortning (-förlängning)** shortening (lengthening) of a vowel (vowels) **-harmoni** vowel harmony **-isering** vocalization **-ist** vocalist **-ljud (-längd)** vowel-sound (-length) **-musik** vocal music **-möte** hiatus
vokativ vocative
volang *sömn.* flounce, frill
volfram *met.* tungsten **-syra** tungstic acid
volm haycock; [större] haystack, hayrick **-a** *tr* cock
volontär volunteer; *hand.* unsalaried clerk
1 volt *fäktn., ridk.* volt; *gymn.* [*slå* turn a] somersault
2 volt *elektr.* volt **-spänning -tal** voltage
vol‖uminös *a* voluminous; [skrymmande] bulky **-ym** volume
vom rumen; paunch
vore *impf. konj.* av *1 vara* were; se *gram.*
vot‖era *tr* o. *itr* vote **-ering** voting; vote **-um** vote **-iv[-]** *a* votive
vov‖ve [barnspr.] **-vov** *itj* bow-wow
vrak *sjö.* [*bli* become a] wreck *äv. bildl.* **-a** *tr* reject **-gods** wreckage; wrecked goods *pl* **-plundrare** wrecker **-plundring** plundering of wrecks **-pris,** *för ~* dirt-cheap **-spillror** [pieces of] wreckage *sg*
1 vred [door-]handle; [runt] *äv.* knob
2 vred *a* wrathful; [arg], angry ([starkare] furious) [*på* with] **-e** wrath; [ilska] anger: [raseri] fury, rage; *utösa sin ~ över* vent o.'s anger on; *darra av ~* tremble with rage **-es|mod,** *i ~* in anger &c **-es|utbrott** fit of rage, outburst of fury **-gas** *dep* become incensed, get angry
vrenskas *dep* [vara bångstyrig] be recalcitrant
vresig *a* crabbed, sullen, sulky, surly, morose
vrick‖a I *tr* **1** sprain [*foten* o.'s ankle] **2** *sjö.* scull **II** *rfl* **1** sprain o.'s ankle (wrist) **2** *sjö., ~ sig fram* scull [o.s.] along **-ning 1** sprain[ing], dislocation **2** *sjö.* sculling
vrid‖a I *tr* o. *itr* turn [[*på*] *huvudet* o.'s head]; [sno] twist; [vira] wind; [hårt] wring [*huvudet av en höna* a chicken's neck; *händerna* o.'s hands]; [m. ryck] wrench; [slita] wrest; *~ och vränga* (*bildl.*) distort, twist; *~ och vända* turn and twist; *~ av* twist (wrench) off; [kontakt] switch off; *~ fram klockan* put the clock (one's o. s. v. watch) forward; *~ loss* wrench (wrest) .. loose; *~ om* [*nyckeln*] turn &c ..; *~ på* [*gasen*] turn on ..; *~ sönder* break .. by twisting; *~ till* [kran o. d.] turn off; *~ tillbaka klockan* put the clock (one's o. s. v. watch) back; *~ upp klockan* wind up the clock (one's o. s. v. watch); *~ ur kläder* wring [out] clothes **II** *rfl* turn (revolve, rotate) [*runt en axel* round an axle]; [sno sig] twist; wind; [bli krökt] warp; writhe [*av*

smärta with pain] **-bar** *a* revolving; turnable **-en** *a allm.* twisted; [för-] distorted; [skev] warped; *bildl.* [rubbad] crack[brain]-ed, crazy; **F** not quite all there (right [in the head]) **-maskin** [för tvätt] wringing-machine **-ning** turning &c; jfr *-a I;* ⊕ rotation; [en ~] turn &c **-nings|rörelse** rotatory movement **-scen** *teat.* **(-stol)** revolving stage (chair) **-tapp** ⊕ pivot
vrist instep; *anat.* tarsus [*adj.* tarsal]
vrå [hörn] corner, nook; [gömsle] *äv.* recess; [*jag har inte*] *en lugn ~* . . a quiet spot for myself; *i alla vinklar och ~r* in every nook and corner
vråk buzzard
vrål roar[ing], bawl[ing], howl[ing] **-a** *itr* roar, bawl; [tjuta] howl **-apa** howler **-åk** **F** high-powered car
vrång *a* [avig] wrong; *denna ~a värld* this evil world **-bild** distorted picture; caricature **-strupe,** *få ngt i ~n* get a th. down the wrong way
vräk||a I *tr* **1** *eg.* heave; [slänga] toss; [huller om buller] tumble [*omkring saker* things about; *omkull* . . . . over]; ~ *bort* (*äv.*) throw away; ~ *i sig* [maten] gobble down; ~ *ur sig* (*bildl.*) rip out [*en svordom* an oath]; ~ *ut* heave &c . . out; [pengar] throw . . to the winds **2** [avhysa] eject **II** *itr* **1** *sjö.* heave **2** [*snön, regnet*] *-er ned* . . is coming down heavily **III** *rfl* [kasta sig] fling (throw) o.s. down [*i* in]; *ligga och ~ sig* lounge about [*på* on]; ~ *sig i* [*lyx*], *med* [*pengar*] roll in . . **-ig** *a* extravagant; jaunty **-ning** [avhysning] ejection, eviction **-nings|beslut** eviction decision
vränga *tr* [vända ut o. in på] turn . . inside out
vulgär *a* vulgar, common **-latin** popular Latin
vulkan volcano **-isera** *tr* vulcanize **-isering** vulcanization **-isk** *a* volcanic **-kägla** volcanic cone **-utbrott** [volcanic] eruption **-ö** volcanic island
vunn|en *a* gained &c; *därmed är föga -et* there's little [to be] gained by that; *lätt -et snart förrunnet* easy won is soon done
vurm mania (passion, fad) [*på* for]; jfr *käpphäst* **-a** *itr* have a passion [*för* for]
vuxen *a* **1** [full-] grown up, adult **2** *vara sin uppgift ~* be equal (up) to (able to cope with) o.'s task; *vara situationen ~* rise (be equal) to the occasion
vy view; [syn] sight **-kort** picture postcard
vyss *itj* hushaby! **-[j]a** *tr* lull [*i sömn* to sleep]
våd [i kjol] breadth; [fallskärms- o. d.] gore
våd||a 1 [fara] risk, danger **2** *av ~* by accident; i *sms* accidental **-a|dråp** *jur.* chance-medley **-a|skott** accidental shot **-lig** *a* **1** se *farlig, ödesdiger* **2** **F** awful; jfr *hemsk*
våff||eljärn waffle-iron **-el|tyg** huckaback **-la** waffle
1 våg *vanl.* balance; [enklare] [[a] pair of] scales *pl*
2 våg *vanl.* wave; [dyning] roller; [störtsjö], breaker; *poet.* billow; *gå i ~or* surge; [friare] *äv.* wave, undulate
1 våga *tr, låta ~ håret* have o.'s hair waved
2 våg||a I *tr* o. *itr* [töras] dare [to]; jfr *gram.;* [drista [sig]] venture [upon]; [ta sig friheten] *äv.* make so bold as [*att* to]; [sätta på spel] risk (jeopardize) [*sitt liv* o.'s life]; [ss. insats] stake [*sitt huvud på* o.'s life on]; ~ *göra ngt* [take the] risk [of] doing a th.; ~ *försöket* try the experiment; *jag ämnar ~ försöket* (*äv.*) I'll risk it; *~r jag* [*besvära er att* . .]? may (might) I . .? *jag ~r inte störa honom* I am afraid of disturbing him; *det kan jag ~ aldrig det på* **F** I'll bet you anything on that; *du skulle bara ~!* you dare! **II** *rfl* venture [*sig dit* [to go] there; *sig fram* to appear]; jfr *understå;* ~ *sig på ngt* venture upon a th.; ~ *sig ut i* [*kylan*] brave . . **-|ad** *a* [djärv] daring, bold; [farlig] hazardous, risky; [uttryck o. d.] risqué, **F** racy; *det är mycket -at* it's a risky enterprise
våg||arm arm of a balance **-balk** [scale-] beam
våg||berg wave-ridge **-brytare** breakwater, pier **-dal** wave-trough **-dämpare** *sjö.* oil-bag **-frekvens** wave frequency
våghals daredevil, desperado **-ig** *a* foolhardy; reckless; rash
våg||ig *a* wavy; waving; undulating; [buktig] sinuous **-kam** crest of a wave **-linje** wave-line **-längd** ⊕ wave-length **-mätare** wave meter **-plåt** corrugated sheet metal **-rät** *a* horizontal, level **-rätt** *adv* horizontally **-rörelse** wave-motion; undulation **-skvalp** lapping [of waves]
vågskål scale [of a balance]; *lägga ngt i ~en* put . . in the scale; *väga tungt i ~en* (*bildl.*) be weighty; *lägga sitt ord i ~en för* throw the weight of o.'s influence on the side of
våg||spel -stycke risky (daring) enterprise; bold venture
våg||svall surging sea, surge, surf **-topp** wave-crest
våld 1 [välde] [*råka i ngns* fall into a p.'s] power; [besittning] [*få i sitt* get into o.'s] possession; *få* (*ha*) . . *i sitt ~* get (have) . . in o.'s hands; *ge sig i ngns ~* deliver o.s. into a p.'s hands **2** [maktmedel, tvång] [*med* by] force; *göra ~ på sig* restrain o.s.; *med milt ~* with gentle compulsion; *med ~ bana sig väg* force o.'s way; *öppna en dörr med ~* force a door open **3** [över-] [*begå* commit] violence; [-s|dåd] assault (outrage) [*mot* upon]; *bruka ~ mot* use force (violence) against; *göra ~ på, öva ~ mot* violate; [*dömas*] *för ~ mot* [*polis*] . . for assaulting [a constable]; ~ *och misshandel* assault and battery **4** *bildl.* [kränkning] violation [*mot den personliga friheten* of personal liberty] **5** [i svordomar], *dra för fan i ~!* go to hell (the devil)! **-föra** *tr* o. *rfl,* ~ [*sig på*] violate; jfr *-taga* **-gästa** *tr* o. *itr* (*äv.* : ~ *hos*) sponge on; quarter o.s. [forcibly] upon **-sam** *a allm.* violent; [häftig, is. om känsla] *äv.* vehement; [ursinnig] furious; [larmande] tumultuous [*oväsen* noise]; *få en ~ död* meet with a violent death; *göra ~t motstånd mot* offer forcible resistance to **-samhet** violence; vehemence; fury; jfr *-sam* **-s|dåd** [act of] violence; outrage; jfr *våld 3* **-s|härskare** tyrant; terrorist **-s|politik** policy of terror, terrorism **-s|regim** terror regime, terrorism, reign of terror **-s|verkare** perpetrator of an outrage **-s|åtgärder** forcible means **-taga** *tr* violate, rape, ravish; *jur.* assault **-täkt** rape, ravishment; *jur.* indecent assault
våll||a *tr* [förorsaka] [be the] cause [of]; [åstadkomma] *äv.* bring about; [framkalla] give rise to (provoke) [*vrede* anger]; [bereda] *äv.* give [*ngn besvär* a p. trouble]; ~ *stora kostnader* involve great expenditure; ~ *ngn smärta* (*äv.*) make a p. suffer **-ande,** *för ~ av annans död* for manslaughter
vålnad ghost, apparition; is. *Skottl.* wraith
våm se *vom*
vånda anguish, agony; throes *pl* **-s** *dep* suffer agony (agonies)

våning 1 *ark.* stor[e]y, floor; *övre ~en* the top floor; *i första (andra) ~en* [ofta] on the ground (first) floor **2** [bostad] flat; *Am.* apartment; *en ~ på två rum och kök* a two-room flat (apartment) with a kitchen
våp F goose[y], silly, simpleton **-ig** *a* **F** soft
1 vår *pron fören.* our; *självst.* ours; *de ~a* our people (**F** folks; [trupper] men); [*vi skola göra*] *~t (~t bästa)* . . our part (our utmost)
2 vår spring; *poet.* springtime; *i livets ~* in the prime of life; *om ~en* o. s. v. jfr *höst* ex. **-as** *dep, det ~* [the] spring sets (is setting) in **-blomma** spring-flower **-bruk** *jordbr.* spring farming **-brytning,** *i ~en* in the change from winter to spring
1 vård monument; jfr *minnesmärke* o. *grav~*
2 vård *vanl.* care [*om* of]; [uppsikt] *äv.* charge; custody; *den som har ~ om* the man in charge of; *få god ~* be well cared for; *ha ~ om* (*äv.*) have the care of; *ta ~ om* . . (. . *i sin ~*) se *-a* **-a I** *tr* take care of, look after; [sköta] tend; [sjuka] nurse; [bevara] preserve [*minnen* memories]; *han ~s på sjukhus* he is [being treated] in hospital **II** *rfl, ~ sig om a)* take care of; cherish; cultivate [*sitt språk* o.'s language]; *b)* [*att* . .] trouble (take pains) [to . .]; *ej ~ sig om att* (*äv.*) neglect to **-ad** *a* careful; [prydlig] neat; [väl-] well-kept; [om klädsel o. hår] well-groomed; [förfinad] refined [*språk* diction]; *mindre ~* [stil] slipshod, careless
vårdag spring day **-jämning** vernal equinox
vård||anstalt nursing home, institution **-arbete** welfare work **-are** *allm.* care-taker; [sjuk-] attendant, male nurse; [djur-] keeper; [bevarare] preserver **-arinna** nurse; jfr *föreg.* **-kas[e]** beacon **-s|lös** *a vanl.* careless [*i* in; *med* with ([ex. utseende] of, about)]; negligent [*i* in; *med* of]; [försumlig] *äv.* neglectful [*i arbetet* in o.'s duties; *med sitt utseende* of o.'s appearance]; [bekymmerslös] heedless; [likgiltig] nonchalant; [slarvig] slovenly [*klädsel* dress] **-s|lösa** *tr* neglect; be careless about (neglectful of) **-s|löshet** carelessness, negligence, neglect
vårdtecken token, [insegel] seal
vår||fest (-flod) spring festival (flood) **-frisk** *a, ~a blommor* fresh spring-flowers
Vårfrudagen Lady (Annunciation) Day
vår||grönska verdure of spring **-hatt (-himmel)** spring hat (sky) **-känsl|a,** *få -or* get the spring feeling **-lig** *a* . . of spring, vernal **-lik** *a* springlike; [*det är*] *~t* [*i dag*] . . quite like spring . . **-luft** spring air **-lök** gagea **-mod** spring fashion **-regn** spring (vernal) rain **-rengöring** spring cleaning **-sida,** *på ~n* in the spring[time]; when spring comes (came) **-sol** spring sun **-sådd** spring sowing **-säd** summer-(spring-) corn([utsäde] seed) **-säsong** spring season
vårt||a wart **-bitare** *zool.* green grasshopper
vår||tecken sign of spring **-termin** spring term
vårt||lik *a* wart-like **-svin** wart-hog
vår||vind (-väder) spring breeze (weather)
våt *a allm.* wet [*av* with]; [fuktig] moist; [osunt fuktig] damp; [flytande] liquid; *~t omslag (läk.)* cold compress[es *pl*]; *det är ~t ute* (*äv.*) it's a wet day; *bli (vara) ~ om fötterna* get (have) wet feet **-docka** *sjö.* wet dock **-slipning** wet grinding **-varm** *a* warm and wet **-varor** liquids **-varu|mått** liquid measure **-värmande** *a* fomenting [*omslag* bandage]
väck *adv* **F**, [*puts*] ~ gone; off; lost, missing
väck||a *tr* **1** *eg. allm.* wake [up]; [häftigt] rouse [. . from sleep]; ['purra'] call [*ngn kl. 6* a p. at six] **2** [friare o. *bildl.*, t. ex. medlidande] awaken *äv. relig.*; [upp-; rycka upp] rouse [*till* to; *ur* from (out of)]; [*~ till liv*] rouse, stir; arouse [*avsmak* disgust; *nyfikenhet* curiosity]; [upp-] *äv.* raise [*misstankar* suspicion *sg*]; [uppegga] excite [*avund* envy; *beundran* admiration; *löje* ridicule]; [framkalla] call forth [*gillande* approbation], call up [*minnen* memories], provoke [*vrede* anger]; [inge] inspire [*förtroende* confidence]; [skapa] create [*oro* alarm]; *~ hänförelse* (*äv.*) be received (accepted) with enthusiasm; *~ ngns hänförelse* inspire a p. with enthusiasm; *~ intresse* (*äv.*) stir up an interest; *~ ngns hopp på nytt* rekindle a p.'s hope; *~ uppmärksamhet* attract attention (notice) **3** [framkasta] bring in, [*en fråga*] bring up, bring . . under consideration; *~ förslag om* . . suggest (propose) . . **-ande I** *a* awakening; rousing; *äv.* stimulating **II** *s, ~ av åtal* (*jur.*) [the] bringing of an action **-ar|klocka** alar[u]m-clock **-else** awakening; *religiös ~* revival **-else|möte** revivalist meeting **-else|predikant** revivalist **-else|rop** bugle-call **-ning,** *får jag anhålla om ~ kl. 7* I should like to be called at 7 **-t** *a* awakened &c; *bildl. äv.* stirred up; roused; *relig.* saved
väd|er 1 weather; *det är fult ~* the weather is bad (**F** [starkare] awful); *det är vackert ~* (*äv.*) it's a lovely (beautiful, fine) day (morning o. s. v.); *det ser ut att bli vackert ~* the weather looks promising; *~ och vind* wind and weather; *skyddande (härdad) mot ~ och vind* weather-proof; *hurdant ~ är det?* what's the weather like? *ett sådant ~!* what weather! *om -ret tillåter* weather permitting **2** [luft, vind] air, wind; *prata i -ret* talk nonsense; *gå till ~s* (*sjö.*) go [up] aloft; [ballong] rise [in the air]; *släppa ~* break wind **-beständig** *a* weather resistant, weatherproof **-biten** *a* weather-beaten **-flöjel** weathercock **-korn,** *gott ~* [a] keen scent, a good nose; *få ~ på* get the scent of **-kvarn** windmill
väderlek weather **-s|förhållanden** weather (meteorological) conditions **-s|förändring** change in the weather **-s|karta** weather map **-s|läge** weather situation **-s|prognos** se *-s|utsikter* **-s|rapport** meteorological report; weather report **-s|station** meteorological station **-s|tjänst** weather (meteorological) service **-s|utsikter** weather forecast (outlook) *sg*
väder||läge weather situation **-spåman** weather prophet **-streck** [*i vilket* in what] quarter; point of the compass; [friare] direction; *de fyra ~en* the four cardinal points
vädja *itr, ~ till* (*allm.* o. *jur.*) appeal to [[*en*] *domstol* a court] *äv. bildl.* **-n** appeal
vädra I *tr* **1** [lufta] air **2** [få väderkorn på] scent *äv. bildl.*; [friare] *äv.* sniff **II** *itr* sniff [*på* at]
vädur ram
väg *allm.* is. mera *abstr* o. *bildl.* [*hitta ~en* find (know) the (o.'s)] way; is. *konkr* road; [stig is. *bildl.*, bana] [*den breda (smala) ~en* the broad (narrow)] path; *pliktens ~* the path of duty; [upptrampad stig] *äv.* track; *vara på rätt ~* be on the right track; [rutt] route; [färd-: *2 timmars* two hours'] journey (walk, drive, ride); [sträcka] distance; [uppfarts-, *äv.* kör-] drive (*Am.* way); [levnadsbana] career; *enskild ~* private road; *förbjuden ~!* no thoroughfare! [*det är*] *lång ~ till* . . . . a long way to . . (*äv. bildl.*); *gå raka ~en!* go straight

on! *rätta ~en* the right road [*till* to]; *gå ~en fram* [be] walk[ing] along the road; *gå sin ~ fram* go on o.'s way; *vi gingo samma ~* we went the same way; *går du samma ~ som jag?* are you going my way? *gå all världens ~* go the way of all flesh; *gå den lärda ~en* take up a university career; *om du har dina ~ar hitåt* if you happen to be coming this way; [*ej veta*] *vart man skall ta ~en* .. where to go (*bildl.* what is to become of one); *vart ska du ta ~en?* where are you going (off to)? *var har* [*min bok*] *tagit ~en?* what has become of ..? *gå före och visa ~en* lead the way; *gå (resa) sin ~* go away, **F** be off; *han gick sin ~ alldeles nyss* he has just left; *gå din (o. s. v.) ~!* get (**S** buzz) off! make yourself scarce! *Am.* **S** scram! *springa sin ~* run away; *i ~* off; *det bar i ~ med honom* off he went; *ge sig i ~* be (set) off [*till* for]; *det finns intet hinder i ~en för* .. there is nothing to prevent ..; *komma (stå) i ~en för ngn* get (be) in a p.'s way; *ngt i den ~en* something in that line (of that sort); *på ~* on the (o.'s) way [*till, att* to], *sjö.* bound [*till* for]; *vara på ~ att bli ruinerad (blind)* be on the road to ruin (on the point of going blind); *vara på god ~ att* .. be in a fair way to .. (..-ing); *ett gott stycke på ~* well on the way; *följa ngn ett stycke på ~en* see a p. on his (o. s. v.) way; *slå in på en annan ~ (eg.)* take another road; *bildl.* take up another course; *på elektrisk ~* electrically; by [using] electricity; *på laglig ~* by legal means; *på övertygelsens ~* by [means of] persuasion; *på ~en* on the road; on the way [*hem* home]; *på den ~en blev han* he was never seen after that; *på halva ~en* half-way; *gå till ~a* proceed; go about it; act; [*jag förstår inte*] *hur du går till ~a* .. how you do it; *ur ~en!* get out of the way! stand aside! keep clear! *gå ur ~en* [*för ngn*] get out of the (a p.'s) way; *det skulle inte vara ur ~en att* .. **F** it wouldn't be amiss to ..; *vid ~en* near (by the side of) the road; by the roadside; *ett värdshus vid ~en* a roadside inn

väg||a *tr itr* o. *rfl* weigh [*skälen för och emot* the pros and cons]; *hur mycket -er ni?* what is your weight? *han -er dubbelt så mycket som ni* he is twice your weight; *det står och -er mellan* .. *(bildl.)* the decision lies (**F** it's a toss-up) between ..; *det -er jämnt* the scales are even; *hans ord -er tungt* his word carries great weight; *~ upp a) eg.* weigh [out]; *b)* [upp-] [counter]balance is. *bildl.* **-ande** *a* weighty [*skäl* reason[s *pl*]]

väg||arbetare road worker **-arbete** road-work; *~ pågår* the road is under repair; [som anslag] road up **-bana** roadway **-bank** causeway

vägbar *a* [möjlig att väga] ponderable

väg||bredd breadth of road **-bro** road bridge **-byggare** road-builder **-byggnad** road-building, construction of roads **-damm** dust of the road[s] **-distrikt** highway district **-farande** *a* travelling, *poet.* way-faring; *en ~* a traveller **-förbindelse** road communication **-förhållanden** road conditions; state *sg* of the roads

vägg *allm.* wall; [tunn mellan-] partition; *bo ~ i ~ med* live next door to; *köra huvudet i ~en* run o.'s head against the wall; *ställa ngn mot ~en* drive a p. into a corner, press a p. hard; *uppåt ~arna (bildl.)* all wrong; wide of the mark **-almanack** wall-calendar **-bonad** [wall-]hanging; tapestry **-fast** *a* .. fixed to the wall; *äv.* built-in; *~a inventarier* fixtures **-karta** wall map **-klocka** wall (hanging) clock **-kontakt** *elektr.* wall plug **-lampa** wall lamp **-lus** [bed]bug **-målning** mural (wall-) painting, mural **-panel** panel[ling], wainscot[ing] **-pelare** pilaster **-puts** ⊕ floated work **-skåp** wall chest **-spegel** hanging mirror **-telefon** wall telephone [set] **-ur** wall- (hall-)clock **-yta** wall space

väg||hyvel road grader (planer) **-hållning** [roadmaking and] road maintenance **-kant** roadside **-karta** road map **-korsning** [road] crossing **-krök -kurva** turn (bend, curve) in (of) a (the) road **-lag 1** state of the road[s]; *det är dåligt ~* the roads are in [a] bad condition **2** *jur.*, *~en* (*Engl.*) the Highways Act **-leda I** *tr* [act as a] guide [to]; *några ~nde ord* a few [introductory] directions **II** *rfl* find o.'s [own] way **-ledare** guide; [lärare] instructor **-ledning,** [*till*] *~* [*för* .. for the] guidance [of ..]; *~ i* .. [ss. titel] A Guide (An Introduction) to .. **-längd** distance **-lös** *a* roadless, trackless **-märke** road sign **-mätare** mileometer

vägnar, *å ngns ~* on behalf of a p.; *å mina egna* [*och min frus*] *~* (*äv.*) for myself [and my wife]; *rikt begåvad å huvudets ~* well equipped with brains, very clever, highly gifted; *Am.* brainy; *å ämbetets ~* in virtue of [o.'s] office; ex officio *lat.*

vägning weighing

vägnät network (net) of roads, *Am.* traffic net

väg- och vatten|byggnad road and canal construction, *äv.* civil engineering **-s|styrelsen** the Highway and Waterway Board

väg||plog bulldozer **-projekt** roadmaking project

vägr||a *tr* o. *itr* refuse; [häst] jib, balk; *~ att mottaga* refuse (decline) [*ett erbjudande* an offer] **-an** [*vid* in case of] refusal

väg||rätt [över annans mark] right of way **-röjare** pioneer *äv. bildl.*; ⊕ bulldozer **-skatt** road tax **-skrapa** road-scraper **-skäl** fork [in a road]; *vid ~et* (*vanl.*) at the crossroads **-spärr** *mil.* barricade **-stadga** *jur.* rule of the road; *~n* (*Engl.*) the Highways Act, the Highway Code **-sträcka** stretch of road, distance **-stycke** piece of road, road section **-styrelse** Highway Board **-syn** road inspection **-trafik (-transport)** road traffic (transport) **-underhåll** road maintenance **-vett** road sense **-visare 1** [pers.] guide **2** [bok] guide[-book] **3** [stolpe] sign-post, road sign **-yta** road surface **-övergång** [i samma plan] level (*Am.* grade) crossing

väja *itr* (*äv.* : *~ undan*) make way [*för* for]; *~ för* [undvika] avoid; *inte ~ för ngt (bildl.)* not mind (not recoil from) anything; stop at nothing

väkt watch **-are** watchman; guardian

väl I *adv* **A** *beton.* **1** *eg.* [bra, gott] [*alltför* only too] well; *aktas ~!* [to be handled] with care! *akta sig ~ för att* .. be careful (take good care) not to ..; *befinna sig ~* be [quite] well; *~ förfaren* experienced; *det går aldrig ~ (för henne)!* it won't [ever] turn out well! (she will come to grief [, sure enough!]); *göra ~ i att* .. do well to ..; *hålla sig ~ med ngn* keep in with a p.; *råka ~ ut* be lucky (fortunate); *stå ~ hos ngn* stand well with a p.; *ta ~ upp* receive .. favourably; appreciate; *veta mycket ~ att (äv.)* be perfectly aware that; *det vore ~ om* it would be a good thing if; *det var för ~ att* [*du* *kom*] it was a blessing that . .; *länge och ~* **F** for ages, no end of a time; *så ~!* how nice! I'm so glad [to hear it]! *så ~ att . .!* what a good thing that . .! **2** [grad: alltför] rather [too], over[-]; [*det är*] *~ mycket* . . rather too much; *~ ung* rather (almost too) young **3** [över] over, [rather] more [. .] than; [fullt upp] quite [*100* a hundred]; *~ så* [*stor*] *som* . . rather [bigger] than . . **4** [omsider, en gång] once; *han hade inte ~ slutat förrän* . . he had scarcely (no sooner had he) finished when . .; *när hon ~ vaknat* [, *såg hon* . .] once awake [she saw . .] **5** [visserligen] certainly &c **B** *obeton.* **1** [förmodan el. förhoppning] surely; *du är ~ inte sjuk?* surely you are not ill (*äv.* you are not ill, are you)? [förmodar jag] I suppose; [hoppas jag] I hope; *han hade ~ inte bättre vett* I suppose he didn't know [any] better; *du kommer ~?* I hope you will come! *jag ska ~ det då* I suppose I must then; *han får ~ vänta* he'll have to wait; *det hade ~ varit bättre att . .?* wouldn't it have been better to . .? *det är ~ inte möjligt* it can't be possible; *det kunde du ~ veta* you might have known as much; *du vet ~ att* . . I suppose you know that . . **2** [ss. fyllnadsord i frågor] *vem skulle ~ ha trott det?* who would have believed such a thing? *vad är ~ en kung?* what is a king [after all]? **3** *så ~ som* as well as **II** i *itj, ja ~!* of course! *nå ~!* well then **III** *s* welfare, well-being; *äv.* [*det allmännas* the public] weal; *det gäller hans ~ eller ve* his weal or woe is at stake **-artad** *a* well-behaved; [lovande] promising **-avlönad** *a* well-paid **-befinnande** well-being; good health **-behag** pleasure, satisfaction **-behållen** *a* [pers.] safe [and sound]; [sak] . . in good condition; [varor] *äv.* intact **-behövlig** *a* badly needed **-bekant** *a* well-known; [ökänd] notorious **-belägen** *a* well-situated **-beställd** *a* [pers.] duly constituted **-betänkt** *a* judicious, well-advised; [-övervägd] deliberate; *mindre ~* ill-advised; *var det ~* was that advisable? **-bevakad** *a* closely guarded **-bevandrad** *a* [well] versed **-bildad** *a* well-shaped **-boren** *a* honourable **-borenhet** *E*[*de*]*rs ~* Your Excellency **-bärgad** *a* well-to-do; [*vara* be] well-off

väld||**e** **1** *lägga . . under sitt ~* bring . . under o.'s sway **2** [stat] empire, state; *romerska ~t* the Roman Empire **3** [makt] power; [inflytande] influence **-ig** *a* mighty [*äv.* friare]; **F** whacking; [stor] huge [*elefant* elephant]; enormous [*summa* sum]; [vidsträckt] immense (vast) [*skogar* forests]; [friare] *äv.* **F** tremendous, terrific **-igt** *adv* **F** tremendously [*viktig* important]; terrifically [*rik* rich]

väl||**dukad** *a* well-decked **-frejdad** *a* honourable, . . of good character **-funnen** *a* happy [*uttryck* phrase] **-fylld** *a* well-filled **-fägnad** good cheer, treat **-färd** welfare, well-being **-färds**|**stat** Welfare State **-född** *a* well-fed; [fyllig] plump **-förhållande** good conduct **-förrätt**|**ad** *a, efter -at värv* [*for han*] [after] having [successfully] completed his task . . **-försedd** *a* well-stocked (-furnished) **-förstådd** *a, i E*[*de*]*rt eget ~a intresse* in your own real interest **-förtjänt** *a* well-deserved; *det var ~!* [that] serve[s] (served) him (o. s. v.) right! **-gjord** *a* well-made **-grundad** *a* well-founded; *äv.* good [*anledning* reason] **-gräddad** *a* well-baked **-gång** [framgång] prosperity, success; *lycka och ~!* all good wishes for the future! **-gångs**|**skål** toast; *tömma en ~ för ngn* drink [to] a p.'s health **-gångs**|**önskningar** good wishes **-gärning** kind (charitable) deed; [välsignelse] boon, blessing; *visa ngn ~ar* bestow benefits on a p.; *överösa ngn med ~ar* overwhelm a p. with kindness[es] **-gödd** *a* well-fattened

välgör||**ande** *a* [om sak] beneficial [*solsken* sunshine]; [hälsosam] salutary [*luft* air]; *äv.* refreshing; *~ verkan* wholesome effect; *för ~ ändamål* for charitable purposes; *bli* (*vara*) *~ för ngn* (*äv.*) be good for a p., do a p. [a lot of] good **-are** benefactor **-enhet** charity **-enhets**|**bal** charity ball **-erska** benefactress

välinformerad *a* well-informed

välj||**a** *tr* o. *itr* **1** *allm.* choose [*bland* from [among], out of; *till* as (*ibl.* for); to be]; [noga] select, **F** pick [and choose]; *äv.* [*~ sig*, ut-] pick out; [föredra] prefer [*att bli kvar* to stay]; *du får ~ efter behag!* you are free to make your choice! *låta ngn ~* give a p. free choice; *inte ha mycket att ~ på* not have much choice; *~ bort* [skolämne] drop **2** *polit.* o. d. elect [*ngn till president* a p. president]; [t. eng. parl.] return; *~ in ngn* elect a p. [as] a member [*i* of]: [i styrelse] on a board; *~ om* reelect **-are** voter, elector; *elektr.* switch **-ar**|**kår** electorate

väl||**kammad** *a* well-groomed **-klingande** *a* well-sounding, sonorous **-klädd** *a* well-dressed; [prydlig] spruce, smart, neat[ly got up **F**]

välkom||**men** *a* welcome; [läglig] well-timed; *hälsa ngn ~* wish a p. welcome; *~!* [I'm (o. s. v.)] glad to see you **-na** *tr* **-st** welcome **-st**|**hälsning** welcoming greeting **-st**|**ord** *pl* words of welcome

välkänd *a* well-known; noted

välla *itr* well (gush, spring) [*fram* forth (up); *fram ur* from]

vällevnad good living, [life of] luxury

välling gruel; [skorp-] *äv.* pap **-klocka** farm[yard] bell

väl||**ljud** euphony; *mus.* harmony, melody **-ljudande** *a* euphonious &c; [instrument] well-tuned; [toner] sweet **-lovlig** *a, i ~a ärenden* on lawful errands **-lukt** sweet smell (scent); perfume; *sprida ~* smell sweet; [i . .] fill . . with fragrance **-luktande** *a* sweet-smelling(-scented), fragrant **-lust** voluptuousness; sensual pleasure **-lustig** *a* voluptuous; sensual; [liderlig] lascivious **-lusting** voluptuary; sensualist; [liderlig pers.] libertine **-läsning** elocution **-makt** prosperity; *i hans ~s dagar* in his prosperous days **-menande** *a* well-meaning **-mening** good intention; *i bästa ~* with the best of intentions **-ment** *a* well-meant **-motiverad** *a* well justified, well-founded **-mående** *a* thriving; healthy; [blomstrande] flourishing; [t. ex. köpman] prosperous; [frodig] burly, [kvinna] buxom **-måga** well-being; prosperity; *befinna sig i högönsklig ~* be in the best of health (**F** in the pink) **-ordnad** *a* well-arranged (-organized); well-managed [*affärer* affairs] **-pressad** *a* well-pressed **-rakad** *a* clean-shaved **-renommerad** *a* well-reputed(-established) **-riktad** *a* well-aimed(-directed) **-sedd** *a* acceptable; welcome [*gäst* guest]

välsign||**a** *tr* bless **-ad** *a* blessed; [odräglig] **F** *äv.* confounded **-else** blessing; [uttalad] benediction; *det blir (är) ingen ~ med det* no good will come of it **-else**|**bringande** *a* blessed, beneficial **-else**|**rik** *a* . . full of blessings

väl||**sittande** *a* well-fitting **-situerad** *a* well-situated, in good circumstances **-skapt** *a*

well-shaped, fine; [ben o. d.] shapely **-skrivning** *skol.* calligraphy **-skött** *a* well-managed [*affär* business]; well-tended (-kept) [*trädgård* garden]; properly looked after [*barn* baby] **-smakande** *a* appetizing; [svagare] palatable; [läcker] delicious **-stånd** prosperity; wealth **-sydd** *a* well-cut(-tailored)
vält roller; *jordbr. äv.* clod-crusher(-breaker)
välta I *tr* **1** se *vältra* **2** [stjälpa] (*äv.* : ~ *omkull*) upset **II** *itr* turn over, [get] upset
vältal‖are orator **-ig** *a* eloquent **-ighet** eloquence
vältra I *tr* roll [. . over]; ~ *skulden på ngn* lay the blame on a p.; ~ *ifrån sig allt ansvar* shift all responsibility off o.'s shoulders **II** *rfl* roll [*sig i gräset* over in the grass; *sig i pengar* in money]; welter (wallow) [*sig i smutsen* in the mud]
väl‖trimmad *a* in very good trim **-turnerad** *a* well-turned **-unt** *a, det är dig* ~ you are quite welcome to it **-uppfostrad** *a* well educated, well-behaved(-mannered) **-utrustad** *a* well equipped (provided, furnished)
välva I *tr* **1** *ark.* vault, arch; *flyg.* camber **2** ~ *stora planer* revolve great plans **II** *rfl* form a vault (&c); *äv.* arch
välvald *a* well-chosen
välvil‖ja benevolence; *äv.* good-will; *hysa* ~ *för ngn* be well disposed towards a p. **-lig** *a* benevolent: [vänlig] kind[ly]; [överseende] indulgent **-ligt** *adv* benevolently, kindly; *vara* ~ *stämd mot* be favourably disposed towards
väl|vis *bibl.* wise; *vanl.* would-be-wise; ~*a råd* sapient advice *sg*
välvning vaulting, arching; *konkr* vault, arch
väl‖vårdad *a* well-kept(-groomed) **-växt** *a* se *-skapt* **-önskningar** best (good) wishes
vämj‖as *dep,* ~ *vid* . . be nauseated ([svagare] disgusted) at (by) . .; loathe . . **-elig** *a* nauseous, loathsome; disgusting **-else** loathing; [starkare] nausea; *väcka* ~ *hos ngn* (*äv.*) nauseate a p.; *känna* ~ *vid* be revolted by

1 vän [*ä*] *a* fair; graceful; lovely; sweet

2 vän [*ä*] *allm.* friend [~*nen S.* my (our o. s. v.) friend S.]; *äv.* lover [*av böcker* of books]; *en* [*god*] ~ *till mig* a friend of mine; *ha ngn till* ~ have a p.'s friendship; *mycket goda* ~*ner* great friends (**S** pals); *vara* (*bli*) [*god*] ~ *med ngn* be (make) friends with a p.; *jag är mycket god* ~ *med honom* he is one of my closest friends; *inte vara ngn* ~ *av* (*äv.*) not be fond of ([anhängare av] an adherent of)
vänd‖a I *tr* o. *itr* turn [[vagn] . . round; [hö] over . .]; [rikta] direct [*sina steg* o.'s steps]; *sjö.* bring . . round; ~ *allt till det bästa* make things turn out well in the end; ~ *ngn ryggen* turn o.'s back [up]on a p.; *med ansiktet vänt mot* . . facing . .; *vänd!* please turn over (P.T.O.)! ~ *om'* turn back; [åter-] return; ~ *om hörnet* turn [round] the corner; ~ *på huvudet* turn o.'s head; ~ *på sig* turn round; ~ *tillbaka* turn back; ~ *upp och ned på* . . turn . . upside down; ~ *ut och in på* . . turn . . inside out; [ficka] turn out . **II** *rfl* turn; [kring axel] *äv.* revolve; [om vind] shift, veer; *inte veta vart man skall* ~ *sig* not know which way to turn; *lyckan -e sig* (*äv.*) the luck changed; ~ *sig ifrån* turn away from; ~ *sig mot* turn towards ([fientligt] against, upon); [misstanke] fall upon; ~ *sig om* turn round; ~ *sig till ngn a*) *eg.* turn to[wards] a p.; *b*) [m. fråga o. d.] address o.s. (a question) to a p.; *c*) [för att få ngt] apply (appeal) to a p. [for . .]; see a p. [about . .] **-kors** turnstile **-krets,** *Kräftans* (*Stenbockens*) ~ the Tropic of Cancer (Capricorn) **-ning 1** [-ande] turning &c **2** [en ~] turn; [förändring] change [*till det bättre* for the better]; [uttryckssätt] turn [of phrase], term; *ta en annan* ~ (*äv.*) take a different course; *vara långsam i* ~*arna* be slow in o.'s movements; *bildl.* **F** be a slowcoach; *vara kvick i* ~*arna* be nimble (quick) **-punkt** turning-point; critical point, crisis **-skiva** *järnv.* turn-table **-tapp** pivot
vän‖fast *a* [loyally] attached to o.'s friends, constant in friendship **-gåva** gift from a friend (o.'s friends) **-inna** girl-(lady-)friend
vänj‖a I *tr* accustom [*vid* to]; [härda] inure [*vid* to]; ~*s vid att* . . be trained to the habit of . . -ing; ~ *av' ett dibarn* wean a child; ~ *ngn av med* [*att svära*] get a p. out of [the habit of] [. . -ing]; ~ *ngn av med en ovana* break a p. of a bad habit **II** *rfl* accustom o.s. [*vid* to]; [bli van] get accustomed (used) [*vid* to]; ~ *sig av med att* . . get out of the habit of . . -ing
vän‖krets circle of friends **-lig** *a* kind [*mot* to]; [godhjärtad] *äv.* kindly; [-skaplig: känslor, leende; råd; hund] friendly; *så* ~*t av er!* how kind of you! *ett* ~*t mottagande* a kind reception; *äv.* a friendly welcome **-ligen** se *-skapsfullt* **-lighet** kindness &c; *i all* ~ in a friendly way, *äv.* as a friend **-ort** *ung.* adoptive (adopted) town &c **-pris,** *till* ~ at a price as between friends
vänskap [*av* out of] friendship [*till* for]; *fatta* ~ *för* conceive a friendship for; [starkare] become attached to; *hysa* ~ *för* have a friendly feeling towards (for); *för gammal* ~*s skull* for old friendship's sake **-lig** *a* friendly; *stå på* ~ *fot med* be on friendly terms with **-s|band** tie (bond) of friendship; *knyta* ~ *med* form a friendship with **-s|bevis** token of friendship **-s|full** *a* friendly, kind[ly] **-s|fullt** *adv* kindly &c; [i brevslut] Yours [very] sincerely **-s|förbund** friendly alliance **-s|match** *sport.* friendly match **-s|pakt** treaty of friendship, friendship pact
vänslas *dep* [om hund o. pers.] fawn; jfr *svansa*
vänster I *a* left; jfr *höger* m. *ex.* o. *sms;* *till* ~ to the left [*om* of] **II** *s,* ~*n* (*polit.*) the Left **-flygel** *polit.* Left Wing **-gänga** lefthand thread **-hänt** *a* left-handed **-krets,** *i* ~*ar* in leftist circles **-man** Leftist, Radical **-orienterad** *a* with leftist (radical) sympathies (leanings) **-parti** leftist (radical) party **-sinnad** *a* radical, leftist **-styrning** [av bil] left-hand drive **-sväng** left turn **-trafik** left-hand traffic **-vriden** se *-sinnad*
vänsäll *a* popular; winning
vänt‖a I *tr* expect [*ett brev* a letter; *att ngn skall komma* a p. to come; *av* from (*ibl.* of)]; [in-, förestå] await; be in store for; *det är* (*var*) *att* ~ it's to be (might have been) expected; *som var att* ~ as might have been expected; [*inte veta*] *vad som* ~*r en* . . what may be in store for one; *tåget* ~*s* [*in*] *kl. 9* the train is due [to arrive] at 9 [o'clock]; ~ *ut ngn* wait till a p. goes (comes) **II** *itr* wait [*på* [*att ngn skall* . .] for [a p. to . .]]; ~ *lite!* wait a bit (minute)! *var god och* ~*!* just a minute, please! *få* ~ have to wait; *gå och* ~ wait [and wait]; *låta ngn* ~ keep a p. waiting; ~ *med* [*sa-*

ken] put off . .; [svaret] lät inte länge ~ på sig . . was not long in coming; ~ på vad som komma skall wait and see what will happen; svar ~s an answer is required **III** rfl expect [mycket av ngn a lot from a p.]; look forward to [mycket nöje much pleasure] **-an** wait[ing]; [för-] expectation; [orolig ~] suspense; i ~ på . . while waiting for . ., awaiting . . **-e|tid** time of waiting; under ~en kan du . . while waiting (you wait) you may . .

väntjänst, göra ngn en ~ do a p. a good turn

vänt||pengar extra fare sg for waiting **-rum -sal** waiting-room

väpna tr [rfl] arm [o.s.] **-re** hist. [e]squire

väppling clover, trefoil

1 värd [fungera som act as] host äv. biol.; se hyres~, värdshus~

2 vär|d a vanl. worth [besväret the trouble; att se[s] seeing]; [värdig] worthy [att minnas of remembrance]; Eder ~a skrivelse your esteemed letter; vara ~ (äv.) deserve; inte vara ngt ~ (bildl.) be good for nothing; det är fara -t att it is to be feared that; det är mödan -t att it is worth while to; det är inte -t att du går dit you had better not go there

värde [ha stort be of great] value; [is. egen-, personligt ~] worth; sätta [stort] ~ på set [great] store by; [attach great] value [to], appreciate; av noll och intet ~ quite worthless; till ett ~ av to the value of; [uppskatta . .] till sitt fulla ~ . . at its (o. s. v.) full value (worth); prov utan ~ sample of no value **-bestämning** determination of value **-brev** registered (Am. money-) letter **-full** a valuable **-föremål** article (object) of value; pl valuables **-förlust** loss of (in) value **-försämring** depreciation [of value] **-försändelse** registered letter (parcel) **-lös** a worthless; valueless, of no value **-minskning** depreciation **-mätare** standard [of value] **-papper** valuable document; [obligation] bond, security; [aktier] stock

värder||a tr allm. value [ngt högt a th. highly]; [högakta] esteem; [sätta värde på] appreciate; [bestämma värdet av] estimate [the value of]; [på uppdrag] appraise; [om myndighet] assess; ~ för högt (äv.) overestimate, overrate **-ad** a valued &c; min ~e [kollega] my honoured (esteemed) . .; Edert ~e av den [8 dennes] your [esteemed] favour of . . **-ing** valuation; appraisement; assessment **-ings|grund** basis of valuation **-ings|instrument** jur. certificate of valuation **-ings|man** valuer, appraiser

värde||sak object (article) of value; ~er (vanl.) valuables **-stegring** increase in value; appreciation; [gm förbättringar] betterment **-sätta** se -ra o. [sätta] värde [på] **-sättning** valuation; appraisement; appreciation **-teori** filos. theory of values

värdfolk, vårt ~ our host and hostess

värdig a worthy [en bättre sak of a better cause]; [m. -het] dignified; [passande] fitting, seemly **-as** dep deign ([nedlåta sig] condescend) to; inte ~ (äv.) deem it beneath one to **-het** [hålla på sin stand upon o.'s] dignity; [ss. egenskap] worthiness; [ställning] position; det är under min ~ it is beneath me (my dignity) **-t** adv worthily; in a dignified (&c) manner

värd||inna hostess; se hyres~ **-inne|plikter** duties of a hostess **-planta** bot. host [plant] **-s|hus** [is. på landet] inn; tavern; [krog] public house, **F** pub **-s|husvärd** innkeeper, landlord [of an inn &c] **-skap** hostship; vanl. duties pl of [a] host (&c); sköta ~et do the honours, act as host

värj||a I s sword; [stick-] rapier **II** tr [rfl] defend [o.s.] [mot against]; [man kan ej] ~ sig mot [intrycket av . .] . . get away from . . **-fäste** sword-hilt **-stöt** sword-thrust

värk ache, pain[s pl]; ~ar [birth-]throes **-|a** itr ache; det -er i [foten] my . . aches; det -er i hela kroppen [på mig] (äv.) I ache all over; ~ bort (ut) fester away (out)

värld world äv. bildl.; [jord] earth; Gamla (Nya) ~en the Old (New) World; hela ~en (eg.) the whole world; [alla människor] all the world, everybody; det är väl inte hela ~en! **F** it doesn't matter all that much! gå all ~ens väg go the way of all flesh; [folk] från hela ~en . . from all over the world; för allt i ~en! for goodness' sake! inte för allt i ~en! not for [all] the world! hur (vad) i all ~en? how (what) on earth? förr i ~en formerly, in former days; i hela ~en all over the world; här i ~en in this world; så går det till här i ~en that's the way of the world; skaffa saken ur ~en get rid of the matter; [frågan är] bragt ur ~en . . is settled once and for all

världs||alltet the universe; vetensk. cosmos **-banken** the World Bank **-bekant** a universally known **-berömd** a world-famed (-famous) **-bild** idea (conception) of the universe **-brand** conflagration **-dam** woman of the world; lady of fashion **-del** continent **-erfaren** a experienced in wordly affairs, **F** worldly-wise **-erfarenhet** worldly experience **-erövrare** conqueror of the world **-fientlig** a hostile to the world **-fred** world peace **-främmande** a ignorant of the world; [-frånvänd] unworldly-minded; [sak] unrealistic **-förakt** contempt of the world **-föraktare** cynic **-förbättrare** reformer **-handel** world (international) trade **-hav** ocean **-herravälde** world supremacy **-histori|a** world-history; -en the history of the world **-historisk** a historic **-hushållning** universal economics pl **-händelse** historic event **-karta** map of the world **-klok** a worldly wise **-kongress** international congress **-krig** world war; första ~et World War I (One) **-kris** world crisis **-kännedom** knowledge of the world

världslig a worldly [sinne spirit]; [av denna världen] mundane, . . of the world; [mots. kyrklig] secular; [mots. helig] profane; ~ makt temporal power; ~a nöjen worldly pleasures; ~a ting (äv.) temporal affairs **-het** worldliness &c; secularity, profanity **-t** adv worldly &c; ~t sinnad (äv.) worldly-minded

världs||litteratur world literature **-läge,** ~t the [political] situation in the world, the world situation **-makt** world-power **-man** man of the world **-marknad** international (world) market **-medborgare** citizen of the world; cosmopolitan **-medborgarskap** world citizenship **-mästare** world champion **-mästerskap** world championship **-omfattande** a world-wide; global [war] **-omsegling** circumnavigation of the globe **-ordning** system of the world; den nuvarande ~en (äv.) the present order of things **-organisation** world organization **-politik** world politics pl **-problem** world problem **-rekord** world record **-rykte** world[-wide] fame **-rymd** [universal] space (äv. : ~en) **-språk** world language **-stad** metropolis **-stat** world state **-trött** a weary of the world **-utställning** international exhibi-

tion, world fair **-van** *a* experienced in the ways of the world **-välde** world-empire **-åskådning** ideology; outlook on (view of) life
värma I *tr* warm; [rum] heat **II** *rfl* warm o.s.
värme warmth; [*fys.* o. stark ~] heat; *bildl. äv.* fervour, ardour; *med ~ (äv.)* warmly; *vid 20° ~* at 20° above freezing-point **-alstrande** *a* heat-producing **-anläggning** heating [plant] **-apparat** heater **-batteri** radiator **-behandling** *läk.* thermotherapy **-besparande** *a* **-besparing** heat-saving **-beständig** *a* heat-resisting **-bölja** heat wave **-dyna** electric pad **-energi** thermal energy **-enhet** unit of heat **-flaska** hot-water bottle **-förlust** loss of heat **-grad** degree [above zero] **-kostnad** cost of heating **-källa** source of heat **-känslig** *a* sensitive to heat **-ledare** heat conductor **-ledning** *vanl.* central heating **-lednings|element** radiator **-lednings|rör** hot-water(-air) pipe **-lära** thermology **-platta** hot-plate **-reglering** regulation of temperature, air-conditioning **-slag** heat stroke **-strålning** radiation of heat **-tillgång** heat supply **-utveckling** generation of heat **-utvidgning** thermal expansion **-värde** heating value **-överföring** heat transmission
värmning heating
värn defence; [garanti] safe-guard [*för freden* of peace]; [skydd] protection **-a** *tr* defend; safeguard; protect **-lös** *a* defenceless; *~a barn* [ofta] orphans
värnplikt [compulsory] military service, conscription; *fullgöra sin ~* serve o.'s time in the army (navy) **-ig** *a* liable to military service; *en ~ [officer]* a conscript.. **-s|-vägran** refusal to do military service; [av samvetsskäl] conscientious objection **-s|ålder** age for military service
värnskatt national defence levy
värp||a *tr* o. *itr* lay [eggs] **-höna** laying hen
värre I *a* [*bli* get] worse; jfr *svår; bli ~ och ~ (äv.)* go from bad to worse; *och vad ~ är* and what is worse; *eller ngt ändå ~ (äv.)* or (if not) worse; *det var ~ [det]!* that is more serious! **II** *adv* worse; [allvarligare] more seriously; *dess ~* se *tyvärr; så mycket ~* all the worse
värst I *a* worst; jfr *svår* o. *värre I; släkten är ~!* preserve me (us) from relatives! *det var [det] ~[a]!* well, I never! *det var det ~a jag har hört!* I never heard the like! *det ~a är att..* the worst [part] of it is that..; *det ~a är [undan]gjort (återstår)* the worst is over now (yet to come (be done)); *i ~a fall* if the worst comes to the worst; *mitt under ~a..* in the midst of [the]..; [*när..var*] *som ~* ..at its worst **II** *adv* **1** [the] worst; *äv.* [the] most **2** *inte så ~ bra* not [so] very good; *det är jag inte ~ glad åt* it doesn't make me any too happy
värv task; [åliggande] function, duty; [sysslor] pursuits *pl*, work; *fullgöra sitt ~ (äv.)* do o.'s part; *fredliga (krigiska) ~ (äv.)* the arts of peace (war) **-a** *tr mil.* enlist; [kunder] secure; *~ röster* canvass [for votes], electioneer; *~ trupper* raise (levy) troops; *låta ~ sig (mil.)* enlist **-ning** enlistment; *ta ~* enlist [in the army]
väsa *tr* o. *itr* hiss; *~ fram* hiss (wheeze) [out]
väsen 1 being; [sinnelag] character, disposition; [innersta natur] essence; [*han är*] *till hela sitt ~ [en..]* ..an essentially.. **2** [buller] noise; [bråk] fuss, ado; *mycket ~ för ingenting* much ado about nothing; *göra mycket ~* make a great fuss [*av ngn* of a p.; *av ngt* about a th.]; *göra ~ av sig* make a noise [in the world] **-s|befryndad** *a* kindred
väsentlig *a allm.* essential; [grundläggande] fundamental; [betydande] substantial (material) [*hjälp* help]; [huvudsaklig] main, principal; [livsviktig] vital[ly important]; *mindre ~* non-essential; *det ~a* the essential thing (part [*i* of]); *äv.* the essence [*i saken* of the matter]; *en ~ fördel* a real (positive) advantage; *en högst ~ skillnad* quite a considerable difference; *i allt ~t* in [all] essentials; [faktiskt] to all intents and purposes; *i ~ grad* to an essential degree; materially **-en** *adv* essentially; chiefly; [i väsentlig grad] materially, substantially **-het** essentiality, important (vital) matter, essential thing
väska bag; [portfölj] brief case, portfolio
väsljud *språkv.* spirant
väsnas *dep* make a noise (fuss), be noisy
vässa *tr* sharpen, whet
1 väst waistcoat; [*Am.* el. dam-] vest
2 väst west **V~afrika** West Africa **-an I** *s* se *-anvind* **II** *adv* from the west **-anvind, ~en** the west wind; *poet.* Zephyrus **V~australien** Western Australia **-blocket** the Western Bloc **-er I** *s* **1** [väderstreck] the west; jfr *norr* ex. **2** *~n* the West (Occident); *vilda ~n* the Wild West **II** *adv* west **V~erlandet** the West (Occident) **-erländsk** *a* western, occidental **-erlänning** occidental **V~europa** Western Europe **-europeisk** *a* Western European
västfick||a waistcoat (vest-)pocket **-s|format** vest-pocket size
väst||front *mil.*, *~en* the West[ern] front **V-indien** the West Indies *pl* **-indisk** *a* West Indian **-kust,** *på ~en* on the West Coast **-lig** *a* west[erly] [*vind* wind]; western [*grevskap* counties]; jfr *nord-* **-makterna** the Western Powers **-maktshåll,** *på ~* in Western circles **-politik** Western policy **-ra** *a* [the] western (*ibl.* west); *i ~ [England] (äv.)* in the West of .. **-romersk** *a, ~a riket* the Western Empire **-vart** *adv sjö.* westwards **-världen** the Western world
väta I *s* wet; *aktas för ~!* to be kept [in a] dry [place] **II** *tr* (*itr*) wet (*äv. : ~ på, ned); ~ ned sig* get [o.s.] wet; *~ under sig* wet o.'s bed
vät||e hydrogen **-e|bomb** hydrogen bomb **-e|haltig** *a* hydrogenous **-e|superoxid (-gas)** hydrogen peroxide (gas)
vätsk||a I *s* liquid; is. *biol.* fluid; *vid sunda -or* in good form **II** *rfl* [sår] run **-e|form,** *i ~* in liquid form
väv [*sätta upp en* loom a] web; [ss. material] fabric **-a** *tr* weave **-are** weaver **-bom** warp-([tyg-] cloth-)beam **-d** *a* woven **-eri** weaving-mill **-erska** weaveress **-nad 1** weaving **2** woven fabric; *biol.* o. *bildl.* tissue; *~er (äv.)* textiles; *en ~ av lögn* a tangle of lies **-nads|industri** textile industry; weaving **-ning** weaving **-sked** [weaver's] reed **-skola** weaving-school **-spole** weaving spool **-stol** [hand-]([mekanisk] power-)loom
väx|a I *itr* grow [*i* [år] in; *till ngt* into a th.]; *låta skägget ~* grow a beard; *~ i styrka* increase in strength; *skulderna -te till en stor summa* the debts accumulated into a big sum; *~ ngn över huvudet a) eg.* outgrow a p.; *b) bildl.* get beyond a p.'s control; *~ fast a)* take [firm] root; *b)* [vid ngt] grow [on] to a th.; *~ fatt ngn* catch a p. up in height (size); *~ fram* grow (come) up [*ur* out of]; [utvecklas] develop; *~ ifrån* outgrow; grow out of [*en vana* a habit]; *~ igen* [om sår] heal up; *~ ihop*

med grow to be a part of; ~ *in i a) eg.* grow into; *b) bildl.* grow familiar with [*sin uppgift* o.'s task]; ~ *om* outgrow; ~ *till sig* grow into a fine boy (o. s. v.); ~ *upp* grow ([hastigt] shoot) up; ~ *upp till man* grow into manhood; ~ *ur* grow out of; ~ *ut* [bli utvuxen] attain its (o. s. v.) full growth; ~ *över* overgrow **II** *rfl* grow [*stark* strong]

väx|el 1 *hand.* [*kort* (*lång*) short-(long-) dated; *inlösa en* cash a] bill [of exchange] [*förk.* B/E]; *egen* ~ bill drawn on o.s.; *prima* (*sekunda*) ~ first (second) of exchange; *dra -lar på ngn* (*bildl.*) draw a blank cheque on a p.; count too much upon a p.; *förfallen* ~ due bill; *protestera en* ~ have a bill protested; *utställa en* ~ make out a draft **2** [-mynt] [small] change **3** ⊕ switch; [på bil] [change speed] gear **-accept** promissory note **-affär 1** *göra ~er* do exchange business **2** [transaktion] bill transaction **-bank** discount bank **-blankett** bill-of-exchange form **-bord** ⊕ switchboard **-bruk** *jordbr.* rotation of crops **-förfalskning** forging of a bill **-hus** transmission gear; gear-housing **-innehavare** holder (bearer) of a bill **-konto** bill-account **-kontor** exchange-office **-kurs** [rate of] exchange **-låda** ⊕ gear-box **-mynt** [small] change **-protest** protest [of a bill] **-rim** alternate rhymes *pl* **-ryttare F** bill-jobber **-rätt** *jur.* law[s *pl*] of exchange **-rörelse** alternating motion **-slut** bill-contract **-spak** [i bil] gear[shift] lever; *flyg.* control lever **-spår** siding, shunting track **-spänning** ⊕ alternating voltage **-station 1** [telephone] exchange **2** *järnv.* shunting-station **-ström** ⊕ alternating current **-stämpel** bill-stamp **-sång** alternating song; [kyrklig] antiphony **-tagare** payee **-utställare** drawer [of a bill] **-varm** *a* cold-blooded **-verkan** reciprocal action, reciprocity **-vis** *adv* **1** [ömsesidigt] reciprocally **2** [omväxlande] in turns

växl||a I *tr* **1** [pengar] change; [utbyta] exchange [*ringar* rings]; *kan ni* ~ [*5 dollar*] *åt mig?* (*äv.*) can you give me change for . .? ~ *in* [pengar] cash; ~ *ord* altercate **2** ⊕ switch; *järnv.* shunt **II** *itr* **1** [skifta] vary; change; [~ om] alternate; [priser] fluctuate **2** [sköta växeln] turn the points; [i bil] change (shift) gear; *tåget ~r* the train is shunting **-ande** *a* varying &c; variable [*vindar* winds]; varied [*karriär* career] **-ing 1** [-ande] changing &c **2** [förändring] change; *äv.* fluctuation; [mellan två] alternation; [regelbunden] rotation; *årstidernas ~ar* the successions of the seasons; ~ *av pengar* exchange of money; **3** ⊕ switching; changing gear; *järnv. äv.* shunting **-ings|rik** *a* full of changes &c

väx|t I *a* [väl well] grown; jfr *-a; vara väl* (*illa*) ~ (*äv.*) have a fine (bad) figure **II** *s* **1** growth; *hämma . . i ~en* check the growth of . .; *stanna i ~en* stop growing **2** [kroppsbyggnad] shape, figure, build; *av medelstor* (*ståtlig*) ~ of medium height (a fine stature); *liten* (*stor*) *till ~en* short (tall) of (in) stature **3** [planta] plant; [ört] herb; *samla ~er* collect wild flowers **4** [tumör] growth; tumour

växt||art plant species **-biologi** plant ecology **-cell** plant cell **-del** part of a (the) plant **-familj** plant family **-fett (-föda)** vegetable fat (food) **-förädling** selective breeding of plants **-geografi** phytogeography **-gift** vegetable poison **-hus** greenhouse **-kraft** vegetative power, capacity for growth **-kännare** botanist **-lighet** vegetation **-liv** plant life; *äv.* flora **-margarin** vegetable margarine **-mylla** vegetable mould **-märg** vegetable marrow, *Am.* squash **-namn** name of a plant (plants), botanical name **-ort** locality, habitat **-papper** plant-drying paper **-period** period of growth **-press** herbarium press **-rike, ~t** the vegetable kingdom **-saft** sap [of plants] **-samhälle** plant association **-släkte** plant family **-sätt** way of growing, habit of growth **-ätande** *a* herbivorous **-ätare** [pers.] vegetarian

vörd||a [hålla i ära] revere; [starkare] venerate; [högakta] respect **-ig** *a* [hållning] portly; [i titel] reverend (Rev.) **-nad** [*visa ngn* pay a p.] reverence; veneration; *sonlig* (*dotterlig*) ~ filial piety; *hysa* ~ *för* revere, venerate; respect; *ingiva* ~ (*äv.*) command respect **-nads|betygelse** mark (token) of respect (reverence) **-nads|bjudande** *a* venerable; *äv.* august **-nads|full** *a* reverent[ial], respectful **-nads|värd** *a* venerable **-sam** *a* respectful **-samt** *adv* respectfully; *äv.* deferentially; [i brevslut] Yours respectfully

vört[**bröd** bread flavoured with] wort

W

wales||are Welshman **-isk** *a* Welsh **-iska 1** [språk] Welsh **2** [kvinna] Welshwoman

Warszawa Warsaw

watt *elektr.* watt **-mätare** wattmeter

wat[t]||tal *elektr.* wattage **-timme** watt-hour

W. C. *förk.* W.C. (= water-closet); lavatory

Weichsel the [river] Vistula

wellpapp se *vellpapp*

weltervikt[are] *sport.* welter-weight

Westfal||en Westphalia **-isk** *a* Westphalian

Wien Vienna *äv. i sms* (-er-) [*-mod* fashion] **w~are** Viennese [*pl* lika] **w~erbröd w~ersnitsel** se *viner-* **w~sk** Viennese **w~ska 1** [dialekt] Viennese idiom **2** [kvinna] Viennese woman (&c); lady (&c) of Vienna

wire ⊕ wire; [flertrådig] cable **-stag** bracing wire

wolfram *met.* se *volfram*

X

x *mat.* x; *söka* ~ find x

Xantippa Xanthippe [*äv.* i bet. ragata]

Xeno||fon Xenophon **x-n** *kem.* [ädelgas] xenon

xeroform *läk.* xeroform

x||-krok X wall-hook **-strålar** X-rays

xylo||fon *mus.* xylophone **-graf** xylographer

Y

yankee Yankee (**S** Yank) [i *Am.* särsk. = från New Engl.)
y-formig *a* Y-shaped
yl||a *itr* howl **-ande** howling
ylle wool; jfr *hel~* o. s. v.; *äv.* flannel; se *-tyg; koll* se *-varor, -plagg; av ~* [made] of wool; *äv.* woollen **-blus** woollen (flannel) blouse **-fabrik** wool-mill(-factory) **-filt** woollen &c blanket **-foder** woollen lining **-fodrad** *a* lined with wool &c **-halsduk** woollen scarf, *äv.* muffler **-kläder (-klänning)** woollen &c clothes (dress) **-lump** wool-rags *pl* **-muslin** woollenette, wool-muslin **-plagg** woollen garment; *pl äv.* woollies **-sammet** worsted velvet **-skjorta** flannel shirt **-spinneri** *konkr* wool-spinning mill **-strumpa** woollen ([av kamullsgarn] worsted) stocking ([kort] sock) **-tröja** woollen (flannel) vest; cardigan; *sport.* sweater **-tyg** woollen material, flannel **-vante** woollen mitten (glove) **-varor** woollen &c goods **-väveri** woollen cloth manufactory
ymnig *a* abundant, plentiful; jfr *riklig;* [regn] heavy; [tårar, bruk av . .] copious **-het** abundance, profusion **-hets|horn** cornucopia **-t** *adv* abundantly &c; [blöda] profusely; *förekomma ~* abound, be plentiful
ymp scion **-a** *tr* graft; *läk.* inoculate [*med* with; *på* on] **-kvist** scion **-ning** grafting; *läk.* inoculation **-stam** stock **-ställe** *äv.* graft **-vax** *trädg.* grafting-wax
yngel 1 *koll* brood; [fisk-, grod- o. d.] fry; [ännu i rommen] spawn **2** *ett ~* one of the brood &c **-röta** [hos bin] foul brood
yngla *itr* breed; [fisk o. d.] spawn; [fyrfotadjur] *äv.* litter; *~ av sig (allm.)* multiply
yngling youth; young man (**F** chap); *äv.* lad; [skol-] [school-]boy **-a|ålder** [years *pl* of] adolescence
yng||re *a* **1** [med jämför.] younger; [t. ex. delägare; *äv. ~* i tjänsten] junior; [nyare] more recent; [senare: t. ex. den ~ stenåldern] later; *se ~ ut* [*än man är*] *(äv.)* not look o.'s years; [*hr S.*] *den ~* . . Jun[ior]; *de ~* the juniors; the younger people **2** [utan jämför., t. ex. en ~ herre] young[-ish]; modern **-st** *a* youngest; jfr *-re;* most recent &c, latest; *den ~e, ~a i* [*familjen*] the baby (youngest [member]) of . .; *den ~e i tjänsten* the last appointed member of the staff
ynk||a se *ömka* **-edom,** *rena ~en* [om prestation] a poor show **-lig** *a* se *ömklig* **-rygg F** milksop, mollycoddle
ynnest [*visa* . . *en* do . . a] favour; se *gunst* **-bevis** [token of] favour
yppa I *tr* reveal, disclose; *äv.* let . . out; [tillfälle o. d.] divulge [alla: *för* to] **II** *rfl* **1** se *erbjuda II; äv.* turn up **2** [svårighet o. d.] arise, crop up
ypper||lig *a* excellent, splendid; [starkare] superb; [av hög kvalitet] superior; jfr *prima* **-lighet** excellence &c; superiority **-ligt** *adv* excellently &c; *han spelade ~ (äv.)* his acting was first-rate &c (**F** great) **-st** *superl. a* finest, best; highest; [man] noblest, greatest; [kvalitet] choicest
yppig *a* [växtlighet o. d.] luxuriant; [gräs] lush; [figur] full, plump; *. . med ~ barm* full-bosomed . . **-het** luxuriance; lushness
yr *a eg.* [*~* i huvudet] dizzy [in the head], giddy *äv. bildl.* [*av* [*glädje*] with . .]; *äv.* dazed [*av* by ([sömn] with)]; [*~* i mössan] *äv.* flustered (flurried) [*av* by]; [tom i huvudet] feather-brained; [vild] harum-scarum; *bli (vara) ~* turn (go; be, feel) dizzy &c; *som ~a höns (ung.)* like giddy geese **-a I** *s* **1** delirium; jfr *feber~;* [vild *~*] *äv.* frenzy **2** se *snö~* **II** *itr* be delirious; [vilt] rave [*om* about] **III** *itr* se *virvla; det* [snön] *yr* the snow is driving &c about; [*skummet*] *yr om* [*stäven*] . . is spurting about . .; *dammet yr i* [*luften*] *(på* [*vägarna*]) there are clouds of dust in . . (blowing up from . .); *~ igen* [om väg] get blocked with snow; *~ omkring* go whirling &c about **-hätta** madcap, tomboy, hoyden
yrk||a *tr* o. *itr* [begära] *(äv. : ~ på)* demand; *äv.* call (plead; [uppskov] apply) for; [ersättning] claim; [ihärdigt] insist [up]on [*att* . . *skall* . .'s . . -ing]; *parl.* move [*proposition* that the question be now put; *bifall* that the motion be agreed to] **-ande 1** [utan *pl*] demanding &c **2** [med *pl*] demand; claim; plea; [ersättnings-] suit [for damages]; *parl.* motion; *på ~ av* . . *(jur.)* at the instance of . .
yrke [. . *till ~t* a . . by] profession; [hantering] trade; [hantverk, is. i högre stil] craft; [sysselsättning] occupation; vocation
yrkes- i *sms vanl.* professional **-arbetare** skilled worker **-avund** professional (trade) jealousy **-betonad** *a* vocational **-broder** se *kollega* **-erfarenhet** experience in o.'s trade **-hemlighet** trade secret **-inspektion** factory (workers' welfare) inspection; *~en (äv. konkr)* the factory (trade) inspectors *pl* **-kunnig** *a* skilled, trained **-kvinna** business or professional woman **-man** *vanl.* craftsman **-mässig** *a* professional **-politiker** professional politician **-register** trade register **-rådgivning** vocational guidance **-sjukdom** occupational disease **-skicklighet** skill in (at) o.'s trade (&c), professional skill; [ofta] craftsmanship **-skola** trade (vocational) school **-stolthet** professional pride **-undervisning** vocational training **-utbildad** *a* skilled, trained **-utbildning** vocational training **-val** [the] choice of a profession
yr||sand drifting sand **-sel 1** [yrhet] dizziness &c; se *äv. svindel 1; jag greps av ~ (äv.)* my head began to swim **2** se *yra I 1; tala i ~* se *yra II* **-sel|anfall,** *få ett ~* have a dizzy fit **-sel|fantasier** delirious fancies **-snö** whirling &c snow **-vaken** *a* jfr *yr; äv.* startled out of [o.'s] sleep **-väder** snowstorm; blizzard
ysta I *tr* [mjölk o. *absol.*] make [. . into] cheese; [en ost] make **II** *rfl* curdle
yster *a* frisky; jfr *livlig, stojande; ~ flicka* se *yrhätta; en ~ lek* a romp[ing game]
yt||a 1 *allm.* surface; jfr *havs~ &c;* is. *bildl.* face *äv. geom.* **2** [område, -vidd] area; jfr *utrymme* **3** se *utsida* **-behandling** surface treatment **-beräkning** mensuration **-beskaffenhet** surface quality **-bildning** *geogr.* configuration **-friktion** surface friction **-innehåll** area **-lager** superficial stratum [*pl* strata], top layer **-lig** *a* superficial *äv. bildl.;* [sår; skönhet] skin-deep; [grund] shallow; *en ~ kännedom om* . . *(äv.)* a smattering of . . **-lighet** superficiality **-läge** *sjö.* surface position; *fart i ~* surface speed

-**målning** finishing coat -**mått** square measure -**skikt** surface layer -**spänning** surface tension -**ström** surface current
ytter‖dörr outer (front) door -**ficka** outer pocket -**kant** outer edge; *äv.* fringe -**kläder** outdoor clothes -**känga** overboot, snowboot
ytterlig *a* extreme; [fullständig] *äv.* utter; jfr *överdriven* -**are I** *a* further; jfr *mera;* [tillagd] additional **II** *adv* [vidare] further; [ännu mera] still more; jfr *dessutom, längre II;* ~ *[en sak]* one more . . (. . more), [yet] another . . -**het** [*gå till* go to an; *motsatt* the opposite] extreme; [-s|åtgärd] extremity; [överdrift] excess; *till* ~ *[svår]* se *-t; till* ~ *gående* . . [. . verging on the] extreme -**hets|fall** extreme case -**hets|man** extremist -**hets|parti** extremist party -**hets|åtgärd** extreme measure, last resort -**t** *adv* extremely; *äv.* exceedingly, excessively; . . in the extreme
ytter‖mur external wall -**mått** external dimension -**plagg** outdoor clothes (garment) -**ring** tyre, tire -**rock** overcoat, greatcoat -**sida** outer side; outside, exterior -**sko** overboot, snowboot
ytter‖st I *a* **1** *eg.* outermost; jfr *borterst II;* [friare: den ~a gränsen] [the] utmost; *bildl.* [den ~a vänstern] [the] extreme **2** [sist] last; *~a domen* the last judgment; [djupast liggande] ultimate, final **3** [till graden: högst, störst] [the (our &c)] utmost, extreme; *ligga på sitt ~a* be at the point of death; *till det ~a (äv.)* [kämpa . .] to the bitter end; [pressa . .] to the last extremity; [i (till) högsta grad] to an extreme pitch; jfr *anstränga [sig]* ex. **II** *adv* **1** [längst ut] farthest out (off), outermost; jfr *allra* ex. **2** [i sista hand] ultimately, finally; *äv.* in the last resort **3** se *-ligt; äv.* most, utterly; *en* ~ *stor [fara] (äv.)* an extreme . . -**tak** roof -**vägg** outside wall -**världen** the outer (outside) world -**öra** external ear
yttr‖a I *tr* utter; [uttrycka] express; jfr *säga, anmärka* **II** *rfl* **1** se *uttala II* **2** [visa sig] manifest itself -**ande 1** uttering &c **2** utterance, statement, remark -**ande|frihet** freedom of speech (expression) -**ande|rätt** [the] right of free speech, freedom of speech
yttre (jfr *inre*) **I** *a* [längre ut belägen: hamn; *äv.* sinnen] outer; [utanför (utanpå) varande: diameter] exterior; [d:o; *äv.* skador] external *äv. bildl.;* [utom familjen, huset, riket] external; jfr *utrikes;* [mått] *äv.* outside; [blott på utsidan; företräden] outward; *de* ~ *sju* the outer seven **II** *oböjl. s* exterior, outside; *till det* ~ externally, outwardly
yttring manifestation (show, mark) [*av* of]
ytvatten surface water
yvas *dep* give o.s. airs; ~ *över* be proud of, glory in
yvig *a* bushy [*svans* tail]; thick [*hår* hair]
yx‖a I *s* axe; *kasta ~n i sjön (ordspr.)* throw up the sponge **II** *tr,* ~ *till* rough-hew -**blad** axe-blade -**hammare** axe-head -**hugg** blow (cut) with (of) an (the) axe -**skaft** axe-handle(-helve)

Z

Zeeland Zealand; *Nya* ~ New Zealand
zenit *astron.* [the] zenith [*adj.* zenithal] -**punkt** zenith [point]
zeppelinare [luftskepp] Zeppelin (**F** Zep[p])
zigenar‖aktig *a* gipsyish -|**e** gipsy; *-na (äv.)* the Romany *pl* -**käring** gipsy hag -**liv** gipsy life -**pojke** gipsy boy -**språk[et]** Romany
zigenerska gipsy woman (girl, hag)
zink zinc *äv.* i *sms* -**haltig** *a* zinciferous; *äv.* zincic -**legering** zinc-base alloy -**plåt (-salva)** zinc plate (ointment) -**vitt** zinc white (oxide)
zion‖ist Zionist -**ism** Zionism
zodiaken *astron.* the Zodiac
zon zone; *indela i ~er* zone, divide into zones -**tariff** *järnv.* zone tariff -**tid** zone time
zoo‖log zoologist -**logi** zoology -**logisk** *a* zoological; ~ *trädgård* zoological garden, **F** Zoo
zulu Zulu -**kaffer** Zulu-Kaffir -**språk[et]** Zulu
zwinglian -**sk** *a* Zwinglian

Å

1 å [small] river *äv. i sms; äv.* stream; jfr *bäck; gå över ~n efter vatten (ordspr.)* carry coals to Newcastle
2 å *prep* se *på*
3 å *itj* oh!
åberop‖a I *tr* [som källa, sagesman] cite, quote; [anföra] adduce [*som exempel* as an example]; [framdraga] allege [*som ursäkt* as an excuse]; [till försvar] plead **II** *rfl,* ~ *sig på* se *I* -**ande,** *[under]* ~ *[av]* . . *a)* on the plea [*att* . . that . .]; *b) hand.* [. . mitt brev] referring you to . .
åbäk‖a *rfl* make grotesque gestures, *äv.* pull faces; [friare] se *2 göra V 4* -**e** huge and clumsy creature (thing); *ett* ~ *till karl* a [great] hulk of a fellow -**ig** *a* unwieldy, hulky, shapeless
ådagalägg‖a *tr* **1** [visa] show [o.s. to possess]; manifest; display, exhibit **2** [bevisa] prove -**ande** *s* manifestation &c
åder *allm.* vein; [i berg] *äv.* streak -**bråck** varicose vein[s *pl*] -**förkalkning** arteriosclerosis -**låta** *tr allm.* bleed; *bildl. äv.* drain -**låtning** bleeding; blood-letting; *bildl.* drain

ådra[ga] **I** *tr* bring down .. upon; cause [*ngn omak* a p. inconvenience] **II** *rfl* bring down .. upon o. s.; [sjukdom] contract; [förkylning] catch; [utsätta sig för] incur [*kritik* criticism]; ~ *sig en skada* se *skada* [*sig*]
ådr‖ig *a* veiny; [trä, sten o. d.] grained, streaked; *bot.* venous **-ing** veining; *mål.* graining; venation; [i trä] grain; [i berg] *äv.* streak
ådöma *tr* sentence [*ngn ngt* a p. to a th.]; inflict [*ngn straff* a penalty upon a p.]; ~ *ngn böter* [impose a] fine [on] a p.
å|hå *itj* aha! oh! ho! *-hej* ~*!* heigh-ho!
åhör‖a listen to; [föreläsning] attend **-are** hearer; listener; *koll* audience **-ar|läktare** [auditors'] gallery
å‖ja *adv* se *tämligen;* ~*, men* .. well, but .. **-jo** se *-ja; äv.* oh yes
åka *itr* o. *tr* **1** *vanl.* go [[*med*] [*tåg*] by ..]; jfr *1 resa II; eg.* ride [[*i*] [*spårvagn*] in a ..]; [eg. köra] drive [[*i en*] *bil* in a car]; *absol.* go by car (&c); ~ *cykel* [ride on a (o.'s)] bicycle, **F** bike; ~ *efter häst* drive; ~ *fritt* travel free; *fara ut och* ~ go for a ride (drive) **2** ~ *kälke* toboggan; ~ *skidor* run on skis, ski; ~ *skridsko* skate **3** ~ *efter* [hämta] fetch .. [by car &c]; ~ *förbi* (*om*) overtake, pass; ~ *in* **F** [i fängelse] land in jail; [*få*] ~ *med* get a lift; ~ *omkull a) itr* have a fall [*på cykel* from o.'s bicycle; *på isen* on the ice]; *b) tr* run .. down; ~ *ut* **F** [kastas ut] be turned (kicked &c) out
åkalla *tr* invoke, call upon **-n** invocation
åk‖are **1** [-eriägare] cab-proprietor **2** [common] carrier **-ar|häst** cab-horse **-ar|kärra** cart **-ar|lön** [för gods] cartage **-don** vehicle; jfr *for-*
åker [-fält] [tilled] field; [-jord] arable land, cultivated soil; *ute på* ~*n* out in the field[s *pl*] **-areal** area of cultivated land **-bruk** se *jord-* **-bär** arctic bramble
åkeri livery-stable[s *pl*]
åker‖jord arable land **-lapp** patch of cultivated ground **-råtta** field-mouse **-senap** charlock, wild mustard **-vinda** bindweed **-ärt** field-pea
åklag‖a se *åtala* **-are,** *allmän* ~ public prosecutor; *Am.* district attorney; se *kärande*
åkomma affection; *äv.* complaint; jfr *sjukdom*
åktur, *göra en* ~ go for a ride (drive); jfr *åka*
ål eel; [havs-] conger [eel]
Åland [the] Åland [Islands]
ålder age; *ha* ~*n inne* be old enough [*för att* .. to ..]; jfr *myndig 1; av* ~ of old; *efter* ~ according to age ([i tjänsten] seniority); *i en* ~ *av* .., *vid* [*80 års*] ~ aged (at the age of) ..; *i sin bästa* ~ in the prime of [o.'s] life; *mogen* ~ maturity **-dom** old age **-domlig** [gammaldags] old-fashioned [*idéer* ideas]; [föråldrad] archaic [*ord* word]; ancient [*bruk* custom]
ålderdoms‖hem home for the aged; *äv.* almshouse **-krämpor** [the] infirmities of old age **-slö** *a* senile **-svag** *a* decrepit **-svaghet** decrepitude
ålderman [i skrå] [guild-]master, alderman
ålder‖sbetyg birth certificate **-s|grupp** age group **-s|gräns** age limit **-s|klass** age class **-s|president** president by seniority; [i underhuset] Father of the House [of Commons] **-s|skillnad** difference of age **-s|tecken** sign of age **-stigen** *a* aged; advanced in years **-s|tillägg** age bonus
åld‖rad *a* aged &c **-ras** *dep* grow old[er], age **-rig** *a* old; aged **-ring** old man (woman &c); ~*ar* old people
åligg‖a *itr* be incumbent [up]on; jfr *tillkomma 3* **-ande** *s* duty; [uppgift] task; [skyldighet] obligation; *sköta sina* ~*n* discharge the duties of o.'s office
ål‖kista eel-hatch **-ning** *mil.* **F** belly-flopping **-skinn** eel-skin
ålägga **I** *tr* enjoin [*ngn tystnad* silence upon a p.]; impose [*ngn en uppgift* a task upon a p.]; [befalla] command, order **II** *rfl* impose .. upon o.s.
åminnelse commemoration **-fest (-gudstjänst)** memorial festival (service)
ånej *itj* not [so] very [much]; really! oh no!
ång‖a **I** *s* [[*driven*] *med* .. by] steam; *fys.* [*som* in the form of] vapour; *ha* ~*n uppe* have steam up; *få upp* ~*n* get up steam **II** *itr* **1** steam [*av* with]; *det* ~*r av* [*grytan*] steam is rising from .. **2** [rörelse] ~ *bort* steam off **-are** steamer, steamship (S/S); [större] liner; *med* ~*n* [*A.*] by the .., by [the] S/S .. **-bad** vapour-bath **-bageri** steam bakery **-bildning** steam generation **-båt** steamboat; jfr *-are*
ångbåts‖bolag steamship company **-brygga** jetty, landing-stage **-förbindelse** steamship service; *det finns* ~ [*mellan* ..] (*äv.*) steamers are plying .. **-led** **1** [-ränna] channel [navigable for steamers] **2** [-rutt] steamship line (route) **-lägenhet,** *med första* ~ by the first steamer leaving [*till* for] **-resa** steamer voyage **-trafik** steamship service
ångdriven *a* [båt] steam-propelled; [maskin] run by steam [power]
ånger repentance [*över* for (of)]; remorse; [svagare] regret [*över* at (for)] **-full** *a* repentant [*över* of]; remorseful [*över* at]; regretful **-köpt** *a* se *-full; bli (vara)* ~ regret it (&c); *eg.* rue o.'s bargain
ångest agony [of fear]; [ängslan] anxiety, anguish; *i dödlig* ~ in deadly fear [*för* of] **-full** *a* filled with agony, agonized **-fullt** *adv* in an agony of fear **-känsla** alarm; sense of agony **-skri** cry (shriek) of agony
ång‖fartyg steamship **-färja** steam ferry **-koka** *tr* steam **-kraft** steam power **-kraftverk** steam power plant (works *sg* o. *pl*) **-maskin** steam-engine **-maskins|lära** steam engineering **-mätare** steam gauge **-panna** [steam] boiler **-preparerad** *a* evaporated; ~*e havregryn* rolled oats
ångra **I** *tr* repent [of]; *vanl.* regret (feel sorry for) [*att man sagt* saying] **II** *rfl* repent; regret, be sorry; jfr *ătra*
ång‖skåp se *-bad* **-slup** steam launch **-spel** steam winch **-spruta** steam fire-engine **-stråle** jet of steam **-tryck (-turbin -vissla -vält)** steam-pressure (-turbine, -whistle, -roller)
ånyo *adv* anew, afresh, [all] [over] again
år year; i *pl äv.* [ålder] [*vid mina* at my] age; *gott nytt* ~*!* A Happy New Year; *hela* ~*et om* all the year round; ~ *1947 a) ss. adv* in [the year] 1947; *b) ss. subj.* the year 1947; *han fyller* ~ *i morgon* tomorrow is his birthday; .. *som utkommer* (*händer*) *vart annat* (*tredje*) ~ (*äv.*) biennal (triennal) ..; ~*s* se *-årig, -åring, dags; 1870* ~*s krig* (*riksdag*) the war ([parliamentary] session) of 1870; *två* ~*s fängelse* two years' imprisonment; *i* ~ this year; *för ett* ~ *sedan* a year ago; *i två* ~ [for] two years; *med* ~*en* with years (age); *om ett* ~ in a year['s time]; *i dag om ett* ~ a year from now; *om* ~*et* a (per) year; annually; *på flera* ~ for [several] years

(for ages); *på de sista ~en* in the last few years; *sedan några ~* [*tillbaka*] for some years past; *till ~en a)* [ung . .] . . in years; *b)* [. . kommen] advanced in years; *vara över 70 ~* be past (over) seventy [years of age]
åra oar; [liten] scull; [paddel-] paddle
åratal, *i* (*under*) *~* for years [and years]
årblad oar blade
år‖gång 1 [av tidn. o. d.] *en ~* a year's issue, an annual set; *5:e ~en* the fifth annual volume; *gamla ~ar* (*äv.*) back numbers **2** [av vin] vintage; *äv.* year **-hundrade** century
-årig 1 *en fem-* [*pojke*] a five-year-old . .; *äv.* a . . of five **2** *ett fem-t* [*avtal*] a five-year . .; *en fem-* [*vistelse* (*vänskap*)] a . . of five years[' duration (standing)] **3** [*han, avtalet var*] *fem-[t]* . . a boy of five; . . for five years
-åring, *en fem-, femton-, femti-* a five-year-old child (&c); a fifteen-year-old youth (&c); a fifty-year-old man (&c)
årklyka row crutch
årlig *a* annual, yearly **-en** *adv* annually, yearly, every year
års‖avgift annual subscription **-avslutning** breaking-up [of school]; *äv.* commencement **-barn**, *vi äro ~* we were born in the same year **-behov** yearly (annual) requirement **-berättelse** annual report **-biljett** annual ticket **-bok** year-book **-dag** anniversary **-fest** annual festival (celebration); [firmas, klubbs] annual dinner **-förbrukning** annual consumption **-gammal** *a* one-year-old; [vänskap] year-long; *ett ~t djur* a yearling **-inkomst** annual income **-kamrat**, *vi voro ~er på . .* we attended the same course (passed our exam (**F**) in the same year) at . . **-klass** *mil.* age group **-kontingent** *mil.* levy **-kort** season ticket **-lång** *a* lasting one year (many years) **-lön** [a] year's salary; *med . . i ~* at a salary of . . a year **-möte** annual meeting **-omsättning** annual turnover **-prenumeration** annual subscription **-ring** annual ring **-skifte** (**-slut**) turn (end) of the year **-tid** season; time of the year **-underhåll** annuity **-vinst** annual profit **-växt** [the] year's crop
årtag stroke of the oar (oars)
år‖tal date; year **-tionde** decade
år|tull *sjö.* rowlock; thole, thole-pin[s *pl*]
årtusende, *ett ~* a thousand years, *äv.* a millennium; *under ~n* for thousands of years
ås 1 *allm.* ridge; *geol. äv.* hogback **2** se *tak~*
å‖satt *a, en ~ stämpel* a stamp impressed [to . .]; *det ~a priset* the price marked **-se** *tr* look at, witness, watch
åsido|sätta *tr* set aside; [inte beakta] disregard, ignore
åsikt opinion (view) [*om* about (on, as to, of)]; jfr *mening; de ha olika ~er* they are of different opinions (hold different views); *vad har du för ~?* what's your opinion? **-s|brytning** difference of opinion **-s|frihet** freedom of opinion **-s|utbyte** exchange of views **-s|ändring** change of opinion
åsk‖a I *s* thunder *äv. bildl.*; jfr *-väder; ~n går* se *II; ~n slog ned i . . .* . . was struck by lightning **II** *itr opers, det ~r* it's thundering, there is thunder **-by** thunder-shower **-dunder** rumble of thunder **-front** front of thunderstorms **-knall** clap &c of thunder **-ledare** lightning-conductor **-lik** *a* thundery **-moln** (**-regn**) thunder-cloud (-rain) **-slag** burst of thunder; jfr *-vigg*
-tung *a* black with thunder **-vigg** thunderbolt **-väder** [a] thunderstorm
åskåd‖a se *åse* **-are** *vanl.* spectator; *eg. äv.* onlooker, looker-on; [friare] *äv.* bystander **-ar|läktare** [spectators'] gallery **-lig** *a* clear; [för ögat] visual; *äv.* graphic [*skildring* description] **-lig|göra** *tr* make . . clear &c, visualize; illustrate [*med* by] **-lighet** clearness; perspicuity **-ning** *vanl.* view, way of looking at things ([friare] of thinking); jfr *världs~* **-nings|materiel** *koll* materials *pl* for object-lessons; [friare] [*såsom* as an] illustration **-nings|undervisning** object-teaching; [lektion] object-lesson
åsn‖a donkey; *bildl. bibl.* ass **-e|skri** the bray[ing] of donkeys (a donkey) **-inna** she-ass
åstad *adv* off **-komma** *tr* bring about (effect, work) [*en förändring* a change]; [orsaka] cause, make; [frambringa] produce; [göra] do
åstrand river bank
å‖stunda *tr* desire; [åtrå] covet **-stundan** desire, longing **-syfta** *tr* aim at; [ha i sikte] have . . in view; [ämna] intend, mean **-syftad** *a* aimed at &c; desired [*verkan* effect] **-syn** sight **-syna** *a, ~ vittne* [ocular] witness [*till* of]
åt I *prep* **1** to; [för ngns räkning] for; *ge ngt ~ ngn* (*äv.*) give a p. a th. **2** [rumsbet.] towards (in the direction of) [the town]; *~ vänster* to the left **3** [friare] at; *glad ~* glad at; *vad går det ~ dig?* what is up (the matter) with you? *äv.* what has come over you? *göra ngt ~ saken* do something in the matter; *han tog ~ sig* (*äv.*) it went home; *det var rätt ~ honom* it served him right **4** *en ~ gången* one at a time **II** *adv* se *draga* (*komma, sitta*) [*åt*] m. fl.
å‖taga *rfl* undertake; assume [*ansvaret* the responsibility]; *~ sig att* (*äv.*) engage to **-tal** action; [*laga* legal] prosecution; *väcka ~ mot* bring an action (take [legal] proceedings) against, *äv.* proceed against **-tala** *tr* prosecute, sue . . at law; *missbruk ~s* penalty for improper use; *den ~de* (*vanl.*) the defendant **-talbar** *a* indictable, actionable **-tanke** remembrance; *ha i ~* remember, bear . . in mind; *komma i ~* be remembered (thought of)
åtbörd gesture; *göra ~er* gesticulate
åtel carrion
åtdraga *tr* draw (tighten) [a screw]
åter *adv* **1** [tillbaka] back [again] **2** [ånyo] again; once more; [~ jämte verb] re- [reopen]; *nej och ~ nej!* a thousand times no! **3** [däremot] on the other hand, again **-begära** *tr* claim back **-berätta** *tr* retell **-besätta** *tr mil.* reoccupy **-betala** *tr* repay, pay back, refund **-betalning** repayment **-blick** retrospect[ive survey], review **-bud**, *ge* (*skicka*) *~* send word *a)* [to say] one cannot come, *b)* to a p. not to come; *äv.* cancel an engagement **-bära** *tr* return, restore; *hand. äv.* refund, restitute **-bäring** return, restitution **-börda** *tr* restore; *~ till hemlandet* repatriate **-erövra** *tr* recapture, win back **-erövring** reconquest; recapture **-fall** relapse [*i* into] **-falla** *itr* **1** relapse [*i* into]; *äv.* fall (slide) back **2** *~ på* recoil upon **-falls|förbrytare** recidivist, backslider **-finn|a** *tr* find . . again, recover; [*citatet*] *-es* . . is to be found **-flygning** return flight **-fordra** *tr* demand . . back, *äv.* reclaim; [lån] call in **-få** *tr* get (have) . . back; recover [one's health]; *~ livet* (*äv.*) come back to life **-färd** = *-resa* **-föra** *tr* bring . . back; *~ ngt till* trace a th. back

to **-förena** *tr* reunite, bring .. together again; ~ *sig med* rejoin **-förening** reunion, reunification **-försäkra** *tr* reinsure **-försäkring** reinsurance **-försäkrings|bolag** reinsurance company **-försälja** *tr* sell .. at second hand; [i minut] retail **-försäljare** retail dealer **-försäljning** resale, sale at second hand **-förvärv** recovery, retrieval

åter||ge *tr* **1** give back, return **2** [tolka] render; *äv.* reproduce [*i tryck* in print]; [framställa] represent; ~ *en roll* (*äv.*) act a part, impersonate; ~ *i ord* express in words **-givande** *s* **1** return **2** rendering; reproduction; representation; impersonation **-glans** reflected lustre, reflection **-gå** *itr* **1** go back, return; [hemfalla] *äv.* revert [*till* to] **2** [om köp] be cancelled (off); *låta* .. ~ rescind **-gång** return; reversion; *mek.* backward motion; [av köp] annulment, rescission, cancellation **-gälda** *tr* repay; *bildl.* reciprocate; return [*ont med gott* good for evil]; ~ .. *med otack* requite .. with ingratitude

åter||hålla *tr* restrain (hold back) [*ett leende* a smile]; [undertrycka] suppress; *med -hållen andedräkt* (*rörelse*) with suspended breath (restrained emotion) **-hållsam** *a* abstemious; [måttlig] temperate **-hållsamhet** abstemiousness; temperance **-hämta I** *tr* fetch .. back; *bildl.* recover, regain **II** *rfl* recover **-hämtning** recovery **-igen** *adv* again **-införa** *tr* reintroduce &c; jfr *införa* **-insätta** *tr* reinstate, reinstall **-inträda** *itr* re-enter; ~ *i tjänst* resume o.'s duties **-inträde** re-entrance, return **-kalla** *tr* **1** recall, call back; [löfte] retract; [order] cancel, countermand **2** [återtaga] revoke [*ett påbud* an edict]; jfr *upphäva 2* **-kasta** *tr* [ljus] reflect; [ljud] reverberate, re-echo **-klang** reverberation, resonance; echo *äv. bildl.* **-klinga** *itr* resound *äv. bildl.*; ring again **-knyta** *tr bildl.* resume, renew; [förbindelser] *äv.* re-establish, restore **-komma** *itr* return, come back (again); revert [*till ämnet* to the subject]; [tanke, tillfälle] recur; *vi hoppas få* ~ *(hand.)* we hope to have an opportunity of returning to the matter **-kommande** *a bildl.* recurrent **-komst** return **-koppla** *radio.* feed back **-köp** repurchase **-köps|värde** surrender value

åter||lämna *tr* return, give back **-lösa** *tr* redeem **-lösning** redemption **-marsch** return march, march back **-remiss** remitment; *yrka* ~ move [that a (the) bill be sent back] for reconsideration; *Engl.* move the previous question **-remittera** *tr* remit .. for consideration **-resa** return[-journey, -voyage], journey (&c) back; *på* ~*n* (*äv.*) on one's (&c) way back **-se** *tr* see (meet) .. again; ~ *varandra* (*äv.*) meet again **-seende** meeting [again]; *på* ~*!* I hope I'll see you again; so long! see you later! **-skall** echo, reverberation **-sken** reflection, reflex **-skänka** *tr* give back; ~ *ngn livet* restore a p. to life **-spegla** *tr* reflect, mirror **-spegling** reflection; *konkr äv.* reflex **-stod** rest, remainder; [lämning] remnant, remains *pl* **-studsa** *itr* rebound; [om kula] ricochet; [ljud, ljus] be reflected **-stå** *itr* remain; [vara kvar] be left [over]; *det* ~*r mig inte annat än att* I have no choice but to, I have nothing left but to; *det värsta* ~*r* the worst is still to come; *hans* ~*ende dagar* the rest (remainder) of his days **-ställ|a** *tr bildl.* restore; [-lämna] return; **-d** [frisk] recovered **-ställnings|tecken** *mus.* natural **-sända** *tr* send back, return **-ta[ga]** *tr* **1** take back; [-erövra] recapture; [-vinna] recover **2** = *-upptaga* **3** [upprepa] repeat **4** [-kalla] withdraw (cancel) [*en beställning* an order]; ~ *sitt ord* retract one's word **5** [åter tala] resume **-tåg -tåga** *itr* retreat

återupp||bygga *tr* rebuild **-byggande -byggnad** rebuilding; reconstruction **-liva** *tr* revive, reanimate; [vid drunkning] resuscitate **-livning[s|försök** attempt (effort) at] resuscitation **-repa** *tr* repeat, reiterate **-repning** repetition, reiteration **-rustning** rearmament **-rätta** *tr* reestablish; [ngn[s ära]] rehabilitate **-stå** *itr* arise anew; be resuscitated **-ta[ga]** *tr* take up .. again; resume [[one's] work]; ~ *ngt till behandling* (*äv.*) reconsider a th. **-väcka** *tr* reawaken; [friare] revive

åter||utsända *tr radio.* re-transmit **-utsändning** *radio.* re-transmission **-val** re-election **-verka** *tr* react; retroact; have repercussions [*på* on] **-verkan** reaction; repercussion **-vinna** *tr* win back [again]; [-få] regain (recover) [*fattningen* one's composure] **-visit** return visit (call) **-väg** way back, return; *vara på* ~ be on one's way back, be returning **-välja** *tr* re-elect **-vända** *itr* turn (go, come) back; return [home]; revert [*till ämnet* to the subject] **-vändo,** *det finns ingen* ~ there is no turning back; *utan* ~ *(äv.)* irrevocably **-vänds|gränd** blind alley, *äv.* cul-de-sac *fr.*; *bildl. äv.* impasse *fr.* **-växt** fresh growth; young generation

åt||följa *tr* accompany; [ledsaga] attend *äv. bildl.*; [följa efter] follow, succeed **-följande** *a* accompanying; attending; attendant [*omständigheter* circumstances]; [bifogad] enclosed **-gång** [förbrukning] consumption; [avsättning] sale; *ha* ~ se *gå* [*åt*] o. *strykande* **-gången** *a, illa* ~ roughly used (handled, knocked about), *äv.* in a sad condition **-gärd** measure; [mått o. steg] step; ~*er* (*jur.*) proceedings; *träffa* ~*er* take (adopt) measures, take steps **-görande,** *det skedde utan mitt* ~ it was none of my doing **-hävor** gestures; [sätt] manners **-komlig** *a* within reach [*för* of]; *lätt* ~ easy of reach (access); *lätt* ~ *för* (*äv.*) within easy reach of **-komlighet** accessibility **-komst,** *laglig* ~ lawful possession **-komst|handling** title[-deed], document of title **-lyda** *tr* obey **-lydnad** obedience **-löje** ridicule; [gyckel] derision; [föremål för ~] laughing-stock; *göra ngn till ett* ~ bring ridicule upon (make a laughing-stock of) a p. **-minstone** *adv* at least; [minst] at the [very] least; [i alla fall] at any rate, anyhow **-njuta** *tr* enjoy; jfr *äga* o. *erhålla* **-njutande** enjoyment; *komma i* ~ *av* come into possession (get the benefit) of

åtra *rfl* change one's mind, go back upon what one has said

åtrå I *s* [ardent] desire [*efter* for]; [sinnlig] [carnal] lust (appetite) **II** *tr* desire **-värd** *a* desirable

åt||sittande *a* tight[-fitting] **-skild** *a* separate[d]; [*ligga* lie] apart; *bildl. äv.* distinct[ive] **-skilja** *tr* separate; part; [olika raser] segregate; [skilja mellan] distinguish [between] **-skillig** *a* a good deal of ..; ~*a* various, divers, sundry; [många] quite a number of .., a good many ..; [flera] several **-skilligt** *adv* a good deal, considerably, not a little, quite **-skillnad** [*göra* make a] distinction; jfr *skillnad; utan* ~ indifferently **-skils** *adv* apart, asunder **-stramning** [på börs] stiffening

ått||a I *räkn.* eight; ~ *dagar* a week **II** *s* eight; *sms* se *fem* o. *-årig, -åring* **-a|foting** *zool.* octoped **-a|hörning** octagon **-klassig** *a,*

~t läroverk school with eight forms (grades) **-a|sidig** *a* eight-sided **-a|timmarsdag** eight-hour [working-]day **-io** eighty **-ionde** eightieth **-ion[de]del** eightieth [part] **-i|tal,** *ett ~ [människor]* some eighty . .; *på ~et* in the eighties **-kantig** *a* octagonal **-onde** eighth **-on[de]del** eighth [part]; *sju ~ar* seven eighths; *~s not* eighth-note, quaver

å||verkan injury (damage) [*på* to]; *göra ~* commit (do) damage (&c) **-vägabringa** *tr* bring about, effect; jfr *åstadkomma*

Ä

äck||el nausea, sick feeling; *bildl.* disgust; *jag känner ~ vid blotta tanken på det* the mere thought of it makes me feel sick **-la** *tr* nauseate, sicken; disgust; *det ~r mig (äv.)* it makes me feel sick, it turns my stomach **-lig** *a eg.* nauseating; [friare] sickening

äd|el *a* noble; [av ~ ras] thorough-(true-)bred; [metall o. d.] precious; *-lare delar [i kroppen]* vital parts (organs); *-lare nöjen* refined pleasures; *~t villebråd* big game **-het** nobleness, nobility **-metall** precious metal **-mod** nobility, magnanimity; [högsinthet] generosity **-modig** *a* noble-minded, generous; [storsint] magnanimous **-sten** precious stone; [arbetad] gem, jewel

ädling noble[man], noble man

äg||a *tr* **1** own, be the owner of; [ha i sin ägo] possess; [ha] have [*rätt att* a right to]; *allt vad jag -er och har* all [that] I possess (have), all my worldly possessions; *~ giltighet* be valid; *det -er sin riktighet* it is true (a fact) **2** [ha skyldighet] *~ att* have (be required) to **-ande|rätt** right of possession, proprietorship, ownership; [litterär] copyright **-are** owner, proprietor **-arinna** owner; *äv.* proprietress

ägg egg; *ligga på ~* sit on eggs **-cell** ovum **-formig** *a* egg-shaped **-[g]ula** yolk; *en ~* the yolk of an egg **-kläckning** hatching, incubation **-kläcknings|maskin** hatching-apparatus, incubator **-kopp** egg-cup **-ledare** *anat.* oviduct **-låda** omelet[te] **-läggning** egg-laying **-läggnings|rör** ovipositor **-pulver** egg-powder **-rund** *a* oval **-röra** scrambled eggs *pl* **-sjuk** *a, som en ~ höna* like a hen wanting to lay **-skal** egg-shell **-stock** *anat.* ovary **-stocks|inflammation** ovaritis **-toddy** egg-nog(-toddy) **-vita** **1** white of [an] egg **2** *läk.* Bright's disease **-vite|ämne** albumen

ägn||a **I** *tr* devote [*åt* to]; [högtidligt] dedicate [*sitt liv åt* one's life to]; [friare] give [*ngn en tanke* a p. a thought]; [skänka] bestow [*omsorg* care; *tid* time; *åt* on]; *~ uppmärksamhet åt* pay attention to **II** *rfl* **1** *~ sig åt* devote o.s. to; [utöva] follow [*ett yrke* a trade]; pursue (embrace) [*ett kall* a calling]; [slå sig på] take up (go in for) [*lärar-yrket* teaching] **2** *~ sig för* be suited (adapted) for (to); [om sak] *äv.* lend itself to **-ad** *a* suited; *~ att* calculated to; [friare] likely to

ägo possession; *komma i ngns ~* come into a p.'s hands **-byte** exchange of property **-del[ar]** property *sg; -ar (äv.)* possessions, goods **-r** estate (property) *sg*, land[s] **-tvist** ownership dispute

äkta **I** *a* **1** genuine; [text] *äv.* authentic; [konstverk] original; real [*pärla* pearl; *silver* silver]; [uppriktig] sincere; [sann] true [*skald* poet]; *~ vara* the genuine article, *äv.* the real thing **2** *~ barn* legitimate child; *~ hälft* **F** better half; *~ makar* husband (man) and wife, married people: *~ man* husband; *~ par* married couple; *född i ~ säng* born in wedlock (in marriage bed) **II** *tr* marry, wed; *äv.* espouse

äktenskap marriage; [äkta ståndet] *äv.* matrimony; *tio års ~* ten years of married life; *ingå ~ med (vanl.)* marry; *född utom ~et* born out of wedlock **-lig** *a* matrimonial; married (wedded) [*liv* life]; conjugal [*rättigheter* rights] **-s|anbud** marriage offer **-s|brott** adultery **-s|brytare** adulterer **-s|bryterska** adulteress **-s|byrå** marriage agency **-s|certifikat** marriage certificate **-s|förord** marriage settlement **-s|kontrakt** marriage contract **-s|lag** marriage laws *pl* **-s|löfte** [*brutet* breach of] promise of marriage **-s|skillnad** divorce

äkt||finne genuine ([språkpolit.] nationalist) Finn **-het** genuineness &c; originality

äld||re *a* older, *äv.* elder; jfr *gram.; äv.* senior [*delägare* partner]; [tidigare] earlier [*anspråk* claims]; *en ~ herre* an elderly (*äv.* oldish) gentleman; *av ~ datum* of an earlier date **-st** *a* oldest; eldest; jfr *gram.*

älg elk; *Am.* moose **-gräs** *bot.* meadow-sweet **-jakt** elk-(moose-)hunt[ing] **-kalv** elk (moose) calf **-ko** cow (female) elk (moose) **-skada** damage caused by elk (moose) **-tjur** bull (male) elk (moose)

älsk||a *tr* love; [tycka om] like, be [very] fond of **-ad** *a* beloved; loved; *hennes ~e (äv.)* her lover; *min ~e* my beloved (darling) **-are** lover; *förste ~ (teat.)* jeune premier *fr.* **-arinna** mistress [*till* of] **-lig** *a* charming, lovable, sweet **-lighet** charm, sweetness **-ling** darling; [käresta] sweetheart; [favorit] *äv.* pet; *~s-* favourite . ., *äv.* pet . . **-og** love **-ogs|krank** *a* lovesick **-värd** *a* amiable; [angenäm] agreeable **-värdhet** amiability; agreeableness

älta *tr* work [*smör* butter]

älv river

älv||a fairy, *äv.* elf **-a|drottning,** *~en* the Fairy Queen, Queen Mab **-dans** fairy dance **-lik** *a* fairylike, elfish

ämbar pail, bucket

ämbet||e office; *på ~ts vägnar* by virtue of [one's] office, *äv.* officially **-s|berättelse** official report **-s|broder** colleague **-s|ed** official oath; *avlägga ~en* be sworn in **-s|förrättning** official function, *äv.* office **-s|göromål** *pl* official duties **-s|handling** official act **-s|lokal** office; *~er (äv.)* office-building[s] **-s|man** official, [public] functionary; [statens] *äv.* civil servant; *jur.* magistrate **-s|mannabana** official career **-s|mannakår** body of civil servants **-s|mannavälde** bureaucracy **-s|plikt** official duty **-s|rum** office[-room] **-s|stil** official style, officialese **-s| tid** period of office; *under sin ~* while in office **-s|verk** civil service department **-åtgärd** administrative act (measure)

ämna **I** *tr* intend (mean, propose) to; *(äv. : just ~)* be going to; jfr *tänka II* **II** *rfl, ~ sig ut* intend (&c) to go out; *vart ~r du dig? (äv.)* where are you off to?

ämne 1 *konkr* material; [stoff, materia] matter, substance; *bildl.* making[s *pl*] [*till* of] **2** *abstr* [tema o. d.] subject; *äv.* matter [*till glädje* of joy]; [samtals-] *äv.* topic; *byta om* ~ change the subject; *komma till* ~*t* come to the point **-s|grupp** group of subjects (studies) **-s|katalog** subject catalogue **-s|kombination** grouping of subjects **-s|omsättning** metabolism **-s|omsättningsfel** metabolic disturbance

än I *adv* = *-nu* **II** *konj* **1** than; *allt annat* ~ anything but; *ingen annan* ~ (*äv.*) no one but **2** [också] even; *om det* ~.. even if (though) it..; *om* ~ *aldrig så litet* be it ever so little; *vem han* ~ *må vara* whoever he may be; *hur mycket jag* ~ [*tycker om honom*] much as I..; *vad som* ~ *må hända* whatever happens; *huru därmed* ~ *må vara* however that may be **3** ~.. ~ now.. now; ~ *si,* ~ *så* now this way, now that

ända I *s* end; [spetsig ~] tip; [tjock-] butt-end; [bakdel] **F** bottom, posterior; *sjö.* [bit of] rope; *dagen i* ~ all day long; *på* ~ [*stå* stand] on end; *vara till* ~ be at an end **II** *tr* o. *itr* end; jfr *sluta* **III** *adv* right [*till* to; *dit* there]; *äv.* all the way [*dit* there; *hem* home]; as far as [*dit* that]; [till och med] even; ~ *ned* (*upp*) *till* down (up) to; *gå* ~ *därhän att man säger*.. go to the point of saying..; ~ *ifrån* (*äv.*) from the very [*början* beginning]; [om tid] *äv.* ever since; ~ *in i* [*vår tid*] right (even) up (down) to..; ~ *in i de minsta detaljer* down to the minutest particulars; ~ *till* (jfr ovan) *a*) to the very [*det sista* last; *benet* bone]; *b*) [om tid] right on to [*jul* Christmas]; [all the time] till (until) [*kl. två* two o'clock]; *c*) up to (as many as) [*femtio* fifty] **-lykt** end[ing] **-mål** purpose, *äv.* end; [syfte] *äv.* object; [avsikt] aim; ~*et helgar medlen* the end justifies the means; *vinna sitt* ~ (*äv.*) carry one's point; *för detta* ~ to this end, for this purpose; *ha till* ~ have.. as an end **-måls|enlig** *a* [well] adapted (suited) to its purpose, suitable; [lämplig] expedient, appropriate; *synnerligen* ~ very much to the purpose **-måls|lös** *a* purposeless; [gagnlös] useless, futile; ..*är* [*alldeles*] ~ (*äv.*) ..is to no purpose [whatever], ..is of no use at all

änd||else ending, termination **-lig** *a* finite **-lös** *a* endless; interminable **-morän** *geol.* terminal moraine

ändock *adv* nevertheless, for all that; jfr *ändå*

änd|punkt terminal point; se *äv. -station*

ändr||a I *tr* alter (*äv.* : ~ *om*); [byta] change; *äv.* shift [*ställning* one's position]; [förbättra] amend [*stadgarna* the rules]; *det står inte till att* ~ (*äv.*) it can't be helped, there is no help for it; *det* ~*r ingenting i sak* it makes no material difference; *Obs.!* ~*d tid!* note the alteration of time (hour)! **II** *rfl* alter; change; [~ åsikt] change one's opinion; [~ beslut] change one's mind, *äv.* think better of it **-ing** alteration; change; amendment; jfr *-a* **-ings|förslag** proposed alteration; amendment

änd||station terminus; *Am.* terminal **-tarm** rectum [*adj.* rectal]

ändå *adv* **1** yet, still, nevertheless; *det är* ~ *något* still (after all), it is something; *jag kommer* ~ I shall come all the same **2** [vid komp.] still [*bättre* better] **3** *om han* ~ *vore här!* if only he were here! I do wish he were here!

äng meadow **-d** se *trakt*

äng||el angel; *det går en* ~ *genom rummet* an angel passed overhead **-la|god** *a*.. of angelic goodness **-la|kör** choir of angels, angel choir **-la|lik** *a* angelic; [t. ex. tålamod] .. of an angel **-la|makerska F** abortionist **-la|skara** angelic host **-la|tålamod** the patience of a saint (of [a] Job)

ängsblomma meadow flower

ängsl||a *tr* [cause ..] alarm, make .. anxious **-an** anxiety; [oro] alarm, solicitude, uneasiness **-as** *dep* be (feel) anxious (alarmed) [*över* about]; worry **-ig** *a* **1** anxious (uneasy) [*över* about]; [oroande] alarming [*nyhet* news]; *vara* ~ *för* [*följderna*] (*äv.*) fear.. **2** [~ av sig] timid, timorous

ängs||mark meadow-ground(-land) **-nejlika** maiden-pink **-piplärka** meadow-pipit **-syra** sorrel **-ull** cotton-grass

änk||a widow; [av högadel] dowager **-e|-drottning** Queen Mother, Dowager Queen **-e|dräkt** widow's weeds *pl* **-e- och pupillkassa** widows' and orphans' fund **-e|stånd** widowhood **-e|säte** dowager's residence **-ling** widower

ännu *adv* **1** yet; [fortfarande] still; *inte* ~ not yet; ~ *i* [*denna*] *dag* [up (down)] to this very day; ~ *så länge* for the present, yet awhile; ~ *så sent som i år* as recently as this year **2** [ytterligare] more, *äv.* still, yet; ~ *en gång* once more; ~ *en* one more, still (yet) another **3** [vid komp.] still [*vackrare* more beautiful]

änterhake *sjö.* grapple, grappling-hook

äntligen *adv* **1** at last **2** [ovillkorligen] by all means, needs

äntra I *tr* board **II** *itr* climb

äpp||el|blom apple blossom **-el|kart** green apple[s *pl*] **-el|mos** apple cheese **-el|paj** apple pie **-el|träd** apple-tree; *vilt* ~ crab-tree **-el|vin** cider **-le** apple

är||a I *s* honour; [rykte] renown; *en* ~*ns man* a man of honour; *det gick hans* ~ *för när* that piqued him (wounded his pride); *göra ngn den* ~*n att*.. honour a p. by ..-ing; *jag har den* ~*n att gratulera!* allow me to congratulate you! [på födelsedag] many happy returns! ~*n tillkommer honom* the credit is due to him; *sätta en* ~ *i att* make a point of ..-ing; *bortom all* ~ *och redlighet* beyond the pale of civilization; ..*i all* ~ with all [due] respect for..; *dagen till* ~ in honour of the day; *till Guds* ~ for the glory of God **II** *tr* honour; [vörda] venerate, respect **-ad** *a* honoured; [t. ex. kund] esteemed; *edert* ~*e* [*brev*] *av*.. (*hand.*) your [esteemed] favour of.. **-bar** *a* modest, decent; [kysk] chaste **-barhet** modesty, decency; chastity; *i all* ~ in due propriety **-e|betygelse** = *hedersbetygelse* **-e|girig** *a* ambitious; *äv.* aspiring [young man] **-e|kränkande** *a* libellous, defamatory **-e|kränkning** libel, defamation **-e|lysten** = *-e|girig* **-e|lystnad** ambition[s *pl*], aspiration[s *pl*] **-e|lös** *a* infamous **-e|minne** memorial [address] [*över* in honour of]

ärende 1 [*uträtta ett* go [on] an] errand; *framföra sitt* ~ state one's errand, give one's message; *med oförrättat* ~ without having achieved one's object **2** [sak] matter; [göromål] business

äre||port triumphal arch **-rörig** *a* slanderous, defamatory; ~ *beskyllning* (*äv.*) aspersion **-vördig** *a* venerable

ärftlig *a* hereditary **-het** heredity; [t. ex. sjukdoms] hereditariness **-hets|lära** science of heredity; genetics *sg*

ärg aerugo; *vetensk.* verdigris **-a I** *itr,* ~ *ifrån sig* give off verdigris **II** *rfl* become

(get) patinated **-grön** *a* verdigris green **-ig** *a* aeruginous, patinated
ärke||biskop archbishop; jfr *biskop* o. *sms* **-fiende** arch-enemy **-hertig** archduke **-nöt** thorough (consummate) fool **-skojare** arrant knave (rascal) **-stift** archbishop's diocese, archbishopric **-ängel** archangel
ärla wagtail
ärlig *a* honest; [hederlig] honourable; [redbar] upright; fair [*strid* fight; *spel* play] **-het** honesty; uprightness &c; ~ *varar längst* honesty is the best policy
ärm sleeve **-bräde** [vid strykn.] sleeve-board **-hållare** armband **-lapp** dress-protector **-linning** wrist-band
äro||full -rik *a* glorious
ärr -a *rfl* scar **-ig** *a* scarred
ärt||[a] pea **-balja -skida** pea-pod(-shell) **-soppa** pea soup **-växter** leguminous plants
ärv||a *tr* o. *itr* inherit [*av (efter)* from]; ~ *ngn* be a p.'s heir[s *pl*]; [*få*] ~ *(vanl.)* come into money **-d** *a* inherited; [medfödd] hereditary
äska *tr* demand (call for) [*ljud* silence]
äsping [young female] viper
äss ace; *ruter* ~ the ace of diamonds
ässe, *vara i sitt* ~ be in one's [right] element
ässja forge[-hearth]
ät||a *tr* o. *itr* eat; have (take) one's meals [*ute* out]; [is. om djur] feed; ~ *frukost* [have] breakfast; ~ *middag* have dinner, dine; *jag har inte -it än* I haven't had [my] dinner (&c) yet; ~ *på* [*ett stycke bröd*] chew at . .; ~ *upp* eat [up], consume **-bar** *a* eatable **-lig** *a* edible
ätt family; [kungl. o. d.] dynasty; [härstamning] lineage, stock **-ar|tavla** genealogy, pedigree **-e|fader** [first] ancestor **-e|hög** barrow **-e|stupa** [suicidal] precipice
ättik||a vinegar; *kem.* acetum; *lägga in i* ~ pickle **-s|gurka** pickled cucumber **-sprit** acetone **-sur** *a* [[as] sour as] vinegar **-syra** acetic acid
ätt||led generation **-ling** descendant, offspring
även *adv* also; ~ [*han* he] too; [likaledes] as well; [till och med] even [*om* if (though)]; *icke blott utan* ~ not only .. but also **-ledes** *adv* also, likewise **-som** *konj* as well as, also
äventyr adventure; *till ~s* peradventure; *vid* ~ *att* . . at the risk of . . -ing **-a** *tr* risk, hazard; jeopardize **-are** adventurer **-erska** adventuress **-lig** *a* adventurous; [riskabel] venturesome, risky, hazardous; [underlig] strange **-lighet** adventureness; [företag] adventurous (risky) undertaking **-s|bok** book of adventure **-s|lust** longing for (love of) adventure **-s|lysten** *a* adventure-loving **-s|roman** adventure story
ävl||an striving[s *pl*] **-as** *dep* strive

ö island; [i vissa namn] isle **-bo** islander
öda *tr,* ~ [*bort*] waste
1 öde *s* fate; [bestämmelse] destiny; *~t* Fate, Destiny; *~n* destinies, [levnads-] fortunes; *växlande ~n* vicissitudes [of fortune]; *finna sig i sitt* ~ se *finna II 3;* [friare] make the best of a bad job; *förena sitt* ~ *med ngn* cast in one's lot with a p.; *~ts skickelse* the decree of fate
2 öde *a* desert, waste; [övergiven] deserted; [ödslig] desolate **-jord** waste land **-kyrka** abandoned church **-lagd** *a* waste, desolate **-lägga** *tr* waste, lay .. waste; [förhärja] devastate; [förstöra] ruin, destroy **-läggelse** [laying] waste; devastation; ruin, destruction
ödem *läk.* oedema
ödemark desert, waste; wild country, wilds *pl;* **F** backwoods *pl*
ödes||diger *a* fatal, disastrous, calamitous **-gudinnor** Fates, Destinies **-mättad** *a* fateful, fatal **-timma** fatal hour
ödla lizard; [vatten-] eft, newt
ödmjuk *a* humble; [undergiven] submissive, meek **-a I** *tr* humble **II** *rfl,* ~ *sig inför* humble o.s. before **-het** humility, humbleness &c
ödsla *itr* o. *tr* be wasteful [*med* with, of]
ödslig *a* desolate, deserted; *äv.* wild, remote; jfr *enslig* **-het** desolateness &c; desolation
öfolk islanders *pl,* insular nation
ög|a eye; ~ *för* ~ an eye for an eye; *ha klena -on* have poor sight; *få* ~ *på* catch sight of; *få upp -onen för* (*äv.*) become alive to, realize; *ha* ~ *för* have an eye for; *ha -onen med sig* keep one's eyes open; *ha ett gott* ~ *till* have an eye to; *skämmas -onen ur sig* be thoroughly ashamed of o.s.; *finna nåd för ngns -on* find favour with a p.; *se ngn i -onen* look a p. in the eye; *inför allas -on* in sight of everybody; *falla i -onen* catch (strike) the eye; *mellan fyra -on* privately; *det var nära ~t* it was a narrow escape; **F** that was a close shave
ögla loop, eye[let]
ögna *itr,* ~ *i* have a glance (look) at; ~ *igenom* (*äv.*) peruse
ögon||blick moment, *äv.* instant; *det avgörande ~et* the critical moment; *ett ~!* just a moment (minute)! *från första ~et* from the very first; *för ~et* for the moment (time [being]), at present; *i ett* ~ in the twinkling of an eye; *i rätta ~et* just at the right juncture (moment); *i sista ~et* in the nick of time **-blicklig** *a* instantaneous; immediate **-blickligen** *adv* instantly, immediately; [strax] at once **-bryn** eyebrow **-frans** eyelashes *pl* **-fägnad** delightful sight, treat for the eyes **-färg** colour of the (one's) eyes **-glob** eyeball **-håla** eye-socket **-hår** [eye-]lash **-kast** glance; *kärlek vid första ~et* love at first sight **-lins** lense of the eye **-lock** [eye-]lid **-läkare** eye-specialist **-mått,** *ha gott* ~ have a correct (sure) eye; *efter* ~ by [the] eye **-märke** fixed point, landmark **-sikte,** *ta i* ~ take a view (survey) of, have a look at **-sjukdom** disease of the eye **-skada** injury to the eye (eyes) **-skenlig** *a* apparent; [tydlig] obvious **-sten** *bildl., ngns* ~ the apple of a p.'s eye **-tjänare** eye-servant, fawner **-tröst** *bot.* eye-bright **-vittne** eye-witness **-vrå** corner of the eye
ö|grupp group (cluster) of islands
ök||a I *tr* increase (*äv.* : ~ *på', ut'*); [ut-, bidraga till] add to; [utvidga] enlarge; [förhöja] enhance [*nöjet* the pleasure] **II** *itr* increase **-ad** *a* increased &c; [ytter-

ligare] added; additional [*glans* lustre; *utgifter* expenditure *sg*]
öken desert; *bibl.* wilderness **-artad** *a* desert-like **-folk** inhabitants (people) of the desert **-sand (-storm -trakt)** desert sand (storm, region) **-vandring** wandering in the wilderness
öknamn nickname (*äv. : ge .. ~*)
ökning increase; addition; enhancement; enlargement &c; se *öka; ~ av farten* acceleration of speed
ökänd *a* notorious
öl beer; *äv.* ale **-bryggeri** brewery **-butelj** bottle of beer (ale) **-fat** cask (barrel) of beer **-glas** beer-glass; [glas öl] glass of beer (ale) **-krog** beer-house, public house (bar); **F** pub **-sinne,** *ha gott ~* carry one's liquor well **-utkörare** [brewer's] drayman, beer-porter
öm *a* **1** *eg.* tender; sore [*fötter* feet]; *ngns ~ma punkt* a p.'s tender (sore) point **2** [kärleksfull] tender, loving, fond **-fotad** *a* with tender feet, footsore **-het 1** *eg.* tenderness, soreness **2** *bildl.* tenderness, [tender] affection **-hets|behov** need (craving) for affection **-hets|betygelse** proof (token) of affection, endearment **-hjärtad** *a* tender-hearted
ömk‖a *tr* commiserate, pity **-lig** *a* pitiful, miserable; *äv.* pitiable [*syn* sight]; [usel] wretched, poor
öm‖kyla *tr* chilblain **-mande** *a* [sak] pathetic
ömsa *tr* change; *~ skinn* change (cast, slough) its (o. s. v.) skin
ömse *a* both; *å ~ håll* (*sidor*) on both sides, *äv.* on each (either) side **-sidig** *a* mutual; reciprocal **-sidighet** reciprocity
ömsint *a* tender[-hearted] **-het** tenderness of heart
ömsom *adv* alternately; *~ .. ~ ..* now .. now .., sometimes .. sometimes ..
ömtålig *a* [lätt skadad] damageable &c; [lätt förstörd] perishable [*varor* goods]; se *äv. skör;* [friare] sensitive [*för kyla* to cold]; *~ hälsa* delicate health; *är ~ för* (*äv.*) won't stand **-het** liability to damage; sensitiveness; delicacy
önsk‖a I *tr* wish; [åstunda] desire; [vilja ha] want; *jag ~r* [*att jag kunde*] (*äv.*) I would ..; *~ ngn välkommen* bid a p. welcome **II** *rfl* **1** *~ sig ngt* wish for (desire) a th.; *~ sig i* [*julklapp*] wish for (desire) as a .. **2** *~ sig långt bort* wish o.s. far away **-an** wish, desire; *enligt ~* (*äv.*) as desired **-e|lista** list of what one would like **-e|mål** *vanl.* desideratum *lat.*, object [to be] desired **-e|tänkande** wishful thinking **-e|väder** ideal weather **-ning** = *-an* **-värd** *a* desirable, to be desired; [lämplig] eligible; *icke ~* undesirable
öpp‖en *a allm.* open [*fråga* question]; [uppriktig] frank, candid; [offentlig] public [*plats* place]; *~ blick* candid (ingenuous) look; *ha ~ blick för* be keenly alive to; *~ båt* (*äv.*) undecked boat; *-na havet* the open sea, the high seas *pl; ~ jord* arable land, land under the plough; *~ omröstning* voting by call; *~ stad* (*mil.*) open town; *~ tävlan* public (open) competition; *ligga ~ för alla vindar* be exposed to all the winds; *vara ~ mot ngn* be open (frank, candid) with a p.; *ligga i ~ dag* be obvious (evident) to everybody; *vid första -na vatten* (*hand.*) at first open water (*förk.* f.o.w.) **-en|het** openness &c; candour, sincerity **-en|hjärtig** *a* open-hearted, frank, candid, outspoken **-na I** *tr* open; [låsa upp] unlock; [högtidligt inleda] inaugurate [*en utställning* an exhibition]; *~ affär* (*äv.*) start a shop (business); *dörrarna ~s* [*kl. elva*] the doors open ..; *~ för ngn* open the door to a p., let a p. in (out) **II** *rfl* open; [vidga sig] open out **-ning 1** opening; [invigning] inauguration; [hål] aperture, hole; [för luft] vent; [springa] chink, crack; [i mur o. d.] gap, break; [i skog] clearing, glade **2** = *avföring 2* **-nings|fest** opening ceremony
ör|a ear; [handtag] handle, *äv.* ear; *ha ~ för ..* have an ear for ..; *dra -onen åt sig* take alarm; *vara idel ~* be all ears (attention); *som ett slag för ~t* like a knock-out blow; *få hett om -onen* be in for it; *inte höra på det ~t (bildl.)* not listen; jfr *dövöra; över -onen förälskad i* head over heels in love with
öre, *inte ett ~* not a farthing; *inte värd ett ~* not worth a brass farthing; *utan ett ~* [*på fickan*] without a penny (**F** bean) ..
Öresund the Sound
ör‖fil box on the ear, cuff **-fila** *tr, ~ upp ngn* box a p.'s ears, cuff a p. **-fils|täck** *a* inviting a cuff **-hänge** ear-ring(-drop)
ö|rike island kingdom (state)
örlogs‖- i *sms vanl.* naval **-fartyg** warship **-flagga** naval flag **-flotta** naval force, navy; *amerikanska* (*engelska*) *~n* the American (British) Navy **-hamn** naval port **-man** man-of-war **-varv** naval dockyard **-vimpel** [narrow] pennant
örn eagle **-blick** eagle eye **-bo** eagle's nest, aerie
örngott pillow-case
örn‖näbb eagle's beak **-näsa** aquiline nose **-unge** eaglet, young eagle
ör‖onbedövande *a* deafening **-on|inflammation** inflammation of (in) the ear[s], otitis **-on|lapp** ear-cap **-on|läkare** aurist, ear-specialist **-on|sjukdom** disease of the ear **-on|susning** buzzing in one's ears **-snibb** ear-tip, lobe of the ear **-språng** ear-ache
ört herb, plant; *~er* (*äv.*) herbaceous plants **-a|gård** *bibl.* garden
örvax ear-wax
ös‖a I *tr* scoop; [sleva] ladle [*upp* out]; [stek] baste; [hälla] pour; *~ en båt* bale [out] a boat, bale a boat dry **II** *opers, det -er ned* it is pouring down, **F** it is raining cats and dogs **-kar** bailer, scoop **-regna** = *häll-*
öst east; eastern; jfr *norr* **-an** *adv* from the east **-an[vind]** east[erly] wind **-blocket** the Eastern Bloc **-er** *adv* east; jfr *norr* **Ö~er|botten** East Bothnia **Ö~er|landet** the East (Orient) **-er|ländsk** *a* **-er|länning** Oriental, Eastern **-er|rikare** Austrian **Ö~er|rike** Austria **-er|rikisk** *a* Austrian **Ö~er|sjön** the Baltic [Sea] **Ö~europa** Eastern Europe **-europeisk** *a* East-European **-gräns** eastern frontier **-kust** east coast **-lig** *a* east[ern], easterly; jfr *nordlig* **-politik** Eastern policy **-ra** *a* eastern; the east of [Sweden]
öva I *tr* **1** [in-] train; *~ ngn i (äv.)* practise a p. in; *~ rekryter* (*äv.*) drill recruits **2** [ut-] exercise; [konstart o. d.] practise; *~ rättvisa* do justice; *~ våld* use violence **II** *rfl* practise; train o.s.
över I *prep* **1** [rum] over; [[ett stycke] ovanför] above; [tvärs-] across; *simma ~ floden* swim across the river; [på] [up]on, *äv.* over; [via, genom] by [way of], *äv.* through [*staden* the town]; *~ hela ..* all over .., *äv.* all round [the town], throughout [England]; *sätta sin fot ~* [*tröskeln*] put one's foot across (over) ..; *~ hela kroppen* all over the body; *~ hela linjen* all along the line **2** [tid] over [*söndagen* Sunday]; [klockslag] past (*Am.* after) [*åtta*

eight o'clock]; ~ *hela* all through (throughout) [*året* the year; [*fem minuter*] ~ *tiden* .. over (past) the hour **3** [uttr. -lägsenhet, makt ~] over; *äv.* on; *ha inflytande* ~ have influence on; [mer än] above [*två meter* two metres]; ~ *sina tillgångar* beyond one's means **4** [angående] on; [diskussion] *äv.* about; *föreläsa* ~ [*ett ämne*] lecture on .. **5** [genitivförh.] of; *ett lexikon* ~.. a dictionary of..; *en karta* ~.. a map of.. **6** [med anledn. av] at; *bli förtjust* ~ be delighted at; [*olycklig* unhappy] about: [*belåten* pleased] with; [*stolt* proud] of; jfr *vederb. verb* o. *adj* **II** *adv* **1** over; above; across; jfr *fara* (*gå, komma, ligga* &c) [~] **2** [slut] over, at an end; [förbi] past **3** [kvar] left, over

över||**allt** *adv* everywhere; ~ *där* .. *wherever* .. **-anstränga** *tr* [*rfl*] overwork (overstrain) [o.s.]; **F** overdo it **-ansträngd** *a* overwrought, overworked **-ansträngning** overwork, overstrain; [i skolan] overpressure **-antvarda** *tr* deliver .. up **-arbeta** *tr* revise, *äv.* give the finishing touch to **-arm** upper arm; *vetensk.* brachium **-balans,** *ta* ~*en* lose one's (its) balance, overbalance, topple over **-befolka** *tr* over-populate(-people) **-befolkning** *abstr* over-population; *konkr* population surplus **-befäl 1** *abstr* chief command [*över* of] **2** *konkr* officers *pl* **-befälhavare** commander-in-chief **-belasta** *tr* **-belastning** overload, surcharge **-betala** *tr* overpay **-betona** *tr* overemphasize **-betyg** honours *pl* **-bevisa** *tr* convict [*om* of]; [-tyga] convince **-bibliotekarie** head librarian **-bjuda** *tr* outbid, overbid; *bildl.* try to outdo (excel), rival **-blick** survey ([general] view) [*över* of] **-blicka** *tr* [get a] survey [&c of]; take stock of [*läget* the situation] **-bliv**|**en** *a* remaining, left over; *-na rester (äv.)* left-overs **-bringa** *tr* [hit] bring; [bort] take, carry; [-lämna] deliver **-bringare** bearer; deliverer **-byggnad** superstructure; [på hus] upper part; *flyg.* sliding cockpit fairing **-del** upper part, top [part] **-dimension -dimensionera** *tr* oversize **-direktör** director-in-chief **-domstol** superior court [of justice] **-drag** [på möbel] cover **-dra[ga]** *tr* cover [over], coat (wash) [*med färg* with paint] **-drags**|**byxor -drags**|**kläder** overalls **-drift** exaggeration; [i tal] *äv.* overstatement; [ytterlighet] excess; *gå till* ~ go ([om pers.] *äv.* carry things) too far, go to extremes **-driva** *tr* o. *itr* exaggerate, overdo [it] **-driven** *a* exaggerated; excessive [*anspråk* claims]; [orimlig] extravagant [*beröm* praise]; ~ *framställning* (*äv.*) overstatement **-drivet** *adv* exaggeratedly &c; ~ *artig* over-civil, all too civil; ~ *känslig* (*äv.*) hyper-sensitive **-dåd 1** extravagance **2** [djärvhet] foolhardiness, recklessness **-dådig** *a* **1** extravagant **2** = *djärv* **3** [utmärkt] splendid, magnificent **-dängare F** out-and-outer, ripper, topper; *en* ~ *på skidor* (*äv.*) a magnificent (tip-top, ripping [good]) skier

överens *adv* [*vara* be] agreed; jfr *ense*; *komma* ~ agree [*om* [up]on, about, as to]; *komma bra* ~ get on well [together] **-komma** *itr* agree [*om* on, about]; [göra upp] arrange, settle **-kommelse** agreement; arrangement; jfr *avtal*; *tyst* ~ [tacit] understanding; *träffa en* ~ make (come to) an agreement; *träffa* ~ *med* (*äv.*) come to terms with; *enligt* ~ by (according to, *hand.* as per) agreement, *äv.* as agreed [upon] **-stämma** *itr* agree; [om saker] *äv.* coincide, tally, be in keeping; correspond [*med* to (with)]; *icke* ~ disagree **-stämmande** *a* agreeing &c; *äv.* accordant; agreeable (conformable) [*med* to]; se *äv. förenlig*; *icke* ~ (*äv.*) discordant, incompatible, inconsistent **-stämmelse** agreement, accord[ance]; conformity [*med* to]; consistency [*med* with]; *brist på* ~ discrepancy

över||**exponera** *tr foto.* overexpose **-fall -falla** *tr* assault, attack **-fart** *allm.* crossing; [-färd] *äv.* voyage [across], passage **-flyga** *tr* fly over **-flygla** *tr mil.* outflank; [friare] outmanœuvre, outdo; jfr *-träffa* **-flygning,** ~ *över a)* [-ande] passing over .. by flight; *b)* [*det var*] *flera* ~*ar över* [*Stockholm*] .. several planes flying over .. **-flytta** *tr* move .. over (across), remove; [-frakta] transport, convey; [friare] transfer **-flyttning** moving [over] &c, removal; transport, conveyance; [av tjänsteman] transfer **-flöd** superfluity, [super]abundance; [yppighet] exuberance; [ymnigt mått] profusion, abundance, plenty; [lyx] luxury; *ha* ~ *på* .. have .. in plenty, have plenty of ..; *leva i* ~ live in luxury (affluence) **-flöda** *itr* abound [*på* in, with] **-flödig** *a* superfluous; [onödig] unnecessary; [slösande] extravagant, lavish; *känna sig* ~ feel de trop *fr.*, feel in the way **-flödighet** superfluousness, superfluity **-full** *a* overfull, too full, full to overflowing; [om lokal] overcrowded; *mitt hjärta är* ~*t* my heart is brimming over **-färd** voyage [across], passage **-föra** *tr* se *föra* [*över*]; transfer, transmit; *läk.* transfuse [blood]; *hand. bokf.* carry over; ~ *i ny räkning* carry .. [forward], pass .. to a new account **-förd** *a* transferred [*bemärkelse* sense] **-förfriskad** *a* intoxicated, tipsy **-föring** transfer[ence] *äv.* ⊕; [transport] transport[ation] **-förtjust** *a* delighted

över||**ge -giva** *tr* abandon, desert; [lämna] relinquish [*en uppgift* a task]; leave; [avstå från] give up; ~ *ngn* (*äv.*) leave a p. in the lurch **F** **-given** *a* abandoned &c, forsaken, forlorn; [öde] desert **-gjuta** *tr bildl.* suffuse **-glänsa** *tr* outshine; [friare] eclipse **-grepp** aggression, encroachment **-gå I** *tr* **1** *eg.* cross, go across, pass [over] **2** [drabba] pass over, befall **3** [-träffa] pass (surpass, exceed) [*gränserna för* the bounds of]; *det* ~*r mitt förstånd* it is above my comprehension (beyond me) **II** *itr* pass [*till andra ägare* to other owners]; go over [(*äv.*) *till annat parti* to another party]; [friare] pass [over]; go (pass) on [*till dagordningen* to the order of the day]; [fortsätta] proceed [*till* to]; [-lämnas] be handed on (transmitted) [*på* to]; [-flyttas] be transferred [*på* to]; [förändras] change (turn, be transformed) [*till* into]; ~ *i varandra* (*äv.*) run (merge) into each other; ~ *till* become [*en vana* a habit; *kristendomen* a Christian]; ~ *till fienden* go over to the enemy; ~ *till flytande form* (*äv.*) become liquid, liquefy **-gående** *a* passing; [kortvarig] *äv.* of short duration, transient, transitory, of a temporary nature

övergång 1 crossing, passage; [järnvägs-] level crossing **2** [på spårv.] transfer **3** *bildl.* passing, transition; [förändring] change **-s**|**biljett** transfer **-s**|**form** transition [formation] **-s**|**period** transition[al] period, period of transition **-s**|**ålder** *läk.* climacteric age

över||**halning** lurch; *göra en* ~ [give a] lurch; *ge ngn en* ~ **F** give a p. a rating **-hand** the upper hand [*över* of], predominance [*över* over]; *få* ~ [utbreda sig] gain ground, spread; *få* ~ *över* (*äv.*) get the better of, prevail over; *ta* ~ become predominant, prevail **-hand**|**tagande** *a* [fast-] spreading(-growing) [*missnöje* discontent]

-herre overlord, lord paramount; *äv.* suzerain **-het,** *~en* the authorities *pl* **-hetta** *tr* overheat, superheat **-hettning** overheating, superheating **-hopa** *tr* load; se *äv. -ösa; vara ~d med arbete* be overwhelmed with work, be up to the ears in work, **F** have heaps of work [to do] **-hovmästarinna** Mistress of the Robes [to the Queen] **-hud** epidermis **-hus,** *~et* the House of Lords **-huvud I** *s* head; [ledare] chief **II** *adv, ~ [taget]* on the whole; [alls] at all **-hängande** *a* overhanging; *bildl.* impending [*fara* danger]; [hotande] imminent **-höghet** supremacy, suzerainty **-hölja** *tr bildl.* load; cover; heap .. upon **-ila** *rfl* be [too] rash (hasty); [bli ond] lose one's temper **-ilad** *a* rash [*handling* act]; [over-]hasty **-ilning** rashness, [act of] precipitancy; *i ~ (äv.)* in a rash moment **-ingenjör** chief (superintendent) engineer **-inseende** superintendence, supervision **-isa** *tr* cover (coat) .. with ice **-jordisk** *a* [himmelsk] celestial; [friare] ethereal **-kant** upper edge (side); *i ~ (bildl.)* rather on the large side **-kast** [på möbel] dust-cover **-klaga** *tr* appeal ([lodge (file) a] protest) against **-klagande** *s* appeal (protest) [*av* against] **-klass,** *~en* the upper classes *pl* **-klassare F** nob, swell **-klass|kultur** upper-class culture **-klädd** *a* covered; [möbel] upholstered **-komlig** *a* [pris] reasonable **-kompensera** *tr* overcompensate **-konstapel** police-sergeant **-kropp** upper [part of the] body **-kultiverad** *a* over-refined **-kvalificerad** *a* overqualified **-käk[e]** upper jaw; *vetensk.* maxilla **-känslig** *a* hypersensitive **-körd** *a, bli ~* be (get) run over (knocked down)

över||lagd *a* [*noga* well] considered; premeditated (deliberate) [*brott* crime] **-lakan** top sheet **-lappning** *mek.* overlap[ping] **-nationell** *a* supranational **-lasta I** *tr* overload, overburden; *sjö.* overfreight; encumber [*minnet* the memory]; *~ magen med mat* oppress (clog) one's stomach **II** *rfl* [med mat] gorge, surfeit o.s.; [berusa sig] get intoxicated **-lastad** *a* **1** *eg.* overloaded; [av starka drycker] intoxicated, inebriated; *~ av starka drycker (äv.)* the worse for liquor (drink) **2** [alltför utsmyckad] gaudy, overloaded with ornament[s] **-leva I** *s* remnant; *bildl.* survival; jfr *kvar-* **II** *tr* survive *(äv. itr)*, overlive; *det kommer han inte att ~* he will not get over it, *äv.* it will be the death of him; *de ~nde* the survivors **-liggare** *univ.* **F** old stager, perpetual undergrad[uate] **-lista** *tr* outwit; [friare] get round **-liv** = *kropp* **-ljuds|hastighet** supersonic speed **-lopps,** *till ~* to spare **-lopps|gärning** work of supererogation **-lupen** *a* overrun; jfr *-hopa* **-lycklig** *a* transported with happiness, overjoyed **-låt|a** *tr* transfer, make .. over; *jur. äv.* convey, assign; [avträda] surrender, cede; *det -er jag åt dig [att avgöra]* I leave that to you; *får ej ~s* [.. is] not transferable **-låtelse** transfer[ence], making over; conveyance, assignment; surrender **-låtelse|-handling** deed of transfer (&c) **-lägga** *itr* deliberate [*om* on]; *~ om (äv.)* discuss, consider **-läggning** deliberation; [*upptaga .. till* bring .. up for] consideration; [behandling] *äv.* discussion **-lägsen** *a* superior [to ..]; *äv.* excellent [*skicklighet* skill]; [högdragen] supercilious; *han är mig mycket ~* he is [by] far my superior **-lägsenhet** superiority [*över* to]; *äv.* advantage [*över* over]; superciliousness **-lägset** *adv* in a superior (&c) manner; excellently; superciliously **-läkare** head physician **-lämna I** *tr* deliver [over (up)]; surrender [*en fästning* a fortress]; [framlämna] hand over; [skänka] present; [anförtro] entrust (commit) [*i ngns vård* to the care of a p.]; leave [*åt ngn att* it to a p. to]; *~ målet (jur.)* [conclude one's pleading and] leave the case in the hands of the court (judge); *~ ordet till ..* call upon .. to speak; *vara ~d åt sig själv* be left to o.s. **II** *rfl* surrender [o.s.], give o.s. up (over); *bildl.* give way [*åt sorgen* to grief] **-läpp** upper lip **-lärare** head teacher of primary school; [Finland] supervising teacher at training college **-löpare** deserter [to the enemy]; *polit.* turncoat **-löpning** desertion; going over [to the enemy]

över||makt superior power (numbers *pl*); *ha ~en* be superior in numbers [*över* over]; *kämpa mot ~en* fight against odds **-man** superior; master; *vara ngns ~* be more than a match for a p. **-mangansyr|ad** *a kem.* permanganic; *-at kali* potassium permanganate **-manna** *tr* overpower **-maskinist** chief engineer **-mod** recklessness, daring; [förmätenhet] arrogance, presumption; jfr *högmod* **-modig** *a* reckless, daring; arrogant, presumptuous, overweening **-mogen** *a* overripe **-morgon,** *i ~* [on] the day after to-morrow **-mått** [*gå till* go to] excess; [omåttlighet] immoderation; jfr *-flöd* **-måttan** *adv* beyond measure; [ytterligt] excessively; [i högsta grad] exceedingly, extremely **-mäktig** *a* superior [in power] [*ngn* to a p.]; overwhelming; *vara ngn ~ (äv.)* be too much for a p. **-människa** superman **-mänsklig** *a* superhuman **-mätta** *tr* surfeit, satiate; *vetensk.* supersaturate **-mättnad** surfeit, satiety, saturation **-natta** *itr* pass (stay, spend) the night **-naturlig** *a* supernatural, preternatural **-nog** *a* more than enough **-ord** *pl* boasting (presumptuous) words; exaggeration *sg* **-ordnad** *a o. s.* superior **-plats** upper berth

över||produktion over-production **-raska** *tr* surprise, *äv.* take .. unawares (by surprise); [obehagligt ~] startle; [förvåna] amaze, astonish; *~ ngn med att [stjäla]* come [up]on (catch) a p. in the act of [stealing] **-raskad** *a* surprised &c [*över* at]; overtaken [*av ett oväder* by a storm]; *jag är ~ [att höra] (äv.)* it surprises me .. **-raskning** surprise; *det kom som en ~ för mig (äv.)* it took me by surprise **-rasknings|moment** surprise element **-reklamerad** *a* over-advertised **-resa** *s* crossing, passage **-ret|ad** *a* overwrought; *i -at tillstånd (äv.)* in a state of overexcitement **-retlig** *a* irritable **-rock** overcoat; [vinter-] topcoat, greatcoat **-rumpla** *tr* [take .. by] surprise; [friare] catch .. unawares (off one's guard); *låta sig ~s (äv.)* be off one's guard, be caught napping **-rumpling** surprise **-rumplings|försök** *mil.* surprise attack **-räcka** *tr* hand [over]; jfr *-lämna* **-rösta** *tr* **1** cry (shout) louder than, *äv.* drown ..'s voice; *han ~de alla* his voice rose (was heard) above everybody **2** [vid val] outvote

över||se I *tr* = *granska* **II** *itr, ~ med* overlook, look over; jfr *följ.* ex. **-seende I** *a* indulgent [*mot* towards], lenient [*mot* to (with)] **II** *s* indulgence, leniency; *ha ~* be indulgent (lenient); *äv.* make allowance[s *pl*] [*med* for] **-sida** upper side, top-side **-sikt** [general] survey [*över* of]; [sammandrag] summary, brief outline **-siktlig** = *-skådlig* **-sikts|karta** general map **-sinnlig** *a* transcendental **-sittare** bully; *spela ~* act the bully; *spela ~ mot (äv.)* bully **-sitteri** bullying [manner], overbearingness **-skatta**

tr overrate, overestimate **-skattning** overrating, overestimation **-skeppa** *tr* ship .. across **-skjutande** *a bildl.* surplus (excess) [*inkomst* income]; ~ *belopp* surplus **-skott** surplus, excess; *hand.* balance; [vinst] [net] profit **-skrida** *tr* cross; [friare] overstep, *äv.* outstep (pass, exceed) [*sin befogenhet* one's authority]; *hand.* overdraw [*sitt konto* one's account] **-skrift** heading; *äv.* title **-skugga** *tr* overshadow; *bildl.* eclipse **-skyla** *tr* cover [up]; [mildra] palliate, gloss over **-skåda** *tr* survey; [uppfatta] take in, grasp **-skådlig** *a a)* [*lätt*] ~ easy to survey; *b)* [-siktlig, åskådlig] perspicuous; [klar, redig] clear, lucid; *inom en* ~ *framtid* in the reasonably near (not too distant) future **-skådlighet** surveyability; perspicuity; lucidity **-sköljning** wash[ing]; *äv.* bath[ing] **-sköterska** head nurse **-slag** [rough] estimate [*över* of], calculation **-snöad** *a* buried in snow **-spel** *kort.* overtrick **-spelning** practising [on the piano &c] **-spänd** *a* high-strung; *äv.* overstrung, overwrought; [upphetsad] exalted, excited; eccentric (romantic) [ideas] **-spändhet** overstrung (&c) state, exaltation; eccentricity **-spänning** *elektr.* too high voltage

överst I *a* uppermost; [allra ~] topmost; *äv.* highest; [förnämst] chief, supreme; *~a klassen* (*våningen*) the top class (stor[e]y) **II** *adv* [*ligga* lie] uppermost; at the [very] top [*på sidan* of the page]; *äv.* at the head of [*vid bordet* the table] **-e** colonel **-e|löjtnant** lieutenant-colonel **-e|präst** high priest; pontiff; [antik.] pontifex

över||stiga *tr bildl.* exceed, be above; *det ~nde* [*beloppet*] the surplus [..] **-stiglig** *a* surmountable **-stinna** colonel's wife; *~n* X Mrs. X. **-strömmande** *a* overflowing (exuberant) [*glädje* joy] **-stycke** upper-(head-)piece, top[-piece] **-styr,** jfr [*gå om*] *intet; gå* ~ go to rack and ruin **-styrelse** supervisory board; superintendent committee **-stånden** *a* [t. ex. operation] accomplished; [svårighet] surmounted, at an end, over **-ståthållare** governor[-general] **-stökad** *a* over [and done with] **-svallande** *a* overflowing [*av* with]; exuberant [*humör* spirits *pl*]; [ivrig] gushing; ~ *glädje* (*äv.*) excess of joy **-svämma I** *itr* [rise and] overflow [its banks] **II** *tr* flood, inundate; [sätta under vatten] submerge; *hand.* overstock [the market]; *bildl.* overrun **-svämning** flood, submersion; *abstr äv. bildl.* inundation **-syn** inspection, overhaul **-sålla** *tr* strew (cover, litter) .. [[all] over]; *~d* (*äv.*) starred [*med blommor* with blossoms] **-sända** *tr* send [over], transmit; *hand.* consign, forward; [pengar] remit **-sätta** *tr* translate [*från* from, out of; *till* into]; [återge] render [*på* in]; ~ *till* [*svenska*] (*äv.*) turn into .. **-sättare** translator **-sättning** translation; [is. bibel-] version; *en trogen* ~ a faithful rendering **-sättnings|fel** translation error **-sättnings|rätt** translation rights *pl*

över||tag *bildl.* advantage; jfr *-hand; få ~et över* get the better of, prevail over **-ta[ga]** *tr* take over; [åtaga sig] undertake; [*få*] ~ succeed to [a business]; ~ *befälet* take the command; ~ *skötseln av* (*äv.*) assume the management of **-tala** *tr* persuade; [förmå] *äv.* prevail upon; *låta* ~ *sig* [let o.s. (allow o.s. to) be persuaded [*att komma* into coming] **-talande** *a äv.* persuasive **-talig** *a* supernumerary **-talning** persuasion **-talnings|-förmåga** power[s *pl*] (gift) of persuasion, persuasive power **-teckna** *tr* oversubscribe; *lånet blev ~t* [*flera gånger*] the loan was covered .. **-tid** overtime; *arbeta på* ~ work overtime **-tids|arbete** overtime (out-of-hours) work **-tids|ersättning** overtime rate **-timme** extra (overtime) hour **-ton** overtone **-tro** superstition **-trumfa** *tr bildl.* **F**, ~ *ngn* go one better than a p. **-tryck** off-print; [på frimärke] overprint **-trycks|ventil** ⊕ safety-valve **-träda** *tr* transgress, trespass against; jfr *kränka;* [förbud] infringe; [befallning] disobey **-trädare** transgressor, trespasser **-trädelse** transgression, trespass; infringement; disobedience **-träffa** *tr* surpass; [is. i antal] exceed; [ngn] *äv.* excel; [besegra] outdo, **F** beat **-tyga I** *tr* convince [*om* of; *om att* that]; *det är jag ~d om* (*äv.*) I am positive (**F** dead sure) [of that]; *var ~d om det!* [you may] rest assured of that! **II** *rfl,* ~ *sig om* ascertain, make sure of **-tygande** *a* convincing; [bindande] conclusive **-tygelse** conviction; [tro] belief; [fast ~] *äv.* assurance; jfr *2 fast 2;* [*jag har kommit*] *till den ~n att* .. to the conclusion that; *handla mot sin* ~ act against one's convictions **-täcka** *tr* cover **-tändas** *pass.* be in flames **-tänder** upper teeth **-tänka** *tr* think over, reflect upon; consider **-uppseende -uppsikt** supervision, superintendence **-uppsyningsman** overseer, supervisor

över||vaka *tr* superintend, supervise; ~ *att* (*äv.*) see [to it] that **-vakare** *jur.* probationer **-vakning** supervision, superintendence **-vara** *tr* attend, be present at **-vikt 1** overweight; *flyg.* excess luggage (*Am.* baggage); *kostnaden för* ~ the excess luggage (&c) fee **2** *bildl.* preponderance, predominance; *få* (*ha*) ~ (*äv.*) preponderate, predominate **-vinge** upper wing **-vinna** *tr* vanquish, conquer; [motvilja o. d.] overcome, get over **-vinnelig** *a* vanquishable, conquerable **-vintra** *itr* [over]winter; *vetensk.* hibernate **-vintring** wintering; hibernation **-vunnen** *a, en* ~ *ståndpunkt* an obsolete theory, an idea that has had its day **-vuxen** *a* overgrown; *äv.* overrun **-våld** outrage; jfr *våld 2* **-väga** *tr* consider, ponder; [-lägga om] deliberate upon **-vägande I** *s* consideration, deliberation **II** *a* preponderating, predominant; *den* ~ *delen* the majority **-väldiga** *tr* overpower, overwhelm; *~d* (*äv.*) overcome **-väldigande** *a* overpowering, overwhelming; ~ *majoritet (äv.)* crushing majority **-årig** *a* superannuated **-ösa** *tr,* ~ *ngn med* .. (*bildl.*) shower (heap) .. upon a p.

övlig *a* usual; customary

övning 1 training, exercise; [*av brist på* from want of] practice; ~ *ger färdighet* practice makes perfect; *ha* ~ *i* be practised in **2** [med *pl*] exercise; *~ar* practice *sg,* exercises **-s|exempel** *mat. o. d.* example for a solution **-s|fartyg** training-ship **-s|flygning** training flight, flight training **-s|flygplan** trainer, training airplane **-s|lektion** practice lesson **-s|läger** training-camp **-s|skola** training-school **-s|stycke -s|uppgift** exercise **-s|ämne** *skol. ung.* extra subject

övre *a* upper; *äv.* top; jfr *nedre, våning*

övrig *a* [återstående] remaining; [annan] other; *det* (*de*) *~a* the rest; *det står mig intet annat ~t* I have no other choice; *lämna mycket ~t att önska* leave a great deal to be desired; *för ~t* for the rest; [annars] otherwise, in other respects; [dessutom] moreover, besides; [vidare] further; [i själva verket] indeed, in fact, as a matter of fact

ö|värld archipelago

TILLÄGG OCH RÄTTELSER

(*t.* = tillägg till föreg.; *r.* = rättelse av föreg.)

babylonisk *r. en ~ förbistring* a confusion of languages; a babel of tongues
bländare *r.* shutter *utgår*
budgetöverskott surplus in the budget
byggnads||skede phase in the construction [of a building &c] **-stil** style of architecture
delstat [i federation] constituent state
djupskärpa *r.* (bör stå före *djupt*)
estraddebatt panel discussion
fastighetsagent *t.* real estate agent (broker); *Am.* realtor
fältforskning field research
kärleks||dikt love poem (lyric) **-lyrik** love-inspired lyrical poetry
könsmognad sexual maturity
litteraturforskning literary research
mota *r.* o. *t., ~ Olle i grind (ung.)* forestall one's enemy; ward off impending trouble
osaklighet lack of objectivity
regeringsmakt, *~en* the government, the supreme power
röstningsprocent [hög a heavy; *låg* a small] poll
självbehärskning *t.* self-restraint
skadegörelse [infliction of] damage (injury)
skogsbestånd forest stand
språk||granskare language reviser **-politik** language[-regulating] politics *pl* (policy)
statsbolag government-owned (-controlled) company
styrkeförhållande relative strength
viltvård game protection (preservation)